MATTHIAS LAARMANN

DEUS, PRIMUM COGNITUM

DIE LEHRE VON GOTT ALS DEM ERSTERKANNTEN DES MENSCHLICHEN INTELLEKTS BEI HEINRICH VON GENT († 1293)

ASCHENDORFF MÜNSTER

BEITRÄGE ZUR GESCHICHTE DER PHILOSOPHIE
UND THEOLOGIE DES MITTELALTERS

Texte und Untersuchungen

Begründet von Clemens Baeumker
Fortgeführt von Martin Grabmann und Michael Schmaus

Im Auftrag der Görres-Gesellschaft
herausgegeben von Ludwig Hödl und Wolfgang Kluxen

Neue Folge
Band 52

Gedruckt mit Unterstützung
der Görres-Gesellschaft zur Pflege der Wissenschaft

Gesamtherstellung: Druckhaus Aschendorff, Münster, 1999

Gedruckt auf säurefreiem, alterungsbeständigem Papier ∞

ISBN 3-402-04003-X

ILLUSTRISSIMO AC REVERENDISSIMO DOMINO

DOMINO

LUDOVICO HÖDL

PRAELATO HONORARIO SANCTITATIS SUAE

SACRAE THEOLOGIAE DOCTORI

PROFESSORI EMERITO UNIVERSITATIS BOCHUMIENSIS

ACUTISSIMO PERSCRUTATORI
TEXTUUM DOCTRINARUMQUE THEOLOGORUM
PRAESERTIM SAECULORUM XII ET XIII

SAGACISSIMO INTERPRETATORI
DOCTRINAE S. THOMAE AQUINATIS
DOCTORIS COMMUNIS SANCTAE ECCLESIAE CATHOLICAE

POST FRANCISCUM EHRLE
FELICEM IN GERMANIA INCEPTOREM
STUDIORUM HISTORICO-CRITICORUM
DE VITA, SCRIPTIS ET DOCTRINA HENRICI DE GANDAVO
COOPERATORESQUE EIUS PRAECIPUOS
FRANCISCUM PELSTER, MARTINUM GRABMANN,
MICHAELEM SCHMAUS
INGENUOSISSIMO FAUTORI ET PROVECTORI
STUDIORUM DOCTORIS SOLEMNIS

OPTATISSIMO MAGISTRO AC PRAECEPTORI NOSTRO

HAS QUALESCUMQUE LABORIS SUI PRIMITIAS
IN SIGNUM GRATITUDINIS
DAT, DONAT, DEDICAT

AUCTOR

Vorwort

Die vorliegende Untersuchung behandelt die Lehre von Gott als Ersterkanntem des menschlichen Intellekts bei Heinrich von Gent im Kontext hochscholastischer Theorien sog. naturaler bzw. impliziter[1] Gotteserkenntnis und versteht sich als eine theologiegeschichtliche Studie zur historischen Gestalt dieser henrizianischen Doktrin und zu ihrer Wirkungsgeschichte.[2] Die Arbeit wurde als Inaugural-Dissertation im WS 1996/97 an der Katholisch-Theologischen Fakultät der Ruhr-Universität Bochum eingereicht. Das zu Jahresende 1996 abgeschlossene Manuskript ist für den Druck gekürzt und leicht überarbeitet worden. Später erschienene Literatur konnte lediglich nachgetragen und nur in Einzelfällen ausgewertet werden.

Diese vor allem durch ihren Umfang leider recht leserunfreundlich geratene Studie, bei deren Abfassung ich häufiger als erwartet so manche zeit- und kraftraubenden Um- und Irrwege zu gehen und zu bestehen hatte, verdankt sich dem Mittun zahlreicher Menschen. Ein Dank geht zuerst an meine akademischen Lehrer in der Bochumer Katholisch-Theologischen Fakultät, allen voran Herrn Prof. Dr. Ludwig Hödl, der mich seit den Anfängen meines Studiums in einem weit über fachliche Belange hinausgehenden Maße förderte. Sein Verständnis gewissenhaften theologiehistorischen Forschens, auf der Basis möglichst breiten Quellenstudiums informieren und nicht indoktrinieren zu wollen, ist mir verbindlich geworden. Möge derartige Interpretationsarbeit dazu beitragen, daß das Glaubenszeugnis der hochscholastischen Theologie – einer *aurea aetas* christlicher Glaubensreflexion – in seiner Eigenwertigkeit noch faßbarer wird und für die gegenwärtige Theologie als eine vorwärtsweisende, kritisch-konstruktive Potenz erhalten bleibt. Von meinem Lehrer *in rebus philosophicis*, Herrn Prof. Dr. Theo Kobusch, empfing ich in

[1] Die an dieser Stelle summarische Redeweise von Theorien impliziter Gotteserkenntnis ist eine Konzession an die terminologischen Gepflogenheiten heutiger Theologie natürlicher Gotteserkenntnis, die deutlich durch thomistisches Vokabular geprägt ist. Sie darf aber nicht als thomistisierende Vereinnahmung eines ausgesprochen variantenreichen Traditionsstromes gewertet werden.

[2] Ein eigenes Wort sei an all die Interpreten des JOHANNES DUNS SCOTUS gerichtet, die dieses Buch lesen, um über den wichtigsten Vor-Denker des *Doctor subtilis* Auskunft zu erhalten. Schon in der ersten Phase der Erarbeitung dieser Studie beobachtete ich eine hermeneutisch problematische Prädominanz skotistischer Fragestellungen in der Heinrich von Gent-Forschung im allgemeinen und hinsichtlich des Themas dieser Studie, der *Primum cognitum*-Theorie, im besonderen. Um aber meine prononciert historisch-genetische Sicht auf Heinrichs Gedankenwelt möglichst nicht zu beeinträchtigen, legte ich mir eine jahrelange strikte Lektüreabstinenz der einschlägigen skotischen Texte auf. Wenn auch dadurch verschiedene vorwärtsweisende Aspekte des henrizianischen Denkens mit Blick auf DUNS SCOTUS von mir nur angerissen oder gar unbenannt geblieben sein mögen, so meine ich doch, daß der Gesamtertrag dieser vorgelegten Untersuchung ein solches Vorgehen rechtfertigt.

vier Jahren als studentische Hilfskraft und schließlich in der Zeit vom WS 1991/92 bis zum SS 1994 als wissenschaftlicher Mitarbeiter speziell auf den Gebieten der antiken und mittelalterlichen Philosophiehistorie fundamentale Kenntnisse und Fertigkeiten, die meiner Beschäftigung mit mittelalterlicher Theologie außerordentlich zugute gekommen sind. Herr Prof. Dr. Wendelin Knoch, der auch die Mühe des Zweitgutachtens auf sich genommen hat, bot in der Zeit vom WS 1994/95 bis zum WS 1996/97 – nicht zuletzt durch seine rheinländische Natur begünstigt – seinem westfälischen wissenschaftlichen Mitarbeiter vorzüglichen und geduldigen Raum, dessen immer ausgreifender werdenden theologiehistorischen Forschungen voranzutreiben und zu sammeln. Meinem altphilologischen Lehrer, Herrn Prof. Dr. Siegmar Döpp (jetzt Göttingen), habe ich zu danken für begeisternde Lehrveranstaltungen, in denen traditionelle mikroskopische Detailanalyse mit Methodenstandards moderner Text- und Literaturwissenschaft zusammengeführt wurden. Herrn Prof. Dr. Günter Gawlick verdanke ich lichtvolle Einblicke in die antike, speziell hellenistische Philosophie und die frühneuzeitliche Philosophie gleichermaßen.

Dankbar bin ich P. Dr. Raymund Macken OFM, dem Koordinator der *Henrici de Gandavo Opera Omnia* und unermüdlichen Förderer gerade der jungen Heinrich-Forscher. Seine zahlreichen Hilfen fachlicher und persönlicher Art sicherten insbesondere den Ertragsreichtum meiner Gespräche und Bibliotheksbesuche in Löwen. Mit Dr. Inigo Bocken (Schoten b. Antwerpen, z. Z. Nijmwegen) ergaben sich inspirierende religionsphilosophische Gespräche im Horizont henrizianischen und cusanischen Denkens, die seine Eltern, Magda Buckinx-Bocken (†) und Dr. Pieter Bocken, mit bester flämischer Gastfreundschaft zu umrahmen wußten.

Dank für materielle und ideelle Unterstützung während meines Studiums gebührt auch der Bischöflichen Studienförderung Cusanuswerk, besonders dem damaligen Leiter, Herrn Prof. Dr. Ludger Honnefelder, sowie der damaligen Geschäftsführerin, Frau Dr. Annette Schavan.

Aus unterschiedlichsten Gründen geht schuldigerweise mein Dank an die Damen und Herren Aiga Beilner, Sigrid Klöhn, Hans Laarmann, Dr. Tobias Trappe, Dr. Claus-Peter Vetten und vor allem Karin Kuhl, Sekretärin des Bochumer Lehrstuhls für Dogmatik, die wegen ihrer aufhelfenden Anteilnahme an den Organisations- und Lebensnöten eines Doktoranden einen besonderen Anteil am Gelingen meiner Dissertation besitzt. Für Rekreation an Leib und Seele in nötigen Momenten sorgten in ihrem Baseler Domizil oder von dort aus lic. phil. Beate Florenz und Dr. Claus Volkenandt. Aufopferungsvolle Hilfe bei den Korrekturarbeiten leisteten Dipl.-Theol. Kerstin A. Jacobi M. A., Thorsten Schnell, Ulrike Vordermark und Sabina Wessel.

Ein eigener, großer Dank gehört meinen Eltern, Waltraud und Theodor Laarmann, die mich während Schulzeit und Studium nach besten Kräften unterstützten. Unmöglich ist es aber, passende Dankesworte für die Person zu finden, ohne deren Liebe, Mut, Kraft und Ausdauer diese Arbeit nicht an ein erfolgreiches Ende hätte geführt werden können. Meine geliebte Frau Silke gab mir entscheidenden Rückhalt während so mancher strapaziösen Phase der Arbeit. Nach der Geburt unseres ersten Sohnes Vitus, der nicht nur auf eine unnachahmliche Art unser gemeinsames Leben bereicherte, sondern mir auch das Problem des Ersterkannten des menschlichen Intellekts in eine ungekannt lebendige Nähe brachte, nahm sie – vereint mit meinen geschätzten Schwiegereltern Ria und Artur Nientiedt – so manche Last auf sich, damit mir für die Ausarbeitung die nötige Ruhe und Muße zur Verfügung standen.

Abschließend gilt mein Dank auch den Herausgebern der „Beiträge zur Geschichte der Philosophie und Theologie des Mittelalters“, Herrn Prof. Dr. Ludwig Hödl und Herrn Prof. Dr. Dr. h. c. mult. Wolfgang Kluxen, für die Aufnahme der Arbeit in dieser Reihe sowie der Görres-Gesellschaft für die Übernahme der Druckkosten.

Lünen i.W., 15. November 1998,
am Fest des hl. Albert des Großen

Der Verfasser

Inhaltsverzeichnis

III. Der Begründungsgang einer Ersterkenntnis Gottes als Teilelement eines apriorischen Gottesbeweises bei Heinrich von Gent

IV. Das Fortleben der *Primum cognitum*-Theorie Heinrichs im Zusammenhang seiner allgemeinen Wirkungsgeschichte. Ein Beitrag zur Historiographie des *Doctor solemnis*

Literaturverzeichnis

Indices

Einleitung

§ 1 HINFÜHRUNG ZUM THEMA DER ARBEIT

Werden Themen traditionsmächtig, werden sie zum Buch. Als im Jahre 1508 der Paduaner Averroist und große Aristoteles-Kommentator Marcantonio ZIMARA (um 1475 - 1532)[1] seine umfängliche *Quaestio de primo cognito* erscheinen ließ[2], machte sich in jener blühenden Zeit der Renaissancephilosophie dieser Schüler des Agostino NIFO und Pietro POMPONAZZI *in tam perardua materia et antiqua quaestione*[3] zum Fortsetzer einer scholastischen Diskussion, die in der Mitte des 13. Jahrhunderts entbrannt war. Vom letzten Drittel des 13. bis weit ins 14. Jahrhundert hinein befaßten sich die besten philosophischen und theologischen Köpfe der Zeit in einem an Wendepunkten nicht armen Entwicklungsgang mit dieser Frage nach dem Ersterkannten des menschlichen Intellekts, und die schöpferische Tradition der Schulen führte die Thematik fort. ZIMARA verschaffte der damals dieser Frage geschenkten Beachtung nun erstmals durch eine monographisch verfaßte Studie einen sinnfälligen Ausdruck, hatte doch 1493 Antonio TROMBETTA OFMConv (1436 - 1517)[4], einer der führenden Skotisten seiner Zeit und einer der Venetianer Lehrer ZIMARAS, noch innerhalb seines Metaphysik-Kommentars die thomistische[5] *Primum*

[1] Cf. A. ANTONACI: *Ricerche sul'aristotelismo del Rinascimento: Marcantonio Zimara* (2 vol.). Lecce/Galatina 1971/1981, der ZIMARA als neuplatonisierenden Averroisten darstellt; Ch. H. LOHR: *Renaissance Latin Aristotle Commentaries: Authors So-Z.* In: Renaissance Quarterly 35 (1982), pp. (164-256) 245-254; M. J. WILMOTT/Ch. B. SCHMITT: *Biobibliographies.* In: Ch. B. SCHMITT/Qu. SKINNER (ed.): Cambridge History of Renaissance Philosophy. Cambridge 1988, p. (805-841) 841.

[2] Cf. M. A. ZIMARA: *Quaestio de primo cognito. Eiusdem Solutiones contradictionum in dictis Averroys* ... Venedig 1508 (bis 1576 erschienen 8 Ausgaben!). Der Text der *Quaestio de Primo Cognito, in Gymnasio Patavino publice examinata* wird zitiert nach ARISTOTELIS *Opera cum Averrois commentariis, latine.* Ed. Iuntina. Venedig 1562-1574 (ed. anastat. Frankfurt a.M. 1962), tom. IV (1562), pp. 457r-464r. - Eine Fortsetzung fand diese *quaestio* z. B. bei J. ZABARELLA (1533 - 1589): *Liber de ordine intelligendi.* In: ID.: De rebus naturalibus libri XXX. Frankfurt a.M. 1606/07 (ed. anastat. Frankfurt a.M. 1966), tom. I, col. 1041-1076. Eine ausführliche Problemdarstellung vom thomistischen Standpunkt gab JOHANNES A S. THOMA (POINSOT/POINSET) OP (1589 - 1644): *Naturalis philosophia, pars I, q. 1, a. 3* (Matriti 1633, Saragossa ²1644). In: ID.: Cursus philosophicus thomisticus. Ed. B. REISER. Turin 1930-37, tom. II (1933), pp. 20a-33b; dazu V. GUAGLIARDO: *Being-as-First-Known in Poinset: A Priori or Aporia?* In: Amer. Cath. Philos. Quarterly 68 (1994), pp. 363-394.

[3] ZIMARA, *Quaestio de primo cognito* (1508). Ed. Iunt. 1562, fol. 464rb.

[4] Cf. A. TROMBETTA: *Quaestiones metaphysicales, seu Opus in Metaphysicam Aristotelis I, q. 9.* In: ID.: Opus doctrinae scoticae ... in thomistas discussum. Venedig (1493) ²1502. - Cf. LThK² X (1965), col. 372sq. (V. HEYNCK).

[5] Die deutschsprachige Thomas-Forschung unterscheidet seit A. MITTERER: *Das Ringen der alten Stoff-Form-Metaphysik mit der heutigen Stoff-Physik* (Wandel des Weltbildes von Thomas auf heute 1). Innsbruck/Wien/München 1935, p. 9, terminologisch zwi-

cognitum-Lehre scharf attackiert und dadurch den wenig später erfolgten, ausführlichen Widerspruch des THOMAS DE VIO CAJETAN OP (1469 - 1534)[6] innerhalb seines Kommentars zur thomanischen Schrift *De ente et essentia* veranlaßt.

Um was aber ging es in diesem Streit, und wer war sein Urheber? ZIMARA begann seine straff gegliederte Quästion, die sich für ihn im Zusammenhang seiner Kommentierung des Prologs der aristotelischen Physik ergeben hatte, mit einer schulmäßig präzisen Erklärung des Titels, indem er die Problemstellung von knappen, mehr beiläufigen Bemerkungen bei ARISTOTELES und seinen Kommentatoren, d.h. besonders von AVERROES her, erläuterte: Es geht *in ista quaestione difficillima*[7] um das Zustandekommen und die Inhaltsbestim-

schen 'thomistisch' als dem, was Thomas-Schüler und -Interpreten *ad mentem Aquinatis* sagen, und 'thomasisch' als dem, was an Aussagen oder Werken vom Aquinaten selbst stammt. Gegenüber dem von MITTERER aufgebrachten Ausdruck 'thomasisch' gilt freilich der Einwand von G. SÖHNGEN: *Der Weg der abendländischen Theologie. Grundgedanken zu einer Theologie des 'Weges'.* München 1959, p. 91: „Wann verschwindet das schlechte Deutsch 'thomasisch' (in Unterscheidung von 'thomistisch'): wir Deutschen sprechen doch nicht vom Leipziger Thomaser-Chor und vom lukasischen Evangelium: warum also nicht auch 'thomanisch'?" - Vor einem überzogen kritischen Gebrauch der Antithese 'thomanisch' - 'thomistisch' für die Deutung der thomanischen Texte selbst warnt zu Recht SCHENK: *Die Gnade vollendeter Endlichkeit.* 1989, p. 76sq.

[6] Cf. THOMAS DE VIO CAIETANUS: *In De ente et essentia D. Thomae Aquinatis commentaria, prooem., q. 1* (1494). Ed. M.-H. LAURENT. Turin 1934. - Cf. zum Thema WERNER: *Der hl. Thomas von Aquino.* 1858/59 (^{2}1889), tom. III: Geschichte des Thomismus (1859), pp. 287-291; REDING: *Struktur des Thomismus.* 1974, pp. 68-75; F. RIVA: *Il Gaetano e l'ente come 'primum cognitum'.* In: RFNS 85 (1993), pp. 3-20; ferner THOM. DE AQU., L'ente e l'essenza. Introd., trad., note e apparati di P. PORRO. Con un appendice sul Commento des Gaetano sul De ente et essentia. Testo latino a fronte. Mailand 1995. Zu CAJETANS Person und Werk U. HORST: *Thomas de Vio Cajetan (1469-1534).* In: H. FRIES/G. KRETSCHMAR (Hg.): Klassiker der Theologie. München 1981, tom. I, pp. 269-282. 415sq. (Lit.). 430-432; LThK^3 II (1994), col. 884sq. (Barbara HALLENSLEBEN).

[7] Die von ZIMARA selbst gebotene Bestimmung des Themas verrät nicht nur die Höhe des seit der Hochscholastik gewandelten Reflexionsniveaus, sondern auch bereits die wegen ihrer hohen Technizität das scholastische Denken auszeichnende Einsicht, daß die wahrheitsgemäße, also seinsgerechte Beschreibung der Dinge mindestens so kompliziert und differenziert ist wie das Wesen dieser Dinge selbst: Es handelt sich beim Ersterkannten demnach nicht um mehrere Begriffe, sondern um einen, nämlich um das fundamental - nicht formal - begriffene Universale als erste Intention (*intentio prima*), insofern es für das prädizierte Universale supponiert. Genauerhin geht es bei ZIMARA um die inkomplexe konfuse Erkenntnis dieses allerallgemeinsten Primärbegriffs, d. h. um einen Terminus, der in ein Urteil (*complexum*) erst eingeht, aber vordem bereits erkannt ist. Diese von AVERROES als erste natürliche Erkenntnis des Menschen (*prima hominis naturalis cognitio*), von den lateinischen Interpreten als eine verschwommene und undeutliche Kenntnis (*confusa et indistincta cognitio*) bezeichnete Erkenntnis von unmittelbar sinnlich erfahrenen Wirkungen und Akzidentien wird abgegrenzt gegenüber ihrer komplexen Form als apodiktischer Beweis des Zeichens (*demonstratio signi*). Gegenstand der Analyse ist

mung der Primärbegriffe des menschlichen Denkens, die am Anfang des Erkenntnisprozesses stehen und von denen aus jedes anfangshafte Erkennen einer Realität - sei sie Gott oder sei sie Welt - seiner Vervollkommnung entgegenstrebt. Die Frage nach dem *primum cognitum* zielt also auf den ersten Gegenstand des Verstandes als den Grund allen Wissens und allen Wißbaren, als den Horizont des Verstehens, der alles Verstehen vermittelt und auf den gleichsam als eine Form apriorischen[8] Hintergrundwissens zurückzugehen ist, wenn noch Unverstandenes verständlich gemacht werden soll. ZIMARA referierte dann im Hauptteil seiner Schrift die Lehrmeinungen des WALTER BURLEIGH (um 1275 - 1344/45) und besonders ausführlich die des GREGOR VON RIMINI OESA (um 1300 - 1358), der von den *Nominales* für dieses Thema bemüht wurde, sowie die Meinungen des JOHANNES DUNS SCOTUS OMin (um 1265 - 1308) und des THOMAS VON AQUIN OP (1224/25 - 1274), nicht ohne verschiedene, von den einzelnen Schulen gegeneinander vorgehaltene oder von ZIMARA neu aufgebrachte Einwände einzuflechten. Den Abschluß setzte ZIMARA mit einer Stellungnahme zu den vorher genannten Positionen und einer Erläuterung seiner eigenen Auffassung.[9]

folglich die erste natürliche Erkenntnis in ihrer konfusen inkomplexen Gestalt, die im zeitlichen und sachlichen Voraus zu jeder distinkten inkomplexen oder komplexen Erkenntnis sich allein auf eine gewisse intuitive, präreflexive Kenntnis des besonderen Namens bzw. der Nominaldefinition (*quid nominis*) gründet. - Die *intentio prima* als der direkt erfaßte Gegenstand selbst (z. B. Mensch, Lebewesen) wird spätestens seit AVICENNA geschieden von der *intentio secunda* als Reflexionsbegriff (z. B. Prädikabilien wie Gattung, Art, Differenz); cf. ENGELHARDT, *Intentio.* 1976, col. 469sq.; Ch. KNUDSEN: *Intentions and Impositions.* In: CHLMPh 1982, pp. 479-495, zu Heinrich p. 482sq., ferner HENR. DE GAND., *Summa 53,5* Badius 64vH-K; ID., *Qdl. V,6* Badius 161r-vL; ID., *Qdl. V,12* Badius 171rX-Y. Cf. auch L. HICKMAN: *Incomplexum/complexum.* In: HWPh IV (1976), col. 277-279.

[8] Hier wie auch an allen übrigen Stellen dieser Arbeit, soweit nicht ausdrücklich anders gemeint, wird der Begriff des Apriori in präkantianischer Bedeutung verwendet; cf. H. SCHEPERS et al.: *A priori/a posteriori.* In: HWPh I (1970), col. 462-474. Für eine ausführlichere Erörterung cf. Kap. II, § 3,5 dieser Arbeit; ferner Kap. III, § 3,3 zur Identifikation des religiösen Apriori mit dem Seelengrund bei R. OTTO. - Die kantische Lehre und ihre Hintergründen in der Deutschen Schulphilosophie behandelt M. OBERHAUSEN: *Das neue Apriori. Kants Lehre von einer „ursprünglichen Erwerbung" apriorischer Vorstellungen* (Forsch. u. Mat. zur dtsch. Aufklärung II/12). Stuttgart-Bad Cannstatt 1997, spec. pp. 46sq. 55sq. – Zur neueren philosophischen Diskussion, insbesondere in der analytischen Philosophie cf. P. K. MOSER: *A priori.* In: REncPh I (1998), pp. 3b-6a (Lit.).

[9] Cf. ZIMARA, *Quaestio de primo cognito* (1508). Ed. Iunt. 1562, fol. 457rb-va (Erläuterung des Fragepunktes gemäß ARISTOTELES und dessen Kommentatoren, bes. AVERROES, bei der später folgenden Diskussion häufig auch THEMISTIUS); fol. 457va-460ra (bes. GREG. ARIM., *In I Sent., dist. 3, q. 3, a. 2* und GUALT. BURLEIGH, *In Phys. I, prol.*; mit ausführlicher Stellungnahme ZIMARAS); fol. 460ra-461rb (IOA. DUNS SCOTUS, *Ord. I, dist. 3, q. 2*); fol. 461rb-vb (THOM. DE AQU., *S. theol. I, q. 85, a. 3*); fol. 461vb-464rb (ZIMARAS eigene Position, wo er sich - *quia ubi Subtilis doctor discrepat a Beato doctore, difficile est videre veritatem* [fol. 461vb] - überraschend auch an den als

Interessant sind hier zunächst die genannten Autoren und die mit ihnen verbundenen Lehrrichtungen. Denn ZIMARA beschränkt sich letztlich darauf, nach einem seit Ende des 14. Jahrhunderts üblichen historiographischen Schema die Troika THOMAS, DUNS SCOTUS und OCKHAM bzw. die *Nominales* anzuführen.[10] Andere Autoren werden einer Position dieser drei zugeschlagen. Welche historiographische Tragkraft besitzen nun die Angaben bei ZIMARA? Durch die Nennung des THOMAS VON AQUIN setzte ZIMARA die explizite thematische Entfaltung des Problems in der Mitte des 13. Jahrhunderts an. Damit traf ZIMARA die historische Wahrheit. Denn in der zwischen 1255 und 1259 in Paris verfaßten, als Quästionen-, und nicht mehr als Literalkommentar konzipierten *Expositio super librum Boethii De trinitate* formulierte THOMAS - offensichtlich erstmals in der gesamten bislang bekannten scholastischen Quästionen- und Kommentarliteratur - die Frage, *utrum Deus sit primum quod a mente cognoscitur.* Die These seiner *adversarii* hatte THOMAS auch genauer umrissen: *quidam dixerunt quod primum, quod a mente humana cognoscitur etiam in hac vita, est ipse Deus, qui est veritas prima, et per hoc omnia alia cognoscuntur.*[11] Leider konnte diese epochentypische anonyme Zuschreibung[12] bis heute noch nicht identifiziert werden.[13] Aber das Problem hatte bei einem der führenden Denker jener Zeit eine feste Gestalt erhalten und unverkennbaren Rang angenommen. THOMAS kam nämlich um 1265 in seiner *Summa theologiae I, q. 88, a. 3* - ein Text, den ZIMARA überraschenderweise nicht zitiert! - nochmals ausdrücklich darauf zurück.

Neben diesen Beobachtungen zu den bei ZIMARA angeführten Personen ist aber auch ein entscheidender Unterschied zwischen THOMAS und ZIMARA in der Problemzuordnung festzuhalten: THOMAS hatte ein dezidiert theologisches Interpretationsinteresse. Der gesamte Kontext der Fragestellung im

vermittelnd angesehenen HERVAEUS NATALIS OP [† 1323] anschließt; cf. fol. 463vb, ohne Angabe einer Stelle, cf. aber etwa HERV. NAT., *Qdl. IX,9.* Venedig 1513, fol. 165vb-168ra. Es sei darauf hingewiesen, daß es auch ZIMARA war, der die Quodlibets und acht Traktate des HERVAEUS NATALIS 1513 in Venedig [ed. anastat. Ridgewood, N.J. 1966] drucken ließ!).

[10] Cf. HOENEN, *Marsilius of Inghen.* 1993, p. 22.

[11] THOM. DE AQU., *In Boeth. De trin. I,3.* Decker 68-74. - Eine Analyse dieses bedeutsamen Textes erfolgt in Kap. III, § 2,2,a,iii dieser Studie.

[12] SCHÖNBERGER, *Ursachenlehre.* 1994, p. 429, nennt diese scholastische Redeweise, die der vorschnellen Personalisierung einer Kontroverse vorbeugen will, treffend eine „Anonymisierungsformel". - Daß es sich bei THOMAS nicht um die Annahme einer hypothetischen, konstruierten Position handelt, ersieht man aus Kap. III, § 2,2,a dieser Studie.

[13] GRABMANN, *Einleitungslehre.* 1948, p. 76sq., verwies auf *adversarii* augustinistischer Provenienz, wie sie bereits BONAV., *In II Sent., dist. 23, a. 2, qu. 3* (verf. 1253) ed. Quar. II, p. 544a, vor Augen gehabt hätte (cf. Kap. III, § 2,2,a). GRABMANN konnte aber keine bestimmte Autorenpersönlichkeit festmachen. Auch die gelehrte Editorengruppe der *Editio Leonina* bekundete - mit Rückverweis auf GRABMANNS Studie - im Quellenapparat zur genannten Stelle: *non invenimus.*

Boethius-Kommentar des THOMAS legt offen, daß es sich um Grundlagendiskussionen innerhalb der dogmatischen Lehre einer natürlichen Gotteserkenntnis handelt. Dieser für den philosophierenden Theologen THOMAS wichtige Zusammenhang bleibt aber seitens des 'bloßen' Philosophen ZIMARA außer Blickweite.[14] Ein äußeres Indiz ist das gewählte Schema seines doxographischen Berichts, das zeitgenössische Fragebedürfnisse bestimmter, meist durch Ordensgemeinschaften institutionell gefestigter Lehrrichtungen der Renaissancephilosophie widerspiegelt. Es nimmt nur schwerlich Rücksicht auf das historische Recht von Positionen, die aus welchen Gründen auch immer zu dieser Zeit keinen schulmäßig formierten Anwalt vorweisen konnten, der ihren eigengewichtigen Beitrag zum Fortgang von theologischen und philosophischen Entwicklungen geltend machte. Insbesondere der für DUNS SCOTUS - ZIMARAS zweiten Gewährsmann - in Wahrheit entscheidende Autor bleibt als naheliegende Folge dieser mißlichen doxographischen Engführung bei ZIMARA ungenannt. Die verschwiegene Person, die den schon bei THOMAS manifesten theologischen Kontext weiter steigerte, die bei der Frage nach dem Ersterkannten des menschlichen Intellekts die Bedeutung Gottes so emphatisch hervorkehrte und die dadurch diese Thematik in unabweisbarer Dringlichkeit DUNS SCOTUS vorgab, heißt HEINRICH VON GENT († 1293). Verselbständigte vermutlich der Aquinate als erster die explizite Frage nach dem *primum cognitum* zu einer *quaestio*, so war es mit Gewißheit doch Heinrich von Gent, der als erster Scholastiker diesen Fragepunkt in die dogmatische Lehre von der Gotteserkenntnis fest eingliederte und in zuvor ungekannter Prägnanz, Konsequenz und Ausführlichkeit zur Sprache brachte. Heinrich beheimatete diese Frage innerhalb seiner *Summa*[15] an einem markanten systematischen Ort und sicherte ihr - durch DUNS SCOTUS vermittelt - auf lange Zeit das Interesse von Theologie und Philosophie.

Daß diesen mit großem philosophischen Aufwand ausgearbeiteten Argumentationsgängen eine genuin theologische Fragestellung zugrundelag, vermag eine historisch-genetische Analyse aufzudecken. Bei den scholastischen Theoretikern der Gotteserkenntnis ist - in z. T. noch ungeklärter Abfolge - die Frage nach dem Ersterkannten des menschlichen Intellekts nicht als abseitige Frage aufgekommen und aus selbstverliebter Lust an der Disputation über

[14] Es müssen hier die religionsphilosophischen Fragen auf sich beruhen bleiben, inwieweit im Raum der Theologie erwachsene Fragen an die Philosophie abgetreten werden können und sollen, und ob dabei die theologische Aussage neben einem philosophiekritischen Sinn auch eine befruchtende Impulskraft für philosophische Reflexion zu behalten vermag. Daß hier die Dialogfähigkeit sowohl der Theologie als auch der Philosophie auf dem Spiel steht, zeigt nachdrücklich R. SCHAEFFLER: *Religion und kritisches Bewußtsein.* Freiburg i.Br. 1973.

[15] Wenn in dieser Arbeit entgegen den offenkundigen literarhistorischen Fakten (cf. Kap. I, § 2,1.b) abkürzend von der *Summa* des Heinrich von Gent gesprochen wird, ist dies als - gern gewährte - Konzession an eine spätestens in skotischen Werken belegbare Gewohnheit der scholastischen Tradition selbst zu werten.

Jahrhunderte forciert behandelt worden. Der sachliche Gehalt der Frage eröffnete sich für die Theologie des 13. Jahrhunderts in zweifacher Perspektive.

Zum einen betrifft die Frage nach dem *primum cognitum* bzw. nach dem *primum obiectum naturale adaequatum intellectus*, wie DUNS SCOTUS es später spezifizierend nannte, Ursprung und Grenze menschlicher Welt- und Gotteserkenntnis und zielt somit ins Zentrum jeder Erkenntnistheorie und somit auch jeder Anthropologie. Kein Geringerer als Etienne GILSON (1884 - 1978) gab zu bedenken: „Auf den ersten Blick sollte man meinen, wenn ein Philosoph die Gotteserkenntnis sichern wolle, geschähe es am einfachsten dadurch, daß er Gott als den natürlichen Gegenstand unseres Verstandes statuiere. Bisweilen werden die christlichen Philosophen auch dahin verstanden, und dann verschreit man sie nicht mehr nur als Theologen, sondern als Mystiker. Aber nichts ist so falsch wie das. Die mittelalterlichen Philosophen erheben selbst gern einer gegen den anderen den Vorwurf, er mache Gott zum natürlichen Objekt unserer Erkenntnis; eben weil diese Gefahr in ihren Augen so groß ist, gefällt sich jeder von ihnen in dem Gedanken, er habe noch besser als sein Kollege über sie obsiegt. Bonaventura erhebt den Vorwurf gegen Grosseteste, Duns Scotus gegen Heinrich von Gent, und mehr als ein Thomist erhebt ihn heute noch gegen Duns Scotus. Man täusche sich nicht! Mit dieser Frage fällt die Entscheidung über den Wert jeder christlichen Erkenntnislehre, und es verlohnt sich, sie gründlich zu untersuchen."[16]

Zum anderen traf die Frage nach dem von Natur aus Ersterkannten den Lebensnerv jeder Offenbarungsreligion. Die scholastischen Theologen machten von der Beantwortung dieser Frage die Möglichkeit und Notwendigkeit eines auf übernatürliche Offenbarung gestützten Glaubens und weitergehend

[16] GILSON, *Geist der mittelalterlichen Philosophie.* 1950, p. 279; cf. dort das ganze 13. Kap. (pp. 279-298). Die schon früh von GILSON: *Pourquoi saint Thomas a critiqué saint Thomas.* In: AHDL 1 (1926), p. (5-127) 97sq., vorgetragene Deutung, ROBERT GROSSETESTE wäre von BONAVENTURA wegen seines exzessiven Illuminationismus angegangen worden, weist die neuere Forschung allerdings entschieden zurück (J. MCEVOY: *The Philosophy of Robert Grosseteste.* Oxford 1982, p. 326). - Cf. zur angesprochenen Thematik im philosophiehistorischen Oeuvre GILSONS auch P. VIGNAUX: *Situation d'un historien philosophe devant la scolastique des XIVe et XVe siècles.* In: Etienne Gilson et nous: La philosophie et son histoire. Textes de M.-TH. D'ALVERNY et al. Réunis et publiés par M. COURATIER (Bibl. d'Hist. de la Philos.). Paris 1980, pp. (49-60) 59, not. 6, der darauf hinweist, daß GILSON den mittelalterlichen Augustinismus als 'Theologismus' und Quelle des philosophischen Skeptizismus bewertete, wie an zahlreichen seiner Publikationen abgelesen werden könne, z. B. GILSON, *Sur quelques difficultés de l'illumination augustinienne.* 1934; ID.: *The Unity of Philosophical Experience.* New York 1937, pp. 48-60 [Kap. I,2: Theologism and Philosophy]. Kritik an dieser Sicht übte P. VIGNAUX: *Philosophie au moyen age.* Paris ³1958 (ed. anastat. Albeuve 1987, mit neuem Vorw.), pp. 135-137. - Cf. allgemein R. SCHÖNBERGER: *Etienne Gilson.* In: J. NIDA-RÜMELIN (Hg.): Philosophie der Gegenwart in Einzeldarstellungen (KTA 423). Stuttgart 1991, pp. 183-186. - Zu GILSONS Bedeutung für die Heinrich-Forschung im 20. Jahrhundert cf. Kap. IV, § 2,4.

die Möglichkeit und Notwendigkeit einer diesen Glauben erklärenden Theologie abhängig. Die Tradition des lateinischen Westens hielt über Jahrhunderte fest an der augustinischen Illuminationslehre, die Gottes unmittelbare Präsenz in jedem menschlichen Erkenntnisakt, im ersten wie im letzten, durch eine graduell differenzierte Teilhabe am göttlichen Licht erklärte. Doch seit Mitte des 12. und verstärkt zu Beginn des 13. Jahrhunderts wurden durch Übersetzungen der naturphilosophischen und metaphysischen Schriften des ARISTOTELES sowie zugehöriger griechischer und arabischer Kommentarliteratur, besonders durch die Werke des AVERROES, Lesarten des Aristotelismus bekannt, die im emphatischen Rückgriff auf rein natürliche Instanzen und Prinzipien die Gesamtwirklichkeit mit szientifischer Gründlichkeit auszulegen beanspruchten und dabei den Ausgangspunkt aller menschlichen Erkenntnis in die sinnlich erfahrbare Außenwelt verlegten. Daneben trat mit AVICENNA ein Denker in den Blick der christlichen Theologie, der die Gott und Schöpfung umfassende Ganzheit des Wißbaren in den naturhaft mitgeteilten Primärbegriffen *res*, *ens* und *necesse* prinzipienhaft enthalten sah und daran eine theologisch zentrierte Metaphysik anschloß.

Gegenüber diesen hoch entwickelten intellektuellen Weltsichten griechisch-arabischer Provenienz mit ihren spezifischen Auffassungen über Ursprung, Reichweite und Vervollkommnung des menschlichen Erkennens mußte sich die christliche Theologie als Interpretin einer Offenbarungsreligion behaupten.[17] Die Konsequenz einer ungeprüften Adaption liegt auf der Hand: Erliegt man diesen naturalistischen Versuchungen, gerät der Glaube der christlichen Offenbarungsreligion in eine Iuxtaposition zu natürlich erwerbbarem Vernunftwissen, verschmilzt mit diesem und hebt sich schließlich selber auf. Daraus ergab sich im 13. Jahrhundert für die christliche Theologie die Aufgabe, den nach christlicher Lehre sich frei offenbarenden Gott als die alles bestimmende Macht in seiner Schöpfung auszuweisen und dies auch zur Geltung zu bringen, wenn das 'Wie' seiner Präsenz im erkennenden Menschen, der Krone seiner Schöpfung, erfragt wird. Man wollte weder das Extrem einer naturalistisch begründeten Lehre von einer erfüllten wesenhaften Erkenntnis Gottes suchen, noch in das andere Extrem einer fideistischen Lösung verfallen, denn diese wahrt zwar das Eigenrecht des vom sich offen-

[17] Versuche, den Gang der *Primum cognitum*-Diskussion an Einzelereignisse wie z. B. die Pariser Verurteilung von 1277 anzubinden - so bisweilen bei einigen Interpreten der skotischen *Primum cognitum*-Lehre -, führen einen bestimmten Anlaß sehr nahe an DUNS SCOTUS, den mit Heinrich bedeutungsvollsten Theoretiker des Themas, heran, kommen aber nicht zu Eindeutigkeiten und übersehen die Bedeutung des Heinrich von Gent. Darauf verweist mit begründeter Zurückhaltung HONNEFELDER, *Ens inquantum ens*. 1979, p. 57 not. 10. Die Brisanz der Theorien über das *primum cognitum* erklärt sich günstiger, wenn man die Fundamentalkrise der christlichen Lehre natürlicher Gotteserkenntnis in ihrer patristisch-traditionellen Gestalt seit Beginn des 13. Jahrhunderts in Rechnung stellt (dazu eingehend Kap. II, § 1).

barenden Gott selbst getragenen und insofern selbstbegründeten Glaubens, überspringt aber in übersteigerter Einschätzung des Glaubensmomentes im Wissen denkerisch das Problem. Dies konnte für die christliche Theologie nur bedeuten, in einen kritischen Dialog mit den im Welt-Wissen kompetenten *philosophi* einzutreten. Deren Wissen um Grund und Ziel der Welt betrifft direkt die christlich geoffenbarte Lehre von der Möglichkeit natürlicher Gotteserkenntnis. Wenn der christliche Gott wahrhaftig Alpha und Omega, Anfang und Ende des Universums ist, steht die christliche Theologie in der Verantwortung, auch in dem mit der Vernunft gemeinsam zugänglichen Bereich natürlicher Gotteserkenntnis den dort erkennbaren Gott als den christlich verkündeten Gott zu identifizieren und so aufgrund wechselseitiger Hinordnung von Glaube und Vernunft die christlich verstandene Einheit von Schöpfungs-, Erlösungs- und Vollendungsordnung aufrecht zu halten. Sonst droht eine 'doppelte Wahrheit', wo es doch nur den einen, wahren Gott gibt. Eine Zuspitzung erfuhr diese Prinzipienreflexion in der im 13. Jahrhundert von Theologen und Philosophen mit gleichem Eifer geführten Diskussion um das Ersterkannte des menschlichen Intellekts. Es erscheint daher gut begründet, zur theologiegeschichtlichen Durchdringung und sachlichen Bewertung dieser Lehrkonflikte eine zentrale theologische Figur in den damaligen Kontroversen eingehender vorzustellen und deren Überlegungen zu dokumentieren. Die Rede soll daher sein von Heinrich von Gent, dem ersten großen Systematiker einer *Primum cognitum*-Theorie.

§ 2 ZUR METHODIK, ABSICHT UND ANLAGE DIESER STUDIE

1. Zur Methodik und Absicht

Theologiegeschichtliches Forschen[18] fördert als Organon der Theologie das Erkennen gegenwärtiger Theologie, sofern dieses Forschen aus Verantwor-

[18] Cf. A. MADRE: *Theologiegeschichte. I. Begriff und Aufgabe.* In: LThK² X (1965), col. (71-76) 71-73. Im Gegensatz zur Theorie der *Dogmen*geschichte ist eine Theorie der *Theologie*geschichte wenig entfaltet. Dieser mißliche Umstand kann an dieser Stelle nur konstatiert werden; cf. W. KASPER: *Die Methoden der Dogmatik. Einheit und Vielheit.* München 1967, pp. 47-60; J. BEUMER: *Theologie- und Dogmengeschichte.* In: H. VORGRIMLER/H. VANDER GUCHT (Hg.): Bilanz der Theologie im 20. Jh. Freiburg/Basel/Wien 1970, tom. III, pp. 471-503; LANGEMEYER, *Leitideen und Zielsetzungen theologischer Mittelalterforschung aus der Sicht der systematischen Theologie.* 1985; M. BASSE: *Theologiegeschichtsschreibung und Kontroverstheologie. Die Bedeutung der Scholastik für die protestantische Kirchengeschichtsschreibung.* In: ZKG 107 (1996), pp. 50-71; vorwärtsweisend GERWING, *Zur Bedeutung der Mediävistik für die systematische Theologie.* 1996. Ungeachtet der mitunter gewichtigen Einzelbeiträge kommt man angesichts dieser Diskussionslage kaum umhin, den 1892 ursprünglich auf die Theorie der Dogmenge-

tung für die geschichtliche Ganzheit der christlichen Überlieferung durch historische Anamnese auch ein gegenwartskritisches Bewußtsein geschichtlichen Reichtums schafft und nicht zuletzt davor bewahrt, sich aus vernünftigen Traditionen zu emanzipieren. Historisch-kritische Distanz, die platte Repristination verhindern hilft, schafft in der Theologie sachgemäße Voraussetzungen, für eine orientierende, selbstkritische Rückschau gegenwärtiger Theologie das Wachsen der theologischen Erkenntnis in der Geschichte dieser Wissenschaft zu erforschen und den Zeugniswert voraufgegangener Epochen zu ermitteln. Um den bei BERNHARD VON CHARTRES gezogenen Vergleich mit „Zwergen auf den Schultern von Riesen“[19] zu umgehen, mag man mit THOMAS VON AQUIN[20] sagen: *Quidquid boni tempore aliquo intermissum fuit, illicitum erit resumi?*

Erst eine kritische Theologiehistorie vermag das wahrhaft Neue und neue Wahre einer Epoche, Person oder Doktrin aufzuzeigen. Ihr kann dies gelingen, indem sie glaubens- und theologiegeschichtliche Phänomene nicht ungeschichtlich-abstrakt und dogmatistisch[21] in das Raster eines momentanen Problembewußtseins einzwängt, sondern sie im Bewußtsein eigener Endlichkeit und Geschichtlichkeit hermeneutisch befragt und Voraussetzungen dieses Gesprächs zu klären versucht. Sie tritt in ein Gespräch mit den zu verstehenden Texten ein und erstrebt dabei, die Frage aufzudecken, auf die der Text die Antwort ist. Damit wäre nicht einem historistischen Relativismus recht gegeben, der durch die eigene unhinterfragte methodologische Absolutsetzung sich ja selbst methodologisch aufhebt. Geschichtlichkeit - so lehrt eine ontologisch gekehrte Hermeneutik des Verstehens, wie sie Hans-Georg GADAMER (*1900) entworfen hat[22] - ist vielmehr eine positive Bedingung für

schichte gemünzten Ausspruch von J. SCHWANE: *Dogmengeschichte, Bd. 1: Einleitung.* Münster i.W./Freiburg i.Br. (1862-90) ²1892-1895, tom. I (²1892), p. 15, zu wiederholen: „Die Literatur dieser Disziplin gehört daher noch der Zukunft an.“

[19] Cf. T. LEUKER: *„Zwerge auf den Schultern von Riesen“. Zur Entstehung des berühmten Vergleichs.* In: MLJb 32/1 (1997), pp. 71-76; zu scholastischen Konzeptionen von Wissenschaftsfortschritt cf. SCHÖNBERGER, *Transformation.* 1986, pp. 34-41, spec. 41.

[20] THOM. DE AQU., *Contra pestiferam doctrinam retrahentium homines a religionis ingressu, cap. 16* (n. 854). Ed. Leon. 41, p. (C 39-74) 74, lin. 87-88.

[21] Cf. E. TROELTSCH in seinem bedeutenden Aufsatz '*Über historische und dogmatische Methode in der Theologie*'. In: ID.: Ges. Schriften, Bd. II. Tübingen 1913, pp. 729-753, der ein dogmatisches von einem durch Kritik, Analogie und Korrelation gezeichneten Verstehen absetzte. Daß diese Gegenüberstellung von dogmatischer und historischer Methode für die heutige Theorie dogmen- und theologiegeschichtlicher Forschung nicht mehr in dieser ursprünglichen Schärfe zutrifft, begründet K. LEHMANN: *Die dogmatische Denkform als hermeneutisches Problem. Prolegomena zu einer Kritik der dogmatischen Vernunft.* In: ID.: Gegenwart des Glaubens. Mainz 1974, pp. 35-53.

[22] Cf. H.-G. GADAMER: *Wahrheit und Methode. Grundzüge einer philosophischen Hermeneutik* (Ges. Werke 1). Tübingen (1960) ⁶1990. - Für theologische Belange cf. die beiden sehr unterschiedlich bewertenden Studien von B. J. HILBERATH: *Theologie zwischen Tradition und Kritik. Die philosophische Hermeneutik Hans-Georg Gadamers als Herausforde-*

die Erkenntnis von Wahrheit in der Dialektik von Frage und Antwort. Verstehen meint zunächst und zuerst, sich in der Sache zu verstehen und einen Dialog zu führen, bei dem unser bereits durch die Tradition angebahntes und produktiv auf den Text angewandtes Fragen eine sachhaltige Antwort findet. Es liegt entscheidend daran, ein wirkungsgeschichtliches Bewußtsein zu schaffen und dieses bewußt zu halten, so daß die Vernunft qua Vernunft in Erkenntnis von Tradition und durch Anerkennung der eigenen Grenzen das Zutrauen hat, bei anderen eine bessere Einsicht finden zu können. „Wer versteht, nimmt keine überlegene Position in Anspruch, sondern gesteht zu, daß die eigene vermeintliche Wahrheit auf die Probe gestellt wird."[23] Verweigert Theologie diesen hermeneutischen Einsichten ihre Zustimmung, verkennt sie den produktiven Beitrag ungeschmälerter Tradition zur Wahrheitserkenntnis. Sie geriete näherhin in Gefahr, die ihr vorausliegende theologische Tradition zu bevormunden. Sie verfiele auf den ebenso geschichtsfremden wie gegenwartsblinden Standpunkt archivarischer und musealer Theologiegeschichtsschreibung, deren Ziel sie selber darauf begrenzt, zeitgenössisch favorisierte Theologieentwürfe durch eine selektive Wahrnehmung des Traditionsgutes zu stützen. Bestimmte Formen neuzeitlicher Scholastikforschung - in der Philosophie nicht weniger als in der Theologie - verkannten hierin ein Proprium menschlicher Vernunft, die sich selbst nicht anders als geschichtlich verstehen kann. Für die Theologiegeschichtsschreibung hat darum *mutatis mutandis* Geltung, was bereits 1923 Clemens BAEUMKER (1853 - 1924) in einer autobiographischen Notiz über den Sinn seiner eigenen philosophiegeschichtlichen Forschung auf mediävistischem Gebiet schrieb: „Auch für den philosophischen Gedanken selbst war sie mir von dauerndem Wert als Rettung und Kritik. Das erstere, indem sie die bedeutsamen Gedanken

rung des theologischen Selbstverständnisses. Düsseldorf 1978; und H.-G. STOBBE: *Hermeneutik - ein ökumenisches Problem. Eine Kritik der katholischen Gadamer-Rezeption.* Zürich/Köln 1981; eine glänzend pointierte Darstellung der Anliegen GADAMERS bietet auf knappem Raum J. GRONDIN: *Einführung in die philosophische Hermeneutik.* Darmstadt 1991, pp. 138-159. 214-220 (Lit.!), der zudem GADAMERS bemerkenswerte mündliche Auskunft mitteilt, im *verbum interius*, verstanden im Sinne AUGUSTINS, bestehe der universale Aspekt der Hermeneutik (p. ix); cf. J. GRONDIN: *Gadamer und Augustin. Zum Ursprung des hermeneutischen Universalitätsanspruchs.* In: ID.: Der Sinn für Hermeneutik. Darmstadt 1994, pp. 24-39. Auf diese Selbstinterpretation GADAMERS wird an späterer Stelle, bei Heinrichs Analyse des *verbum informe* (Kap. III, § 2,3), noch zurückzukommen sein.

[23] Cf. H.-G. GADAMER: *Klassische und philosophische Hermeneutik* (1968). In: ID.: Hermeneutik, II (Ges. Werke, 2). Tübingen [2]1993, p. (92-117) 116. - Auch aus dieser Einsicht heraus bedarf der Fortschrittsbegriff, soweit er auf die Entwicklung des theologischen Denkens angewandt wird, eines kritischen Gebrauchs; cf. theologischerseits M. SECKLER: *Der Fortschrittsgedanke in der Theologie* (1967). In: ID.: Im Spannungsfeld von Wissenschaft und Kirche. Freiburg/Basel/Wien 1980, pp. 127-148; ID.: *Fortschritt. II. Systematisch-theologisch.* In: LThK[3] III (1995), col. 1358-1360; philosophischerseits L. OEING-HANHOFF: *Fortschritt.* In: StL[7] II (1986), col. 651-660.

großer Meister, die Errungenschaften einer Forschung, die doch so wenig, wie die Wahrheit selbst, erst von heute ist, ... in fortschaffender Fruchtbarkeit lebendig hält. ... Aber nicht minder erwies sich andererseits diese geschichtliche Betrachtung gegenüber einem in autoritärer Befangenheit verharrenden sklavischen Nachbeten als das beste Mittel der Kritik. Gerade sie lehrt auch das am höchsten Geschätzte in seiner historischen Bedingtheit begreifen. Sie stellt dadurch den Bestrebungen einer bloßen unselbständigen Repristination ... einen Damm entgegen, und lenkt durch die vergleichende und ableitende Behandlung den Blick stets wieder auf die sachlichen Probleme selbst zurück."[24] So möchten die hier vorgelegten entstehungs- und wirkungsgeschichtlichen Studien zur scholastischen Theologie der Gotteserkenntnis ganz im Sinne dieser von BAEUMKER genannten Lebendigerhaltung bedeutsamer Gedanken sowie der vergleichenden und ableitenden Behandlung die Doktrin von Gott als dem Ersterkannten des menschlichen Intellekts bei Heinrich von Gent in den Zusammenhang der in der zweiten Hälfte des 13. Jahrhunderts geführten Diskussion stellen und zur Kenntnis von Ursprung und Verlauf der *Primum cognitum*-Diskussion im 13. Jahrhundert sowie der innerscholastischen Tradierung der henrizianischen Doktrin beitragen. Zugleich will zentralen hermeneutischen Anliegen GADAMERS entsprochen werden, indem der responsorische Charakter des henrizianischen Denkens, wie er in der Heinrich-Forschung zunehmend stärker reflektiert und vergegenwärtigt wird, auch im Blick auf Heinrichs *Primum cognitum*-Theorie zum Vorschein gebracht werden soll.

2. *Zur Anlage der Arbeit*

Heinrich von Gent ist ein äußerlich wie innerlich schwer zugänglicher Denker. Daher soll in einem größeren hinführenden Teil (Kap. I) Heinrichs Person selbst vorgestellt werden, und zwar so, daß sein Lebensgang, die von ihm verfaßten Werke und Hauptthemen seines theologischen Denkens erschlossen werden. Denn für den Weg, sich mit einer Person und ihrem Denken auseinanderzusetzen, soll ein sicherer Anfang darin gefunden werden,

[24] C. BAEUMKER: [*Autobiographie*]. In: R. SCHMIDT (Hg.): Philosophie der Gegenwart in Selbstdarstellungen, Bd. II. Leipzig ²1923, p. (31-60) 40. - Zu Person, Werk und historiographischem Programm cf. M. GRABMANN: *Clemens Baeumker und die Erforschung der Geschichte der mittelalterlichen Philosophie.* In: C. BAEUMKER: Studien und Charakteristiken zur Geschichte der Philosophie insbesondere des Mittelalters (BGPhThMA 25). Münster i.W. 1927, pp. 1-38; HÖDL, *Wirkungsgeschichte der Enzyklika 'Aeterni Patris' Leos XIII.* 1979, p. 254; KLUXEN, *Geschichtliche Erforschung der mittelalterlichen Philosophie.* 1988, pp. 368-372; K. FLASCH: *La conzezione storiografia della filosofia in Baeumker e Grabmann.* In: SFMONC 1991, pp. 51-73.

sich zunächst profan-, kirchen- und literargeschichtlich mit der Biographie und den Schriften dieser Person vertraut zu machen.

Hauptgegenstand der vorliegenden Untersuchung sind die Quästionen 21-24 der *Summa* Heinrichs, der *locus classicus* seiner Lehre von Gott als dem Ersterkannten des menschlichen Intellekts. Eine solch außergewöhnliche Theorie der Gotteserkenntnis tritt nicht unmotiviert auf. Die vielen intellektuellen Triebkräfte der Zeit Heinrichs sollen erläutert werden, indem sie vor dem Hintergrund der fundamentalen Krise der christlichen Gottesidee zu Beginn des 13. Jahrhunderts in ihrer spezifisch theologischen Relevanz in Erscheinung treten (Kap. II, § 1). Diese Krise wirkte sich problem- und methodenschärfend aus für den demonstrativen Nachweis von Gottes unmittelbar wirksamer Präsenz in dieser Welt. Heinrich optierte zugunsten eines apriorischen Gottesbeweises, behandelte aber ebenso ausführlich wie kritisch zeitgenössische Formen aposteriorischer Gottesbeweise, die er nicht entwerten wollte. Diese sind vorab zu beschreiben (Kap. II, § 2-5), da im Zusammenhang damit und in Abgrenzung dazu Heinrichs theologische *Primum cognitum*-Theorie sich tiefer erschließt. Dabei sind mannigfache Vorklärungen zur henrizianischen Erkenntnistheorie und Metaphysik nötig. Erläuterungen zu philosophischen Begriffen, die für die theologische und religiöse Gedankenwelt des Heinrich von Gent wesentlich sind, werden an entsprechender Stelle im Argumentationsgang Heinrichs, vereinzelt auch noch im Verlauf der Arbeit selbst eingeflochten. Quellenkritische und begriffsgeschichtliche Untersuchungen zur philosophischen Terminologie sind nur beiläufig betrieben, zumal infolge mangelnder arabischer Sprachkenntnisse dem Verfasser Heinrichs Hauptgewährsmann *in rebus philosophicis*, IBN SINA (AVICENNA), nur als 'Avicenna Latinus' zugänglich ist. Auch sei angesichts der inzwischen lebhafter gewordenen philosophiehistorischen Erforschung des *Doctor solemnis* und der dort für eine philosophische Heinrich-Interpretation als relevant erklärten Themen vermerkt, daß es ausdrückliche Absicht dieser Studie ist, das theologische und nicht das philosophische Denken Heinrichs zur Darstellung kommen zu lassen.[25]

Heinrich von Gent stellte seine Theorie des göttlichen Ersterkannten zwar schon früh *ordinarie* dar (Kap. III, § 1-2), kam aber mehrfach in seinem späteren Oeuvre auf sie zurück. So erfuhr Heinrichs Lehre eine nochmalige Vertiefung, indem Heinrich sie in eine *Verbum*-Theologie transponierte (Kap. III, § 3). Es geschah eine erneute und verschärfte Auseinandersetzung mit den

[25] Diese Begrenzung auf theologische Interpretationsabsichten betrifft auch die ins Zentrum dieser Untersuchung gestellte Frage nach dem Ersterkannten des menschlichen Intellekts. Philosophisch ausgerichtete Untersuchungen hätten etwa auszugehen von SCHÖNBERGER, *Transformation*. 1986, pp. 95-121 (4. Kap.: Der Primat des Seins), dessen Darlegungen zwar nicht die bislang ausführlichsten zum Thema sind, aber besondere Beachtung hinsichtlich des Reichtums an Interpretationsperspektiven und hinsichtlich der Zahl der herangezogenen Autoren beanspruchen dürfen.

Verbum mentis-Theorien des THOMAS VON AQUIN, in der der *Doctor solemnis* die bis dahin wenig beachtete *Verbum informe*-Lehre AUGUSTINS mit neuem Leben erfüllte. Im Spätwerk nutzte er ebenfalls die in die Mystik hineinreichende augustinische Theorie von einem gottverbergenden Seelengrund (*abditum mentis*), um einen weiteren erklärungsstarken Parallelentwurf zu gewinnen (Kap. III, § 3,3: Exkurs). Wegen der mehrfachen Themenaufnahme darf Heinrichs Lehre von Gott als *primum cognitum* nicht durch einen systematisch gegliederten, die Werkchronologie überspringenden Zugriff auf das Gesamtwerk vorschnell in einen fugenlos konstruierten Theorieentwurf umgewandelt werden. Vielmehr ist dem okkasionellen Zusammenhang vieler seiner Äußerungen zum Thema stets Rechnung zu tragen. Dies ist auch ein Grund dafür, daß Heinrichs nur mit Mühe zu lesenden und mit nicht weniger Mühe zu beschreibenden[26] Erörterungen auch in der ihnen eigenen Ausführlichkeit dargeboten werden, weil ansonsten die bisweilen überraschenden und stets subtilen Resultate unmotiviert und schlecht begründet erscheinen könnten. Daher bedient sich diese Studie zur Analyse der hochdiffizilen Texte Heinrichs eines deskriptiv-dokumentarischen Verfahrens, das vor allem durch literarhistorische und quellenanalytische Untersuchungsschritte ergänzt wird. Die Natur der Sache und die charakteristische Schreib- und Denkweise Heinrichs fordern dieses Vorgehen ab.[27] Erst im Gefolge einer textgerichteten Kommentierung findet eine sachgerichtete Argumentation des Themas ihren passenden Ort. Die gewählte dokumentarische Darstellungsweise, die Textbefunde dem lateinischen Wortlaut möglichst angepaßt wiederzugeben, ist zu-

[26] Cf. L. DANNEBERG: *Beschreibungen in den textinterpretierenden Wissenschaften.* In: R. INHETVEEN/R. KÖTTER (Hg.): Betrachten - Beobachten - Beschreiben. Beschreibungen in Kultur- und Naturwissenschaften. München 1996, pp. 193-224.

[27] Heinrichs Denken „ist umsichtig, nuanciert, minutiös, subtil, m.a.W. alles andere als einfach" (DECORTE, *Waarheid als weg.* 1992, p. 217). - Auch die von Heinrich aufgestellten *obiectiones* einschließlich ihrer Auflösungen sind fast ausnahmslos referiert und bei den vorgelegten Textanalysen berücksichtigt. Für Heinrich - wie auch sonst in der Hochscholastik - sind sie nicht schmückendes Beiwerk, sondern integraler Bestandteil der verschriftlichten Argumentation und gehören zur Substanz der Quästionenliteratur, insofern die *obiectiones* durchaus problemgebunden sind und insoweit auch tiefer in das gestellte Problem selbst einzuführen vermögen. Die Auswahl der *obiectiones* ist gewiß zu guten Teilen durch die Tradition vorgegeben. Aber sie stellt manchmal deutlicher als das *corpus articuli* den Zusammenhang mit den zeitgenössischen Positionen her und dient hinsichtlich der nachfolgend entfalteten Hauptargumentation als autorgewollte Perspektivenvorgabe, so daß eine Herkunftsanalyse der *obiectiones* und eine Interpretation ihrer Widerlegung auch manches über Heinrichs Argumentationsabsichten ins Licht rücken kann. Diese literarhistorisch evidente Eigenheit der Texte nur selten interpretatorisch genutzt zu haben, ist gemeinsames Merkmal der ansonsten brillanten Studien von PAULUS, *Argument ontologique.* 1935, DUMONT, *Source.* 1982, und PORRO, *Enrico di Gand.* 1990.

dem bestens erprobt bei JOHANNES DUNS SCOTUS, dessen Subtilität sich bei Heinrich von Gent in vielem vorgebildet findet.[28]

Ein Blick auf das Schicksal der henrizianischen *Primum cognitum*-Theorie in nachfolgenden Zeiten (Kap. IV) soll das sachliche Verständnis seines Entwurfes vertiefen. Die Reaktionen zu Lebzeiten und in der späteren Scholastik vermögen manches Treffende über die allgemeine Tendenz seines theologischen Ansatzes, über verborgene Implikationen der Argumentationsgänge und über tatsächlich oder vermeintlich plausibilitätsträchtige Elemente seiner Theorie auszusagen. Weil aber dadurch noch nicht eine epochenspezifische oder gar epochenübergreifende Bedeutung Heinrichs erkennbar werden muß, sollen gerade aus methodischen Gründen in entsprechender Breite Hauptstationen einer ungewöhnlich wechselreichen Wirkungsgeschichte vorgestellt werden. Werk und Wirkung bilden eine Einheit, die das Verstehen der Sache nicht nur fördert, sondern sogar erst ermöglicht.

Zum einen möge dieser Teil der Arbeit dem Eindruck entgegenwirken, die spärliche und zudem oft marginale Präsenz des Heinrich von Gent in philosophie- und theologiegeschichtlichen Darstellungen unserer Tage wäre Resultat geleisteter Arbeit. Eher wird durch einige hier vorgestellte Elemente einer im ganzen erst noch wiederzuentdeckenden Wirkungsgeschichte des *Doctor solemnis* das Gegenteil nahegelegt, mag auch deren Gewicht in allen Einzelheiten noch nicht ganz erkennbar sein, weil im Rahmen dieser Arbeit leider oft auf Einzelauswertung verzichtet werden mußte. Vielmehr wird klarer, daß die Bedeutung der Person Heinrichs für seine Zeit und für die Tradition, aber auch das sachliche Gewicht seiner Doktrin noch weiterer intensiver Erforschung bedürfen.

Zum anderen hat das retrospektive Interesse moderner Forschung an Anschauungen mittelalterlichen Denkens und deren Einzelvertretern - von der allgemeinen Bewertung des Mittelalters noch einmal abgesehen - sich nicht gewissen Kategorisierungen und perspektivischen Fixierungen entziehen können. Sie sind, obwohl meist erst neuzeitlich entstanden, auf lange Frist bestimmend geworden und z. T. noch bestimmend. Die Gefahr der Verkennung und Verzeichnung droht, oder wie Wolfgang HÜBENER mit dem Vokabular eines Pathologen formulierte: „Historiographische Klischees haben etwas von der Natur von Langzeitgiften."[29] Für manche mittelalterliche Autoren und Schulrichtungen sowie einzelne ihrer Themen ist schon wirksames Gegengift bereitgestellt,[30] für Heinrich von Gent steht dies noch weitgehend

[28] Cf. beispielhaft für ein solches Vorgehen deskriptiv-dokumentarischer Textdarstellung GILSON, *Johannes Duns Scotus*. 1959, pp. 7-9; W. PANNENBERG: *Die Prädestinationslehre des Johannes Duns Scotus* (FKDG 4). Göttingen, p. 15; HONNEFELDER, *Ens inquantum ens*. 1979, pp. 52-54.

[29] HÜBENER, *Ordo und mensura bei Ockham und Autrecourt*. 1983, p. 107sq.

[30] Für das hier gewählte Vorgehen stand der (an philosophischen Gesichtspunkten orientierte) Überblick vor Augen, den K. JACOBI: *Die Methode der cusanischen Philosophie*

aus.[31] Die unvermutet vielgestaltige Wirkungsgeschichte Heinrichs als solche, noch mehr aber die methodische Forderung, für eine kritische Standortbestimmung moderner theologischer Heinrich-Forschung auch Kenntnis über das Gewordensein ihres historiographischen Profils zu besitzen, mögen den hier beanspruchten breiten Raum, den diese Überblicke innerhalb einer Spezialstudie zum henrizianischen Denken einnehmen, ausreichend rechtfertigen.

Der Schluß der Arbeit (Epilog) nimmt mit einschränkendem Blick auf die Gotteslehre die historiographische Problematik einer Gesamteinschätzung des henrizianischen Denkens wieder auf. Es soll dabei auch ein knapper, auf die Aspekte von Gottes, Selbst- und Welterkenntnis beschränkter Vergleich mit THOMAS gezogen werden, der zusammen mit anderen historischen und systematischen Erwägungen die - in weiteren Heinrich-Studien zu ergänzende und zu verifizierende – These erläutern soll, daß für den *Doctor solemnis* eine eigenständige und eigengewichtige Position innerhalb einer polyzentrisch gearteten Situation der hochscholastischen Theologie zu suchen ist.

Appendix: Zur Benutzung und Zitation der Quellen

Eigennamen antiker und mittelalterlicher Autoren erscheinen im Text in der Form, wie sie in der modernen deutschsprachigen Forschungsliteratur inzwischen üblich geworden sind. Allein im Anmerkungsapparat, der in seiner formalen Gestaltung weitgehend den Gepflogenheiten der *Henrici de Gandavo Opera omnia* folgt, werden bei Stellenangaben durchgängig lateinische Namensformen verwendet.

(Symposion 31). Freiburg/München 1969, pp. 21-129, zur Cusanus-Forschung seit der Mitte des 19. Jahrhunderts darbot. - Von entsprechender thematischer Bedeutung für die theologische Mediävistik sind zahlreiche Untersuchungen von W. HÜBENER (cf. Lit.verz.). Für 'Aufklärungsliteratur' zu weiteren Hauptvertretern scholastischer Theologie cf. desweiteren HOCEDEZ, *Richard de Middleton.* 1925, pp. 3-27; O. H. PESCH/D. SCHLÜTER: *Thomismus.* In: LThK² X (1965), col. 157-167; G. PIAIA: *La genèse de l'interprétation historique et philosophique d'Albert le Grand (XVe-XVIIIe siècles).* In: MM 14 (1981), pp. 237-255 (p. 237 not. 1: allg. Lit.!); R. IMBACH: *L'averroisme latin du XIIIe siècle.* In: SFMONC 1991, pp. 191-208. MEISTER ECKHART ist gleich mit mehreren solcher Studien bedacht worden; cf. N. LARGIER: *Bibliographie zu Meister Eckhart* (Dokimion 9). Freiburg/Schw. 1989. Grundsätzlich zur Thematik cf. G. PIAIA: *Vestigia philosophorum. Il medioevo e la storiografia filosofica* (Studi di filos. e di storia della filos. 6). Rimini 1983; ferner cf. Medioevo 16 (1990) [Themenheft; cf. die Rez. von K. AQUAVIVA: Mediaevistik 7 (1994), pp. 260-262]; R. IMBACH: *Interesse am Mittelalter. Beobachtungen zur Historiographie der mittelalterlichen Philosophie in den letzten hundertfünfzig Jahren.* In: ThQ 172 (1992), pp. 196-207 (bes. zum sog. Averroismus).

[31] Cf. PORRO, *Enrico di Gand.* 1990, pp. 143-158, bzw. ID.: *Historiographical Image.* 1996, pp. 373-403 [durchges. u. leicht erw. Fassung des vorigen Beitrags], der sich aus äußeren Gründen mit einer zwar konzisen, aber sehr knappen und betont philosophiehistorischen Skizze begnügen mußte.

Texte des Heinrich von Gent sowie die Texte übriger antiker und mittelalterlicher Autoren werden - sofern erreichbar und einsehbar - nach den derzeit gültigen Editionen zitiert. Dies erfolgt bei Heinrich stets durch Angabe des jeweiligen Druckers bzw. Editors, bei anderen Autoren des öfteren durch bloße Angabe der Editionsserie. Besondere Regelungen betreffen die Schriften des THOMAS VON AQUIN. Soweit seine Werke in der *Editio Leonina* in kritischer Edition publiziert worden sind, werden sie danach zitiert. Um Benutzern der Marietti-Ausgaben das Auffinden der Stelle zu erleichtern, ist nach Möglichkeit die entsprechende Abschnittsnummer mitgeteilt. Für seine *Summa theologiae*, die innerhalb der *Editio Leonina* in einer problematischen Textform vorliegt,[32] wird behelfsweise die *Editio Paulina* benutzt, zumal dort der gediegene Quellenapparat der *Editio Canadiensis* in nochmals erweiterter und verbesserter Form sowie diverse Textemendationen anderer Forscher eingearbeitet sind. Die *Summa contra Gentiles* ist nach der von C. PERA, P. MARC und P. CARAMELLO besorgten Marietti-Ausgabe zitiert, die als *Textus Leoninus diligenter recognitus* gelten darf. Der Text der *Expositio super librum Boethii De trinitate* wird nach der Ausgabe von B. DECKER angeführt, weil die Edition der *Editio Leonina* in keinem wesentlichen Punkt über diese Ausgabe hinausgeht und sich DECKERS Text auch aus orthographischen Gründen empfiehlt.

Alle lateinischen Texte werden ungeachtet der von den Editoren verwendeten Schreibweise in normierter Orthographie[33] wiedergegeben, sofern

[32] Dieses Urteil bezieht sich zumindest auf die Leonina-Bände IV-VII. Cf. die sehr kritisch, teilweise überscharf gehaltene Rezension der ersten *Leonina*-Bände von BAEUMKER, *Jahresbericht über die abendländische Philosophie im Mittelalter.* 1892, pp. 120-127; dazu L. HÖDL: *Die Geschichte der 'Editio Leonina', der Werke des Thomas von Aquin und die Geschichte der mediävistischen Textkritik.* In: L. HÖDL/D. WUTTKE (Hg.): Probleme der Edition mittel- und neulateinischer Texte. Kolloquium der Deutschen Forschungsgemeinschaft, Bonn 26.-28. Februar 1973. Boppard 1978, pp. 75-78.

[33] Normierungen richten sich nach K. E. GEORGES: *Ausführliches lateinisch-deutsches Handwörterbuch.* 8., verb. u. verm. Aufl. v. H. GEORGES (2 vol.). Hannover/Leipzig 1913/1918 (ed. anastat. Darmstadt [14]1992). - Den mittelalterlichen Verfassern (und auch Schreibern) scholastischer Texte war der Gedanke einer orthographischen Fixierung zur Wahrung der doktrinellen Authentizität fremd. Es kann daher nicht von einer diesbezüglichen Autorisation dieser Texte gesprochen werden. Eine wichtige Nebenabsicht normierter Schreibweise ist eine erleichterte Lesbarkeit der Zitate. Zugleich ist dadurch eine einheitliche Indizierung ermöglicht. Erstrebt ist die Gewähr einer korrekten Erschließung des Textinhaltes und die Vermeidung jener Benutzerfehler, die eine Editionsgestaltung scholastischer Fachtexte provozieren kann, die zwar den Text orthographisch in seiner Historizität dokumentieren möchte, ihn aber dadurch nicht hinsichtlich seines doktrinellen Gehalts zu erläutern vermag. Abgesehen von der Editionspraxis der großen Werkausgaben von ALBERTUS MAGNUS, JOHANNES DUNS SCOTUS, DIETRICH VON FREIBERG, MEISTER ECKHART, WILHELM VON OCKHAM und des AVICENNA LATINUS befürworten eine normierten Orthographie G. VERBEKE: *Les éditions critiques des textes médiévaux.* In: L'homme et son destin d'après les penseurs du moyen âge (Actes du Premier Congrès Intern. de Philos. médiévale, Louvain – Bruxelles 28 août - 4 septembre 1958). Löwen/Paris 1960,

nicht dadurch eine Bedeutungsänderung die Folge wäre.[34] Divergierende Schreibweisen von Eigennamen und Quellenangaben sind vereinheitlicht. *Nomina Sacra* und Eigennamen werden groß geschrieben. Die Interpunktion[35] ist öfters den deutschen Gepflogenheiten angeglichen. Übersetzungen stammen, wenn nicht anders gekennzeichnet, vom Verfasser dieser Arbeit. Abkürzungen, die für textkritische Bemerkungen benutzt werden, richten sich nach den von A. DONDAINE im Auftrag der 'Société Internationale pour l'Étude de la Philosophie Médiévale' herausgegebenen Empfehlungen.[36]

p. (777-794) 791sq.; F. VAN STEENBERGHEN: *La collection 'Philosophes médiévaux'*. In: RPhL 73 (1975), pp. 536-549; R. MACKEN: *Étude critique*. In: HENR. DE GAND., Qdl. I (Op. omn. 5). Löwen/Leiden 1979, p. (xxvii-xcii) lxxxviii. Cf. zu diesem stark umstrittenen editionstheoretischen Thema H. FUHRMANN: *Überlegungen eines Editors*. In: L. HÖDL/D. WUTTKE (Hg.): Probleme der Edition mittel- und neulateinischer Texte. 1978, pp. (1-34) 24-30, bes. aber die Zusammenfassung der Diskussion (p. 34).

[34] Cf. die bedenkenswerten Ausführungen von KLUXEN, *Leitideen und Zielsetzungen philosophiegeschichtlicher Mittelalterforschung*. 1981, p. 12: „Die historische Forschung wirkt ja zweideutig auf ihren Gegenstand ein, sofern sie seine geradlinige Wirkungsgeschichte unterbricht, ihn distanziert und dann auf neue Weise gegenwärtig zu machen beansprucht - oder ihn auch als das bloß noch Historische aus der Gegenwärtigkeit eliminiert. Ein Signal von solch zweideutigem Charakter - unabhängig davon, was die Verantwortlichen dazu sagen - scheint mir die Einführung einer 'mittelalterlichen' Orthographie in den letzten Bänden der *Editio Leonina* des Thomas von Aquin zu sein: wissenschaftlich keine zwingende Maßnahme - auch die Altphilologen sehen sich nicht gezwungen, Platon in der Orthographie Platons zu edieren -, sondern ein Signal der Historisierung eines Textes, der für manch älteren Zeitgenossen noch unmittelbare Gegenwärtigkeit durch seine wirkungsgeschichtliche Kontinuität hatte. Vom philosophiegeschichtlichen Standpunkt aus wird man gegen diese Praxis selbstverständlich keine Einwände erheben. Vielleicht wertet man sie eher als Zeichen, daß die mittelalterliche Überlieferung nun auch sprachlich mehr als bisher als eigene Größe gewertet wird." Noch deutlicher fallen KLUXENS Worte aus in seinem Beitrag über '*Die geschichtliche Erforschung der mittelalterlichen Philosophie und die Neuscholastik*'. 1988, p. 389: „Die 'alte' *Leonina* war ein Werk der Neuscholastik, in der äußeren Erscheinung monumental, Zeugnis der Gegenwart gültiger Tradition. Die 'neue' *Leonina* tritt dagegen als Forschungserzeugnis auf, mit dem Anspruch auf höchste kritische Perfektion, aber nicht mehr im monumentalen Format; der Text wird 'historisch' präsentiert, und das kommt schon im Gebrauch einer 'mittelalterlichen' Orthographie zum Ausdruck, auch wenn diese natürlich normalisiert und somit von zweifelhafter Authentizität ist. Offensichtlich ist diese Ausgabe auf esoterischen Gebrauch und nicht auf aktuelle Wirkung angelegt. In dieser 'Historisierung' ist Thomas vergegenwärtigte Vergangenheit, nicht Gegenwart." Diesen Worten möchten wir nichts hinzufügen.

[35] Cf. ACADEMIA LATINITATI FOVENDAE: *Normae orthographicae et orthotypicae Latinae*. In: Vox Latina 27 (1991), fasc. 103, pp. (2-13) 4sq. 11sq.

[36] Cf. A. DONDAINE: *Abréviations latines et signes recommandes pour l'apparat critique des éditions médiévaux*. In: BPhM 2 (1960), pp. 142-149.

I. Leben, Werke und theologische Ausrichtung des Heinrich von Gent

§ 1 DIE BIOGRAPHIE DES HEINRICH VON GENT

Die historische Wahrheit über die Biographie[1] des Heinrich von Gent verstellte bis ins 19. Jahrhundert hinein vor allem seine Vereinnahmung durch den Servitenorden[2], der 1609 diesen Scholastiker zum Ordenslehrer erkoren hatte. Die Serviten wollten es den übrigen Ordensgemeinschaften der katholischen Kirche gleich tun[3] und mit Heinrich von Gent nun ebenfalls einen renommierten

[1] Unter Biographie ist hier nicht eine Darstellung von Wesen und Charakter der behandelten Person verstanden, sondern eine Darstellung der bezeugten Begebenheiten und erschließbaren Umstände einer Person, deren Kenntnis für das historische Verstehen der Bedeutung eines individuellen Lebens erforderlich ist. Eine umfassende Einbettung der Vita Heinrichs in den Kontext der Sozial-, Kultur- und Politikgeschichte muß leider unterbleiben, weil sich dafür der Verfasser angesicht der dazu benötigten Detailkenntnisse nur sehr bemessene Kompetenzen zuschreibt. - Cf. zur Theorie biographischen Darstellens H. KOOPMANN: *Die Biographie.* In: K. WEISSENBERGER (Hg.): Prosakunst ohne Erzählen (Konzepte der Sprach- und Literaturwissenschaft 34). Tübingen 1985, pp. 45-65; W. BERSCHIN: *Biographie und Epochenstil im lateinischen Mittelalter, I: Von der Passio Perpetuae zu den Dialogi Gregors des Großen* (Quellen und Unters. zur lat. Philol. des MA 8). Stuttgart 1986, pp. 1-32 (allg. Einleitung); zu den philosophischen Implikaten biographischen Darstellens (im Anschluß an W. DILTHEY) Th. BODAMMER: *Philosophie der Geisteswissenschaften* (Handbuch Philosophie). Freiburg/ München 1987, pp. 40-65, spec. pp. 44-47. 53.

[2] Cf. zur Geschichte des 1233 in Florenz gegründeten *Ordo Servorum Mariae* die Arbeiten von M. HEIMBUCHER: *Die Orden und Kongregationen der katholischen Kirche, § 72.* Paderborn ²1932-34, tom. I, p. (576-588) 584; R. TAUCCI: *Servites, Ordre des.* In: DThC XIV/2 (1941), col. (1982-1987) 1986sq.; A. M. ROSSI: *Manuale di Storia dell'Ordine dei Servi di Maria.* Rom 1956; ID., *Serviten.* In: LThK² IX (1964), col. 694sq.; F. A. DAL PINO: *I Frati Servi di S. Maria dalle origini all'approvazione (1233ca-1304), Bd. I: Storiografia, fonti, storia* (Recueil de Travaux d'Histoire et de Philologie, Ser. IV, 49/50). Löwen 1972; P. M. BRANCHESI: *Bibliografia dell'Ordine dei Servi I-III* (Bibliotheca Servorum Romandiolae 6). Bologna 1969-73; U. VONES-LIEBENSTEIN: *Serviten, Servitinnen-Orden.* In: LexMA VII (1995), col. 1793-1795.

[3] Die Reformdekrete des Trienter Konzils beschleunigten in der zweiten Hälfte des 16. Jahrhunderts den Schulzusammenschluß bei den Ordensgemeinschaften. Die Augustinereremiten hatten schon 1287, also noch zu Lebzeiten des AEGIDIUS ROMANUS, dessen Lehre zur Ordensdoktrin erklärt und diesen Beschluß um 1580 unter der Vorgabe bekräftigt, für die von AEGIDIUS nicht behandelten Traktate auf THOMAS zurückzugreifen. Die Dominikaner stellten sich schon früh hinter THOMAS VON AQUIN, worin ihnen die Unbeschuhten Karmeliten und viele Benediktinerkongregationen folgten. Im Franziskanerorden ließ das Genralkapitel von 1500 noch freie Wahl zwischen ALEXANDER VON HALES, BONAVENTURA, RICHARD VON MEDIAVILLA und JOHANNES DUNS SCOTUS, bis 1593 DUNS SCOTUS für die Konventualen und Observanten verpflichtend gemacht wurde, während die Kapuziner sich häufig BONAVENTURA anschlossen. JOHANNES BACONTHORPE und MICHAEL VON BOLOGNA fanden Verteidiger bei den Beschuhten Karmeliten. Vereinzelt schlossen sich Benediktinerkongregatio-

scholastischen Denker als Ordenstheologen den ihren nennen können. Um dafür eine Grundlage zu schaffen, konstruierten schon seit Mitte des 16. Jahrhunderts Annalisten des Servitenordens - nicht ohne Erfindungsgabe oder gewolltes Mißverstehen vorliegender Quellen - fiktive Ereignisse im Leben des Genter Theologen, die ihn in biographische und doktrinäre Nähe zu ihrem Orden stellen sollten.[4] Höchster Ausdruck und innere Konsequenz dieser erfundenen Genealogie war es daher, daß die Serviten den Weltkleriker Heinrich auch zum Mitglied ihres Ordens erhoben. Später sogar rivalisierten auch noch Ordenshistoriker aus Reihen der Dominikaner[5], Trinitarier[6] und Augustiner[7] um Heinrichs vermeintliche Ordenszugehörigkeit.

Franz Kardinal EHRLE gebührt das Verdienst, im Jahre 1885 - durch Vorarbeiten belgischer Forscher gut gerüstet - mit einer bahnbrechenden quellenkritischen Studie[8] die Biographie des Heinrich von den Schlacken der Legende befreit und auf einen gesicherten Grund gestellt zu haben. Spätere Studien konnten sich darauf beschränken, bestimmte Daten und Fakten nachzutragen oder zu präzisieren. 1979 zog Raymond MACKEN in seiner Einleitung[9] zur kritischen Edition des *Qdl. I* eine Summe dieser Bemühungen. Jacques PYCKE erkundete Heinrichs lokale Tätigkeiten als Archidiakon des Bistums Tournai.[10]

nen ANSELM an. Cf. F. EHRLE: *Die Scholastik und ihre Aufgaben in unserer Zeit.* Freiburg i.Br. (1918) ²1933, p. 32sq.

4 Cf. Michael POCCIANTO: *Chronicon rerum totius sacri ordinis B. M. V.* Florenz 1567, p. 98sq.; der Text ist zitiert bei EHRLE, *Heinrich von Gent.* 1885, p. 507.

5 Cf. dazu N. DE PAUW: *Dernières découvertes concernant de docteur Solennel, Henri de Gand, fils de Jean le Tailleur (formator ou de Sceppere).* In: BCRH 16 (1889), p. (27-135) 86.

6 Cf. P.-Fr. MICHAEL A SANCTO JOSEPH: *Bibliographia critica sacra et profana.* Matriti 1740, tom. II, p. 387; ID.: *Triumphus misericordiae id est sacrum ordinis SS. Trinitatis institutum redemptio captivorum cum adiuncto calendario ecclesiastico historico universi ordinis.* Wien 1704, p. 234. Dazu H. DELEHAYE: *Notes sur Henri de Gand.* In: MSHBelg 62 (1888), pp. (421-456) 425-428, bei dem auch der Text zitiert ist. - B. BARO: *Annales ordinis SS. Trinitatis redemptionis captivorum, I.* Rom 1684, p. 290, attackierte sogar die Gründe, die die Serviten für Heinrichs Ordensmitgliedschaft geltend machten.

7 Im Zusammenhang mit dem Heinrich-Schüler JACOBUS DE VITERBO suggerierten eine Mitgliedschaft Heinrichs im Augustinereremitenorden J. PAMPHILUS: *Chronica ordinis fratrum eremitarum S. Augustini.* Rom 1581, p. 148, und L. TORELLI: *Secoli Agostiniani overo historia generale del sacro ordine eremitano del gran dottore di S. Chiesa S. Aurelio Agostino* (8 tom.). Bologna 1659-86, tom. V, p. 319. 528. Dazu und zu weiteren Autoren cf. DELEHAYE, *Notes sur Henri de Gand.* 1888, pp. 428-431.

8 Cf. EHRLE, *Heinrich von Gent.* 1885. - Zu seiner herausragenden Bedeutung für die Heinrich von Gent-Forschung cf. Kap. IV, § 2,3-4.

9 Cf. MACKEN, *Introduction.* 1979, pp. vii-xxiv. Eine wohl definitive Darstellung der biographischen Daten Heinrichs wird man von R. MACKEN im vierten Band der *Henrici de Gandavo Opera omnia* erwarten dürfen.

10 Cf. J. PYCKE: *Le chapitre cathédral Notre-Dame de Tournai de la fin X[e] à la fin du XIIIe siècle. Son organisation, sa vie, ses membres* (Univ. de Louvain, Recueil de trav. d'hist. et de philol., 6er sér., 30). Louvain-la-Neuve/Brüssel 1986, pp. 71. 81. 148sq. 151. 193. 260. 317; ID., *Rép. biogr.* 1988, nr. 32. 406sq. (pp. 48-52. 390sq.), bei dem die lokalhistorischen Dokumente und zugehörige Literatur bibliographisch erfaßt sind.

Pasquale PORRO ist ebenfalls ein bei aller Kürze sehr instruktiver Abriß der Biographie Heinrichs und der Geschichte der Heinrich-Forschung zu verdanken.[11] Anknüpfend an diese Vorarbeiten ist mittlerweile recht präzise zu überblicken, was über Heinrichs Biographie mit historischer Gewißheit berichtet werden kann.

1. Herkunft und Ausbildung

Das Geburtsjahr des Heinrich von Gent ist unbekannt. Nach später, unsicherer Überlieferung soll er im Jahr 1217 geboren worden sein.[12] *Terminus post quem non* für die Geburt ist das Jahr 1240, wenn man berücksichtigt, daß der Genter Theologe gemäß den Statuten der Pariser Universität den Titel des *magister theologiae* zum frühestmöglichen Termin im Alter von 35 Jahren erlangt hat.[13]

Fraglos gewiß ist das Gebiet seiner Herkunft. Denn sein Name *Henricus de Gandavo*, der bereits in den frühesten Handschriften belegt ist, nennt Gent bzw. dessen Umgebung als seine Heimat.[14] Heinrich entstammt vermutlich einer in Gent ansäßigen Handwerkerfamilie, die den Schneiderberuf ausübte; sein Vater JOHANNES erhielt deswegen den Beinamen 'de Sceppere' (*Formator*).[15] Von sei-

[11] Cf. PORRO, *Enrico di Gand.* 1990, pp. 143-158.

[12] Cf. H. DELEHAYE: *Nouvelles recherches sur Henri de Gand.* In: MSHBelg 60 (1886), pp. 328-355. 438-455; 61 (1887), p. (59-85) 76. - Unklar ist bislang, welche Bedeutung für diese Datumsfestsetzung schon dem 1317 durch Heinrichs ehemaligen Mitarbeiter HEINRICH VON COURTRAI wiederauflebenden Totengedächtnis zukommt (cf. Kap. I, § 1,3). Die 1875 von WAUTERS als Fälschung erkannte Breve INNOZENZ' IV. bot sicherlich eine Grundlage für die neuzeitlichen Spekulationen über das Geburtsdatum Heinrichs; cf. dazu A. WAUTERS: *Sur les documents apocryphes qui concernernaient Henri de Gand, le docteur solennel, et qui le rattacheraient à la famille Goethals.* In: BCRH 14 (1887), p. (179-190) 185; EHRLE, *Heinrich von Gent.* 1885, pp. 366-370.

[13] Cf. ROBERT. DE COURCON, *Statutum* (Aug. 1215). In: CHART. UNIV. PARIS. I, nr. 20, p. (78-80) 78sq.: *Nullus legat Parisius de artibus citra vicesimum primum aetatis suae annum, et quod sex annis audierit de artibus ad minus, antequam ad legendum accedat, ... Circa statum theologorum statuimus, quod nullus Parisius legat circa tricesimum quintum annum aetatis suae annum, et nisi studuerit per octo annos ad minus, et libros fideliter et in scholis audierit, et quinque annis audiat theologiam, antequam privatas lectiones legat publice, et illorum nullus legat ante tertiam in diebus, quando magistri legunt. Nullus recipiatur Parisius ad lectiones solemnes vel ad praedicationes, nisi probatae vitae fuerit et scientiae. Nullus sit scholaris, qui certum magistrum non habet.*

[14] In einer Wiener Handschrift des beginnenden 15. Jh. zählt der Schreiber innerhalb eines Kurzabrisses der gesamten christlichen Theologiegeschichte Heinrich zur *Alemannia*; cf. M. GRABMANN: *Der Kommentar eines Wiener Dominikanertheologen aus dem 15. Jh. zur Summa contra gentiles (Cod. lat. 3784 der Wiener Nationalbibliothek).* In: MGL III. 1956, p. (433-448) 437.

[15] Cf. N. DE PAUW: *Note sur le vraie nome du docteur Solennel, Henri de Gand.* In: BCRH 15 (1888), pp. 135-145; DELEHAYE, *Notes sur Henri de Gand.* 1888, pp. 450-456; DE PAUW, *Dernières découvertes concernant de docteur Solennel, Henri de Gand, fils de Jean le Tailleur (formator ou de Sceppere).* 1889, pp. 27-135; A. WAUTERS: *Sur la signification du mot latin*

nen Geschwistern sind nur zwei mit Namen bekannt: seine Schwester KATHARINA[16], die vor dem 10. Oktober 1289 in Tournai verstarb, und seine Schwester AVA, von der weiter unten noch zu sprechen sein wird.

Über seine Jugendjahre sind wir als vorliterarische Lebensphase sehr schlecht unterrichtet und meist ganz Mutmaßungen überlassen. Seine erste Ausbildung wird er in der Kathedralschule von Tournai (Doornick) erhalten haben. Er erhielt dort vielleicht eines der zahlreichen Stipendien[17] für Scholaren, die später ein Studium der Theologie in Paris aufnehmen sollten. Keiner seiner Lehrer ist namentlich bekannt. Entwickelte sich schon in Tournai, der Heimat des GUIBERT VON TOURNAI, des Freundes und Lehrstuhlnachfolgers des BONAVENTURA, Heinrichs signifikante Vorliebe für die augustinische Theologie?

Nur wenig reichlicher fließen die Nachrichten über das Pariser Artes- und Theologiestudium. Für den Anfang des Jahres 1265 bezeugt Heinrich aufgrund einer eigenen Notiz[18] einen Aufenthalt in Paris. 1271 erwarb er ein zur Hausfront gelegenes Quartier in einem Benediktinerkapitel.[19] Insofern unser Autor

'formator' à propos de Henri de Gand. In: BCRH 16 (1889), pp. 12-75; ID.: *Le mot latin 'Formator', au moyen âge, avait la signification de professeur.* In: BCRH 16 (1889), pp. 400-410.

[16] Cf. [HENR. DE GAND.:] *Forma anniversariorum, quae magister Henricus de Gandavo, archidiaconus Tornacensis, emit in curia Beghinarum Tornacensium.* Ed. DE PAUW, Dernières découvertes. 1889, p. (116-119) 117.

[17] Cf. F. PEGUES: *Ecclesiastical Provisions for the Support of Students in the Thirteenth Century.* In: ChH 26 (1957), pp. 307-318.

[18] Cf. HENR. DE GAND., *Qdl. XIII,14* Decorte 149,2-9: *Occasione disputationum et altercationum, quas magistri Parisienses habebant inter se de perfectione statuum maiori vel minori, audivi dominum papam Clementem, cum adhuc esset legatus, ad dirimendum dictas altercationes in quadam praedicatione sua praeferre simpliciter statum praelatorum statui religiosorum, „licet forte" - ut dicebat – „ipsi praelati non congruerent in omnibus statui suo, sed essent multi ex eis congruentius subditi quam praelati". Et hoc dicebat exponendo illud Ecclesiastae, X°: 'Vidi servos in equis et principes ambulare super terram'.* Gemeint ist GUIDO FULCODI, der spätere Papst CLEMENS IV. (reg. 5.2.1265 - 29.11.1268), der in Paris auf der Rückreise von einer Legation nach England halt gemacht hatte; dazu MACKEN, *Introduction.* 1979, p. viii sq.; ferner A. KIESEWETTER: *Clemens IV.* In: LThK³ II (1994), col. 1220sq.

[19] Heinrich hat sich - wohl für seine Aufenthalte in Paris - ein Gebäude in der Nähe des von ROBERT VON SORBONNE gegründeten Studentenkollegs erworben und Gebäudeteile diesem Kolleg in einem nicht ganz ersichtlichen Maße auf Mietbasis zur Verfügung gestellt; cf. *Chart. Coll. Sorb., nr. 287* (Febr. 1271). Ed. P. GLORIEUX: Aux origenes de la Sorbonne, II: Le Cartulaire (EPhM 54). Paris 1965, p. (336-338) 336: *Census quos debemus. ... Magistro Philippo* [de Louans ?] *can. Sancti Benedicti, v. s. et x. d. scilicet pro anteriori parte domus magistri Henrici de Gandavo ii. s.; et pro parte posteriori, x. d. et iii. s. pro domo pastillarie in cono vici Serpentis et Harpe.* - Dieses Gebäude, das nach B. B. PRICE: *Henry of Ghent.* In: J. HACKETT (ed.): Medieval Philosophers (Dictionary of Literary Biography 115). Detroit/London 1992, col. (236a-240b) 237a, an der heutigen 21 rue Coupoe Gueule gelegen hat, gelang am Anfang des 14. Jahrhunderts in den Besitz der Sorbonne. Die schlecht abzuweisende Vermutung, daß Heinrich auch ROBERT DE SORBONNE gekannt hat, wird wohl auch die Legende begünstigt haben, daß Heinrich Mitglied dieses Kollegs gewesen sei; cf. EHRLE, *Heinrich von Gent.* 1885, pp. 383-385; P. GLORIEUX: *Aux origenes de la Sorbonne, I: Robert de Sorbon. L'Homme, le collége, les documents* (EPhM 53). Paris 1966, pp. 44. 61sq. 128. 244. 293. 299. 309. 330; A. L. GABRIEL: *The*

am 20. Oktober 1267 in einer zu Tournai verfertigten Urkunde mit entsprechendem Titel als *magister Henricus dictus de Gandavo, canonicus Tornacensis* erwähnt ist,[20] darf daraus geschlossen werden, daß Heinrich sich wohl bis 1270 an der Artistenfakultät aufhielt[21] und dort zuletzt als *magister artium* tätig gewesen war. So spielte sich bereits die Pariser Verurteilung von 1270 in Heinrichs unmittelbarem Umfeld ab. Es ist gut vorstellbar, daß er sowohl THOMAS, den Heinrich persönlich sehr geschätzt haben muß,[22] während dessen ersten Pariser Aufenthalts 1252-59 selbst gehört hat wie auch BONAVENTURA - damals oder im Zusammenhang mit dem Mendikantenstreit - ihm begegnet ist[23]. Sehr im Dunkeln liegt Heinrichs theologische Ausbildung unter den weltgeistlichen Fakultätsvertretern.[24] J. PAULUS[25], nach ihm J. F. WIPPEL/A. B. WOLTER[26] und B. B. PRICE[27] erwägen, daß WILHELM VON AUVERGNE (um 1180 - 1249)[28] sowie der 1274 als Magister der Theologie erwähnte Weltkleriker GOTTFRIED DE BARRO († 1287)[29]

Spiritual Portrait of Robert of Sorbonne [1953]. In: ID.: The Paris Studium ... Edited by J. J. JOHN (Texts and Studies in the Hist. of Medieval Education 19). Notre Dame, Ind./Frankfurt a.M. 1992, pp. 63-111. Außerdem schmückte ein Bildnis des *Doctor solemnis* ein Glasfenster in der Galerie der 1481 neu errichteten Bibliothek des Kollegs; cf. die von Claude HÉMÉRÉ überlieferte Liste der dargestellten Personen, ed. L. DELISLE: Le cabinet des manuscrits de la Bibliothèque Nationale, II. Paris 1874, p. 200: *Robertus de Sorbona, Guilelmus de Sancto Amore, Henricus de Gandavo ..., Henricus de Hassia ..., Ioannes de Rupella ... Andreas de Castro Novo ... Ioannes Standoncus.* Bemerkenswert ist auch der von späterer Hand eingetragene Hinweis im Obituarium der Sorbonne zum 24. April, dem Todestag des 1316 verstorbenen HENRICUS FABRI (AMANDI), ed. GLORIEUX, Aux origenes de la Sorbonne, I. 1966, p. (156-179) 163: *Obiit magister Henricus Fabri, magister in theologia, quondam socius domus, qui legavit domui xx.lib pitancia x.solid.turon.* non fiat non fiat puto hunc esse Henricum de Gandavo [Auszeichnung im Original].

[20] *Conventio, quod de domo Ioannis Godelens non possit haberi prospectus in domum magistri Henrici de Gandavo, canonici Tornacensis.* Ed. DE PAUW, Dernières découvertes. 1889, p. 106sq., dazu PYCKE, *Rép. biogr.* 1988, p. 49.

[21] Cf. J. A. WEISHEIPL: *The Parisian Faculty of Arts in the Mid-Thirteenth Century: 1240-1270.* In: ABenR 25 (1974), p. (200-217) 210, der auch auf den stark platonisierenden Stil der Aristoteles-Exegese in jener Zeit hinweist.

[22] Cf. HENR. DE GAND., *Qdl. VII,24* Wilson 202,37-38: *venerabilis doctor frater Thomas bonae memoriae*; ID., *Qdl. XIII,14* Decorte 148,68: *quidam doctor religiosus valde excellens.*

[23] Cf. HENR. DE GAND., *Qdl. VII,24* Wilson 202,57-58: *alius venerabilis doctor, dominus Bonaventura.*

[24] Cf. HÖDL, *Die weltgeistlichen Lehrmeister in der ersten Hälfte des 13. Jahrhunderts.* 1990; ID., *Die weltgeistlichen Lehrmeister in der zweiten Hälfte des 13. Jahrhunderts.* 1990.

[25] Cf. J. PAULUS: *Henry of Ghent.* In: NCE VI (1967), col. (1035-1037) 1035.

[26] Cf. WIPPEL/WOLTER (ed.), *Medieval Philosophy.* 1969, p. 376.

[27] Cf. PRICE, *Henry of Ghent.* In: HACKETT (ed.), Medieval Philosophers. 1992, col. 236b.

[28] Cf. R. J. TESKE: *William of Auvergne.* In: HACKETT (ed.), Medieval Philosophers. 1992, col. 344a-353b.

[29] GOTTFRIED DE BARRO stammte aus Bar-le-Duc. Als Kanonikus zu Paris hatte er zahlreiche Titel inne: Offizial (1267), Kaplan und Pönitentiar des Pariser Bischofs (1271, 1274), Doyen des Kapitels (25.9. 1273-1281). Erhalten sind zwei Briefe an die Pariser Universität (CHART. UNIV. PARIS. I, nr. 450. 516). Cf. GLORIEUX, *Rép. des maîtres en théol.* 1933, tom. I, p. 375. - Der *magister Henricus de Gandavo archidiaconus in Brugis* ist er-

Heinrichs Lehrer in der Theologie gewesen seien. Hinsichtlich WILHELMS VON AUVERGNE dürfen diese Spekulationen wohl eher in doktrineller als in historischer Hinsicht gelten. Gemeinsam ist diesen beiden Autoren zumindest eine kritische ARISTOTELES-Rezeption sowie eine ausgeprägte Vorliebe für AUGUSTINUS und AVICENNA, den einzigen islamischen Philosophen, der im 13. Jahrhundert an der Pariser Universität weitgehend unzensuriert geblieben ist.

2. *Tätigkeiten als Weltkleriker in den Bistümern Tournai und Paris*

Während seiner gesamten akademischen Lehrtätigkeit blieb Heinrich durch Wahrnehmung hoher Ämter im pastoralen Dienst der Diözese Tournai (Doornik) eingebunden. Zunächst trat er als Kanoniker auf. Im Jahre 1276, spätestens ab dem 4. Juli 1277[30] ernannte man ihn auf Intervention von Bischof PHILIPP VON GENT (resid. 1274-1282) zum Archidiakon[31] von Brügge, eines damaligen Teils des Bistums Tournai. Anläßlich eines Schiedsspruchs in einem Streit zwischen der Abtei Saint-Pierre und dem Franziskanerkonvent in Gent fand Heinrich in einem am 8. März 1278 vom Guardian FULCO BOURLUT verfaßten Brief noch Erwähnung als *magistrum Heinricum, doctorem sacrae theologiae, archidiaconi Tornacensis ecclesiae in Brugis.*[32] Da eine Akte des Kathedralkapitels von Tournai vom 21. Juli 1279 eine Grundstücksvergabe an die *domus venerabilis viri domni H. nunc archidiaconi Tornacensis* regelt,[33] wurde dann Heinrich wohl im Sommer 1279 in das einflußreiche Amt des Archidiakons des Bistums Tournai eingeführt. Dies stellt den Höhepunkt seiner kirchlichen und administrativen Karriere in Tournai dar. Bis zu seinem Tod 1293 hatte Heinrich Amt und Siegel[34] inne. Am 11. Oktober 1283 vermittelt er eine Übereinkunft zwischen Bischof, Kathedralkapitel und den Würdenträgern des Kapitels über die Verwaltung der beiden vom Bischof GAUTIER VON MARVIS gestifteten Einrichtungen eines Wai-

wähnt in der Empfängerliste eines am 13. Juli 1275 verfaßten, an NICOLAUS DE CHÂLONS gerichteten Briefes des Kardinallegaten SIMON VON BRION, in dem letzterer eine Schenkung des GOTTFRIED DE BARRO verteidigt; cf. *Chart. Coll. Sorbon., nr. 325* (13. Juli 1275). Ed. GLORIEUX, Aux origenes de la Sorbonne, II. 1965, p. (385sq.) 386.

[30] Am 4. Juli 1277 assistierte Heinrich seinem Genter Kollegen, NICOLAUS MISO VON GENT, zu Haaltert bei der Translation des hl. Landrad; die Quellen führen ihn als *Henricus de Muda* bzw. als *Henricus Mudanus.* Cf. PYCKE, *Rép. biogr.* 1988, pp. 50. 65sq.

[31] Zur Aufgabenumschreibung des Amtes, das in seiner damaligen Ausprägung mit reichen Vollmachten, z. B. Visitations- und Investiturrechten, ausgestattet war, cf. B. PANZRAM: *Archidiakon.* In: LexMA I (1980), col. 896sq.; M. GROTEN: *Archidiakon.* In: LThK³ I (1993), col. 947sq.

[32] FULCO BOURLUT: *Epistola.* Ed. DE PAUW, Dernières decouvertés. 1889, p. (108sq.) 109; Datum korrigiert nach PYCKE, *Rép. biogr.* 1988, p. 50.

[33] *Tournai, Archives du Chapitre cathédral de Tournai,* Cartulaire D, fol. 76r-v; cit. ap. PYCKE, *Rép. biogr.* 1988, p. 50.

[34] Cf. die Angaben bei PYCKE, *Rép. biogr.* 1988, p. 52; eine Abbildung von Siegel und Gegensiegel *ibid.*, specimen 2, nr. 32/32A.

senhauses und eines Pflegeheimes für altersschwache Priester.[35] Anläßlich eines zwischen dem Kapitel und der Stadtregierung ausgebrochenen Konflikts über Straftäter, die sich in Stifts- und Kapitelgebäude geflüchtet hatten, und diesbezügliche Befugnisse der Stadt wurde Heinrich am 10. April 1286 als Friedensrichter bestellt. Sein am 15. Mai 1286 ergangener Schiedsspruch ist im selben Monat von PHILIPP DEM SCHÖNEN bekräftigt worden.[36] Im Mai 1287 setzte Heinrich in der Abtei Saint-Pierre 'de la Biloke' bei Gent sein Siegel unter eine vom Grafen von Flandern GUI DE DAMPIERRE an den Papst gerichtete Erklärung.[37] Ein erneuter Schiedsspruch Heinrichs erging am 21. September 1290 in einem Streit zwischen dem Bischof von Tournai, dem Kathedralkapitel und dem Hospital Notre-Dame auf der einen Seite und der Abtei Saint-Bavon auf der anderen Seite über Erneuerungen an den Polders am Cadzant.[38] Aus dem Jahre 1292 wird von JOHANNES VON THIELRODE berichtet, Heinrich habe anläßlich der Weihe des JOHANNES DE VASSOGNE zum neuen Bischof von Tournai durch den Erzbischof von Reims, PETRUS BABETTE, bei dessen Streit mit dem Reimser Domkapitel interveniert.[39]

Ein dringliches pastorales Anliegen Heinrichs war die Betreuung des Beginentums[40], das in seiner Diözese stark verwurzelt war. Die Dokumente zeigen ihn sogar als einen der Förderer und Protektoren dieser neuen geistlich-sozialen Bewegung von Frauen meist adlig-patrizischer Herkunft und gehobener Bildung, deren Suche nach mystischer Gottinnigkeit sich mit einer starken Empfänglichkeit für religiös-theologische Spekulationen verband.[41] Dabei wird

[35] Cf. PYCKE, *Rép. biogr.* 1988, p. 50sq.

[36] Cf. PYCKE, *Rép. biogr.* 1988, p. 51, mit weiterer Lit.

[37] Cf. GERARDUS DE AUDENARDE: [Appellation an Papst Honorius IV. (16. Mai 1287)]. Ed. H. NOWÉ: Notes sur un manuscrit de l'abbaye de Saint-Pierre de Gand conservé aux Archives Nationales de Paris. In: BCRH 87 (1923), pp. (1-38) 22-27, dort 27; cf. PYCKE, *Chapitre Cathédral.* 1986, p. 317sq.; ID., *Rép. biogr.* 1988, p. 51.

[38] Cf. PYCKE, *Rép. biogr.* 1988, p. 51.

[39] Cf. IOA. DE THIELRODE: *Chronicon monasterii sancti Bavonis.* MGH.SS 25, p. 574.

[40] Cf. immer noch E. W. MCDONNELL: *The Begines and Beghards in Medieval Culture, with Special Emphasis on the Belgian Scene.* New Brunswick 1954, bei dem allerdings Heinrich von Gent keine Erwähnung findet; neuere Lit. ist verzeichnet bei M. WERNER: *Beginen.* In: LThK^3 II (1994), col. 144sq.

[41] Nicht dokumentiert ist Heinrichs Einschätzung von heterodoxen Strömungen unter den Beginen dieser Zeit. In Paris wetterte WILHELM VON SAINT-AMOUR nicht weniger heftig gegen die Beginen als gegen die Mendikanten; cf. E. FARAL: *Les 'Responsiones' de Guillaume de Saint-Amour.* In: AHDLM 18 (1951), pp. 337-395. Zur Zeit des II. Lyoner Konzils brachte das Gutachten des Franziskaners SIMON VON TOURNAI: *Collectio de scandalis ecclesiae.* Ed. A. STROICK. In: AFH 24 (1931), pp. 33-62, gerade mit Blick auf die Situation in Nordfrankreich und Belgien theologische Vorbehalte zur Sprache (cf. H. GRUNDMANN: *Religiöse Bewegungen im Mittelalter.* Darmstadt ^{2}1961, pp. 337-340. 531-535). Extreme, z. T. unter dem Einfluß des PETRUS JOHANNIS OLIVI OMin stehende Beginen wurden durch die Konstitution *Ad nostrum qui* (COD 359sq.) des Konzils von Vienne 1311 verurteilt und verboten. Die indizierten Thesen über eine natürlich verschaffbare direkte Schau des göttlichen Wesens (DH 894sq.) stehen in einer thematischen Verwandschaft zu Heinrichs Lehre von Gott als dem *primum cognitum.* Versuchte Heinrich

eine eigene Rolle gespielt haben, daß seine Schwester AVA als Begine in der 1240 gegründeten Maria-Magdalena-Beginengemeinschaft zu Tournai lebte. Heinrichs Wohlwollen ihr gegenüber ist an nennenswerten materiellen Zuwendungen ablesbar. So stiftete er am 10. Oktober 1289 dieser Beginengemeinschaft in Tournai 70 Pfund zur Errichtung einer Begrenzungsmauer und eines Gebäudes.[42] In den Tagen vom 27. bis 30. Juni 1288 gehörte er nach letztem Willen der damaligen Leiterin GERTRUD LA MARISCAUDE zu deren Testamentsvollstreckern.[43] Von Beginen geschlossene Rentenverträge - hochbedeutsam für den finanziellen Unterhalt von Beginengemeinschaften, denen ja der Bettel und das Almosensammeln aufgrund ihrer eigenen Statuten verwehrt war - stellen zudem einen nicht unerheblichen Hintergrund bei Heinrichs ausführlichen Quästionen über die Erlaubtheit von Finanzkontrakten dar.[44]

3. Die theologische Lehrtätigkeit an der Pariser Universität

Erstes sicheres Datum der theologischen Universitätskarriere zu Paris ist seine erste *quaestio disputata de quolibet* im Advent 1276. Demnach hat Heinrich seit dem Jahre 1275 den Rang eines *magister actu regens in theologia* inne. Er gehörte bis in das akademische Jahr 1291/92 der theologischen Fakultät der Pariser Universität an. Diese Jahre bilden das Interregnum zwischen dem Tod des THOMAS VON AQUIN OP 1274 und der Pariser Sentenzenlesung des JOHANNES DUNS SCOTUS OMin um 1302/03. Die denkerischen Bemühungen sowohl in der Philosophie wie auch in der Theologie standen in höchster Blüte. Eine vordringliche Aufgabe der damaligen Theologie war es, der christlichen Überlieferung in streitbarer Auseinandersetzung ihren Platz zu erhalten. Denn es ging um nichts Geringeres als um die Vergegenwärtigung der griechisch-arabischen Geisteswelt, die infolge reger Übersetzertätigkeit in immer größeren Schüben dem Okzident höchste Rationalitätsstandards vor Augen stellte. Wie zu allen Zeiten bezeugte der christliche Glaube seine Lebendigkeit und Wahrheit gegenüber anderen geistigen und geistlichen Lebensgestalten darin, daß er sich die Fähigkeit zur Rezeption bewahrte, genauer: zur Rezeption des Wahren, un-

- nicht unähnlich einem Meister ECKHART - durch die Entfaltung einer strikt theologischen Doktrin nicht auch auf die in der Pastoral erfahrenen Probleme mystischer Gotteserfahrung zu antworten, indem er sie in ein kirchlich toleriertes und theologisch probables Argumentationsgefüge einzugliedern bemühte? - J. REYNAERT: *Het mystieke „licht" en Hadewijchs Eerste Brief.* In: OGE 65 (1991), pp. 3-11, erwägt einen starken Einfluß der henrizianischen Illuminationslehre auf die zeitgenössische Mystikerin.

[42] Cf. [HENR. DE GAND.:] *Forma anniversariorum, quae magister Henricus de Gandavo, archidiaconus Tornacensis, emit in curia Beghinarum Tornacensium.* Ed. DE PAUW, Dernières découvertes. 1889, pp. 116-119; Datumkorrektur nach PYCKE, *Rép. biogr.* 1988, p. 49.

[43] Cf. [GIERTRUS LI MARISCUADE: *Testamentum*]. Ed. DE PAUW, Dernières découvertes. 1889, p. (113-116) 115; Datumskorrektur nach PYCKE, *Rép. biogr.* 1988, p. 52.

[44] Cf. Kap. I, § 3,1 not. 249-253.

besehen der Herkunft. Die Kraft der Inklusion wurde geradezu zum Hauptkriterium der Wahrheit. Heinrich ging in diesem Geist eine traditionsgestützte Koalition ein. Er sah seine Lehre in der augustinischen Tradition theologisch begründet und philosophisch in AVICENNAS neuplatonisierender Aristotelesexegese legitimiert. Akzeptanz im kirchlichen Glauben und Plausibilität im philosophischen Denken sind für Heinrich eine stets gesuchte Einheit gewesen.

Während eben dieser Zeit verstand es der Weltkleriker Heinrich, zu einer der dominierenden Persönlichkeiten an der Pariser Universität zu werden. Sein Ehrentitel *Doctor solemnis*[45], dessen genaue Bedeutung nicht ganz geklärt und mit „ehrwürdiger Lehrer" oder „feierlicher Lehrer" nur annäherungsweise übersetzt ist,[46] legt davon prägnantes Zeugnis ab. Besonders zwei Eigenschaften verhalfen ihm dazu.

[45] Cf. EHRLE, *Ehrentitel der scholastischen Lehrer.* 1919, pp. 13. 18. 31; PELSTER, *Ehrentitel der scholastischen Lehrer.* 1922, pp. 38. 41. 43-49. 53. 56; P. LEHMANN: *Mittelalterliche Beinamen und Ehrentitel* [= HJ 49 (1929), pp. 215-239], in: ID.: Erforschung des Mittelalters, vol. I. Stuttgart 1941, pp. (129-154) 143; L. MEIER: *De quodam elencho titulorum scholasticorum denuo invento,* in: Anton. 27 (1952), pp. (367-376) 368. 373. - Der Titel *Doctor solemnis* scheint sich wohl erst im letzten Jahrzehnt des 13. Jahrhunderts für Heinrich etabliert zu haben, konnte doch selbst ein anonymer *Gandavista,* der um 1290, auf jeden Fall nach 1286 eine anti-aegidianische *quaestio utrum in creatura esse differat ab essentia* schrieb, noch formulieren: *Circa quaestionem istam duae sunt positiones solemnes.* Ed. HOCEDEZ, Deux questions. 1929, p. 370. ROGER MARSTON führte in seinem 1282-1284 verfaßten *Qdl. 9* BFS 7, p. (406-429) 412, Heinrichs *Species*-Lehre ein mit *quidam solemnes moderni doctores* (mit Bezug auf HENR. DE GAND., *Qdl. IV,21*; *Qdl. V,14*). GONSALV. HISP., *Qu. disp. 7* BFS 9, p. (100-112) 107, führte mit der Formel: *magni dicunt* eine These Heinrichs an, darüberhinaus in *Qu. disp. 11* BFS 9, p. (184-225) 203 explizit mit der Wendung *alius etiam doctor, ut Gandavensis.* - Eine noch frühere Datierung des Titels *Doctor solemnis* erlaubt wohl auch nicht der Bericht des DIETRICH VON FREIBERG über seinen Parisaufenthalt im Jahre 1276, den er in seiner nach 1290 verfaßten Schrift *De intellectu et intelligibili II,30* niederlegte (cf. dazu Kap. III, § 3,3 not. 329). Der anonyme Kopist des *Cod. Vat., ms. Ottob. lat. 2520,* cit. ap. MACKEN, Bibl. manuscr. 1979, tom. II, p. (771-775) 772, nannte Heinrich *doctor solemnissimus.*

[46] Der Ausdruck *sol(l)emnis* bedeutet in der klassischen lateinischen Sakralsprache ursprünglich 'alljährlich zu einer bestimmten Zeit gefeiert', woraus die Hauptbedeutungen 'festlich, feierlich' sowie 'durch Gebrauch und Sitte geheiligt', d. h. genauerhin - nachaugusteisch - '(durch ehrwürdige Sitte) üblich, gewöhnlich' oder 'förmlich (zur Gültigkeit eines Rechtsaktes) gefordert', abgeleitet worden ist. VERGIL, *Ecl. V,74,* spricht mit Betonung auf die innewohnende Erhabenheit von *solemnia vota,* CICERO, *De legibus II,122; Oratio de domo sua 47,122,* ebenso von *solemnia verba;* beide Autoren schlossen damit zugleich eine den kultischen Erfordernissen und Gesetzen angemessene, rhetorisch gehobene Stilqualität ein. Wie der oben (Kap. I, § 1 not. 13) zitierte Text der Pariser Universitätsstatuten von 1215 zeigt, begriff man die Lehrtätigkeit der Magistri als eine feierliche Form universitärer Öffentlichkeit (*lectiones solemnes*). Da Heinrich von Gent gerade auf diesem Gebiet brillierte, darf sein späterer Ehrenname wohl auch damit in Zusammenhang gebracht werden. - Die späteren inhaltlichen Begründungen des Ehrentitels Heinrichs fallen uneinheitlich aus: IOA. CAPGRAVE, *Liber de illustribus Henricis.* RBMAS 7, p. 179sq.: *Erat vir in scholastica lingua satis exercitatus et in moralibus non mediocriter profundus. Unde et titulum laudis apud scholasticos promeruit, ut ... ad summam laudem dictus est 'Doctor solemnis'. Haec est laus huius viri litteratissimi et schola-*

Zum einen sah man in ihm sehr früh einen meinungsfreudigen, kämpferischen Stimmführer der traditionsorientierten, aristoteleskritischen Neoaugustinisten. Dies war Heinrich ohne Zweifel, freilich ohne sich in eine damals vereinzelt auftretende Pauschalkritik hineinzusteigern. Denn der Aristotelismus leistete vielfach terminologische, formallogische und sachliche Vorarbeit und verschaffte in mancher Hinsicht das Rahmenwerk für den Neuaufbau eines revidierten und aktualisierten Neuplatonismus in der christlichen Version des Augustinismus, des Hauptinspirators der meisten für Heinrich charakteristischen theoretischen Positionen.

Zum anderen machte Heinrich die ihm eigene apologetische Energie auch zum selbstbewußten Verteidiger der weltgeistlichen Rechte gegenüber den Mendikanten. Die von seinen weltgeistlichen Vorgängern in der theologischen Fakultät, besonders WILHELM VON SAINT-AMOUR († 1272), GERHARD VON ABBÉVILLE († 1271/72) und NICOLAUS VON LISIEUX († nach 1270), hochgepeitschten Emotionen und die in wüstem Ton geführten theoretischen Auseinandersetzungen um das pfarr-rechtliche Statut des Weltklerus gegenüber den vom Papst gestützten Mendikanten erreichten neue, ungekannte Höhen.[47] Durchaus

stici, Domine mi Rex, ut dicetur nomen hoc sublime non tantum imperatoria maiestate, sed et regali potestate, sed et militari nobilitate, sed et postremo clericali subtilitate. IOA. PICUS MIRAND., *Apologia.* Op. omn. 1557, p. 159: *per excellentiam doctrinae Solemnis Doctor vocatur*, dazu cf. J. V. BROWN, *Henry of Ghent on Internal Sensation.* 1972, p. 16 not. 5; PORRO, *Enrico di Gand.* 1990, p. 165 not. 55. ALFONSUS DE VILLA SANCTA schrieb in seinem Vorwort der Badius-Ausgabe der *Quodlibeta*, Paris 1518 (fol. 1*r, lin. 14sq.) mit ähnlicher Betonung: *qui eximia doctrinae celebritate Doctoris Solemnis titulum emeruit.* J. TRITHEMIUS: *Liber de scriptoribus ecclesiasticis.* In: ID.: Opera historica. Ed. M. FRESHER. Frankfurt a.M. 1601, vol. I, p. (187-400) 299sq. [= J. A. FABRICIUS: Bibliotheca ecclesiastica. Hamburg 1718, p. (1-231) 122sq.: *nr. CDXCVII.*]: *vir in divinis scripturis inter omnes doctores sui temporis eruditissimus et in philosophia Aristotelica* [!] *valde subtilis, tantae opinionis et authoritatis in gymnasio Parisiorum extitit, ut ‚Doctor solemnis' per universum Christianum orbem vocatus sit. Erat enim ingenio subtilis et in disputationibus scholasticis acutissimus, quod praeclara illius testantur opuscula;* ID.: *Catalogus illustrium virorum Germaniam suis ingenii et lucubrationibus omnifariam exornantium.* In: ID.: Opera historica. Ed. M. FRESHER. 1601, vol. I, p. (123-183) 142, lin. 1-11: *doctor Parisiensis omnium sui temporis facile doctissimus, et tam in philosophia saeculari quam in divinis scripturis valde eruditus, ingenio subtilis et clarus eloquio, disputator quaestionum scripturarum acutissimus, qui ob ingentem eruditionis suae gloriam doctor solemnis appelari meruit.* A. PICCIONI: *Vita M. Henrici Goethals a Gandavo ...* In: HENR. GOETHALS DE GAND. Aurea Quodlibeta ... Commentariis doctissimis illustrata M. Vitalis ZUCCOLII Patavini ... Venedig 1613, tom. I, p. 4*: *ex maximo ingenii acumine, ex divina (ut ita dicam) iudicii vi et ex eximia eius doctrinae celebritate, Doctor Solemnis ab omnibus iure fuit appellatus* (cf. Kap. IV § 1,3). G. SOGIA: *In Prol. Sent. quaest. disp., Pars 3, disp. 4, q.8.* Saceri 1692, p. 407a: *Auctor huius sententiae atque luminis medii inter lumen fidei et lumen gloriae fuit Henricus, qui proinde merito debuit solemnis doctoris titulo decorari.* K. WERNER, *Heinrich von Gent als Repräsentant des christlichen Platonismus im dreizehnten Jahrhundert.* In: Denkschr. Akad. Wiss. Wien. Philos.-Hist. Klasse, Jg. 58 (1878), pp. 97-154 = editio separata (60 pp.), p. 3, schreibt tautologisch: „die feierliche Würde seiner daselbst [sc. Paris] geübten Lehrthätigkeit erwarb ihm das Ehrenprädikat".

[47] Zur Rolle Heinrichs (seine Haupttexte sind *Qdl. VII,22-24; Qdl. X,1-4; Qdl. XII,31)* in diesem Streit, in dem sich gegensätzliche Kirchenkonzeptionen gegenüberstanden, cf.

streitbar führte Heinrich diese Kontroversen in der Sache aber auf einem akademischen Niveau weiter.

Zentrale Wirkstätte Heinrichs war eben die Pariser Universität. Dort trat er durch sein doppeltes Quästionenwerk, seine umfangreichen Quodlibets und seine damals zumindest in einem *liber magistri* zugängliche *Summa quaestionum ordinariarum* in die philosophischen und theologischen Richtungskämpfe seiner Zeit ein. Anfang 1277 gehörte er bei angemessener Einschätzung seiner eigenen Aussage[48] nicht - wie sehr oft angenommen - der vom Pariser Bischof STEPHAN TEMPIER geleiteten Gutachterkommission an, die die an der Artistenfakultät gelehrten Irrtümer gegen den christlichen Glauben untersuchen sollte und das am 7. März 1277 promulgierte Verurteilungsdekret[49] erstellt hatte, sondern war wohl bloß Teilnehmer an der vom selben Bischof vorab einberufenen Magisterversammlung[50]. Es ist noch weitgehend im Unklaren, wie seine genaue Rolle bei der Verurteilung von 1277 ausgesehen hat, ob und wie er an der Ausarbeitung dieses Dokuments beteiligt war.[51] Ähnliches gilt auch für die 1277

spec. Y. CONGAR: *Aspects ecclésiologiques de la querelle entre mendiants et séculiers dans la seconde moitié du XIIIe siècle et le début du XIVe.* In: AHDL 28 (1961), pp. (35-151) 48-50. 57. 59. 64sq. 67sq. 71sq. 74. 77. 82-86. 101. 104. 122. 150.

48 HENR. DE GAND., *Qdl. II,9* Wielockx 67,21-23: *In hoc enim concordabant omnes magistri theologiae congregati super hoc, quorum ego eram unus, unanimiter concedentes ...*

49 HISSETTE (ed.), *Enquête.* 1977; zur Textgeschichte cf. H. ANZULEWICZ (ed.): *Eine weitere Überlieferung der 'collectio errorum in Anglia et Parisius condemnatorum' in Ms. alt. fol. 456 der Staatsbibliothek Preußischer Kulturbesitz zu Berlin.* In: FranzStud 74 (1992), p. (375-399) 377; zur Thematik cf. ferner C. BALIC: *Johannes Duns Scotus und die Lehrentscheidung von 1277.* In: WiWei 29 (1966), pp. (210-229) 213sq. 217. 224sq.

50 Cf. dafür die scharfsichtige Bemerkung von J. MIETHKE: *Papst, Ortsbischof und Universität in den Pariser Theologenprozessen des 13. Jahrhunderts.* In: MM 10 (1976), p. (52-94) 86 not. 148.

51 Wie L. BIANCHI: *Il vescovo e i filosofi. La condanna parigiana del 1277 e l'evoluzione dell' aristotelismo scolastico* (Quodlibet 6). Bergamo 1990, p. 54, nahelegt, muß es sich beim Verurteilungsdekret um eine eigenmächtige, die Kommission übergehende Aktion des Pariser Bischofs handeln, weil anscheinend selbst Heinrich den Inhalt bestimmter Verurteilungsthesen und die Motive der Zensurierung nur unzureichend kennt (HENR. DE GAND., *Qdl. II,9* Wielockx 67-70), ja in einem Fall sogar eine im bischöflichen Dekret unauffindbare Verurteilungsthese anführt (HENR. DE GAND., *Qdl. XI,11* Badius 467rV: *secundum articulum quendam damnatum Parisius, nulla creatura habet statum in supremo*; eine Marginalglosse des wichtigen, aus dem Nachlaß des GOTTFRIED VON FONTAINES stammenden *Paris., Nat. lat. 15350,* fol. 207vb vermerkt unmißverständlich: *falsum, quia articulus non reperitur*); PORRO, *Enrico di Gand.* 1990, p. 148sq. not. 15. - Zur Rolle Heinrichs cf. WIELOCKX, *Autour du procès de Thomas d'Aquin.* 1988, pp. 413-415. 418sq. 422sq. 425sq. 430-433. 435. 437; J. F. WIPPEL, *Thomas Aquinas and the Condamnation of 1277.* In: Modern Schoolman 72 (1995), pp. (233-272) 245sq. 252-254. 256-259. 265sq. 269sq.; R. HISSETTE: *Philosophie et théologie en conflit. Saint Thomas a-t-il été condamné par les maîtres parisiens en 1277.* In: RThL 28 (1997), pp. 216-226; ID.: *L'implication de Thomas d'Aquin dans les censures parisiennes de 1277.* In: RThPhM 64 (1997), pp. 3-31; J. F. WIPPEL: *Bishop Stephen Tempier and Thomas Aquinas. A Separate Process against Aquinas?* In: FZPhTh 44 (1979), pp. 117-136 [Kritik an WIELOCKX; spec. pp. 122-126 zu HENR. DE GAND., *Qdl. X,5 addit.*]; J. M. M. H. THIJSSEN: *1277 Revisited: A New Interpretation of the*

erfolgte Verurteilung des AEGIDIUS ROMANUS OESA.[52] Wie oft sind in der Geschichte die Resultate, d. h. hier die aus diesen Kontroversen erwachsenen Textquellen, klarer erkennbar als die Menschen, Handlungen und Prozesse, die sie hervorbrachten.

Von 1277 bis Ende 1281, als infolge der Bulle *Ad fructus uberes*[53] des Papstes MARTIN IV. (1281 - 1285) vom 13. Dezember 1281 die Streitigkeiten des Weltklerus mit den Mendikanten neu aufbrachen, stand das intellektuelle Leben an der Pariser theologischen Fakultät vornehmlich im Zeichen von Kontroversen um das bischöfliche Verurteilungsdekret von 1277, die von den Theologen ebenso doktrinell wie auch universitätspolitisch auszufechten waren. Dabei suchte Heinrich, das ganze Gewicht seiner magistralen Lehrautorität in die Waagschale zu legen. Jene fünf Jahre stellen auch die quantitativ produktivste Phase seines Schaffens dar. Er hielt die Quodlibets II–VII ab und verfaßte die Artikel 26–53 seiner *Summa*, die in der Badius-Ausgabe insgesamt 271 bzw. 182 Folio-Seiten füllen und umgerechnet etwa 2050 bzw. 1330 Seiten der kritischen Edition entsprechen werden!

Eine gewichtige Rolle spielte Heinrich, wie schon gesagt, im Streit um das Beichtprivileg[54], der an der Pariser Universität zwischen den Bettelorden und dem Weltklerus, als dessen Anwalt Heinrich auftrat, ausgetragen wurde. Von diesen diskussions- und aktionsreichen Vorgängen seien hier nur einige markante Geschehnisse erwähnt. Am 23. November 1282 hielt Heinrich einen *Sermo in die festo s. Catharinae.*[55] Für den Dezember 1282, möglicherweise auch erst Anfang des Jahres 1283 bezeugt Heinrich selbst ein Treffen mit Bischöfen und Magistern in dieser Angelegenheit.[56] Eine Urkunde seines hohen Ansehens ist der Brief des Kardinals GAUFRIDUS DE BARRO vom 24. Oktober 1284. Dieser bestellte in einem universitätsrechtlichen Konflikt zwischen Kanzler und Universität über päpstliche Ausführungsbestimmungen neben den Bischöfen von Ami-

Doctrinal Investigations of Thomas Aquinas and Giles of Rome. In: Vivarium 35 (1997), pp. 72-101 [äußert große Skepsis darüber, ob von Bischof TEMPIER gegen THOMAS VON AQUIN und AEGIDIUS ROMANUS separate Lehrprozesse vorbereitet worden seien].

52 Cf. WIELOCKX, *Les 51 articles.* 1985.

53 PP. MARTIN. IV.: *Bulla 'Ad fructus uberes'* (13. dec. 1281). In: CHART. UNIV. PARIS. I, p. 592sq. (nr. 508).

54 Cf. nun die alle vorigen Arbeiten überholende Darstellung bei HÖDL, *Theologiegeschichtliche Einführung.* 1989; ferner P. PORRO: *Il „Tractatus super facto praelatorum et fratrum" di Enrico di Gand. La controversia tra clero secolare e Ordini Mendicanti alla fine del XIII secolo.* In: Quaderno di cultura e formazione 3 (1990), pp. 37-66; weitere Angaben finden sich in Kap. I § 3,2.

55 Cf. Kap. I, § 2,1.e.

56 Cf. HENR. DE GAND., *Qdl. X,1* Macken 17sq.; cf. dazu HÖDL, *Theologiegeschichtliche Einführung.* 1989, p. xlv (not. 43!). lxi. - HOCEDEZ, *Richard de Middleton.* 1925, p. 42, not. 1, gibt zu bedenken, daß Heinrich in *Qdl. X,1* Macken 17,35 von einem Treffen mit 4, aber in *Qdl. VII,24* Wilson 177,71; 178,9; 179,22, von einem Treffen mit 13 Bischöfen spricht, also wohl zwei unterschiedliche Zusammenkünfte angenommen werden müssen; MACKEN, *Introduction.* 1979, p. xi.

ens und Périgueux auch den *discretus vir magister Henricus de Gandavo archidiaconus* in das Schlichtungsgremium.[57] Ein auf einer Prälaten- und Gelehrtenversammlung am 2. Sonntag nach Ostern zu Paris gehaltener *sermo in synodo* fällt in das Jahr 1287.[58] Am 29. November 1290 entzündete sich in der zweiten Sitzung einer Synode zu Paris ein heftiger Disput zwischen Heinrich und einer päpstlichen Legation unter Kardinal BENEDICTUS GAETANI (um 1235 - 1303)[59], dem späteren Papst BONIFAZ VIII. Doch Heinrich wollte nach seiner spektakulär gescheiterten Intervention für den Weltklerus sich nicht dem angeordneten Disputationsverbot fügen und forderte in einer kurz danach von ihm einberufenen Magisterversammlung diese zur Opposition auf. Wohl im Wissen um Heinrichs Einfluß ließ ihn der päpstliche Legat sofort nach Bekanntwerden seiner Rede sogar von seinem Magisteramt suspendiert, woraufhin am darauffolgenden Tag eine vielköpfige Protestdemonstration der Magister der theologischen und auch der Artesfakultät vor die Kardinäle zog.[60] Nicht zuletzt der so bekundete Rückhalt Heinrichs an der Pariser Universität und seine grundsätzliche, von ihm nie in Frage gestellte Loyalität gegenüber dem päpstlichen Lehramt[61] wer-

[57] Cit. ap. EHRLE, *Heinrich von Gent.* 1885. p. 392; DELEHAYE, *Nouvelles recherches sur Henri de Gand* [III]. 1887, p. 70sq.

[58] Cf. Kap. I, § 2,1f.

[59] Cf. L. VONES: *Bonifatius VIII.* In: LThK³ II (1994), col. 579-581.

[60] Cf. den Bericht eines anonymen zeitgenössischen Chronisten in: H. FINKE: Aus den Tagen Bonifaz VIII. Funde und Forschungen (Vorreformationsgeschichtl. Forsch. 2). Münster i.W. 1902 (ed. anastat. Rom 1964), p. (iii-vii) v sq.: *Magister autem Henricus de Gandavo, qui multa disputaverat de privilegio et de duodecim peciis librum ediderat, his auditis convocat magistrorum praesentiam, persuadens ipsis, ut se dictis cardinalibus opponerent, dicens: 'Cum liceat nobis de evangelio disputare, cur non de privilegio?' Quod cardinales minime latuit. Unde dominus Benedictus, vocans magistrum Iohannem de Murro et magistrum Aegidium, praecepit eis, quod praedictum magistrum Henricum ab officio lectionis suspenderent. Quod factum fuit. Sequenti die magistris theologiae et artium et aliarum facultatum plurimis ad cardinales venientibus et pro magistro Henrico postulantibus dixit dominus Benedictus ...* Desweiteren cf. H. FINKE: *Das Pariser Nationalkonzil von 1290. Ein Beitrag zur Geschichte Bonifaz VIII. und der Pariser Universität.* In: RQ 9 (1895), pp. (172-182) 172-177; H. ANZULEWICZ (ed.): *Zur Kontroverse um das Mendikantenprivileg. Ein ältester Bericht über das Nationalkonzil von 1290.* In: AHDLMA 60 (1993), pp. (281-291) 282-284. 289sq.; außerdem M. GRABMANN: *Bernhard von Auvergne († nach 1304). Ein Interpret und Verteidiger der Lehre des heiligen Thomas von Aquin aus alter Zeit.* In: MGL II. 1936, p. (547-558) 557.

[61] In *Qdl. XV,15* Badius 593vI-594rP, einem seiner spätesten Texte, erörterte Heinrich eigens die theologischen und kanonistischen Grenzen kirchlicher Machtbefugnisse und begründet auch Widerspruchsrechte seitens von Nichtklerikern. Cf. dazu allg. B. TIERNEY: *Limits of Obedience in the Thirteenth Century.* In: C. E. CURRAN (ed.): Contraception, Authority and Dissent. New York 1969, pp. 76-100. - Dessen ungeachtet spricht Heinrich dem päpstlichen Lehramt in Dingen der Glaubenslehre und Kirchendisziplin die maßgebliche Autorität in der Kirche zu; so z. B. HENR. DE GAND., *Qdl. IV,35* Badius 148vH: *talis superior, cui debeatur omnimoda oboedientia, cuiusmodi est summus pontifex*; ferner *Qdl. VI,18* Wilson 180,84sq. Cf. auch *Qdl. IX,22* Macken 301,90-92: *solus tamen papa est sponsus universalis ecclesiae vice Christi, propter quod habet universalem potestatem super omnes secundum praedictum modum*; desweiteren HENR. DE GAND., *Sermo in octava dominica post trinitatem, IV.* Roos 14sq.: *Navicula Petri titubare potest, sed subverti non est,*

den erwirkt haben, daß die Suspension nach kurzer Frist wieder zurückgenommen wurde.[62] Mögen diese innerkirchlichen Querelen Heinrichs Denken und entschiedenes Wirken zugunsten seiner Partei der Weltkleriker sehr in Beschlag genommen und er sich dabei auch bereitgefunden haben, Kritik seiner Argumente und gar Schmähung seiner Person entgegenzunehmen, so ging doch stets der Blick Heinrichs auf das Gesamtwohl und den Fortbestand von Freiheit und Frieden in der Kirche und für die Kirche. Gerade letzteres spürt man gegen Ende seines Lebens, als nach dem Fall von Akkon am 8. Mai 1291 und dem militärischen Vordringen der Muslime gegen christliche Gebiete im Osten Heinrich apokalyptische Sorge um den Bestand der abendländischen Kirche umtrieb.[63]

Am 29. Juni 1293 starb Heinrich von Gent.[64] Sein Grab fand er in der Kathedrale von Tournai, nicht in der Abtei von Saulchoir. Dies geht aus einem

quia est fundatum super firmum fundamentum, scilicet Dei. - Noch der ultramontane F. LAMENNAIS (1782 - 1854): *Première lettre à M. l'archevêque de Paris* (cit. ap. HUET, *Recherches.* 1838, p. 186), bemühte HENR. DE GAND., *Qdl. VI,23*, um die Suprematie päpstlich-geistlicher über weltliche Macht darzulegen.

62 Schon zu Ostern 1290 durfte Heinrich sein *Qdl. XIV* Badius 556rQ-574rO abhalten. In der nun folgenden Zeit von drei Jahren bis zu seinem Tod im Sommer 1293 fällt wieder eine äußerst produktive Schaffensperiode Heinrichs. Außer dem *Qdl. XV* Badius 574vO-597vY zu Weihnachten 1291 stellte er die Texte von *Summa 62-75* Badius 187rS-313rL (127 Folio-Seiten, also gut ein Fünftel der ganzen *Summa*!) fertig, nicht ohne im Bewußtsein seines hohen Alters die Vollendung des Werkes von Gott zu erbitten; cf. HENR. DE GAND., *Qdl. XIV,2* Badius 561rH: *Deo dante declarabimus disputando de relationibus communibus in quaestionibus ordinariis* [~ *Summa 62sqq.*].

63 Cf. HENR. DE GAND., *Summa 73,9* Badius 278vV: *Beda autem tempore suo destructionem imperii exposuit solis litterarum dictarum characteribus praesignatam, cum dixit: 'Regna ruent Romae ferroque focoque fameque'. Quam per adversarios suos, praecipue per successores Mahometi, partim christianorum violentia, quod appellat 'ferro', partim ignis incendio, quod appellat 'foco', partim famis afflictione, quod appellat 'fame', iam destructam videmus in destructione totius ecclesiae orientalis, cuius exemplo multum timendum est de futura per eosdem destructione ecclesiae occidentalis.* - Vermutlich direkt gegen die Appelle des RAIMUNDUS LULLUS (cf. Kap. IV, § 1,1) zur Muslimenmission gerichtet, lehnte Heinrich einen solchen Aufruf unverhohlen als ebenso hoffnungsloses wie lebensgefährliches Unterfangen ab; cf. HENR. DE GAND., *Qdl. XIV,12* Badius 569vV: *Postquam sectae infidelium in sua infidelitate sunt obduratae contra fidem christianorum, ut non sit spes de illorum conversione nec signum conversionis eorum futurae percipiunt nec ad hoc missionem specialem susceperunt, nequaquam super ista omissione* [sc. *doctores ecclesiae*] *debent sibi facere peccati conscientiam; et hoc maxime idcirco, quia ad liberam praedicationem contra ritus et legem suam infideles neminem admittunt, sed capitali sententia plectunt statim praedicare contraria illis attentantes, secundum quod super hoc Saracenorum expressum habet edictum. Unde in tali statu Saracenos adire nihil aliud esset quam propriam mortem sine fructu procurare, quod non licet.* Von ähnlichen Meinungsäußerungen jener Zeit berichtet O. VAN DER VAT: *Die Anfänge der Franziskanermissionen und ihre Weiterentwicklung im nahen Orient und in den mohammedanischen Ländern während des 13. Jahrhunderts* (Veröff. des Intern. Inst. für Missionswiss. Forsch. 6). Werl i.W. 1934, spec. pp. 177-243.

64 Das Datum des 29. Juni 1293 belegen mehrere, bei PYCKE, *Rép. biogr.* 1988, p. 51, benannte Dokumente aus dem Archiv des Kathedralkapitels zu Tournai sowie IOANNES DE THIELRODE: *Chronicon monasterii sancti Bavonis.* MGH.SS 25, p. 573. Das Sterbever-

Vertrag hervor, den die Testamentsvollstrecker des Kanonikers JOHANNES DE MUR am 8. September 1301 mit einem Kunsthandwerker aus Tournai schlossen, um eine Grabplatte herzustellen, *com est li pierre ki gist sour mestre Henri de Gand, jadis canoine et archidiakene de Tournai.*[65] Dadurch wird die Angabe des JOHANNES VON THIELRODE, Heinrich sei am 1. Juli desselben Jahres in der Abtei von Saulchoir begraben worden,[66] sehr unwahrscheinlich. In seinem Testament verfügte Heinrich 146 Pariser Pfund für Landerwerb an die Pfarrei von Nomain, 108 Pfund für die Tilgung eines Zehntes an Hellemmes, weitere 79 Pfund ebenfalls für Landerwerb an Lamain und die verbleibende Geldmenge für die Feier seiner Totenmesse in der Kathedrale von Tournai.[67] Im Jahre 1317 erhielt Heinrichs Jahresgedächtnis eine große Feierlichkeit dank einer Stiftung des Großvikars von Tournai, HEINRICH VON COURTRAI, seines früheren Sekretärs.[68] Mit dieser Nachricht über das liturgisch ehrende Andenken der Nachwelt versiegen die historisch glaubwürdigen Berichte über das begebnisreiche Leben des *Doctor solemnis.*

zeichnis der Abtei von Saulchoir und der Nekrolog des Klosters Saint-Martin zu Tournai nennen abweichend den 1. Juli, das Obituarium des Klosters Saint-Amand den 2. Juli. - Mehr als unwahrscheinlich sind die Mutmaßungen bei H. WALACH: *Notitia experimentalis Dei - Erfahrungserkenntnis Gottes. Studien zu Hugo de Balmas Text 'Viae Sion lugent' und deutsche Übersetzung* (Anal. Cartus. 98/1). Salzburg 1994, pp. 33-37, nach denen der *Doctor solemnis,* der schon früh (HENR. DE GAND., *Qdl. II,14*) für die Lebensweise der Kartäuser eingetreten ist, mit dem 1311 als Gastbewohner in der Kartause von Paris verstorbenen, gleichnamigen Weltpriester HENRICUS A GANDAVO identisch sein könne. Ein solcher Wechsel der Lebensform bei einem der renommiertesten kirchlichen Würdenträger und Theologen seiner Zeit wäre niemals von den Chronisten verschwiegen worden. Vor Verwechslungen warnte bereits der oben not. 19 mitgeteilte Eintrag im Obituarium der Sorbonne. - Bloße Namensgleichheit besteht zu einem 1295 erwähnten Kapitelsherren von Courtrai (cf. DELEHAYE, *Notes sur Henri de Gand.* 1888, p. 434) und zu einem im 15. Jahrhundert als Bonaventura-Kopisten nachweisbaren Franziskaner HAINRICH DE GANDAVO, von dem W. WATTENBACH: *Aus Handschriften.* In: NA 10 (1884/85), p. (192-195) 194 berichtet; dazu DELEHAYE, *Notes sur Henri de Gand.* 1888, pp. 432-434; MACKEN, *MPhFLC, I, nr. 104.* 1997, p. 275sq. Gleiches gilt für den 1482 als *magister artium* und *baccalaureus in medicinis* zu Löwen erwähnten HENRICUS DE EYNDONIA (ANDONIA), dazu Ch. H. LOHR: *Medieval Latin Aristotle Commentaries. Authors G-I.* In: Traditio 24 (1968), pp. (149-245) 220sq. 224; A. D'HAENENS: *Que faisaient les étudiants, à partir du XVe siècle, des textes qu'on leur imposait à l'université? le non-textuel dans les manuels des étudiants de l'université de Louvain.* In: Jacqueline HAMESSE (ed.): Manuels, programmes de cours et techniques d'enseignement dans les universités médiévales (Univ. Cath. de Louvain. Publ. de l'Inst. d'Ét. Médievales 16). Louvain-la-Neuve 1994, p. (401-441) 405sq.; MACKEN, *MPhFLC, I, nr. 102.* 1997, pp. 272-275.

65 ANON. [*Contractus, 8. 9. 1301*]. Ed. A. HOCQUET: Le rayonnement de l'art tournaisien aux XIIIe et XIVe siècles. Nouvelles preuves. In: Annales de la Soc. d'hist. et d'archéol. de Tournai NS 17 (1921), pp. (247-282) 271-273, cit. ap. PYCKE, *Rép. biogr.* 1988, p. 51.

66 Cf. IOA. DE THIELRODE, *Chronicon monasterii sancti Bavonis.* MGH.SS 25, p. 573.

67 Cf. PYCKE, *Rép. biogr.* 1988, p. 51.

68 Cf. PYCKE, *Rép. biogr.* 1988, p. 51sq., mit Berufung auf das *Obituarium* der Kathedrale zu Tournai (Tournai, Arch. du Chapitre cathédral, Reg. 83, fol. 68r-69r).

§ 2 DIE WERKE DES HEINRICH VON GENT

Zur Grundlegung aller historischen, also auch der theologiegeschichtlichen Arbeit gehört die Verifikation authentischer Werke eines Autors und das Bemühen um eine kritische Texterstellung. Bei Heinrich von Gent war und ist das Problem von eigener Dringlichkeit. Die von Franz Kard. EHRLE um 1883 verlautbarten Pläne, die zuletzt 1613 bzw. 1642-46 aufgelegten Hauptwerke Heinrichs nachzudrucken, fanden keine Realisierung.[69] Für die 1902 im Eröffnungsband der Editionsserie 'Les Philosophes Belges' von Maurice DE WULF angekündigte Werkausgabe[70] hat man über Jahrzehnte hin keinen Editor finden können. Gérard VERBEKE unterstrich nochmals 1958 auf dem 'I. Internationalen Kongreß für mittelalterliche Philosophie' in Löwen das Bedürfnis und Erfordernis einer kritischen Neuedition.[71] Doch neuen und festen Grund legten erst die schon früh von Raymond MACKEN begonnenen Vorarbeiten zur kritischen Ausgabe der *Opera omnia*, die seit 1979 erscheint. Für Detailauskünfte über Bestand und Zuordnungsverhältnisse der handschriftlichen Überlieferung, über angewandte editorische Methoden[72] und dergleichen mehr sei grundsätzlich auf die von R. MACKEN erstellte *Bibliotheca manuscripta Henrici de Gandavo* sowie auf die Einzelbände der *Opera omnia* mit ihren ausführlichen Einleitungen verwiesen.

1. Authentische Werke des Heinrich von Gent

Der Ruhm des Heinrich von Gent gründet auf zwei unfangreichen Werken, die zwei wesentliche Literaturgattungen der scholastischen Literatur repräsentieren: auf seinen *Quodlibeta* und seiner *Summa quaestionum ordinariarum*. Beide unter seinem Namen überlieferten Textcorpora können mit Sicherheit ihm zugeschrieben werde.

a) *Quodlibeta*

Die *quaestio de quolibet*[73] zählt zu den Eigenformen einer mittelalterlichen universitären Disputationskultur[74], deren exzessive Oralität sich seit Mitte des 13.

[69] Cf. dafür die Angaben zu EHRLE in Kap. IV, § 2,3.

[70] Cf. [M. DE WULF:] *Introduction*. In: Le Traité 'De unitate Formae' de Gilles de Lessines. Texte inédit et étude (PhBelg 1). Löwen 1901, p. (iii sq.) iv.

[71] Cf. G. VERBEKE: *Les éditions critiques de textes médiévaux*. In: L'homme et son destin d'apres les penseurs du moyen âge (Actes du Ier Congr. Intern. de Philos. médiévale, Löwen - Bruxelles 28 août - 4 septembre 1958). Löwen/Paris 1960, p. (777-794) 781.

[72] Cf. MACKEN, *Editionstechnik*. 1981; HÖDL, *Ausgaben der Quodlibeta*. 1981; ID., *Neuausgabe der Summa*. 1987; BATAILLON, *Les nouvelles éditions critiques d'Henri de Gand*. 1994.

[73] Cf. WIPPEL, *Quodlibetal Questions*. 1985, pp. 151-222, zu Heinrich spec. pp. 159. 161. 163sq. 169. 172. 174. 186-190. 193. 196-198. 200. 216; P. HADOT: *Philosophie. VI. Literarische Formen der Philosophie*. In: HWPh VIII (1989), col. (848-858) 851. 853; Th. RENTSCH:

Jahrhunderts in einer ebenso exzessiven Literalität niederschlug. Lehrform und Schreibform des scholastischen Unterrichts korrespondieren,[75] und beide sind auch in den Texten des Genter Theologen auffindbar. Heinrich zeigte sich als ein herausragender Meister dieser als besonders anspruchsvoll geltenden, dem *magister actu regens* vorbehaltenen Disputationsform. Martin GRABMANN rühmte Heinrichs *Quodlibeta* als „ohne Zweifel das monumentalste Quodlibetalienwerk der Hochscholastik"[76]. In ihnen brachte Heinrich zentrale Theoriestücke seines Denkens, die in anderen Schriften nur skizzenhaft umrissen sind, ebenso konzis wie nachdrücklich zur Sprache. Wie bei GOTTFRIED VON FONTAINES darf der okkasionelle Charakter[77] der Quodlibets Heinrichs nicht darüber hinwegtäuschen, daß Heinrich viele Themen aus den ersten Quodlibets weiterführte und in gewohnt ausführlicher Manier systematisch erörterte, wobei er mitunter auch die ihm zwischenzeitlich bekannt gewordene Einwände hinzuzog.[78] Die Quodlibets lassen überhaupt sehr viel von Heinrichs Persönlichkeit, seiner intellektuellen Offenheit, Gewissenhaftigkeit und Redlichkeit erkennen.[79] Heinrich hielt den von Argumenten geleiteten Disput für eine höchst angemessene Weise, der Wahrheit die Ehre zu geben. Simplifizierenden Lösungsvorschlägen begegnete er mit einer in seiner Epoche einzig dastehenden Ausführlichkeit, durch die er um der Sache willen jeden relevanten Aspekt eines Problems vergegenwärtigen wollte und so manche Quästion auf Traktatlänge anwachsen ließ. Beeindruk-

Die Kultur der quaestio. In: G. GABRIEL/Christiane SCHILDKNECHT (Hg.): Literarische Formen der Philosophie. Stuttgart 1990, pp. 73-91; J. DECORTE: *Quodlibet.* In: LexMA VII (1995), col. 377; W. J. HOYE: *Die mittelalterliche Methode der Quästio.* In: N. HEROLD/ Sibille MISCHER (Hg.): Philosophie. Studium, Text und Argument (Münsteraner Einf. - Philos., Bd. 2). Münster 1997, pp. 155-178.

[74] Cf. L. HÖDL: *Disputatio(n). I. Philosophie und Theologie.* In: LexMA III (1986), col. 1116-1118; SCHÖNBERGER, *Was ist Scholastik ?* 1991, pp. 52-115; K. JACOBI: *Der disputative Charakter scholastischen Philosophierens.* In: J. A. AERTSEN u.a.: Philosophie und geistiges Erbe des Mittelalters (Kölner Univ.-Reden 75). Köln 1994, pp. 31-42; R. IMBACH: *Disputation.* In: LThK³ III (1995), col. 268; P. NEUNER: *Die Freiheit der Theologie und die Methode der Disputation. Eine historische Betrachtung zu einem aktuellen Problem.* In: MThZ 48 (1997), pp. 219-230.

[75] J. MIETHKE: *Die mittelalterlichen Universitäten und das gesprochene Wort.* In: HZ 251 (1990), pp. 1-44, untersucht unter Einbezug neuerer literarhistorischer und literaturtheoretischer Forschungen das Verhältnis von schriftlicher *lectio* und *quaestio* zur Mündlichkeit der Disputationen und wendet sich überzeugend gegen den Vorwurf, es wären Verschriftlichungsformen der mittelalterlichen Universität gewesen, die eine Sterilität der Argumentationskultur heraufgeführt hätten.

[76] GRABMANN, *Geschichte der Katholischen Theologie.* 1933, p. 91.

[77] Cf. TIHON, *Foi et théologie selon Godefroid de Fontaines.* 1966, p. 11.

[78] Ein klassisches Beispiel für die zahlreichen Binnenverweise seiner Quodlibets ist *Qdl. XI,6* Badius 452vM, das markant an *Qdl. X,9* anschließt: *Sed quoad hoc ... istam quaestionem anno praecedenti determinavi in X⁰ quodl. qu. 9 et prius in IX⁰ qu. 5. ... Et forte propter nova argumenta, quae videntur contrariari dictis meis ibi, quaestio ista iterato repetebatur.*

[79] Cf. die sehr treffenden Bemerkungen bei CARVALHO, *Henrique de Gand († 1293). A propósito.* 1991, p. 4; desweiteren MACKEN, *La personnalité, le caractére et les méthodes de travail d'Henri de Gand.* 1989.

kend ist sein Freimut, eine Unvollständigkeit seines Beweisganges für möglich zu halten und darum Kondisputanten ausdrücklich auch um Ergänzung und Verbesserung zu bitten.[80] Nichts kann wohl Heinrichs Bejahung der Universität als Ort der Wahrheitssuche so augenfällig machen, als daß er in den 17 Jahren seiner Tätigkeit als Magister der Theologie nicht weniger als 15 Quodlibets - eine im Mittelalter kaum erreichte Zahl[81] - abhielt.

In zahlreichen Handschriften verbreitet, sind die *Quodlibeta* dann 1518 von Jodocus BADIUS ASCENSIUS in Paris erstmals gedruckt worden. Man legte eine deteriore Mischhandschrift zugrunde und fügte einige 'corrections humanistes' hinzu.[82] Im Zusammenhang seiner Erhebung zum Ordenslehrer der Serviten wurde diese Ausgabe zusammen mit dem Kommentar des Vitalis ZUCCOLIUS in Venedig zuerst 1608 bei CLASERIUS in Venedig und dann 1613 bei Iacobus DE FRANCISCIS neu aufgelegt. Die Pariser Ausgabe wurde 1961 in Löwen anastatisch ediert, so daß für Belange der Textkritik nichts gewonnen war.

Unabhängig und ohne Wissen voneinander erkannten zu Beginn der 60er Jahre unseres Jahrhunderts Raymond MACKEN und wenig später Ludwig HÖDL den unschätzbaren Zeugniswert des *Cod. lat. Paris. 15350* für die redaktionelle Arbeit Heinrichs an seinen eigenen Quodlibets,[83] da es sich bei dieser Handschrift, die nach dem Tod in die Hand des GOTTFRIED VON FONTAINES überging, um das Handexemplar Heinrichs handelt. In ihm sind viele, z.T. erhebliche Ergänzungen und Streichungen eingetragen, die nicht in der sog. Universitätstradition seiner Schriften eingegangen sind. Damit ist eine doppelsträngige Überlieferungsgeschichte der Werke Heinrichs bezeugt. Textvarianten in den Handschriften erwiesen sich häufig als Redaktionsstufen des Heinrich von Gent. Man bekam gewissermaßen ein dynamisches Textbild, das die stete Arbeit Heinrichs an dem zu publizierenden Text wiedergibt, und wurde vor eine editorische Aufgabe gestellt, die L. TRAUBE mit Blick auf das Oeuvre des JOHANNES ERIUGENA eine „genetisch-kritische Herausgabe"[84] des Textes nannte. Für werkchronologische Untersuchungen muß daher streng zwischen der Textge-

[80] Cf. HENR. DE GAND., *Qdl. VI,24* Wilson 226,18-19: *Si quod vero membrum ommissum sit, ut aliquod restat, subdistinguendum apponat ille, cui occurit, mihi autem ad praesens non occurit.* Bezüglich der Frage unendlich vieler Ideen in Gott äußerte sich HENR. DE GAND., *Qdl. V,3* Badius 156vV: *tamen propter rei profunditatem et eius elongationem a nostro intellectu, negare non audeo nec contrarium assero, sed tantum ingenia studiosorum ad tam abditorum investigationem excito.*

[81] GOTTFRIED VON FONTAINES hielt ebenfalls noch 15 Quodlibets ab, THOMAS VON AQUIN brachte es auf 12 Quodlibets. Allein GERHARD VON ABBEVILLE überragte alle mit insgesamt 20 Quodlibets; cf. GLORIEUX, *L'enseignement.* 1968, pp. 128-134.

[82] Cf. MACKEN, *Étude critique.* In: HENR. DE GAND.,Qdl. I (Op. omn. 5). 1979, p. xxvii sq., und spec. WIELOCKX, *Introduction.* In: HENR. DE GAND. Qdl. II (Op. omn. 6). 1983, pp. xxxvi-xliv. Cf. ferner Kap. IV, § 2, not. 237.

[83] Cf. aber auch schon GÓMEZ CAFFARENA, *Ser participado.* 1958, p. 109sq. not. 38.

[84] L. TRAUBE: *Autographa des Iohannes Scottus (Paläographische Forschungen, V)* (SBAW.PH 26/1). München 1912, p. 5; zur Sache cf. auch G. MARTENS/H. ZELLER (Hg.): *Textgenetische Edition* (editio, Beih. 10). Tübingen 1977.

stalt der schulinternen Abfassung und der der universitären Publikation unterschieden werden.

b) *Summa* (*Quaestiones ordinariae*)

Die originär mittelalterliche Benennung *Summa* ist zunächst und zuerst Kennzeichnung einer Darstellungsmethode und betont die aus dem thematisch disparaten scholastischen Unterricht erwachsene Zugriffsabsicht auf „die Ganzheit des pluralen, ungeordneten Wissensstoffes"[85], ohne aber gleich ein fixes System des Wissens und des Wißbaren vorher zugrunde zu legen. Das 12. Jahrhundert kannte für viele Wissenszweige diese Literaturgattung. Im Verlauf des 13. Jahrhunderts entstanden die - mit Ausnahme der des WILHELM VON AUXERRE im übrigen alle unvollendet gebliebenen - großen theologischen Summen namhafter Vertreter ihres Faches, wie PHILIPP DER KANZLER, ALEXANDER VON HALES, ALBERTUS MAGNUS, THOMAS VON AQUIN oder ULRICH VON STRASSBURG es sind. Dies mag dem Drucker J. BADIUS im Sinn gestanden haben, als er 1520 als erster den Kunstnamen *Summa quaestionum ordinariarum* über dieses Werk Heinrichs setzte, stellt doch dieser Titel ein *mixtum compositum* dar. Die meisten Handschriften führen die Titulatur *Summa magistri Henrici de Gandavo*. Scholastische Autoren reden spätestens seit dem 1290 disputierten *Quodlibet IV* des JOHANNES DE POLLIACO[86] und seit dem um 1300 in Oxford redigierten Prologs der *Ordinatio* des JOHANNES DUNS SCOTUS[87] ebenfalls gemeinhin von der *Summa*, benutzen diesen Ausdruck aber in einem zeitgenössisch üblichen Sinne als technische Bezeichnung für die Literaturgattung der *quaestiones ordinariae*.[88] Möglicherweise wird sie schon in den 80er Jahren des 13. Jahrhunderts, also zu Lebzeiten

[85] L. HÖDL: *Summa, Summenliteratur*. In: LThK² IX (1964), col. (1164-1167) 1164; zur literarischen Gattung und ihrer Geschichte cf. P. HADOT: *Philosophie. VI. Literarische Formen der Philosophie*. In: HWPh VIII (1989), col. (848-858) 851. 853; R. BERNDT: *La théologie comme du monde. Sur l'evolution des sommes théologiques de Hugues de Saint-Victor à saint Thomas d'Aquin*. In: RSPhTh 78 (1994), pp. 555-572; Marcia L. COLISH: *From the Sentence Collection to the „Sentence" Commentary and the „Summa": Parisian Scholastic Theology, 1130-1215*. In: Jaqueline HAMESSE (ed.): Manuels, programmes de cours et techniques d'enseignement dans les universités médiévales (Publ. de l'Inst. d'Et. Médiév. 16). Louvain-la-Neuve 1994, pp. 9-29; LEINSLE, *Einführung in die scholastische Theologie*. 1995, pp. 51-56; L. HÖDL: *Summa (Summula). I. Scholastische Literatur- und Wissenschaftsgeschichte*. In: LexMA VIII (1997), col. (306-308) 307; W. J. HOYE: *Summa*. In: EKL³ IV (1997), col. 559sq.

[86] IOA. DE POLLIACO, *Qdl. IV,2*. Ms. Paris, Bibl. Nat., lat. 15372, fol. 109rb: *H*[*enricus*] *de G*[*andavo*] *in summa sua, articulo 60, q. 1*; cit. ap. HÖDL, *Introductio*. 1991, p. xxix.

[87] IOA. DUNS SCOTUS, *Ord., Prol. 5,1-2, nr. 270*. Ed. Vat. I, p. 183,10: *ut habetur a Gandavo in Summa, et vide articulo octavo, quaestione secunda, solutione tertii argumenti*. Cf. auch IACOB. DE THERMIS, *Qdl. II,4* [a. 1307] Glorieux 231: *quidam ... in Summa, 36 articulo, quaestione 4a*.

[88] Cf. IOA. DE POLLIACO, *Qdl. IV,2*. Ms. Paris, Bibl. Nat., lat. 15372, fol. 105ra (cit. ap. HÖDL, *Introductio*. 1991, p. xxvi), der dort die *Quaestiones disputatae de veritate* des THOMAS VON AQUIN als *Summa de veritate* zitiert.

Heinrichs, aufgekommen sein. Denn in dem gegen Ende des 13. Jahrhunderts geschriebenen *MS. Assisi 158*, einem überragenden Dokument für die Oxforder Theologie der Jahre 1280-1290, ist auf einem eingelegten Blatt (fol. 66a) im Text einer anonymen Quästion - nicht als Marginale! - vermerkt: *In summa Gaunt* [= *Gandavi*][89] *et in quolibet rationes ad oppositum ad placitum, ubi solvit quaestionem contrario Thomae.*[90] Die Suche nach der ersten derartigen Benennung ist aber noch nicht beendet.

Andererseits ist sehr zu beachten, daß Heinrich selbst diese Texte an keiner Stelle als *summa* bezeichnet. Beständig spricht er in den Wendungen *in aliis quaestionibus, in quaestionibus ordinariis nostris, in disputatione ordinaria*[91] oder *in quaestionibus disputatis ordinarie*[92]. Dieses Werk ist folglich nichts anderes als die Sammlung der ein- oder zweiwöchentlich gehaltenen, regulären Disputationen Heinrichs, die von ihm für eine universitäre Publikation intensiv redigiert worden sind. Ihr Fragment gebliebener Entwurf, wenn er überhaupt als solcher aufgefaßt werden darf,[93] und zahlreiche redaktionelle Unausgeglichenheiten machen es nicht unwahrscheinlich, daß das Werk, nach M. GRABMANN „ein monumentaler Torso"[94], zur Gänze erst postum veröffentlicht worden ist. Hinsichtlich der Publikationsweise ist dabei wie bei den Quodlibets strikt zwischen der schulinternen Niederschrift als *liber magistri* und der formell-offiziellen universitären Veröffentlichung zu unterscheiden.[95] Der *liber magistri* stand für Schüler des Heinrich und für Interessenten an seiner Lehre universitätsintern zur Einsicht offen. Vermutlich von dorther wird PETRUS DE FALCO OMin innerhalb seiner um 1280 gehaltenen ersten *Quaestio disputata ordinaria* einen längeren, ganz ohne Zitatmerkmal übernommenen Textauszug aus Heinrichs *Summa 8,3* erhalten haben,[96] die bislang früheste bekannte Textzitation aus der *Summa*.

[89] Die Lesung *Gaunt* entspricht zweifelsfrei der sonstigen Schreibung *Gandavensis* bzw. *de Gandavo*. Die Scheibweise verwendet dieselbe Handschrift auch für den 1291 als Kanzler in Oxford tätigen SIMON DE GANDAVO, der 1315 als Bischof von Salisbury verstarb; cf. LITTLE/PELSTER, *Oxford Theology*. 1934, pp. 79-81; EMDEN, *BRUO II*. 1958, col. 759sq.; LThK² IX (1964), col. 767 (D. A. CALLUS).

[90] Der Text ist ediert von F. PELSTER in LITTLE/PELSTER, *Oxford Theology*. 1934, p. 111 not. 4.

[91] Cf. HENR. DE GAND., *Summa 72,3* Badius 269vN: *in sequenti parte huius disputationis ordinariae.*

[92] Cf. HENR. DE GAND., *Qdl. IX,3* Macken 51,38.

[93] Zur Diskussion des Summenplans Heinrichs cf. PAULUS, *Essai*. 1938, p. 244 not. 1; MACKEN, *Introduction*. 1979, p. xxi sq.; G. A. WILSON: *Critical Study*. In: HENR. DE GAND., Summa (Quaest. ord.), art. XXXV-XL (Op. omn. 28). 1994, p. xxvii sq.

[94] Cf. GRABMANN, *Studien über Ulrich von Straßburg*. In: MGL I. 1926, p. 173.

[95] Cf. HÖDL, *Projektband*. 1988; G. A. WILSON: *Critical Study*. In: HENR. DE GAND., Summa (Quaest. ord.), art. XXXV-XL (Op. omn. 28). 1994, pp. xx-xxvi; HÖDL, *„Copia" und Schultradition der Summa des Heinrich von Ghent*. 1996. - Cf. generell L. J. BATAILLON/B. G. GUYOT/R. H. ROUSE (ed.): *La production du livre universitaire au moyen age. Exemplar et pecia*. Paris 1988, ad indicem s.v.

[96] Cf. PETR. DE FALCO, *Quaest. disp. ord. 1, resp.* Gondras I, p. (29-70) 46: *Utrum scientia legis divinae sit practica vel speculativa*, wo fast wörtlich HENR. DE GAND., *Summa 8,3 concl.* Badius 65vS, lin. 6-19 zitiert ist. – Zum Stellenwert dieses Frühzitats in der Textgeschichte

Die *Summa* und die *Quodlibeta* sind als komplementäre Werke aufzufassen. Zahlreiche Verweise von den *Quodlibeta* auf die *Summa* und umgekeht von der *Summa* auf die *Quodlibeta*, die eine relative Chronologie zu erkennen geben, führen zu dem Schluß, daß beide Werke parallel entstanden und im *liber magistri* sukzessiv verschriftlicht worden sind. Heinrich legte bis in die letzten Tage seines Lebens Hand an seine Texte. Die letzten Quästionen der Summa (73-75) sind sehr wahrscheinlich ab dem Spätsommer 1292 abgefaßt worden.[97] Für eine graphische Übersicht konsultiere man den Exkurs zur Chronologie der *Quodlibeta* und der *Summa* am Ende dieses Paragraphen.

Die Druckgeschichte der *Summa* ähnelt sehr jener der *Quodlibeta*. Die *Summa* war nach dem Vorwort des Verlegers auf der Grundlage eines Exemplars der Pariser Karmeliten mitsamt den Änderungen eines beigezogenen humanistischen Korrektors namens Johannes DULLARDUS im Jahre 1520 ebenfalls von BADIUS erstmals gedruckt worden.[98] Auf der Grundlage dieser Pariser Ausgabe wurde dann 1642-46 vom Serviten Hieronymus SCARPARIUS eine dreibändige Neuausgabe bei Franciscus SUCCIUS zu Ferrara besorgt. Daß diese Ausgabe Druckfehler der Badius-Edition übernahm und vermehrte, wurde allerdings dadurch mehr als wettgemacht, daß sie ein stark verbessertes Glossar enthielt und die zahlreichen Binnenverweise und Zitate bei Heinrich präzis identifizierte. Von der bisweilen in der Literatur aufgeführten Ausgabe, die 1639 zu Antwerpen erschienen sein soll,[99] konnte bislang kein Exemplar aufgefunden werden; sie scheint ein bibliographisches Phantom zu sein. Der photomechanische Nachdruck der Pariser Ausgabe von 1520 innerhalb der 'Franciscan Institute Publications' im Jahre 1953 machte zwar das Werk wieder allgemein zugänglich, verschob aber das Problem einer textkritischen Ausgabe auf spätere Zeiten. Die 1991 innerhalb der *Henrici de Gandavo Opera omnia* begonnene kritische Neuedition der *Summa* kann auf 18 Codices zurückgreifen. Unter ihnen ragt

der *Summa* sowie zu dessen möglicher Genese als Notizentnahme aus dem *liber magistri* oder aus studentischen *schedulae* (allg. dazu J. VERGER: *Vorlesungs- und Predigtnachschriften.* In: LexMA VIII [1998], col. 1852sq.) cf. HÖDL, *Theologiegeschichtliche und textkritische Studie.* 1998, pp. lx-lxii; dort p. xlvii sq. weitere Belege zur Frührezeption der *Summa.* - Zu Person und Werk des PETRUS DE FALCO cf. Kap. IV, § 1,1 not. 52.

97 HENR. DE GAND., *Summa 73,9 ad 2* Badius 278rO-vV, erörterte bei der Frage nach dem *proprium nomen Dei* in einer für damalige universitätstheologische Gepflogenheiten unüblichen Ausführlichkeit die Bedeutung des Tetragramms. Dies ließe sich gut erklären als Reflex auf die am 20. Juli 1292 von ARNALD VON VILLANOVA gehaltene *Allocutio super significatione nominis Tetragrammaton tam in lingua Hebraica quam Latina et super declaratione mysterii trinitatis evidentibus rationibus atque signis.* Ed. J. CARRERAS I ARTAU. In: Sefarad 9 (1949), pp. 75-105. Möglicher Hintergrund könnten auch Ausführungen bei einem Lehrer des ARNALD, dem Dominikanertheologen RAYMUNDUS MARTINI: *Pugio fidei.* Leipzig 1687, pp. 547sqq. 685, sein.

98 Cf. MACKEN, *Étude critique.* In: HENR. DE GAND., Summa (Quaest. ord.), art. XXXI-XXXIV (Op. omn. 27). 1991, p. cxxx sq. Cf. auch Kap. IV, § 2, not. 237.

99 Cf. für diese irrige Angabe J. FORGET: *Henri de Gand.* In: DThC VI/2 (1914), col. (2191-2194) 2193; GLORIEUX, *Rép. des maîtres, I.* 1933, p. 390.

der *Paris., Bibl. Nat. lat. 15355* weit heraus, weil er - ebenfalls aus dem Nachlaß des GOTTFRIED VON FONTAINES, des Schülers und späteren Kollegens Heinrichs, stammend - mutmaßlich eigenhändige Korrekturen Heinrichs enthält.[100]

c) *Tractatus super facto praelatorum et fratrum*

Ein besonderes, geradezu singuläres überlieferungsgeschichtliches Schicksal widerfuhr dem für die Geschichte der Theologie, Kirchenverfassung und Pastoral jener Zeit ungemein aussagekräftigen *Tractatus super facto praelatorum et fratrum.*[101] Entstanden 1288 im Zusammenhang der heftigen Diskussionen zwischen Weltgeistlichen und Mendikanten, veröffentlichte Heinrich zunächst den Traktat im ganzen Umfang. An das wenig später, Weihnachten 1288 disputierte *Qdl. XII* hängte er als *q. 31* die etwa ein Fünftel des ursprünglichen Traktats umfassende *propositio generalis* und den ersten Teil der *propositio specialis* an. Nur dieser Text ging in die Universitätstradition der Schriften Heinrichs ein, auf der die Badius-Edition 1518 fußte. Erst die kritische Edition 1989 innerhalb der *Henrici de Gandavo Opera omnia* verschaffte wieder Zugang zum ursprünglichen, ungekürzten Traktat.[102]

d) *Sermo in VIII^{a} dominica post trinitatem 'Attendite a falsis prophetis'*

In einer Oxforder Sermones-Sammelhandschrift ist unter Heinrichs Namen glaubhaft ein *sermo* überliefert,[103] den er mit Sicherheit vor Beginn seiner Tätigkeit als *magister actu regens* 1276, nicht aber vor 1268 als Universitätspredigt zu Paris gehalten hat.[104] Heinrich fordert im Anschluß an *Mt 7,15-21* Wachsamkeit

[100] Cf. MACKEN, *Les corrections d'Henri de Gand à sa Somme.* 1977; ID., *The Corrections of Henry of Ghent in His Summa, Articles 1-26.* 1994.

[101] HENR. DE GAND., *Quodlibetum XII, q. 31.* Edd. M. HAVERALS/L. HÖDL. Cum introd. hist. a L. HÖDL (Op. omn. 17). Löwen 1989.

[102] Zu den komplexen überlieferungsgeschichtlichen Umstände des Traktats cf. eingehend HÖDL, *Theologiegeschichtliche Einführung.* 1989, pp. cxviii-clxv.

[103] HENR. DE GAND., *Sermo in octava dominica post trinitatem.* Ed. Roos 1978. - Zu Heinrich als Prediger cf. allg. J. B. SCHNEYER, *Geschichte der katholischen Predigt.* Freiburg i.Br. 1969, p. 140; ID., *Repertorium der lateinischen Sermones des Mittelalters,* Bd. 2. Münster i.W. 1970, p. 674. - Die im *Clm 5393,* fol. 1ra-85vb überlieferten Predigten sind 1606 von Francesco BENNI, Bischof von Ravello und Scala, in einer Chiemseer Handschrift aufgefunden und erst daraufhin Heinrich zugeschrieben worden; cf. für Einzelheiten MONTAGNA, *I Servi ed Enrico di Gand.* 1982, p. 200; eine Incipit-Liste dieser ps.-henrizianischen Sermones bei MACKEN, *Bibl. manuscr.* 1979, tom. II, pp. 1120-1124.

[104] Cf. MACKEN, *Bibl. manuscr.* 1979, tom. II, p. 1068, der den Text als *Sermo in dominica VIIa post Pentecostem „Attendite a falsis prophetis"* zitiert, enthält sich bei der Datierung der Entscheidung. F. PELSTER: *An Oxford Collection of Sermons of the End of the Thirteenth Century.* In: Bodleian Quart. Record 6 (1930), p. (169-172) 170, setzt den Sermo auf 1276 fest, P. GLORIEUX: *Sermons universitaires Parisens de 1267-1268.* In: RThAM 16 (1949), p. (40-71) 58, auf den 15. Juli 1268 - also acht Jahre vor Heinrichs erstem Quodlibet! Dagegen widersetzt sich L.-J. BATAILLON: *Sur quelques sermons de saint Bonaventure.* In: S.

gegenüber jeder Häresie und behandelt der Schriftstelle folgend biblische Aussagen über Ankunft, Erscheinungsweise und schädliche Wirkung von Häretikern. Auf seine universitäre Zuhörerschaft abgezielt, schärft Heinrich für die Niederringung der Pseudopropheten und Häretiker die Glaubensverantwortung ein, die den 'Großen' (*magni*) in der Kirche, d. h. den Theologen und Kirchenführern, obliegt. Heinrichs emphatische Sicht der Wahrheitskraft des Glaubens und des Argumentationsvermögens biblisch fundierter und szientifisch verfahrender Theologie kommt in dieser Predigt markant hervor.[105]

e) *Sermo in die festo Sanctae Catharinae, 1282: 'Confessio et pulchritudo'*

Dieser im *Paris., Bibl. Nat. lat. 15005*, fol. 144va-145vb vollständig, im *Paris., Bibl. Nat. lat. 14947*, fol. 20r-21v in gekürzter Form überlieferte *sermo* wurde als Universitätspredigt vor Pariser Magistern und Scholaren gehalten.[106] Sein Editor, Edgar HOCEDEZ, datierte ihn auf das Jahr 1282,[107] genauerhin auf den 25. November, den Festtag der hl. KATHARINA VON ALEXANDRIEN. Diese im 13. Jahrhundert neben der Gottesmutter am meisten verehrte weibliche Heilige stand allgemein als Patronin der Schüler, Lehrer, Theologen, Philosophen, Anwälte und Universitäten in Ansehen; in Paris und Oxford, später auch in Wien war sie obendrein noch Patronin der Artistenfakultät. Daraus ergab sich für Heinrich, wie auch übrige Katharinen-Predigten des Mittelalters bezeugen können,[108] ein willkommener Anlaß, in einer akademischen Festpredigt über hagiographische

Bonaventura 1274-1974. Grottaferatta 1973-74, tom. II (1973), p. 503 not. 37, der Frühdatierung von GLORIEUX, ohne selber ein Datum zu nennen.

[105] Cf. HENR. DE GAND., *Sermo in octava dominica post trinitatem, IV* ed. Roos p. 14, lin 15-20. 23-24: *Haeretici et falsi prophetae, quamvis possunt tenere parvos, non tamen magnos, quia si contra veritatem fidei faciunt falsum sophisma, solubile est. Si concludunt falsum, hoc non est ex veris. Ergo ex falsis vel falso modo concludunt falsum. Igitur quantumcumque ignota sit veritas, ex quo constat, per fidem tenenda est, et licet non possimus probare fidem, tamen contraria fidei solvi possunt. ... Nihil debetis recipere, nisi quod fides dicta‹ t› et sacra scriptura testatur.*

[106] HENR. DE GAND., *Sermo in festivitate sanctae Catharinae* ed. Hocedez, pp. 509-517; für weitere Angaben cf. HOCEDEZ, *Richard de Middleton.* 1925, pp. x. 61. 484-489.

[107] Cf. HOCEDEZ, *Richard de Middleton.* 1925, pp. 483-486; MACKEN, *Introduction.* 1979, p. xxiv.

[108] Cf. z. B. den für den theologischen Wissenschaftsbegriff des 14. Jahrhunderts sehr aufschlußreichen *Sermo de sancta Katharina virgine* des HEINRICH HAINBUCHE VON LANGENSTEIN († 1397). Ed. A. LANG: *Die Katharinenpredigt Heinrichs von Langenstein. Eine programmatische Rede des Gründers der Wiener Universität über den Aufbau der Glaubensbegründung und die Organisation der Wissenschaften.* In: DTh(F) 26 (1948), pp. (123-159. 233-250) 132-159; dort p. 245 not. 1 weitere Pariser Universitätspredigten aus den Jahren 1263, 1270 und 1275 zum Fest der hl. KATHARINA, zu denen aus dem Vorjahr des *sermo* Heinrichs noch RICH. DE MEDIAV., *Sermo in die festo S. Catharinae, 1281: 'In istis verbis commendatur'.* Ed. HOCEDEZ, Richard de Middleton. 1925, pp. 490-495, hinzuzufügen ist. - Cf. A. P. ORBÁN: *Vita beate Katherine metrica „Floruit insignis". Einführung.* In: Vitae sanctae Katharinae. Ed. A. P. ORBÁN (CCCM 119). Turnholt 1992, pp. vii-lxi (pp. lv-lxi: Bibliographie!) und LThK³ V (1996), col. 1330sq. (H. R. SEELIGER; Lit.) zur Person, Legende und mittelalterlichen Verehrung der hl. KATHARINA VON ALEXANDRIEN.

Ausführungen hinweg allgemeine Überlegungen zum Wissenschaftsbegriff und zum Ethos der Wissenschaftspraxis anzustellen. Typisch für Heinrich erfolgt eine Zentrierung alles weltlichen Wissens auf die Glaubenswissenschaft.[109] Größten Wert legt Heinrich auf das umfassende öffentliche Bekenntnis des christlichen Glaubens als dessen qualifizierten Glaubwürdigkeitsbeweis,[110] und dies gerade in Zeiten, in denen viele Widersacher des Glaubens, zumal unter den Philosophen, aufträten und es dringend geworden sei, für die von vielen verhaßte Glaubensartikel wie Gottes Einzigkeit, seine Menschwerdung, Geburt und Passion gültiges und wirksames Zeugnis abzulegen.[111] Es bedarf nach Heinrich dafür einer allseitigen Anstrengung. Allen Christen fällt es zu, durch Drang auf öffentlich vollzogenen Disput die Wahrheit der Lehre (*veritas doctrinae*) zu sichern und durch öffentliche Kritik sozialer Mißstände die Wahrheit der Gerechtigkeit (*veritas iustitae*) zu fördern. Den Glaubenslehrern und Kirchenführern legt Heinrich dabei in besonders deutlicher Weise die Wahrheit des rechten Lebens (*veritas vitae*), d. h. die vorbildliche Lebensführung des Einzelnen, auf, nicht ohne deren vielfaches Versagen beanstanden zu wollen.[112]

f) *Sermo in synodo, feria II^a post Misericordiam Domini, 1287: 'Congregate illi'*

Der von Kurt SCHLEYER edierte *sermo*[113] ist einzig erhalten in der Handschrift *Saint-Omer, Bibl. munic. 259^II*, fol. 60vb-64ra. SCHLEYER nahm einen Schreibfehler in der Handschrift an und datierte den *sermo* auf das Nationalkonzil im Jahre 1289.[114] Ludwig HÖDL, der auch eine kurze ekklesiologische Interpretation des *sermo* bietet, belegte dagegen die Richtigkeit der handschriftlich tradierten Datierung auf dem zweiten Sonntag nach Ostern 1287.[115]

[109] Cf. HENR. DE GAND., *Sermo 'Confessio et pulchritudo'*, ed. Hocedez, p. 513, lin. 135-137: *Unde a prima die, in qua homo incipit has scientias* [sc. *humanas*] *addiscere, debet eas ordinare in scientiam fidei, et totum, quidquid facit, consequenter ordinare debet in Deum et in scientiam divinam.*

[110] Cf. dazu spec. HENR. DE GAND., *Summa 9,3* Badius 72rO-73rZ.

[111] Cf. HENR. DE GAND., *Sermo 'Confessio et pulchritudo'*, ed. Hocedez, p. 514, lin. 167 - p. 517, lin. 263.

[112] Cf. HENR. DE GAND., *Sermo 'Confessio et pulchritudo'*, ed. Hocedez, p. 516, lin. 232-237: *Ista autem defensio veritatis* [sc. *vitae*] *praecipue spectat ad doctores fidei et ad praelatos ecclesiae vel rectores; quod multi non faciunt. Unde Gregorius in pastorali* [*Regula pastoralis II,4*]*: 'Rectores improvidi humanam gratiam amittere formidantes, recta loqui pertimescunt; veniente autem lupo, fugiunt, dum sub silentio se abscundunt.'* - Obgleich derartige Vorwürfe in Predigten oft topisch sind, greift hier Heinrich damals vielfach hörbare, besonders von den konkurrierenden Mendikanten vorgetragene Kritik am Gebaren des Weltklerus auf.

[113] HENR. DE GAND., *Sermo in synodo.* Ed. SCHLEYER, Anfänge. 1937, pp. 141-150.

[114] Cf. SCHLEYER, *Anfänge.* 1937, p. 73, n. 60.

[115] Cf. HÖDL, *Theologiegeschichtliche Einführung.* 1989, pp. xcii-xcv.

g) *Sermo de purificatione Virginis Deiparae: 'Suscepimus, Deus, misericordiam'*

Die Authentizität des *sermo* muß unüberprüft bleiben, weil die 1643 von Valerius ANDREAS benannte Handschrift der Kirche Saint-Martin zu Tournai inzwischen verloren gegangen ist.[116]

h) *Epistulae VI*

In den Archiven der Kurie in Avignon lagerten laut eines im Jahre 1353 erstellten Verzeichnisses 6 Briefe des Heinrich von Gent.[117] Leider sind sie mittlerweile verschollen.Über ihren Inhalt ist nichts bekannt.

2. *Werke wahrscheinlicher Authentizität*

a) *Expositio super prima capitula Genesis*

Die *Expositio super prima capitula Genesis*,[118] auch *Opus sex dierum* benannt, bietet eine allgemeine Einleitung in das Buch Genesis und legt Hauptpassagen dieses Textes aus. Lange ist das Werk in seiner Autorschaft umstritten gewesen. Aber externe wie interne Kriterien machen eine Autorschaft Heinrichs überaus wahrscheinlich.[119] In der den Text überliefernden Handschrift *Paris, Bibl. Nat., lat. 15355* weist eine dem Kopisten zeitgenössische Hand das Werk Heinrich zu. In den meisten Schriftstellerverzeichnissen ist von einem Genesis-Kommentar Heinrichs die Rede. Hinsichtlich der inneren Gründe wiesen u.a. Berryll SMALLEY[120] auf die bevorzugten Autoritäten PLATO und AVICENNA hin, Raymond MACKEN[121] auf doktrinelle Kongruenzen, z.B. in der Ablehnung einer Schöpfungsnotwendigkeit, und auf stilistische Verwandschaft, Gordon A. WILSON[122]

[116] Cf. V. ANDREAS: *Bibliotheca Belgica*. Löwen ^{3}1643, p. 345; MACKEN, *Bibl. manuscr.* 1979, tom. II, p. 1068sq.

[117] Cf. EHRLE, *Historia bibliothecae Romanorum Pontificum.* 1890, tom. I, pp. 227. 230; MACKEN, *Bibl. manuscr.* 1979, tom. II, p. 1069.

[118] HENR. DE GAND., *Lectura ordinaria super sacram scripturam Henrico de Gandavo adscripta.* Ed. R. MACKEN (AMNam 24). Löwen/Paris 1972 [ed. anastat.: Op. omn. 36; Löwen 1980].

[119] Nach Abschluß des Manuskripts erschien M. A. S. de CARVALHO, *La pensée d'Henri de Gand avant 1276: Les erreurs concernant la création du monde d'après la 'Lectura ordinaria super sacram scripturam'.* In: RThAM 63 (1996), pp. 36-67, spec. pp. 36-39; der hinsichtlich der Autorfrage zu nahezu identischen Bewertungen und Ergebnissen kommt; cf. ferner J. VERGER: *L'exégèse, parente pauvre de la théologie scolastique?* In: J. Hamesse (ed.): Manuels, programmes de cours et techniques d'enseignement dans les universités médiévales. Louvain-la-Neuve 1994, pp. (31-56) 45. 50sq.

[120] Cf. B. SMALLEY: *A Commentary on the Hexaemeron by Henry of Ghent.* In: RThAM 20 (1953), p. (60-101) 64sq.

[121] Cf. MACKEN, *Introduction.* In: HENR. DE GAND., Lectura ord. 1972/1980, pp. xiv-xxii.

[122] Cf. G. A. WILSON: *Review of Henry of Ghent's Quodlibet X and the Lectura Ordinaria super Sacram Scripturam.* In: FranzStud 65 (1983), pp. 397-401; ID., *A Note concerning the Authorship of the Lectura ordinaria Attributed to Henry of Ghent.* In: RThAM 56 (1989), p.

auf die vorgetragene Lehre von den Schriftsinnen. WILSON gelang es darüberhinaus, in *Summa 6,3* einen thematischen Verweis Heinrichs auf ein eigenes Werk ausfindig zu machen. Insofern es sich bei diesem Werk wegen der frühen Abfassung jener Passagen der *Summa* nicht um die *Quodlibeta* handeln kann, aber in der *Lectura* auf das angesprochene Problem in entsprechender Weise eingegangen wird, erhält dieser Text Heinrichs fast den Rang eines Selbstzeugnisses für die Echtheit der *Lectura*.[123] Die Abfassungszeit ist nach MACKEN und WILSON auf die Jahre 1275/76 zu legen; der *terminus ante quem* im Falle der Inauthentizität ist 1306.

b) *Syncategoremata*

Die nur im *Ms. Brügge 510*, fol. 227ra-237vb und im *Ms. Erfurt, Amplon., F. 356*, fol. 60-84 überlieferten *Syncategoremata* werden in der Erfurter Handschrift Heinrich durch eine anonyme Hand des ausgehenden 13. oder beginnenden 14. Jahrhunderts zugewiesen.[124] Der Text ist seiner Entstehung nach um 1260 zu datieren. Er wäre demnach ein Jugendwerk Heinrichs und während seiner Lehrtätigkeit als *magister artium* als Übungsbuch verfaßt worden.[125]

c) *Quaestiones in Physicam Aristotelis*

Die Handschrift *Erfurt, Bibl. Amplon., F. 349*, fol. 120ra-184rb, überliefert einen Kommentartext zu aristotelischen Physik. Durch einen handschriftlichen Vermerk aus dem 14. Jahrhundert ist der Text Heinrich von Gent zuerkannt worden ist.[126] Die Abfassung der Quästionen, die den 1269/70 geschriebenen Physik-Kommentar des THOMAS VON AQUIN voraussetzen, fällt wahrscheinlich in die

(227-231) 230 (Korrespondenz von HENR. DE GAND, *Summa 16,3* Badius 105rO-106vT und HENR. DE GAND., *Lect. ord.* Macken 9,28-11,79)

[123] Cf. G. A. WILSON: *A Note concerning the Authorship of the Lectura ordinaria Attributed to Henry of Ghent*. 1989, pp. 228-230, verweist von HENR. DE GAND., *Summa 6,3* Badius 45r-vD auf HENR. GAND., *Lect. ord.* Macken 13,29-37.

[124] Cf. HENR. DE GAND., *Syncategoremata*. Ed. BRAAKHUIS, De 13de eeuwse tractaten over syncategorematische termen. 1979, vol. I, pp. 351-373; teiled. HENR. DE GAND., *Syncategorema „Omnis homo de necessitate est animal"*. Ed. BRAAKHUIS, English Tracts on Syncategorematic Terms. 1981, p. 165.

[125] Cf. DE WULF, *Etudes*. 1895, p. 22; BELLEMARE, *Quaestiones*. 1964, tom. I, p. 4.

[126] HENR. DE GAND. (?): *Quaestiones super VIII libros Physicorum, lib. I-II*. Ed. BELLEMARE, Les „Quaestiones super VIII libros Physicorum", attribués à Henri de Gand. 1964; ID. (?): *Quaestiones super VIII libros Physicorum, lib. III-IV*. Ed. PERRON, Les livres trois et quatre des „Quaestiones super VIII libros Physicorum" attribues à Henri de Gand. 1961. - Cf. L. BELLEMARE: *Authenticité des deux commentaires sur la Physique attribués à Henri de Gand*. In: RPhL 63 (1965), pp. 545-571; ID.: *Authenticité des commentaires de Paris et de Bologne sur la Physique attribués à Henri de Gand*. In: Filosofia della nature nel medioevo (Atti de Terzo Congresso Intern. di Filos. medievale). Mailand 1966, pp. 470-477; PORRO, *Enrico di Gand*. 1990, p. 147.

Jahre 1269-71.[127] Die Editoren René PERRON und Lucien BELLEMARE treten für die Authentizität ein. Silvia DONATI rät mit beachtlichen Gründen zu Zurückhaltung.[128]

Sollte die Zuschreibung an Heinrich von Gent zutreffend sein, wäre aufgrund von Selbstverweisen im Kommentartext jener Handschrift bezeugt, daß Heinrich weitere, leider allesamt noch unentdeckt gebliebene Kommentare zu den aristotelischen Werken *De generatione et corruptione*, *De caelo et mundo* sowie zu *De anima* verfaßt hätte.[129]

3. Werke umstrittener Authentizität

a) *Quaestiones in Metaphysicam Aristotelis*

Der nur in der Handschrift *Escorial, h. II. 1*, fol. 1ra-73rb erhaltene, bislang unedierte Quästionenkommentar zur aristotelischen Metaphysik wird von recht später Hand Heinrich zugeschrieben.[130] In 325 Quaestionen werden die ersten sechs Bücher der Metaphysik kommentiert. Martin GRABMANN machte die Forschung auf diese Handschrift aufmerksam. Die Antwort auf die Frage nach der Authentizität dieses Werkes - von GRABMANN noch mit der Hoffnung auf eine positive Beantwortung aufgeworfen - wird skeptisch betrachtet, wie mehrere, wenn auch knappe Stellungnahmen in der Heinrich-Forschung ausweisen.[131] Insbesondere Lehrdifferenzen zu unbezweifelbar echten Werken Heinrichs und die Art der Argumentationsführung machen es unwahrscheinlich, von einer Schrift Heinrichs sprechen zu dürfen.

b) *Quaestiones in Librum de causis*

Die eben erwähnte Handschrift *Escorial, h. II. 1* enthält im direkten Anschluß an den besagten Metaphysik-Kommentar auf den fol. 73ra-89va anonyme *Quaestiones in Librum de causis*. Aus der unmittelbaren Nähe zum oben genannten Metaphysik-Kommentar hat man auf denselben Autor schließen wollen. Doch alle Autoren der Heinrich-Forschung, die sich mit diesem Text beschäftigt haben,

[127] Cf. S. DONATI: *Commenti parigini alla Fisica degli anni 1270-1300 ca.* In: MM 23 (1995), pp. (136-256) 138. 142sq. Darüberhinaus bietet EAD., *op. cit.*, pp. 154. 167. 194. 205. 220, aufschlußreiches Vergleichsmaterial zu Themenstellungen und Problemlösungen in anderen Physik-Kommentaren der Epoche.

[128] Cf. spec. DONATI, *Commenti parigini alla Fisica.* 1995, p. 142sq.

[129] Cf. BELLEMARE, *Quaestiones.* 1964, tom. I, p. 12 not. 29; MACKEN, *Bibl. manuscr.* 1979, tom. II, p. 1118sq.

[130] Cf. MACKEN, *Bibl. manuscr.* 1979, tom. II, p. 1073-1096, dort auch ein Verzeichnis der Quästionen.

[131] Cf. GRABMANN, *Aristotelesübersetzungen und Aristoteleskommentare in Handschriften spanischer Bibliotheken.* 1928, pp. 85. 95. 97; GÓMEZ CAFFARENA, *Ser participado.* 1958, p. 271; J.-L. BATAILLON: *Bulletin d'histoire des doctrines médiévales.* In: RSPhTh 44 (1960), p. (140-174) 164; MACKEN, *Bibl. manuscr.* 1979, tom. II, p. 1096.

und auch John P. ZWAENEPOEL, der Editor des Textes, bezweifeln aus äußeren wie inneren Gründen die Echtheit.[132]

c) *Quaestio utrum in Deo sit compositio ex actu et potentia*

Im *Paris., Bibl. de l'Arsenal, 379*, fol. 237v-238r ist eine Quästion überliefert, die unmißverständlich vom Schreiber mit dem Satz: *Quaestio est magistri Henrici archidiaconi Tornacensis*, überschrieben ist.[133] P. GLORIEUX, der den Text auch ediert hat, dachte zunächst an einen Text aus einem unbekannten, mittlerweile verlorengegangenen Quodlibet Heinrichs, zog später aber seine eigenen Überlegungen in Zweifel.[134] Ungeachtet der Autorzuweisung des Schreibers läßt sich für Heinrich in der Tat schlecht ein anderer Anlaß für eine solche Quästion denken als eben eine reguläre *quaestio disputata de quolibet*. Da nun die Überlieferung der Quodlibets Heinrichs hinsichtlich der Quästionenzahl und -titel gesichert ist, wird man aus diesen äußeren Gründen eine Autorschaft Heinrichs für mehr als unwahrscheinlich halten.

d) *Consultatio theologi Tornacensis super regulis observandis a monachis ordinis Cisterciensis tempore interdicti*

Der scharfsinnige Heinrich-Biograph H. DELEHAYE erwog 1886 erstmals Heinrichs Verfasserschaft für die Stellungnahme eines Theologen aus Tournai zu den Ordensregeln der Zisterzienser in der Zeit eines Interdikts.[135] Eine erneute Überprüfung des Textes auf diese Hypothese hin blieb bislang aus.

4. *In Mittelalter oder Neuzeit fälschlich zugeschriebene Schriften*

Infolge mittelalterlicher Gepflogenheiten, die mit dem neuzeitlichen Verständnis und Begriff von Autorschaft noch wenig gemein haben, blieb ein bekannter

[132] Cf. GÓMEZ CAFFARENA, *Ser participado*. 1958, pp. 271-276; J. P. ZWAENEPOEL: *The „Quaestiones in Librum de causis" Attributed to Henry of Ghent according to the Escorial Manuscript. An Unedited Text with Introduction*. Diss. Manila 1959, pp. 43*-91*; BATAILLON, *Bulletin d'histoire des doctrines médiévales*. 1960, p. 164; ZWAENEPOEL, *Introduction*. In: ID., Les Quaestiones in Librum de causis attribuès à Henri de Gand. 1974, pp. 7-21; MACKEN, *Bibl. manuscr.* 1979, tom. II, p. 1096. - Zu dieser pseudo-epigraphischen Schrift cf. C. D'ANCONA: *'Philosophus in libro De Causis'. La recenzione del 'Liber de Causis' come opera aristotelica nei commenti di Ruggero Bacone, dello ps. Enrico di Gand e dello ps. Adamo di Bocfeld*. In: DSTFM 2 (1991), pp. 613-655; dazu Rass. Lett. Tom. 27 (1994), p. 47sq.

[133] Cf. MACKEN, *Bibl. manuscr.* 1979, tom. I, p. 496sq.; II, p. 1069.

[134] Cf. HENR. DE GAND. [?], *Quaestio utrum in Deo sit compositio ex actu et potentia*. Ed. GLORIEUX, *Litt. quodl. I*. 1925, pp. 339-341; cf. ID., *Rep. des maîtres, I*. 1933, nr. 33a.

[135] Cf. DELEHAYE, *Notes*. 1888, p. 443 not. 3.; MACKEN, *Bibl. manuscr.* 1979, tom. II, p. 1124. - Die *Consultatio* edierte J. KERVYN DE LETTENHOVE, *Codex Dunensis, sive Diplomatum et chartarum medii aevi amplissima collectio* (Commission royale d'histoire). Brüssel 1875, nr. 54, pp. 68-76.

Autor jener Epoche meist nicht von pseudo-epigraphischem Schrifttum verschont. Durch lokalhistorische und regionalpolitische Interessen beeinflußte neuzeitliche Chronisten taten ein übriges, den Bestand derartiger Literatur für 'ihren' Autor anschwellen zu lassen. Weil dieser Umstand teilweise auf die Heinrich-Forschung Einfluß genommen hat, soll eine knappe Skizze des gegenwärtigen Kenntnisstandes geboten werden.

Unerörtert bleiben dabei Pseudo-Henriciana, die meist durch simple Kopistenfehler in mittelalterlichen Handschriften oder durch willkürliche Zuweisungen neuzeitlicher Autoren zu falschen Ehren gelangten. Zur ersten Gruppe zählen ein HEINRICH VON FRIEMAR zugehöriger Kommentar *In libros Ethicorum Aristotelis*[136], die von HEINRICH VON MERSEBURG stammende *Summa in V libros Decretalium*[137], ein von RICHARD FITZRALPH verfaßtes *Scriptum super quartum librum Sententiarum Petri Lombardi*[138], eine als *Libellus de pseudoprophetis*[139] titulierte Teilabschrift der Streitschrift *De periculis novissimorum temporum* des WILHELM VON SAINT-AMOUR sowie ein Exzerpt aus der pseudo-aristotelischen Schrift *De bona fortuna*[140]. Zur zweiten Gruppe gehören der *sermo „Dolentes quaerebamus"*[141] und die Schrift *De laudibus gloriosae Virginis Deiparae*[142] - beide von seiten des Servitenordens für Heinrich reklamiert -, die Schrift *De ecclesiasticis dogmatibus*[143], sowie angebliche *sermones habiti Aureliani ad quosdam fratres*[144], hinter denen sich vom Bischof von Amiens und Gefolgsleuten in Orléans gehaltene Ansprachen verbergen, ebenso eine *Vita sancti Eleutherii*[145] mitsamt eines Translationsberichts *Elevatio corporis eiusdem sancti Eleutherii*, ferner ein *Liber de antiquitate urbis Tornacensis*[146].

[136] Cf. MACKEN, *Bibl. manuscr.* 1979, tom. II, p. 1125.

[137] Cf. MACKEN, *Bibl. manuscr.* 1979, tom. II, p. 1126.

[138] Cf. MACKEN, *Bibl. manuscr.* 1979, tom. II, p. 1127sq.

[139] Cf. MACKEN, *Bibl. manuscr.* 1979, tom. II, p. 1128sq. Man beachte die Zuschreibungsformel in der Handschrift *Krakau, Bibl. univ. Jagell., 1245*, fol. 79ra (*tractatus iste per multos adscribitur magistro Henrico de Gandavo, doctori sacrae theologiae*). Diese Polemik des WILHELM VON SAINT-AMOUR trauten man danach also auch Heinrich von Gent, dem renommierten Parteigänger des Weltklerus, zu.

[140] Cf. MACKEN, *Bibl. manuscr.* 1979, tom. II, p. 1128.

[141] Cf. MACKEN, *Bibl. manuscr.* 1979, tom. II, p. 1127.

[142] Cf. LAJARD, *Henri de Gand.* 1842, p. 165sq.; MACKEN, *Bibl. manuscr.* 1979, tom. II, p. 1130.

[143] Cf. MACKEN, *Bibl. manuscr.* 1979, tom. II, p. 1125.

[144] Cf. MACKEN, *Bibl. manuscr.* 1979, tom. II, p. 1129sq.; HÖDL, *Theologiegeschichtliche Einführung.* 1989, p. xii.

[145] Cf. LAJARD, *Henri de Gand.* 1842, p. 166sq.; MACKEN, *Bibl. manuscr.* 1979, tom. II, p. 1128. - Der Text der *Vita* ist ediert in ActaSS 20, Febr., tom. III, pp. 187-189; die *Elevatio* druckte zuerst A. SCHOTT als Supplement zu seiner *Bibliotheca Patrum.* Köln 1622.

[146] Cf. LAJARD, *Henri de Gand.* 1842, p. 167; MACKEN, *Bibl. manuscr.* 1979, tom. II, p. 1129.

a) *De viris illustribus seu De scriptoribus ecclesiasticis liber*

Für Heinrichs Bekanntheit weit über scholastisch-theologische Kreise hinaus sorgte ein Schriftstellerkatalog, der 1580 von dessen Ersteditor, Suffridus PETRI, dem Genter Theologen zugewiesen wurde. Nachdem über Jahrhunderte die Autorenschaft unangefochten blieb, gelang es 1883 Barthelmy HAURÉAU und dann 1919 Franz PELSTER, die für die Verfasserschaft Heinrichs von Gent vorgebrachten Gründe definitiv zu eliminieren. Wegen seiner besonderen Rolle in der frühneuzeitlichen Wirkungsgeschichte Heinrichs soll dieser Text an späterer Stelle ausführlicher gewürdigt werden.[147]

b) *Quodlibetum de mercimoniis et negotiationibus*

Unter diesem oder einem ähnlichen Titel kursierten Textsammlungen, die entsprechende Quodlibets Heinrichs zu wirtschaftsethischen Probleme zusammenstellten und dadurch das Heinrich zugemessene Gewicht für die scholastische Diskussion dieses Themenkreises ausweisen. Spätestens seit dem 16. Jahrhundert taucht der Titel auch in Bibliotheks- und Schriftstellerkatalogen auf.[148]

c) *Liber de virginitate (De castitate virginum et viduarum)*

Unter dem Namen *Liber de virginitate compilatus* oder ähnlichen Titel existieren mehrere lateinische, mittelniederdeutsche und mittelhochdeutsche Traktate des 15. Jahrhunderts, die im Umfeld der Devotio moderna mit der Autornennung Heinrichs von Gent kopiert worden sind.[149] Es lassen sich keine sachlichen Verbindungen mit Anschauungen aus Heinrichs authentischen Schriften ausmachen. Die Verknüpfung derartiger Traktatliteratur mit dem Namen des *Doctor solemnis* ist bislang rätselhaft.

d) *De paenitentia*

Die schon früh in Schriftstellerkatalogen Heinrich zugeschriebene Schrift konnte von R. MACKEN[150], der auch ein Quästionenverzeichnis bietet, in der

[147] Cf. Kap. IV, § 2,1.

[148] Cf. G. CARNIFICIS/I. BUNDER[I]US, *Index manuscriptorum codicum per Belgium vicinasque provincias.* Ed. P. LEHMANN: Quellen zur Feststellung und Geschichte mittelalterlicher Bibliotheken, Handschriften und Schriftsteller (1920). In: ID.: Erforschung des Mittelalters, I. Stuttgart 1941, p. 338; J. A. FABRICIUS: *Henricus Goedhals (Bonicollis) Gandavensis.* In: ID.: Bibliotheca latina mediae et infimae aetatis. Florenz 1858, tom. III [1735], p. 200b-201a; MACKEN, *Bibl. manuscr.* 1979, tom. II, p. 1129.

[149] Cf. MACKEN, *Bibl. manuscr.* 1979, tom. II, p. 1112-1116. Edition der mittelhochdeutschen Version von E. BERGKVIST: *Dat Boec van der Ioncfrouscap. Sprachlich untersucht und lokalisiert. Akademische Abhandlung.* Göteborg 1925.

[150] Cf. MACKEN, *Le „De paenitentia" d'Henri de Gand retrouvé?* In: RThAM 36 (1969), pp. 184-194; 37 (1970), p. 150; ID., *Bibl. manuscr.* 1979, tom. II, p. 1116sq. - Einzig diese Schrift fand als vorgebliches Werk Heinrichs eine knappe Erwähnung im klassischen Werk

Handschrift *Saint-Omer, Bibl. munic. 259*, fol. 17ra-59ra aufgefunden werden. Der Text trägt in der Handschrift den von jüngerer Hand hinzugesetzten Titel *Summa necessaria audientibus confessiones* sowie *Summa utilis confessiones audientibus.* Die kompilatorische Arbeitsweise spricht deutlich gegen eine Autorschaft Heinrichs. Dafür sprechen möglicherweise der Bezug auf den Mendikantenstreit, die Zitierung päpstlicher Verlautbarungen aus der Zeit Heinrichs sowie der Umstand, daß der umstrittene Text in derselben Handschrift wie der einhellig Heinrich zugewiesene *Sermo de synodo* überliefert ist.

e) [A. M. VENTURA: *Philosophica tripartitio.* Bologna 1701:] *Quaestiones logicales; Disputationes in octo libros Physicorum, in libros De generatione et corruptione, De alteratione, De elementis, De actione et reactione, De anima; Disputationes in universam metaphysicam*

Auf einem puren Mißverständnis beruht die Zuschreibung der aufgeführten Schriften an Heinrich von Gent. Wie Lucien BELLEMARE[151] darlegen konnte, deklarierte der Servit Benitius M. MAYR - vermutlich ohne das Werk je in Händen gehabt zu haben - in einem 1888 erschienen, stark von der Arbeit EHRLES beeinflußten Lexikonartikel[152] das (bei EHRLE nicht erwähnte) Werk des Serviten Angelus Maria VENTURA[153] als Ausgabe der philosophischen Werke des *Doctor solemnis.* Es handelt sich aber bei diesem Werk vielmehr, wie VENTURA in seinem Vorwort unmißverständlich formuliert, um einen im Rückgriff auf Heinrichs *Summa* und *Quodlibeta* selbständig verfaßten *Cursus philosophicus* für die Theologenausbildung des Servitenordens. Dieses historiographische Mißgeschick rechtfertigt hier insofern seine besondere Erwähnung, als es - trotz der korrekten Angaben bei Maurice DE WULF und im einschlägigen Aufsatz von Bernhard JANSEN zur Servitenschule - durch die Vermittlung so einflußreicher Überblickswerke wie die von Hugo HURTER, Matthias BAUMGARTNER, Bernhard

des großen Kanonisten J. F. v. SCHULTE (1827 - 1914): *Geschichte der Quellen und der Literatur des kanonischen Rechts. Bd. II.* Stuttgart 1877, p. 418sq.

151 Cf. BELLEMARE, *Les „Quaestiones super VIII libros Physicorum", attribués à Henri de Gand.* 1964, tom. I, pp. 265-288; ID., *Authenticité des deux commentaires sur la Physique attribués à Henri de Gand.* 1965; ID., *Authenticité des commentaires de Paris et de Bologne sur la Physique attribués à Henri de Gand.* 1966.

152 Cf. B. M. MAYR: *Heinrich von Gent.* In: WWKL V (1888), col. 1704-1706. Cf. auch Kap. IV, § 3 not. 120.

153 [A. M. VENTURA:] *Magistri Fratris Henrici Gandavensis Ordinis Servorum Beatae Mariae Virginis elogio Doctoris Solemnis Socii Sorbonici et Archidiaconi Tornacensis Philosophica Tripartitio doctrinarum et rationum claritate et methodo illustrata a F. Angelo Maria VENTURA Servita Mantuano, Philosophiae et Theologiae Professore, et Magistro, ac in Almo Servorum Bononiae Caenobio Studiorum Regente* (3 vol.). Bologna 1701; ein Titelverzeichnis der dort abgehandelten Quästionen findet sich bei BELLEMARE, *Quaestiones.* 1964, tom. I, pp. 273-286; zu weiteren Werken VENTURAS cf. Kap. IV, § 1,3 not. 288.

GEYER, Palémon GLORIEUX und Joseph M. BOCHENSKI ein unverdientes Weiterleben bis weit ins 20. Jahrhundert hinein führen konnte.[154]

Exkurs: Zur Chronologie der Quodlibeta *und der* Summa

Eine synoptische Zeittafel, die in ihren Grundzügen bereits von J. GÓMEZ CAFFARENA verfertigt worden ist,[155] vermag die absolute und relative Chronologie der meisten Werkteile der *Quodlibeta* und *Summa* anzuzeigen. Die Ungewißheit über manche Ansetzungen bleibt nicht genommen. „La question de la chronologie des Quodlibets n'est donc pas close."[156]

[154] Cf. H. HURTER: *Nomenclator literarius theologiae catholicae, II.* Innsbruck ²1906, p. 398sq.; UEBERWEG-BAUMGARTNER, *Grundriß der Geschichte der patristischen und scholastischen Zeit.* 1915, p. 504; UEBERWEG-GEYER, *Die patristische und scholastische Philosophie.* 1928, p. 498; J. KOCH: *Heinrich von Gent.* In: LThK¹ IV (1932), col. (922sq.) 923; GLORIEUX, *Rép. des maîtres en théol., I.* 1933, p. 390; BOCHENSKI: *Formale Logik.* Freiburg i.Br./München 1956 (²1962), p. 553 [= ID., *A History of Formal Logic.* 1961, p. 482]. - Die korrekte Autorenzuweisung findet man bei DE WULF, *Hist. philos. scol. Pays-Bas.* 1893, p. 271, und in der recht ausführlichen Besprechung des Werkes von VENTURA bei B. JANSEN: *Die scholastische Philosophie des 17. Jahrhunderts.* In: PhJ 50 (1937), pp. (401-444) 406-410.

[155] Cf. GÓMEZ CAFFARENA, *Cronología.* 1957.

[156] MACKEN, *Introduction.* 1979, p. xvii.

Chronotaxis Quodlibetorum ac Summae quaestionum ordinariarum Henrici de Gandavo

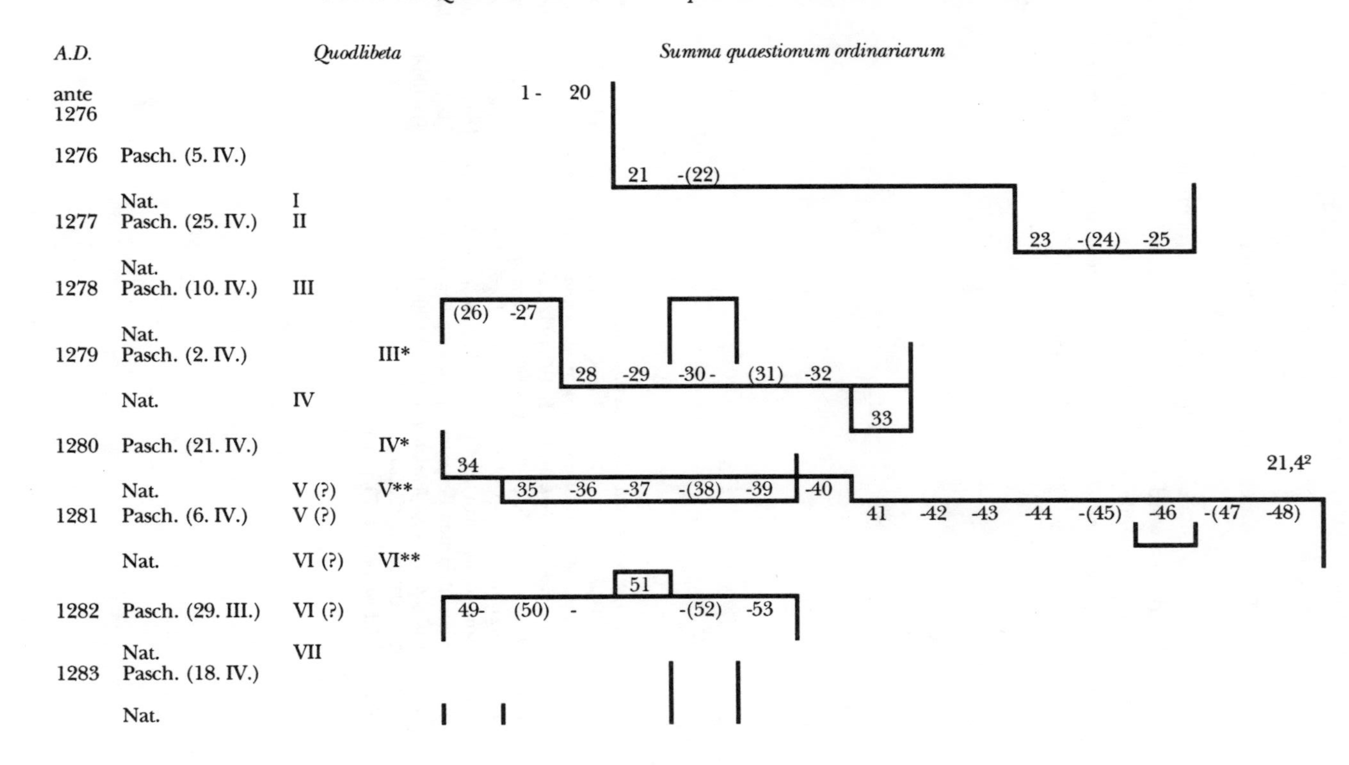

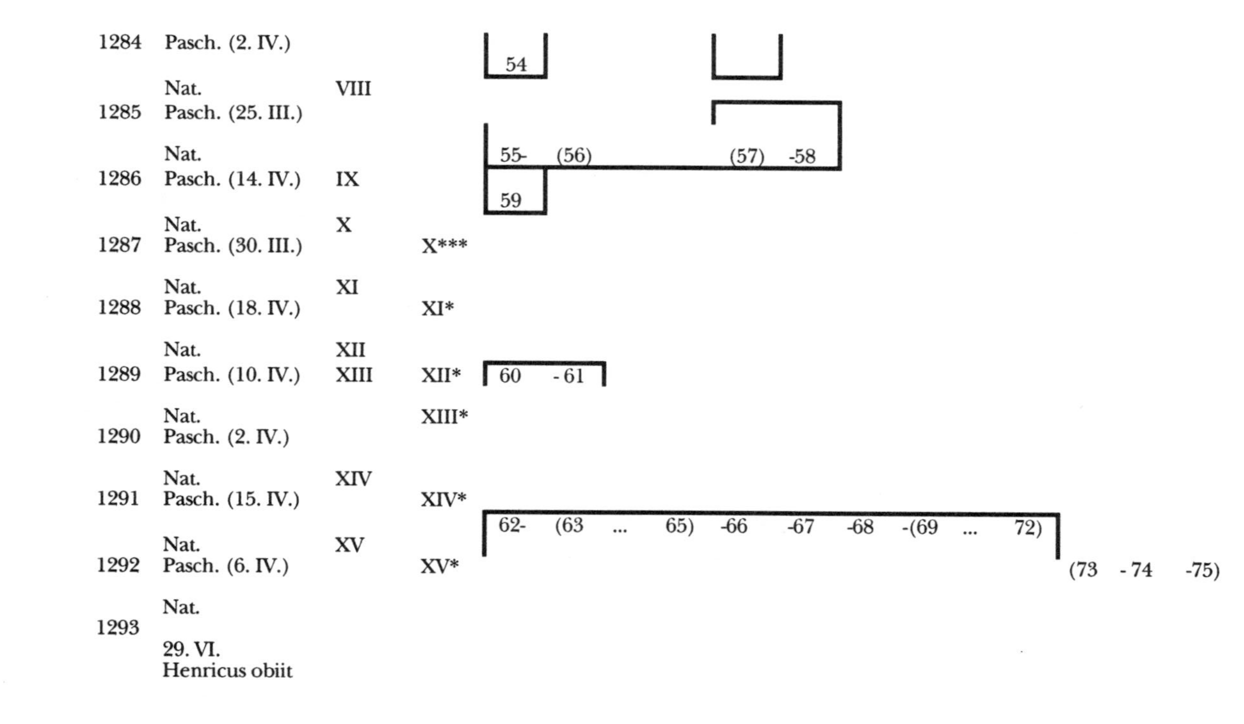
1284 Pasch. (2. IV.)
54
Nat. VIII
1285 Pasch. (25. III.)
Nat.
55- (56) (57) -58
1286 Pasch. (14. IV.) IX
59
Nat. X
1287 Pasch. (30. III.) X***
Nat. XI
1288 Pasch. (18. IV.) XI*
Nat. XII
1289 Pasch. (10. IV.) XIII XII*
60 - 61
Nat. XIII*
1290 Pasch. (2. IV.)
Nat. XIV
1291 Pasch. (15. IV.) XIV*
62- (63 ... 65) -66 -67 -68 -(69 ... 72)
Nat. XV
1292 Pasch. (6. IV.) XV*
(73 - 74 -75)
Nat.
1293
29. VI.
Henricus obiit

Legende:

Symbol	Bedeutung	Symbol	Bedeutung
└┘	*Terminus post quem non*	┌┐	*Terminus ante quem non*
Nat.	Disputiert vor Weihnachten	00 - 00	Kennzeichnung von zwei oder mehreren *articuli* als redaktionelle Einheiten
Pasch.	Disputiert vor Ostern	(00)	Chronologische Einordnung von *articuli*, die nicht durch interne *Quodlibeta*-Verweise, sondern die Textabfolge in der *Summa* erfolgen kann

Abweichende chronologische Einordnung nach:

x* PAULUS, *Essai.* 1938

x** GÓMEZ CAFFARENA, *Ser participado.* 1958

x*** SAN CRISTÓBAL-SEBASTIÁN, *Controversias.* 1958

§ 3 KONTUREN HENRIZIANISCHER THEOLOGIE. EIN ÜBERBLICKSENTWURF VOR DEM HINTERGRUND BISHERIGER FORSCHUNGEN

Der *Doctor solemnis* ist ein theologischer Autor, dessen Themenvielfalt schon ein einfacher Blick in das Quästionenverzeichnis eines einzigen seiner Quodlibets offenbar machen kann. Vor die Aufgabe gestellt, diese Fülle zu systematisieren,[157] kann man leider nicht auf den Grundriß einer von Heinrich selbst verfaßten, vollständigen *Summa* oder ein derartiges Kompendium aus seiner Hand zurückgreifen. Ersatzweise gliedert der folgende Aufriß die theologischen Themen henrizianischen Denkens nach heute gängiger Disziplineneinteilung, wobei Schwerpunkte, die die bisherige Forschung selbst gesetzt hat,[158] geltend werden. Auf Erläuterungen zentraler philosophischer Lehrmeinungen Heinrichs oder gar einen Gesamtüberblick über Heinrichs philosophisches Lehrge-

[157] Der bislang einzige - immer noch lesenswerte - *Gesamt*überblick zum *theologischen* (nicht philosophischen!) Denken Heinrichs, der einen solchen Namen verdient, aber vom Fragehorizont damaliger protestantischer Theologie bestimmt ist, stammt von SEEBERG, *Theologie des Johannes Duns Scotus*. 1900, pp. 605-624. In der von SILEO, *Maestri di teologia*. 1996, pp. 59-77, gebotenen Darstellung nimmt die theologische Wissenschaftslehre eine prädominante Rolle ein, obgleich ein instruktiver Passus zur theologischen Anthropologie den Abschluß bildet.

[158] Einschränkend sei bemerkt, daß bei dem folgenden doxographischen Überblicksversuch freilich nicht immer die diesen Themen geschenkte Aufmerksamkeit ihrem wahren Rang in der komplexen Gedankenwelt des Heinrich von Gent entsprechen muß. Häufig, zu häufig verführte die langjährige Randstellung Heinrichs in der mediävistischen Forschung dazu, bei einem Längsschnitt einer Problem- und Begriffsgeschichte oder auch bei einer systematischen Fragestellung die Problemstellung und das methodische Vorgehen anderer Autoren auf Heinrich zu applizieren und so seinen innovativen Beitrag am Ende des 13. Jahrhunderts zu übersehen. Ein ebenso symptomatisches wie prominentes Beispiel dafür findet man bei GILSON, *Johannes Duns Scotus*. [= Jean Duns Scot. 1952]. 1959, p. 10sq.: „Die Grundgedanken der Lehre des *Doctor subtilis* verstehen wollen heißt keineswegs, ihn in seine Zeit hineinstellen. Das Interesse des Philosophen muß hier unvermeidlich gegen die Wahrheit der Geschichte verstoßen. Duns Scotus hat sich mit mehreren anderen Theologen auseinandergesetzt. Unter ihnen dürfte wohl Heinrich von Gent sein bevorzugter Gesprächspartner gewesen sein. Für ihn war Heinrich wichtiger als Thomas; für uns und an sich gilt das Gegenteil. ... Wir stellen vielmehr Duns Scotus und Thomas von Aquin gegenüber, und zwar jedesmal da, wo Duns Scotus selbst sich ausdrücklich mit Thomas über einen wichtigen Punkt auseinandersetzt oder wo wir selber einen solch wichtigen Punkt erblicken zu dürfen glauben. Daraus kann freilich eine perspektivische Täuschung entstehen, die wir zwar nicht beabsichtigen, die wir aber möglicherweise unfreiwillig in den anderen hervorrufen und gegen die sich unserer Leser wird wehren müssen." GILSON, der offensichtlich ein illusorisches Vertrauen auf die Resistenzkraft seiner Leser besaß, war sich zwar seines neuscholastischen bzw. neuthomistischen Interpretationsansatzes und auch dessen Gefahren bewußt, blieb aber methodisch inkonsequent, indem er ihn nicht *a limine* als sachlich unangemessen und ungerecht verwarf.

bäude muß hier aus Platzgründen weitestgehend verzichtet werden, zumal schon mehrere derartige Arbeiten vorliegen.[159]

Für den Fortgang dieser Arbeit mag ein großflächiger Überblick zunächst dazu dienen, dem Leser einen Eindruck von der thematischen Breite unseres Autors zu verschaffen, die eine beeindruckende Wirkungsgeschichte begründen half. Sofern später in Kap. IV Stationen der Wirkungsgeschichte Heinrichs in Mittelalter und Neuzeit in ihren historiographischen Wendepunkten vorgestellt werden sollen, die die Forschung einer gerechten historischen Würdigung Heinrichs von Gent und d. h. auch seiner *Primum cognitum*-Theorie näher oder bisweilen auch ferner gebracht haben, möchte dieser vorangeschickte Paragraph hinsichtlich diverser bibliographischer Angaben entlasten und auch Vorkenntnisse schaffen, die spätere Bewertungen des henrizianischen Denkens vor einen sachlichen Hintergrund stellen. Aus Umfangsgründen soll hier kein Referat der Forschungsergebnisse aller Teilgebiete der Heinrich von Gent-Forschung - etwa im Stile einer 'Bibliographie raisonné' - geleistet werden. Es bleibt notgedrungen bei Lineamenta einer systematischen Darstellung, diese sogar bisweilen beschränkt auf die knappe Nennung von Stichworten, die den Leser auf die in den Fußnoten angegebenen Arbeiten verweisen.

1. *Quellen*

Heinrich von Gent ist ein Denker, der sich sehr dankbar gegenüber tradiertem Wissen verhält. Darum ist die Kenntnis seiner Quellen[160], d. h. sowohl seiner spezifisch philosophischen wie auch seiner im engeren Sinne theologischen Gewährsleute, von enormer Bedeutung.

a) Philosophische Autoritäten

Die Quellen des philosophischen Denkens Heinrichs sind auch die des übrigen philosophischen Denkens der zweiten Hälfte des 13. Jahrhunderts. Doch Aus-

[159] Es seien hier nur hingewiesen auf mehr oder weniger ausführliche Gesamtdarstellungen z. B. von DE WULF, *Hist. philos. scol. Pays-Bays.* 1893, pp. 46-272; UEBERWEG-BAUMGARTNER, *Geschichte.* 1915, pp. 510-514 (= UEBERWEG-GEYER, *Geschichte.* 1928, pp. 498-502!); PAULUS, *Essai.* 1938, passim; GILSON, *La philos. au moyen age.* 1944, pp. 427-433; F. C. COPLESTON: *A History of Philosophy, II.* London 1950, pp. 465-475; GILSON, *History.* 1955, pp. 447-453; T. GREGORY: *Enrico di Gand.* In: M. DAL PRA (ed.): Storia della filosofia, VI. Mailand 1976, pp. 209-213; K. DUDAK: *Poglady filozoficzne Henryka z Gandawy (Die philosophischen Anschauungen des Heinrich von Gent).* In: StudMediew 21 (1981), pp. 1-216 [summarium Germanice conscriptum: 209-215] [Rec.: CFr 55 (1985) 137sq.]; J. MARENBON: *Later Medieval Philosophy (1250-1320).* London/New York 1987, pp. 144-153; DECORTE, *Waarheid als weg.* 1992, pp. 217-231; St. P. MARRONE: *Henry of Ghent.* In: REncPh IV (1998), pp. 354b-360b.

[160] Cf. die exemplarische Quellen-Analyse von *Qdl. I* bei MACKEN, *Les sources d'Henri de Gand.* 1978.

wahl und Gewichtung fallen bei Heinrich sehr eigenständig aus. Von den griechischen und arabischen[161] Autoren werden ARISTOTELES und sein *Commentator*, AVERROES (IBN RUSCHD) (1126 - 1198),[162] auf nahezu jeder Seite des henrizanischen Oeuvre zitiert. Aber überaus häufig wird auch auf PLATON[163] verwiesen, dem Heinrich in zahlreichen Fällen den Vorzug gab, weil er ihm eine größere Nähe sogar zur christlichen Wahrheit zusprach.[164] Der unangefochtene Vorzugsautor unter den *philosophi* ist jedoch AVICENNA (IBN SINA) (um 980 - 1037)[165]. Seine stark neuplatonisch beeinflußte Aristotelesexegese kennzeichnet eine spiritualistische Anthropologie und eine Metaphysik der geschaffenen Wirklichkeit, die AVICENNA durch seine Unterscheidung einer wesenhaft-notwendigen von einer wesenhaft-möglichen Existenz neu begründete. Die Anziehungskraft dieses Denkens bestand für Heinrich in mehrfacher Hinsicht:[166]

[161] Cf. H. DAIBER: *Lateinische Übersetzungen arabischer Texte zur Philosophie und ihrer Bedeutung für die Scholastik des Mittelalters. Stand und Aufgabe der Forschung.* In: Jacqueline HAMESSE/M. FATTORI (ed.): Rencontres de cultures dans la philosophie médiévale. Traductions et traducteurs de l'Antiquité tardive au XIVe siècle. Louvain-la-Neuve/ Cassino 1990, pp. 103-150.

[162] Zur allgemeinen AVERROES-Rezeption bei Heinrich liegt noch keine gesonderte Studie vor. - Cf. A. ZIMMERMANN: *Averroes, Averroismus.* In: LThK³ I (1993), col. 1309-1312, der die wichtigste neuere Literatur aufführt.

[163] Die Frage nach dem Platonismus Heinrichs ist höchst umstritten und ein wichtiges Moment innerhalb seiner Rezeptionsgeschichte (cf. dafür Kap. IV, § 1,2; § 2 passim); zur Sache cf. aus der neueren Literatur BORAK: *Aspectus fundamentales Platonismi.* 1968, passim; MACKEN, *Lebensziel.* 1979, p. 117.

[164] Cf. z. B. HENR. DE GAND., *Summa 25,3* Badius 154vK: *Plato autem licet deos vocavit intelligentias sub summo deo, multo tamen melius sentiebat de ipso et fidei magis congruentia quam Aristoteles*; ID., *Qdl. VI,33* Wilson 286,62: *secundum fidem catholicam et sententiam Platonis*; ID., *Lect. ord.* Macken 63. 66: [*Plato*] *praecipuus philosophus.* - Heinrichs Platon-Kritik deckte sich in den Hauptzügen mit der bei AUGUSTINUS.

[165] Cf. A.-M. GOICHON: *La philosophie d'Avicenne et son influence en Europe médiévale.* Paris ²1950, pp. 43. 114. 126sq.; GILSON, *Avicenne en occident au moyen âge.* 1969, p. 97sq.; MACKEN, *Henri de Gand et la pénétration d'Avicenne en Occident.* 1988; J. L. JANSSENS: *Some Elements of Avicennian Influence on Henry of Ghent's Psychology.* In: Henry of Ghent. Proceedings. 1996, pp. 155-169. - Zu AVICENNAS Philosophie im Überblick cf. den großen Art. '*Avicenna*'. In: Encyclopaedia Iranica. Ed. E. YARSHATER, tom. III (London/New York [fasc. 2: ed. 1986] 1989), col. 66a-110a; von besonderem Interesse sind die Abschnitte von M. E. MARMURA: *Metaphysics* (col. 73a-79b), D. GUTAS: *Mysticism* (col. 79b-83a) und S. VAN RIET: *The Impact of Avicenna's Philosophical Works in the West* (col. 104a-107a); gut zusammenfassend G. VERBEKE: *Avicenna, Grundleger einer neuen Metaphysik* (RWAW.GV 263). Opladen 1983; J. OWENS: *The Relevance of Avicennian Neoplatonism.* In: P. MOREWEDGE (ed.): Neoplatonism and Islamic Thought (Studies in Neoplatonism: Ancient and Modern, 5). New York 1992, pp. (41-50) 45. 49. Sämtliche neuere Literatur bis 1989 mit Kurzbesprechung findet man bei J. L. JANSSENS: *An Annotated Bibliography on Ibn Sînâ (1970-1989)* (AMPh.DWMC I,13). Löwen 1991. - Bedeutsame Beobachtungen zum Einfluß AVICENNAS auf den größten metaphysischen Konkurrenzentwurf Heinrichs findet man bei J. F. WIPPEL: *The Latin Avicenna as a Source of Thomas Aquinas's Metaphysics.* In: FZPhTh 37 (1990), pp. 51-90.

[166] Vorzügliche Bemerkungen zu diesem Komplex finden sich bei DECORTE, *Avicenniserend augustinisme.* 1983, I, pp. 55-86.

Entgegen dem oft mit der christlichen Glaubenslehre in Konflikt geratenden Aristotelismus läßt sich nach AVICENNA eine Schöpfung aus dem Nichts denken.[167] Mittels eines kritischen Begriffs vom Notwendigen sind die kosmischen Intelligenzen in der physischen Ordnung durch die Unterscheidung eines *necessarium per se* und eines *necessarium per aliud* klar unter Gott gestellt. Schließlich garantierte der avicennische Monopsychismus eine unabhängig von sensualer Erfahrung gewonnene, universal geltende Wahrheit. Ja, in versteckter Polemik gegen ein vermeintliches *secundum Aristotelem et veritatem* gestattet es sich Heinrich mehrfach, ein *secundum Avicennam et rei veritatem* dagegenzusetzen.[168]

In einem Atemzug mit Avicenna ist AUGUSTINUS zu nennen.[169] Dessen ganze christlich-neuplatonische Geistigkeit, herbeigeholt in unzähligen Zitaten und Anspielungen, ist bei Heinrich gleichsam omnipräsent, ohne aber bei Heinrich die Entwicklung eigener Gedanken zu erdrücken und eine begründete Ablehnung für unhaltbar angesehener augustinischer Theorien unmöglich zu machen. „Heinrich ist ein entschiedener Augustinist, nicht hinsichtlich der einen oder anderen These, sondern hinsichtlich einer entschieden reflektierten generellen Präferenz."[170]

Einen nicht zu gering zu veranschlagenden Einfluß auf Heinrichs philosophische Anschauungen übte seitens der Lateiner BOETHIUS (um 480 - 524) aus. Um dessen Hebdomadenschrift und besonders um den in ihr entwickelten Seinsbegriff entbrannte - durch die im Kommentar des THOMAS VON AQUIN vorgenommene aktualistische Uminterpretation veranlaßt - ein heftiger Streit zwischen AEGIDIUS ROMANUS und Heinrich. BOETHIUS fand damals in Heinrich einen sehr engagierten Interpreten und den in jenen Zeiten vielleicht getreuesten Sachwalter, der dorther terminologische und sachliche Fundamente seiner eigenen, neuen Wesensontologie entnahm.[171] Als der *commentator* der boethia-

[167] Cf. R. MACKEN: *Avicennas Auffassung von der Schöpfung der Welt und ihre Umbildung in der Philosophie des Heinrich von Gent.* In: PhilosMA 1987, pp. 245-257.

[168] Cf. z. B. HENR. DE GAND., *Summa 22,5* Badius 134vD; *Summa 25,3* Badius 156rS; dazu GILSON, *Avicenne en occident au moyen âge.* 1969, p. 97sq.; ferner HENR. DE GAND., *Qdl. IV,13* Badius 109rG: *dicit Avicenna et fides tenet*; ebenso *Qdl., IV,21* Badius 137rK. Diese eminente Stellung AVICENNAS hindert aber Heinrich nicht daran, z. B. dessen Anschauung, die *particularia signata* wären wohl für die Menschen, nicht aber für Gott erkennbar, *valde absurde* zu nennen (cf. HENR. DE GAND., *Qdl. VIII,2* Badius 302vL).

[169] Cf. M. GRABMANN: *Der Einfluß des heiligen Augustinus auf die Verwertung und Bewertung der Antike im Mittelalter.* In: MGL I. 1936, pp. 8. 11; G. LEFF: *Augustinus/Augustinismus. II. Augustinismus in Mittelalter.* In: TRE IV (1979), p. (699-717) 710sq.; MACKEN, *Henry of Ghent and Augustine.* 1992.

[170] GÓMEZ CAFFARENA, *Ser participado.* 1958, p. 4.

[171] Cf. P. W. NASH: *Giles of Rome on Boethius' 'Diversum est esse et id quod est'.* In: MS 12 (1950), pp. 58-60; G. SCHRIMPF: *Die Axiomenschrift des Boethius (De hebdomadibus) als philosophisches Lehrbuch des Mittelalters* (SGPAMP 2). Leiden 1966, pp. 112. 145. 147; G. FIORAVANTI: *'Forma' ed 'esse' in Enrico di Gand. Preoccupazioni teologiche ed elaborazione filosofica.* In: ASNSP.L ser. 3, 5. (1975), pp. 985-1031. R. MCINERNY: *Boethius and Aquinas.* Washington, D.C. 1990, p. 181, weist darauf hin, daß der Streit zwischen AEGIDIUS und Hein-

nischen Schriften gilt auch für Heinrich selbstverständlich GILBERT VON POITERS (um 1080 - 1154).[172]

Neben diesen Hauptgewährsleuten *in rebus philosophicis* bezog sich Heinrich auch auf spätantike und byzantinische Kommentarliteratur. Ausgiebige Benutzung fanden unter den Aristoteles-Kommentaren zur Kategorienschrift der Kommentar des SIMPLICIUS (fl. 520 - 540), eines Schülers des AMMONIOS HERMEIOU. Desweiteren las Heinrich zu den 'Zweiten Analytiken' den Kommentar des THEMISTIUS (um 317 - 388) und zur Nikomachischen Ethik die Kommentare des EUSTRATIOS VON NIZÄA (um 1050 - nach 1117) und des MICHAEL VON EPHESUS, eines Schülers des MICHAEL PSELLOS (1018 - 1078). Von den lateinischer Neuplatoniker wurden der Timaios-Kommentar des CALCIDIUS (fl. 400)[173] wie auch die Schriften des MACROBIUS (fl. 400-420) konsultiert. Oft benutzt ist auch der anonyme, gegen Mitte des 12. Jahrhunderts verfaßte *Liber de sex principiis*.[174] Zur Erläuterung des oft zitierten *Liber de causis* führte Heinrich - mit namentlicher Nennung - auch die Schrift *De causis et processu Universitatis a prima causa* des ALBERTUS MAGNUS OP (um 1200 - 1280)[175] an. In zum Teil längeren Auszügen trug Heinrich antike lateinische Schriftsteller vor, meistens philosophische Autoren wie CICERO (106 - 43)[176] oder SENECA (4 v. - 65 n. Chr.)[177], aber

rich um das Seinsverständnis des Aquinaten und dessen Richtigkeit sich an der thomanischen Boethius-Interpretation entzündet hatte.

[172] Cf. z. B. HENR. DE GAND., *Qdl. I,9* Macken 54,89; 58,87; dazu N. M. HÄRING: *The Commentaries on Boethius by Gilbert of Poitiers* (STPIMS 13). Toronto 1966, p. 6.

[173] Zu diesem christlichen Rezeptionstypus des Platonismus cf. nun Christine RATKOWITSCH: *Die Timaios-Übersetzung des Chalcidius - ein Plato christianus.* In: Philologus 140 (1996), pp. 139-162 (Lit.).

[174] Irritierenderweise wird bislang der *Liber de sex principiis* ed. L. MINIO-PALUELLO/ B. G. DOD (Aristoteles Latinus I/6-7. Brügge/Paris 1966, pp. 35-57) in den Indices der *Opera omnia Henrici de Gandavo* zum einen nach der veralteten Edition von A. HEYSSE und zum anderen als ein Werk des GILBERT VON POITIERS angeführt, obwohl dessen Verfasserschaft längst durch MINIO-PALUELLO in der Praefatio der obigen Ausgabe (pp. xxxix-lv) beweiskräftig ausgeschlossen werden konnte.

[175] Cf. HENR. DE GAND., *Qdl. X,7* Macken 186,74-75: *concordat dominus Albertus in libro suo De causis, III, cap. 2.* - Die bspw. bei A. SCHNEIDER: *Beiträge zur Psychologie Alberts des Großen* (BGPhMA 4/5-6). Münster i.W. 1903-06, p. 301 not. 1, oder BERNHART, *Philosophische Mystik.* 1922, p. 149 mitgeteilte Albert-kritische Äußerung Heinrichs, jener habe den Himmel der Theologie etwas verdüstert, findet sich allerdings nur im ps.-henrizianischen Schriftstellerkatalog *De script. eccl., cap. 43* Häring 90.

[176] Heinrich benutzte die Werke CICEROS, darunter Reden wie auch theoretische Schriften, spec. *De officiis*, offensichtlich nicht aus Florilegien, sondern im Original. Dies gilt besonders für CICEROS *Academica*, denen Heinrich sein Referat über den antiken Skeptizismus verdankt, dazu SCHMITT, *Cicero scepticus.* 1972, pp. 39-41; zur Rezeption des ciceronianischen Freundschaftsbegriff in HENR. DE GAND., *Qdl. X,12* Macken 274-285 cf. J. MCEVOY: *The Sources and the Signifiance of Henry of Ghent's Disputed Question, 'Is Friendship a Virtue?'.* In: Henry of Ghent. Proceedings. 1996, pp. 121-138. Äußerungen CICEROS zur patriotischen Liebe unter Einsatz des eigenen Lebens spielen eine große Rolle in HENR. DE GAND., *Qdl. XV,16* Badius 594rP-597vY.

[177] Zur Belebung der scholastischen Ideenlehre durch die oftmalige Zitation des mittelplatonischen Lehrreferate in SEN., *Epist. mor. 58* und *65* durch Heinrich cf. HÜBENER,

auch antike Fachautoren wie den Militärschriftsteller VEGETIUS (um 383 – um 450)[178] und den Mediziner GALEN (129 - 199)[179].

b) Theologische Autoritäten

Von den theologischen Quellen stand bei Heinrich die Hl. Schrift[180] fraglos allem anderen voran. Wie aber schon durch Heinrichs Auswahl seiner philosophischen Quellen vorgezeichnet, spielte kein anderer als AUGUSTINUS die überragende Rolle unter den Autoritäten der theologischen Überlieferung. Manche Quästionen nehmen sich aus wie eine einzige Katene von Augustinus-Zitaten. Für Heinrich ist AUGUSTINUS nicht Traditionsfessel, sondern gebende Kraft jeder authentischen christlichen Theologie. Dazu gesellte sich bei Heinrich eine Phalanx christlicher Neuplatoniker der Patristik. Zunächst kamen die übrigen *doctores maiores* der mittelalterlichen Theologie: AMBROSIUS, HIERONYMUS, GREGOR DER GROSSE. Sofort danach - dem Range nach - folgten BOETHIUS, PS.-DIONYSIUS AREOPAGITA, JOHANNES DAMASCENUS (um 650 - um 750), aber überraschend häufig auch ORIGENES (185 - 254)[181]. Mehrfach konsultierte Heinrich die Kommentare des JOHANNES ERIUGENA (um 810 - um 877) zu den dionysischen Schriften, nicht ohne sich insbesondere mit dessen Theophanieverständnis auseinanderzusetzen.[182] Von Theologen späterer Epochen bevorzugte Heinrich deutlich Theologen des 12. Jahrhunderts, also ANSELM VON CANTERBURY OSB (1033 - 1109), BERNHARD VON CLAIRVAUX OCist (1090 - 1153), GILBERT VON POITIERS, HUGO VON ST. VIKTOR CRSA (um 1095 - 1141), RICHARD VON ST.

Idea extra artificem. 1977, pp. 37sq. 49. 52; M. LAARMANN: *Seneca (Mittelalter und Humanismus). II. Wirkungsgeschichte in der Philosophie.* In: LexMA VII (1996), col. 1751. - SENECA, *Epist. mor. 58,* fand zu Zeiten Heinrichs bereits Beachtung bei ROB. KILWARDBY, *Quaest. in I Sent., q. 73* [verf. nach 1256 und vor 1277] Schneider 229sq.; die *Epist. mor. 65* zitierte auch ROB. KILWARBY, *Quaest. in I Sent., q. 75* Schneider 241; JOHANNES DE BERWICK, ein Lehrer des WILHELM VON WARE, zitierte ebenfalls einen entsprechenden Seneca-Text; cf. LECHNER, *Beiträge.* 1932, p. 102.

[178] Cf. spec. HENR. DE GAND., *Qdl. XV,16* Badius 594rP-597vY; ferner M. v. ALBRECHT: *Geschichte der römischen Literatur* (dtv 4618). München ^{2}1994, pp. 459. 1172sq.; LexMA VIII (1998), col. 1444sq. (H. KLEINSCHMIDT/F. BRUNHÖLZL).

[179] Cf. HENR. DE GAND., *Qdl. IV,14* Badius 119rI.

[180] Cf. J.-M. VOSTÉ: *De natura et extensione inspirationis biblicae secundum principia Angelici Doctoris.* In: S. Szabo (ed.): Xenia thomistica. Rom 1925, vol. II, pp. (35-64) 43. 47-49. 51. 54; J. BEUMER: *Das katholische Schriftprinzip in der theologischen Literatur der Scholastik bis zur Reformation.* In: Schol. 16 (1941), pp. (24-52) 29. 41sq.; MINNIS, *Medium and Message. Henry of Ghent on Scriptural Stile.* 1995. - Heinrich besitzt offensichtlich eine gewisse Vorliebe für das Matthäusevangelium. Eine Untersuchung zu seinem Schriftgebrauch fehlt noch.

[181] Heinrich sieht die kirchliche Verurteilung der Schriften eines Autors *post mortem* keinesfalls als Hindernis zu ihrem Gebrauch, *licet aliqua habent erronea, ..., et maxime cum postmodum fuerint approbata in bene dictis, sicut erant scripta Origenis* (HENR. DE GAND., *Summa 5,4* Badius 39rQ).

[182] Cf. Kap. II, § 5,4 dieser Arbeit.

VIKTOR CRSA († 1173); auch ALANUS AB INSULIS OCist (um 1125/30 - 1203)[183] wird zitiert. Das *Decretum Gratiani*, die *Decretales* und andere kanonistische Quellen waren Heinrich schon aufgrund seiner kirchlich-administrativen Tätigkeiten geläufig. Heinrich nannte von den Theologen seines Jahrhunderts, denen er Bedeutung zumaß, einige auch explizit, so BONAVENTURA[184] und THOMAS VON AQUIN[185]. Heinrichs Theologie ist trotz ihrer großen Eigenständigkeit in der Nähe der älteren Franziskanerschule zu verorten. Der gut belegbare allgemeine Einfluß der *Summa fratris Alexandri*, die freilich nur zu wenigen Teilen von ALEXANDER VON HALES OMin (um 1185 - 1245)[186] endredigiert ist, auf Heinrich wird von der bisherigen Forschung wohl noch entschieden zu gering angesetzt. Zu Einzelthemen sind z. B. RICHARD RUFUS OMin (um 1212 - um 1260)[187], GUIBERT VON TOURNAI OMin (um 1220 - 1284)[188], WALTER VON BRÜGGE OMin (um 1225 - 1307)[189] und WILHELM DE LA MARE OMin (um 1240 - nach 1284)[190] bedeutsam.

[183] Cf. HENR. DE GAND., *Qdl. V,1* Badius 151rC; ID., *Summa 75,3* Badius 301rQ. - Cf. LThK³ I (1993), col. 316 (Mechthild DREYER).

[184] Cf. HENR. DE GAND., *Qdl. VII,24* Wilson 203,57-58: *alius venerabilis doctor, dominus Bonaventura.*

[185] Cf. HENR. DE GAND., *Qdl. VII,24* Wilson 202,37-38: *venerabilis doctor frater Thomas bonae memoriae*; ID., *Qdl. XIII,14* Decorte 148,68: *quidam doctor religiosus valde excellens.* Zum Thomas-Lob Heinrichs cf. WIELOCKX, *Aeg. Rom., Apol.* 1985, p. 218 not. 172. Die Kenntnis von Thomas-Schriften beschränkt sich längst nicht auf die *Prima pars* der *S. theol.* So wird z. B. bei HENR. DE GAND., *Summa 1,2* Badius 5rE, also schon in einem der frühesten Texte Heinrichs, THOM. DE AQU., *In Metaph. I, lect. 1, nr. 18* Spiazzi 9 zitiert; dazu Hélène MERLE: *Ars.* In: BPhM 28 (1986), p. (95-133) 117.

[186] Cf. nur Heinrichs Analogielehre (Kap. II, § 2,2) und seine Darlegung aposteriorisch-demonstrativer Gottesbeweise (Kap. II, § 2,4). - Cf. LThK³ I (1993), col. 362-364 (Elisabeth GÖSSMANN).

[187] Cf. Rega WOOD: *Richard Rufus and English Scholastic Discussion of Individuation.* In: J. MARENBON (ed.): Aristotle in Britain. Turnholt 1996, pp. 134-136.

[188] Cf. C. BÉRUBÉ: *De la théologie de l'image à la philosophie de l'objet de l'intelligence chez Saint Bonaventure* (1973). In: ID.: De la philosophie à la sagesse chez Saint Bonaventure et Roger Bacon (BSC 26). Rom 1976, pp. (201-257) 164. 184. 195. 198sq.; ID., *Noms de Dieu.* 1976, pp. 201-204. 208-210. 213. 216sq. 232; BÉRUBÉ/GIEBEN (ed.), *Guibert de Tournai et Robert Grosseteste.* 1974, p. 638sq.

[189] Cf. E. LONGPRÉ: *Questions inédites du commentaire sur les sentences de Gauthier de Bruges.* In: AHDL 7 (1932), p. (251-275) 257; R. HOFMANN: *Die Gewissenslehre des Walter von Brügge OFM und die Entwicklung der Gewissenslehre in der Hochscholastik* (BGPhThMA 36/5-6). Münster i.W. 1941, pp. 116-118; DECORTE, *Willenspsychologie.* 1983.

[190] Cf. HENR. DE GAND., *Summa 8,3* Badius 65rR. vX, wo Heinrich die am *Lex*-Begriff entwickelte Theologiekonzeption im um 1270 verfaßten Sentenzenkommentar des WILHELM DE LA MARE kritisiert; dazu H. KRAML: *Einleitung.* In: GUILL. DE LA MARE, In II librum sententiarum (VKHUT 15). München 1989, pp. (13*-85*) 44*sq. 49*; LEINSLE, *Einführung in die scholastische Theologie.* 1995, pp. 159-163. 163-167

2. *Theologische Wissenschaftslehre*

Heinrich entfaltete seinen Begriff der Theologie, den er wie die meisten seiner Zeitgenossen klar gegen den Begriff der Naturphilosophie und Metaphysik abgrenzte[191], in einer theologischen Wissenschaftslehre[192], die als die umfänglichste der gesamten mittelalterlichen Scholastik angesehen werden darf. Theologie handelt zuerst und grundsätzlich von Gott. Denn von ihm stammen die ersten Glaubensartikel als ihre ersten, wissenschaftskonstituierenden Prinzipien, nämlich das im Glauben erfaßte Wissen um die substantielle göttliche Einheit und die Dreiheit der Personen. Erst in zweiter Hinsicht wendet sich die Theologie den Geschöpfen zu gemäß deren Relation und Attribution zu Gott. Besonderes Interesse der Forschung fand neben Heinrichs Auffassung der spezifisch theologischen Methode[193] seine Sonderlehre vom *lumen theologicum*[194], das zusätzlich zum *lumen naturale* und dem *lumen fidei* dem Theologen als eine dritte, den beiden anderen überlegene Erkenntniskraft von Gott gewährt wird. Glaubenserkenntnis besitzt für Heinrich eine genuine, selbstbegründete unverwechselbare Intelligibilität, die sich vom spezifischen, unvergleichlichen Gegenstand ihres Erkennens her erschließt. Derartige Anschauungen Heinrichs haben Untersuchungen zu seinem willensdominierten Glaubensbegriff[195] und

[191] Cf. GRABMANN, *Einleitungslehre.* 1948, pp. 306-311; F. BRANDARIZ: *La teología en relación con las demás ciencias según Enrique de Gante.* In: MCom 19 (1953), pp. 165-204; LANG, *Theologische Prinzipienlehre.* 1964, ad indicem s.v.; C. DUMONT: *La réflexion sur la méthode théologique. Un moment capital: le dilemme posé au XIIIe siècle.* In: NRTh 83 (1961), pp. 1034-1050; 84 (1962), pp. 17-35; ID.: *La théologie comme science chez les scholastiques du XIIIe siecle.* Löwen 1962; STREUER, *Einleitungslehre.* 1968, pp. 26-28. 87-91. 112-115. 138-141; KOBUSCH, *Metaphysik.* 1980, col. 1226; St. F. BROWN, *Henry of Ghent's 'De reductione artium ad theologiam'.* 1994.

[192] Cf. F. BRANDARIZ: *La teología como cienca según Enrique de Gante.* In: EE 22 (1948), pp. 5-57; KÖPF, *Anfänge der theologischen Wissenschaftstheorie.* 1974, pp. 70-72. 109-111. 215-217; St. P. MARRONE: *Concepts of Science among Parisian Theologians in the Thirteenth Century.* In: KSMPh III, 1990, pp. (124-133) 124. 127-132; St. F. BROWN, *Aquinas' Subalternation Theory.* 1990.

[193] Cf. P. DE VOOGHT: *La méthode théologique d'après Henri de Gand et Gérard de Bologne.* In: RThAM 23 (1956), pp. 61-87 (unfreiwillig komisch sein Urteil auf p. 87, Heinrich sei u.a. wegen seines exzessiven Intellektualismus „der Patron des zukünftigen Franciscus Meyronnes und anderer Totengräber der authentischen Theologie"); ROVIRA BELLOSO, *Sobre el mètode teològic en Enrice de Gand.* 1983.

[194] Cf. BEUMER, *Erleuchteter Glaube.* 1955; FINKENZELLER, *Offenbarung und Theologie.* 1961, pp. 173-177. 184-191. 247sq.; STREUER, *Einleitungslehre.* 1968, pp. 26-28; HÖDL, *Illuminationslehre des Heinrich von Gent.* 1994

[195] Cf. GRABMANN, *Augustins Lehre vom Glauben und Wissen.* 1936, pp. 44. 52. 60; R. AUBERT: *Le probléme de l'acte de foi.* Löwen/Paris (1945) ²1950, pp. 649. 656. 733. 740; ID.: *Le caractére raisonnable de l'acte de foi d'après les théologiens de la fin du XIIIe siècle.* In: RHE 39 (1943), pp. 22-99; ID.: *Le rôle de la volonté dans l'acte de foi d'après les théologiens de la fin du XIIIe siècle.* In: Miscellanea moralia in honorem A. Janssen (Bibliotheca EThL, ser. I/2-3). Löwen 1948, pp. (281-307) 294-299; ID.: *Le traité de la foi à la fin du XIIIe siècle.* In: J. AUER/H. VOLK (Hg.): Theologie in Geschichte und Gegenwart. Fschr. M. SCHMAUS

zu seiner Glaubensbegründung[196] präzisiert. Der gottgegebene Glaube gibt dem Christen innere Freiheit für einen wahrheitsgemäßen Vernunftgebrauch.[197]

Bei Heinrich kann man außerdem wohl zuerst in der Hochscholastik in aller Deutlichkeit beobachten, wie das traditionell komplementäre Verhältnis von Schriftautorität, mündlicher Überlieferung und authentischer Kirchenlehre[198] sowie das im 13. Jahrhundert neu entstandene Verhältnis der Wahrheit von Lehramt und Theologie[199] sich - so seit dem 14. Jahrhundert - zu eigenen Größen entwickelten, die sich nur durch einen Spannungsbogen zusammenhalten lassen.

Heinrich von Gent ist in seinen Schriften eine überreich fließende Zeugnisquelle für damalige universitäre Umstände theologischen Lehrens und Lernens. Seine Theorie von einem *lumen theologicum* spricht viel aus über Heinrichs Selbstbewußtsein als *magister theologiae* und seine Einschätzung des Theologenamtes im Gesamt des kirchlich bekannten Glaubens. Heinrich formulierte weitgehende, auch ethisch ausgerichtete Ansprüche an Lehrer und Hörer[200] in der Theologie, die seinem Ideal des Theologen bzw. theologischen Lehrers[201] und

zum 60. Geb. München 1957, pp. (349-370) 349. 355. 358. 360sq. 365. 367. 369sq.; DANNEELS, *Foi.* 1961 [war dem Verf. nicht zugänglich]; RIBAILLIER: *Henri de Gand.* 1969, col. 204sq.; H. WAGENHAMMER: *Das Wesen des Christentums. Eine begriffsgeschichtliche Untersuchung* (TThS 2). Mainz 1973, p. 32sq.

[196] Cf. ESPENBERGER, *Grund und Gewißheit des übernatürlichen Glaubens in der Hoch- und Spätscholastik.* 1915, pp. 89-93; LANG, *Wege der Glaubensbegründung.* 1930, pp. 14-16; ID., *Entfaltung des apologetischen Problems.* 1962, p. 79sq.

[197] Cf. HENR. DE GAND., *Summa 1,8* Badius 17vB: *Ubi veritas latet et fides nihil distinguit, nihil asserere debemus, nisi quod naturali ratione fidei tamen consentaneum et non contrarium poterimus investigare.* Es gilt aber andererseits *Qdl. XI,27* Badius 479vR: *Ex mystica theologia argumentationes formari non possent.* - WIPPEL, *Encounter between Faith and Reason.* 1995; CARVALHO, *Relações entre razão e fé no século XIII.* 1995, führt einen Vergleich mit THOMAS VON AQUIN durch.

[198] Cf. BEUMER, *Heilige Schrift und kirchliche Lehrautorität.* 1950, pp. 51-53; G. H. TAVARD: *Holy Church or Holy Writ: A Dilemme of the Fourteenth Century.* In: ChH 23 (1954), pp. 195-206; SCHMAUS, *Schrift und Kirche nach Heinrich von Gent.* 1960; P. DE VOOGHT: *L'évolution du rapport église - écriture du XIIIe au XIVe siècle.* In: EThL 38 (1962), pp. 71-85; BEUMER, *Die mündliche Überlieferung als Glaubensquelle.* 1962, pp. 58-61; Y. CONGAR: *Die Tradition und die Traditionen, I.* Mainz 1965, pp. 124sq. 130. 166; H. SCHÜSSLER: *Der Primat der Heiligen Schrift als theologisches und kanonistisches Problem im Spätmittelalter* (VIEG 86). Wiesbaden 1977, pp. 55-59; C. C. DE BRUIN: *De prologen van de eerste historiebijbel geplaatst in het raam van hun tijd.* In: W. LOURDAUX/D. VERHELST (ed.): The Bible and Medieval Culture (ML II/7). Löwen 1979, pp. (190-219) 194. 202-204.

[199] Cf. HÖDL, *„... sie reden, als ob es zwei gegensätzliche Wahrheiten gäbe."* 1987/1990, pp. 49. 57-61. 63; V. MARCOLINO: *Lehrautorität der Kirche und Theologie im Spätmittelalter.* In: W. BAIER u.a. (Hg.): Weisheit Gottes - Weisheit der Welt (Fschr. J. Kard. RATZINGER zum 60. Geb.). St. Ottilien 1987, vol. II, pp. (815-833) 822. 824.

[200] Cf. SCHMAUS, *Lehrer und Hörer der Theologie.* 1960.

[201] Cf. J. LECLERCQ: *L'idéal du théologien au moyen âge.* In: RevSR 21 (1947), pp. (121-148) 130. 135sq. 141sq. 146sq.; Y. CONGAR: *Die Lehre von der Kirche. Von Augustinus bis zum Abendländischen Schisma* (HDG III/3c). Freiburg i.Br. 1971, p. 157sq. (§ 50: Entstehung eines Lehramts der Doktoren); GABRIEL, *The Ideal Master of the Mediaeval University.*

auch des Predigers[202] deutliche Konturen verleihen. Auf die Frage einer Eignung der Frau[203] für Studium und Lehramt in der Theologie, die Heinrich im ersten Fall unter Einschränkungen bejaht und im zweiten deutlich verneint, ging er offensichtlich als einer der ersten in der scholastischen Literatur mit eigens gestellten Quästionen ein.

3. Gotteslehre

Auf dem Gebiet der Gotteslehre traktierte Heinrich, *Summa 25-52,* auf Grundlage einer entsprechend weit entwickelten Theorie der Gottesattribute in der ihm eigenen Ausführlichkeit divinale Eigenschaften wie Einheit und Einzigkeit, Natur und Wesen, Leben, Unveränderlichkeit, Ewigkeit, Intelligibilität, Wahrheit, Macht, Gutheit, Vollkommenheit, Totalität, Unendlichkeit, Wille, Liebe, Glückseligkeit und Freude. Seine kompendiöse Erörterung der Gottesnamen und der Möglichkeiten gottbezogenen Redens[204] in *Summa 73,1-10,* darf als die umfangreichste der Hochscholastik gelten.

1974, pp. 23. 29. 32; I. P. WEI: *The Self-Image of the Masters of Theology at the University of Paris in the Late Thirteenth and Early Fourteenth Centuries.* In: JEH 46 (1995), pp. (398-431) 402sq. 413-418. 428-420; allgemein zum Thema R. GRYSON: *The Authority of the Teacher in the Ancient and Medieval Church.* In: P. F. FRANSEN (ed.): Authority in the Church (Annua Nuntia Lovaniensia 26). Löwen 1983, pp. 176-187.

[202] Cf. J. LECLERCQ: *Le magistère du predicateur au XIIIe siècle.* In: AHDL 15 (1946), pp. (105-147) 123sq. 130; L. KUC: *Przepowiadanie slowa Bozego wedlug Henryka z Gandawy (Prédication de la parole divine selon Henri de Gand).* In: RTK 112 (1965), pp. 95-104; ID.: *Kaznodziejstwo a teologia wedlug Henryka z Gandawy (Predigttätigkeit und Theologie nach Heinrich von Gent).* Warschau 1968.

[203] Cf. BEUMER, *Zum theologischen Studium der Frau.* 1957; B. GAYBBA: *Can a Woman Teach Theology? Can a Woman Learn Theology? A Thirteenth Century Answer from Henry of Ghent.* In: Journ. of Theol. for Southern Africa 81 (1992), pp. (46-54) 49-54, bietet eine Übersetzungsparaphrase von HENR. DE GAND., *Summa 11,2* und *Summa 12,1* und insinuiert p. 48 u.a. sogar einen Sexismus- und Rassismusverdacht gegenüber dem *Doctor solemnis.* Der Sexismus-Vorwurf wäre eher angebracht bei GUIBERTUS DE TORNACO [?]: PS.-ALEX. DE HALES, *Commentarius in I librum Sententiarum: Principium de natura theologiae I,2.* Ed. F. STEGMÜLLER: Analecta Upsaliensia theologiam medii aevi illustrantia, I: Opera systematica (Acta Universitatis Upsaliensis 1953,7). Uppsala/Wiesbaden 1953, pp. (243-271) 253sq., der - wenn die Autorenzuschreibung STEGMÜLLERS Recht behält - schon 1257 oder kurze Zeit später diese Frage verhandelt hätte. - Cf. ferner Elisabeth GÖSSMANN: *Anthropologie und soziale Stellung der Frau nach Summen und Sentenzenkommentaren des 13. Jahrhunderts.* In: MM 12 (1979), p. (281-297) 295sq.; A. BLAMIRES: *Women and Preaching in Medieval Orthodoxy, Heresy and Saint's Lives.* In: Viator 26 (1995), pp. (135-152) 139-142; A. BLAMIRES/C. W. MARX: *Woman Not to Preach: A Disputation in British Library MS Harley 31.* In: Journ. of Medieval Latin 3 (1993), pp. (34-63) 50-55 [Heinrich-Exzerpte in einer gegen Wicclyfiten gerichteten Textsammlung]. Dem Verf. nicht erreichbar war J.-I. SARANYANA: *La discusion medieval sobre la condicion femenina (Siglos VIII al XIII)* (Bibl. Salmant., Estudios 190). Salamanca 1997.

[204] Cf. E. J. ASHWORTH, *„Can I Speak more clearly than I Understand?“.* 1980 (Interpretation von HENR. DE GAND., *Summa* 73,10); M. LAARMANN: *Name Gottes.* In: LexMA VI (1994),

Heinrich zieht in *Summa 21-25* eine ausführliche, kritische Bilanz der Bemühungen hochscholastischer Theologie, im Rahmen natürlicher Gotteserkenntnis argumentative Wege zum Beweis des Daseins Gottes aufzufinden und die Bedingungen dieses Erkennens zu bestimmen. Da damit das Thema der vorliegenden Arbeit angesprochen ist, erübrigt es sich hier, näher darauf einzugehen. Gottes dreieinem und dreipersonalem Leben[205] widmet sich vor allem *Summa 53-72*, also ein Großteil des henrizianischen Spätwerkes. Seine Gedankengänge, die die skotische Trinitätslehre[206] trotz der dort allgegenwärtigen Kritik tief geprägt haben, kennzeichnet eine Beachtung der Personhaftigkeit der einzelnen göttlichen Personen, so daß Heinrich hinsichtlich deren gemeinsamen personalen Seins das Neutrum *ens* sorgsam in den Plural *tres entes* zu setzen pflegte.[207] Obwohl Albert STOHR (1890 - 1961)[208] bereits 1925 Heinrichs

col. 1009sq.; ID.: *Tetragramm.* In: LexMA VIII (1997), col. 575; I. ROSIER: *Henri de Gand, le 'De Dialectica' d'Augustin, et l'institution des noms divins.* In: DSTFM 6 (1995 [publ. 1996]), pp. 145-253; BOULNOIS, *Représentation et noms divins selon Duns Scot.* 1995, pp. 255-259. 261. 265. 267sq. 272. 274-276.

205 Cf. A. STOHR: *Die Trinitätslehre Ulrichs von Straßburg, mit besonderer Berücksichtigung ihres Verhöltnisses zu Albert dem Großen und Thomas von Aquin* (MBTh 13). Münster i.W. 1928, pp. 39. 194. 219; SCHMAUS, *Liber propugnatorius.* 1930, ad indicem s.v., spec. pp. 32sq. (Unerkennbarkeit der Trinität für die natürliche Vernunft; cf. Kap. II, § 3,4 n.116); p. 137sq. (die göttliche Zeugung und die vitalen Akte in der Trinität); p. 233sq. (das *principium quo* der Hauchung und der Unterschied der beiden Produktionen); p. 340sq. (Ausgang des Hl. Geistes von Vater und Sohn); p. 479sq. (Konstitution der göttlichen Personen); p. 592sq. (Innaszibilität und Vaterschaft der ersten göttlichen Person); p. 633sq. (worthafte Hervorbringung der zweiten göttlichen Person); p. 657sq. (Gesamtwürdigung: insbesondere ein mächtiges Aufklingen von "altfranziskanische[n] Grundakkorde[n]"); starker Einfluß des RICHARD VON ST. VIKTOR auf die rationale Ableitung der Trinität auf den Primitätsgedanken; Höherwertung und schärfere Trennung der essentialen vor den notionalen Akten als bei THOMAS V. AQUIN); ID., *Augustinus und die Trinitätslehre Wilhelms von Ware.* 1930, pp. 318sq. 322. 324. 327. 332sq. 336; DECKER, *Gotteslehre des Jakob von Metz.* 1967, pp. 403-406 (Unterschied zwischen göttlicher Wesenheit und Relationen); unzureichend SCHINZER, *Objektivation der Existenz: Versuch über die trinitarischen Personen bei Heinrich von Gent.* 1976. - Zu Unrecht wurde Heinrich mit dem Erstgebrauch des Begriffes *circuminsessio* geschmückt. Alle überlieferten Handschriften bieten das konventionelle *circumincessio*; cf. dazu M. LAARMANN: *Perichorese.* In: LexMA VI (1994), col. 1887sq., gegen A. DENEFFE: *Perichoresis, circumincessio, circuminsessio. Eine terminologische Untersuchung.* In: ZKTh 47 (1923), pp. (497-532) 513-517. 520sq. 525-527. 531, und ihm folgend P. STEMMER: *Perichorese. Zur Geschichte eines Begriffs.* In: ABG 27 (1983), pp. (9-55) 30. 33; ID., *Perichorese.* In: HWPh VII (1989), col. (255-259) 258.

206 Die umfängliche Studie von F. WETTER: *Die Trinitätslehre des Johannes Duns Scotus* (BGPhThMA 41/5). Münster i. W. 1967, erläutert Heinrichs Lehre nur aus dem Referat des DUNS SCOTUS.

207 Cf. HENR. DE GAND., *Qdl. III,2* Badius 49rB: *Sciendum ergo, quod esse in Deo de maxime essentialibus et absolutis est et attribuitur personis non ratione personalis proprietatis, sed ratione essentiae, quae quasi subest ei. Unde sicut una est essentia in tribus personis, ita unicum esse, et licet sint tres entes propter trinitatem personarum, hoc tamen est secundum unicum esse, quod est in tribus ita, quod personalis proprietas alia et alia in alia et alia persona non dat aliud et aliud esse, sed solummodo dat ad aliud esse.* - Die Phrase *tres entes* findet sich bei PETR. LOMB.,

Trinitätslehre als einen der originellsten und innovativsten Entwürfe des 13. Jahrhunderts hingestellt hatte, griff bislang niemand diesen Hinweis angemessen auf. Hier klafft immer noch eine der empfindlichsten Lücken der theologischen Heinrich-Forschung. Ungenügender Ersatz sind Untersuchungen zu Einzelthemen wie Gottes Vorherwissen[209] und Prädestination[210], das innergöttliche Verhältnis von Wille und Verstand[211] und das Problem von *potentia absoluta* und *potentia ordinata*[212]. Ausgenommen von der Stagnation der Forschung auf diesem Terrain ist allein Heinrichs Lehre von den göttlichen Attributen, insbesondere seine Anschauungen über die göttliche Unendlichkeit.[213]

4. *Schöpfungslehre*

Die Schöpfungstheologie[214], die zu jener Zeit vielfach von Kontroversen philosophischer Kosmologie bestimmt war, machte Heinrich zu einem Ort, an dem er die unendliche Erhabenheit der schöpferischen Macht Gottes als eine Grund-Wahrheit des christlichen Glaubens zur Geltung bringen wollte. Beginn alles heilschaffenden Handelns Gottes ist die freigebige, ordnungsgeschmück-

Sent. I, dist. 25,2 ed. Quar. ³1971/81, I, p. 192-196, der diese Redeweise wiederum IOA. DAMASC., *De fide orth. III,5* Buytaert 183, in der Übersetzung des BURGUNDIO VON PISA entnahm; cf. von den Sentenzenkommentatoren z. B. ALEX. DE HALES., *Glossa in I Sent., dist. 25* BFS XII, p. 246,20 (cf. app. ad loc.).

[208] Cf. A. STOHR: *Die Hauptrichtungen der spekulativen Trinitätslehre im 13. Jahrhundert.* In: ThQ 106 (1925), pp. (113-135) 133-135; recht knapp nur F. COURTH: *Trinität. In der Scholastik* (HDG II/1b). Freiburg i.Br. 1985, p. 116.

[209] Cf. H. SCHWAMM: *Das göttliche Vorherwissen bei Duns Scotus und seinen ersten Anhängern* (PGW V/1-4). Innsbruck 1934, pp. 99-108.

[210] Cf. W. PANNENBERG: *Die Prädestinationslehre des Johannes Duns Scotus* (FKDG 4). Göttingen 1954, pp. 71-90. 114. 118, der aspektreich die weitgehende Kontinuität der henrizianischen Prädestinationslehre mit der SUMMA FRATRIS ALEXANDRI, BONAVENTURA, ALBERTUS MAGNUS und THOMAS VON AQUIN herausstellt, dabei aber Heinrich nicht aus Originaltexten kennt (p. 72 not. 18!) und nur das (auf HENR. DE GAND., *Qdl. VIII,5* beruhende) Referat des DUNS SCOTUS, *Ord. I, d.41, q. un.*, heranzieht.

[211] Cf. MACKEN, *Will and Intellect in God.* 1989.

[212] Cf. G. VAN DEN BRINK: *Absolute en geordineerde macht van God.* In: NThT 45 (1991), p. (204-222) 211sq.; ID.: *Almighty God.* Kampen 1994, p. 78; grundlegend W. J. COURTENAY: *Capacity and Volition. A History of the Distinction of Absolute and Ordainend Power* (Quodlibeta 8). Bergamo 1990, ad indicem s.v.

[213] Cf. GILSON, *L'infinité divine chez S. Augustin.* 1954, pp. 572-574; A. SIEMIANOWSKI: *L'idée de l'infinité chez Henri de Gand.* In: Rocznicki Filoz. KUL 16 (1968), pp. 105-111; Diane Elizabeth DUBRULE: *Divine Infinity in the Writings of Henry of Ghent.* Diss. Toronto 1969 [war dem Verf. nicht zugänglich], cf. Diss. Abstr. 30/2 A (1969), col. 762; HÖDL, *Begriff der göttlichen Unendlichkeit.* 1994; M. ENDERS: *Zur Begriffsgeschichte der Allgegenwart und Unendlichkeit Gottes im hochmittelalterlichen Denken.* In: MM 25 (1998), p. (335-347) 339sq. - Zum gesamtpatristischen Hintergrund cf. Th. BÖHM: *Theoria, Unendlichkeit, Aufstieg. Philosopische Implikationen zu 'De vita Moysis' von Gregor von Nyssa* (VigChr, Suppl. 35). Leiden 1996, spec. pp. 107-211.

[214] Cf. HAYES, *General Doctrine of Creation.* 1964, ad indicem s.v.

te[215] Schöpfung der Welt, und zwar aus der Mitte und Tiefe der göttlichen Freiheit in einer Schöpfung aus dem Nichts. *Propter quod minus mirabilis est resurrectio quam creatio.*[216] Von der Forschung entsprechend stark beachtet, traktierte Heinrich eingehend die Zeitlichkeit der Schöpfung[217], die fragliche Ewigkeit der Welt[218] und die Freiheit des göttlichen Schöpfungsaktes[219]. Gegen jedwede immanentistisch-naturalistische Sicht der Welt hält Heinrich von Gent in neuplatonischer Tradition fest, daß Gott das Maß allen geschaffenen Seins ist[220].

5. *Anthropologie und Ethik*

Heinrichs Beiträge zur Anthropologie beziehen sich aktualitätsgebunden zwar oft auf das durch die Verurteilung von 1277 hochgebrachte Problem der einheitlichen Wesensform des Menschen[221], bei dem Heinrich die Existenz einer *forma corporeitatis* verteidigte. Gleichwohl behandelte Heinrich das weitfassende Themenrepertoire antiker und christlicher Traditionen. Seine Theorie mensch-

[215] Cf. die gehaltvollen Beobachtungen von HÜBENER, *Ordnung*. 1984, col 1267. 1275sq.; ferner BIANCHI, *Onnipotenza divina e ordine del mondo*. 1984, pp. 109sq. 134sq. 145; E. P. MAHONEY: *Neoplatonism, the Greek Commentators, and Renaissance Aristotelianism*. In: D. J. O'MEARA (ed.): Neoplatonism and Christian Thought (Studies in Neoplatonism: Ancient and Modern 3). Norfolk, Vi. 1982, pp. (169-177. 264-282) 174. 277; PORRO, *Ponere statum*. 1993; E. P. MAHONEY: *Duns Scotus and Medieval Discussions of Metaphysical Hierarchy. The Background of Scotus' „Essential Order" in Henry of Ghent, Godfrey of Fontaines and James of Viterbo*. In: L. SILEO (ed.): Via Scoti. Rom 1995, pp. 359-374.

[216] HENR. DE GAND., *Qdl. VII,16* Wilson 110,16.

[217] Cf. P. VAN VELDHUIJSEN: *Hendrik van Gent contra Thomas van Aquino. Over de mogelijkheid van een eeuwig geschapen wereld*. In Stoicheia 2 (1987), nr. 3, pp. 3-26; alle vorherigen Arbeiten überholt M. A. S. de CARVALHO: *Creatura Mundi. Estudo sobre o contexto metafisico da argumentaçao de Henrique de Gand contra a possivel eternidade do mundo (Quolibet I, q. 7-8)*. Diss. phil. Coimbra 1994; ferner ID.: *The Problem of the Possible Eternity of the World according to Henry of Ghent and his Historians*. In: Henry of Ghent. Proceedings. 1996, pp. 43-70

[218] Cf. R. MACKEN: *La temporalité radicale de la créature selon Henri de Gand*. In: RThAM 38 (1971), pp. 211-272.

[219] Cf. R. MACKEN: *Avicennas Auffassung von der Schöpfung der Welt und ihre Umbildung in der Philosophie des Heinrich von Gent*. In: PhilosMA 1987, pp. 245-257; CARVALHO, *Para a história da possibilidade e da liberdade*. In: Itinerarium 40 (1994), pp. 145-180.

[220] Cf. MAHONEY, *Neoplatonism, the Greek Commentators, and Renaissance Aristotelianism*. 1982, pp. 174. 277.

[221] Cf. A. MAURER: *Henry of Ghent and the Unity of Man*. In: MS 10 (1948), pp. 1-20; SCHNEIDER, *Die Einheit des Menschen*. (1972) ²1988, ad indicem s.v.; WILSON, *Dymorphism and the Metaphysical Unity of Man in „Quodlibeta Magistri Henrici Goethals a Gandavo ..."*. Diss. Tulane Univ. 1975, cf. Diss. Abstr. A 36/8 (1976) 5358; P. MAZZARELLA: *Controversie medievali. Unità e pluralità delle forme*. Neapel 1978, ad indicem s.v.; G. A. WILSON: *Henry of Ghent and René Descartes on the Unity of Man*. In: Franz Stud 65 (1982), pp. 97-110.

lichen Wissens und Wissenschaft[222] reiht ihn ein in die Tradition der augustinischen Illuminationslehre[223]. Aber gemäß seinem von AUGUSTINUS übernommenen Vorhaben, PLATON mit ARISTOTELES zu versöhnen[224], baute er zwar auch zahlreiche aristotelische Elemente in seine Erkenntnistheorie ein, schritt aber konsequent zur Eliminierung der *species impressa*. Bei diesem über Jahre sich hinziehenden Prozeß hat besonders seine Intellektlehre Modifikationen erfahren.[225] Heinrich nahm große Anleihen bei Theorien, die den Bereich des Kognitiven gerade von seiten des erkennenden Intellekts von Grund auf vitalisieren, um „ein Schema kognitiver Präsenz zu begründen, das nicht mit den Unzuträglichkeiten der gröberen Vorstellung der Information eines Subjekts behaftet ist".[226] Das Zueinander von Intellekt[227], Illumination[228], Sinneserkenntnis[229] und Abstraktion[230] bringt Heinrich dabei in eine komplexe Synthesis. In der wohl Heinrich zuzuschreibenden *Lectura ordinaria* wurde sogar das Problem der Ursprache[231] angegangen.

[222] Cf. generell DE WULF, *Philos. scol. Pays-Bas.* 1895, pp. 118-196; BRAUN, *Erkenntnislehre.* 1916; DWYER, *Wissenschaftslehre.* 1933; BOURGEOIS, *Connaissance intellectuelle.* 1936; PAULUS, *Essai.* 1938, pp. 1-10; MARRONE, *Truth.* 1985; ID., *Henry of Ghent in Mid-Career.* 1996.

[223] Cf. M. DE WULF, *L'exemplarisme et la théorie de l'illumination spéciale dans la philosophie de Henri de Gand* [= ID.: Études sur Henri de Gand. 1894, pp. 119-152]. In: RNSPh 1 (1894), pp. 53-75; BRAUN, *Erkenntnislehre.* 1916; M. GOGACZ: *Czy wedlug Henryka z Gandawy jest mozliwe poznania czystej prawdy bez pomocy oswiecenia? (Est-il possible selon Henri de Gand de connaître la vérité pure sans avoir recours à l'"illuminatio"?).* In: Rocznicki Filos. KUL 8 (1960), pp. 161-171; K. DUDAK: *Zarys problematyki poznawczej.* In: ibid. 11 (1963), pp. 113-135; SCHMITT, *Henry of Ghent, Duns Scotus and Gianfrancesco Pico on Illumination.* 1963; J. V. BROWN, *Divine Illumination and the Theory of Knowledge.* 1969; cf. Diss. Abstr. 31A (1970/71), nr. 4212; MACKEN, *Illumination divine.* 1972; J. V. BROWN, *Divine Illumination in Henry of Ghent.* 1974; ID., *John Duns Scotus on Henry of Ghent's Arguments for Divine Illumination.* 1976; BÉRUBÉ, *Olivi, critique de Bonaventure et d'Henri de Gand.* 1976/1983; OWENS, *Faith, Ideas, Illumination, and Experience.* 1982, pp. 442. 454sq.; MACKEN, *L'illumination divine concernant les vérités révelées.* 1985; MARRONE, *Truth.* 1985, passim; R. PASNAU: *Henry of Ghent and the Twilight of Divine Illumination.* In: RMet 49 (1995), pp. 49-75.

[224] Cf. Kap. II, § 3,4 not. 282.

[225] Für Einzelheiten cf. die grundlegende Arbeiten von NYS, *Werking.* 1949; dessen wichtige Rez. von PAULUS, *A propos.* 1949; MARRONE, *Truth.* 1985; dazu PORRO, *Historiographical Image.* 1996, pp. 400-402.

[226] HÜBENER, *Konservativismus des Jean Gerson.* 1974, p. 192; cf. HÜBENER, *Theorie der kognitiven Repräsentation.* 1968, pp. 285sqq. [war dem Verf. nicht zugänglich].

[227] Cf. J. V. BROWN, *Intellect and Knowing in Henry of Ghent.* 1975.

[228] Cf. not. 28; außerdem J. OWENS: *Faith, Ideas, Illumination, and Experience.* In: CHLMPh 1982, pp. (440-459) 442. 454sq.

[229] Cf. VIER, *Evidence and Its Function.* 1951, pp. 11-15. 153sq.; J. V. BROWN, *Sensation in Henry of Ghent.* 1971; ID., *Henry of Ghent on Internal Sensation.* 1972.

[230] Cf. BETTONI, *Processo astrattivo.* 1954 [Rec.: cf. BThom 9 (1954-56), nr. 1810; T. BARTH FranzStud 38 (1956), pp. 86-88]; TACHAU, *Vision and Certitude.* 1988, pp. 28-39.

[231] Cf. G. DAHAN: *Nommer les êtres: exégèse et théories du langage dans les commentairs médiévaux de Genèse 2,19-20.* In: St. EBBESEN (Hg.): Sprachtheorien in Spätantike und Mittelalter (Gesch. der Sprachtheorie 3). Tübingen 1995, pp. (55-74) 56. 59. 61sq.

Einen breiten Raum gewährte Heinrich aus erklärlichen Gründen der Entfaltung einer voluntaristisch geprägten Willenslehre.[232] Diese konzipierte er, wie man in der Forschung bestechend belegen konnte, unter starkem Einbezug seiner Zeitgenossen[233], wobei seine Frontstellung gegen THOMAS VON AQUIN ein gewichtiger Faktor ist.[234] Die Zuordnung von Wille und Intellekt[235] bestimmte Heinrich in Fortführung franziskanischer Theorien im Sinne eines Primat eines gegenüber dem Intellekt selbständigen, autokinetischen Willens. Heinrich faßte das Wesen sittlicher Praxis[236] auf als praktisches Wissen des Intellekts, das auf das partikuläre *operabile* als zu Tuendes abzielt und sich so entschieden vom Gegenbegriff der auf das Allgemeine bezogenen Theorie absetzt. Gegenüber dem arabisch-griechischen Nezessitarismus verteidigte der Genter Theologe das christlich verstandene Ineinander von Vorsehung, göttlicher Allmacht und menschlicher, geschaffener Freiheit[237] und bestimmte von dorther das diffizile Verhältnis von Vorsehung und Zufall.[238] Von Wichtigkeit für Heinrichs ethisches Denken sind desweiteren die Lehre vom Gewissen[239] und speziell der *syn-*

[232] Cf. aus der zahlreichen Literatur SCHÖLLGEN, *Willensfreiheit.* 1927; MACKEN, *Volonté humaine, faculté plus élevée que l'intelligence.* 1975; grundlegend DECORTE, *Avicenniserend augustinisme.* 1983, I, pp. 161-361; ferner z. B. GÓMEZ CAFFARENA, *Noción metafísica de libertad.* 1961, pp. 526. 529.

[233] Cf. sehr materialreich SAN CRISTÓBAL-SEBASTIÁN, *Controversias.* 1958, zur nötigen kritischen Benutzung cf. die Rezensionen von DE MUNAIN VyV 18 (1960), pp. 531-547; BATAILLON, RScPhTh 44 (1960), p. 163; LOTTIN, BThAM 8 (1960), pp. 649-651; VAN STEENBERGHEN, RPhL 61 (1963), pp. 311-313; DECORTE, *Avicenniserend augustinisme.* 1983, tom. I, p. 36sq.; ferner MACKEN, *Heinrich von Gent im Gespräch.* 1977, der an die zahlreichen Studien von LOTTIN anknüpfen konnte; DECORTE, *Willenspsychologie.* 1983.

[234] Cf. AUER, *Willensfreiheit.* 1938, pp. 14. 98sq. 129. 136. 155sq. 181. 200. 213sq. 220-222. 237. 258. 261. 263sq. 270; R. J. TESKE: *Henry of Ghent's Rejection of the Principle: „Omne quod movetur ab alio movetur".* In: Henry of Ghent. Proceedings 1996, pp. 279-308.

[235] Cf. MACKEN, *Volonté humaine, faculté plus élevée que l'intelligence.* 1975; ID., *L'interpénétration de l'intelligence et de la volonté.* 1986; A. J. CELANO: *Act of the Intellect or Act of the Will: The Critical Reception of Aristotle's Ideal of Human Perfection in the 13th and Early 14th Centuries.* In: AHDL 57 (1990), pp. (93-119) 103-113. 117sq.

[236] Cf. KOBUSCH, *Praxis.* 1989, col. 1288; H. MÖHLE: *Ethik als scientia practica nach Johannes Duns Scotus* (BGPhThMA N.F. 44). Münster i.W. 1995, pp. 87-95. 282-286, interpretiert Heinrich ganz aus der Perspektive des Referates von DUNS SCOTUS.

[237] Cf. WIPPEL, *Divine Knowledge, Divine Power and Human Freedom.* 1984, pp. 263-270; HONNEFELDER, *Kritik des Johannes Duns Scotus am kosmologischen Nezessitarismus.* 1991, pp. 251-253.

[238] Cf. M. A. SCHMIDT: *Zufall, Glück und göttliche Vorsehung nach dem Quodlibet (q. 21) des Johannes Duns Scotus.* In: Regnum Hominis et Regnum Dei, vol. I (StSSc 6). Rom 1978, pp. (177-185) 177. 179. 181; G. A. WILSON: *Henry of Ghent's Critique of Aristotle's Conception of Good Fortune.* In: FranzStud 65 (1983), pp. 241-251.

[239] Cf. Th. DEMAN: *Probabilisme.* In: DThC XIII (1935), col. (417-619) 439sq. 442. 470; W. WITTEBRUCK: *Die Gewissenstheorie bei Heinrich von Gent und Richardus von Mediavilla.* Elberfeld 1929; HOFMANN, *Gewissenslehre.* 1941, pp. 116-118; LOTTIN, *PsychMor II.* 1948, p. 399; B. HÄRING: *Das Gesetz Christi.* München ^{8}1967, tom. I, p. 183; F. L. PECCORINI: *Henry of Ghent and the Categorical Imperative. His Ethic's Ultimate Reality and Meaning.* In: FranzStud 70 (1988), pp. 196-213.

deresis[240], aber auch die Lehre von den Umständen der menschlichen Handlung[241]. Forschungsinteressen lagen ferner auf seiner Lehre von der Tugend im allgemeinen[242] und der erworbenen[243] Tugend im besonderen sowie auf seinem Wertbegriff[244]. Durch die Beachtung des nachfolgenden Mittelalters fand Heinrichs Beurteilung der *passiones animae*[245] und der Moralität der ersten sinnlichen Regungen[246] eingehendes Forschungsinteresse. Heinrichs Ausführungen zur Melancholie[247] wirkten sogar bis die frühe Neuzeit. Mehrfach ging Heinrich auf die an die Naturphilosophie angrenzenden Fragen zu menschlicher Zeugung, Entstehung und Weitergabe des Lebens ein.[248]

Sozialethische Fragestellungen erhielten bei Heinrich eine für die Theologie seiner Zeit sehr eingehende Behandlung.[249] Er hatte dafür gewiß auf seine

[240] Cf. LOTTIN, *PsychMor II.* 1948, pp. 245-247. 267-270. 342. 347; R. MACKEN: *Synderesis and Conscience in the Philosophy of Henry of Ghent.* In: FranzStud 70 (1988), pp. 185-196. Heinrich findet leider keine Erwähnung bei A. SOLIGNAC: *Synderesis.* In: DSAM 14 (1990), col. 1407-1412.

[241] Cf. J. GRÜNDEL: *Die Lehre von den Umständen der menschlichen Handlung im Mittelalter* (BGPhThMA 39/5). Münster i.W. 1963, p. 661sq., der auf HENR. DE GAND., *Summa 5,5* Badius 39vV rekurriert, aber das viel ergiebigere *Qdl. XIII,10* Decorte (64-86) 68-80 nicht heranzieht; allg. cf. M. LAARMANN: *Umstand.* In: LexMA VIII (1998), col. 1211sq.

[242] Cf. Th. GRAF: *De subiecto psychico gratiae et virtutum secundum doctrinam scolasticorum usque ad medium saeculum XIV: Pars prima: De subiecto virtutum cardinalium* (StAns 3-4). Rom 1935, pp. 134-140. 169-225.

[243] Cf. O. LOTTIN: *Les vertus morales acquises sont-elles de vraies vertus?* In: RThAM 21 (1954), pp. 103-105.

[244] Cf. F.-J. von RINTELEN: *Der Wertgedanke in der Europäischen Geistesentwicklung, I.* Halle a.d.S. 1932, pp. 232-234.

[245] Cf. F. de J. CHAUVET: *Las Pasiones. Las ideas filosoficas de Juan Duns Escoto sobre las pasiones.* Barcelona 1936, ad indicem s.v., spec. pp. 21-36; M. LAARMANN: *Passiones animae.* In: LexMA VI (1993), col. 1769-1771; ID., *Schmerz.* In: LexMA VII (1995), col. 1502sq.

[246] Cf. COUTURE, *Imputabilité morale des premiers mouvements de sensualité.* 1962, pp. 6-18.

[247] Cf. R. KLIBANSKY/E. PANOFSKY/F. SAXL: *Saturn und Melancholie. Studien zur Geschichte der Naturphilosophie und Medizin, der Religion und Kunst.* Durchges. u. stark verb. Ausg. Frankfurt a.M. 1990, pp. 159. 475sq. (p. 475: „einer der größten Denker des 13. Jahrhunderts"; Vergleich zwischen RAIMUNDUS LULLUS und Heinrich; Verweis auf HENR. DE GAND., *Qdl. II,9* Wielockx 64,57-58, wonach die imaginative, an die Begrenzheiten der sensualen Welt gebundene Begabung der Mathematiker ein zur Melancholie führende Unverständnis für metaphysische, die sinnliche Vorstellungswelt transzendierende Spekulationen herbeiführe) 485. 488sq. (ALBRECHT DÜRER wohl über ein Heinrich-Zitat bei IOA. PICUS MIRAND., *Apologia.* Opera. 1572, tom. I, p. 133 beeinflußt); F. PAGÉS LARRAYA/M. G. REBOK: *Los ángeles y la melancolía en Enrique de Gante.* In: Asclepio 38 (1986), pp. 105-116.

[248] Cf. J. T. NOONAN: *Empfängnisverhütung. Geschichte ihrer Beurteilung in der katholischen Theologie und im kanonischen Recht* (WSAMA.T 6). Mainz 1969, p. 309; G. A. WILSON: *Human Generation according to Henry of Ghent.* In: PPMRC 9 (1984), pp. 59-68; ID., *Thomas Aquinas and Henry of Ghent on the Succession of Substantial Forms and the Origin of Human Life.* In: L. P. SCHRENK (ed.): The Ethics of Having Children (Proceedings of the Amer. Cath. Philos. Assoc. 63). Washington, D.C. 1990, pp. 117-131.

[249] Cf. grundlegend G. DE LAGARDE: *La naissance de l'esprit laïque au déclin du moyen âge.* Löwen/Paris 1934-70, tom. I (^{3}1956), pp. 74. 171; tom. II (^{2}1958), pp. 161-213; tom. III

administrativen Erfahrungen als *archidiaconus* zurückgreifen können. Heinrich ragte durch seine Beiträge zur ökonomischen Theorie über seine Zeitgenossen heraus.[250] In der Forschung wurde am meistens seine Geldwirtschaftstheorie[251] und besonders seine Tauschtheorie und Theorie des gerechten Preises[252] behandelt. Daneben untersuchte man Heinrichs Zinslehre[253] und die damit zusammenhängende Theorie der Rentenverträge[254], über die er anscheinend als erster der Scholastiker ausführlich disputierte. Neben diesen sozialethischen Problemfeldern beschäftigten Heinrich auch zahlreiche und sehr disparate Dinge des allgemeinen Lebens, seien es die Tugenden der Freundschaft[255] und

(1970), p. 88; ID.: *La philosophie sociale d'Henri de Gand et de Godefroid de Fontaines.* In: AHDL 14 (1943-45), pp. 73-142.

[250] Cf. die alle vorherigen Arbeiten erfassende und teilweise auch überholende Studie von O. LANGHOLM: *Economics in the Medieval Schools. Wealth, Exchange, Value, Money and Usury according to the Paris Theological Tradition, 1200-1350* (STGMA 29). Leiden 1992, pp. 249-275; B. B. PRICE: *Henry of Ghent and the Tensions of Economics.* In: Henry of Ghent. Proceedings 1996, pp. 255-277.

[251] Cf. insbesondere F. X. FUNK: *Geschichte des kirchlichen Zinsverbotes.* Tübingen 1876, pp. 42-45; E. SCHREIBER: *Die volkswirtschaftlichen Anschauungen der Scholastik seit Thomas von Aquin* (Beitr. zur Gesch. der Nationalökonomie 1). Jena 1913, pp. 131-139; C. MILLER: *Studien zur Geschichte der Geldlehre, I: Die Entwicklung im Altertum und Mittelalter bis auf Oresmius.* Stuttgart/Berlin 1925, pp. 90-96. Mehr oder weniger ausführlich behandeln das Thema G. LE BRAS: *Usure. La doctrine ecclésiastique de l'usure à l'époque classique (XIIe-XVe siècle).* In: DThC XV/2 (1950), col. (2336-2372) 2362-2364. 2368; J. T. NOONAN Jr.: *The Scholastic Analysis of Usury.* Cambridge, Ma. 1957, pp. 155. 161sq. 174. 182; W. WEBER: *Wirtschaftsethik am Vorabend des Liberalismus.* Münster i.W. 1959, p. 163sq.; A.-M. HAMELIN: *Un traité de morale économique au XIVe siècle. Le „Tractatus de usuris" de Maitre Alexandre d'Alexandrie* (AMNam 14). Löwen 1962, pp. 63. 81. 91-94; W. BRÄUER: *Urahnen der Ökonomie. Von der Volkswirtschaftslehre des Altertums und des Mittelalters.* München 1981, pp. 180-183.

[252] Cf. SCHREIBER, *Die volkswirtschaftlichen Anschauungen.* 1913, pp. 131-135; A. SPICCIANI: *La mercatura e la formazione del prezzo nella riflessione teologica medioevale.* In: AANL.M, 8. ser., vol. 20 (1977), fasc. 3, pp. (127-293) 171-180; LANGHOLM, *Economics.* 1992, p. 255sqq.; H. G. SCHACHTSCHNABEL: *Der gerechte Preis. Geschichte einer wirtschaftsethischen Idee.* Berlin 1939, pp. 108-110; Francesca SCHINZINGER: *Ansätze ökonomischen Denkes von der Antike bis zur Reformationszeit.* Darmstadt 1977, p. 76sq.; BRÄUER, *Urahnen der Ökonomie.* 1981, pp. 180-183.

[253] Cf. LANGHOLM, *Economics.* 1992, p. 262sqq.

[254] Cf. F. VERAJA: *Le origini della controversia teologica sul contratto di censo nell XIII secolo.* Rom 1960, pp. 55-69. 73-81. 106-111. 125-131; B. SCHNAPPER: *Les rentes chez les théologiens et les canonistes du XIIIe au XVIe siècles.* In: Èt. d'hist. du droit canonique dédiés à G. le Bras. Paris 1965, pp. (965-995) 969-972; W. TRUSEN: *Zum Rentenkauf im Spätmittelalter.* Fschr. H. Heimpel. Hg. v. den Mitarbeitern des Max-Planck-Inst. für Geschichte. Göttingen 1971-73, vol. II (1972), pp. (140-158) 149-151; LANGHOLM, *Economics.* 1992, pp. 273sqq.; H.-J. GILOMEN: *Rente, -nkauf, -nmarkt.* In: LexMA VII (1995), col. (735-738) 736.

[255] Cf. EGENTER, *Gottesfreundschaft. Die Lehre von der Gottesfreundschaft in der Scholastik und Mystik des 12. und 13. Jahrhunderts.* Augsburg 1928, pp. 117-121; G. VANSTEENBERGHE: *Amitié.* In: DSAM I (1937), col. (500-529) 507-509; R. MACKEN: *Human Friendship in the Philosophy of Henry of Ghent.* In: FranzStud 70 (1988), pp. 176-184; J. MCEVOY: *The Sour-*

Liebe[256], die Begründung von natürlichen Rechten[257] eines Menschen, z. B. auf Selbstverteidigung[258] und leibliche Unversehrtheit[259], die Lüge[260], die Begründung von Strafe[261] und Gesetz[262] oder auch die Frage, inwieweit die Religiosen der weltlichen Gewalt Gehorsam schulden[263]. Durch die muslimische Eroberung von Akkon 1291 sah sich Heinrich von Gent auch veranlaßt, sich zur Theorie des gerechten Krieges zu äußern[264].

6. *Christologie und Mariologie*

Die Christologie[265] Heinrichs ist eingegrenzt auf die Naturenlehre und im wesentlichen nur faßbar in seinen Spekulationen über die Seinseinheit der Form

ces and the Signifiance of Henry of Ghent's Disputed Question, 'Is Friendship a Virtue?'. In: Henry of Ghent. Proceedings. 1996, pp. 121-138.

256 Cf. EGENTER, *Gottesfreundschaft.* 1928, pp. 110-117; J. REUSS: *Die theologische Tugend der Liebe nach der Lehre des Johannes Duns Scotus.* In: ZKTh 58 (1934), pp. 1-39. 208-242; ID.: *Die theologische Tugend der Liebe nach der Lehre des Richard von Mediavilla.* In: FranzStud 22 (1935), pp. 11-43. 158-198.

257 Cf. Ricarda WINTERSWYL: *Beiträge zum politischen Augustinismus und Neuplatonismus in der mittelalterlichen Rechtslehre, mit besonderer Berücksichtigung des Hostiensis.* Diss. phil. München 1958, pp. 113-120 zu Heinrichs Naturrechtsverständnis und zu seiner Auffassung von Gemeinschaft, Gesellschaftsgerechtigkeit, zum Verhältnis von *sacerdotium* und *regnum* sowie zu seiner Geschichtsphilosphie.

258 Cf. R. MACKEN, *Human Self-Defense against Injustice and Oppression in the Philosophy of Henry of Ghent.* In: Mediaevalia. Textos e Estudios 3 (1993), pp. 47-54.

259 Cf. den bemerkenswerten Aufsatz von B. TIERNEY: *Natural Rights in the Thirteenth Century: A Quaestio of Henry of Ghent.* In: Spec. 67 (1992), pp. 58-68, in dem HENR. DE GAND., *Qdl. IX,26* Macken 307-310, einer gründlichen Analyse unterzogen wird.

260 Cf. Gregor MÜLLER: *Die Wahrhaftigkeitspflicht und die Problematik der Lüge* (FThS 78). Freiburg i.Br. 1962, pp. 181. 187. 248.

261 Cf. H. WORONIECKI: *De legis sic dictae poenalis obligatione.* In: Ang. 18 (1941), pp. 379-386; M. R. MOLINERO: *Teoría de las leges meramente penales.* In: VyV 17 (1959), pp. 229-274.

262 Cf. Th. E. DAVITT: *The Nature of Law.* London 1951, ad indicem s.v., spec. pp. 9-23.

263 Cf. C. MAZÓN: *Las reglas de los religiosos su obligación y naturaleza jurídica* (AnGr 24). Rom 1940, pp. 246-256.

264 Zu HENR. DE GAND., *Qdl. XV, 16* cf. R. H. W. REGOUT: *La doctrine de la guerre juste de saint Augustin à nos jours d'après les théologiens et les canonistes catholiques.* Paris 1934 (ed. anastat. Aalen 1974), pp. 77-79; R. MACKEN: *Henry of Ghent as Defender of Human Heroism.* In: Mediaevalia. Textos e Estudios 3 (1993), pp. 25-46.

265 Cf. A. MICHEL: *Hypostase.* In: DThC VII/1 (1922), col. (369-437) 412sq.; E. SCHILTZ: *Le problème théologique du corps du Christ dans la mort. Etude historique et doctrinale.* In: DTh(P) 38 (1935), pp. 361-378. 481-501; BAYERSCHMIDT, *Seins- und Formmetaphysik.* 1941; für Rezensionen dieser Arbeit cf. das Lit.verz.; ID.: *Die Stellungnahme des Heinrich von Gent zur Frage nach der Wesensgleichheit der Seele Christi mit den übrigen Seelen und der Kampf gegen den averroistischen Monopsychismus.* In: J. AUER/H. VOLK (Hg.): Theologie in Geschichte und Gegenwart. Fschr. M. Schmaus zum 60. Geb. München 1957, pp. 571-606; J. Th. ERNST, *Die Lehre der hochmittelalterlichen Theologen von der vollkommenen Erkenntnis Christi* (FThSt 89). Freiburg i.Br. 1971, pp. 234-239; E.-H. WÉBER: *Le Christ selon saint Thomas d'Aquin* (Jésus et Jésus Christ 35). Paris 1988, ad indicem s.v.

in Christus, die in engster Verknüpfung mit seiner Wesensontologie angestellt worden sind und mehr über die philosophischen Anschauungen Heinrichs Auskunft geben als über seine genuin theologischen. Studien zu Heinrichs spärlich ausgebildeter Soteriologie fehlen leider bislang ganz.

Völlig anders schaut es für die Erforschung der Mariologie des *Doctor solemnis* aus. Für die Entwicklung des Dogmas von der Unbefleckten Empfängnis Mariens spielte Heinrich als Vorläufer des JOHANNES DUNS SCOTUS eine bedeutende Schrittmacher- und Vorarbeiterrolle.[266] Denn Heinrich ist im berühmten Text der *Ordinatio*[267] des DUNS SCOTUS als der Vertreter der mittleren Position zitiert, nach der es als real möglich dargelegt wird, daß Maria sich nicht über eine gewisse, wenn auch sehr kurze, aber doch reale Zeit, sondern nur für einen Augenblick und potentiell im erbsündlichen Unheilsverhältnis zu Gott befunden hätte und durch göttliche Gnade im gleichen Augenblick geheiligt worden wäre. Heinrichs These zog fortan sowohl Kritik wie auch vereinzelte Zustimmung auf sich.[268]

7. *Gnaden- und Sakramentenlehre*

Heinrichs mariologischen Ansichten leiten über zu seiner Gnaden- und Sakramentenlehre. Heinrichs Auffassung von der Erbsünde als krankhafte Veranla-

[266] Cf. aus der Unzahl der meist im Zusammenhang mit und mit Skopus auf die skotische Lehre vorgelegten Arbeiten bes. X. LE BACHELET: *Immaculée conception.* In: DThC VII/1 (1922), col. (845-1218) 1054sq. 1058. 1066. 1071sq.; A. SCHULTER: *Die Bedeutung Heinrichs von Gent für die Entfaltung der Lehre von der Unbefleckten Empfängnis.* In: ThQ 118 (1937), pp. 312-340. 437-455; ID.: *Die Marienlehre des ausgehenden XIII. und beginnenden XIV. Jahrhunderts nach der gedruckten Sentenzen-, Quodlibeta- und Quaestionenliteratur.* Diss. theol. Münster i.W. 1938; F. Leite de Faria de GUIMARAES: *L'Opinion d'Henri de Gand sur la conception de la Sainte Vierge.* In: Mar. 16 (1954), pp. 290-316; eine exzellente Exegese des henrizianischen Haupttextes (HENR. DE GAND., *Qdl. XV, 13*) bietet K. BINDER: *Heinrich von Gent über die Empfängnis der Gottesmutter.* In: V. FLIEDER (Hg.): Fschr. für F. Loidl zum 65. Geb. Wien 1970/71, tom. I (1970), pp. 13-28; Kari E. BØRRESEN: *Anthropologie médiévale et théologie mariale* (Skrifter utgitt av det Norske Videnskaps-Akademi i Oslo. II. Hist.-filos. klasse. N.S. 9). Oslo u.a. 1971, pp. 55-58. 62. 64. 68. 99; St. D. DUMONT: *Time, Contradiction, and Free Will in the Late Fourteenth Century.* In: DSTFM 3 (1992), pp. 199-235 (zur henrizianischen Theorie des Augenblicks).

[267] Cf. IOA. DUNS SCOTUS, *Ordinatio III, dist. 3, q. 1*, ed. C. BALIC: Ioannes Duns Scotus, Doctor Immaculatae Conceptionis, 1: Textus auctoris (BIC 5). Rom 1954, p. (3-21) 12sq.

[268] Cf. die Arbeiten von C. BALIC (ed.): *Joannis de Polliaco et Joannis de Neapoli Quaestiones disputatae de immaculata conceptione Beatae Mariae Virginis* (BMMA 1). Sibenic 1931, pp. xliv-xlix [Rec.: CFr 3 (1933), pp. 109-113], sowie F. Leite de Faria de GUIMARAES: *L'Attitude des théologiens au sujet de la doctrine d'Henri de Gand sur la conception de la Saint Vierge.* In: EtFr N.S. 5 (1954), pp. 133-152; B. HECHICH: *De immaculata conceptione beatae Mariae virginis secundum Thomam de Sutton OP et Robertum de Cowton OFM* (BIC 7). Rom 1958, pp. 56-59. 133-136. 170-189, bei denen jeweils eine Vielzahl von Autoren des 14. Jahrhunderts aufgezählt ist; K. BINDER: *Die Lehre des Nikolaus von Dinkelsbühl über die Unbefleckte Empfängnis im Lichte der Kontroverse* (WBTh 31). Wien 1970, ad indicem s.v.

gung (*dispositio morbida*) und Verkehrtheit des Willens, mit der sogar ein *fomes in carne* verbunden sei, hat breite Kritik erfahren.[269] Innerhalb seiner Gnadenlehre[270] sind das Verhältnis von Natur und Gnade[271], die *potentia oboedientialis*[272], die eingegossenen Tugenden allgemein[273] und speziell die heroische[274] Tugend behandelt worden, desweiteren knapp seine Lehre von den göttlichen Tugenden[275] und von den Gaben des Hl. Geistes[276]. Mit der ihm eigenen spekulativen Begabung beteiligte sich Heinrichs auch an der Ausarbeitung sakramentenontologischer Theorien, die insbesondere für das damals hochkontrovers disku-

[269] Cf. R. M. MARTIN: *La controverse sur le péché originel au début du XIVe siècle. Textes inédits* (SSL 10). Löwen 1930 [Rec.: J. KOCH BThom 8 (1931), pp. 327-333], der die durch Heinrichs *Qdl. I,21, Qdl. II,11* und *Qdl. V,35* losgetretene Diskussion dokumentiert, an der sich u.a. die Dominikanertheologen ROBERT VON COLLETORTO, PETRUS DE PALUDE, HERVAEUS NATALIS und DURANDUS DE S. PORCIANO beteiligten. MARTIN edierte pp. 4-8 HENR. DE GAND., *Qdl. I,21* auf handschriftlicher Basis; leider ist der dortige Quellenapparat (Nachweis direkter Thomas-Zitate!) nicht für die Edition innnerhalb der *Opera Omnia* übernommen worden. Cf. desweiteren zur Sache die noch in der Spanischen Scholastik bei G. VAZQUEZ: *Commentariorum ac disputationum in S. theol. I-II, [tom. I,] disp. 132, cap. 4.* Alcalá 1599, fortgeführte Diskussion sowie die in neuzeitliche Handbücher der Dogmatik eingegangene neuthomistische Kritik, z. B. der beiden F. von Paula MORGOTT-Hörer F. DIEKAMP: *Katholische Dogmatik nach den Grundsätzen des heiligen Thomas, II.* Münster i.W. [8-9]1939, p. 154, und B. BARTMANN: *Lehrbuch der Dogmatik.* Freiburg i.Br. [2]1932, tom. I, p. 294, nach dem Heinrichs Erklärung der Erbsünde wie die des PETRUS LOMBARDUS und des GREGOR VON RIMINI „manichäische Färbung" besitzt; ähnlich J. POHLE/J. GUMMERSBACH: *Lehrbuch der Dogmatik, I.* Paderborn [10]1952, p. 603 („ebenso ungereimt wie unkirchlich"). Ausführlichere Angaben finden sich bei A. GAUDEL: *Péché originel.* In: DThC XII/1 (1941), col. (275-606) 491sq. 495. 503sq. 542; C. O. VOLLERT: *The Doctrine of Hervaeus Natalis on Primitive Justice and Original Sin as Developed in the Controversy on Original Sin during the Early Decades of the Fourteenth Century* (AnGr 42). Rom 1947, pp. 45-50. 193-235; J. GROSS: *Entwicklungsgeschichte des Erbsündendogmas im Zeitalter der Scholastik (12.-15. Jahrhundert).* München/Basel 1971, pp. 269-273; H. KÖSTER: *Urstand, Fall und Sünde. In der Scholastik.* (HDG II/3b). Freiburg i.Br. 1979, pp. 21. 68. 73. 79. 91. 113. 123. 134. 136. 148. - Zur Begriffsgeschichte der Rede von einem *fomes peccati* cf. F. OHLY: *Metaphern für die Sündenstufen und die Gegenwirkungen der Gnade* (RWAW.GV 302). Opladen 1990, pp. 41-45.

[270] Cf. AUER, *Entwicklung der Gnadenlehre, I.* 1942, ad indicem s.v.; ID., *Entwicklung der Gnadenlehre, II.* 1951, ad indicem s.v.; M. G. H. GELISSEN: *Natuur en genade volgens Hendrik van Gent* (Excerpta ex diss. Greg.). Tilburg 1965 (2 vol.).

[271] Cf. ALFARO, *Lo natural y lo sobrenatural.* 1952, spec. pp. 363-369.

[272] Cf. L.-B. GILLON: *Aux origines de la 'puissance obédientielle'.* In: RThom 47 (1947), p. (304-310) 307; cf. HENR. DE GAND., *Qdl. IV,14* Badius 117vF.

[273] Cf. LOTTIN, *PsychMor III.* 1949, pp. 452. 487-491. 505. 525. 534.

[274] Cf. R. HOFMANN: *Die heroische Tugend. Geschichte und Inhalt eines theologischen Begriffs* (MStHTh 12). München 1933, pp. 66-74. 81.

[275] Cf. REUSS, *Die theologische Tugend der Liebe nach der Lehre des Richard von Mediavilla.* 1935; RIBAILLIER: *Henri de Gand.* 1969, col. 206sq.

[276] Cf. im Anschluß an HENR. DE GAND., *Qdl. IV,31* dazu K. BOECKL: *Die sieben Gaben des Hl. Geistes in ihrer Bedeutung für die Mystik nach der Theologie des 13. und 14. Jahrhunderts.* Freiburg i.Br. 1931, pp. 134-137; LOTTIN, *PsychMor IV/2.* 1954, p. 680sq.; F. VANDENBROUCKE: *Dons du Saint-Esprit.* In: DSAM III (1957), col. (1587-1603) 1594sq.

tierte Problem der Transsubstantiation[277] Bedeutung gewannen. Auch Heinrichs eigenständige Lehre über die Kausalität der Sakramente[278] fand forscherische Aufmerksamkeit. Deren Wirkweise sah er in einer hervorgehoben extrinsischen Wirkart begründet, die nach Meinung einiger Interpreten einen überzogenen Gnadenrealismus begünstigte.[279] Abgesehen von Erörterungen zum Sündenbegriff[280] und zur Ablaßlehre[281], konnten neuere Studien den schon zu Lebzeiten allgemein anerkannten Beitrag Heinrichs zu einem vertieften theologischen Verständnis des Bußsakraments - insbesondere seine Begründung der Wiederholungs- und Andachtsbeichte[282] - erläutern und eine Revision der Geschichte kirchlicher Bußlehre anmahnen. Denn Heinrichs „Verständnis der vergebenen Schuld, die die sittlich-religiöse Entscheidung immer noch mitbestimmt, gehört zu den bleibenden Erkenntnissen der Bußtheologie. Diese muß nach dem Zeugnis aller Schriften des Heinrich von Gent noch einmal untersucht werden."[283]

[277] Cf. F. JANSEN: *Eucharistiques (accidents)*. In: DThC V/2 (1913), col. (1368-1452) 1387. 1389-1391; L. GERA: *Evolutio historica doctrinae transsubstantiationis a Thoma de Aquino ad Ioannem Duns Scotum*. Diss. theol. Bonn 1956, passim; K. PLOTNIK: *Transsubstantiation in the Eucharistic Theology of Giles of Rome, Henry of Ghent, and Godfrey of Fontaines*. In: L. SCHEFFCZYK u.a. (Hg.): Wahrheit und Verkündigung (Fschr. M. Schmaus zum 70. Geb.). Paderborn 1967, pp. 1077-1080; ID.: *Hervaeus Natalis OP and the Controversies over the Real Presence and Transsubstantiation* (VGI 10). Paderborn 1970, pp. 30-34. 43-45; D. BURR: *Eucharistic Presence and Conversion in Late Thirteenth Century Franciscan Thought* (TAPhS 74/3, 1984). Philadelphia 1984, pp. 27-29. 106 [cf. die krit. Rez. v. DECORTE, FranzStud 67 (1985), p. 373sq.]; M. LAARMANN: *Transsubstantiation. Begriffsgeschichtliche Materialien und bibliographische Notizen*. In: ABG 43 (1999) [sub prelo].

[278] Cf. mit Bezug auf HENR. DE GAND., *Qdl. IV,37* die Ausführungen bei H. HURTER: *Theologiae dogmaticae compendium, tract. IX, n. 264*. Innsbruck [10]1900, tom. III, p. 220 (zustimmend!); in die Diskussion um die Wende vom 13. zum 14. Jahrhundert einbettend HÖDL, *Grundfragen der Sakramentenlehre*. 1956, pp. 58-72; J. F. GALLAGHER *Significando causant. A Study of Sacramental Efficiency* (Studia Friburgensia N.S. 40). Freiburg/Schw. 1965, p. 148sq.

[279] Cf. AUER, *Evangelium der Gnade*. 1970, p. 146.

[280] Cf. A. M. MEIER: *Das peccatum mortale ex toto genere suo. Entstehung und Interpretation des Begriffs* (SGKMT 14). Regensburg 1966, pp. 245-247. 253. 329. 341.

[281] Cf. SEEBERG, *Johannes Duns Scotus*. 1900, p. 622sq.; C. BALIC: *De indulgentiis in disputationibus 'Quodlibet' nuncupatis*. In: Anton. 25 (1950), pp. 80. 82-88. 91-96 (bes. im Anschluß an HENR. DE GAND., *Qdl. XV,14*).

[282] Cf. J. BEUMER: *Die Andachtsbeichte in der Hochscholastik*. In: Schol. 14 (1939), pp. (50-74) 62. 65. 68sq. 70. 72.

[283] HÖDL, *Theologiegeschichtliche Einführung*. 1989, p. cxvsq.

8. *Ekklesiologie*

Die ekklesiologischen Grundgedanken des Genter Magisters spiegelten vielfach die allgemeinen Tendenzen der weltgeistlichen Theologen seiner Zeit.[284] Gallikanischen Strömungen lag es an der Stärkung der sakramentalen Gewalt und Jurisdiktion von Bischöfen und Priestern gegenüber der Oberhoheit des Papstes. Die kirchliche Struktur in Pfarrei, Bistum, Provinz und Weltkirche unter dem Papst ist nach Sicht dieser pseudo-dionysianisch inspirierten Theologen in jedem ihrer Elemente direkt von Gott gestiftet, so daß innerhalb einer solchen Hierarchie göttlichen Rechts eine Schmälerung auch nur einer ihrer Instanzen sich verbietet. Heinrichs Lehre über den *status* der in der Kirche verwirklichten Lebensformen entfaltet eine Institutionentheorie kirchlicher Ämter, die diesem Anliegen der weltgeistlichen Magister um Beibehaltung der diözesan-parochialen Seelsorgstruktur der Kirche theologisch-akademischen Ausdruck verleihen wollte.[285]

Der *Doctor solemnis* ist ebenso ein herausragender Zeuge für die veränderten pastoralen und sozialen Gegebenheiten im 13. Jahrhundert, vor deren Hintergrund der Weltklerus mit den Mendikanten um die Verwirklichung der *vita evangelica* stritt.[286] Dabei forcierte der Weltklerus die Kritik an der Vorrangstellung der *vita contemplativa* und deren monastisch geprägten Muße-Ideal. Heinrich trat mit ganzem Gewicht für den Rang der Spiritualität des Weltklerus ein und trug als erster namhafter Scholastiker eine Neuinterpretation der Maria-Martha-Perikope (*Lk 10,38-42*) vor, in der nun (mit Rückgriff auf Kirchenväterzeugnisse!) Martha als Repräsentantin der *vita activa* den Vorzug zugesprochen bekommt.[287] So knüpfte Meister ECKHART, dem die Forschung lange Zeit die Erstrechte für diese wirkträchtige Traditionsabwandlung zugesprochen hat, an weltgeistliche, durch Heinrich bereits universitätstheologisch geäußerte Anliegen an, um für seine eigenen pastoralen Bemühungen um eine Einheit und

[284] Cf. J. Th. MARRONE, *The Ecclesiology of the Parisian Secular Masters, 1250-1320.* Diss. Cornell Univ. 1972 [war dem Verfasser nicht zugänglich], cf. Diss. Abstr. 33/10 A (1972/73), p. 5644.

[285] Cf. R. ZEYEN: *Die theologische Disputation des Johannes de Polliaco zur kirchlichen Verfassung.* (EHS XXIII/64). Frankfurt a.M./Bern 1976, pp. 50-54.

[286] Cf. L. HÖDL: *Universale christliche Ethik und partikulares kirchliches Ethos im unterschiedlichen Verständnis der scholastischen Theologie von der 'perfectio evangelica'.* In: MM 5 (1968), pp. (20-41) 21-26.

[287] Cf. HENR. DE GAND., *Qdl. XII,28* Decorte 164-188; cf. schon *Qdl. VII,21* Wilson 131,3-(132,)32. - Zur Interpretation von *Qdl. XII,28* cf. HÖDL, *Heinrich von Gent († 1293) über die thomasische Lehre vom vollkommenen christlichen Leben.* 1974; M. GERWING: *Malogranatum oder der dreifache Weg zur Vollkommenheit. Ein Beitrag zur Spiritualität des Spätmittelalters* (Veröff. des Coll. Carolinum 57). München 1986, pp. 98. 112. 178sq. 180sq.; R. MACKEN: *The Superiority of Active Life to Contemplative Life.* In: Medioevo 20 (1994), pp. 115-130.

Ganzheit von tätigem und beschaulichem Leben ein tragfähiges theologisches Fundament zu legen.[288]

9. *Eschatologie*

In der Eschatologie werden alle theologischen Aussagen über Gott und Schöpfung, Erlösung und Gnade an ihr Ende und in eine letzte Eindeutigkeit getrieben. Dies läßt sich auch beim *Doctor solemnis* beobachten. Mit unverkennbar augustinischen Akzentsetzungen spricht er über das natürliche Gottverlangen des mit einer unsterblichen Seele[289] begabten Menschen[290] und dessen jenseitige Vollendung und Befriedung in der *visio beatifica*[291]. Heinrichs Theorie der *visio beatifica* will sich dezidiert anti-thomanisch geben.[292] Die Schau besteht in

[288] Cf. ECKHARD., *Pr. 86* DW III,472-492; dazu die in der Ausg. von N. LARGIER. 1993, II, pp. (739-747) 739, im Kommentarteil angegebene Lit. - Zur Interpretation dieser Predigt mit Blick auf Heinrich cf. H. FISCHER: [*Rec.*] Mieth, Einheit von vita activa und vita contemplativa. In: PhTh 45 (1970), p. 132; replizierend und fortführend D. MIETH: *Die Einheit von Theorie und Praxis als Lebensform.* In: P. KESTING (Hg.): Untersuchungen zur Literatur und Sprache des Mittelalters. K. RUH zum 60. Geb. (Würzb. Prosastud. 2). München 1975, pp. 276-278. 281; A. M. HAAS: *Die Beurteilung der vita contemplativa und activa in der Dominikanermystik des 14. Jahrhundert.* In: B. VICKERS (ed.): Arbeit, Muße, Meditation. Zürich/Stuttgart 1981, p. (109-131) 113; M. WEHRLI-JOHNS: *Maria und Martha in der religiösen Frauenbewegung.* In: K. RUH (Hg.): Abendländische Mystik im Mittelalter. Stuttgart 1986, pp. 360. 366; M. LAARMANN: *Muße.* In: LexMA VI (1993), col. 972. - Noch der Erfurter Theologe Kilian STETZING OMin ging ausdrücklich auf Heinrichs Ansicht ein; cf. Kap. IV, § 1,1 not. 127.

[289] Cf. M. KREUTLE: *Die Unsterblichkeitslehre in der Zeit nach Thomas von Aquin.* In: PhJ 40 (1927), pp. (40-56) 43-45.

[290] Cf. E. ELTER: *De naturali hominis beatitudine ad mentem scolae antiquioris.* In: Greg. 9 (1928), pp. (269-306) 270. 291 [Rec.: F. PELSTER, Schol. 4 (1929), pp. 255-260]; GÓMEZ CAFFARENA, *Metafisica de la inquietud humana.* 1960; ENGELHARDT, *Desiderium naturale.* 1972, col. 127sq.; MACKEN, *Lebensziel und Lebensglück.* 1979; ID., *Deseo natural.* 1980.

[291] Cf. A. MICHEL: *Feu de l'enfer.* In: DThC V/2 (1916), col. (2196-2239) 2210. 2234sq.; ID.: *Gloire. II. Gloire des élus.* In: DThC VI/2 (1920), col. (1393-1426) 1394; J. M. ALONSO, *Relacion de causalidad entre gracia creada e gracia increada in santo Tomas.* Diss. theol. Greg. 1949 [war dem Verf. nicht zugänglich]; grundlegend ROVIRA BELLOSO, *Visiòn de Dios.* 1960; C. J. PETER: *Participated Eternity in the Vision of God. A Study of the Opinion of Thomas Aquinas and His Commentators on the Duration of the Acts of Glory* (AnGr 142). Rom 1964, pp. 73-90. 255sq.; N. WICKI: *Seligkeit, Ewige.* In: LexMA VII (1995), col. 1734; K. FLASCH: *Die Seele im Feuer. Aristotelische Seelenlehre und augustinisch-gregorianische Eschatologie bei Albert von Köln, Thpomas von Aquino, Siger von Brabant und Dietrich von Freiberg.* In: M. J. F. M. HOENEN/A. de LIBERA (Hg.): Albertus Magnus und der Albertismus (STGMA 48). Leiden 1995, pp. (107-113) 124. 130, mit grob irrigen Stellenangaben p. 130 not. 26sq., gemeint sind HENR. DE GAND., *Qdl. VIII,34* Badius 318vT bzw. 339rV; ausführlich nun TROTTMANN, *La vision béatifique.* 1995; ID., *Henri de Gand.* 1996.

[292] Dies ist am besten an Heinrichs Kritik an der intellektualistischen Fixierung der thomanischen *Visio*-Theorie faßbar; cf. HENR. DE GAND., *Summa 49,6* Badius 41vL: *Non est verum, immo contrarium est verum.*

einer reziprok-simultanen Aktion von glorifiziertem Willen und Intellekt. Der Willensprimat bleibt aufgrund einer finalkausalen Wirksamkeit gegenüber der formalkausalen des Intellekts gewahrt, aber jede echte Opposition beider Seelenkräfte ist aufgehoben. Bei diesem komplexen Simultanakt der *visio beatifica* wirkt dabei die (nach Intensitätsgraden als *illapsus*[293], *circumincessio* und schließlich *penetratio* gedachte) Präsenz Gottes logisch früher elizitiv auf den Intellekt ein, so daß logisch später der Wille sein Liebesverlangen nach Gott und seine Verähnlichung mit Gott verwirklicht, und zwar als eine das Wesen der Seele und ihre Kräfte durchdringende Vergöttlichung. Die Schau erfaßt sowohl als stete Annäherung wie auch als erfüllende Vereinigung mit Gott den ganzen Menschen. Während der Intellekt Gott nur in einem Abbild gewinnt, ist es doch erst die Liebe, die den Menschen ekstatisch in die Unendlichkeit Gottes hinein öffnet und ihn erreichen läßt.[294] Alle Privilegien des Volkes Gottes sind dann verteilt auf alle Menschen, die Gott schauen. Jedem wird von Gott und vor Gott Größe und Macht verliehen, und man tritt ein in ein Reich der Freiheit.[295] Insofern dabei nach Heinrich diese himmlisch-vergöttlichende Liebe wesenhaft identisch ist mit viatorisch-gnadengestützten, also Gnade und Glorie eines Wesens und nur graduell unterschieden sind,[296] sieht Heinrichs präsentische Eschatologie die Stellung des Menschen im Universum seinem Wesen nach auf der Scheidelinie von Verlangen und Erfüllung, von Vergänglichem und Unvergänglichem, von Zeit und Ewigkeit. Denn nicht unähnlich dem Aquinaten besteht für Heinrich die Würde der menschlichen Natur darin, die Mittelstelle und Grenze (*horizon*)[297] zu sein, an der Geist und Materie, Natürliches und Übernatürliches als Nachbarn aneinandertreffen.

[293] Cf. M. DUPUY: *Illapsus (Illabi)*. In: DSAM VII/2 (1971), col. (1325-1330) 1327-1329; TROTTMANN, *Henri de Gand*. 1996, pp. 322-328. 342.

[294] Cf. WIELOCKX, *L'amour, milieu de l'absolu*. 1971.

[295] Cf. HENR. DE GAND., *Qdl. XI,27* Badius 481rA-vE: [481rA:] *Triplex est status populi Dei principalis in ecclesia, acsi totus populus Dei esset unus homo. ... Tertius est dominorum per gloriam qui in haereditatem instituuntur.* ... [481rB:] *In visione autem Dei omnes sunt domini et magni, nullus autem parvulus neque ut servus neque ut filius.*

[296] Cf. HENR. DE GAND., *Qdl. V,22* Badius 199rO, lin. 25-27: *Si ergo loquimur de caritate imperfecta viae et eius augmento in respectu et comparatione ad caritatem patriae, dico, quod quia omnino eiusdem rationis est quoad modum substantiae sive essentiae, licet forte differat secundum gradum in eadem essentia, ...*; cf. auch *Qdl. IX,13* (*Utrum gratia et gloria sint idem*). Damit verstärkt Heinrich verwandte Aussagen bei BONAV., *In II Sent., dist. 26, dub. 2* ed. Quar. II, p. 648b. *gratia est similitudo gloriae*, und THOM. DE AQU., *S. theol. II-II, q. 24, a. 3 ad 2*: *Gratia et gloria ad idem genus referuntur, quia gratia nihil aliud est quam quaedam inchoatio gloriae in nobis.* Zu diesem Axiom der hochscholastischen Gnadentheologie cf. AUER, *Entwicklung der Gnadenlehre, I.* 1942, pp. 166-174.

[297] Cf. HENR. DE GAND., *Qdl. III,16* Badius 78rE-F: *Et hoc requirit dignitas humanae naturae, in qua debet compleri actio naturae adiutorio agentis supernaturalis, ut sit homo horizon et confinium naturalium et supernaturalium, medius inter illa in natura et esse et modo productionis, quemadmodum est medius in sua naturali operatione intellectiva*; ID., *Qdl. IV,13* Badius 113rD: *Fit homo per animam intellectualem et substantiam corporalem, quae in se coniungitur, limes universae creaturae.* Diese anthropologische Lehre wurde dem lateinischen Mittel-

Schaut man nun zurück, dann umfaßt das beeindruckende Spektrum der von Heinrich angegangenen Themen den Reichtum und die Breite der philosophischen und theologischen Überlieferung, deren vitale Durchdringung und Neuaneignung die zweite Hälfte des 13. Jahrhunderts zu einer *aurea aetas* der christlichen Theologie werden ließen. Im Geiste schöpferischer Tradition ging Heinrich von Gent an alle brisanten Konflikte seiner Zeit heran und gelangte häufig zu neuen Antworten, die wiederum neue Kontroversen aufbrachten. Eine dieser Kontroversen entzündete sich an der im Mittelpunkt dieser Arbeit stehenden *Primum cognitum*-Lehre Heinrichs, zu deren Untersuchung nun übergegangen werden soll.

alter durch den christlichen Neuplatonismus, vor allem durch Ps.-GREGOR VON NYSSA [i.e. NEMESIUS VON EMESA], *De natura hominis*, vermittelt und fand im 13. Jahrhundert bereits bei WILHELM VON AUXERRE und ALBERTUS MAGNUS große Beachtung. Einen weiteren Höhepunkt stellten THOMAS VON AQUIN dar; dazu cf. J. A. AERTSEN: *Natur, Mensch und der Kreislauf der Dinge bei Thomas von Aquin*. In: MM 21 (1990), pp. 143-160, spec. 152-156. Ergänzend zur dort genannten Literatur sei hingewiesen auf die historisch weit gespannten, belegreichen Ausführungen von N. HINSKE: *Horizont. I.* In: HWPh III (1974), col. (1187-1194) 1192-1194 (col. 1194 not. 18: Lit.), Ch. GRAWE/A. HÜGLI: *Mensch. III. Die anthropologischen Hauptstränge. 1. Die topischen Formeln.* In: HWPh V (1980), col. (1071-1074) 1072sq., sowie auf F. MARTY: *La perfection de l'homme selon saint Thomas d'Aquin. Ses fondements ontologiques et leur verification dans l'ordre actuel* (AnGr 123). Rom 1962, pp. 163-198, und G. VERBEKE: *Man as a 'Frontier' according to Aquinas.* In: G. VERBEKE/D. VERHELST (ed.): Aquinas and Problems of His Time (ML I/5). Löwen/Den Haag 1976, pp. 195-223.

II. Die Reichweite und Geltung aposteriorischer Gotteserkenntnis. Ihre Begründung, Entfaltung und Kritik bei Heinrich von Gent

§ 1 DIE FUNDAMENTALKRISE DER CHRISTLICHEN GOTTESIDEE ZU BEGINN DES 13. JAHRHUNDERTS UND DIE NEUE FRAGE NACH DER GOTTESERKENNTNIS. EINE HINFÜHRUNG

Der christlichen Gottesidee war auch im Hohen Mittelalter weder ein Zustand unbedrohter, sorgloser Anerkenntnis gewährt, noch ein kampfloser Sieg über konkurrierende Gottesbilder zugefallen.[1] Dies bewahrheitete sich im eminenten Sinne zu Beginn des 13. Jahrhunderts für die Kirche, die die von ihr gläubig festgehaltene Wahrheit über den dreifaltig-einen Gott gegen Fehldeutungen zu behaupten hatte. Auf dem 1215 abgehaltenen IV. Laterankonzil[2], von dem Papst INNOZENZ III. (1198 - 1216)[3] zunächst die Regelung einer

[1] Der den folgenden Überlegungen zugrundeliegende Krisenbegriff nimmt Anhalt an der ursprünglichen forensischen Bedeutung von Krisis, nämlich der des konfliktbeendenden Entscheidens (cf. R. KOSELLECK: *Krise. I.* In: GGB III [1982], pp. 617-650). Wegen der unstrittig theologischen Natur des Konfliktgegenstandes konzentriert sich der Blick auf kirchliche Entscheidungsträger und Entscheidungsinstanzen. Geschichtswissenschaftlichen Krisentheorien, die politische, sozialgeschichtliche, wirtschaftsgeschichtliche u.a. Komponenten umfassen, soll damit nicht ihr heuristischer Wert abgesprochen werden. Eine abgewogen kritische Abschätzung ihrer Leistungsfähigkeit für genuin theologische Themenstellungen unternimmt unter einem speziellen Aspekt GERWING, *Vom Ende der Zeit.* 1996, spec. pp. 2-25. Deutliche Reserven gegenüber einem überzogenen epochenspezifischen Gebrauch des Krisenbegriffs äußert R. IMBACH: *Zur Krise des philosophischen Denkens im frühen 14. Jahrhundert.* In: W. BUCKL (Hg.): Das 14. Jahrhundert: Krisenzeit (Eichstätter Kolloquium 1). Regensburg 1995, pp. 53-65, spec. p. 53: „Wenn ich trotzdem von der Krise des Denkens spreche, dann verstehe ich den Ausdruck 'Krise' nicht in diesem negativen Sinne [sc. des Zweifels und Zerfalls, M. L.]. Ich verstehe im folgenden unter Krise eine produktive Infragestellung des Überkommenen, aus der Neues entsteht"; p. 64: „Die Genese des Neuen ergibt sich aber, wie die Beispiele darlegen, nicht durch das Vortragen bisher noch nie gehörter Ideen, sondern vielmehr durch die Radikalisierung eines traditionellen Gedankens oder einer alten Wahrheit. Bildlich gesprochen: Die Entdeckung der neuen Welt vollzieht sich nicht durch einen Kurswechsel, sondern durch beharrliches Festhalten, und unnachgiebiges Festhalten am bereits eingeschlagenen Kurs."

[2] Cf. H. J. SIEBEN: *Lateran I-IV.* In: TRE XX (1990), pp. 481-489 (Lit.), und spec. R. FOREVILLE: *Lateran I-IV* (GÖK 6). Mainz 1970, pp. 265-449. Die nun verbindliche Ausgabe der Konzilstexte findet man bei A. GARCÍA Y GARCÍA (ed.): *Constitutiones Concilii quarti Lateranensis una cum commentariis glossatorum* (Monumenta Iuris Canonici, Ser. A: Corp. Glossatorum 2). Vatikanstadt 1981, pp. 41-118.

[3] Cf. TRE XVI (1987), pp. 175-182 (G. SCHWAIGER); Ch. EGGER: *Papst Innocenz III. als Theologe. Beiträge zur Kenntnis seines Denkens im Rahmen der Frühscholastik.* In: AHP 30

Vielzahl kirchenreformerischer Aufgaben erwartete, sind Lehrentscheidungen der mittelalterlichen Kirche gefaßt worden, die die trinitarischen und christologischen Dogmen der altkirchlichen Konzilien in bezeichnender Weise ergänzten. Das den Konzilsdekreten vorangestellte Glaubensbekenntnis, das *Caput 'Firmiter'*, mitsamt seinen dort ausgesprochenen Verurteilungen überragt in seiner dogmenhistorischen Bedeutung alle übrigen Lehrentscheidungen der mittelalterlichen Kirche zur christlichen Gottesidee. Die Konzilsväter reflektierten in gemeinsamer Anstrengung mit den Theologen über die überlieferte Lehre im Horizont der theologischen Entwicklungen des 12. und beginnenden 13. Jahrhunderts, in denen das gleichzeitige Streben nach Rationalisierung und Verinnerlichung des Glaubens in förderlicher Spannung standen.[4] Das Symbolum des IV. Laterankonzils wurde so „ein Traktat der Theologie und zugleich ein Glaubensbekenntnis."[5]

In einem für Doxologien nicht untypischen Nominalstil führte das Konzilscredo[6] eine Anzahl von Attributen Gottes[7] auf, die das lehrende Konzil nicht ornamental, sondern göttlich essentiell für sein Wesen und essentiell unterscheidend gegenüber der Schöpfung verstanden wissen wollte. Gott lebt in wesenhafter Einzigkeit und Wahrheit, Ewigkeit und Unermeßlichkeit, Allmacht und Unveränderlichkeit, Unbegreiflichkeit und Unaussprechlichkeit. Gott selbst ist - so spricht das Konzil mit AUGUSTINUS und PETRUS LOMBARDUS - die eine und höchste Wirklichkeit (*una quaedam summa res*)![8] Der dazugehöri-

(1992), pp. 55-123.

4 Cf. VAN STEENBERGHEN, *Philosophie im 13. Jahrhundert.* 1977, pp. 52-73 („Die philosophische Bilanz des 12. Jahrhunderts"), und spec. G. WIELAND: *Rationalisierung und Verinnerlichung. Aspekte der geistigen Physiognomie des 12. Jahrhunderts.* In: PhilosMA 1987, pp. 61-79, der innertheologische Entwicklungen stark berücksichtigt.

5 FOREVILLE, *Lateran I-IV.* 1970, p. 340; zum Konzilscredo ausführlich pp. 329-344. Zu dessen Beachtung in der Folgezeit cf. M. GRABMANN: *Der Franziskanerbischof Benedictus d'Alignano († 1268) und seine Summa zum Caput firmiter des 4. Laterankonzils.* In: I.-M. FREUDENREICH (Hg.): Kirchengeschichtliche Studien. M. BIHL als Ehrengabe dargeboten. Kolmar 1941, pp. 50-64.

6 Cf. CONC. LATERAN. IV, *Const. I. De fide catholica* OCD 206,3-13; DH 800; García y García 41,1-12: *Firmiter credimus et simpliciter confitemur, quod unus solus est verus Deus, aeternus et immensus, omnipotens, incommutabilis, incomprehensibilis et ineffabilis, Pater et Filius et Spiritus Sanctus, tres quidem personae sed una essentia, substantia seu natura simplex omnino. Pater a nullo, Filius autem a solo Patre ac Spiritus Sanctus ab utroque pariter, absque initio semper et fine. Pater generans, Filius nascens et Spiritus Sanctus procedens, consubstantiales et coaequales, coomnipotentes et coaeterni, unum universorum principium, creator omnium invisibilium et visibilium, spiritualium et corporalium, qui sua omnipotenti virtute simul ab initio temporis, utramque de nihilo condidit creaturam, spiritualem et corporalem, angelicam videlicet et mundanam, ac deinde humanam quasi communem ex spiritu et corpore constitutam.*

7 Cf. zum Traktat *De attributis Dei*: M. LÖHRER: *Dogmatische Bemerkungen zur Frage der Eigenschaften und Verhaltensweisen Gottes.* In: MySal II (1967), pp. 291-315; AUER, *Gott der Eine und Dreieine.* 1978, pp. 370-580; W. BREUNING: *Eigenschaften Gottes.* In: LKDogm 1987, pp. 106-109; PANNENBERG, *Systematische Theologie I.* 1988, pp. 365-483; G. L. MÜLLER, *Katholische Dogmatik.* Freiburg i.Br. 1995, pp. 238-240.

8 CONC. LATERAN. IV, *Const. II. De errore abbatis Ioachim* OCD 208,6; DH 804; García y

ge hermeneutische Schlüssel für ein legitimes Reden von Gott und seinem ihn offenbarenden Wirken lautet: *Inter creatorem et creaturam non potest tanta similitudo notari, quin inter eos maior sit dissimilitudo notanda.*[9] Gegen den überspannten Rationalismus der joachimitischen Trinitätsspekulationen nahm das Konzil so die Unverfügbarkeit des offenbaren und geoffenbarten Mysteriums, das Gott selber ist, in Schutz. Die nachfolgende scholastische Theologie sah sich auch durch diese innerchristliche Kontroverse neu herausgefordert, die Möglichkeit und Tragkraft menschlicher Gotteserkenntnis zu klären und das Nennen des Namens Gottes als sinnvoll zu erweisen.

In der Auseinandersetzung mit häretischen Bewegungen[10] jener Zeit war es ebenso Geschick des Konzils geworden, die Gottheit Gottes und die Welthaftigkeit der Schöpfung zu verdeutlichen. Zwar wurde allseits bejaht, *daß* Gott ist, aber es blieb umstritten, *wer* der wahre Gott ist und *inwieweit* er sich zur Weltwirklichkeit verhält. Antworten gab es zwischen den Extremen eines Dualismus und eines Pantheismus. Auf der einen Seite standen religiös motivierte Dualisten, nämlich die Katharer und Albigenser, mit denen sich das Konzil vorrangig beschäftigte. Sie behaupteten - so spätestens seit 1170 die Katharer - den prinzipienhaften Gegensatz von Gott und Satan, Geist und Materie. Dies zog konsequent eine strikte Verachtung dieser Welt sowie eine Ablehnung von Inkarnation, Leiblichkeit, Ehe und dgl. nach sich.[11] Damit verneinten die Katharer radikal die Identität des Schöpfergottes mit dem Erlösergott. Die Einheit von Schöpfungs-, Erlösungs- und Vollendungsordnung wurde von ihnen aufgesprengt.

García 45,30. - Cf. AUG., *De doctr. chr. I,5,10* CSEL 80, p. 10,22-25: *Res igitur, quibus fruendum est, Pater et Filius et Spiritus Sanctus, eademque trinitas una quaedam summa res communisque omnibus fruentibus ea, si tamen res et non rerum omnium causa*; cit. ap. PETR. LOMB., *Sent. I, dist. 1, cap. 2,4* ed. Quar. ³1971/81, p. 4, lin. 56. - Heinrich zitierte beide Quellen; für den augustinischen Text cf. HENR. DE GAND., *Summa 32,4* Macken 62,55; ID., *Summa 53,4* Badius 64vG; ID., *Summa 73,8* Badius 276vF; der Lombarden ist bei HENR. DE GAND., *Summa 53,6* Badius 68vK zitiert.

[9] CONC. LATERAN. IV, *Const. II. De errore abbatis Ioachim* OCD 208,34-35.; DH 806; García y García 46,57-59. Zur theologischen Interpretation dieses Satzes cf. Th. SCHNEIDER: *Was wir glauben.* Düsseldorf 1985, p. 145; W. BREUNING: *Gotteslehre.* In: W. BEINERT (Hg.): Glaubenszugänge, I. Paderborn 1995, pp. (199-362) 254-258, bes. 258; allg. zum Problem der Analogie in der theologischen Gotteslehre W. KASPER: *Der Gott Jesu Christi.* Mainz 1982, pp. 124-131 (Lit.).

[10] Einen gut pointierten häresiologischen Überblick mit Angabe der neueren Literatur findet man bei HAUSCHILDT, *Kirchen- und Dogmengeschichte I, § 8,10.* 1995, pp. 445-450.

[11] Vieles spricht dafür, daß PHILIPP DER KANZLER in seiner Transzendentalienlehre dem *bonum* besondere Beachtung gegeben hat, weil er gegen katharische, in seinen Augen neomanichäische Positionen seiner Zeit Stellung beziehen wollte (PHILIPP. CANC., *Summa de bono, prol.* Wicki 4); dazu H. POUILLON: *Le premier Traité des Propriétés transcendantales. La 'Summa de bono' du Chancellier Philippe.* In: RNSPh 42 (1939), p. (40-77) 74sq.; J. A. AERTSEN: *The Beginning of the Doctrine of the Transcendentals in Philip the Chancellor (ca. 1230).* In: Mediaevalia. Textos e Estudios 7-8 (1995), p. (269-286) 271sq.

Auf der Seite des Pantheismus stand eine dezidiert rational auftretende, offenbarungsunabhängig argumentierende Position, und zwar ein Typus philosophischen Identitätsdenkens, den das IV. Laterankonzil durch AMALRICH VON BENA († 1206)[12] verkörpert sah. Dessen naturalistische Identitätsphilosophie hatten schon 1210 und 1215 Pariser Provinzialsynoden verurteilt, so daß das Konzil diese Verdammung nur noch von höchster Stelle bekräftigte.[13] Während aber die Katharer in religiöser Lehre und Praxis, dogmatisch und kultisch sich bewußt außerhalb der christlichen Kirche stellten und die Öffentlichkeit ihrer Lehren infolge der einsetzenden Inquisition ein baldiges Ende fand, ergab sich der Konflikt um AMALRICH im Zusammenhang einer Auseinandersetzung, die in den engeren gebildeten Kreisen der Pariser Universität ihren Ursprung genommen hatte und Ausdruck eines langwierigen innerchristlichen, nun in die Krise geratenen Rezeptionsprozesses vor- und nichtchristlicher Traditionen war. Dieser Rezeptionsprozeß ist für die Geschichte der christlichen Gottesidee von extremer Bedeutung. Denn der Zustrom antik-paganen und arabisch-islamischen Gedankenguts, der besonders seit Mitte des 12. Jahrhunderts anschwoll, machte nicht nur mit dem hoch entwickelten weltlichen Wissen dieser Kulturen, sondern auch mit deren theologischen Anschauungen bekannt. Eine entscheidende, überragende Größe in diesem Überlieferungsstrom ist der von den Arabern achtungsvoll der „Erste Lehrer“[14], von den abendländischen Christen nicht weniger erhaben „der Philosoph“ genannte ARISTOTELES. Sein Denken, das ein umfassendes Zeugnis einer differenzierten Kulturwelt gab, zog nicht zuletzt wegen des begrifflich hohen Reflexionsniveaus und der systematisierenden Kraft größte Aufmerksamkeit auf sich. Besonders der für ARISTOTELES typische Zug zur empirischen Welterkundung kam den Interessen des von der sog. ‘Schule von Chartres’[15] gepflegten christlich-neuplatonischen Naturalismus entgegen.

[12] Cf. K. ALBERT: *Amalrich von Bena und der mittelalterliche Pantheismus.* In: MM 10 (1976), pp. 193-212; L. HÖDL: *Amalrich von Bena/Amalrikaner.* In: TRE II (1978), pp. 349-356; P. LUCENTINI: *L'eresia di Amalrico.* In: W. BEIERWALTES (Hg.): Eriugena redivivus. Zur Wirkungsgeschichte seines Denkens im Mittelalter und im Übergang zur Neuzeit (AHAW.PH 1987/1). Heidelberg 1987, pp. 174-191; G. DICKSON: *The Burning of the Amalricans.* In: JEH 40 (1989), pp. 347-369; J. M. M. H. THIJSSEN: *Master Amalric and the Amalricians. Inquisitorial Procedure and the Suppression of Heresy at the University of Paris.* In: Spec. 71 (1996), pp. 43-65.

[13] CONC. LATERAN. IV, *Const. II. De errore abbatis Ioachim* OCD 209,5-8; DH 808; García y García 47,68-70: *Reprobamus etiam et damnamus perversissimum dogma impii Amalrici, cuius mentem sic pater mendacii excaecavit, ut eius doctrina non tam haeretica censenda sit, quam insana.*

[14] Cf. G. ENDRESS: *„Der erste Lehrer“. Der arabische Aristoteles und das Konzept der Philosophie im Islam.* In: U. TWORUSCHKA (Hg.): Gottes ist der Orient, Gottes ist der Okzident. Fschr. für A. FALATURI zum 65. Geb. (Kölner Veröff. zur Religionsgesch. 21). Köln/Wien 1991, pp. 151-181.

[15] Zu dieser inzwischen historiographisch problematisch gewordenen Schulbezeichnung cf. N. M. HÄRING: *Chartres, Schule von.* In: TRE VII (1981), pp. 698-703; Mechtild DREYER: *Chartres. 3. Schule v. Chartres.* In: LThK³ II (1994), col. 1026sq.; A. SPEER: *Die Entdeckung der Natur. Untersuchungen zu Begründungsversuchen einer ‘scientia natura-*

Die antike Kosmosfrömmigkeit und ihr Ideal der Kosmosschau[16] versuchte man für christliche Bedürfnisse einer differenzierten Erkenntnis von Schöpfer und Schöpfung in Dienst zu nehmen. Ein erneuertes Welterlebnis, das die bisherige symbolische Verknüpfung der Dinge mit ihrem göttlichen Urbild nun als Kausalbeziehung auffaßte, ließ die Dinge dieser Welt deutlicher in ihrer Eigenständigkeit und Eigengewichtigkeit sehen.

Doch das intensiv geführte Gespräch mit der griechisch-arabischen Welt brachte die Gefahr mit sich, dem drückenden Gewicht einer in vielen Bereichen höher entwickelten Kultur zu erliegen und auf Kosten der christlichen Glaubenswahrheit leichtfertige Zugeständnisse zu machen. Die zu Beginn des 13. Jahrhunderts möglich gewordene Kenntnis nahezu des kompletten *Corpus Aristotelicum* führte zu einer allgemeinen Krise der vornehmlich augustinisch und dionysisch geprägten Theologie. Betroffen waren nicht nur etwa das hergebrachte Verständnis von Wissen und Wissenschaft, von Schöpfung und Schöpfungserhaltung. Diese Krise traf in einer seit frühchristlichen Zeiten nicht mehr gekannten Wucht die Mitte des christlichen Glaubens, die christliche Wahrheit über Gott selbst, über sein Wesen und sein Wirken, über sein Offenbarsein und seine Erkennbarkeit für den Menschen. Theologie wie kirchliches Lehramt engagierten sich gleichermaßen in dieser durch die Aristotelesrezeption veranlaßten Auseinandersetzung. „Nur auf dem Hintergrunde dieser Krise des Gottesgedankens um 1200 kann man die Leistung der Hochscholastik des 13. Jahrhunderts recht würdigen.“[17]

Die Risiken einer Adaption aristotelischen Denkens griechisch-arabischer Provenienz in der Gotteslehre traten damals bei DAVID VON DINANT und AMAL-

lis' im 12. Jahrhundert (STGMA 45). Leiden 1995, p. 14sq.

[16] Cf. G. BIEN: *Himmelsbetrachter und Glücksforscher. Zwei Ausprägungen des antiken Philosophiebegriffs.* In: ABG 26 (1984), pp. 171-178; P. PROBST: *Spectator caeli.* In: HWPh IX (1995), col. 1350-1355.

[17] PANNENBERG, *Die Gottesidee des hohen Mittelalters.* 1964, p. 24sq., bei dem diese Krise eine markante Darstellung erhält. Seiner zitierten Hauptthese - bei Vorbehalt gegenüber einzelnen Schlußfolgerungen aus dieser These - wird hier uneingeschränkt zugestimmt; cf. auch ID.: *Der Einfluß des Aristoteles auf die christliche Philosophie.* In: ID., Theologie und Philosophie. 1996, pp. 80-86. C. TRESMONTANT: *La métaphysique du christianisme et la crise du XIIIe siècle.* Paris 1964, trägt mit Betonung der Tatsache und Freiheit des Schöpfungsaktes ähnliche Gedanken vor und behandelt auch die damals problematisch gewordene Möglichkeit aposteriorischer Gotteserkenntnis aus der Schöpfung (pp. 328-353). Der Umstand, daß es sich für das damalige Christentum um eine fundamentale intellektuelle Krise handelte, ist zwar von der Philosophiehistorie recht angemessen, aber von der bisherigen Dogmengeschichtsschreibung noch zu selten zur Deutung jener geistlich-geistigen Veränderungen in der christlichen Gotteslehre ausgewertet worden. Der Aspekt taucht nur am Rande auf bei K. FLASCH: *Gott. VI. Mittelalter.* In: HWPh III (1974), col. 741-748, und L. SCHEFFCZYK/R. SCHENK: *Gott.* In: LexMA IV (1989), col. 1581-1583, er fehlt z. B. ganz bei Elisabeth GÖSSMANN: *Glaube und Gotteserkenntnis. Im Mittelalter* (HDG I/2b). Freiburg/Basel/Wien 1971.

RICH VON BENA offen zu Tage. DAVID VON DINANT († um 1214)[18] verstand bedingt durch seine lückenhafte und ungenügende Kenntnis der aristotelischen Werke das Unbestimmt-Mögliche der *hyle* als Eigenschaft des Göttlichen und vollzog eine Umsetzung von Prädikator und Prädikat: *mundus est ipse Deus.*[19] Doch was im areopagitischen Neuplatonismus als kritisch verstehbare Identitätsthese statthaft war, wurde im Argumentationsgefüge seines eigenwilligen neo-aristotelischen Denkens zu einer Weltformel, in der die Transzendenz Gottes in einer materialistisch-pantheistischen Weltimmanenz gefangen gehalten wurde. Bei AMALRICH VON BENA, dessen konziliare Veurteilung bereits erwähnt worden ist, findet sich eine „mit dem ganzen Einsatz der Dialektik vertretene Theorie einer universalisierten und naturalisierten Epiphanie Gottes“[20] gemäß seiner monistischen Generalthese: *Omnia unum, quia quicquid est, est Deus*[21] bzw. *Deus est omnia in omnibus.*[22] Daß Gott Wesensform aller Dinge sei, und zwar als deren transzendentes Exemplar, war ein beliebter Gedanke der Chartrenser. Doch infolge einer Inversion des platonischen Begriffs eines transzendenten Urbildes zu einer weltimmanenten Form im aristotelischen Sinne ist Gott bei AMALRICH nicht die allen Dingen transzendente, sondern die allen Dingen immanente Seinsform.

Die Gedankenwelt der Antike gewann eine neue, intensive Gegenwart durch eine rege Übersetzertätigkeit. Besonders das Bekanntwerden der natur-

[18] Cf. zu DAVIDS Theologie spec. M. KURDZIALEK: *David von Dinant als Ausleger der aristotelischen Naturphilosophie.* In: MM 10 (1976), pp. (181-192) 188-192; E. MACCAGNOLO: *David of Dinant and the Beginnings of Aristotelianism in Paris.* In: HTwCWPh 1988, pp. 429-442; einen domimierenden Einfluß des stoischen Kosmotheismus befürwortet dagegen M. LAPIDGE: *The Stoic Inheritance.* In: HTwCWPh. 1988, p. (81-112) 106sq., spec. not. 157. Zweifel an der Authentizität diverser Fragmente äußert M. PICKAVÉ: *Zur Verwendung der Schriften des Aristoteles in den Fragmenten der „Quaternuli“ des David von Dinant.* In: RThPhM 64 (1997), pp. 199-221. - Für weitere Lit. cf. LThK^{3} III (1995), col. 40sq. (L. HÖDL).

[19] DAV. DE DINANTO, *Quatern. frg.* P^1/P^2 Kurdzialek (65-80) 70, lin. 26; cf. p. 70, lin.23 - p. 71, lin.7: *Ex his ergo colligi potest mentem et hylem idem esse. Huic autem assentire videtur Plato, ubi dicit mundum esse <Deum> sensibilem. Mens enim, de qua loquimur et quam unam dicimus esse eamque impassibilem, nihil aliud est quam Deus. Si ergo mundus est ipse Deus praeter se ipsum perceptibile sensui, ut Plato et Zeno et Socrates et multi alii dixerunt, hyle igitur mundi est ipse Deus, forma vero adveniens hylae nihil aliud quam id, quod facit Deus sensibile seipsum. Nam quantitas, ut ait Aristoteles, primum est adveniens hyle et fit corpus; corpori vero advenit naturalis motus et fit elementum. Cum enim hyle vi sui naturae sicut imperceptibile et immobile, sensus tamen recipit magnitudinem et motum in ea. Manifestum est igitur unam solam substantiam esse, non tantum omnium corporum, sed etiam animarum omnium et eam nihil aliud esse, quam ipsum Deum. Substantia vero, ex qua sunt omnia <corpora>, dicitur hyle; substantia vero, ex qua sunt omnes animae, dicitur ratio sive mens. Manifestum est ergo Deum esse rationem omnium animarum et hyle omnium corporum.*

[20] HÖDL, *Amalrich von Bena/Amalrikaner.* 1978, p. 354.

[21] *Condamn. Paris. a. 1210 facta.* In: CHART. UNIV. PARIS. I, nr. 12, p. 71.

[22] ANON., *Contra Amaurianos, cap. IX.* Ed. C. BAEUMKER: Contra Amaurianos. Ein anonymer, wahrscheinlich dem Garnerius v. Rochefort zugehöriger Traktat gegen die Amalrikaner aus dem Anfang des XIII. Jh. (BGPhMA 24/5-6). Münster i.W. 1926, p. 24.

kundlichen, physikalischen und metaphysischen Schriften des ARISTOTELES konfrontierte mit der allseitig ausgebildeten, komplex-rationalen Weltdeutung einer am Autarkie-Ideal orientierten kosmischen Ordnung. Wissen ist nach ARISTOTELES[23] Grund-Wissen, Wissen von den bestimmenden Gründen und Ursachen. Es ist Wissen vom Allgemeinen und Wissen vom Notwendigen, das in Begriff, Urteil und Schluß zum Vorschein gebracht wird. Dieses Denken, das ohne Scheu vor einem Mysterium Gottes alles Wirkliche dem syllogistischen Vermögen des menschlichen Intellekts unterwarf, kannte nicht integral christliche Inhalte wie die unerzwingbare Selbstoffenbarung des göttlich-trinitarischen Wesens und die freie, zeitliche Schöpfung aus dem Nichts. Fremd sind solchem Denken zentrale christliche Ansichten wie eine universale, die menschliche Freiheit voraussetzende und fördernde Vorsehung als Ausdruck einer göttlichen Sorge um das individuelle Heil der Menschen, eine Hinwendung Gottes zu einer sündigen (!) Welt und deren Erlösung durch Kenosis und Inkarnation der zweiten göttlichen Person, desweiteren die aus der Dialektik von Selbstverlust und Selbstfindung heraus verstandene biblische Demut als Gipfel menschlicher Tugenden, der Akt der Verzeihung als moralisch legitimes Verhalten sowie eine eschatologisch verheißene leibliche Auferstehung und ewige beseligende Schau Gottes. Die Frage hieß also klar gestellt: Läßt man ein pagan-antikisierendes Rezidiv zu oder faßt man den Mut, gegenüber dem griechisch-arabischen Naturalismus und Nezessitarismus die Neuheit der christlichen Weltsicht konsequent zu formulieren?

Erste christliche Reaktionen liefen auf eine kompromißlose Fundamentalopposition hinaus. *Non regnat spiritus Christi, ubi dominatur spiritus Aristotelis.* Mit diesem kernigen Worten formulierte ABSALON VON SPRINGIERSBACH (VON ST. VIKTOR) CanAug († 1203)[24] seine Furcht vor einem neuen Paganismus, den dieser Fürsprecher der traditionellen augustinisierenden, sapientialen Wissenschaftslehre in einer szientifischen Logifizierung der Wahrheit sah. Die lokalkirchlichen Aristoteles-Verbote, die mehrfach (in Paris z. B. 1210, 1215, 1225, 1231, 1245 und 1263) ausgesprochen wurden, griffen zwar mit Strenge durch. Doch sie wollten vornehmlich eine unkontrollierte Verbreitung aristo-

[23] Zum aristotelischen Wissensbegriff cf. HÖFFE, *Aristoteles.* 1996, pp. 36-99. 294-296 (Lit.).

[24] ABSALON A S. VICTORE, *Serm 4.* PL 211, col. 37D. Cf. VerfLex² I (1978), col. 17-19 (F. J. WORSTBROCK); zu dessen Wissenschaftskonzept cf. L. STURLESE: *Die deutsche Philosophie im Mittelalter. Von Bonifatius bis zu Albert dem Großen (748-1280).* München 1993, pp. 198-200. ABSALON folgte ganz der Fährte patristischer Aristoteles-Schelte; cf. J. H. WASZINK/W. HEFFENING: *Aristoteles.* In: RAC I (1950), col. 657-667. Es war noch ein schwieriger Weg, bis man diese Diabolisierung des Aristoteles ablegte und ihn etwa ein DANTE, *Div. com., Inf. IV,131* den „Meister jener, die wissen" (il maestro di color che sanno) pries, JOHANNES DE POLLIACO seine Lobeshymne *De auctoritate Aristotelis in puris naturalibus*, ed. M. GRABMANN, Aristoteles im Werturteil des Mittelalters. In: MGL II. 1936, pp. (62-102) 85-87. 101sq., anstimmte oder ein LAMBERTUS DE MONTE DOMINI seine *Quaestio de salvatione Aristotelis.* Köln (um 1498), verfaßte. - Zum 'Eindringen des Aristoteles' cf. M.-D. CHENU, *Das Werk des hl. Thomas von Aquin* (DThA, 2. Erg.bd.). Graz/Wien/Köln (1960) ²1982, p. (25-33) 30.

telischen Gedankenguts unterbinden, nicht aber z. B. die gelehrte, kritische Privatlektüre bei Gebildeten.[25] Der Gang der Dinge war unaufhaltsam. Man mußte und wollte theologischerseits eine sachgerechtere und flexiblere Antwort finden. Weder schroffe Abweisung, noch unschöpferische Anpassung an die neuen Entwicklungen, sondern Rezeption durch interpretatorische Aneignung und Dynamisierung der eigenen Traditionen hieß das Gebot der Stunde.[26] Doch an welchem Kriterienkatalog sollte man sich in einer so kontrovers beurteilten Situation halten? Ein bedeutsamer Akteur auf kirchlicher Seite war in diesen Auseinandersetzungen WILHELM VON AUVERGNE, seit 1223 Magister der Theologie in Paris und seit 1229 ebendort Bischof.[27] In seltener Hellsichtigkeit faßte er schon früh in drei Punkten programmatisch die Erfordernisse zusammen, die die Theologie geltend zu machen habe, um das Unterscheidend-Christliche zu bewahren: erstens die insbesondere an der *creatio ex nihilo* erweisbare Allmacht Gottes[28], zweitens die Freiheit Gottes, der

[25] Cf. CHART. UNIV. PARIS. I, nr. 11 (a. 1210), p. 70: *Quaternuli magistri David de Dinant infra natale episcopo Parisiensi afferantur et comburantur, nec libri Aristotelis de naturali philosophia nec commenta legantur Parisius publice vel secreto, et hoc sub poenae excommunicationis inhibemus*; CHART. UNIV. PARIS. I, nr. 20 (aug. 1215), p. 78sq.: *Non legantur libri Aristotelis de metaphysica et de naturali philosophia, nec summe de eisdem, aut de doctrina magistri David de Dinant aut Amalrici haeretici aut Mauricii hispani*; CHART. UNIV. PARIS. I, nr. 50 (23. ian. 1225), p. 106sq.; CHART. UNIV. PARIS. I, nr. 79 (13. april. 1231), p. (136-139) 138 [cf. nr. 87 (23. april. 1231), p. 143sq.]; zur Sache cf. VAN STEENBERGHEN, *Philosophie im 13. Jahrhundert.* 1977, pp. 75-183; Ch. H. LOHR: *Die mittelalterliche Aristoteles-Deutung in ihrem gesellschaftlichen Kontext.* In: PhTh 51 (1976), pp. 481-495; FLASCH, *Das philosophische Denken im Mittelalter.* 1986, pp. 298-309. - Es verdient eigens erwähnt zu werden, daß die Aristoteles-Verbote zwar vom päpstlichen Lehramt ausgesprochen wurden, aber nicht auf dessen Eigeninitiative, sondern auf massive Interventionen einer starken Gruppe restaurativ gesinnter Universitätstheologen zurückzuführen sind.

[26] Cf. O. KÖHLER: *Kleine Glaubensgeschichte. Christsein im Wandel der Weltzeit* (Herder-TB 987). Freiburg/Basel/Wien 1982, pp. 252-266.

[27] Für Lit. zur Biographie cf. die Angaben § 1,1 not. 28; einen Überblick über die Forschung bis 1986 gibt G. JÜSSEN: *Wilhelm von Auvergne.* In: CPhNS VI/1. 1990, pp. 177-185; desweiteren ID.: *Die Tugend und der gute Wille. Wilhelm von Auvergnes Auseinandersetzung mit der aristotelischen Ethik.* In: PhJ 102 (1995), pp. 20-32.

[28] Cf. GUILL. DE ALVERN., *De Universo I,27* ed. Paris 1647, p. (623b-624a) 623a: *Causae autem erroris istius* [sc. *Aristotelis*] *videntur potissimum fuisse tres. Harum prima fuit ignorantia eorum, qua non intellexerunt verbum creatoris neque virtutem ipsius verbi. Est enim non solum enuntiativum, ut ita loquamur, sed etiam imperativum imperiositate forti in ultimate fortitudinis, propter quod eius imperio oboediunt non solum ea, quae sunt, sed etiam ea, quae non sunt, et non solum in faciendo et non faciendo, quae mandaverit aut prohibuerit, sed etiam in essendo et non essendo, in fiendo et non fiendo, ... Attende etiam, quia nos ipsi non solum verbis nostris annuntiamus affirmantes et negantes, sed etiam imperamus, quicquid fieri volumus, sic et creator illo unico verbo suo non solum dixit omnia fieri, quae fieri voluit, sed etiam fieri mandavit sive praecipit, et haec fuit una ex ignorantia eorum, quoniam si forte aliquid vel noverunt vel cogitaverunt, ignoraverunt, quod esset imperativum imperiositate, quam dixi, et haec est virtus eius omnipotentissima.* - Cf. zu diesem Thema im 13. Jahrhundert insgesamt HAYES, *General Doctrine of Creation.* 1964, pp. 52-63.

nicht naturnotwendig, sondern nach souveränem, weltüberlegenem Beschluß Schöpfer dieser Welt ist[29], und drittens Gottes unmittelbare Präsenz und Wirkmacht in der Schöpfung, die nicht etwa durch kosmische Mittlerinstanzen, Sphären und andere Zwischengrößen vermittelt ist.[30]

Das letzte dieser drei Monita berührt nicht nur die Schöpfungstheologie[31], sondern ebenso alle theologischen Überlegungen, die angesichts der sichtbaren, allem vernünftigen Erkennen zugänglichen Schöpfung einen gültigen, rational-szientifisch vollziehbaren Weg zur Erkenntnis von Gottes weltüberlegenem, nicht-welthaftem Dasein, Wesen und Wirken aufzeigen wollen. Denn die Hinwendung zur aristotelischen Erkenntnistheorie und ihrem Zug zur empirischen Erkundung einer subsistenten Physis verdrängte immer stärker die symbolisch-mystische Sicht einer hinfälligen Welt. 'Das Dasein Gottes als

[29] Cf. GUILL. DE ALVERN., *De Universo I,27* ed. Paris 1647, p. (623b-624a) 623a-624a: *Secunda causa fuit ignorantia libertatis ipsius creatoris, qua operatur absque eo, quod prohiberi possit ullo modorum ab eo, quod vult, aut cogi ad id, quod non vult. Ipsi autem opinari nixi sunt, sicut praedixi tibi, quod operatur per modum naturae et iuxta ordinem ipsius, cum ipse operetur per electionem et voluntatem liberrimam. Quod ergo dicunt, quia ex uno, secundum quod est unum, et per quid, quod est unum omni modo, et non pertinent ad creatorem in causationibus et creationibus istis. Non enim operatur creator haec causata vel causat per id, quod unum aut inquantum unum, sed per voluntatem suam. Sicut figulus non per unitatem suam format vasa fictilia, sed per voluntatem suam - et propter hoc facit ea, prout vult et qualia vult -, sic et Deus per verbum suum, quod non est verbum solummodo enuntians, sed imperans imperio fortissimo. Et eius imperium atque voluntas non est aliud ab ipso, et de isto verbo similitudines et exempla dedi tibi hic. Verbum enim istud non est tantum imago seu expressio creatoris, immo est expressio voluntatis creatoris lucidissima ac perspicua, quibus datum est ipsum audire et intueri.*

[30] Cf. GUILL. DE ALVERN., *De Universo I,27* ed. Paris 1647, p. (623b-624a) 624a: *Tertia causa fuit opinio eorum, qua putaverunt elongationem posse aliquid apud creatorem et aestimaverunt creatorem longe esse a quibusdam et prope quibusdam et propter hoc ipsum non operari per se aut minus operari. Non intellexerunt igitur supereminentiam creatoris et amplitudinem ac fortitudinem virtutis eius, qua attingit a summo universi usque deorsum et a primo creatorum usque ad novissimum omnia continens, tenens et retinens, prout vult et quamdiu vult, alioquin reciderent in non esse, unde educta sunt ab ipso et per ipsum. Est igitur infra omnis et sub omnibus ut fundamentum et fulcimentum sustinens ea et supportans. Et est supra omnia non solum ut rex et imperator omnium dominantissimus, immo et ut fons influentissimus, a quo incessanter descendunt rivi seu fluenta bonitatum ipsius super creaturas eiusdem, hoc est super omnia saecula et saeculorum singula, et intra omnia et in omnibus omnia nutriens, propagans, moderans et regens. Et propter hoc operatur omnia in omnibus, iuxta quod exponam. Quemadmodum enim praedixi tibi, quaecumque bona, quaecumque quolibet modo salubria a rebus exeunt, de praesentia ipsius hoc habent, quemadmodum quod ab anima exit vita, et hoc est quoniam in ipsa anima praesentaliter est fons vitae, sic se habet et unoquoque aliorum, sicut quod a sole exit lux, de praesentia est universalis ac redundantissimi fontis. Et ad hunc modum se habet de omnibus aliis operationibus naturalibus seu potius effluentiis. Propter quod sancti et sapientes in lege hebraeorum et in lege christianorum creatorem operari omnia in omnibus dixerunt, intendentes omnia quae sunt naturae vel gratiae.* - Cf. die ähnlich ausdrückliche Stellungnahme bei HENR. DE GAND., *Qdl. V,11* Badius 170rP; generell zum Thema immer noch grundlegend J. A. WEISHEIPL: *The Celestial Movers in Medieval Physics.* In: Thomist 24 (1960), pp. 286-326.

[31] Cf. HAYES, *General Doctrine of Creation.* 1964, pp. 63-73.

Denkaufgabe' (J. SEILER) bekam so zu Beginn des 13. Jahrhunderts eine neue Funktion. Es dient nicht mehr dem reflexiven, intensivierenden Nachvollzug einer stets schon gegebenen allgemeinen Erkennbarkeit Gottes, die nur dem verschlossen bleibt, der sich ihr - aus sittlicher Schwäche - nicht öffnen will. Die Theorie einer sapientialen Gottesbegegnung, die sich auch als ein intellektuell-affektives Erfahrungswissen von Gottes geistmächtiger Unmittelbarkeit verstand, verlor zusehends an Plausibilität. An ihrer Stelle traten Anschauungen, die einen begrifflich-dialektisch vermittelten Zugang zur Wirklichkeit Gottes suchten und dies auf dem Weg entschiedener Weltzuwendung wagten. Denn nach aristotelischer Lehre ist die Wirklichkeitserfahrung des Menschen notwendig durch Sinneserkenntnis vermittelt und darauf verwiesen, Gottes Wesen nicht an sich, sondern in seinen Wirkungen zu erfassen. Das traditionelle augustinische Wissensprogramm: *Deum et animam scire cupio. Nihilne plus? Nihil omnino,*[32] erfuhr eine tiefgreifende Umdeutung.[33] Man verstand nun unter Gott nicht mehr zuerst einen Gnade und Heil verheißenden Schöpfer und geschichtsmächtigen Vollender der Welt, sondern gemäß *Metaph. XII,7-9* und *Phys. VIII* einen reinen Akt (*actus purus*), einen ersten unbewegten Beweger (*primum movens immobile*) und ein Denken des Denkens (*ipsa suiipsius intelligentia*). Die Seele meint nicht mehr zuerst die zu unsterblichem Leben berufene, gottebenbildliche Mitte des Menschen, sein wahres Selbst, das erst in einer Abkehr von den sinnlichen Dingen und einer Hinkehr zum intelligiblen göttlichen Sein seine Bestimmung erfüllt, sondern bezeichnet nach *De anima II,1; III,5* das Prinzip materiegebundenen, organischen Lebens, dem im Falle der sterblichen menschlichen Geistseele auf eine schwer faßbare Weise Anteil an einem göttlichen *intellectus agens* gegeben ist. Die geistige Welt des ARISTOTELES kennt für den Willen des Menschen nur das innerweltliche Streben nach selbstgenügsamer Tugendgröße[34], aber nicht den anthropologischen Pessimismus monastischer *Contemptus mundi*-Traditionen, denen noch 1194/95 LOTHARIO DE SEGNI, der nachmalige Papst INNOZENZ III., mit seiner Schrift 'Vom Elend des menschlichen Daseins' so nachhaltigen Ausdruck verliehen hatte.[35] Für die Wahrheitserkenntnis des Menschen verweist ARISTOTELES beharrlich auf das veränderliche und vergängliche Sinnen-

[32] AUG., *Sol. I,7,1* CSEL 89, p. 11,15-17; cf. auch ID., *De ord. II,18,47* CCL 29, p. 133,12-14: *Duplex quaestio est, una de anima, altera de Deo. Prima efficit, ut nosmet ipsos noverimus, altera, ut originem nostram.*

[33] Cf. FLASCH, *Das philosophische Denken im Mittelalter.* 1986, p. 311sq., dessen Einzelinterpretationen aber nicht immer gefolgt werden kann.

[34] Cf. die Kritik bei HENR. DE GAND., *Qdl. V,23* Badius 202rY; ID., *Qdl. XIII,9* Decorte 63,52-61.

[35] Cf. LOTHAR. DE SEGN., *De miseria humanae conditionis.* Ed. M. MACCARONE. Lugano 1955; dazu C.-F. GEYER: *Einleitung: 'La condition humaine'. Anmerkungen zum Selbstverständnis des Menschen im Mittelalter und heute.* In: LOTHARIO DE SEGNI (INNOZENZ III.): Vom Elend des menschlichen Daseins. Aus dem Lat. übers. und. eingel. v. C.-F. GEYER (Philos. Texte und Studien 24). Hildesheim 1990, pp. 1-38.

fällige, nachdem er PLATONS Welt zeitenthobener, ewiger Ideen einer vernichtenden Kritik unterzogen hatte.[36]

Konnte zum einen nicht der Vorwurf aufkommen, daß ein derart selbstgewiß voranschreitendes Denken von sich behaupten wird, in selbstgenügsamer intellektueller Eigenanstrengung zur Einsicht in das göttliche Wesen gelangen zu können?[37] Es kam das ambivalente antike Ideal der Autarkie neu zum Vorschein, das zwar die Eigenständigkeit der Welt herausstellte, aber auf eine innerweltliche Vorwegnahme der Gottesschau und naturalistische Selbstvollendung und Selbsterlösung des Menschen hinauszulaufen drohte und daher scharfer kirchlicher Zensur unterlag.[38]

Und zum anderen: Trägt diese Erkenntnistheorie weit genug, um den Gott erkennend zu finden, den die biblische Botschaft bekennt als einen sich selbst schenkenden Gott, der im Herzen der Menschen wohnen will (*Röm 5,5; Eph 3,17*), und den die neuplatonisch inspirierte Theologie eines AUGUSTINUS als *intimior intimo meo* begriff und durch Illumination eine Selbstgegenwart im menschlichen Geist verschaffen ließ? Nicht wenige empfanden damals eine religiöse Dürftigkeit an diesem metaphysischen und erkenntnistheoretischen Realismus, der den Dingen dieser Welt ihr Recht geben wollte und dabei in dieser Welt stehen zu bleiben schien. Den sinnenverhafteten Menschen läßt nach ARISTOTELES erst ein Abstraktionsprozeß und aufwendiges syllogistisches Verfahren zur Gewißheit über das Dasein Gottes gelangen. Verflüchtigt sich nicht durch abstraktionsgebundenes Erkennen die Präsenz Gottes in der Welt, im kosmischen Geschehen, im spirituell-geistigen Leben des Menschen? Religiöse Aufbrüche im Christentum der damaligen Zeit - in der Person des FRANZ VON ASSISI (1181/82 - 1216) und in seinem wohl 1214/15 verfaßten 'Sonnengesang' am eindruckvollsten faßbar[39] - propagierten eine neue, ungekannt innige Zuwendung zur Natur und zum dort überall gepriesenen Gott,

[36] Cf. HENR. DE GAND., *Qdl. IV,20* Badius 136rD: *Aristoteles Platonem impugnat, quia de rebus naturalibus supernaturaliter semper locutus est.*

[37] In den Rang einer Unterscheidungslehre, die das philosophische und theologische Begründungsverfahren vertiefend erklären sollte, erhob dies SIMON TORNAC., *Expos. symb. S. Athanasii.* In: Bibliothecae Cassinensis Florilegium, tom. IV. Rom 1880, p. (322-346) 322: *Apud Aristotelem argumentum est ratio faciens fidem. Unde Aristoteles: Intellige et credes. Sed Christus: Crede et intelliges*; cit. ap. GUILL. DE ALTISS., *Summa aurea, prol.* Ribaillier 16,40-41; cf. SUMMA FR. ALEX., *Lib. I, n.23, ad 2* ed. Quar. I, p. 35, ferner GRABMANN, *Geschichte der scholastischen Methode, II.* 1911, pp. 549-552; G. ENGELHARDT: *Die Entwicklung der Glaubenspsychologie in der mittelalterlichen Scholastik* (BGPhThMA 30/4-6). Münster i.W. 1933, p. 123.

[38] Cf. STEPH. TEMPER., *Errores 219 condamnati, a. 1277 fact., prop. 8. 9* Hissette 27-32.

[39] Cf. FRANCISC. ASSISIENSIS: *Canticum fratris solis vel Laudes creaturarum.* In: K. ESSER: Die Opuscula des hl. Franziskus von Assisi. Neue textkrit. Edition. Zweite, erw. und verb. Aufl., besorgt v. E. GRAU (SpicBonav 13). Grottaferrata 1989, p. 128sq.; dazu J. LANG: *Mein Gott und alles. Das Geheimnis Gottes im Sonnengesang des Franz von Assisi.* In: WiWei 48 (1985), pp. 1-17; H.-J. WERNER: *„Untertan allem Getier und Gewürm". Franz von Assisi und die Philosophie der Geschöpflichkeit.* In: ID., Eins mit der Natur (BsR 309). München 1986, pp. 13-37.

die nicht nur wegen ihrer affektiven und poetischen Gestalt wenig mit der Kausalanalyse naturphilosophischer Traktate gemein hatte. Diese religiösen Impulse für eine intensive Wahrnehmung Gottes auch in der konkreten Natur wurden zu antagonistischen Kräften gegenüber den neuen Bestrebungen zu einer Eigenwertigkeit profaner Weltbetrachtung und Entdivinisierung[40] der menschlichen Erkenntnissphäre.

Für die Theologie im 13. Jahrhundert ergab sich in dieser Konstellation als Aufgabe, daß der Begriff der - modern gesprochen - religiösen Erkenntnis[41] neu bestimmt werden mußte. Die unmittelbare Nähe Gottes zur Welt und die unmittelbare Nähe des Menschen zu Gott, das unerzwingbar freie Offenbarsein Gottes und die Angewiesenheit des Menschen auf diesen freien Willen zur ungeschuldeten Selbstoffenbarung des Wesens Gottes, die erst das menschliche Glück vollenden wird, diese drei kritischen Aussagen christlicher

[40] Cf. L. HÖDL: *Über die averroistische Wende der lateinischen Philosophie des Mittelalters im 13. Jahrhundert.* In: AHDL 29 (1972), pp. 171-204, der intensiv die erkenntnistheoretischen, anthropologischen und theologischen Konsequenzen erörtert, die infolge des Bekanntwerdens der aristotelisch-averroistischen Intellektlehre für Theologie wie Philosophie gleichermaßen drängend anstanden; fortführend HÖDL: *Die „Entdivinisierung" des menschlichen Intellekts in der mittelalterlichen Philosophie und Theologie.* In: J. O. FICHTE u.a. (Hg.): Zusammenhänge, Einflüsse, Wirkungen. Kongreßakten zum 1. Symposium des Mediävistenverbandes in Tübingen 1984. Berlin/New York 1986, pp. 57-70. Erkenntnistheoretische Aspekte vertieft F. HOFFMANN: *Die theologische Krise des 13. Jahrhunderts und ihre Überwindung durch Albert den Großen.* In: W. ERNST u.a. (Hg.): Dienst der Vermittlung (EThS 37). Leipzig 1977, pp. 207-219. Zum Verständnis der intellektuellen Umbrüche jener Zeit ist im Hinblick auf die in dieser Arbeit untersuchten *Primum cognitum*-Theorien die autoren- und belegreiche Studie von GRABMANN, *Der göttliche Grund menschlicher Wahrheitserkenntnis.* 1924, immer noch lesenswert und in vielen Punkten auch noch bleibend gültig.

[41] Cf. spec. M. SCHELER: *Vom Ewigen im Menschen* (1921, ²1923). Hg. v. Maria SCHELER (Ges. Werke 5). Bern 1954, pp. 124-157. 240-258, der den Begriff der religiösen Erkenntnis aufbrachte. Dieser bezeichnet bei SCHELER den religiösen Akt, der von einem liebenden Willen zum Heiligen getragen ist und in dem allein insbesondere Gottes lebendige Personalität erfaßt werden kann. Der Gegenbegriff innerhalb des schelerschen Komformitätssystems von Religion und Metaphysik, der Begriff des metaphysischen Erkennens, meint ein rational erwerbbares, um objektive Distanz bemühtes, nicht-religiöses Wissen über alles Reale, zu dem neben anderem auch Gott in seinem reinen objektiven Sosein als absolutes unveränderliches Sein und oberste Weltursache gehört. Diese so erst in der Moderne auftretende Dissoziierung gottbezogener Erkenntnisformen, die SCHELER zudem historisch - oder besser gesagt: unhistorisch - schon bei AUGUSTINUS und THOMAS VON AQUIN festmachen wollte, besitzt eine gewisse hermeneutische Potenz, um die Diskussionen im 13. Jahrhundert über eine natürliche Gotteserkenntnis zu beleuchten, darf freilich aber nur als eine sehr entfernte Analogie dazu angesehen und nicht überbeansprucht werden. - Es sei darauf hingewiesen, daß es RAHNER, *Hörer des Wortes.* 1941, war, der im Zuge seiner Thomas- und Scheler-Rezeption die Gottbezogenheit aller menschlichen Akte, nicht nur der religiösen im engeren Sinne, geltend machte. Cf. dazu R. SCHAEFFLER: *Die Wechselbeziehungen zwischen Philosophie und katholischer Theologie.* Darmstadt 1980, pp. 180-186; KOBUSCH, *Phänomenologie und Fundamentaltheologie.* 1994.

Schöpfungslehre, Gnadenlehre und Eschatologie wurden zu vorantreibenden Momenten in den damaligen theologischen Debatten zur Gotteserkenntnis. Weniger das Daß als das Wie der Gegenwart Gottes in der Welt war heftig umstritten. Gewinnt man ein sicheres Wissen von Gott durch Welterkenntnis auf einem sensual vermittelten, aposteriorischem Wege, oder erhält man adäquaten Zugang zu Gott auf einer kosmologiefreien apriorischen Ebene reiner Intelligibilität? Konnte man uneingeschränkt die augustinische Lehre von einer unmittelbaren Selbst- und Gotteserkenntnis wiederholen, oder war es nicht sachgemäßer und ratsamer, zwar - von unzweifelhafter biblischer Autorität (*Röm 1,20*) gestärkt - an der Möglichkeit einer wahren und expliziten Erkenntnis Gottes festzuhalten, aber doch verhaltener von ihrer Reichweite und Geltung zu sprechen und daneben implizite Erkenntnisweisen ausfindig zu machen, die man den expliziten stützend und erklärend zur Seite stellt?

Als Heinrich von Gent seine eigene Theorie natürlicher Gotteserkenntnis vorlegte, konnte er schon auf die Bemühungen etwa eines WILHELM VON AUVERGNE, ALEXANDER VON HALES, BONAVENTURA und THOMAS VON AQUIN zurückblicken. Umfang und Tiefe der Ausführungen Heinrichs deuten zweifellos darauf hin, daß er den bisherigen Gang der scholastischen Theologie kritisch protokollieren und bilanzieren wollte.

§ 2 VORVERSTÄNDIGUNGEN ZUR NATÜRLICHEN ERKENNTNIS DER EXISTENZ GOTTES NACH HEINRICH VON GENT

Die scholastische Theologie des 13. Jahrhunderts behandelte die Frage nach einer natürlichen Gotteserkenntnis nicht an einem beliebigen Ort des *ordo disciplinae*. Anders als in den Sentenzenkommentaren, die aufgrund ihrer Gliederungsvorgabe in der dritten Distinktion des ersten Buches darauf einzugehen hatten,[42] war in Summen, Kompendien oder anderen Werken, in denen die Autoren freier disponieren durften, die Frage nach der Existenz Gottes nach einem meist knappen methodologischen Vorspann gleich auch die Eröffnungsfrage der Quästionen zur Gotteslehre im engeren Sinne. In seiner *Summa* nennt Heinrich auch einige Beweggründe für den von ihm eingeschlagenen Weg des theologischen Denkens. Im Prolog zu *art. 21* entfaltet Heinrich von Gent den Gesamtplan des ersten Teiles seiner *Summa*, der über Gott selbst handeln soll, indem er den Blick über das Universum des in der Theologie Wißbaren schweifen läßt und aus dieser Totalperspektive heraus regressiv hinleitet auf den wissenschaftstheoretischen Ort der Frage nach Gottes Existenz.[43] Dieser Prospekt stellt sich dem von Heinrich in seiner vor-

[42] Cf. COLISH, *Peter Lombard*. 1994, tom. I, pp. 227-245, die die Ausführungen des Lombarden zur menschlichen Gotteserkenntnis im Kontext der Theologie des 12. Jahrhunderts eingehend analysiert. Cf. auch Kap. II, § 5,1 not. 5.

[43] Cf. HENR. DE GAND., *Summa 21, prol.* Badius 123rR. Die Bedeutsamkeit und Verbind-

ausgeschickten theologischen Prinzipienlehre selbst erhobenen Anspruch, den *proprius ordo et modus procendi* der Theologie zu wahren, d. h. mit Gott selbst zu beginnen und dann zur Betrachtung der Geschöpfe überzugehen.[44]

Prinzipienhaftes Subjekt (*subiectum principale*) der theologischen Wissenschaft ist nach Heinrichs Auffassung niemand anderer als Gott selbst, dem gegenüber die Geschöpfe als die diesem Subjekt zugehörige *materia attributa* anzusehen sind. Theologie im strikten Sinne hat einerseits zu erörtern, was an Gott eingesehen werden kann und von welcher Art diese Einsicht ist (art. 21-72), und andererseits zu klären, wie diese Einsicht auszusagen ist (art. 73-75). Da Gott betrachtet werden kann als der Eine, der in sich existiert und aus dem alles übrige hervorgeht, wird zuerst all das betrachtet, was Gott an sich zukommt (art. 21-72), erst danach das, was Gott in seinem Verhältnis zu den Geschöpfen zukommt.[45] Von den Gott in sich zukommenden Bestimmungen werden wegen der Einheit seiner Substanz und der Unterscheidung der göttlichen Personen sowohl diejenigen untersucht, die zur gemeinsamen göttlichen Substanz gehören (art. 21-52), wie auch die, die die Unterschiedenheit der Personen betreffen (art. 53-72). In der göttlichen Wesenheit kann etwas zweifach in den Blick genommen werden, zum einen nämlich als eine Gott inhärierende Proprietät, zum anderen als zugrundeliegende Wirklichkeit und Natur (*res et natura subiecta*), also die göttliche Substanz in sich (art. 21-52). Diese wiederum wird in sich (art. 21-31) und gemäß ihren substantiellen Proprietäten (art. 32-52) untersucht. Weil nach AVICENNA[46] das Sein der erste Begriff in der Wirklichkeit und Leben ein gewisser Seinsmodus ist, ist vorgängig zu Gottes Seinsmodi wie Leben und dergleichen (art. 27- 31) zuerst Gottes Sein selbst (art. 21-26) zu behandeln. Insofern nach AVERROES[47] das Eine und das Sein im Wesen jeden Dinges auftreten und keine der Wesenheit zugefügte Ordnungen (*dispositiones*) sind und nach AVICENNA[48] diese beiden sofort, uranfänglich und aus keinem anderen Bekannten abgeleitet in der Seele eingedrückt sind, wird an der göttlichen Wesenheit zuerst deren Seiendheit (*entitas*) und Einheit (art. 21-25), dann deren Natur (art. 26) erkundet. Da nun

lichkeit, die Heinrich selbst diesem Prolog zumißt, ersieht man auch aus den direkten Rückverweisen in den letzten Teilen der *Summa*; cf. ID., *Summa 72 prol.* Badius 255rK; ID., *Summa 73, prol.* Badius 263vX.

[44] Cf. zur Unterscheidung von Philosophie und Theologie bes. HENR. DE GAND., *Summa 19,1* Badius 115vK; ID., *Summa 19,2* Badius 118r-vF; ferner ID., *Summa 22,5* Badius 135rF. - Über seine Orientierungsfunktion für den Leser hinaus verdient dieser Prolog, der einem methodischen Exkurs gleichkommt, eigene Beachtung, weil er bereits *in nuce* alle Autoritäten und tragenden Beweiselemente der henrizianischen Lehre natürlicher Gotteserkenntnis enthält.

[45] Zur Diskussion über einen zweiten, ungeschriebenen Teil der *Summa* Heinrichs mit dem Titel *De creaturis* cf. Kap. I, § 3,2.

[46] Cf. AVIC., *De anima II,36* Van Riet 99.

[47] Cf. AVERR., *Metaph. IV,3* ed. Iunt. VIII, fol. 67rA-B.

[48] Cf. AVIC., *Metaph. I,5* Van Riet 31,2-32,4; cf. Kap. II, § 2 n.11.

nach ARISTOTELES[49] das Eine bezüglich des Seienden eine Negation und Privation der Teilbarkeit bezeichnet, wird erst nach Gottes Seiendheit (art. 21-24), dann nach seiner Einheit (art. 25) gefragt. Bezüglich der Seiendheit eines Dinges (*res*) aber kann nach ARISTOTELES[50] aufgrund eines zweifachen Vorwissens über den Gegenstand einer Wissenschaft zweifach gefragt werden, nämlich ob es sei (*an sit*) und was es sei (*quid sit*).[51] Da die erstere Frage die einfachere ist und stets der zweiten vorausgeht, wird auch über Gott zuerst gefragt, ob er sei (art. 21-22), dann, was er sei (art. 23-24). Die Lehre des ARISTOTELES[52], daß sich alles in gleicher Weise zu seinem Erkennen verhält wie zu seinem Sein, auf seine Bestandteile hin aufgliedernd, werden die Fragen, ob Gott sei und was er sei, jeweils noch im Hinblick auf Gott in sich und absolut (art. 21 bzw. 23) sowie im Hinblick auf unser menschliches Erkennen (art. 22 bzw. 24) angegangen.

Heinrichs Haupteinteilung der Themen christlicher Theologie in Gott selbst und Schöpfung spiegelt das augustinische Schema von *res* und *signa* wider. Die Aufteilung der Gotteslehre in einen Traktat über Gott den Einen und über Gott den Dreifaltigen verrät den deutlichen Einfluß des THOMAS VON AQUIN, der in seiner 1265-68 verfaßten *prima pars* der *Summa theologiae* als erster diese didaktisch motivierte Scheidung in ganzer Konsequenz durchgeführt hat,[53] auch auf Strukturüberlegungen des henrizianischen Gottestraktates. Neu bei Heinrich ist die entschiedene Bevorzugung metaphysischer Theorien, die der Essenzmetaphysik des AVICENNA entnommen sind und auf die christliche Gotteslehre kritisch appliziert werden. Spezifischer Gegenstand der Frage nach der Existenz Gottes ist folglich Gottes Sein in seiner wesenhaften Seiendheit, die in sich der göttlichen Wirklichkeit und Natur zugrundeliegt und als Substanz den göttlichen Personen gemeinsam ist. Gut erkennbar ist der Einfluß des AVICENNA, der Heinrichs Blick auf den Begriff der Seiendheit hinlenkt und dessen Lehre vom Seienden als einem unableitbaren Erstbegriff menschlichen Erkennens[54] dem von Heinrich geführten

[49] Cf. ARIST., *Metaph. IV,4* ed. Iunt. VIII, fol. 67vL.

[50] Cf. ARIST., *Anal. Post. I 1*, 71a1-2.

[51] Eine eingehende Erklärung dieser von Heinrich sehr eigenständig adaptierten Distinktion erfolgt in HENR. DE GAND., *Summa 24,3* Badius 138rN-139vZ (cf. Kap. II, § 5,3).

[52] Cf. ARIST., *Metaph. II 1*, 993b30-31.

[53] Zu dieser Traktateinteilung des THOMAS, die schon frühscholastische Vorläufer, spec. ROBERT VON MELUN, hatte, cf. W. KNOCH: *'Deus unus est trinus'. Beobachtungen zur frühscholastischen Gotteslehre.* In: M. BÖHNKE/H. HEINZ (Hg.): Im Gespräch mit dem dreieinen Gott. Elemente einer trinitarischen Theologie (Fschr. W. BREUNING zum 65. Geb.). Düsseldorf 1985, pp. 209-230; H. JORISSEN: *Zur Struktur des Traktates 'De Deo' in der Summa theologiae des Thomas von Aquin.* In: BÖHNKE/HEINZ (Hg.): Im Gespräch mit dem dreieinen Gott. 1985, pp. 231-257; O. H. PESCH: *Thomas von Aquin.* Mainz 1988, pp. 179-183.

[54] Cf. AVIC., *Metaph. I,5* Van Riet 31,2-32,4: *Res et ens et necesse talia sunt, quod statim imprimuntur in anima prima impressione, quae non acquiritur ex aliis notioribus se.* Für Zitate oder Anspielungen Heinrichs auf diesen Satz cf. ID., *Summa 1,12* Badius 22rL; ID., *Summa 3,1* Badius 28rB; ID., *Summa 21,2* Badius 124rE; ID., *Summa 21,3* Badius

Nachweis der Existenz Gottes seine inhaltlich bestimmende Note aufdrückt. In der formalen Durchführung folgt Heinrich ohne Abstriche dem durch ARISTOTELES gesetzten und akzeptierten methodischen Standard, jeder *quid sit*-Frage eine *an sit*-Frage vorauszuschicken. Griechische und arabische Philosophie, aristotelische Logik und avicennische Metaphysik liefern also Heinrich entscheidendes Rüstzeug, szientifisch die Existenz des christlich bekannten Gottes auszuweisen.

Gewicht für Heinrichs Theorie natürlicher Gotteserkenntnis besitzt bereits die methodologische Strukturierung seines Traktats gemäß der Fragefolge von *an sit* und *quid sit.* Ohne späteren Ausführungen vorgreifen zu wollen,[55] in denen die erkenntnismetaphysischen Voraussetzungen der Neuinterpretation des *si est* bei Heinrich zur Sprache gebracht werden, sei darauf hingewiesen, daß die aristotelische Aufteilung der *si est*-Frage als Frage nach der bloßen Existenz und der *quid est*-Frage als der Frage nach dem definiblen Wesen von Heinrich aufgehoben wird, indem er im Kontext seiner Wesensontologie als Gegenstand der *praecognitio* bereits eine - wenn auch nur konfuse - Erkenntnis der zugrundeliegenden Natur bestimmt. Trotz der Unbestimmtheit und Unvollkommenheit des so erreichbaren Wissens gewährleistet eine umgreifende quidditative Ordnung des Seins den Realitäts- und Wahrheitsgehalt und die Kontinuität beider Wissensformen. In neuer Weise und in bedeutsamen Punkten wird von Heinrich die Frage nach dem Wesen Gottes in die Frage nach seinem Dasein vorverlagert.

Eine der wirkmächtigsten Lehren Heinrichs ist nun seine Wesensontologie[56], die er von Anfang seines theologischen Magisteriums an - insbesondere

126rD-E; ID., *Summa 22,5* Badius 134vD; ID., *Summa 24,3* Badius 138vP; ID., *Summa 24,7* Badius 144rH; ID., *Summa 24,9* Badius 146vX; ID., *Summa 34,3* Macken 190,38-39; ID., *Qdl. VI,1* Wilson 3,63-64; dazu GÓMEZ CAFFARENA, *Ser participado.* 1958, p. 42sq. Wichtig zum Verständnis der avicennischen Lehre ist die Studie von MARMURA, *Avicenna on Primary Concepts.* 1984; zu deren Rezeption im lateinischen Mittelalter SCHÖNBERGER, *Transformation.* 1986, pp. 95-121, dort p. 107 not. 22 eine Belegliste hochscholastischer Bezugnahmen auf die avicennische These (dortiger Erstbeleg: THOM. DE AQU., *Ver. I,1* [a. 1258]). Hinzuzufügen wäre u.a. IOA. PECKHAM, *In I Sent., dist. 17* [ante 1270] Spettmann 220.

[55] Cf. Kap. II, § 5,3 zu HENR. DE GAND., *Summa 24,3.*

[56] Als einschlägige Sekundärliteratur zu Heinrichs metaphysischen Lehren und seiner Wesensontologie cf. PAULUS, *Essai.* 1938, spec. pp. 259-326; GÓMEZ CAFFARENA, *Ser participado.* 1958, passim; DECORTE, *Avicenniserend Augustinisme.* 1983, pp. 87-160 (bedeutsam wegen der Korrekturen an der Interpretation PAULUS'); PORRO, *Enrico di Gand.* 1990, pp. 41-71; DECORTE, *Waarheid als weg.* 1992, pp. 217-234. Zu Heinrichs Verständnis *esse essentiae* und *esse existentiae* cf. PAULUS, *Essai.* 1938, spec. pp. 284-291; ID., *Les disputes d'Henri de Gand et de Gilles de Rome.* 1940-42; HOERES, *Wesen und Dasein.* 1965; F. A. CUNNINGHAM: *Some Presuppositions in Henry of Ghent.* In: Pens. 25 (1969), pp. 103-143; WIPPEL, *Internal Distinction between Essence et Existence.* 1974; R. IMBACH: *Averroistische Stellungnahmen zur Diskussion über das Verhältnis von esse und essentia.* In: A. MAIERÙ/A. PARAVICINI BAGLIANI (Hg.): Studi sul XIV secolo in memoria di Anneliese Maier (StT 151). Rom 1981, pp. (299-339) 302-309. 316-321; WIP-

in einem langen und vehement geführten Disput mit AEGIDIUS ROMANUS - explizierte. Der *Doctor solemnis* sah in dieser Ontologie etwas vom Eigensten seines Denkens ausgedrückt. Um nun einen ersten Einblick in diese hochkomplexe und auch in der Heinrich-Forschung kontrovers interpretierte Lehre in ihren Hauptelementen zu gewinnen und dabei deren spezifisch theologische Aussagekraft zu verdeutlichen, soll das *Quodlibet I,1* - ein Text, der vom Autor absichtsvoll seiner theologisch-magistralen Erstveröffentlichung vorangestellt worden ist[57] - in seiner programmatischen Bedeutung erläutert werden.

Heinrich stellte sich in *Qdl. I,1* die Frage, *utrum in Deo sit ponere bonitatem aliquam personalem*.[58] Gibt es in Gott eine personale Gutheit? Diese Frage war zur Zeit Heinrichs in ihrem theologisch-systematischen Kontext durch das Problem bestimmt, worin für den Menschen angesichts der nochmals vom IV. Laterankonzil als *unum universorum principium* hervorgehobenen Einheit des göttlichen trinitarischen Lebens und Wirkens[59] Inhalt und Grenze seiner natürlichen Gotteserkenntnis liegen und wie dabei die biblisch geoffenbarten Attribute des vom christlichen Glauben als dreifaltig-lebendig bekannten Gottes an der Schöpfungswirklichkeit ausgewiesen werden können.

Die tradierte Lehre nahm an, daß nicht die Beschaffenheit der bezeichneten Sache (*modus essendi*), sondern die Art der Bezeichnung (*modus significandi*) die unterschiedlichen Gottesattribute und Gottesnamen bedingt. Bei THOMAS VON AQUIN wird für den - nach THOMAS - wesensmäßig auf sinnenvermittelte Welterkenntnis angewiesenen Menschen durch die Tragkraft analogen Erkennens ein Weg zur Gotteserkenntnis eröffnet. Doch diese von THOMAS für die Theologie akzeptierte Theorie philosophischer Gotteslehre gerät in eine Krise.[60] Es ist zwar unumstritten, daß im vergleichenden menschlichen

PEL, *Relationship between Essence and Existence.* 1982; ID., *Essence and Existence.* 1982, pp. 403-407; DECORTE, *Avicenniserend Augustinisme.* 1983, I, spec. pp. 115-121.

[57] Heinrich gliedert in seiner Vorbemerkung zu *Qdl. I* Macken 3,1-6 - wie auch in jedem anderen seiner Quodlibets - die Quästionen im Hinblick auf die Seinshierarchie. Zuerst steht das, was das Erste Prinzip betrifft (*pertinentia ad Primum Principium*), dann kommt das zur Sprache, was den Hervorgang der Dinge aus diesem Prinzip (*pertinentia ad processum rerum ab ipso*), also den Schöpfungsakt, betrifft, zuletzt all das, was die aus diesem Prinzip hervorgegangenen Dinge selbst (*pertinentia ad res procedentes ab ipso*) betrifft. Heinrich folgt in dieser strikten, wohl komponierten Anordnung dem theozentrischen *ordo disciplinae* christlich-neuplatonischer Theologie. Andere Autoren der Quodlibetalienliteratur seiner Zeit verzichteten teilweise ganz auf Einteilungskriterien, z. B. AEGIDIUS ROMANUS, EUSTACHIUS VON ARRAS oder GERARD VON ABBÉVILLE (cf. GLORIEUX, *Lit. quodl.* 1925/35, s.v.).

[58] Zur Interpretation von HENR. DE GAND., *Qdl. I,1* Macken 3-6 cf. HÖDL, *Ausgaben der Quodlibeta des Heinrich von Gent.* 1981, pp. 296-298; zur Lehre von den göttlichen Attributen bei Heinrich cf. PAULUS, *Essai.* 1938, pp. 181-185. 242-249. - Die Diskrepanz zu thomanischen Lehre erkannte sofort BERNHARD VON AUVERGNE in seiner *Abbreviatio et impugnatio quodlibetorum Henrici de Gandavo.*

[59] Cf. CONC. LATERAN. IV, *Const. I: De fide catholica.* COD 206; DH 800; Garcia y Garcia 41.

[60] Cf. HÖDL, *Die philosophische Gotteslehre.* 1978/1990, pp. 19-43; zur Lehre des THOMAS

Intellekt der Grund für die Vielzahl der göttlichen Attribute und Namen zu suchen ist. Aber der vom geschaffenen Intellekt gesuchte Bezugspunkt wird unterschiedlich bestimmt. THOMAS findet ihn in der Schöpfungswirklichkeit als einer Hervorbringung Gottes *ad extra*. Da Heinrich mit den von ihm gewählten augustinischen Grundoptionen die göttlichen Vollkommenheiten im Wesen Gottes selbst, also in seinem Leben *ad intra*, für auffindbar hält, will er dem von THOMAS vorgeschlagenen Weg nicht folgen. Heinrich trennt sich von dieser Tradition, weil für ihn - wie er sich an späterer Stelle ausdrückt - die Attribute und Namen Gottes ihres Erkenntnisgehaltes verlustig gehen und fast zu Fiktionen des menschlichen Geistes herabgestuft werden.[61] Die Frage nach den göttlichen Attributen wendet Heinrich, wie wir sehen werden, mit großer Entschiedenheit in die Frage um, wie der christliche, für Heinrich eben immer auch trinitarisch lebende und wirkende Gott im Hinblick auf die Gutheit seiner Schöpfung und in Absetzung von der (nur) geschöpflichen Güte allen Welthaften gültig erkannt werden kann. Wie weit führt Welterkenntnis den Menschen an Gott heran? Welches Band verknüpft das Sein dieser geschaffenen Welt mit dem Sein Gottes? Was an der Gottheit Gottes vermag der menschliche Geist gewahr zu werden?

Heinrich eröffnet seine Darlegung mit der Aufstellung zweier Einwände. Gemäß dem ersten Einwand ist in Gott dessen Gutheit nicht weniger unterscheidbar als dessen Einheit. Weil aber Gottes Einheit sowohl im Hinblick auf das Wesen wie auch im Hinblick auf eine Person aufgefaßt wird, gelte dies auch für Gottes Gutheit.

Der zweite Einwand bringt die Konvertibilität der Transzendentalien ins Spiel. Auch wenn man einräumt, daß der Sache nach in Gott Wesen und Person identisch sind, bleibt davon der Unterschied unberührt, der herrscht zwischen einem Begriff (*conceptio*), den der Geist sich vom Wesen formt, und dem, den er sich von einer Person formt. Denn es ist dem Geist möglich, getrennt von dem, was dem Wesen eigen ist, das, was einer Person eigen ist, zu begreifen. Von diesem Begriff der Person kann man nun fragen, ob er ein Gut (*bonum*) sei. Falls man dies bejaht, haben wir den vorliegenden Fall, und es gibt eine personhafte Gutheit. Falls man es verneint, setzt man sich dem Einwand aus, daß man von diesem personhaften Gut nicht verneinen könne, daß es ein ewigkeitliches Seiendes (*ens aeternum*) sei. Die Begründung erfolgt dann zuerst von seiten des Seienden. Wenn nämlich Seiendes und Gutes konvertibel sind, und zwar im Falle eines personhaften Seienden, dann folglich auch im Falle eines personhaften Gutes. Zum zweiten ergibt sich von seiten eines ewigkeitlichen Seienden, daß Gott das Ewigkeitliche nicht weniger we-

cf. *ibid.*, pp. 20-27 sowie SCHÖNBERGER, *Nomina divina*. 1981.

[61] Cf. HENR. DE GAND., *Qdl. V,1* Badius (150vA-154rC) 152vT, das zu Weihnachten 1280 gehalten worden ist und die von Heinrich neu eingeschlagene Richtung sehr deutlich fassen läßt; dazu HÖDL, *Die philosophische Gotteslehre*. 1978/1990, pp. 28-30; ferner HENR. DE GAND., *Summa 51,3* Badius 55rB: *attributa Dei non quasi figmentum intellectus*.

sentlich ist als das Gute. Wenn es sich daher um ein personhaftes Ewigkeitliches handelt, ist es auch ein personhaftes Gut.

Hinleitend zur eigenen Lösung führt Heinrich als Gegenargument an, daß die Identität von Gottheit und Gutheit in Gott keine personhafte Gottheit (*deitas personalis*) oder Gutheit (*bonitas*) in Gott selbst zuläßt, sondern nur eine essentiale. Die Darlegung seiner eigenen Auffassung eröffnet Heinrich, indem er nicht ohne Emphase[62] das Axiom für alles von ihm später Gesagte geltend macht: Im Göttlichen können nicht Wesenhaftes und Personhaftes getrennt werden, es sei denn, dasselbe komme in je anderer Bedeutung (*alia et alia ratione*)[63] der Person und dem Wesen zu. Dabei sind bei Konvenienzen zwei Aspekte zu unterscheiden. Ist das Übereinstimmende allein auf die Person bezogen, ist es nicht wesentlich. Trifft etwas, sofern es nur eine einzige Bedeutung hat, nicht auf das Wesen zu, gilt es nur im Hinblick auf etwas Personhaftes.[64]

Heinrich erläutert das Axiom an einem Beispiel.[65] Weil Einheit (*unitas*)

[62] HENR. DE GAND., *Qdl. I,1* Macken 4,26-28: *Dicendum ad hoc, sicut et ad omnia alia sequentia, breviter et quasi summatim, non per declarationes evagando nisi in paucis occultioribus.*

[63] HENR. DE GAND., *Qdl. V,6* Badius 161vM, versteht *ratio* in dreifacher Weise: *Ratio autem hic non appellatur* (1) *vis quaedam cognitiva substantiae intellectualis, a qua anima nostra dicitur rationalis, neque etiam* (2) *opus ipsius rationis, secundum quod argumentum dicitur ratio rei dubiae faciens fidem, id est certitudinem. Sed ratio hic appellatur generali nomine* (3) *modus aliquis circa rem, sub quo nata est concipi determinate, absque eo quod concipiatur sub alio, sub quo similiter nata est concipi. Et hoc sine omni eius differentia re vel intentione, ita quod idem re et intentione conceptum diversis modis concipiendi dicitur differre secundum rationem, inquantum concipitur uno illorum modorum et non alio, sicut patet in conceptione definitionis et definiti et in diversitate divinorum attributorum.* Cf. SORGE, *'Ratio' nella 'Summa theologiae'.* 1993 [war dem Verf. nicht zugänglich].

[64] HENR. DE GAND., *Qdl. I,1* Macken 4,28-34: *Aliquid distingui in divinis penes essentiale et personale, hoc non contingit, nisi quia ipsum alia et alia ratione convenit personae et essentiae. Ita quod, si aliquid sub una et eadem ratione conveniat personae et essentiae, ipsum solum est essentiale, non personale. Si vero aliquid solum unicam habeat rationem, qua solum uni eorum convenit et non alteri, puta personae et non essentiae, solum erit personale et non essentiale.*

[65] Das von Heinrich herangezogene Beispiel der essentialen Einheit taucht häufig in der Sentenzenliteratur seiner Zeit auf, weil sich aufgrund unterschiedlicher philosophischer Prämissen eine Diskussion darüber entzündete, ob und inwieweit die Bestimmung der Einheit etwas einem Seienden hinzufüge. Nach Referat des THOM. DE AQU., *S. theol. I, q. 11, a. 1 corp.* wird zum einen - AVIC., *Metaph. III,3* Van Riet 115,41-118,93 (ebenso AVERR., *Destruct. destruct., disp. 3.* Ed. Iunt. IX, p. 55G) folgend - gelehrt, daß das Einssein etwas der Substanz hinzufüge. Strikt dagegen hält im Anschluß an ARISTOTELES und AVERROES z. B. THOM. AQU., *S. theol. I, q. 11,* daran fest, daß das Einssein lediglich *secundum rationem* etwas hinzufügt, insofern es die Negation einer Teilung aussagt. Die vermittelnden Positionen etwa der SUMMA FR. ALEX., *Lib. I, nr. 72-86* ed. Quar. I, pp. 112-137; EAD., *Lib. I, nr. 433-440* ed. Quar. I, pp. 625-633, BONAV., *In I Sent., dist. 24, a. 1, q. 1* Op. omn. I, pp. 420-422 (Scholion!), ALBERT. MAGN., *In I Sent, dist. 24, a. 3.* Borgnet 25, pp. 610-614, PETR. A TARANT., *In I Sent., dist. 24, q. 1, a. 2* ed. Toulouse 1652, tom. I, pp. 198b-199a, RICHARD. DE MEDIAV., *In I Sent., dist. 24, q. 1, a. 1* ed. Brescia 1591, tom. I, pp. 216a-217a, räumen einen positiven Gehalt ein, möchten ihn aber nur *virtualiter* vom Seienden abtrennbar sehen.

seiner formalen Bezeichnung nach in Gott eine Ununterschiedenheit (*indistinctio*) benennt, wie sie in den Geschöpfen eine Ungeteiltheit (*indivisio*) benennt, und die Bedeutung der Ununterschiedenheit eines Wesens anders ist als die einer Person, unterscheidet man daher in Gott eine zweifache Einheit, eine essentiale und eine personhafte. Von einer essentialen Einheit Gottes spricht man wegen der Einfachheit der Substanz, durch die Gott zwar in sich einer und ungeteilt (*unus et indivisus*) ist, aber von jedwedem anderen, z.B. den Geschöpfen, getrennt (*divisus*) ist. Von einer personhaften Einheit spricht man wegen der Einfachheit der personalen Proprietät, durch die jede Person in sich eine ist, in sich ununterschieden und von anderen unterschieden. Dagegen ist die Gottheit (*deitas*) in Gott immer eine essentiale, niemals eine personhafte, weil sie dem Wesen wie der Person in gleicher Bedeutung zukommt. Weil aber die Vaterschaft (*paternitas*), da sie allein die Eigenschaft des zeugenden Prinzips besitzt, allein dem Vater und nicht dem Wesen zukommt, ist Vaterschaft in Gott nur etwas Personhaftes.[66]

Nach dieser Vorklärung schreitet Heinrich zur Lösung. In Gott gibt es für die Gutheit in seinem Wesen keine andere Bedeutung als für die Gutheit in einer Person, vielmehr ist es ein und dieselbe. Denn Gott ist in seinem Wesen definiert als das Gute, weil er auch wesentlich Ziel[67] und Letztes - Eschaton - ist. Diese Einsicht erläutert Heinrich durch das Zeugnis dreier Hauptautoritäten seines Denkens. Zum einen hat alles, was ist und insoweit es ist, von Gott sein Gutsein, wie mit Berufung auf BOETHIUS[68] festgehalten wird. Zum anderen wird auch alles zu ihm zurückgeführt, insoweit es gut ist. Desweiteren ist Gott nämlich nach AUGUSTINUS[69] nicht durch ein anderes Gut gut, sondern durch sich gut und das Gut für jedes andere Gut. Schließlich sagt auch ARISTOTELES: Das, was durch sich und seine Natur gut ist, ist Ziel und Vollendung und in dieser Weise auch Ursache, da die Dinge seinetwegen sind.[70] Durch die Behauptung unendlicher Zielursachen verneine man ein letztes Ziel und zerstöre die Natur des Guten.[71] Es gibt also in Gott nur den einen und selben

[66] Cf. HENR. DE GAND., *Qdl. I,1* Macken 4,35-5,48: *Verbi gratia, quia unitas de formali significato suo in Deo dicit indistinctionem, sicut in creaturis dicit indivisionem, et alia est ratio indistinctionis essentiae, alia vero indistinctionis personae, ideo in Deo duplex distinguitur unitas essentialis et personalis. Essentialis propter substantiae simplicitatem, qua Deus est in se unus et indivisus, a quolibet autem alio, ut a creaturis, divisus. Personalis propter simplicitatem personalis proprietatis, qua persona quaelibet in se una est et indistincta, et ab aliis distincta. Deitas vero, quia sub ea ratione qua convenit essentiae, convenit et personae (non enim convenit personae, nisi quia in ipsa habet esse essentia), idcirco in Deo non est deitas nisi essentialis, non personalis. Paternitas vero, quia solum habet rationem principii generativi, qua per se convenit soli Patri et non essentiae, idcirco in Deo paternitas solum est personale, non essentiale.*

[67] Cf. HENR. DE GAND., *Summa 32,2* Macken 42,88-06; ID., *Summa 41,1* Badius 1rA-2rF; ID., *Summa 42,1* Badius 3vA-6rP.

[68] Cf. BOETH., *De hebd.* Elsässer 36,56-38,85.

[69] Cf. AUG., *De trin. VIII,3,4* CCL 50, p. 272.

[70] Cf. ARIST., *Metaph. III 2,* 996a23-25.

[71] Cf. ARIST., *Metaph. II 2,* 994b12-13.

Grund, durch den das Wesen und zugleich eine Person Ziel und letztes aller Güter sind. Dadurch nämlich kommt - wie Heinrich bewußt eigenwillig formuliert - jede göttliche Ordnung (*dispositio*), nach der ein Geschöpf eine Beziehung (*respectus*) zu Gott hat, gleichermaßen dem Wesen und den drei Personen zu.[72] Von daher darf man in Gott keine personhafte, sondern nur eine essentiale Gutheit behaupten.

Nach dem Gesagten fällt die Antwort auf den ersten Einwand leicht. Es wurde von ihm übersehen, daß die essentiale und personale Unterscheidung der Einheit in Gott wegen bestehender Unähnlichkeit der Grundlage auf die Gutheit in Gott nicht anwendbar ist.

In der Hauptsache aber interessiert Heinrich in dieser Quästion offensichtlich die Frage nach der Erkennbarkeit der Gutheit Gottes seitens des Menschen, so daß er seine Erwiderung auf den zweiten Einwand entsprechend lang ausfallen läßt. Der Einwand lautete, daß der vom menschlichen Geist für sich geformte Begriff (*conceptio*) von Wesenheit von demjenigen der Person unterschieden werden müsse. Heinrich gibt dieser Unterscheidung volles Recht. Der Grund (*ratio*) der Wesenheit und der der Person sind ein je anderer. Denn Wesenheit bezeichnet etwas Absolutes (*aliquid absolutum*), Person aber etwas Relatives (*aliquid relativum*).[73] Es ist eben diese metaphysische Andershaftigkeit, deretwegen der menschliche Geist unterschiedlich begründete Begriffe von Wesenheit und Person bildet. Es gilt allgemein von den göttlichen Dingen, daß wir von den Dingen, die wir nach unterschiedlichen Sachgründen erfassen, verschiedene Begriffe bilden, wie wir auch umgekehrt von den Dingen, die wir nach demselben Sachgrund erfassen, einen identischen Begriff bilden.[74] Gezeugtes, Ungezeugtes und Hervorgehendes z. B. werden wegen eines je unterschiedlichen Grundes durch verschiedene Begriffe erfaßt. Das Gottsein dieser drei Personen dagegen erfaßt man wegen des einzigen gegebenen Grundes mittels eines einzigen Begriffs. Erfaßt der menschliche Geist die Gutheit einer Person, erfaßt er nichts anderes als die Gutheit der göttlichen Wesenheit, die in der Person inbegriffen ist.[75]

Heinrich widerspricht allerdings in anderer, wichtiger Hinsicht dem vorher schon in Teilen stattgegebenen Einwand.[76] Anders als der Einwand behauptet, kann der Begriff dieser Wesenheit, mag er auch vom Begriff der Per-

[72] Cf. HENR. DE GAND., *Qdl. I,1* Macken 5,62-64: *omnis dispositio divina, ut ita loquar, secundum quam creatura habet respectum ad Deum, una et eadem ratione convenit essentiae et tribus personis.*

[73] Cf. HENR. DE GAND., *Qdl. I,1* Macken 6,73-74: *Essentia enim dicit quid absolutum, persona vero quid relativum.*

[74] Cf. HENR. DE GAND., *Qdl. I,1* Macken 6,76-79: *Hoc enim est generale in divinis, quod de eis, quae sub diversis rationibus concipimus, diversos conceptus formamus, et e converso de eis, quae sub eadem ratione concipimus, eundem conceptum formamus.*

[75] Cf. HENR. DE GAND., *Qdl. I,1* Macken 6,87-89: *Concipiendo igitur bonitatem personae, non concipimus aliam quam bonitatem essentiae inclusae in persona.*

[76] Cf. HENR. DE GAND., *Qdl. I,1* Macken 6,89-96.

son verschieden sein, nicht von diesem ausgeschlossen werden, indem man zwar nicht erfaßt, was zur Wesenheit gehört, aber erfaßt, was zur Person gehört. Daher handelt es sich bei der in einer Person erfaßten Gutheit um nichts anderes als um die essentiale Gutheit, wie es sich auch bei der Gottheit, die in einer Person erfaßt wird, um nichts anderes als die essentiale Gottheit handelt. Dazu will Heinrich ausdrücklich auch Seiendheit (*entitas*) und Ewigkeit hinzugenommen wissen.

Heinrich hat also aus der Frage nach dem Geltungsgrund der Gottesattribute in knappen, aber kräftigen Zügen Grundlagen christlicher Gotteserkenntnis entwickelt. Leitend ist für Heinrich der Begriff der Wesenheit, und zwar nicht der die Vollkommenheiten Gottes nur spiegelnde Begriff geschöpflicher Wesenheit, sondern der Begriff der in sich vollkommenen, personal–geistigen Wesenheit Gottes. Die Identifizierung von Wesenheit und Gutheit erhält nach Heinrich Geltung allein durch den identischen Sachgrund, nicht durch einen (nur) gleichlautenden Begriff. Der Sachgrund ist bei dieser intentional differenzierenden Betrachtungsweise immer auch als ein essentialer, absoluter Grund ausgewiesen. Beginn, Fortkommen und Vollendung der Gotteserkenntnis haben also Kraft und Festigkeit aus dem differenziert erkannten essentialen, absoluten Sein Gottes selbst. Die von Heinrich bemühte Konvertibilität der Transzendentien[77] bekommt eminent theologisches Gewicht, weil sie nicht nur zum Erkennen geschöpflichen Seins, sondern noch mehr zur Wesenserkenntnis Gottes beiträgt.

Doch diese wesensontologischen Fundamente einer neuen theologischen Gotteslehre sind in *Qdl. I,1* mehr proklamiert als expliziert. Ihre kompakte Darstellung erfahren sie in den zahlreichen Artikeln von *Summa 21-24*, die nun Gegenstand des ganzen folgenden Kapitels sind. Abschließend sei zu *Qdl. I,1* bemerkt, daß von Anfang seiner theologischen Publikationen an Heinrich an der grundsätzlichen Bedeutung des Trinitätsdogmas auch für Theorien allgemeiner natürlicher Gotteserkenntnis festhielt. Dies wird im Spätwerk durch eine fruchtbare und vertiefende Neuaufnahme der *Primum cognitum*-Lehre in trinitätstheologischen Kontexten bekräftigt, die später Gegenstand eines eigenen Abschnitts sein wird (Kap. III, § 3).

1. Die vielfache Kundgabe der Welt von der Existenz Gottes

Für die Philosophie und Theologie des christlichen Mittelalters war die rationale Leugnung der Existenz Gottes im Sinne eines positiven, kategorisch-doktrinären Atheismus kein relevantes Phänomen der Vergangenheit[78] oder

[77] Cf. HENR. DE GAND., *Qdl. I,1* Macken 3,17-18.

[78] Keine erhebliche Fortwirkung im lateinischen Mittelalter hatten die Nachrichten, die CICERO, *De nat. deor. I,2* Plasberg/Ax 1,15-2,3 (*plerique, quod maxime veri simile est et quo omnes sese duce natura venimus, deos esse dixerunt, dubitare se Protagoras, nullos esse*

eigenen Gegenwart[79]. Die prinzipielle Leugnung Gottes galt weithin als eine intellektuell wie existenziell nicht schlüssig nachvollziehbare Position weniger Einzelner. Bis weit ins 13. Jahrhundert hinein wurde der fortwährend zitierte Psalmvers: *Dixit insipiens in corde suo: Non est Deus* (*Ps 13,1* Vg bzw. *Ps 52,1* Vg),

omnino Diagoras Melius et Theodorus Cyrenaicus putaverunt) über die bereits in der Antike als Randphänomen eingeschätzten Atheisten mitteilte. Bevor sich ihre Spur fast ganz verliert (cf. Ilona OPPELT: *Ciceros Schrift De natura deorum bei den lateinischen Kirchenvätern.* In: AuA 12 [1966], pp. 141-155), fanden DIAGORAS VON MELOS (5. Jh. v. Chr.), THEODORUS VON KYRENE (um 340 - 250) sowie dessen Schüler EUHEMERUS VON MESSENE (um 340 - um 260) bei den christlichen Apologeten noch einige Beachtung; cf. DIAGOR. MEL. et THEOD. CYREN., *Reliquiae.* Ed. M. WINIARCZYK (BT). Leipzig 1981; EUHEM. MESS., *Reliquiae.* Ed. M. WINIARCZYK (BT). Leipzig 1991. - Grundsätzlich cf. M. WINIARCZYK: *Wer galt im Altertum als Atheist?* In: Philol. 128 (1984), pp. 157-183; 136 (1992), pp. 306-310; ID.: *Methodisches zum antiken Atheismus.* In: RhM 133 (1990), pp. 1-15; ID.: *Bibliographie zum antiken Atheismus. 17. Jahrhundert - 1990.* Bonn 1994 (154 pp.!). - Erwähnenswert ist die Existenz eines auch die o.g. Schrift *De natura deorum* umfassenden Kodex mit Werken CICEROS im Kloster Bec. Ob ANSELM VON CANTERBURY während der Abfassung des *Proslogion* ihn benutzt hat und der dortige Bericht über antike Atheisten sein Verständnis des *insipiens* beeinflußt hat, kann höchstens vermutet werden.

[79] Als hochprominente Ausnahme darf wohl der polemische, mit apokalyptischen Sprachformeln ausgestaltete Atheismus-Vorwurf gelten, den 1239 Papst GREGOR IX. (1227 - 1241) in einem Brief an Erzbischof HEINRICH VON REIMS gegenüber Kaiser FRIEDRICH II. (1194 - 1250) erhob, weil dieser von den drei Betrügern (MOSES, JESUS, MOHAMMED) geredet oder doch auch diese Ansicht an seinem Hof protegiert hätte. Cf. GREGOR. IX.: *Epist. 'Ascendit de mari'* (1. iul. 1239). MGH.Ep XIII/1, nr. 750, p. (646-654) 653, lin. 24-45. Die historische Wahrheit sieht allerdings anders aus, wie H. M. SCHALLER: *Die Frömmigkeit Kaiser Friedrichs II.* In: DA 51 (1995), pp. 493-513, darlegen kann. Nichtsdestoweniger rekurrierte noch MATTH. AB AQUASP., *Qu. de fide 3: Utrum tantum sit salus in una et sola fide et lege christiana* [a. 1277/78] BFS I², p. (70-100) 78,1-2, mit einem vorsichtigen *dicitur fuisse* auf diesen Vorwurf. Der Gedanke, die Entstehung der Religionen sei auf einen Betrug ihrer Stifter zurückzuführen, hat auch eine Vorgeschichte im islamischen Raum; cf. O. H. BONNEROT: *L'"imposture" de l'Islam et l'esprit des Lumières.* In: Ètudes sur le XVIIIe siècle (1980), pp. 101-114; F. NIEWÖHNER: *Veritas sive Varietas. Lessings Toleranzfabel und das Buch von den drei Betrügern.* Heidelberg 1988. - BOCCACCIO (1313 - 1375), *Decameron VI,9* berichtet vom Naturphilosophen GUIDO CAVALCANTI, dem aufgrund seiner Zuneigung zum Epikureismus nicht nur Leugnung der Unsterblichkeit nachgesagt worden sei, sondern auch das stete Nachsinnen über einen Beweis für die Nichtexistenz Gottes. Die pränietzscheanisch anmutende Proklamation aus dem Munde eines Philosophen: *Deus est mortuus,* überliefern die GESTA ROMANORUM, *Cap. 144: De statu mundi actuali.* Ed. H. OESTERLEY. Berlin 1872 (ed. anastat. Hildesheim 1963), p. (500-503) 500,30; dazu O. PLUTA: *„Deus est mortuus". Nietzsches Parole „Gott ist tot!" in einer Geschichte der „Gesta Romanorum" vom Ende des 14. Jh.* In: F. NIEWÖHNER/O. PLUTA (Hg.): Atheismus im Mittelalter und in der Renaissance. Wiesbaden (im Druck). - Die Geschichte des Atheismus im Mittelalter ist noch ungeschrieben. Sie hätte ein gemeinsames Werk von Theologen, Philosophen, Kirchen-, Profan- und Sozialhistorikern zu sein. F. MAUTHNER: *Der Atheismus und seine Geschichte im Abendlande* (4 Bde.). Stuttgart 1920-23, Bd. I (1922), pp. 171-478, und spec. H. LEY: *Geschichte der Aufklärung und des Atheismus* (5 Bde.). Berlin-Ost 1966-89, Bd. II/2 (1971), pp. 7-526, sind als Tendenzwerke nur bedingt benutzbar.

dessen Rezeptionsgeschichte in der patristischen und scholastischen Theologie noch nicht präzise erforscht ist,[80] überwiegend so verstanden, daß er eine durch eigene moralische Verfehlung bedingte Selbstverblendung bezeichnet, näherhin eine Selbstvergötzung[81] und ein willentliches Blindstellen vor dem, was in der Welt offenkundig existiert und prinzipiell gilt (*stultitia*)[82]. Gottesleugnung ist nach dieser neuplatonisch-augustinischen Deutung ein hochmütiger Aufruhr gegen Gott und schwerer sittlicher Defekt, dessen fatalen Auswirkungen auf das Erkenntnisvermögen nur eine Katharsis abhelfen kann. Gottesleugnung steht demnach eher in der Nähe eines häretischen Irr- und Unglaubens, der aus mannigfachen Gründen die Wahrheit über den existenten Gott verbiegt.[83] Spätestens seit THOMAS VON AQUIN ist der genannte Psalmvers aber im Rahmen einer aristotelisierenden Theorie stets sensual vermittelter Welterfahrung auch so gedeutet worden, daß auf der Basis einer primären, d. h. vor-wissenschaftlichen Wirklichkeitswahrnehmung die Existenz Gottes wegen ihrer Latenz für das sensual gebundene menschliche Erkennen grundsätzlich und mit statthaften Argumenten geleugnet werden kann.[84] Dies hat für THOMAS die zwingende Folge, daß seitens der Theologie vor etwaigen

[80] Cf. zur Gestalt des *insipiens* bei ANSELM VON CANTERBURY und seiner Deutung in der Scholastik des 13. Jahrhunderts die belegreichen Ausführungen bei SCHÖNBERGER, *Responsio Anselmi*. 1989, pp. 14-18; mit besonderer Beachtung der durch die Vulgata-Übersetzung vorgegebenen Texte Th. O'LOUGHLIN: *Who ist Anselm's Fool?* In: New Scholasticism 63 (1989), pp. 313-325; hilfreich, aber nicht erschöpfend KAPRIEV, *Ipsa vita et veritas*. 1998, pp. 67-72; cf. auch oben die not. 37. Zum biblischen Verständnis des Toren cf. J. MARBÖCK: nabal. In: ThWAT V (1986), col. 171-185; G. BERTRAM: φρην κτλ. In: ThWNT IX (1973), pp. (216-231) 221. 226sq.; D. ZELLER: αφροσυνη, αφρων. In: EWNT I (1980), col. 444-446.

[81] Gegen den amalrikanischen Pantheismus polemisierte geschliffen IOA. TEUTON., *Sermo* [Paris, B.N. 14525, fol. 111], ed. G. C. CAPELLE: Amaury de Bène (BiblThom 16). Paris 1932, p. 90: *Certe dixit insipiens in corde suo: Non est Deus. Dixit insipientior in corde suo: Ego sum Deus.*

[82] Die Verbindung der derart theologisch begriffenen Dummheit (*stultitia, stoliditas*) mit der Gottesleugnung war durch diverse Bibelstellen sehr begünstigt; z. B. übersetzte der *Liber psalmorum iuxta hebraicum translatus* abweichend vom *Liber psalmorum iuxta septuaginta emendatus*. In: Biblia Sacra Vulgata, ed. R. Weber 782/783. 832/833, die Stellen *Ps 13,1* bzw. *Ps 52,1* mit: *Dixit stultus in corde suo: Non est Deus.* Cf. auch THOM. DE AQU., *S.c.G. III,38* nr. 2165 Pera 44: *Designatur enim per hoc maxime stodilitas, quod tam manifesta Dei signa non percipit, sicut stolidus reputaretur qui hominem videns eum habere animam non comprehenderet. Unde et in Psalmo dicitur: 'Dixit insipiens ...'*; ID., *S. theol. II-II, q. 46, a. 1-3* ed. Paul. 1288-1290; dazu Annie KRAUS: *Vom Wesen und Ursprung der Dummheit*. Köln/Olten 1961; EAD.: *Der Begriff der Dummheit bei Thomas von Aquin und seine Spiegelung in der Sprache*. Münster i.W. 1971.

[83] Man vergleiche den wirkungsreichen Katalog der *causae errorum, impietatis et sectarum perditionis* bei GUILL. DE ALVERN., *De fide I,2* ed. Paris 1674, pp. 7bD-13aF; überblickshaft LANG, *Entfaltung des apologetischen Problems*. 1962, pp. 185-194.

[84] Cf. THOM. DE AQU., *In I Sent., dist. 3,1,2 s.c. 1* Busa 10c; ID., *Ver. X,12 s.c. 1* ed. Leon. 22, p. 339,65-66; ID., *S. theol. I, q. 2, a. 1 s.c.* ed. Paul. 12; mit Blick auf die Geltung der *ratio Anselmi* bes. deutlich ID., *S.c.G. I,11* nr. 67 Pera 14: *Et sic nihil inconveniens accidit ponentibus Deum non esse.*

Aufrufen zu moralischer Umkehr und Besserung *ad hominem* erst ein szientifisch geführter, allgemein gültiger Existenznachweis geleistet werden muß. Durch diese thomanische Aufwertung des 'Toren' verschärften sich in einem zentralen Punkt die beweistechnischen Anforderungen an den christlichen Gottestraktat. Der christliche Theologe hatte nun - ohne falsche Nobilitierung - die Figur des Gottesleugners als einen ernsthaft und redlich argumentierenden Kontrahenten anzusehen, der ein vorwurfsfreies Verständnis seiner Position und eine sachlich gehaltene Erwiderung beanspruchen darf.

Heinrich von Gent knüpft an die neuplatonisch-moralische Deutung der Gottesleugnung, aber auch an deren Problemaufwertung durch den Aquinaten an, als er den Anfang seiner systematischen Erörterungen in der *Summa* mit der Frage setzt, ob Gott überhaupt ein Sein besitze, ob er also existiere.[85] Heinrich führt zwei Einwürfe auf, die einerseits die Denkbarkeit und andererseits die reale Wirksamkeit der Existenz Gottes bestreiten. Der erste, begriffsanalytische Einwand läßt allein den alle Begrenzung ausschließenden anselmianischen Gottesbegriff (*quo maius cogitari esse non potest*) gelten und schließt daraus, daß die Unendlichkeit Gottes und darum auch seine Existenz nicht gegeben sei, weil zu allem, was ins Sein gesetzt ist, sich etwas in ihm, von ihm oder über ihn als Größeres denken lasse. Der zweite, das Theodizeeproblem berührende Einwand, den Heinrich übrigens wohl von THOMAS übernommen hat,[86] operiert mit der Unendlichkeit des Guten und Ehrenwerten in Gott. Weil ein Unendliches neben sich weder ein Gleichartiges noch ein Entgegengesetztes zuläßt, sondern es zerstört, findet sich, falls es Gott gibt, kein Übel in den Dingen, sondern nur er selbst. Dies trifft aber offenkundig nicht zu, so daß Gottes Sein geleugnet werden muß.

Heinrichs Argumentation *in contrarium* sucht zuerst in der Hl. Schrift ihre Stütze und führt *Ps 101,28* Vg und *Ex 3,14* an. Dann schlüsselt er Kernelemente der Argumentation ANSELMS im 'Proslogion' syllogistisch so auf, daß deren offenkundiges Beweisziel, die Unabweisbarkeit des Seins Gottes, gewahrt bleibt.[87] Als er zur eigenständigen Argumentation übergeht, setzt Heinrichs Analyse der Gottesleugnung nicht bei den Problemen an, die sich für das menschliche Erkennen z. B. durch Gottes wesenhafte Transzendenz er-

[85] HENR. DE GAND., *Summa 21,1* Badius 123rA-vD. - Zur Textinterpretation cf. PORRO, *Enrico di Gand.* 1990, pp. 41-43 (zu Heinrichs Rezeption des anselmianischen Proslogion-Arguments); DECORTE, *Henry of Ghent on Analogy.* 1996, p. 84 (setzt die Schriftautorität als materiales Argument an); KAPRIEV, *Ipsa vita et veritas.* 1998, p. 332 (erhellend zum Unendlichkeitsargument).

[86] Cf. THOM. DE AQU., *S. theol. I, a. 2, q. 3 obi. 1* ed. Paul. 13; der Einwand findet sich auch bei GUALT. DE BRUGIS, *In I Sent., dist. 2,1* [a. 1261-65] Longpré 257. Doch während es THOMAS auf den Erweis der Gutheit Gottes ankommt, legt Heinrich den Akzent um und begründet die Verträglichkeit der Existenz des Bösen in der Welt mit der Existenz Gottes von dessen wesenhafter Unendlichkeit her.

[87] Cf. ANSELM. CANT., *Prosl. 14* Op. omn. I, p. 111sq. Zum Gebrauch der gegenüber ANSELM geänderten Formel *id quo maius excogitare* [nicht: *cogitare*!] *non potest* und ihrer Herkunft cf. Kap. II, § 3,2 not. 47.

geben. Er beginnt mit einer Situationsbestimmung des erkenntnisbegabten Menschen und konstatiert mit dem Damaszener[88] eine ins Gnoseologische hineinreichende Schädigung der menschlichen Natur. Die Bosheit dieser Natur bringe durch ihre Prävalenz bestimmte Menschen zur Leugnung des Daseins Gottes und führe sie so in einen ebenso vernunft- wie heillosen Abgrund des Verderbens.[89] Gleichwohl stimmen alle Menschen, deren Natur unverdorben ist, darin überein, daß Gott existiert. Ebendies lehrt ja die Natur. Mit Belegen aus der Schrift (*Ps 93,3* Vg; *Röm 1,21*), JOHANNES DAMASCENUS, AUGUSTINUS und der *Glossa ordinaria*, die formal als Autoritätsbeweise anzusehen sind, führt Heinrich aus, daß uns die Kenntnis Gottes eingepflanzt ist, daß von der gesamten, den Menschen umgebenden Schöpfung ein Ruf an ihn ergeht, der den Schöpfer der Kreaturen verkündet.[90] Zudem ist im Geist der Menschen, der die endlichen und vergänglichen Dinge dieser Welt übersteigt, ein Ort geschaffen, an dem das Dasein Gottes gewahr wird. Insbesondere die sichtbare Schöpfung des unsichtbaren Schöpfers, die zuläßt, daß durch sicher Erkanntes ansonsten unsicher Bleibendes gewußt werden könne, gab den *philosophi nobiles*, wie die *Glossa* sich ausdrückt, den Forschungsgegenstand, an dem sie mit Blick auf kosmische Schönheit und Ordnung dessen kunstvollen Baumeister erkannt haben.[91] Also vier Aspekte: eine eingeschaffene, angeborene Kenntnis Gottes, Schöpferlob des Universums, Transzendenz des menschlichen Geistes und Kosmotheorie bekräftigen für Heinrich in einem Konsens von Schrift, christlicher Tradition und paganer Philosophie Gottes Existenz, die sich selbst vielfach offenbar macht und auf die Erkenntnis und Anerkenntnis durch den Menschen wartet.

Der Einwand, daß zu jedem gesetzten Sein ein größeres gedacht werden könne, wird von Heinrich entkräftet, indem dem Einwand nur für endliches Sein Geltung zugesprochen wird. Unendliches Sein vermag aufgrund der ihm eigenen, unübersteigbaren Unendlichkeit jedes andere Sein - und sei es noch so groß gedacht - in sich aufzunehmen, da es keine Hinzufügung zur göttlichen Vollkommenheit darstellt. Aus der Erwiderung auf den Einwand, daß

[88] Cf. IOA. DAMASC., *De fide orth. I,3* Buytaert 16,7-11; cit. ap. BONAV., *De myst. trin. 1,1 ad opp. 2* ed. Quar. V, p. 48a.

[89] Heinrich wertet Gottesleugnung dieser Art als Albernheit der Toren (*Summa 25,3* Badius 154rG) und als größtes aller Übel (*Summa 30,3* Badius 179vK. 180vR-S).

[90] BONAV., *De myst. trin. 1,1 obi. 11-20* ed. Quar. V, p. 46b-47b wollte dieses sog. Rufen der Schöpfung *ex decem conditionibus et suppositionibus per se notis* aufzeigen; cf. ferner ID., *ibid.* ed. Quar. V, p. 49a.

[91] Cf. IOA. DAMASC., *De fide orth. I,1* Buytaert 12,22-23: *omnibus enim cognitio existendi Deum ab ipso naturaliter nobis inserta est* (das *ab ipso* ist bei Heinrich regelmäßig ausgelassen, wohl im Anschluß an die fast gleichlautende Stelle *De fide orth. I,3* Buytaert 16,6; zur patristischen Lehre von der sog. 'eingepflanzten' Gotteskenntnis cf. Kap. III, § 1,2); AUG., *De trin. XV,4,6* CCL 50A, p. 467sq.; *Glossa in Rom. I,19* PL 114, col. 1326 (zur Herkunft dieser auf den AMBROSIASTER und auf AUGUSTINUS zurückzuführenden Glosse sowie zu ihrer innerscholastischen Tradierung cf. DANIELS, *Gottesbeweise.* 1909, p. 80 not. 8).

ein Unendliches kein ähnliches Sein neben sich dulde und ein gegensätzliches Sein zerstöre, sei hier von Bedeutung,[92] daß der Einwand soweit recht bekommt, wie es sich um ein Unendliches extensionaler Beschaffenheit handelt. Die allen Platz okkupierenden Dimensionen dieses extensionalen Unendlichen lassen kein weiteres dimensioniertes Sein zu, wohl aber ein nichtdimensioniertes. Ein Unendliches von derartiger Kraft und Einfachheit ist aber Gott, der kein Seiendes vertreibt, sondern alles durchdringt, umfaßt und bei sich duldet, wie die Ursache das Verursachte. Dies gilt nicht nur für Seiendes und Gutes, sondern auch für einen Mangel an Sein und das Böse und steht jenem Gut, das Gott formal selber ist, nicht entgegen, da das Böse nicht das Gut schmälert, das Gott selber ist, sondern allein irgendein Gut der Kreatur.

Die Beantwortung der Einwände, die beide in je eigener Weise Gottes Unendlichkeit gegen Gottes Sein ausspielen wollen, geben die Sorgfalt zu erkennen, mit der Heinrich von Anfang an die göttliche Unendlichkeit als ein tragendes Element seiner weiteren Überlegungen gegen Fehldeutungen in Schutz nimmt. Mit den benannten Quellen der Gotteserkenntnis will Heinrich zunächst nur die Annahme der Existenz Gottes als probabel erweisen. Für die entsprechenden szientifischen Argumente und deren Beschaffenheit verweist er selber auf das Folgende.[93]

2. Das Sein Gottes und das Sein der Welt oder: Das Problem der Analogie

Wenn nun aber durch ein Bündel konvergierender Argumente als probabel erwiesen ist, daß Gott existiert, stellt sich für Heinrich sofort die Frage, ob das Gott zugesprochene Sein angesichts einer Koexistenz von Gott und Welt ein ununterschieden gemeinsames ist.[94] Mit der Antwort auf diese Frage ent-

[92] HENR. DE GAND., *Summa 21,1 ad 2* Badius 123vD, schließt sich hier noch ohne differenzierende Kritik der ästhetischen Theodizee AUGUSTINS an, kritisiert aber an späterer Stelle (*Qdl. V,5; Qdl. VIII,5*) vehement das '*Malum auget decorem in universo*'-Theorem (Formulierung nach BONAV., *In I Sent., dist. 46,1,5,5* ed. Quar. I, 830b), indem er eine klare Scheidung der Bereiche des naturalen und des moralischen Seins vornimmt (cf. HENR. DE GAND., *Qdl. I,20* Macken 167,38-40). Heinrichs dortige Kritik ist leider unberücksichtigt geblieben in dem bahnbrechenden Aufsatz von HÜBENER, *Malum auget decorem in universo.* 1977.

[93] Cf. HENR. DE GAND., *Summa 21,1* Badius 123vB: *Quibus autem et qualibus rationibus hoc de Deo ex creaturis* [sc. *philosophi*] *noverunt, inferius videbitur. Deum esse, firmissime tenendum est.*

[94] Cf. HENR. DE GAND., *Summa 21,2* Badius 123vE-125vV. - Zur Textinterpretation dieser Quästion cf. PAULUS, *Argument ontologique.* 1935, pp. 282sq. 286. 297; ID., *Essai.* 1938, pp. 52-60; WOLTER, *Transcendentals.* 1946, pp. 37-40; GÓMEZ CAFFARENA, *Ser participado.* 1958, pp. 66. 84sq. 103. 112. 182-190; ROVIRA BELLOSO, *Visión de Dios.* 1960, p. 156sq.; BEHA, *Theory of Cognition.* 1960/61, p. 395; HOERES, *Wesen und Dasein.* 1965, p. 156; BROWN, *Avicenna.* 1965, pp. 120-122; ZIMMERMANN, *Ontologie.* 1965, p. 195sq.; HONNEFELDER, *Ens inquantum ens.* 1979, pp. 280-283. 289-307. 311; DUMONT, *Source.* 1982, p. 75 not. 32; p. 77 not. 48. 51; pp. 87-106 passim; p. 110 not. 8; p. 143 not. 17; p. 282sq. not. 1-3; p. 286 not. 17; p. 294 not. 50; DECORTE, *Avicen-*

scheidet sich, wie schon THOMAS klar ausgesprochen hat,[95] der Sinn allen menschlichen, also auch allen szientifisch-theologischen Redens von Gott. Die sich zwischen Univozität, Analogie und Äquivozität bewegenden Antworten auf diese Frage berühren neben zentralen metaphysischen, sprach- und erkenntnistheoretischen Problemfeldern eben auch eminent theologische Belange, und diese besonders auf dem Gebiet der Gotteserkenntnis. Führt denn nicht die Univozität von Erkennen und Sein hinsichtlich des Menschen in einen Pantheismus oder hinsichtlich Gottes in einen Anthropomorphismus hinein? Gleitet andererseits die auf Wahrung der Unterschiedlichkeit bedachte Analogie nicht in einen Agnostizismus der Äquivozität ab? Die theologische Tradition vor Heinrich, zuletzt vehement THOMAS VON AQUIN, hat sich grundsätzlich für die Tauglichkeit der Analogie ausgesprochen, was aber nicht die Ausbildung zahlreicher analogietheoretischer Varianten verhindert hat. Heinrich fügt diesen noch eine weitere hinzu. Die Berechtigung zu seiner Reformulierung des Analogieproblems sieht Heinrich in bislang unbedachten metaphysischen Implikaten, deren Bedeutung aus seiner eigenen, in kritischer Wendung zu AEGIDIUS ROMANUS entwickelten Wesensontologie ersichtlich wird. In Heinrichs umfänglicher Behandlung des Analogieproblems bekommt man daher seine Wesensontologie von erkenntnismetaphysischer Seite gut zu Gesicht.

Zugunsten einer Univozität des göttlichen und kreatürlichen Seins führt Heinrich drei Einwände an, von denen sogar zwei an AVICENNA anknüpfen. Heinrich läßt sich auf eine Kontroverse mit konkurrierenden Deutungen des avicennischen Denkens ein, die seinen philosophischen Vorzugsautor für eine christliche Adaption ungeeignet, wenn nicht gar in weiterer Konsequenz glaubensverfälschend erscheinen lassen. Mit einer *praeoccupatio* im Gewande scholastischer Disputation will also Heinrich möglichen Einwänden seiner theologischen AVICENNA-Rezeption vorgreifen. Der erste Einwand rückt das Sein Gottes und der Kreatur aufgrund der gemeinsamen Opposition zum Nichtsein zusammen. Denn das, wodurch irgendwelche Dinge von einem

niserend augustinisme. 1983, I, pp. 88. 95; MARRONE, *Augustinian Epistemology.* 1983, pp. 283-285; ID., *Truth.* 1985, pp. 107-124; WIELOCKX, *Aeg. Rom., Apol.* 1985, p. 129 (ad 124vL. 125rS); SCHÖNBERGER, *Transformation.* 1986, pp. 115. 151-155. 157. 308. 311sq.; MARRONE, *Knowledge of Being.* 1988, pp. 30. 33sq. 36-38; PORRO, *Enrico di Gand.* 1990, p. 134. Zur Analogielehre Heinrichs cf. nun grundsätzlich DECORTE, *Henry of Ghent on Analogy.* 1996, dem gravierende Korrekturen an der Deutung PAULUS' gelingen, desweiteren PAULUS, *Essai.* 1938, pp. 52-66; MONTAGNES, *Doctrine de l'analogie de l'être.* 1963, pp. 116-119; KLUXEN, *Analogie. I.* 1971, col. 223sq.; MACKEN, *Lebensziel.* 1979, pp. 113-115; DECORTE, *Avicenniseerend Augustinisme.* 1983, I, pp. 95-98; DUMONT, *Transcendental Being.* 1992, pp. 136sq. 146; BOULNOIS, *Duns Scot, théoricien de l'analogie de l'être.* 1996, pp. 299. 304-309. 315.

[95] Cf. THOM. DE AQU., *In I Sent., dist. 2,1,3 resp.* Busa 8a: *Ex hoc pendet fere totus intellectus eorum quae in primo libro* [sc. *Sententiarum*] *dicuntur,* ID., *In IV Metaph., lect. 1 n. 529* Cathala/Spiazzi 150: *Prius oportet cognoscere modum scientiae quam procedere in scientia ad ea consideranda, de quibus est scientia.* Cf. SCHÖNBERGER, *Nomina divina.* 1981, pp. 4-7.

anderen, aber nicht untereinander verschieden sind, kommt diesen Dingen in selbiger und gemeinsamer Weise zu. Wäre es nicht so, wären sie dadurch unterschieden und hätten es nicht gemeinsam in einem dritten. Gott und Kreatur dagegen differieren allgemein gemäß dem Verstehensgrund durch die je eigene Seiendheit als solche vom Nichtseienden, das eine reine Privation benennt.

Beim zweiten Einwurf wird einheitsmetaphysisch die durch die Zweiheit und Unterschiedenheit von Gott und Kreatur gegebene Vielheit an die allein übersteigend-verbindende Einheit des Seins rückgebunden. Das Selbige und das Unterschiedene teilen das ganze Seiende, so daß für den Fall, daß Gott und Kreatur nicht identisch wären noch im Seienden übereinkämen, sie im Seienden differierten und als Seiende voneinander unterschieden wären. Gott und Kreatur wären ein Vieles im Seienden, da nach ARISTOTELES das Selbige und das Unterschiedene auf das Eine und Viele zurückgeführt werden. Muß nun so jede Vielheit auf eine Einheit zurückgeführt werden, gäbe es oberhalb des Seienden, in dem Gott und Kreatur sich unterscheiden und in dem sie Viele sind, ein anderes, in dem sie übereinkämen und Eines wären. Dies ist aber nach AVICENNA unmöglich, weil der Grund des Einen früher wäre als der stets vorrangige Grund des Seienden.

Der dritte, abschließende Beweisgang für eine Univozität behauptet einen einfach-einen Seinsbegriff, der jedem von Gott oder der Kreatur gebildeten vorausliegt. Etwas, das von mehreren ausgesagt wird sowie durch sich und nicht durch Einsicht in jene eine Einsicht darüber besitzt, ist etwas diesen Dingen real Gemeinsames, da jeder Begriff in einer Realität gründet, wie es das Seiende ist. Denn nach AVICENNA, so will der Einwand ihn verstehen, wird das Seiende in einem ersten Eindruck vermittelt, und dies sogar vor jedem anderen Eindruck im Intellekt, sei es der Gottes oder der einer Kreatur.

Der erste der beiden von Heinrich angeführten Gegeneinwände will durch eine Äquivozität die Einfachheit und Reinheit des göttlichen Seins gewahrt sehen.[96] Demnach unterscheiden sich all die Dinge, die untereinander verschieden sind und in irgendeinem Gemeinsamen übereinkommen, in jenem Gemeinsamen notwendig seinsmäßig, wie z.B. der Mensch und der Esel im Bereich der Lebewesen. Wenn es ein für Gott und Kreatur gemeinsames Sein gäbe, unterschieden sie sich unterhalb dessen seinsmäßig. Es gäbe folglich ein zweifaches Sein für Gott, eines, in dem er mit der Kreatur übereinkommt und ihr teilgibt, und ein anderes, in dem er von der Kreatur unterschieden ist. Dies ist unmöglich, weil es sonst in Gott kein einfaches Sein noch ein reines Sein gäbe.

Der zweite Gegeneinwand will jeden Gedanken an eine Teilhabe des göttlichen am kreatürlichen Sein oder dessen Nachahnung im geschaffenen Sein

[96] Dieser Gegeneinwand formuliert damit wichtige Beweisziele Heinrichs, die aber Heinrich auf anderem Wege erreichen möchte. Dies erklärt wohl, daß Heinrich auf diesen Gegeneinwand schon in seiner *determinatio* erläuternd eingeht.

beseitigen, indem die seinsmäßige Differenz von Substanz und Akzidens uneingeschränkt auf das Verhältnis von Schöpfer und Geschöpf übertragen wird. Weil ein Akzidens von der Natur der Substanz, der ein Sein schlechthin zukommt, getrennt ist, wird es nicht ein schlechthin Seiendes genannt. Da das Akzidens jedoch auf eine gewisse Weise der Substanz als seiner Disposition sich annähert, teilt es auf eine gewisse Weise den Namen des Seienden mit der Substanz. So wird es nach ARISTOTELES[97] nur dahingehend Seiendes genannt, weil es eine Disposition eines Seienden ist, das eine Substanz ist. Aber das Sein der Kreatur nähert sich in keiner Kreatur dem Schöpfer, weil zwischen beiden eine unendliche seinsmäßige Distanz klafft. Gleich welcher Attribution zum Schöpfer teilt die Kreatur folglich in nichts ihr Sein mit ihm.

In seiner Antwort gibt Heinrich zunächst dem letztgenannten Einwand weitgehend recht. Wegen der Differenz des Seins zwischen Substanz und Akzidens, die als Seiende nicht gemäß einer einzigen gemeinsamen Intention, sondern in erster Bezeichnung als eine der zehn Kategorien bezeichnet sind, kann zwischen Substanz und Akzidens keine reale Gemeinsamkeit behauptet werden. Da die Einheit des Schöpfers zum Geschöpf in einem einzigen Realen (*in aliquo uno reali*) viel weniger zustande kommt als bei Geschöpfen die Einheit von Substanz und Akzidens unter sich, steigert sich die Differenz vom Seinsgrund (*ratio essendi*) des Schöpfers zu dem des Geschöpfes hinaus über die Differenz des Seinsgrundes eines Geschöpfes von einem anderen. Heinrich hält grundsätzlich fest, daß es folglich kein gemeinsames Reales gibt, in dem Schöpfer und Geschöpf übereinkommen.[98] Im Falle einer auf Gott bezogenen Seinsprädikation liegt dabei allein eine Gemeinsamkeit im Namen vor, nicht aber eine reale Gemeinsamkeit. Univozität wie Äquivozität sind vermieden, doch eine Analogie gefunden.

Diese Analogie bedarf aber nach Heinrich einer ausführlichen Erklärung. Die Übereinkunft eines Dinges (*res*) mit einem anderen wird zuhöchst in der Form erstrebt, und dies in zweifacher Weise gemäß der zweifachen Weise, etwas in einer Form mitzuteilen. Zum einen kann eine Übereinkunft der Ähnlichkeit (*convenientia similitudinis*)[99] gemäß dem selben Grund (*ratio*) ge-

[97] Cf. ARIST., *Metaph. VII 1-2. 13*, 1028a10-1028b32; 1038b1-1039a23.

[98] Cf. HENR. DE GAND., *Summa 21,2* Badius 124rF: *Et ideo absolute dicendum, quod esse non est aliquid commune reale, in quo Deus communicet cum creaturis, et ita si ens aut esse praedicatur de Deo et creaturis, hoc est sola nominis communitate, nulla rei, et ita non univoce per definitionem univocorum nec tamen pure aequivoce, secundum definitionem aequivocorum casu, sed medio modo ut analogice.* - Zur boethianischen Distinktion der *aequivoca a casu* und der *aequivoca a consilio* cf. WOLTER, *Transcendentals.* 1946, pp. 34-36; W. KLUXEN: *Äquivok.* In: HWPh I (1971), col. 480.

[99] HENR. DE GAND., *Summa 21,2* Badius 124rG, übernimmt die Begrifflichkeit *convenientia similitudinis/univocationis* bzw. *convenientia imitationis/analogiae* direkt aus der SUMMA FR. ALEX., *Lib. I, nr. 21* ed. Quar. I, p. 32a: *Est convenientia secundum univocationem et est convenientia secundum analogiam. Secundum univocationem est convenientia in genere vel in specie vel in numero. Convenientia secundum analogiam, ut substantia et accidens conveniunt in ente, quia dicitur secundum prius et posterius de illis, quia ens substantia est prin-*

schehen. Sie trifft auf die Dinge zu, die gemäß dem Ding mittels einer einzigen Form teilhaben, wie durch die Weiße zwei Dinge weiß sind oder durch die Menschheit zwei Wesen Menschen. Hier ist auch von einer univoken Übereinkunft (*convenientia univocationis*) zu reden, die es seinsmäßig zwischen Gott und Kreatur nicht gibt. Zum anderen kann als Übereinkunft der analogen Nachahmung (*convenientia imitationis*)[100] eine Übereinkunft in der Form gemäß eines je unterschiedlichen Grundes geschehen, wie es allgemein bei Wirkendem und Gewirktem, bei Ursachen und Verursachten der Fall ist. Nun gilt aber, daß jedes Tätige, auch jegliches konträr Tätige, auf sein Ziel als ein Ähnliches hin tätig ist und deshalb ein Tätiges als Ähnliches nichts anderes als ein Ähnliches hervorbringt. Denn jedes Tätige ist tätig durch seine Form und bringt das von ihm Verursachte in einem formalen Sein hervor. Folglich gibt es in jedem Verursachten und Bewirkten notwendig eine Ähnlichkeit zur tätigen Form. Mag dies auch nicht immer innerhalb einer Gattung, wie bei der Ähnlichkeit des zeugenden zum gezeugten Menschen, der Fall sein, so gibt es doch eine gewisse Nachahmung, indem eine irgendwie proportionable und korrespondierende Form angenommen wird. Überhaupt steigert sich die Nähe und Unmittelbarkeit des Tätigen zum Hervorgebrachten, je größer die Übereinkunft der Nachahmung des Hervorbringenden zum Hervorgebrachten ausfällt, wie umgekehrt Mittelbarkeit und Ferne des Tätigen es mindern. Mit Blick auf die Wirklichkeit als Schöpfung ruft Heinrich in Erinnerung, daß es keinen Abbruch tut, daß Gott für einige Geschöpfe nur vermittelnde Ursachen wirkt, da Gott ja deren entferntestes erstes Prinzip und wahre Wirkursache aller Geschöpfe ist. Heinrich schließt daraus, daß notwendig alle Geschöpfe eine formgetragene Übereinkunft mit Gott besitzen, mag sie auch nur die der Nachahmung zwischen zwei Formen sein. Die göttliche Form ist sein Sein selbst, von dem jedes Geschöpf den Namen 'Sein' borgt, insofern ja Gott dessen Ursache ist. Für Heinrich steht damit zwingend fest, daß das Geschöpf mit dem Schöpfer im Sein zwar nicht durch eine Übereinkunft realer Ähnlichkeit, so doch wenigstens aufgrund einer Übereinkunft formaler Nachahmung etwas gemeinsam hat. Diese Relation darf nicht univok genannt werden, weil der Name 'Seiendes' beide nicht hinsichtlich derselben Form bezeichnet. Noch darf eine pure Äquivokation behauptet werden, insofern

cipum accidentis, et ideo per prius dicitur ens de substantia, quae est ens per se, per posterius de accidente, quod est ens in alio. Dicendum ergo quod non est convenientia Dei et creaturae secundum univocationem, sed per analogiam, ut si dicatur bonum de Deo et de creatura, de Deo dicitur per naturam, de creatura per participationem. Similiter omne bonum de Deo et de creatura dicitur secundum analogiam. Cf. zur Analogielehre ALEXANDERS cf. E. SCHLENKER: *Die Lehre von den göttlichen Namen in der Summa Alexanders von Hales. Ihre Prinzipien und ihre Methode* (FThS 46). Freiburg i.Br. 1938, spec. pp. 130-160. 269-276; KLUXEN, *Analogie.* 1971, col. 220, sowie DECORTE, *Henry of Ghent on Analogy.* 1996, p. 81, der für den weiteren Kontext auch auf ALEX. DE HALES, *Glossa in I Sent., dist. 25* BFS XII, pp. 238-249, verweist.

[100] Zur *convenientia imitationis* cf. auch HENR. DE GAND., *Qdl. IX,1* Macken 21,46-49, wo sie innerhalb seiner Relationstheorie erläutert wird.

Sein nicht im gleichen Maße zuerst und prinzipiengemäß die Seinsform Gottes und des Geschöpfes bezeichnet. Allein der Mittelweg der Analogie ist statthaft. Denn Sein bezeichnet als Gott-Sein (*esse Deus*) und Geschöpf-Sein (*esse creatura*) das eine der Bezeichneten zuerst und prinzipienhaft, das andere dagegen hinsichtlich seiner formbestimmten Ordnung und seines formbestimmten Verhältnisses zu jenem.

Die von ARISTOTELES vorgenommene Verhältnisbestimmung von Substanz und Akzidens macht nach Heinrich klar, daß Seiendes zuerst die Substanz bezeichnet und von ihr das Akzidens aus der Ordnung, die es zur Substanz hat, den Namen 'Sein' borgt.[101] Theologisch transponiert bezeichnet demgemäß Seiendes in allgemeinster Weise gesagt (*ens communissime dictum*) erstrangig Gott, zweitrangig das Geschöpf, so wie das geschaffene Seiende erstrangig die Substanz bezeichnet und zweitrangig ein Akzidens. Heinrich weist aber deutlich auf die je andere Weise der Attribution hin. Denn andere Seiende werden der Substanz als dem einzigen Subjekt attribuiert, während alle Geschöpfe ursächlich Gott attribuiert werden als dem alleinigen Ziel, der alleinigen Form und der alleinigen Wirkursache. Gott ist alleiniges Ziel, durch das die gesamte Schöpfung zum Gutsein (*bene esse*) vorangebracht wird. Gott ist alleinige Form, an der jedes Geschöpf teilhat, so daß es ein Sein seiner Wesenheit (*esse essentiae*) besitzt. Gott ist alleinige Wirkursache, durch die den Geschöpfen schlechthin das Sein ihrer aktuellen Existenz (*esse actualis existentiae*) zukommt.[102] Beiderlei Sein, das Sein der Wesenheit und das der aktuellen Existenz, kommt einem Geschöpf nur durch eine Attribution zum ersten Seienden zu.

Ein zentrales Lehrstück der neuen Metaphysik Heinrichs, nämlich seine Wesensontologie, klingt hier gleich zu Beginn seiner Überlegungen zur Gotteserkenntnis an. Es wird signalisiert, daß Erkenntnistheorie im ganzen und die zur Erklärung anstehende Theorie der Analogie im besonderen nur als Erkenntnismetaphysik bzw. Metaphysik analogischen Redens dem Problem

[101] Cf. ARIST., *Metaph. VII 1*, 1028a10-b7; *Metaph. IV 2*, 1003a33-b18.

[102] Weil Heinrich später (*Summa 21,4* Badius 126vK-128vZ) unter strengeren Gesichtspunkten in einiger Breite seine Wesensontologie zur Darstellung bringt, ihn hier aber vorrangig die metaphysischen Grundlagen gottbezogener menschlicher Rede interessieren, begnügt er sich an dieser Stelle mit einem Kurzabriß. HENR. DE GAND., *Summa 21,2* Badius 124vK: *Cum enim res, ut dicitur 'a reor, reris' nomen, est indifferens ad ens et non ens, ex hoc, quod conceptum hoc nomine, quod est res, habet rationem exemplaris in primo agente, ad quam nata est per eius effectivam potentiam produci in esse actuali, attribuitur ei 'esse essentiae'. A quo res ipsa concepta dicitur esse ens aut essentia aliqua. Quod enim in primo ratione exemplarem non habet, 'purum non ens' est. Haec autem res, quae est ens sive natura et essentia aliqua ex eo, quod ei attribuitur esse propter rationem exemplarem, quam habet in primo, adhuc est indifferens ad ens et non ens in existentia actuali, cui ex hoc, quod facta est a Deo et eius effectus, attribuitur 'esse actualis existentiae', a quo res ipsa dicitur 'esse existens in actu'. Quod enim non est effectus Dei vel immediate vel mediantibus aliis causis, nullo modo existit in actu, quia „omnia per ipsum facta sunt, et sine ipso factum est nihil", ut dicitur Ioan. primo* [Ioa 1,3].

der Gotteserkenntnis gerecht werden kann. Das von Heinrich herangezogene Verhältnis von Substanz und Akzidens bedarf der weiteren Erklärung, wenn es auf das Verhältnis von Seins- und Erkenntnisordnung Gottes und der Kreatur bezogen werden soll. Die Substanz ist nämlich hinsichtlich der Seins- und Erkenntnisordnung als Ursache der Akzidentien und als deren Definitionselement früher als jedes Akzidens, so daß in beiden Ordnungen das Seiende die Substanz bezeichnet und diese Bedeutung dem Seienden zur Bezeichnung der Substanz beigelegt worden ist. Eine derartige Bezeichnungsfunktion und Bedeutungsbenennung kommen erst in zweiter Linie einem Akzidens zu. Für Gott und Kreatur herrschen aber andere Verhältnisse. Die Vorrangstellung Gottes gilt nur für die Seinsordnung, nicht für die Erkenntnisordnung. Denn diese ist nach Heinrich für den Menschen zweifach bestimmt. Zum einen steht der Mensch bei seiner Gotteserkenntnis unter den faktischen Bedingungen „dieses Lebens". Dies bedeutet für den Theologen Heinrich, ohne daß er es hier genauer ausführt, vor allem ein durch die Leiblichkeit erheblich beschwertes und erbsündlich gestörtes Erkenntnisvermögen der menschlichen Seele.[103] Zum anderen spricht Heinrich über ein natürliches Erkennen, das rein und deutlich (*distincta*) geschieht und von den Geschöpfen her ihren Anfang nimmt.[104] Damit orientiert er sich an einer aristotelisierenden Wissenstheorie, nach der in einem Abstraktionsprozeß sinnlich vermittelte Erkenntnis ihrer Sinnenhaftigkeit entkleidet wird und etwas unter den Vorzugskriterien der Intelligibilität des erkannten Allgemeinen und der Kenntnis des Begriffs einer Sache gewußt wird. Für eine solche Gotteserkenntnis gilt, daß in der Seinsordnung nach wie vor 'Sein' früher von Gott als von den Geschöpfen ausgesagt wird. Nun folgt aber für den Menschen die Ordnung der Bedeutungsbenennung seiner Erkenntnisordnung, weil niemand, der ein Ding nicht kennt, ihm eine Bedeutung auferlegt. Deshalb wird gemäß der Ordnung menschlicher Erkenntnis und Bedeutungsbenennung Sein zuerst den Geschöpfen zugesprochen und dann erst Gott. Denn beim Namen 'Sein' verhält es sich wie bei allen anderen, von den Geschöpfen genommenen Namen, die man Gott zuschreibt. In vielen Fällen gilt jenes, das schlechthin früher und würdiger ist, nicht früher nur infolge eines bösen Leumundes (*famositas*) seines Namens, wie sich Heinrich etwas psychologisierend anmerkt.

[103] Cf. HENR. DE GAND., *Qdl. VI,21* Wilson 199,79-98: *Ex qua* [sc. *carentia rectitudinis naturalis*] *sequitur poena secunda, scilicet excaecatio seu obnubilatio in ratione secundum proportionem illius infectionis per malitiam in voluntate; sic enim naturaliter connexa sunt voluntas et ratio, ut omnis malitia voluntatis ponat obnubilationem sibi proportionalem in ratione. Ex quo sequitur tertia poena, scilicet carentia visionis non solum divinae essentiae, ... sed etiam visionis atque limpidae cognitionis eorum, quae circa creaturas et de Deo ex creaturis naturaliter posset cognoscere.*

[104] Heinrich läßt absichtsvoll die Möglichkeit und die Bedingungen konfusen natürlichen Gotterkennens außer acht, wie sie später in *Summa 24,6-7* für seine *Primum cognitum*-Theorie zentral werden!

Bei der Beantwortung der Einwände nimmt sich Heinrich Raum, eine ebenso originäre wie fundamentale Distinktion in seiner Theorie der Gotteserkenntnis zu erläutern. Heinrich hebt beim ersten Einwand nochmals knapp die Bedeutung der Übereinkunft der Nachahmung hervor. Der zweite Einwand, der die Einheit des Seins angesichts der Zweiheit bzw. Vielheit von Gott und Schöpfung ansprach, erhält Zustimmung, sofern nicht die Einheit des Seins in einem dritten, höheren Sein gesucht wird. Was immer in einem Geschöpf gegeben ist, wird durch eine Attribution auf Gott zurückgeführt, wie auch alle Vielheit der Seienden auf die Einheit des ersten Seienden zurückgeführt wird und jede Zahl auf die erste Einheit, von der diese Zahl beginnt und die sie in sich enthält.

Als zentralen Einwand gegen seine Analogietheorie sieht Heinrich die als drittens formulierte These, daß noch vor einem Seinsbegriff, der entweder der Gottes oder der einer Kreatur ist, das Seiende schlechthin (*ens simpliciter*) erkannt wird. Heinrich leugnet überhaupt auf metaphysischer Ebene die Möglichkeit eines einheitlichen, einfachen Seinsbegriffs, der Gott und Geschöpf gemeinsam wäre. Wenn etwas erkannt wird, ist es entweder nur das Sein Gottes oder nur das Sein eines Geschöpfes. Eine Vermengung der Seinsbegriffe, die eine Nivellierung des Seinsbegriffs Gottes bedeutet, wird möglich allein aufgrund der Einheit der Seinsbegriffe auf der Ebene der namentlichen Benennung, da zugleich die Benennung 'Sein' ebenso indifferent wie gleichwertig das Sein Gottes wie auch eines Geschöpfes präsentiert. Jeder ausgesagte Seinsbegriff, auch der intramental hervorgebrachte, bringt eine Vielheit und dadurch eine Unterscheidbarkeit der Aussage mit sich.[105] Diese nominale Indifferenz und Äquidistanz des von einem realen Ding genommenen allgemeinen Seinsbegriffs zum göttlichen und geschöpflichen Sein kam nach Heinrichs Ansicht im Verlauf der Philosophiegeschichte erst spät zu einer gültigen Interpretation. Sie verleitete PLATON dazu, das Sein als eine Gattung zu bezeichnen, und verhinderte auch bei ARISTOTELES, der ein subtileres Begriffsinstrumentarium dafür besaß, eine eindeutige Unterscheidung. Der Fall, daß unter dem Namen des Seienden etwas Allgemeines erfaßt wird, tritt nur dann ein, wenn etwas auf logischer Ebene unbestimmt (*indeterminate*) erkannt wird, also ohne Festlegung des Intellekts auf das Sein Gottes oder das eines Geschöpfes. Mit Rücksicht auf die distinkte Erkenntnis Gottes oder eines Geschöpfes kam AVICENNA - so will Heinrich ihn verstehen - zu der Einsicht, daß die unbestimmte Einsicht in das Seiende (*intellectus entis*) früher ist als die Einsicht in Gott oder ein Geschöpf.

[105] Cf. HENR. DE GAND., *Summa 21,2* Badius 124vO: *Sed utrumque eorum indifferenter et aeque simul, quantum est ex parte vocis, natum est praesentari in significato eius, quod est esse. Et ideo ubicumque ponitur in enuntiatione sive exterius expressa sive in mente concepta, semper facit enuntiationem esse multiplicem et distinguendam.* - ROBERT COWTON, *In Sent., prol., q. 4* nahm sehr lobend auf diese Argumentation Heinrichs Bezug, dazu HÜBENER, *Rec. Ockham, In I Sent.* 1971, p. 221sq.

Damit ist aber durch die Annahme eines derartigen Seinsbegriffs logischer Ordnung nach Heinrichs Urteil für eine Gotteserkenntnis nichts Bedeutsames verloren, sondern etwas Entscheidendes hinzugewonnen. Und zwar dann, wenn man mit Heinrich gewillt ist, diese Unbestimmtheit in eine negative und in eine privative zu unterscheiden. Von einer negativen Unbestimmtheit (*indeterminatio negativa*) ist dann zu sprechen, wenn das Unbestimmte gänzlich ungeeignet für eine Bestimmung ist. Derartig bezeichnet man die Weise, in der Gott unendlich genannt wird, weil er nicht so beschaffen ist, begrenzt zu sein oder begrenzt zu werden. Eine privative Unbestimmtheit (*indeterminatio privativa*) liegt dann vor, wenn ein Unbestimmtes auf die Weise bestimmungsfähig ist, wie ein Punkt unendlich genannt wird, weil er nicht durch Linien bestimmt ist, durch die er bestimmungsfähig ist. Wendet man diesen zweifachen Begriff der Unbestimmtheit an auf den Fall der Erfassung eines einfachen und unbestimmten Seins, das das Sein Gottes ist, hat man dies als eine negative Unbestimmtheit zu beurteilen, da es keinen entsprechenden Bestimmungsgrund gibt. Hat man an den Geschöpfen deren Sein als dieses und jenes erkannt, noch dazu durch Negation das 'einfache Sein' (*esse simpliciter*), das allen Bestimmungen enthoben ist, dann hat man das Sein Gottes erkannt, womit nach Heinrich genauer erklärt ist, was ähnlich schon AUGUSTINUS bezüglich der Erkenntnis des Guten hat sagen wollen.[106]

[106] Heinrich zitiert mit Vorliebe AUG., *De Trin. VIII,3,4* CCL 50, p. 272,15-25: *Bonum hoc et bonum illud. Tolle hoc et illud, et vide ipsum bonum, si potes; ita Deum videbis, non alio bono bonum, sed bonum omnis boni. Neque enim in his omnibus bonis, vel quae commemoravi vel quae alia cernuntur sive cogitantur, diceremus aliud alio melius, cum vere iudicamus, nisi esset nobis impressa notio ipsius boni secundum quod et reprobamus aliquid et aliud alii praeponeremus. Sic amandus est Deus, non hoc et illud bonum, sed ipsum bonum; quaerendum enim bonum animae, non cui supervolitet iudicando, sed cui haereat amando, et quid hoc nisi Deus? Non bonus animus aut bonus angelus aut bonum caelum, sed bonum bonum.* - Heinrich zitiert an zahlreichen Stellen diesen Text oder spielt auf ihn an, so z. B. *Summa 22,2* Badius 130vQ; *Summa 22,5* Badius 134vD. 135rD; *Summa 22,6* Badius 135vK; *Summa 24,8* Badius 145vP; *Summa 25,3* Badius 153vE; *Summa 32,2* Macken 42,5; *Summa 49,5* Badius 318vV; *Summa 68,5* Badius 232rZ; *Qdl. III,1* Badius 48vX; *Qdl. IV,11* Badius 102rS; *Qdl. XIII,9* Decorte 61sq. Zur Bedeutung dieser Augustinus-Stelle für Heinrichs Denken cf. spec. GÓMEZ CAFFARENA, *Ser participado.* 1958, p. 198sq. - Bei anderen hochscholastischen Autoren vor Heinrich taucht dieses Zitat im Zusammenhang der Gottesbeweise anscheinend eher spärlich auf, auffällig häufig aber bei ALEX. DE HALES., *Glossa in I Sent., dist. 3, nr. 4* BFS XII, p. 40; SUMMA FR. ALEXANDRI, *Lib. I, nr. 46* ed Quar. I, p. 72a; EAD., *Lib. I, nr. 105* ed. Quar. I, p. 166a; EAD., *Lib. I, nr. 109* ed. Quar. I, p. 170b. 171a. Überwiegend finden sich Belege im Kontext der *Caritas*-Theorien; cf. dafür GUILL. ALTISS., *Summa aurea II, tract. 13,3,1* Ribaillier 486,124sq.; *III, tract. 10,4,1* Ribaillier 145,45-49; *III, tract. 10,4,2* Ribaillier 149,6-9; *III, tract. 18,4* Ribaillier 380,40; *III, tract. 42,1,2* Ribaillier 796,72; *III, tract. 47,1* Ribaillier 898,6-8; ALEX. DE HALES, *Qu. disp. 'antequam esset frater', q. 22* [ante a. 1236] BFS XIX, p. 392. Für Autoren zur Zeit Heinrichs und danach cf. IOA. PECKHAM, *In I Sent., dist. 2, q. 1, quaesitum 1, contra 7; ad obi.* 7 [ante a. 1270] Daniels 44. 48; MATTH. AB AQUASP., *Introitus ad sacram scripturam* [a. 1268/72] BFS ²I, p. 12; ID., *Qu. de cogn. 5, resp.* [a. 1278/79] BFS ²I, p. 300,32; PETR. IOA. OLIVI, *Qu. de Deo cogn.*

Erfaßt man jedoch das 'Sein selbst', und zwar unbestimmt durch eine Unbestimmtheit der Privation jener Dinge, durch die es determinationsfähig ist, erfaßt man 'Sein', das das Sein eines Geschöpfes ist, weil das Sein der Kreatur durch die eigentümlichen Naturen, durch die sie sich untereinander unterscheiden, determinationsfähig ist. Denn was 'einfaches Seiendes' (*ens simpliciter*) genannt wird, weil es einen Exemplargrund (*ratio exemplaris*) in jenem ersten Sein besitzt, ist durch eine zweifache Natur zu bestimmen, die nicht 'einfaches Sein' (*esse simpliciter*), sondern 'Etwas-Sein' (*esse aliquid*) nach Art der Natur von Substanz und Akzidens genannt wird. Mit Substanz bezeichnet man nämlich ein Seiendes, das nicht in einem anderen als seinem Subjekt existiert, mit Akzidens ein Seiendes, das in einem anderem als seinem Subjekt existiert. Diesbezüglich konstituieren Substanz und Akzidens unterschiedliche Gattungen der Kategorien, so daß auf je andere Weise etwas jedem Geschöpf zukommt, weil und insofern es Wirkliches (*res*) einer Kategorie ist, die 'Sein' und 'Etwas-Sein' besitzt. Denn 'Sein' kommt ihm zu aufgrund einer Partizipation und mittels einer Attribution zum ersten Seienden, insofern es ein Seiendes ist (*ens primum, inquantum est ens*). 'Etwas-Sein' dagegen kommt ihm zu aufgrund einer Bestimmung der eigentümlichen Natur. Heinrich will dies verstanden wissen gemäß dem sechsten Axiom der Hebdomadenschrift des BOETHIUS: „Alles, was ist, partizipiert an dem, was Sein ist, damit es ist; an einem anderen partizipiert es, damit es etwas ist". Dafür zitiert Heinrich aus dem Kommentar des GILBERT VON POITIERS zur boethianischen Aussage: „Gott ist die Form, die das Sein selbst ist und aus der Sein ist"[107] dessen differenzierende Erklärung, dies meine die Form, „die nicht von einem anderen diese Bezeichnung borgt; 'aus der Sein ist' [meine die Form,] die an allen übrigen Dingen durch eine gewisse extrinsische Partizipation teilhabe".[108] Aus dem Vorwort des Kommentars des Porretaners zur Hebdomadenschrift zitiert Heinrich weiter, daß dann, wenn Philosophen nämlich sagen: 'ein Mensch ist' oder 'ein Körper ist' oder derartiges, die Theologen dieses ausgesagte Sein durch eine gewisse extrinsische Denomination vom Sein des Prinzips selbst verstehen. Sie sagen nämlich nicht wegen der Körperlichkeit 'Körper-Sein', sondern 'Etwas-Sein', noch wegen der Menschheit 'Mensch-Sein', sondern 'Etwas-Sein'.[109] Nach Heinrich wird auf dieselbe Weise das, was aufgrund der Tätigkeit des höchsten Prinzips ist, aufgrund derselben prinzipienhaften

1, obi. 1 BFS VI, p. 455. Eine ausführliche Kritik der henrizianischen Exegese des besagten Augustinus-Textes trug JOHANNES DUNS SCOTUS vor (cf. Kap. IV, § 1,2,ii,α).

[107] Cf. BOETH., *De trinitate II* Elsässer 8,20-21. - Wenig später nach Abfassung dieses Textes, d. h. im Frühjahr 1276, erfolgte von HENR. DE GAND., *Qdl. I,9* Macken 55,5-56,36 mit Nennung des genannten boethianischen Textes und unter explizitem Rückbezug auf den Text der *Summa* eine Klarstellung seiner Formlehre, in der Heinrich unter anderem das Sein Gottes als reine Form mit dessen strenger Einfachheit (*simplicitas*) in Zusammenhang setzt.

[108] Cf. GILBERT. PORR., *Comm. in Boeth. De trin. I,2,45* Häring 88,67-69.

[109] Cf. GILBERT. PORR., *Comm. in Boeth. De hebd. I,27-28* Häring 193,51-60.

und unerschaffenen Wesenheit 'Sein' und aufgrund eines eigenen beliebigen Genus 'Etwas-Sein' genannt, wobei dies nur ausgesagt wird aufgrund einer Partizipation am göttlichen Sein, insoweit es die Vollkommenheiten aller Seienden in sich birgt. Also kommt das Unbestimmt-Sein auf diese Weise mittels einer Negation Gott zu, durch eine Privation aber der Kreatur.

Und weil die Unbestimmtheit mittels der Negation und mittels der Privation nahe beieinanderliegen, da beide eine Bestimmtheit entfernen, die eine hinsichtlich des Aktes, die andere hinsichtlich des Aktes und der Potenz zugleich, begreifen alle, die zwischen derartig verschiedenen Dingen nicht unterscheiden können (für Heinrich also PLATO und ARISTOTELES und alle, die ihnen folgen), auf dieselbe Weise das 'einfache Sein' und das 'Unbestimmt-Sein', sei es auf die eine oder auf die andere Weise, sei es bezüglich Gott oder bezüglich der Kreatur. Es ist die Natur solcher Leute, die nahe beieinanderliegende Dinge nicht unterscheiden können, daß sie eben diese Dinge als Eines begreifen, die jedoch in realer Wahrheit nicht einen einzigen Begriff bilden. Und daher kommt es bei dem Begriff jener Wahrheit zu einem irrtumsbefangenen Schwanken (*error*).[110] Denn ein wahrer Begriff stellt beim ersten Erfassen des Seins schlechthin als eines unbestimmten Etwas aufgrund dessen eigener Unbestimmtheit überhaupt nichts fest noch bestimmt er etwas, so daß es daher nicht etwas real positiv Gemeinsames für Gott und die Kreatur ist, sondern allein etwas Negatives. Falls es etwas als positives Substrat für die Negation gibt, ist jenes von je anderem Grund (*ratio*) wie das, was durch eine Wesenheit ist, und das, was durch Partizipation ist. Diese folgerichtige Unterscheidung leistet nach Heinrich freilich erst ein recht geleiteter Intellekt, indem er das Unbestimmt-Sein entweder privativ oder negativ begreift.

Hatte Heinrich sich so gegen univozitätstheoretische Einwände abgesetzt, sucht er gleiche Klarheit gegenüber der alle Gotteserkenntnis entwertenden Position der Äquivozität zu gewinnen. Der ebenso radikale wie konsequente Schluß des zweiten Einwandes, wegen der unendlichen Distanz zwischen Schöpfer und Geschöpf gäbe es weder eine partizipativ noch eine imitativ vermittelte seinshafte Gemeinsamkeit zwischen beiden, behält ein Recht, insofern Geschöpfe zum Schöpfer nicht als ein Teil von dessen Natur oder als dessen Anlage (*dispositio*) stehen, wie es bei Substanz und Akzidens vorkommen kann. Das Zueinander von Schöpfer und Geschöpf gestaltet sich in Wahrheit so, daß das Geschöpf als ein in Gott Vorgebildetes (*exemplatum*) bzw. als eine Wirkung Gottes eine gewisse seinshafte Nachahmung Gottes besitzt. Die Schöpfer wie Geschöpf zugesprochene Seinsgemeinsamkeit wird nicht bezeichnet durch eine Benennung, die von beiden gewonnen wird, indem bei Gott und Kreatur wie unter Dingen, die welthaft partikulär und individu-

[110] Der von Heinrich benutzte Ausdruck *error* ist wegen der Betonung der subjektiven Urteilsgewißheit nicht nur an dieser Stelle (Badius 125rS) von seiner verbalen Grundbedeutung (*errare*: 'umherirren'; 'umhertreiben'; '[sich des Weges] unsicher sein') her angemessen zu verstehen. Cf. MARRONE, *Augustinian Epistemology*. 1983, p. 284.

ell gegeben sind, unter Absehung ihrer kategorialen Bestimmungen die eine gemeinsame natürliche Form (*unica forma naturalis*) abstrahiert wird, die von beiden geteilt wird und durch je eigene Materie determiniert ist. Gerade weil letzteres nicht gegeben ist, kann bei einem determinierten Seinsbegriff nur je einer von Gott oder vom Geschöpf vorliegen, und dieser dann in zweifacher Unbestimmtheit. Andererseits ist die seinsbestimmende Natur des Geschöpfes zwar keine generische Ähnlichkeit (*similitudo*), aber doch eine transkategoriale Nachahmung (*imitatio*) der seinsbestimmenden Natur Gottes. Eine gewisse Nachahmung und Konformität des Geschöpfes mit dem Schöpfer ist darum auch seinshaft gegeben. So ist verhindert, daß weder eine reale Gemeinsamkeit (*communitas realis*) hinsichtlich einer einen–einzigen Wirklichkeit (*in re una*) gemeint ist, noch ein rein äquivoker Seinsbegriff statuiert, noch bloße Namensgemeinsamkeit behauptet wird.

Gültige Erkenntnisweise ist nach Heinrich folglich die auf dem metaphysischen Fundament realen Seins gegründete Analogie, nicht - wie J. PAULUS und viele nach ihm interpretierten - eine psychologisch veranlaßte Analogie auf bloß intramental-konzeptualem Niveau. Vielmehr verbürgen aufgrund eines noetisch-noematischen Parallelismus, der in sich keine Vertauschungen oder Konfusionen erlaubt, reale Begriffe epistemologischer Ordnung und allgemeine Naturen ontologischer Ordnung einen Analogiebegriff, der ebenso ontologisch (*secundum esse*) wie epistemologisch (*secundum intentionem*) ausgerichtet ist. Die Konsequenz für Heinrichs Theorie der Gotteserkenntnis liegt darin, daß nicht anders als bei THOMAS[111] ein real Seiendes Ausgangspunkt einer Analyse ist. Bei Heinrichs Analogielehre findet sich aber eine zweifache Negationsstufe, die erst eine gültige Analogie konstituiert. Auf der ersten Negationsstufe werden alle Bestimmungsmöglichkeiten eines real Seienden beseite genommen, so daß man in jedem Fall beim bloßen Begriff eines Seienden zu stehen kommt, dessen ontologische Aktualität oder Potentialität noch unbestimmt ist, aber dann bestimmt wird, wenn eine finite Wesenheit ihm aktuell zuerkannt wird. Bleibt das durch seinen bloßen Begriff erfaßte Seiende durch Potentialität dem Materiellen verhaftet, ist es ontologisch als unvollkommene, begrenzte, eben als kreatürliche Wirklichkeit bestimmt. Auf einer zweiten Negationsstufe, deren Gegenstand dann nur noch ein reales unbestimmtes Seiendes ist, dringt man - nach Absetzung von einem unbestimmten bestimmbaren, weil endlichen Seienden - hindurch zur Erfassung eines unbestimmbaren unbestimmten Seienden, das seine Bestimmung nur in sich selbst und durch sich selbst erfährt. Dieser reale Begriff bezeichnet ein real vollkommenes Seiendes, das reiner Akt ist, also Gott. Die im Überschritt zur zweiten Negationsstufe offenkundig werdende Differenz unbestimmbaren unbestimmten Seienden zum unbestimmten bestimmbaren Seienden ist nach Heinrich nicht anders zu deuten, als daß diese Differenz sowohl das Verhält-

[111] Cf. DECORTE, *Henry of Ghent on Analogy*. 1996, bes. pp. 86-88. 94-99, der einen bestechenden Nachweis zu führen vermag.

nis formaler, effizienter und finaler Verursachung in logisch-ontologischer Analogie erklärt wie auch die göttliche Transzendenz in vollem Umfang wahrt. Heinrich bejaht also die Analogie, warnt aber vor einer Überbewertung ihres Gehalts auf der Aussageebene, falls zuungunsten der göttlichen Transzendenz die eminente ontologisch-gnoseologische Priorität Gottes gegenüber allem Geschaffenen eingeebnet zu werden droht.

3. Die reale Identität von Gottes Sein und Wesen als der prinzipienhafte Einheitsgrund aller Erkenntnisbestimmungen Gottes

Insofern von Heinrich die Analogie als gültige, wenn auch stark bedingte Aussageweise bestimmt ist, stellt sich die Frage nach dem Verhältnis von Sein und Wesenheit im *principale analogatum* als dem formalen Bestimmungsgrund der analogen Aussage.[112] Der erste Einwand macht geltend, daß die Behauptung, Gott besitze eine göttliche Wesenheit, nicht die Konsequenz nach sich zöge, Gott besitze auch ein weiteres Sein, nämlich das Sein der Existenz. Denn bei einem Ineinsfall von Wesen und Sein bei Gott wäre Gott aufgrund einer gewissen Vorkenntnis seines Wesens von sich aus bekannt, was aber nicht zutrifft, da doch in der Metaphysik sein Sein problematisiert wird. Der zweite Einwand schließt aus der Unterschiedenheit göttlicher und geschöpflicher Wesenheit bei gleichzeitiger Konvenienz im Sein von Schöpfer und Geschöpf, daß Wesenheit und Sein nicht nur im Geschöpf, sondern auch im Schöpfer unterschieden sind.

Nachdem Heinrich im Gegeneinwurf klar gestellt hat, daß das gestellte Problem als Frage nach strenger Identität gestellt ist und nicht als Frage nach einer in Gott ohnehin unstatthaften *compositio* oder *unio* äußerlicher Art, sucht er den Kontext dieser Quästion auf, indem er zur Beantwortung und Präzisierung dieser Frage erst grundsätzliche ontologische Einteilungen und allgemeine Regeln der Seinsprädikation als Lösungselemente des anstehenden Problems in Erinnerung ruft. Das Seiende wird nach ARISTOTELES[113] in einer ersten Unterscheidung in durch sich Seiendes (*ens per se*) und in akzidentell Seiendes (*ens per accidens*) unterschieden. Das akzidentell Seiende unterscheidet sich wiederum in absolut akzidentelles (*ens absolute per accidens*), das wie z.B. Musikersein oder Weißsein diesem oder jenem Menschen zukommen kann, und in akzidentell akzidentelles Seiendes (*ens accidentaliter per accidens*), das gegeben ist, wenn zwei absolut akzidentelle Seiende zugleich für

[112] Zur Textinterpretation von HENR. DE GAND., *Summa 21,3* Badius 125vA-126vI cf. PAULUS, *Essai.* 1938, pp. 58. 84. 279. 291. 309; GÓMEZ CAFFARENA, *Ser participado.* 1958, pp. 42. 52sq. 67-69; HOERES, *Wesen und Dasein.* 1965, p. 137; DUMONT, *Source.* 1982, pp. 27 n.5; 195 n.79; MARRONE, *Augustinian Epistemology.* 1983, p. 283; SCHÖNBERGER, *Transformation.* 1986, pp. 154 (ad 126rE). 312 (ibid.); MARRONE, *Knowledge of Being.* 1988, pp. 30. 33; PORRO, *Enrico di Gand.* 1990, pp. 48-52.

[113] Cf. ARIST., *Metaph V 13*; ebenso *Metaph. IV 14.*

ein und dasselbe Subjekt zutreffen, daß z. B. ein und demselben Menschen Musikersein und Weißsein zukommt. Akzidentalität beruht nach Heinrich stets darauf, daß der das akzidentelle Sein vermittelnde Grund selbst nicht im Wesen, sondern wesenhaft außerhalb des Wesens jener Wirklichkeit (*res*) liegt, dem die Akzidentien zugehören. Eine Betrachtung solcher Seinsweise entfällt für Heinrich, da es in Gott, der reines Sein und durch sich Seiendes ist, keine Akzidentalität gibt.[114]

Doch auch das durch sich Seiende ist nach ARISTOTELES[115] zweifach differenzierbar, nämlich in das, was die Wesenheit einer Wirklichkeit (*essentia rei*) bezeichnet, und das, was die Wahrheit einer Wirklichkeit (*veritas rei*) bezeichnet. Die für die weiteren Überlegungen zum Wesenssein Gottes auszuklammernde Seinsweise ist nach Heinrich das veritative Sein Gottes. Denn mit Wahrheit ist hier eben nicht jene naturhafte, essentiale Identität von Wahrheit und Seiendheit Gottes gemeint, die seinem Durch-sich-Sein entspricht. Vielmehr meint Wahrheit hier eine geschmälerte Seiendheit einer Wirklichkeit (*diminuta rei entitas*), wodurch diese Wirklichkeit ein Sein in dem sie erkennenden Intellekt besitzt, das nicht der Wirklichkeit selbst als erkannter, sondern dem erkennenden Intellekt als erkennendem bloß akzidentell zugesprochen wird.[116] Dagegen bezeichnet das Sein, das die Wesenheit einer Wirklichkeit bezeichnet, nach Heinrich eher eine generische Aussage, deren Bezugspunkt nicht eine intellektuale Verbindung, sondern eine extramentale Wesenheit ist.[117] Heinrich legt entsprechenden Wert auf den Umstand, daß ein solches *esse diminutum* Gottes ein ihm außerwesentliches und verringertes Sein ist, insbesondere weil es in einem geschaffenen Intellekt gegeben ist. Folglich scheidet auch das veritative Sein Gottes aus.

Wenn nun nach Ausklammerung des akzidentellen und veritativen Seins das extramentale, natur- und wesenhaft zukommende Sein zur Betrachtung übrig bleibt, bedarf es wegen der aristotelischen Unterscheidung von aktuell Seiendem (*ens actu*) und potentiell Seiendem (*ens potentia*) einer weiteren Klärung. Denn AVICENNA bestimmte das von beiden einfachhin ausgesagte, in weitester Weise aufgefaßte Seiende zum Gegenstand der Metaphysik und zum gemeinsamen Analogon von Schöpfer und Geschöpf, nicht ohne freilich das prinzipienhafte Seiende vom prinzipiierten Seienden zu trennen. In still-

[114] Cf. HENR. DE GAND., *Summa 21,5* Badius 128vA-129vI; ID., *Summa 29,3* Badius 173rA-vE.

[115] Cf. ARIST., *Metaph. V 14.*

[116] Heinrich verweist dafür auf ARIST., *Metaph. VI 8.* - Zur Begriffsgeschichte von *ens diminutum* cf. MAURER, *Ens diminutum.* 1950; KOBUSCH, *Sein und Sprache.* 1987, ad indicem s.v.; cf. auch HENR. DE GAND., *Summa 22,1* Badius 129vL-130rL; ID., *Summa 21,4* Badius 128vZ; ID., *Summa 28,4* Badius 167vT-V; ID., *Summa 34,3* Macken 194,33-45; ID., *Summa 64,4* Badius 203vD-204rG; ID., *Qdl. IV,8* Badius 96vI. 98rQ; ID., *Qdl. V,1* Badius 151rC.

[117] HENR. DE GAND., *Summa 21,3* Badius 125vD fügt noch erläuternd die geläufige Unterscheidung der *propositio de re* von der *propositio in anima* an; dazu GÓMEZ CAFFARENA, *Ser participado.* 1958, p. 52sq.

schweigender Korrektur am avicennischen Seinsbegriff sagt Heinrich, daß es sich dabei nicht um ein real Gemeinsames handelt, denn es bezeichnet in unmittelbar sachbezeichnender, erster Bedeutung (*prima significatione*)[118] entweder nur den Schöpfer oder nur das Geschöpf.[119] Heterogenität und radikale Opposition der Seinsweisen verbieten eine begriffliche Konfusion auf der Aussageebene. Ein Seiendes, das Prinzip ist, ist an sich nichts anderes als reiner Akt (*actus purus*). Dagegen ist ein Seiendes, das prinzipiiert und dadurch als Geschöpf ausgewiesen ist, an sich nichts anderes als Sein in reiner Möglichkeit (*potentia pura*), ein bezügliches Sein (*esse secundum quid*) und insoweit sogar ein schlechthin Nichtseiendes (*simpliciter non ens*).

Dem Verständnis dieser Differenz widmet Heinrich einen dreifachen Gedankengang. Jeder Akt eines Geschöpfes verdankt sich einer Teilhabe am Sein des Schöpfers und stellt eine Übereinkunft (*convenientia*) her, aber nicht die einer univoken realen Gemeinsamkeit (*realis communitas*), sondern die einer analogen Nachahmung (*imitatio*). Die imitative Übereinkunft drückt sich zunächst aus in dem Sein, das durch die mittels einer Definition ausgedrückte Wesenheit und Natur vermittelt ist,[120] sodann aber auch für das Sein der aktuellen Existenz. Beim Wesenssein, dessentwegen eine Kreatur überhaupt auch eine gewisse Natur und Wesenheit genannt werden kann, ist noch zu beachten, daß es allerdings naturhaft zuerst in zweifacher Unbestimmtheit von einer Wirklichkeit (*res*) erfaßt wird. Da nach Heinrich beim naturhaften Ersterkennen Letztdifferenzierungen ausgespart bleiben und nur bestimmte Fundamentaldifferenzen zur Geltung gebracht werden, kann von solch einer erkannten Wirklichkeit, sei es eine geschaffene oder eine ungeschaffene Substanz, unmöglich etwas real geschieden werden, was nicht zugleich deren Substanz wäre. Wenn nämlich jene andere existente Wirklichkeit (*res*) dieser Wirklichkeit das Sein selbst - ein anderes Sein neben der Natur und Wesenheit der Wirklichkeit (*res*) vorausgesetzt - verleiht, von deren Sein wir als das erste Sein reden, das sie besitzt, so verdient sie viel wahrer das Wesenssein jener Wirklichkeit genannt zu werden als jegliche andere Wirklichkeit. Denn das ist in jedem die Wesenheit, die zuerst das Sein gibt. Vom Seinsakt nämlich wird die Wesenheit 'das, was ist' genannt. Das Verbot eines infiniten Regresses führt zu dem Schluß, daß sowohl in Gott wie auch bei der

[118] Zu Heinrichs kaum untersuchter Signifikationstheorie cf. knapp PAULUS, *Essai.* 1938, p. 58; SCHÖNBERGER, *Transformation.* 1986, p. 154; St. MEIER-OESER: *Signifikation.* In: HWPh IX (1995), col. (759-795) 774. 776. 783sq.; ID.: *Die Spur des Zeichens. Das Zeichen und seine Funktion in der Philosophie des Mittelalters und der frühen Neuzeit* (QSP 44). Berlin/New York 1997, ad indicem s.v.

[119] Cf. HENR. DE GAND., *Summa 21,2* Badius 124vO-125rS.

[120] Cf. HENR. DE GAND., *Summa 21,3* Badius 126rE; zur Gleichsetzung des *esse essentiae* mit dem *esse definitivum* cf. ID., *Qdl. I,9* Macken 53,72-73; ID., *Qdl. III,2* Badius 49vE; ID., *Qdl. III,9* Badius 61rE.

Kreatur nicht etwas zur Wesenheit Hinzugefügtes das Sein besitzt, sondern immer die Wesenheit einer Wirklichkeit.[121]

Beim geschaffenen Sein ist mit Berufung auf ARISTOTELES und AVERROES der durch die Wesenheit verschaffte Selbststand der Wirklichkeit nicht wirk-, sondern formal- und exemplarursächlich herzuleiten.[122] Anders ist bei den materiellen Wesenheiten, deren materiale Wirklichkeit Potentialität an sich trägt, deswegen es einer Formengeneration aus der materiellen Potenz bedarf und sie erst durch eine Veränderung der Natur (*motus naturae*) ihre Formen erlangen, ist dabei wiederum der Gedanke fernzuhalten, es geschähe bei immateriellen Wesenheiten durch eine inhärierende Form, also durch die Seinsform (*forma essendi*) eines anderen real geschiedenen Seins.

Spricht man von einem formalen Seinsbesitz, der auch von keiner Exemplarursächlichkeit abhängig ist, verläßt man den Bereich des geschaffenen Seins. Denn Gott und nur er ist *prima forma exemplaris omnium.*[123] Die Seinsdifferenz der Kreatur zum Schöpfer fällt durch Verzweifachung der Relationsbestimmung nun zweifach deutlich aus. Zum einen besitzt alle geschaffene Wirklichkeit ihr Wesenssein (*esse essentiae*) von einem anderen als seiner Exemplarursache. Zum anderen erhält alles Geschaffene sein Sein der Existenz (*esse existentiae*) von dieser Exemplarursache, insofern sie auch Wirkursache zu sein vermag,[124] und dies unmittelbar durch den ersten Schöpfungsakt selbst oder durch andere Mittelursachen im Zusammenhang der Lenkung und Fortzeugung aller entstehenden und vergehenden Dinge. Letzteren gelingt ihre Fortzeugung auch nur durch eine unmittelbare Seinsmitteilung Gottes.

Gott, so lautet das Fazit Heinrichs an dieser Stelle, besitzt sein Sein gänzlich aus sich und seiner eigenen Wesenheit, weder formal noch effektiv von einem anderen. Dieses Sein aus sich ist daher Notwendigsein. War schon vorher klar geworden, daß in Gott keine ursachenbedingte Kontingenz denkbar ist, so steht nun fest, daß die Einheit des göttlichen Wesens und ihres Seins auch nicht durch eine reale Differenz von Sein und Wesen in Gott gefährdet werden kann.

In der Beantwortung der Einwände setzt Heinrich stark die erneut spezifizierte Seinsbesonderheit Gottes heraus. Der erste Einwand hatte geltend gemacht, daß die Behauptung, Gott besitze eine göttliche Wesenheit, nicht die Konsequenz nach sich zöge, Gott besitze auch ein weiteres Sein, nämlich das

[121] Cf. HENR. DE GAND., *Summa 21,3* Badius 126rF: *De tali ergo ente et esse dicendum absolute, quod non solum in Deo creatore, sed et in creatura causata ab ipso, esse rei non est aliquid re praeter eius essentiam nec dicitur aliquid esse ens sive creator sive creatura per aliquam dispositionem additam essentiae suae, sed per ipsam suam essentiam.*

[122] Cf. ARIST., *Metaph. VIII 8*; AVERR., *Metaph. VIII,8,16* ed. Iunt. VIII, fol. 224vM.

[123] HENR. DE GAND., *Summa 21,3* Badius 126vG.

[124] Cf. auch HENR. DE GAND., *Summa 21,5* Badius 129rB-D. Die Formel *ex se ipso formaliter, ex alio efficienter* in Bezug auf das kreatürliche Sein findet sich auch beim antithomanisch argumentierenden SIGER VON BRABANT; dazu mit Belegen PAULUS, *Essai.* 1938, p. 308sq. not. 1.

Sein der Existenz. Für Heinrich liefe ein Zweifel an einem mit dem göttlichen Wesen unabtrennbar verbundenen Sein letzlich darauf hinaus, an der Existenz Gottes selbst zu zweifeln, zumal einem gar nicht aufgegangen wäre, daß Sein der eigentümliche Akt der Wesenheit selbst ist. In Gott herrscht aber vollkommene Identität von Wesen und Existenz. Wenn ein begründeter Zweifel an der Existenz eines Wesens geführt werden darf, dann folglich nur im Bereich des kontingenten, geschaffenen Seins.[125]

Der zweite Einwand schloß aus der Unterschiedenheit göttlicher und geschöpflicher Wesenheit bei gleichzeitiger Konvenienz im Sein, daß wegen einer wechselbaren Zuordnung auch Wesenheit und Sein in Gott unterscheidbar wären. Dem wäre nach Heinrich stattzugeben, wenn es eine reale Seinsgemeinsamkeit in der Wesenheit von Gott und Kreatur gäbe.[126] Es gibt zwar weder auf entitativer noch auf signifikativer Ebene eine reale Gemeinsamkeit, so aber doch eine Übereinkunft in der analogen Nachahmung der Form. Und auf dieser Ebene darf im Hinblick auf das kreatürliche Sein zu Recht unterschieden werden zwischen der göttlichen Wesenheit als Differenzgrund, da diese Wesenheit Gott als Gott Sein gibt, einerseits und dem ersten Seienden der Seienden, dem Sein schlechthin, als Einheitsgrund andererseits, weil dieser nach ARISTOTELES[127] als Ursache aller anderen Dinge mit ihnen formal zusammenhängt.

4. Die singuläre Identität und intentionale Ununterschiedenheit von Sein und Wesen in Gott

Nach der Klärung der realen Ununterscheidbarkeit von Gottes Sein und Wesen geht Heinrich, wie er selber angekündigt hat, über zur Begründung einer noch tieferen, nach Heinrich sogar alles entscheidenden Bestimmung des göttlichen Seins.[128] Der im Mittelalter publizierte und später auch gedruckte

[125] Heinrich verweist hier zurück auf die von ihm schon behandelte Frage, *utrum contingit hominem scire non entia*; cf. HENR. DE GAND., *Summa 3,1* Badius 28rA-vD.

[126] Cf. HENR. DE GAND., *Summa 21,3* Badius 126vI. - Ein hier von Heinrich eingefügter Argumentationsgang, der den Realitätscharakter der intentionalen Zusammensetzung für die Sphäre des kreatürlichen Seins unterstreicht (dazu HOERES, *Wesen und Dasein*. 1965, p. 137), bereitet auf die folgende Quästion vor.

[127] Cf. ARIST. *Metaph. II 2*, 994b19.

[128] Zur Textinterpretation von HENR. DE GAND., *Summa 21,4* Badius 126vK-128vZ cf. PAULUS, *Essai*. 1938, pp. 84. 279. 288sq. 303. 306. 308-310. 310-315; GÓMEZ CAFFARENA, *Ser participado*. 1958, pp. 29. 52sq. 69-71. 74. 78. 104-106. 111. 139. 143. 158sq. 263-269; ROVIRA BELLOSO, *Visión de Dios*. 1960, pp. 205. 207. 211; HOERES, *Wesen und Dasein*. 1965, pp. 154. 156sq. 173; DUMONT, *Source*. 1982, p. 75 not. 33; p. 77 not. 47. 51; p. 84 not. 32; p. 85 not. 48; p. 87 not. 2. 4; p. 88 not. 5; p. 101 not. 9; p. 108 not. 5, p. 147 not. 47; MARRONE, *Augustinian Epistemology*. 1983, p. 272sq.; MARRONE, *Truth*. 1985, pp. 104. 107-124; SCHÖNBERGER, *Transformation*. 1986, pp. 309-313; MARRONE, *Knowledge of Being*. 1988, pp. 36-38; WIELOCKX, *Aeg. Rom., Apol*. 1985, p. 253; PORRO, *Enrico di Gand*.

Text Heinrichs ist gezeichnet durch zwei Redaktionsstufen, die unausgeglichen nebeneinander stehen und gewisse Inkonzinnitäten nicht vermeiden.[129] In den folgenden Darlegungen sind diese Disparitäten weitgehend ausgeklammert, um hier für den Leser dieser Arbeit einen gerundeten Eindruck der - unbeschadet dieser Selbstkorrekturen homogen konzipierten - Wesensontologie Heinrichs zu vermitteln und so das Verständnis späterer Ausführungen Heinrichs vorzubereiten.

Drei Einwände stellt Heinrich seiner These entgegen, daß Wesen und Sein in Gott ineinsfallen. Sie bemängeln dabei einen logischen Fehlschluß, eine unzulässige universale Prädikabilität des göttlichen Seins sowie die Hinfälligkeit der *Quid sit*-Frage für den Fall, daß mit der Klärung des *an sit* bereits eine Wesenserkenntnis erreicht sei. Der erste Einwand erklärt das Sein Gottes als Konsequenz seines Wesens. Denn dasselbe kann nicht zugleich früher und später sein gemäß der aristotelischen Annahme, daß das logisch Frühere sich dadurch auszeichnet, daß es nicht mit dessen Folge getauscht werden kann.[130] Der zweite Einwand sieht eine Identifizierung des göttlichen Seins mit dem Sein aller anderen Dinge der Welt. Denn die Identität von Sein und Wesen in Gott als dem Seienden schlechthin schlösse jegliche spätere Hinzufügung aus. Man käme zur irrigen Konsequenz, das Sein Gottes und das Sein eines beliebigen anderen Seienden von allen Dingen zugleich aussagen zu können, ja die göttliche Wesenheit das Sein aller anderen Seienden sei. Zum dritten wird eingewandt, daß bei der besagten Identität von Sein und Wesen in Gott mit der Erkenntnis, daß Gott ist (*an sit*), sofort auch die Erkenntnis, was Gott ist (*quid sit*), gegeben werde. Gerade der letztgenannte Vorwurf betrifft zentral

1990, pp. 21-25. 28. 31. 53-69; ID., *Ponere statum.* 1993, pp. 115-117.

[129] Die von GÓMEZ CAFFARENA, *Ser participado.* 1958, pp. 263-269, angestellten Untersuchungen zu einer zweifachen Redaktion von *Summa 21,4,* denen weitestgehend zuzustimmen ist, bleiben auf sich beruhen, insofern sie Entwicklungsphasen henrizianischer Ansichten betreffen, wie sie sich 1276-1280 aus dem Disput Heinrichs mit AEGIDIUS ROMANUS um die Realdistinktion von Sein und Wesen entwickelten und sich infolge der zweiten Redaktion als metaphysische Problemerörterung innerhalb der Thematik von *Summa 21,4* gleichsam verselbständigten. Ausgangspunkt der hier vorgenommenen Interpretationen ist gleichwohl die Gestalt jenes Text, der als autorisierte Schlußversion in die Wirkungsgeschichte der henrizianischen Theorie natürlicher Gotteserkenntnis eingegangen ist. Viele der oben angeführten Autoren der Sekundärliteratur, auf die nachdrücklich verwiesen sei, nahmen die Interpretation von *Summa 21,4* - nicht nur wegen des Selbstverweises Heinrichs (127vP) auf sein *Qdl. I,9* - zum Anlaß, die Wesensontologie Heinrichs und ihre fortlaufenden Präzisierungen mit ziemlicher Ausführlichkeit vor dem Hintergrund des Werkganzen darzustellen (spec. GÓMEZ CAFFARENA, *Ser participado.* 1958, pp. 65-92). Dies soll hier nicht in der schon dort geleisteten Breite und Tiefe wiederholt werden, zumal das Hauptaugenmerk der folgenden Darlegungen auf der Funktionalisierung der in *Summa 21,4* gebotenen metaphysischen Analysen für das Problem der Gotteserkenntnis liegt. Heinrich begnügte sich mit Grundelementen seiner hochkomplexen Wesensontologie, und nur sie bedürfen hier der Erläuterung.

[130] Cf. ARIST., *Categ. 12,* 14a25-14b23.

Heinrichs methodische Konsistenz der Artikel 21-24, die auf dieser aristotelischen Distinktion aufruhen. Als Gegeneinwand und Vorklärung der folgenden Erörterungen ruft Heinrich nochmals in Erinnerung, daß Gottes Wesen nicht als partizipiertes Sein, sondern als in sich ständiges, wesenhaftes Selbstsein zu bestimmen ist und daher sein Sein selbst auch sein Wesen ist.

Heinrich setzt den Beginn seiner Argumentation bei dem für ihn denkbar breitesten Punkt an, nämlich bei der allgemeinen Verwendung der Bezeichnung 'Seiendes' (*ens*) für das Wesen eines Dinges (*res*). Die Bezeichnung gilt für aktuell, potentiell und veritativ Seiendes, insofern überhaupt von jeglichem Seienden eine Seinsweise aussagbar ist. Aber Heinrich drängt auf die Präzisierung, daß das Sein schlechthin und absolut bei einem Ding mit voller Gültigkeit nur gegeben ist bei einem Seienden, das wirklich in der realen Natur existiert (*ens existens in effectu in rerum natura*).[131] Von etwas wird Sein nicht schlechthin und absolut ausgesagt wegen eines schlechthin Seienden, das dem Wesen eines Dinges folgt, wie es in den geschaffenen Dingen der Fall ist. Diese besitzen ihr Sein aufgrund eines innergöttlichen Exemplargrundes (*ratio exemplaris*), demgemäß ein Ding effizient hervorgebracht wird, sind aber zugleich in sich eine Natur bzw. eine Wesenheit, die es zuläßt, daß sie auch ohne ein gegebenes Sein in der extramentalen Wirklichkeit ein Sein im Intellekt und in dessen Erfassungskraft besitzen. Das Sein solcher Dinge stammt also nicht vom bloßen Vermögen der Materie oder der Wirkursache, sondern aus der effizienten Wirkursache, die eine wirkliche Existenz in der realen Natur hervorbringt. Dieser Seinsmodus trägt die entscheidende Differenz in das Verhältnis von Schöpfer und Geschöpf. Denn die Kreatur besitzt unbeschadet ihres Wesensseins im göttlichen Exemplargrund ihre reale Existenz allein infolge der natürlich oder auch übernatürlich effizienten Wirkursächlichkeit Gottes und ist folglich in einer zweiten und entscheidenden Hinsicht vom göttlichen Sein formal geschieden. Heinrich will so gegen griechisch-arabische Philosophen die Vorstellung der Koäternität einer außergöttlichen Schöpfung mit ihrer seinsbegründenden Wirkursache abwehren, ohne mit AVICENNA eine notwendige Verbindung der ewigkeitlichen Wesensursache mit dem Sein des hervorgebrachten Dinges leugnen zu wollen.[132]

Das Dasein von Nichtgöttlichem erweist das Dasein einer Ursache, deren Seinsmächtigkeit und Kausalitätspriorität sich darin ausdrückt, daß ihr faktisch wie potentiell das Nichtsein fremd ist und sie daher den Dingen nicht nur ein reales Sein schenkt, sondern dauerhaft das Sein dieser realen Dinge vor dem Untergang in das Nichts zu bewahren vermag. Heinrich transformiert die antik-pagane Anschauung von einem ewigen Kosmos in die Lehre

[131] Cf. HENR. DE GAND., *Summa 21,4* Badius 127rM: *Quamvis ens quod significat essentiam rei, commune sit ad ens actu et ens potentia et ad ens verum quod est in anima, et verum est quod a quolibet modo entis res dicitur aliquo modo esse, esse tamen simpliciter et absolute non dicitur res aliqua nisi ab eo quod est ens existens in effectu in rerum natura.*

[132] Cf. AVIC., *Metaph. VI,2* Van Riet 303,57-58.

von einer geschaffenen Welt, deren fortwährender Erhalt mehr über die wesensbedingte Seinsüberlegenheit des Schöpfers aussagt als über die Subsistenzkraft der kontingenten, weil vom effizienten Willen Gottes abhängigen Schöpfung. An der Stärke des essentialen Seins der geschaffenen Dinge erkennt man, um wieviel erhabener das Wesen Gottes gedacht werden muß. Und wie Heinrich an späterer Stelle darlegt, schneidet diese neuplatonisch inspirierte Lehre von der Seinspolarität noch tiefer ein: Über allem Veränderlichen legt sich durch Veränderung der Hauch des Todes.[133] *Res omnis, inquantum habet aliquid mutabilitatis, intantum habet aliquid mortalitatis.*[134] Allein in Gott ist beständige Wesenhaftigkeit, unwandelbar vollkommenes Sein und damit ungeschmälertes und unerschöpfliches Leben. Angesichts der strikten Kontingenz der Schöpfung darf von den geschaffenen Dingen kaum behauptet werden, daß sie sind, viel eher daß sie nicht sind.[135] Gott allein hat nicht nur Sein, sondern ist Sein. Heinrich verweist dafür auf die Selbstvorstellungsformel Gottes in *Ex 3,14*, wie sie mehrfach von AUGUSTINUS im Sinne eines zeitjenseitigen Seins und einer essentialen Ewigkeit Gottes ausgelegt worden ist.[136] Sein ist für Gott der einfachste und erste Akt. Dieser höchste Intensitätsgrad von Sein und Einheit, Einfachheit und Wesenheit läßt zuerst alle göttlichen Akte des göttlichen Wesens (*actus essentiales*), wie Wissen oder Einsehen und dgl., in dieser differenzfreien Fülle des göttlichen Seins wurzeln, dann aber auch - folgerichtig gemäß der menschlichen Erkenntnisordnung - alle Akte der Personen in Gott (*actus personales*). Dadurch ist nicht nur die angemessenste, sondern nach AUGUSTINUS auch die instruktivste Methodik theologischer Betrachtung angezeigt. Man beginnt beim reinsten Sein Gottes, dem ersten Begriff von Gott, und leitet (*elicere*) in weiteren Schritten alle übrigen Bestimmungen ihrer Ordnung nach ab, und zwar zunächst bei der Betrachtung des Seins Gottes in sich die essentialen Bestimmungen Gottes, bei denen das Seinsprädikat wiederum vorne ansteht, und dann bei der Betrachtung der Kreaturen und der innergöttlichen personalen Akte die notionalen Bestimmungen.[137]

[133] Cf. HENR. DE GAND., *Summa 30,6* Badius 184rY: *In omni autem mutabili nonnulla mors est ipsa mutatio*; ID., *Summa 31,1* Macken 7,00-05.

[134] HENR. DE GAND., *Summa 30,6* Badius 184rB.

[135] Cf. HENR. DE GAND., *Summa 30,6* Badius 184rB-C, u.a. mit Verweis auf ANSELM. CANT., *Mon. 31* Op. omn. I, p. 49,1-6.

[136] HENR. DE GAND., *Summa 21,4* Badius 128vX, zitiert AUG., *De trin. I,1,2* CCL 50, p. 29,51-57; ID., *In ev. Ioa.* 39,8 CCL 36, p. 349,9sq.; eine Paraphrase von ID., *De nat. boni 1,1* CSEL 25/2, p. 853sq.; ID., *De mor eccl. II,1,1* CSEL 90, p. 88,14-18; zur Interpretation von *Ex 3,14* bei AUGUSTIN (spec. *En. in Ps 101,2, 10-14* CCL 40, pp. 1444-1449) cf. W. BEIERWALTES: *Deus est esse - Esse est Deus. Die onto-theologische Grundfrage als aristotelisch-neuplatonische Denkstruktur.* In: ID.: Platonismus und Idealismus. Frankfurt a.M. 1972, pp. (5-82) 26-37.

[137] Cf. HENR. DE GAND., *Summa 21,4* Badius 128vX; cf. AUG., *Sol. I,13* CSEL 89, p. 36,13-14. - Zum *ordo disciplinae* cf. auch HENR. DE GAND., *Summa 1,12* Badius 22vL-M.

Heinrich gelangt zu dieser Methodenvorgabe durch eine analytische Betrachtung des Wesensseins des geschaffenen Seins. Alles, was bei intellektualer Betrachtung, d. h. bei intentionaler Analyse, einem Ding aus sich selbst zukommt, ist früher gemäß seinem Wesen, nicht früher hinsichtlich seiner temporalen Existenz, weil es von einem anderen als von ihm selbst stammt. So betrachtet kommt für alles kreatürliche Sein gemäß der Posteriorität der Wesenheit sein Geschaffensein sogar hinter seinem Nichtsein zu stehen. Oder anders gewendet: Alles aktuell Seiende erfordert eine Wesenheit, die logisch früher ist und ihm formal nur zu eigen ist, weil es diese Wesenheit, die von seinem Hervorbringer aus dem Nichtsein geschaffen worden ist, empfangen hat. Diese zweifache Dependenz und Kontingenz des endlichen Seienden bedingen nach Heinrich dessen Differenz von Sein und Wesen.[138]

Heinrich vertieft die Analyse der Differenz von Sein und Wesen bei der Kreatur, indem er für das Sein der Existenz dessen intentionalen, das Sein der Wesenheit nicht real mehrenden Charakter erläutert. Anders als THOMAS, nach dem der Gegenstand der Metaphysik das Seiende ist, das sich selbst aus dem Wesen und dem Akt des Seins als seinen unselbständigen vorkonkreten Prinzipien zusammensetzt, ist in Heinrichs Ontologie des wesenhaften Seins „Ding" (*res*) der allgemeinste wie auch der grundsätzlichste Begriff. Mit diesem Begriff geht der Intellekt an alles, was Realität hat, heran, und zwar angewandt auf drei progressiv spezifizierte Seinsniveaus, die dem Seinsniveau des aktuellen Seienden immer näherkommen.

Der erste und weiteste Bereich ist der eines Dinges, insofern es demjenigen entgegengesetzt ist, was rein gar nichts ist. Heinrich meint, daß eine *res* hier gemäß seiner etymologischen Herkunft von *reri* (denken, meinen; rechnen) aufzufassen sei. Dieses Ding ist von seiner bloßen Denkbarkeit her[139], eben als *res a reor, reris*[140] zu verstehen. Darunter fällt alles, was Gegenstand des

[138] Cf. HENR. DE GAND., *Summa 21,4* Badius 127rN: *Quod autem est rei ex se ipsa apud intellectum, prius est per essentiam, non tempore, eo quod est ei ex alio a se. Igitur esse creatum est post non esse posteritate essentiae. Si autem laxaverit nomen inceptionis, tunc omne creatum erit incipiens. Per hunc ergo modum esse verum in actu habet omnis creatura ab alio, sive habeat illud ab aeterno sive non. Et sic esse in actu acquiritur essentiae eius, quod de se non habet formaliter, nisi recipiat ab agente ipsam. Et etiam in omni creatura differunt esse et essentia, et est alia ratio ipsius esse, alia vero ipsius essentiae.*

[139] HENR. DE GAND., *Summa 21,4* Badius 127rO: *Alia intentio, qua dicitur res absolute a reor, reris, quam habet ex hoc solo, quod de se potest formari conceptus aliquis in anima.*

[140] Der Ausdruck *res a reor, reris* findet sich auch schon bei THOM. DE AQU., *In II Sent., dist. 37,1,1 resp.* Busa 233b: *Transsumptum est nomen rei ad omne id, quod in cognitione vel intellectu cadere potest, secundum quod res a 'reor, reris' dicitur; et per hunc modum dicuntur res rationis, quae in natura ratum esse non habent, secundum quem modum etiam negationes et privationes res dici possunt, sicut et entia rationis dicuntur* (cf. ID., *In I Sent., dist. 25,1,4, resp.* Busa 69c); sowie bei BONAV., *In II Sent., dist. 37, dub. 1* ed. Quar. II, p. 876a: *Dicendum quod res accipitur communiter et proprie et magis proprie. Res, secundum quod communiter dicitur, dicitur a 'reor, reris'; et sic comprehendit omne illud quod cadit in cognitione, sive sit res exterius sive in sola opinione. Proprie vero dicitur res a 'ratus, rata, ratum', secundum quod 'ratum' dicitur esse illud quod non tantummodo est in cognitione, immo*

Meinens, Denkens oder auch der Imagination sein kann.

Der zweite Bereich beinhaltet alle Dinge, die der Möglichkeit nach ein Dasein in der Welt haben können. Gemeint ist das washeitliche Sein, das seiner Wesenheit nach im göttlichen Geist als Urbild (*exemplar*) gegeben ist. Die Urbilder in Gott sind Fundament des Schöpfungsaktes und letzter Grund für alles, was ins Dasein gebracht werden kann. Heinrich benennt diesen zweiten Seinsbereich *res a ratitudine*, was dem Status der Natur (*natura*) und insbesondere dem des Wesens (*essentia*) gleichkommt. Der *res a ratitudine* eignet eine ihrem quidditativen Sein gemäße Bestimmtheit und Festigkeit (*certitudo*).

Den dritten und letzten Seinsbereich machen all die Dinge aus, die in dieser Welt ein aktuelles Dasein haben. Deswegen werden sie von Heinrich als *res existentes in actu* bezeichnet. Dabei ist immer mitgedacht, daß alle aktuell daseienden Dinge nur wegen eines Exemplars in Gott in das Dasein gesetzt werden können.

Von besonderem Belang ist Heinrichs Lehrmeinung, der zweite Seinsbereich der *res a ratitudine*, der auch ein Bereich des Wesens (*essentia*) ist, falle mit der Washeit (*quidditas*) ineins.[141] Dies ist bezeichnend, zumal Heinrich gerade für den zweiten Seinsbereich Gott und dessen Wissen ins Spiel gebracht hat. Dinge haben und sind Wesen, Washeiten bzw. *res a ratitudine*, eben weil sie in Gott ein Exemplar haben. Demnach ist für alle Dinge als *res a ratitudine* eine reale Relation zu Gott hin gegeben. Diese Relation macht geradezu die Vornehmheit an ihnen aus. Im weiteren erläutert Heinrich, daß alle derartigen Dinge in einem Seinsmodus stehen, den er als Sein des Wesens, eben als Wesenssein (*esse essentiae*) bezeichnet. Das *esse essentiae* hat Halt und Grund aus der exemplarischen Relation zu Gott.[142] *Essentia ... dicitur res ex respectu ad Deum, inquantum ab ipso exemplata est.*[143] Nehmen wir das bereits zur *quiditas* Gesagte hinzu, ist eines vollends klar geworden: Das adäquate Objekt eines nach wahrem und somit nach wesenhaften Wissen greifenden Intellekts ist ein Ding, insoweit es auf sein Exemplar in Gott in Relation gesehen und erkannt ist.[144]

est in rerum natura, sive sit ens in se sive in alio; et hoc modo res convertitur cum ente. Tertio modo dicitur res magis proprie, secundum quod dicitur a 'ratus, rata, ratum', prout 'ratum' dicitur illud quod est ens per se et fixum; et sic res dicitur solum de creaturis et substantiis per se entibus. - Cf. J.-F. COURTINE: *Res.* In: HWPh VIII (1992), col. (892-901) 896.

141 Cf. HENR. DE GAND., *Qdl. VII,1-2* Wilson 27,71-28,90.

142 Cf. HENR. DE GAND., *Summa 21,4* Badius 127vQ-128rS; ID., *Qdl. III,9* Badius 61rO; ID., *Qdl. X,8* Macken 201,90-202,95.

143 HENR. DE GAND., *Summa 21,4* Badius 127vQ; ähnlich ID., *Qdl. V,2* Badius 154rD: *ex respectu ad rationem exemplaris ad Deum*; u.ö.

144 HENR. DE GAND., *Qdl. V,14* Badius 177rR: *Ex hoc enim solo est aliquid scibile simpliciter, quod est aliquid per essentiam habens rationem extra rem in Deo.*

Will man die kaskadenhaft gestaffelten Seinsbereiche graphisch zuordnen, wäre folgende Darstellung möglich:[145]

Deus ut forma *Deus ut efficiens*

res ***a reor, reris*** *ens;* *verum;* *res absolute;* *non ens* *per essentiam*	***res*** ***a ratitudine*** *ens simpliciter;* *ens per essentiam;* *aliqua essentia;* *quiditas*	***res*** ***existens*** ***in actu***	***essentia*** *esse in se et a se*	*aliquid,* *quod* *est suum esse*	***DEUS***
			substantia *esse in se* + ***accidens*** *esse in alio*	*aliquid,* *cui* *convenit esse*	***CREATURA***
	figmentum				
purum nihil					

Wie bestimmt sich nun der Zusammenhang der Wesenserkenntnis zur Erkenntnis eines konkreten existierenden Dinges? Heinrich spricht von zwei Seinsweisen, vom Sein des Wesens (*esse essentiae*) und vom Sein der Existenz (*esse existentiae*). Zum Verständnis dieser Dichotomie blicken wir auf die drei Bereiche der *res* zurück. *Res a reor, reris* ist ein Ding, das dem reinen Nichts (*purum nihil*) entgegengestellt ist. Nach Heinrich gibt es für jegliches Objekt eines Intellekts einen Grad an Realität. Selbst im Fall von Fabelgebilden seien zumindest Elemente, die in einer gewissen Nähe zu Substanzen stehen, kombiniert worden.[146] Dagegen ist eine *res a ratitudine* einer spezifischen Art des reinen Nichts, nämlich dem reinen Nichts in Natur und Wesen (*purum nihil in natura et essentia*) entgegengestellt.[147] *Esse essentiae* und *esse existentiae* hält also eine klare Differenz auseinander, die sich vom Seinsmodus des *esse essen-*

[145] Graphische Darstellungen bieten z. B. PAULUS, *Essai.* 1938, p. 27; GÓMEZ CAFFARENA, *Ser participado.* 1958, pp. 106sq. 114. 116; CUNNINGHAM, *Some Relations.* 1969, pp. 108. 118. 126. 128sq.; DECORTE, *Avicenniserend augustinisme.* 1983, I, p. 92; MARRONE, *Truth.* 1985, p. 113; PORRO, *Enrico di Gand.* 1990, pp. 57. 63. Wie bei allen eben genannten Autoren so sei auch hier gesagt, daß unstrittig ist, welche Grundelemente in ein Schema aufzunehmen seien, aber es unmöglich erscheint, jede von Heinrich ausgeführte Nuance - zumal in werkchronologischer Hinsicht - einzubinden. Die Terminologie des obigen Schemas richtet sich hauptsächlich nach HENR. DE GAND., *Summa 21,2* und *Summa 21,4.*

[146] Cf. HENR. DE GAND., *Qdl. VII,1-2* Wilson 27,63-68.

[147] Cf. HENR. DE GAND., *Summa 21,4* Badius 127rO.

tiae ableitet. *Res a reor, reris* ist absolut indifferent zu einem Seienden und einem Nichtseienden.[148] Diese Kategorie eines Dinges umfaßt einen Modus des reinen Nichtseienden (*purum non ens*), das ein reines Nichts ist, sofern es im Vergleich zu dem mit *natura* und *essentia* Gemeinten gesetzt wird.[149] Im Falle der Imagination kann dieser Modus des Nichtseienden als das Nichtseiende rein imaginärer Vorstellungen und nur als solches auch Gegenstand des intellektualen Erkennens werden. *Res a ratitudine*, Wesen bzw. *quidditas* sind dagegen nicht indifferent zum Sein, denn diese *res* liegt hier noch innerhalb jenes Bereiches, den ein Seiendes in einem weitesten Sinne einnehmen kann. *Res*, soweit sie als Wesen der Washeit genommen ist, ist stets mit einem Wesenssein (*esse essentiae*) verbunden, welches zur *res* hinzutritt und objektive Realität verleiht.[150] Dieses Sein des Wesens ist Ausdruck der exemplarischen Relation zu Gott. Alle Gegenstände des menschlichen Intellekts haben ein Sein von dieser Art.

Nun ist zwar das Wesen, die *res a ratitudine* in bestimmter Weise indifferent zum Seienden und Nichtseienden, aber doch nicht in dem ausdrücklichen Sinne einer *res a reor, reris*.[151] Das Wesen ist indifferent zu einem aktuell Seiendem, das sein Sein in einer bestimmten partikulären Substanz oder in einem Gedanken eines partikulären Intellekts manifestiert hat. Dieses aktuell Seiende hat ein *esse existentiae*, das jeder *res existens in actu* in Anbetracht deren Ortes in der konkreten Aktualität des geschaffenen Seins zukommt.[152] Es ist wie das *esse essentiae* eine Manifestation einer Relation zu Gott, und hier der Relation eines Dinges zu Gott als dessen *causa efficiens*.[153] Kurzum, ein Wesen bzw. eine *quiditas* steht ihrem ontologischen Status nach zwischen Nichtsein und voller Aktualität. Das Wesen übt seinen Seinsmodus insoweit aus, als es in seiner Relation zu Gott begründet ist; denn diese Relation ist seine Teilhabe am göttlichen Sein. Aber dem Wesen fehlt das Sein der Existenz, das es benötigt, um ein aktuelles Ding in dieser Welt zu werden. Das Wesen gibt es nur im Grade des Möglichseins. Dort lokalisiert Heinrich das eigentliche Objekt des Intellekts. Dieses steht auf der Ebene des Wesenhaften und Quidditativen, das aller besonderen Bestimmung des Nichtseins oder der Existenz enthoben ist. Das Objekt des Intellekts liegt in der Welt der Möglichkeit, die aber ihren festen Grund in ihrer exemplarischen Realität in Gott besitzt.

[148] Cf. HENR. DE GAND., *Summa 21,2* Badius 124vK.

[149] Cf. HENR. DE GAND., *Summa 21,2* Badius 124vK; ID., *Qdl. V,2* Badius 154rD.

[150] Cf. spec. HENR. DE GAND., *Summa 24,4* Badius 127r-vO; zum Verhältnis *essentia - existentia* weiterhin ID., *Summa 34,2* Macken 173,24-175,69; ID., *Qdl. V,2* Badius 154rD; ID., *Qdl. VII,1-2* Wilson 26,46-29,9; ID., *Qdl. XI,3* Badius 443r-vG.

[151] Cf. HENR. DE GAND., *Summa 34,2* Macken 174,41-175,55; ID., *Qdl. V,14* Badius 177vR; ID., *Qdl. VII,1-2* Wilson 27,59-70.

[152] Cf. HENR. DE GAND., *Summa 21,2* Badius 124vK; ID., *Qdl. V,2* Badius 154rD.

[153] Cf. HENR. DE GAND., *Summa 21,4* Badius 127vQ-128rS; ID., *Qdl. III,9* Badius 61rO; ID., *Qdl. X,8* Macken 202,3-203,36.

Mit seiner Entgegnung auf den dritten Einwand, nach dem mit der Kenntnis der Existenz Gottes sein Wesen zugleich miterkannt sei, schlägt Heinrich nochmals den Bogen zurück zu *Summa 21,3* und ruft ins Gedächtnis, daß das extramentale, wesenhafte Sein der wahren Seiendheit eines Dinges (*vera rei entitas*) ontologisch entschieden höher steht als das intramentale, veritative Sein eines Dinges (*veritas rei*). Gemäß dieser beiden Seinsweisen kann auch die Frage nach der Existenz Gottes zweifach verstanden werden. Richtet sich die Frage nach dem extramentalen Wesen, ist sie eine Frage nach einem Inkomplexen, richtet sie sich auf veritatives Sein, ist sie eine Frage nach einem Komplexen. Während den Dingen die Wahrheit nicht anders als inkomplex innewohnt, besteht die intramentale Wahrheit in einer gedanklichen Verknüpfung oder Unterscheidung. Da nach AVICENNA die Frage nach dem Sein Gottes eine Frage nach einer Gattung ist, die Frage nach dem veritativen Sein die nach einem Akzidens,[154] ist bei der Frage nach der realen Existenz des Wesens Gottes eine Kenntnis seines Wesens vorausgesetzt. Die Fragen nach der Existenz und nach dem Wesen Gottes lassen sich von ihrem Gegenstand her nicht der Sache und der Intention nach trennen. Sie sind letztlich nur eine Frage, aber zweifach artikuliert, weil nach menschlicher Intellektfähigkeit derselbe Gegenstand je nach seiner Existenz und seinem Wesen bezeichnet und erkannt wird. In Gott sind ja sein Sein und sein Wesen der Sache und der Intention nach identisch, jede Differenz erst durch den menschlichen Intellekt hineingetragen. Für die Erforschung von Komplexem darf wiederum wegen eines anderen Sachgrundes des göttlichen Seins in sich und im menschlichen Intellekt eingestanden werden, daß eine Kenntnis der Existenz Gottes einhergehen kann mit einer Unkenntnis seines Wesens. Heinrich konstatiert diesen Fall bezeichnenderweise für die Kenntnis des göttlichen Seins aus seinen Effekten, bei der die Wahrheit des Urteils 'Gott ist' gewußt wird, nicht aber die Wahrheit über die reale Weise göttlichen Existierens.[155] Damit deutet Heinrich bereits an früher Stelle seines Traktats eine Reserve gegenüber kosmologischen Gottesbeweisen an, und zwar als eine Konsequenz einer reïstischen Metaphysik, deren Sensibilität für unterschiedliche Seinsbereiche geschaffenen Seins gerade das Wesenssein Gottes noch schärfer in seiner Singularität[156] aufscheinen läßt.

[154] Heinrich verweist auf AVIC., *Metaph. V*, wo aber kein entsprechender Text gefunden werden kann.

[155] Cf. HENR. DE GAND., *Summa 21,4* Badius 128vZ.

[156] Cf. HENR. DE GAND., *Qdl. II,8* Wielockx 39,97-99: *Hoc est privilegium solius essentiae divinae, quod ipsa ex se formaliter sit singularitas quaedam et idem in eo sunt essentia et existentia.* Heinrich vertritt ein im Vergleich zu seiner Zeit außerordentlich geschärftes Verständnis von Singularität. Wohl inspiriert vom Singularitätsverständnis des GILBERT VON POITIERS kann der trinitätstheologisch umstrittene, weil sabellianisch auffaßbare (cf. PETR. LOMB., *Sent. I, dist. 23,5* ed. Quar. ^{3}1971/81, p. 185sq.) Begriff *singularitas* bei Heinrich im Hinblick auf Gott als transzendente Ersursächlichkeit eine unverlierbare und unmitteilbare Seinswirklichkeit ohne Gegenstück bezeichnen;

5. Die Aseität Gottes als reiner essentialer Seinsakt und in-sich-ständiger Grund

Die Rede von einer Autousie bzw. Aseität[157] des göttlichen Seins wurde zum Problem für die scholastische Theologie, als die Argumentationen, die aufgrund des Partizipationsgedankens mittels der Unterscheidung von *esse per se* und *esse per aliud* Gottes Selbstsein erläuterten, nicht mehr mit dem Begriff der Selbstbegründung (*causa sui*)[158] im neuplatonischen Kausaldenken vermittelt werden konnten. THOMAS VON AQUIN opponierte gegen dieses Theorem, weil es die Einheit und Einfachheit von Gottes Wesen und Existenz, sein *ipsum esse subsistens*, aufbreche und in ein additives Verhältnis bringe.[159] Unter den Vorzeichen seiner Wesensontologie hatte Heinrich ein ähnliches Interesse, das privilegierte Sein Gottes in adäquater Terminologie zu bestimmen.[160]

Die beiden von Heinrich aufgestellten Einwände ziehen die Problematik in zweifacher Perspektive ans Licht. Zuerst geht es um die Unterscheidung von Ursache und Verursachtem. Besäße Gott sein Sein von sich, indem er sich selbst das Sein gäbe, wäre er Selbstursache des eigenen Seins. Diese Schlußfolgerung ist aber falsch, da Ursache immer etwas meint, von dem aus etwas

dazu HENR. DE GAND., *Summa 25,3* Badius 152vA (*in opp. 4*). 155rN; ID., *Summa 53,1* Badius 61rD-E; ID., *Summa 53,3* Badius 62vR-63rS; ID., *Qdl. III,3* Badius 50vL; ID., *Qdl. IV,11* Badius 102rR; ID., *Qdl. VI,1* Wilson 9,72-73; ID., *Qdl. VI,7* Wilson 75,63-64; ID., *Qdl. XIII,10* Decorte 66,45-49 (cit. supra Kap. II, § 4,1 not. 13). Cf. Ch. STRUB: *Singulär; Singularität. I.* In: HWPh IX (1995), col. (798-804) 800. 802sq.; K. BORMANN: *Singularitas.* In: LexMA VII (1995), col. (1929sq.) 1929.

[157] Der Begriff selbst scheint erst neuzeitlich aufgekommen zu sein; die wenigen Angaben bei D. SCHLÜTER: *Aseität.* In: HWPh I (1971), col. 537sq., sind bezüglich der Literatur zu ergänzen um K. SCHMIEDER: *Alberts des Großen Lehre vom natürlichen Gotteswissen.* Freiburg i.Br. 1932, pp. 114-117; cf. ferner die entsprechenden Artikel in LThK² I (1957), col. 921sq. (F. LAKNER); LThK³ I (1993), col. 1060sq. (W. BREUNING), sowie AUER, *Gott, der Eine und Dreieine* (KKD II). 1978, pp. 361-364. 367-370.

[158] Cf. P. HADOT: *Causa sui.* In: HWPh I (1971), col. 976sq.; B. MOJSISCH: *Selbstverursächlichung.* In: LexMA VII (1995), col. 1728sq.; ID.: *Die neuplatonische Theorie der Selbstverursächlichung (causa sui) in der Philosophie des Mittelalters.* In: L. G. BENAKIS (Hg.): Néoplatonisme et philosophie médiévale. Turnholt 1997, pp. 25-33. Zahlreiche Belege für *causa sui* finden sich bei SCHÖNBERGER, *Transformation.* 1986, p. 268sq. not. 64; dazu noch BONAV., *In I Sent., dist. 38,1 fund. 4* ed. Quar. I, p. 672a; ID., *In IV Sent., dist. 27,2,1 arg. 1* ed. Quar. IV, p. 679a. HENR. DE GAND., *Summa 22,4* Badius 133rO lehnt einen Rückgriff auf eine *causa suiipsius* für einen aposteriorischen Gottesbeweis ab; cf. Kap. II, § 3,4.- Zur Problementwicklung in der neuzeitlichen Gotteslehre cf. Ch. THEILEMANN: *Die Frage nach Analogie, natürlicher Theologie und Personenbegriff* [sic] *in der Trinitätslehre. Eine vergleichende Untersuchung britischer und deutschsprachiger Trinitätstheologie* (ThBT 66). Berlin/New York 1995, p. 162sq. not. 16 (Lit.).

[159] Cf. THOM. DE AQU., *S.c.G. I,22* nr.207 Pera 32; ID., *S.c.G. II,47* nr.1239b Pera 168; ID., *In Lib. de Caus. 26* nr.415 Pera 132; ID., *S. theol. I, q. 3, a. 4 corp.* ed. Paul. 17. Cf. LAKEBRINK, *Klassische Metaphysik.* 1967, pp. 63. 148.

[160] Zur Textinterpretation von HENR. DE GAND., *Summa 21,5* Badius 128vA-129vI cf. GÓMEZ CAFFARENA, *Ser participado.* 1958, p. 165sq. und PORRO, *Enrico di Gand.* 1990, pp. 66-68.

anderes, von der Ursache Verschiedenes sein Sein hat. Der zweite Einwurf greift in trinitätstheologische Überlegungen über. Ausgangspunkt ist die Feststellung, daß der kausal vermittelte Erhalt von Sein ein für Gott unstatthaftes Prinzipiiertsein einschlösse und Gott daher das Sein nicht von sich habe. Ein Prinzipiertsein kann sich aber bezüglich des göttlichen Seins nur auf eine subsistierende Person beziehen, weil Prinzip und Prinzipiiertes sich in relativer Opposition zueinander befinden, also die innertrinitarische Hervorbringung der Personen zum Ausdruck gebracht wäre. Doch ist das Sein in Gott keine subsistierende Person, sondern etwas Wesenheitliches, in dem alle göttlichen Personen übereinkommen. Zum anderen ist der Prinzipiengrund früher als der Grund des Prinzipiierten. Gemäß dem bereits Gesagten[161] ist aber der mit Gott selbst identische Seinsgrund der erste Grund, der von Gott begriffen werden kann. Der von Heinrich aufgestellte Gegeneinwurf appliziert das aristotelische Verbot eines infiniten Regresses auf das gestellte Problem. Denn jenes, von dem alles andere sein Sein erhält, besitzt notwendig das Sein von sich aus; falls nicht, besäße es sein Sein von einem anderen und man müßte ins Unendliche zurückgehen und bei jenem stehen bleiben, das sein Sein von sich aus, nicht von einem anderen besäße. Dies wäre dann nach dem schon Gesagten[162] aber Gott selbst.

Um seiner Lösung näher zu kommen, beginnt Heinrich mit der Klärung des Ausdrucks „von sich" (*ly*[163] *a se*), der die Umstände einer Ursache bezeichnet, die entweder effizient oder formal wirkt. Falls von einer effizient wirkenden Ursache die Rede ist, gilt nach Heinrich grundsätzlich, daß Gott das Sein nicht von sich hat und noch weniger von einem anderen. Heinrich bemüht AUGUSTINUS, der hinter solchen Anschauungen nicht nur das Mythologumenon einer Theogonie witterte, sondern auch einen fundamentalen Irrtum über die Gesamtwirklichkeit, da überhaupt nichts in der Welt - weder Gott noch geistige oder körperliche Kreatur - sich zum Sein hervorbringt, damit es da sei.[164] Heinrich führt diesen Hinweis AUGUSTINS weiter, indem er

[161] Cf. HENR. DE GAND., *Summa 21,2* Badius 124vO; ID., *Summa 21,4* Badius 128r-vX.

[162] Cf. HENR. DE GAND., *Summa 21,2* Badius 124rI-vK; ID., *Summa 21,3* Badius 126vG.

[163] Zu diesem Ersatz des determinierten Artikels im scholastischen Latein und seiner Funktion cf. M. Ph. HUBERT: *Einige Aspekte des philosophischen Lateins im 12. und 13. Jahrhundert* [= RELat 27 (1949), pp. 211-233]. Dtsch. Fassung in: A. ÖNNERSFORS (Hg.): Mittellateinische Philologie (WdF 292). Darmstadt 1975, p. (283-312) 298; A. M. LANDGRAF: *Die Einführung des Artikels „li" an der Wende der Früh- und Hochscholastik.* In: Schol. 32 (1957), pp. 560-564 [= ID.: Dogmengeschichte I/1. 1952, pp. 21-24]; P. CLASSEN: *Die geistesgeschichtliche Lage. Anstöße und Möglichkeiten.* In: P. WEIMAR (Hg.): Die Renaissance der Wissenschaften im 12. Jahrhundert. Zürich 1981, p. (11-32) 30 not. 42 (mit neuem Frühbeleg aus dem 9. Jahrhundert: BECZIN, *Epist.* [a. 899]. In: F. SAVINI: Cartulario della chiesa Teramana. Codice latino in perg. del sec. XII del Archivio vescovile di Teramo. Rom 1910, p. 40, lin. 20, cit. ap. F. BLATT (ed.): Novum Glossarium Mediae Latinitatis, fasc. 50. Kopenhagen 1957, col. 112).

[164] AUG., *De trin. I,1,1* CCL 50, p. 28,35-36; ebenfalls zitiert in HENR. DE GAND., *Qdl. II,8* Wielockx 39,90-91; *Qdl. X,7* Macken 178,67-68. - Das augustinische Argument kur-

ihn mit der Terminologie der aristotelischen Ursachenlehre präzisiert: Die Ursache hat notwendigerweise gemäß der Wesensbestimmung des Verursachens früher ihr Sein als das Verursachte. Was nicht ist, kann auch nicht für etwas Ursache sein. Wenn nun eine Ursache etwas in sich verursacht, hat sie notwendig vorher ein vorausgehendes Sein (*esse praecedens*). Das hieße nun wieder, daß die Einfachheit und Einzigkeit jenen Seins verloren ginge und dieses zweite Sein notwendig mittels der Prinzipien der Wesenheit des ersten Seins konstituiert wäre. Das Dasein folgte dem zweiten Sein notwendig als akzidentelles Sein, so wie das Proprium der Spezies folgt, z.B. die Lachfähigkeit dem Menschen. Diese Konsequenz stürzt die Rede von einer effizienten Selbstverursachung Gottes in eine neue Unmöglichkeit hinein. Denn ein akzidentelles Sein folgt nicht dem Wesen einer Sache, wenn sie nicht früher in einem substanziellen Sein konstituiert ist. Andernfalls existierte ein Akzidens aktuell früher als sein Subjekt und die Wirkung früher als die Ursache. Diese Unmöglichkeit im geschaffenen Sein ist noch weit weniger denkbar im göttlichen, das von allem akzidentellen Sein frei ist. Aus all diesen Überlegungen kommt man zum vierfachen Schluß, daß im Falle einer effizienten Selbstverursachung etwas anderes als Gott als erste Wirkursache angenommen werden müsse, Gott ein bewegter Beweger wäre, er seines Ranges als erstes, prinzipiierendes Sein verlustig ginge und seine Einfachheit sich aufhöbe. Eine solche Position wird widerlegt von AVICENNA, der die Rede von einer Ursache Gottes ausdrücklich zurückweist und Gott Notwendigsein nennt, und dies - so Heinrich - zur Emphase der Gott eigentümlichen Seinsstärke (*vehementia essendi, quae propria est Deo*)[165], da allein Gott - anders als alles Geschaffene - es nicht vermag, nicht zu sein.

Benennt der strittige Ausdruck 'von sich' allerdings den Umstand einer Formalursache, ist es nach Heinrich statthaft, von Gott zu sagen, er habe sein Sein von sich. Dies gilt, insofern Gott Form und reiner Akt, also differenzfreies Sein selbst, ist und diese Prädikation auf das essentiale, nicht aber das personale Sein in Gott bezogen wird, da die göttliche Wesenheit in sich weder etwas durch sich prinzipiiert, noch sie selber von etwas anderem prinzipiiert wird. Anders ist es bei diesem wesenhaften Sein, insofern es ein Sein in den prinzipiierten göttlichen Personen, also im Sohn und im Hl. Geist, hat und so zu einem personalen Sein kontrahiert ist, weil bei diesen beiden deren personales Sein von einem anderen, nicht von sich stammt. Effektiv bzw. prinzipiativ besitzen sie ihr Sein vom Vater, formal besitzen sie es von sich selbst *uniformiter* mit dem Vater, und zwar sowohl wegen der Einheit der göttlichen Wesenheit als auch wegen der formalen Proprietäten, durch die die einzel-

sierte besonders in den Diskussionen um die göttlichen Hervorgänge; cf. PETR. LOMB., *Sent. I, dist. 4,1,1* ed. Quar. ³1971/81, p. 78,12-13; ID., *Sent. III, dist. 5,1,5* ed. Quar. ³1971/81, p. 43,27-28; SUMMA FR. ALEX., *Lib. I, nr. 296* ed. Quar. I, p. 419a; EAD., *Lib. I, nr. 407* ed. Quar. I, p. 600a; THOM. DE AQU., *S. theol. I, q. 39, a. 4, obi. 4, ad 4.*

[165] Cf. AVIC., *Metaph. I,5* Van Riet 41,80: *vehementia essendi.*

nen Personen voneinander unterschieden sind und ihnen ein unterschiedliches personales Sein zuerkannt wird. Nur der Vater besitzt nicht sein Sein von einem anderen effektiv bzw. prinzipiativ, weder essentiell, noch personell. Allein Gott Vater und Gott der Dreieine besitzen ihr Notwendigsein durch sich und durch ihre Seinsform, d. h. ohne das effektive oder prinzipiative Wirken eines anderen.

Heinrich verschweigt nicht die von AVICENNA und allen übrigen Philosophen als unpassend bewertete Meinung, daß etwas das Notwendigsein von sich und in ähnlicher Weise von einem anderen besitzt. Nach Heinrich ist die Aussage nicht unpassend, außer eben - und hier gibt Heinrich AVICENNA uneingeschränkt recht[166] - bei denen, die behaupten, daß Gott im Hinblick auf sein Wesen durch sich und durch ein anderes seiner selbst Notwendigsein besitze. In polemischer Wendung gegen AVERROES weist Heinrich auf die philosophische Unhaltbarkeit hin, geschaffenem Sein, z.B. Himmelskörpern und getrennten Substanzen, ein Notwendigsein durch sich und durch anderes zuzuschreiben.[167] Allein in der akosmischen Sphäre göttlichen Wesensseins ist ein Notwendigsein durch ein anderes denkbar, und dies zu erkennen ist der philosophischen Vernunft auch nur möglich, weil die christliche Trinitätslehre ihr dazu einen probablen Anhalt gibt.

Die differenzierte Analyse der Aseität als Urvollkommenheit Gottes führt Heinrich zu einem neuen, kritischen Verständnis eines Seinsprivilegs Gottes, das für den christlichen Theologen Heinrich einen dem Trinitätsdogma konvenienten und zugleich philosophisch verantworteten Gottesbegriff auszeichnet. Heinrichs Antwort auf den Gegeneinwand kehrt dies deutlich heraus.[168] Der formale Nichtbesitz des Von-sich-Seins ist gleichbedeutend mit dem Selbstvermögen, sein zu können, wobei ein anderes das Sein verschafft. Jenes, das effektiv Von-sich-Sein nicht besitzt, hat aber nicht notwendigerweise sein Sein von einem anderen. Denn jedes Tätige wird auf ein erstes Tätiges zurückgeführt und dessen Tun auf seine Form, durch welche es zuerst und formal seinen ersten Akt in sich vollzieht, der das Sein ist. Für Heinrich heißt dies in einem wahreren Sinne: Gottes Tun, das sein Sein ist, ist er selbst, so daß er nichts anderes als das Sein selbst ist und sein Sein auch seine Form und Wesenheit. Durch sie vollzieht er folgerichtig alle folgenden Akte. Solche gibt es sowohl innerhalb der göttlichen Wesenheit als essentiale Akte, wie Verstehen, Wollen und dgl., oder als notionale Akte, wie Zeugen und Hauchen, als auch außerhalb der göttlichen Wesenheit, wie Erschaffen und vorsehendes Lenken. All diese Akte müssen auf jenen ersten Akt zurückgeführt werden, der Sein ist und den Gott formal in sich nicht effektiv vollzieht. Hatte Heinrich vorher das Sein Gottes essentialisiert, so wird nun als Abschluß und

[166] Cf. AVIC., *Metaph. I,6* Van Riet 44,31-43.

[167] Cf. HENR. DE GAND., *Summa 21,5* Badius 129vF; cf. WIELOCKX, *Aeg. Rom., Apol.* 1985, p. 253 (ad 129vF).

[168] Cf. HENR. DE GAND., *Summa 21,5* Badius 129vI.

Höhepunkt seiner Klärungen zum Gottesbeweis *si est in se* dieses essentialisierte göttliche Sein radikal als *esse in actu* begriffen. Der an dieser Stelle nicht zu erwartende Blick auf die trinitarische Lebensfülle des einen und ungeteilten Gottes potenziert das Verstehen des Aktualseins Gottes. Und in Heinrichs Argumentation sind es weniger die göttlichen Akte *ad extra*, als vielmehr die innertrinitarische Vitalität des einen göttlichen Wesens. In der Trinität besagt Einheit die höchste Intensität und Lebendigkeit[169] von Einung. Schlechthin einfach und vollkommen aktuell in dreipersonaler Lebendigkeit, weltüberlegen und weltschaffend, ist Gottes Wesen von solcher Daseinsmacht, daß Gott nicht kann, daß er nicht ist. Mit dieser Einsicht sieht Heinrich ein wichtiges Etappenziel seines noch komplexer werdenden Gottesbeweises erreicht.

In den sechs Artikeln von *Summa 21* entwickelt Heinrich allmählich die Grundlagen für seine Darlegungen der Gotteserkenntnis. Die introduktorische Erläuterungen beginnen mit Hinweisen auf begünstigende Faktoren einer Gotteserkenntnis, zu denen Heinrich eine angeborene Gotteserkenntnis, das 'Rufen' der Schöpfung, die Selbsttranszendenz des Menschen und die beeindruckende Ordnung des Kosmos zählt. Eine metaphysisch fundierte Analogielehre gibt die Vergewisserung, für eine Erkenntnis Gottes von welthaft realen Seiendem Ausgang nehmen zu dürfen und zu gültigen Aussagen über das göttliche Sein gelangen zu können. Der Aufweis einer realen Identität von existenzhaftem und wesenhaftem Sein in Gott deckt nicht nur Gottes Formursächlichkeit für alles welthafte Sein auf, sondern bestimmt auch die Wesenheit einer Wirklichkeit als dasjenige, das das Sein trägt. Damit ist schon übergeleitet zu Heinrichs mehrstufiger Wesensontologie, die in ihren komplexen Ausformungen die Singularität des göttlichen Wesenssein vielfach beleuchtet. Heinrichs kritische Neuinterpretation der Aseität Gottes als reinen essentialen Seinsakt gewinnt ein Gottesprädikat zurück, das alle Maximalaussagen seiner philosophisch ausgewiesenen Wesensontologie in Gott versammelt und zugleich das wesenhaft lebendige Sein Gottes trinitätstheologisch einbindet. So geben bereits diese ersten Überlegungen Heinrichs in recht klaren Konturen seine aussagentheoretischen, epistemologischen und metaphysischen Grundüberzeugungen zu erkennen.

[169] Cf. die aufwendig differenzierten Analysen *de vivere et vita Dei* in HENR. DE GAND., *Summa 27,1-2* Badius 160rA-163vZ, in denen die Aktualität der göttlichen Essentialität ausgedeutet wird. Zur Textinterpretation dieser Quästion cf. PAULUS, *Essai.* 1938, pp. 153. 208sq. 219. 225. 231. 235sq. 237sq. 289. 303sq. 308. 340. 363; GÓMEZ CAFFARENA, *Ser participado.* 1958, pp. 90. 97. 118sq. 121. 123. 131. 145sq. 268; ROVIRA BELLOSO, *Visión de Dios.* 1960, pp. 72. 224. 252sq.; HOERES, *Wesen und Dasein.* 1965, pp. 130. 133-135. 143. 145-148; WIELOCKX, *L'amour.* 1971, pp. 90-96; MARRONE, *Truth.* 1985, pp. 116 (ad 161rG); 119 n.68.; SCHÖNBERGER, *Transformation.* 1986, p. 313 (ad 161vM); WIELOCKX: *Aeg. Rom., Apol.* 1985, pp. 150 (ad 162r-vP). 153 (ad 162rO). Zu trinitarischen Implikationen der Seinslehre Heinrichs cf. auch DECORTE, *Waarheid als weg.* 1992, p. 218.

§ 3 DIE NEUBEGRÜNDUNG DER BEWEISKRITERIEN NATÜRLICHER GOTTESERKENNTNIS

1. *Die Möglichkeit menschlicher Gotteserkenntnis*

Auch im mittelalterlichen Christentum, Judentum und Islam empfand man es keineswegs als unproblematisch, sich auch rational erkennend des Daseins Gottes zu vergewissern. In diesen Religionen, denen der Glaube an den einzig-einen in Schöpfung und Geschichte machtvoll handelnden Gott gemeinsam ist, fanden sich gleichermaßen Anhänger einer religiös motivierten, erkenntniskritischen Meinung, die als Konsequenz negativer Theologie keinesfalls die Existenz Gottes, so aber doch die Erkennbarkeit seiner Existenz, seines Wesens oder seines Wirkens durch das menschliche Intellektvermögen verneinten. Einige Vertreter dieser Religionen suchten in ihrer Ablehnung rationaler Theologie andere Wege und verließen sich dabei etwa nur auf Glauben und Offenbarung.[170] Als eine Sonderform im christlichen Verständnis der absolut freien Selbstoffenbarung Gottes entwickelte sich die *Deus absconditus*-Lehre.[171] Weitere Denker wiesen den Anspruch der rational-deduzierenden Theologie zurück, weil Gottes Existenz wegen der Kraft seines alles Verstehen überwältigenden Offenbarseins unabweisbar und selbstverständlich sei, also weder eines szientifischen, syllogistisch verfahrenden Beweises bedürftig noch eines solchen fähig sei.[172] Mannigfache Spielarten und Mischformen dieser Ansichten seien hier übergangen.

[170] Namhaftester, aber auch sehr gemäßigter Vertreter dieser skeptisch-fideistisch geneigten Richtung ist MOSES MAIMONIDES (1135 - 1204); cf. J. MAIER: *Geschichte der jüdischen Religion.* Freiburg i.Br. 1992, pp. 274-288 (Lit.); allg. cf. D. J. LASKER: *Jewish Philosophical Polemics Against Christianity in the Middle Ages.* New York 1977, spec. pp. 25-44. Zu den Autoren des 13. Jahrhunderts, die solche Positionen häufig referierten, gehört THOM. DE AQU., *In Boeth. De trin. q. 1, a. 2* Decker 63-68; ID., *S.c.G. I,12* Pera 15sq.; ID. *S. theol. I, q. 2, a. 2*; allg. dazu W. KLUXEN: *Die Geschichte des Maimonides im lateinischen Abendland als Beispiel einer christlich-jüdischen Begegnung.* In: MM 4 (1966), pp. 146-166; J. MAIER: *Mose ben Maimon.* In: TRE XXIII (1994), pp. 357-362. - Ablehnend zur Möglichkeit eines rationalen, nicht nur Probabilität, sondern auch Evidenz vermittelnden Gottesbeweises äußerten sich später unter sehr veränderten philosophischen Bedingungen, die das Verständnis des aristotelischen Kausalprinzips betrafen, der Skotist JOA. DE BASSOLIS OMin († 1347), *In I Sent., dist. 2, q. 1, art. 3,* die Nominalisten ROBERT HOLCOT OP, *In 1 Sent., dist. 1, q. 4* und PETR. DE ALLIACO (1350 - 1420), *In I Sent., dist. 2, q. 3, art. 2,* sowie der Ockhamist und Scotus-Editor J. MAIOR (1467/69 - 1550), *In I Sent., dist. 2, q. 1, concl. 2*; cf. dazu B. MELLER: *Studien zur Erkenntnislehre des Peter von Ailly* (FThSt 67). Freiburg i.Br. 1954, pp. 109-116. 136-163.

[171] Für die hochmittelalterliche Tradition vom *Deus absconditus* cf. die exemplarische Studie von Ch. SCHÜTZ: *Deus absconditus - Deus revelatus. Die Lehre Hugos von St. Viktor über die Offenbarung Gottes* (StAns 56). Rom 1967.

[172] Auf diese Position verweist THOM. DE AQU., *S.c.G. I,10* Pera 13sq.; ID. *S. theol. I, q. 2, a. 1.*

Heinrich[173] führt die Position einer Unerkennbarkeit Gottes in dreifach variierter Version vor: Zum ersten kann der Mensch von allem, was in einem uns Unzugänglichen liegt, genauso wenig dessen Existenz wissen wie von dem, was jenseits des sengenden Erdgürtels[174] liegt. Denn Gott ist von dieser Art, da er nach *1 Tim 6,16* in einem unzugänglichen Licht wohnt. Zum zweiten kann das, was für das menschliche Erkennen immer im Dunkeln verborgen ist, vom Menschen nicht auf seine Existenz hin gewußt werden, da alles, was erleuchtet, etwas Lichthaftes ist. Nach *Ps 17,12* Vg „Finsternis machte er sich zur Hülle" ist aber Gott derartig, folglich für den Menschen unerkennbar. Schließlich muß von Dingen unbekannter Natur eher gewußt werden, was sie sind, als daß sie sind, wie ARISTOTELES bei der Erforschung der Leere und AUGUSTINUS für die Deutung des Übels ausführten. Da aber nach dem Damaszener an Gott nicht erkannt werden kann, was er ist, fällt alles menschlich erworbene Wissen über Gott hin.[175]

Diesen Kritiken natürlicher Gotteserkenntnis hält Heinrich im Gegeneinwurf zunächst allein die Autorität der Hl. Schrift entgegen. Denn alles, was die Schrift lehre über Gott, ist erkennbar, weil nach PAULUS (*Röm 15,4*) die Schrift genau zu dem Zweck verfaßt worden ist, z.B. *Ps 101,28* Vg, die Existenz Gottes zu verstehen zu geben. Man ginge sonst kraß an der Intention der Wortoffenbarung Gottes vorbei.

Den springenden Punkt des Problems sieht nun Heinrich in der Form des Wissens über Gottes Existenz. Kategorisch erklärt er zu Beginn, daß die anstehende Frage ein *complexum*, einen Urteilssatz betrifft, ob es nämlich die Möglichkeit für den Menschen gibt, Gottes Existenz zu wissen mittels der Wahrheit einer Zusammenfügung eines Prädikats zu einem Subjekt, die intramental eine geschmälerte Entität der Sache ausmacht, oder ob der Mensch eine sichere Kenntnis davon erhalten könne über die Aussage, daß Gott wahrhaft existiert. Weil aber nach dem bloßen Dasein, nicht schon nach dem Wesen des Existenten gefragt wird, bleibt nach Heinrich die Frage ausgeklammert und auf später verschoben, ob der Mensch das Sein Gottes selbst wissen kann, durch das dieser wahrhaft ein Sein in sich besitzt. Aufgrund dieser Klarstellung führt Heinrich zwei Formen an, die Existenz eines Dinges zu wissen.

[173] Zur Textinterpretation von HENR. DE GAND., *Summa 22,1* Badius 129vI-130rO cf. DE WULF, *Hist. philos. scol. Pays-Bas.* 1893, p. 81; PAULUS, *Argument ontologique.* 1935, pp. 298. 312; ID., *Essai.* 1938, p. 40; GÓMEZ CAFFARENA, *Ser participado.* 1958, p. 194sq.; HOERES, *Wesen und Dasein.* 1965, p. 125sq.; DUMONT, *Source.* 1982, p. 14sq. 39. 42; p. 51 not. 42; p. 125 not. 47; p. 311 not. 19; PORRO, *Enrico di Gand.* 1990, pp. 69-71.

[174] Zur äquatorialen *torrida zona*, diesem Element antik-mittelalterlicher Geographie, cf. MACROB., *Comm. in Somn. Scipionis I,15,13-19* Willis 62,30-64,10; *II,5,9-36* Willis 111,15-116,9; MART. CAP., *De nupt. Philol. et Merc. VI,602-609* Willis 211,1-213,7; dazu GEORGES, *Lat.-dtsch. Handwb.* [8]1918, vol. II, col. 3573sq. s.v. *zona*, 5; K. ABEL: *Zone.* In: PRE Suppl. XIV (1974), col. 989-1188.

[175] Cf. ARIST., *Phys. IV 6-9*, 213a11-217b10; AUG., *Contra epist. Manich. fund. 36* CSEL 25/1, p. 241; IOA. DAMASC., *De fide orth. I,2,3* Buytaert 15,45-47.

Zunächst kann gemeint sein, daß man von der Existenz eines Dinges durch das Ding selbst aufgrund der Evidenz seiner Existenz beim Wissenden weiß, so wie jemand von der Existenz eines Feuers dadurch weiß, daß er es seinen eigenen Augen gegenwärtig sieht.[176] Der unmittelbaren sinnlichen Präsenz entsprechen im intellektualen Bereich die ersten, durch sich bekannten, selbstevidenten Wissensprinzipien, die sich unmittelbar unserem Erkennen darbieten. Sie werden nicht durch ein Äußeres, sondern durch etwas ihnen vom Begriff her Innewohnendes erkannt, das Zeichen ihrer Integrität und Prinzipienhaftigkeit ist.[177] Die durch Kenntnis des Begriffs erfaßten Prinzipien sind die ersten im Erkennen, weil durch sie selbst von ihnen erkannt wird, daß sie sind und daß sie wahr sind. AVERROES[178] verglich daher diese Prinzipien mit der Tür eines Hauses, die jeder kennen sollte und durch die man zuerst eintreten müsse, um dann zur Erforschung der Geheimnisse dieses Hauses voranzuschreiten. Auf das gestellte theologische Problem angewandt heißt dies, daß die Existenz Gottes nur demjenigen Menschen erkennbar, und d. h. hier: durch sich evident ist, der die Existenz Gottes mittels der Kenntnis seiner Natur und Quiddität erkennt.[179] Die Erörterung einer solchen Erkenntnismöglichkeit wird von Heinrich auf den nachfolgenden Artikel aufgeschoben.[180]

Der andere Erkenntnismodus, von der Existenz eines Dinges zu wissen, beruht nicht auf der Evidenz der Sache durch sich, sondern auf einem Mittleren, das etwas Bekanntes syllogistisch deduziert, um etwas Unbekanntes aus der Verbindung der einen Existenz zur andern zu erkennen. So erkennt jemand die Existenz eines Feuers dadurch, daß er mit eigenen Augen Rauch aus dem Kamin entsteigen sieht. Auf vergleichbare Weise werden in Syllogismen die Konklusionen mittels ihrer Prinzipien erkannt. Für die anstehende Frage legt Heinrich großen Nachdruck darauf, daß ohne weiteres und sehr wohl (*absolute et bene*) der Mensch Gottes Existenz zu erkennen vermag. Indem der Mensch mittels des Gesichtssinnes und anderer Sinneserfahrung erkennt, daß es Geschöpfe gibt, steht ihm der Weg offen, aus deren natürlichen Verbundenheit mit dem Sein des Schöpfers unter Führung der natürlichen Vernunft untrüglich (*infallibiliter*) wissen zu können, daß Gott

[176] Dieses Kriterium verwendet Heinrich auch in *Summa 22,5* (cf. Kap. I, § 3,5).

[177] Heinrich verbindet hier an bedeutsamer Stelle aristotelische und avicennische Kriterien szientifischen Wissens, wie PORRO, *Enrico di Gand.* 1990, p. 70, gut bemerkte. Die damit verknüpften erkenntnismetaphysischen Annahmen expliziert Heinrich in *Summa 24,3* (cf. Kap. II, § 5,3).

[178] Cf. AVERR., *Metaph. II,1* ed. Iunt. VIII, fol. 29aA.

[179] Cf. HENR. DE GAND., *Summa 22,1* Badius 130rL: *Loquendo de isto modo cognoscendi Deum esse, dicendum quod Deum esse non est cognoscibile ab homine, nisi cui illud est per se notum, in cognoscendo scilicet Deum esse cognoscendo eius naturam et quidditatem, sine cuius cognitionem non cognoscimus ex evidentia rei terminos in illa propositione, quae dicitur 'Deus est'.*

[180] Cf. Kap. II, § 3,2.

existiert.[181] Wie dies geschehen kann, erläutert Heinrich später ausführlich in *Summa 22,4*.[182]

Gegenüber dem biblisch begründeten Einwand, daß Gott in einem unzugänglichen Licht wohne, will Heinrich ein zweifaches göttliches Licht, in dem Gott in zweifacher Weise für den Menschen erkennbar ist, unterschieden wissen, nämlich ein Licht seiner eigenen Natur und ein Licht der Kreatur. Das von Gott bewohnte Licht der Kreatur ist dem Menschen zugänglich, weil es der natürlichen Vernunft zugrundeliegt und mit rein natürlichen Kräften und mit Beistand der allgemeinen göttlichen Erleuchtung[183] zugänglich ist. Das 'erste Licht' ist dem Menschen aber nur soweit mit Hilfe einer besonderen Gnade zugänglich, wie es bei der klaren Erkenntnis Gottes in einem gnadengeschenkten Licht der Gottheit der Fall ist.[184]

Der zweite Einwand, der eine Selbstverschließung Gottes gegenüber allem menschlichen Erkennenwollen behauptete, hat nach Heinrich den Vergleichspunkt falsch gesetzt und den kontradiktorischen Gegensatz von Helligkeit und Dunkel im Bereich des Körperlichen unzulässig übertragen auf das nur graduell differenzierte Offenbarsein Gottes. Das Dunkel um Gott ist nicht vergleichbar mit dem körperlichen Dunkel, das die Sicht auf körperliche Dinge verstellt und das für das körperliche Auge undurchdringlich bleibt. Denn man nennt das Erscheinen Gottes in seiner Herrlichkeit seine Manifestation, in der er in unverstellter Schau seines Wesens erkannt werden kann. Dagegen bedeutet seine 'Hülle' sein Verbergen unter der Ähnlichkeit und dem Rätsel der Kreatur. Dies ist aber nur gleichsam als ein Dunkel hinsichtlich der Herrlichkeit und Klarheit des göttlichen Lichts gemeint, weil diese 'Hülle' nicht vollends die Erkenntnis des sich Verbergenden verdunkelt.[185]

[181] Cf. HENR. DE GAND., *Summa 22,1* Badius 130rL: *Alio autem modo contingit scire rem aliquam esse non per se ex rei evidentia, sed per medium notius deducens via ratiocinativa ad illud cognoscendum tamquam ignotius ex colligantia existentiae unius ad existentiam alterius, ... Quo modo etiam sciuntur conclusiones in demonstrationibus per sua principia. Loquendo autem de hoc modo cognoscendi, dicendum absolute quod bene contingit hominem scire Deum esse, sciendo enim per visum et experientiam sensus creaturas esse, ex naturali colligantia earum ad esse creatoris infallibiliter potest sciri ductu naturalis rationis Deum esse.* Schon an dieser Stelle läßt Heinrich keinen Zweifel zu an der erheblichen Beweiskraft aposteriorischer Gottesbeweise, die er dann in *Summa 22,4* (cf. Kap. II, § 3,4) entfaltet.

[182] Cf. Kap. II, § 3,4.

[183] Heinrich verweist zur Erläuterung der hier nur knapp erwähnten Illuminationslehre auf *Summa 1,3* Badius 8vA-11rL. Zur Bedeutung der Illuminationslehre für den Gottesbeweis cf. die Ausführungen zu HENR. DE GAND., *Summa 24,8* (Kap. III, § 2,4).

[184] Cf. HENR. DE GAND., *Summa 22,1* Badius 130rM.

[185] Cf. HENR. DE GAND., *Summa 22,1* Badius 130rN: *Sicut apparitio Dei in sua claritate dicitur eius manifestatio qua natus est cognosci aperta visione suae essentiae, sic occultatio eius sub similitudine et aenigmate creaturae quae est quasi tenebra respectu claritatis divinae lucis, dicitur eius latibulum, non tale quod omnino abscondat cognitionem latentis sicut tenebrae corporales omnino abscondunt corpus, ne videatur omnino ab oculis corporis, sed quod claram Dei cognitionem habendam per apertam visionem obumbret.* - Zu Heinrichs Position in der Theophanie-Diskussion des 13. Jh. cf. Kap. II, § 5,1.

Gegen alle Bestrebungen, Gottes Unerkennbarkeit zu übersteigern, verweist Heinrich auf den Willen Gottes zu seinem Offenbarsein, das eschatologisch uneingeschränkt gewährt werden soll, dessen Vorschein aber für den Menschen im Anblick der Schöpfungsherrlichkeit schon aufspürbar ist.

Der dritte Einwurf postulierte eine Vorkenntnis über das Wesen Gottes, bevor man die Frage nach seiner Existenz stellen dürfe. Heinrich erwidert mit einer Distinktion der Frage nach dem, was etwas ist (*quid est*), also dem Wassein. Zum einen gibt es ein Wassein, das durch den Namen ausgesagt wird und in den demonstrativen Wissenschaften das Vorverständnis (*praecognitio*) ausmacht. Zum anderen meint das Wassein auch den Bestimmungsgrund (*ratio*) des Wesens und der Natur dessen, was durch diesen Namen ausgesagt wird, und dies ist in den demonstrativen Wissenschaften Gegenstand und Definitionsgrund. Die erstgenannte Bestimmung des Wasseins hilft nach Heinrichs Ansicht in der Sache weiter, denn sie ist für die Frage nach der Erkennbarkeit der Existenz Gottes zugrundezulegen. Wenn man nämlich aus den Kreaturen nicht sein Dasein weiß außer mittels der Kausalität und der Eminenz, muß man, um auf diesem Wege sein Dasein zu entdecken, vorher einsehen, was mit den Benennungen 'Gott' und 'sein' bezeichnet ist. Andernfalls wüßte man nicht ein bereits erwiesenes, über die Kreaturen eminentes Wesen mit Gott zu identifizieren. Wer in Unkenntnis der Nominaldefinition ist, gleicht nach THEMISTIUS[186] jenem, der einen flüchtigen Knecht, den er gar nicht kennt, sucht, ihn finden könnte und dann doch nicht wüßte, daß genau er der Gesuchte ist, und auch nicht wüßte, daß er ihn gefunden hätte. Wenn nun die Kenntnis einer Nominaldefinition genügt, ist folglich die zweitens genannte Kenntnis der Realdefinition nicht zwingend gefordert.

Heinrich fängt also die kritischen Einwände gegen eine vernunftgetragene Frage nach der Existenz Gottes auf, indem er sie in unannehmbare Aporien hineinführt. Sollte sich nämlich der Sinn des menschlichen Fragens nach dem Dasein Gottes im Dunkel seines unbegreiflichen und unermeßlichen Wesens verlieren, dann wären Dasein und Wahrheit des christlich bekannten Gottes nicht mehr rational ausweisbar und jeder bestätigenden Überprüfung entzogen. Der im christlichen Glauben bekannte Schöpfer der Welt wäre bleibend unzugänglich in sich und abwesend für den wahrheitssuchenden Intellekt - eine Verkümmerung und Entleerung dessen, was beim Menschen die Freiheit der intellektbegabten Kreatur ausmacht, nämlich seine Fähigkeit zur entschiedenen Wahrheitsbejahung aufgrund von Gründen, die der Intellekt als evident erkennt und anerkennt.

[186] Cf. THEMIST., *Anal. Post. paraphrasis I,1* CAG V/1, pp. 2,5-5,4 [translatio GERARDI CREMONENSIS].

2. *Das kritische Verständnis des Selbstverständlichen* (per se notum)

Die scholastische Diskussion um die *propositio per se nota*[187] ergab sich für die Theologie des 13. Jahrhunderts infolge ihrer Rezeption der boethianischen Regularmethode und der strengen aristotelischen Wissenschaftslehre, wie sie in den 'Zweiten Analytiken' faßbar ist. Als Wissen im eigentlichen und strengen Sinne galt nun nach ARISTOTELES nur Wissen, das von allgemeinen, notwendigen, in sich einleuchtenden Prinzipien ausgeht. Das letztgenannte Kriterium war aber sehr interpretationsbedürftig. Meint es nämlich logische Unmittelbarkeit oder eine Evidenz aufgrund der sich einsichtig darstellenden Sache selbst oder etwa die leichte Erkennbarkeit seitens des um Einsicht bemühten Menschen? In der Bewertung des anselmianischen Gottesarguments, des seit KANT sog. ontologischen Gottesbeweises,[188] fand im Laufe des 13. Jahrhunderts dieses philosophische Problem eine Zuspitzung in der christlichen Gotteslehre.[189] Unter dem Einfluß der aristotelischen Logik wurden die augustinisch–neuplatonischen Grundlagen des anselmianischen Gottesarguments strittig. Das galt besonders für die von ANSELM zugrundegelegte Einheit von geistigem Erkennen, meditativem Gebet und sachlich-ideativer Einsicht, die

[187] Cf. von den älteren Arbeiten SCHMÜCKER, *Propositio per se nota.* 1941, der theologische Aspekte gut berücksichtigt, sowie nun grundlegend die umsichtige Studie von TUNINETTI, *Per se notum.* 1996. Nahezu vollständig abhängig von SCHMÜCKER ist A. HUNING: *Per se notum.* In: HWPh VII (1989), col. 262-265; dieser Autor übersieht zudem völlig die bei OCKHAM konzipierte Lehre von den *principia per experientiam nota,* die stark die nominalistische Lehre von einer erfahrungsmäßigen Gotteserkenntnis einwirkte; dazu KOBUSCH, *Luther und die scholastische Prinzipienlehre.* 1987, pp. 314sqq.

[188] Eine gute Führung durch die Vielzahl historischer und gegenwärtiger *Proslogion*-Interpretationen leistet G. SCHRIMPF: *Anselm von Canterbury, Proslogion II-IV. Gottesbeweis oder Widerlegung des Toren? Unter Beifügung der Texte mit neuer Übersetzung* (Fuldaer Hochschulschriften 20). Frankfurt a.M. 1994, pp. 8-16. 59-67.

[189] Cf. aus der unübersehbar gewordenen Literaturfülle DANIELS, *Quellenbeiträge.* 1909; J. CHATILLON: *De Guillaume d'Auxerre à saint Thomas d'Aquin. L'argument de saint Anselme chez les premiers scolastiques du XIIIe siècle.* In: Spicilegium Beccense I. Congrès international du IXe centenaire de l'arrivée d'Anselme au Bec. Paris 1959, pp. 209-232, der auf WILHELM V. AUXERRE, RICHARD FISHACRE, ALEXANDER V. HALES, BONAVENTURA und THOMAS V. AQUIN eingeht; D. SCHLÜTER, *Gottesbeweis.* In: HWPh III (1974), col. (818-830) 825-827; L. HÖDL: *Anselm von Canterbury.* In: TRE II (1978), pp. (759-778) 768-772; SARANYANA, *La recepción del argumento anselmiano en la Escolástica de siglo XIII (1220-1270).* 1985. Exzellente Analysen zu ANSELM unter Einbezug der hochscholastischen Diskussion findet man bei SCHÖNBERGER, *Responsio Anselmi.* 1989. KAPRIEV, *Ipsa vita et veritas.* 1998, pp. 314-343 („Die mittelalterliche Lektüre des Arguments") läßt in seinem Überblick Heinrichs Kernstelle (*Summa 22,2*) aus! Die beste Darstellung des Themas bei Heinrich, auf die hier grundsätzlich verwiesen sei, stammt von PORRO, *Enrico di Gand.* 1990, pp. 9-139, spec. 73-86, der auch pp. 9-13 die bemerkenswert wechselhaften Positionen der bisherigen Heinrich-Forschung vorstellt. PORRO überholt hinsichtlich der Interpretationsrichtung und auch wegen des kritischen historiographischen Bewußtseins die klassische Studie von PAULUS, *Argument ontologique.* 1935, pp. 265-323.

nicht-diskursiv den geistigen Gegenstand selbst offenbar werden läßt. Um den Preis einer sachlichen Einengung und eines anachronistischen Interpretationsvorhabens forderte man dagegen von ANSELM eine diskursive metaphysische Begründung des Gedankenganges und erkenntnistheoretische Aufklärung über den Status der dabei verwendeten Termini. THOMAS VON AQUIN hat als erster eine solch fundamentale Anfrage an die anselmianischen Texte gestellt - und die Argumentation ANSELMS als entschieden zu kurzschlüssig abgelehnt.[190] Unter Berufung auf die aristotelische Unterscheidung zwischen dem 'an sich Bekannten' und dem 'an sich und für uns Bekannten' wird vom Aquinaten verneint, daß Gottes Wesenheit 'für uns' von vornherein bekannt sei, sondern erst syllogistisch erschlossen werden müsse. Es gelinge auch nur wenigen Sachverständigen und nicht jedermann. Der gewichtigste Einwand, so THOMAS, sei aber, daß das Wassein Gottes, eine für den viatorischen Menschen inhaltlich unerreichbare Kenntnis, als selbsteinsichtiges rationales Beweisprinzip geführt werde und man so durch einen methodischen Fehler dazu verleitet werde, deduktiv auf Gottes Dasein schließen zu dürfen.

Vor dem Hintergrund dieser komplexen wirkungsgeschichtlichen Situation, in der die *ratio Anselmi* mit dem aristotelischen Wissenschaftsideal der 'Zweiten Analytiken' konfrontiert ist, greift Heinrich unmittelbar die von THOMAS begonnene Diskussion auf.[191] Den Skopus seiner Frage nach der Selbstverständlichkeit natürlicher Gotteserkenntnis im Sinne eines *per se no-*

[190] Cf. THOM. DE AQU., *In I Sent., dist. 3,1,2* Busa 10c-11a; ID., *Ver. X,12* ed. Leon. 22, pp. 338-343; ID., *S.c.G. I,10-11* Pera 13-15; ID., *S.c.G. III,38* nr. 2161 Pera 44; ID., *S. theol. I, q. 2, a. 1.* - Cf. BASSLER, *Kritik des Thomas von Aquin.* 1973/74, der bei völligem Desinteresse am hochscholastischen Werdegang der Diskussion - DANIELS, *Quellenbeiträge.* 1909 wird nicht einmal zitiert! - und mit stetem Bemühen, THOMAS mit KANT zu konfrontieren, immerhin eingehend die logischen und erkenntnismetaphysischen Voraussetzungen bei THOMAS werkimmanent analysiert; ferner SEIDL: *Einleitung.* In: THOM. DE AQU., Gottesbeweise. ²1986, pp. (xi-xl) xvii-xxiv.

[191] Zur Textinterpretation von HENR. DE GAND., *Summa 22,2* Badius 130rP-131vZ cf. DWYER, *Wissenschaftslehre.* 1933, p. 55; PAULUS, *Argument ontologique.* 1935, pp. 297. 299. 300. 303-308. 312. 313. 316. 318 (ad 131vX); ID., *Essai.* 1938, pp. 47. 51; BARTH, *De tribus viis.* 1943, p. 194 (ad 131vX); SCHMÜCKER, *Propositio per se nota.* 1941, pp. 94-100. 223-231; GÓMEZ CAFFARENA, *Ser participado.* 1958, pp. 196sq. 215; PEGIS, *Towards, I.* 1968, pp. 232-235; DUMONT, *Source.* 1982, p. 67 not. 28; MARRONE, *Augustinian Epistemology.* 1983, p. 282. 289; ID., *Knowledge of Being.* 1988, pp. 31. 34; grundlegend PORRO, *Enrico di Gand.* 1990, pp. 43sq. 73-86; WIELOCKX, *Aeg. Rom., Apol.* 1985, p. 125sq.; TUNINETTI, *Per se notum.* 1996, pp. 122. 173sq. 180. 183. - Auf diese Thomas-Kritik Heinrichs replizierte schon kurz nach dessen Tod THOM. DE SUTTON, *Qu. ord. 1* Schneider 3-35. In der späteren scholastischen Literatur geht PETR. AUREOLI, *Script. super Sent. I, dist. 2,10* n.3-9. 31-35. 139-143 Buytaert 525sq. 531-533. 563sq., sehr ausführlich auf diesen Text Heinrichs ein. Dagegen besitzt der nach 1350 verfaßte, anonyme skotistische *Tractatus de propositione per se nota,* ed. E. P. BOS: A Scotistic Discussion of „Deus est" as a propositio per se nota. Edition with Introduction. In: Viv. 33 (1995), pp. (197-234) 205-234, dort p. 228, lin. 770, seine schmale Heinrich-Kenntnis nur noch aus dem skotischen Text; cf. IOA. DUNS SCOTUS, *Ord. I, dist. 2,1,2 nr. 15. 22. 24* ed. Vat. II, pp. 131. 136sq.

tum hat Heinrich durch den vorhergehenden Artikel präzis - präziser als THOMAS - benannt. Die Frage handelt bei Heinrich vom Existenznachweis (*an sit*), insoweit einem Urteil (*complexum*) durch das Verbinden von Prädikat und Subjekt das Dasein - noch nicht das Wassein - Gottes erschlossen ist.[192]

Alle von Heinrich angeführten *adversarii* gelten als respektable Autoritäten. Wie schon beim Aquinaten wird zuerst JOHANNES DAMASCENUS mit seiner bereits vorher zitierten Ansicht einer eingepflanzten Gotteserkenntnis ins Feld geschickt.[193] Aus dem lapidaren *patet ex iam dictis* seiner Erwiderung am Ende des Artikels[194] ersieht man, daß Heinrichs eigenes, kritisches Verständnis der damaszenischen Lehre ein wesentliches Thema der folgenden Ausführungen ist. HUGO VON ST. VIKTOR bringt zum zweiten mit seiner Lehre, Gott sei zwar nicht zu begreifen (*comprehendere*), aber auch keinesfalls sein Dasein zu ignorieren, ein *argumentum e negativo* bei.[195] Der dritte Einwand schließlich knüpft an die von Heinrich bereits dargelegte Einheit von Sein und Wesen in Gott an. Weil nämlich nach ARISTOTELES gleich den ersten Prinzipien dasjenige natürlich durch sich bekannt ist, was bei Kenntnis der Begriffe sofort gewußt wird,[196] ist Gottes Dasein sofort erkannt, da aufgrund der besagten Einheit von Wesen und Sein in Gott die Bedeutung der Begriffe 'Gott' und 'ist' und ihre Zuordnung unmittelbar klar ist.[197]

Einziger Gegenredner ist AVICENNA mit einem Argument, das im Zusammenhang mit einer Gegenstandsbestimmung der Metaphysik expliziert wird. Danach behandelt zwar die Metaphysik das Dasein Gottes. Er ist aber nicht als Subjekt dieser Wissenschaft bewiesen, sondern vielmehr in ihr gesucht als etwas, das eben nicht durch sich manifest ist.[198] Mit dieser Stellungnahme des philosophischen Hauptgewährsmanns Heinrichs ist die mit THOMAS gemeinsame

[192] Daß sich Heinrich in dieser kritischen Vorklärung den Weg, Gottes Dasein in einem *incomplexum* aufzuzeigen, noch für später vorbehält, läßt seine gewichtigen Gründe ahnen, deretwegen er gegenüber Theorien einer Gotteserkenntnis *ex propositione per se nota seu in complexo* Reserve zeigt.

[193] Cf. IOA. DAMASC., *De fide orth. I,1* Buytaert 12,22-23; bereits zitiert in HENR. DE GAND., *Summa 21,1* Badius 123vB.

[194] Cf. HENR. DE GAND., *Summa 22,2* Badius 131vZ.

[195] Cf. HUGO A S. VICT., *De sacr. I,3,1* PL 176, col. 217A. Dieses Argument zitieren bereits SUMMA FR. ALEX., *Lib. I, nr. 23* ed. Quar. I, pp. 23b-24a, und ALBERT. MAGN., *S. theol. I, tract. 3, q. 14,1* ed. Colon. 34/1, p. 50,74-77.

[196] Cf. ARIST., *Anal. Post. II 19*, 100b3-5.

[197] Cf. schon THOM. DE AQU., *S. theol. I, q. 2, a. 1.*

[198] Cf. AVIC., *Metaph. I,1* Van Riet 4,64-68. - THOM. DE AQU., *Ver. X,12 corp.* ed. Leon. 22, p. 340,129-131, führt anscheinend als erster diese Avicenna-Stelle als Gegenargument ein. GUILL. DE LA MARE, *Scriptum in I Sent., dist 3,2* Kraml 73, kombiniert die Stelle ebenfalls mit Ps 13,1, ebenso AEG. ROM., *In I Sent., dist. 3,1,2* ed. Venedig 1521, fol. 21rH, der diesen Grund als letzten von fünf Gegengründen anreiht. Später übernehmen ihn auch RICH. DE MEDIAV., *In I Sent., dist. 3,2 contra 3* ed. Brescia 1591, tom. I, p. 40b, und GUILL. DE WARE, *Qu. super Sent., q. 21* Daniels 99. Für IOA. DUNS SCOTUS, *Ord. I, dist. 2,1,2 nr. 14* ed. Vat. II, p. 130 ist das Avicenna-Zitat bloß als *textus interpolatus* ausgewiesen, in der *Lectura* taucht es gar nicht auf.

Gesamttendenz der nachfolgenden Argumentation ausgesprochen, zugleich aber auch deren gegenüber THOMAS neuartige Nuancierung angedeutet.

Heinrich führt gleich zu Beginn eine allgemeinere Unterscheidung ein, da der Satz 'Gott ist' zweifach verstanden werden kann. Zuerst kann der Satz 'Gott ist' im allgemeinen verstanden werden, insofern man 'Gott' in absoluter Weise versteht unter dem Namen 'Sein' oder 'Gut' oder einer anderen ehrenden Proprietät, die ihm zukommt, in ähnlicher Weise aber auch den Kreaturen. Heinrich verweist dafür erneut auf den von ihm mit Vorliebe zitierten augustinischen Stufenbeweis des Daseins Gottes im achten Buch 'Über die Dreifaltigkeit'.[199] Die zweite Weise, den Satz 'Gott ist' zu verstehen, besteht dann darin, daß man ihn im besonderen auffaßt, also so, daß mit dem Namen 'Gott' - ebenfalls gemäß AUGUSTINUS[200] - eine erhabenste Natur (*natura aliqua excellentissima*) bezeichnet ist.

Von der ersten Erkenntnisweise - die bereits im wesentlichen Heinrichs Lehre von der Ersterkenntnis Gottes darstellt - darf man daher behaupten, daß sie eine natürliche Erkenntnis des Daseins Gottes verschafft, doch mit einer gewichtigen Einschränkung: Wir erkennen, wenn wir das schlechthin Seiende, Eine, Gute oder Schöne[201] (*ens, unum, bonum, pulchrum simpliciter*) erkennen, nur in ersten Begriffen, gewissermaßen in Anfangsbegriffen des Denkens. Dadurch ist Gott, wie Heinrich in großer Nähe zu THOMAS formuliert,[202] nur im Allgemeinen und mit einer gewissen Konfusion (*sub quadam*

[199] Cf. HENR. DE GAND., *Summa 22,2* Badius 130vQ: *Deum esse contingit intelligere dupliciter. Uno modo in generali, inquantum 'Deus' intelligitur sub nomine entis vel boni absolute vel alicuius proprietatis nobilis, quae ei convenit et similiter creaturis, secundum quod dicit Augustinus: 'Intellige hoc bonum, intellige illud, intellige bonum simpliciter, si poteris, intellexeris Deum'.* - Zu diesem für Heinrich wichtigen Augustinus-Zitat cf. Kap. II, § 2,1 n.65.

[200] Cf. AUG., *De doctr. chr. I,6,14* CSEL 80, p. 11,25-26: *excellentissimam quandam immortalemque naturam.*

[201] Die Hineinnahme des Schönen, das in ps.-dionysianischer Tradition stets mit dem Guten korreliert, in die Reihe der *transcendentia* unter dem Aspekt der allgemeinen äußeren Erkennbarkeit läßt auf den Einfluß der SUMMA FR. ALEX., *Lib. I, nr. 103* ed. Quar. I, p. 162sq.; EAD., *Lib. II-1, nr. 75-85* ed. Quar. II, p. 99-108, schließen. Heinrich führt mehrfach das *pulchrum* im Kontext allgemeiner Gotteserkenntnis an, ohne ihm aber eine prädominante Rolle zuweisen zu wollen; cf. HENR. DE GAND., *Summa 1,2* Badius 8rR; ID., *Summa 22,2* Badius 130vQ; ID., *Summa 22,4* Badius 132vK. 133rP. 133vR (lin. 22-25); ID., *Summa 24,6* Badius 142rQ. 142vV. 143vD; ID., *Summa 24,7* Badius 144rH. 14vL; ID., *Summa 24,8* Badius 145vP; ID., *Summa 24,9* Badius 146vY. Für anderweitige Aspekte des *pulchrum* cf. HENR. DE GAND., *Summa 32,2* Macken 44,39-41 (*decentia*); ID., *Summa 33,2* Macken 142,68-79 (*proportio*); ID., *Summa 68,5* Badius 233rF; ID., *Summa 72,3* Badius 258vL-260vX (*appropriatio in divinis*). - Den augustinischen Hintergrund betrachtet J. KREUZER: *Pulchritudo. Vom Erkennen Gottes bei Augustin. Bemerkungen zu den Büchern IX, X und XI des Confessiones.* München 1994; zur mittelalterlichen Lehrentwicklung cf. AERTSEN, *Medieval Doctrine of the Transcendentals.* 1991, pp. 144-146 (Lit.!); ID.: *Schöne (das). II. Mittelalter.* In: HWPh VIII (1992), col. 1351-1356. Eine Spezialstudie zu Heinrich fehlt.

[202] Cf. HENR. DE GAND., *Summa 22,2* Badius 130vQ, lin. 5-14 mit THOM. DE AQU., *S. theol. I, q. 2, a. 1 ad 1* ed. Paul. 12: *Cognoscere Deum esse in aliquo communi sub quadam confu-*

confusione) erkannt. Diese Konfusion ist auch nicht auf die theoretische Sphäre beschränkt. Auch das affektiv-voluntative Streben des Menschen, der von Natur aus jedes Gut um seines Glückes willen will, zeigt nach Heinrich, der hier wiederum THOMAS bis in den Wortlaut hinein folgt,[203] mehrere Merkmale eines konfusen Gotterkennens und Gottliebens. Denn der Mensch will dabei überhaupt das erste und höchste Gut, welches Gott ist. Mit diesem allgemeinen, konfusen, unspezifischen Wollen eines höchsten Gutes ist aber noch nicht ausgemacht, daß dabei Gott in seiner Besonderheit gewollt ist. Für das Erkennen gilt ähnliches: Wenn einer jemanden als einen Menschen erkennt, hat er ihn somit noch nicht als diesen oder jenen individuellen Menschen mit eigenem Namen erkannt. Darum ist trotz der Annahme eines schlechthin Seienden und Guten und der darin mitgegebenen konfusen Kenntnis um Gottes Sein nicht ausgeschlossen, daß der Mensch dann, wenn er ein Bestimmtes 'Gott' nennen soll, dessen Existenz abstreitet. Nach ARISTOTELES verhindert eben ein Wissen im allgemeinen nicht ein Zweifeln im besonderen.[204] Dieser Umstand nötigt Heinrich, sein Verständnis der *propositio per se nota* nochmals zu präzisieren.

Eine Aussage als selbstverständlich benennen zu dürfen, erfordert nach Heinrichs Ermessen, der darin auch THOMAS folgt, daß kraft des Terminus, in diesem Fall 'Gott', das Subjekt der Aussage in seinem besonderen Sein, hier also der Gottheit, miterkannt ist. Dies ist nicht bei einer allgemeinen Kenntnis gegeben, insofern das Sein unter dem allgemeinen Begriff des Seienden und Guten verstanden ist, unter dem das schlechthin Seiende und Gute fällt. Nach Heinrich behält die These des Damaszeners von einer eingepflanzten Gotteserkenntnis nur ihre Richtigkeit, wenn man sie in avicennisierender Lesart versteht. Demnach erfaßt der Mensch ohne die Mühe eines Nachforschens durch einen Anfangsbegriff, der nach ARISTOTELES den ersten Prinzipien entspricht, eine allgemeine Kenntnis (*notitia generalis*) des göttlichen Seins, die allerdings noch weit entfernt ist von einem festen und klaren Erkennen (*cognitio*).

Heinrich bemüht sich zu zeigen, daß angesichts dieser skizzierten Problemtiefe erst eine differenziertere Kriteriologie des Selbstevidenten einer Klärung

sione est nobis naturaliter insertum. Die DThA 1, p. 39 übersetzt: „in einem allgemeinen, unbestimmten Sinne"; SEIDL, *Gottesbeweise.* ²1986, p. 45: „in einem allgemeinen Sinn und mit einer gewissen Undeutlichkeit".

[203] Cf. THOM. DE AQU., *S. theol. I, q. 2, a. 1 ad 1* ed. Paul. 12: *Cognoscere Deum esse in aliquo communi sub quadam confusione est nobis naturaliter insertum, inquantum scilicet Deus est hominis beatitudo. Homo enim naturaliter desiderat beatitudinem, et quod naturaliter desideratur ab homine, naturaliter cognoscitur ab eodem. Sed hoc non est simpliciter cognoscere Deum esse, sicut cognoscere venientem non est cognoscere Petrum, quamvis sit Petrus veniens. Multi enim perfectum hominis bonum, quod est beatitudo, existimant divitias, quidam vero voluptates, quidam autem aliquid aliud.*

[204] Cf. ARIST., *Anal. Post. I 1,* 71a17-26; der Gedanke ist schon angedeutet in HENR. DE GAND., *Summa 22,1* Badius 130vO, und wieder aufgegriffen in *Summa 22,6* Badius 135vL.

näher bringen kann. Die präzis formulierte Frage lautet ja nach Heinrich: Ist Gottes Dasein, und zwar seine aktuale Existenz, durch sich bekannt? Um diese Frage positiv beantworten zu können, muß man jedoch die darin implizierte urteilende Verknüpfung (*complexum*) eingesehen haben, daß nämlich dem besagten Subjekt dessen Prädikat inne sei. Aber nach Heinrich ist eine Einsicht wiederum weniger durch Gewißheit und Sicherheit der Aussage als selbstevident qualifiziert als vielmehr durch die Leichtigkeit, mit der dieser Satz eingesehen wird, daß also ein Mensch dieser Aussage zustimmt, sobald er sie gehört hat. Andernfalls verdient sie nämlich gar nicht, aristotelisch eine selbstverständliche Aussage (*propositio per se nota*) bzw. boethianisch ein allgemeiner Begriff des Bewußtseins (*communis animi conceptio*)[205] genannt zu werden.[206]

Da nun nach Heinrich eine zweifache Kenntnis einer Sache festgehalten werden muß, erstens eine aus deren Natur in sich und zweitens eine aus deren Vergleich zu anderen Dingen, hat man sich auch von der mit dem Namen des Aquinaten verknüpften Position zu verabschieden, die mit der Unterscheidung zwischen der erkannten Sache und dem Erkennenden selbst operiert. Anknüpfend an AVERROES[207], der eine Erkenntnisschwierigkeit nicht nur von seiten des Erkennenden, sondern genauso auch von seiten des Erkenntnisgegenstandes verursacht sieht, beabsichtigt Heinrich eine deutliche Umakzentuierung gegenüber der thomanischen Theorie. Seitens der zu erkennenden Sache - so meint THOMAS nach Heinrichs Verständnis - wäre die Existenz Gottes im höchsten Grade, durch sich und von Natur aus bekannt, so wie jede andere Aussage durch sich und von Natur aus bekannt ist, deren Prädikat in der Wesensdefinition und der Bezeichnung des Subjekts inbegriffen ist. Die gilt z.B. für den Satz 'der Mensch ist ein Lebewesen', weil 'Lebewesen' in der Wesensdefinition und Bezeichnung steckt.[208] Da aber in Gott Sein und Wesenheit ineinsfallen, versteht man auch am Subjekt, das der göttlichen Wesenheit supponiert, den Zusammenhang mit dem Sein, das im Prädikat damit verbunden wird. Bezüglich einer solchen Kenntnis des Daseins Gottes seitens des Erkennenden wäre entsprechend weiter zu unterscheiden.

[205] Diese Übersetzung von *communis animi conceptio* erfolgt in Anlehnung an BOETH., *Theol. Traktate.* Übers. v. ELSÄSSER. 1988, p. 35 ('gemeinsamer Begriff des Bewußtseins'); cf. zur Sache G. R. EVANS: *Communis animi conceptio. The Selfevident Statement.* In: ALMA 41 (1978), pp. 123-126.

[206] Cf. HENR. DE GAND., *Summa 22,2* Badius 130vR: *Est igitur hic intelligendum in principio, quod ista quaestio utrum Deum esse, scilicet in actuali existentia, sit per se notum, intelligitur de complexo, scilicet utrum sit per se notum praedicatum eius inesse subiecto, ut homo communi animi conceptione enuntiationem istam, qua dicitur quod Deus est, statim probet auditam, id est statim ex eo quod audit eam, novit quod sit vera, et hoc propter evidentem inhaerentiam praedicati in subiecto. Aliter enim non mereretur dici propositio per se nota aut communis animi conceptio. Non enim dicitur propositio per se nota aut animi conceptio propter aliquam aliam evidentiam aut probationem forinsecus de se accepta.*

[207] Cf. AVERR., *Metaph. II,1* ed. Iunt. VIII, fol. 28vK.

[208] Dieses Beispiel benutzt THOM. DE AQU., *S.c.G. I,10* nr. 62 Pera 13; ID., *S. theol. I, q. 2, a. 1 corp.*

Heinrich bestreitet nun die Gültigkeit dieser thomanischen Distinktion, obschon er einräumt, daß bestimmte Aussagen in ihrer eigenen Wahrheit seitens der zugrundeliegenden und der prädizierten Sache im höchsten Grade evident sind. Das entscheidende Kriterium ist für ihn vielmehr der Bekanntheitsgrad für den Erkennenden, durch den der Erkennende im Moment des Hörens zur sofortigen Zustimmung geführt wird. Andernfalls - so extrapoliert Heinrich - wäre jede Aussage selbstevident, deren Prädikat wesenhaft dem Subjekt innewohnte. Die von Heinrich ontologisch begriffene Wahrheit erlaubt nicht, eine Aussage selbstevident zu nennen, obgleich eine solche Aussage durch sich selbst erkennbar ist, sofern das Prädikat in der Wesensdefinition des Subjekts enthalten ist. Es gilt aber allein die evidente Kenntnis der Wahrheit des Subjekts auf seiten des Erkennenden. Evidenz meint nach Heinrich aber nicht eine durch eigene Anstrengung und Studium erworbene Evidenz, die eine Sache, die die verwendeten Termini konfus bezeichnen, distinkt erkennen läßt. Denn dann entstammte ja alles ausdrückliche und deutliche Bezeichnen einer Evidenz, die nicht die der bezeichneten Sache ist. Von Heinrich ist im Gegenteil eine durch die Aussage selbst ausdrücklich und distinkt erstellte Evidenz gemeint, durch die allein aufgrund der evidenten Bezeichnung der Termini die Inklusion des Prädikats im Subjekt angezeigt wird. Die Sache selbst bietet sich mittels des Subjekts und eines Prädikats im höchsten Maße der Evidenz dem Erkennenden dar, weil und insofern nach ihr das Prädikat in der Wesensdefinition des Subjekts enthalten ist. Selbstevidenz meint den Akt einer Selbstoffenbarung[209], die von selbst und durch sich selbst ausgeht von der sich selbst einsichtig machenden und evident setzenden Sache und beim ersten Hören ein sofortiges Verstehen erreicht.[210]

[209] HENR. DE GAND., *Summa 22,2* Badius 130vS: *Requiritur, ut res ipsa, quia taliter se habet, quod scilicet praedicatum includitur in ratione subiecti, ipsamet per subiectum et praedicatum evidentissime cognoscenti se offerat.* - Der hier zugrundegelegte Begriff der Selbstoffenbarung steht mit dem transzendentalen Wahren in Verbindung und meint das Sein in allen Dingen, das auf einen aufnehmend-erkennenden Geist hingeordnet ist. Mit Blick auf den emphatisch gebrauchten Begriff von Selbstoffenbarung in der heutigen Theologie legt R. HOEPS: *Selbstoffenbarung. I.* In: HWPh IX (1995), col. (499-503) 499, dar, daß das zugespitzte Verständnis einer „Identität von Offenbarendem und Geoffenbartem ... keineswegs als einheitliche und durchgängige Bedeutung in der Geschichte des Offenbarungsbegriffs betrachtet werden" kann.

[210] Cf. HENR. DE GAND., *Summa 22,2* Badius 130v-rS: *Requiritur, ut res ipsa, quia taliter se habet, quod scilicet praedicatum includitur in ratione subiecti, ipsamet per subiectum et praedicatum evidentissime cognoscenti se offerat. Propter hoc enim dixit Philosophus, quod 'principia cognoscimus, in quantum terminos cognoscimus', ut scilicet ex hoc, quod ultro cognoscamus per terminos rem subiectam et rem praedicatam, sic etiam ultro praedicatum esse in ratione subiecti cognoscamus, et inesse per se subiecto. Et sic intantum dicamus propositionem notam esse per se, inquantum subiectum et praedicatum in natura rei sunt nota per se, et cum hoc sese ultro et per se notificant alteri, ut rem significatam statim quisque probet per vocem auditam. Ita quod si omnibus perfecte notum sit illo modo de subiecto et praedicato quid sit, quod significatur per nomen, tunc illa propositio erit nota omnibus per se et naturaliter.*

Weil ein solches Selbstoffenbaren der Sache selbst niemals verhindert ist noch diese daran gehindert werden kann, liegt folglich auf seiten des Erkennenden das zu erfüllende Kriterium, ob eine selbstevidente Aussage gegeben ist oder nicht. Heinrich macht sich die boethianische Unterscheidung zwischen ausnahmslos von allen erkannten und nur von Gelehrten erkannten, allgemeinen Begriffen des Bewußtseins zunutze.[211] Eine selbstevidente Aussage ist demnach gegeben bei den allgemeinsten Aussagen, die allgemeine Axiome für alle Wissenschaften sind, z. B. 'Jedes Ganze ist größer als eines seiner Teile' oder 'Bei Minderung gleicher Dinge um das Gleiche bleibt ein Gleiches zurück'. Eine derartige Aussage ist dadurch aus den verwendeten Begriffen des Subjekts und des Prädikats jener Aussage für alle Erkennenden ebenso in vollkommener Weise, von Natur aus und auch durch sich klar erkannt, wie die Aussage in sich schon wahr ist. In jedem anderen Fall liegt keine selbstevidente Aussage vor, mag auch die Aussage als solche in ihrer Wahrheit zuhöchst bekannt sein, so z. B. spezifische Prinzipien in den Einzelwissenschaften.

Auf die Frage nach einer selbstevidenten Existenz Gottes bezogen, heißt nun für Heinrich das gestellte Problem im präzisen Verständnis: Bieten sich Subjekt und Prädikat von selbst der Erkenntnis so dar, daß kraft der Evidenzstärke des durch die Termini Bezeichneten das Prädikat im Subjekt sowie die Wahrheit ihrer Inhärenz mitverstanden ist, und zwar von allen oder zumindest von den Weisen, oder von allen Weisen oder nur von mehreren, und dabei im größtmöglichen Maße evident. Die Kenntnis der Subjekts- und Prädikatstermini kann nach Heinrich in einer allgemeinen und in einer besonderen, noch mehrfach untergliederbaren Weise gegeben sein. Die erste Art der Kenntnis ist im Sinne AUGUSTINS[212] allgemein bei allen, die Einsicht in die benutzten Termini 'Gott' und 'ist' besitzen. Sie ist aber auch indeterminiert, insofern die Existenz des Subjekts noch nicht miteingesehen ist, und darf darum nicht ein allgemeiner Begriff des Bewußtseins genannt werden. Eine determinierte, besondere Erkenntnis kann nach Heinrich - einen Hinweis bei THOMAS aufgreifend und ausweitend[213] - durch Kenntnis der Sache geschehen, die entweder aufgrund einer offenen Schau oder ohne eine solche Schau gelingt. Die offene Schau, die das Sein Gottes und seine Wesenheit ungeteilt erblickt, ist freilich nur den Seligen im Himmel vergönnt. Die Kenntnis der Termini einer Sache trotz Mangel der Schau verschafft zum einen eine Erklärung, die durch eine Belehrung von der Sache selbst ge-

[211] Cf. BOETH., *De hebd.* Elsässer 40,19-27.

[212] Cf. AUG., *De doctr. chr. I,6,13-14* CSEL 80, p. 11,10-26.

[213] Cf. THOM. DE AQU., *Ver. X,12 corp.* ed. Leon. 22, p. 431,182-189: *Sed quia quidditas Dei non est nobis nota, ideo quoad nos Deum esse non est per se notum, sed indiget demonstratione. Sed in patria, ubi essentiam eius videbimus, multo amplius erit nobis per se notum esse, quam nunc sit per se notum, quod affirmatio et negatio non sunt simul verae.* Der Vorwurf einer unstatthaften Antizipation der himmlischen Schau, den THOMAS an ANSELM richtet, findet bei Heinrich besondere Beachtung und offenbarungstheologische Differenzierung.

wonnen worden ist, zum anderen ein einfaches Erfassen (*simplex notitia*) der Sache vermöge der Termini, die in der gewünschten Evidenz die Sache selbst bezeichnen. Heinrich nennt als Träger einer belehrten Kenntnis die Propheten, denen das Wissen über die Termini durch eine von Gott eingegossene Weisheit zuteil wird, sowie die Philosophen, und zwar die größten Philosophen, die sich ein entsprechend detailliertes Wissen über Gott aus den geschaffenen Dingen erworben haben. Doch die bei beiden Erkenntnisweisen gegebene Anstrengung und Belehrung schließen wiederum aus, von einer selbstevidenten Aussage reden zu dürfen. Der verbleibende Fall eines einfachen Erfassens (*simplex notitia*) der Termini 'Gott' und 'ist' tritt aber nach Heinrich niemals beim Menschen ein, weil für den viatorischen menschlichen Intellekt ein einfaches Erfassen immer ein Erkennen im Allgemeinen und Indeterminierten und so ein insuffizientes Erkennen ist.[214] Gemäß AUGUSTINUS[215] erkennt man wohl im Terminus 'Gott' etwas, das anderen Dingen voranzustellen ist. Ob es aber der wahre Gott ist oder ein falscher, dem dieser Vorzug gewährt wird, bliebe offen. Der menschliche Intellekt schwankt vielmehr zwischen völligem Nichtverstehen und begrenzter Einsicht in die Selbstevidenz des Daseins Gottes. Die Möglichkeit einer erforderlichen klaren und leichten Erkenntnis der Termini ist folglich für den viatorischen menschlichen Intellekt keine reale Möglichkeit.

In einer Selbstzusammenfassung seiner ausgedehnten Ausführungen hält Heinrich die Bedeutsamkeit des anselmianischen Gottesbegriffs fest, insofern er wahrhaft die Möglichkeit gibt, durch Kenntnis des bloßen Namens 'Gott' mit einiger Eigenanstrengung dasjenige bezeichnen zu können, über das hinaus nicht Größeres ausgedacht[216] werden kann und daher von einem sol-

[214] Der *simplex notitia* fehlt es an Vollkommenheit, insoweit sie noch einer sorgsamen (Begriffs-)Analyse bedarf, um in ihrem Wahrheitsgehalt gesichert zu sein. Werkchronologisch erfährt die Interpretation der *notitia simplex* bei Heinrich eine Änderung. In *Summa 58,2* Badius 130vH-K und *Qdl. XIV,6* Badius 566vE wiederholt er, daß er mit der *notitia simplex* das Wissen des Intellekts vom Wahrsein einer Sache meint. Dagegen erweitert er in *Summa 58,2* Badius 130vI-131vK seine Bestimmung. In Rücksicht auf das klare und deutliche Erkennen von Allgemeinbegriffen ist die *notitia simplex* ein verschwommenes Erkennen (*notitia confusa*), da erst im syllogistischen Verfahren Mehrdeutigkeiten ausgeschieden werden und die Definition der Sache gewonnen ist. Cf. MARRONE, *Truth.* 1985, p. 78sq.

[215] Cf. AUG., *De doctr. chr. I,6,14; 7,16* CSEL 80, p. 11,19-26; p. 12,12-15.

[216] Der Gebrauch der gegenüber ANSELM geänderten Formel *id quo maius excogitare* [nicht: *cogitare*!] *non potest*, der eine gewisse psychologisierende Note hereinbringt, z.B. in HENR. DE GAND., *Summa 21,1* Badius 123vA; ID., *Summa 22,2* Badius 131vX; ID., *Summa 24,3* Badius 139vY, läßt sich erklären durch eine Lektüre der Anselm-Paraphrase in der SUMMA FR. ALEX., *Lib. I, n.25* ed. Quar. I, p. 42b, die wiederum beeinflußt ist durch GUILL. DE ALTISS., *Summa aurea I, tract. 1,4* Ribaillier 23,47-61, der als wohl erster der namhaften Autoren vor Heinrich diese Variante in Verbindung mit dem anselmianischen Argument bietet (dazu KAPRIEV, *Ipsa vita et veritas.* 1998, pp. 318-321). Der Gebrauch von *excogitare* bei ANSELM selbst ist auf drei unbedeutende Stellen beschränkt; cf. ANSELM. CANT., *Orat. 12* Op. omn. III, p. 47,74; *Me-*

chen reinen Sein sein Nichtsein nicht gedacht werden kann. Aber diese Erkenntnis darf nicht mit dem Anspruch einer selbstevidenten Aussage in Verbindung gebracht werden, bei der die Termini von sich aus gewähren, eine solche Sache durch sich zu bezeichnen und alle, zumindest die Weisen sofort beim Aussprechen der Termini erfassen, daß das Prädikat dem Subjekt innewohnt. Bei den Begriffen 'Ganzes', 'Teil', 'Größeres' mag dies der Fall sein, niemals und auf keine Weise aber beim Namen 'Gott'. Der Name 'Gott' - das ist nach Heinrich der Hauptgrund - bezeichnet nur dem ersten Anschein nach, wie es eben Eigentümlichkeit eines Namens ist, das göttliche Sein in einem gewissen konfusen Sein und im Allgemeinen, wobei die Existenz dieses Seins nicht einmal mitgedacht werden muß.[217] Der anselmianische Gottesbegriff darf nach Heinrich nicht höher als eine Nominaldefiniton Gottes gehandelt werden,[218] die wohl in den Beweisgang für die Existenz eines so benann-

dit. 1 Op. omn. III, p. 78,61; *Epist. 4* Op. omn. III, p. 104,6. Im Hintergrund steht wahrscheinlich BOETH., *Cons. philos. III, pr. 10,7* Büchner 57: *Deum, rerum omnium principem, bonum esse communis humanorum conceptio probat animorum; nam cum nihil Deo melius excogitari queat, id quo melius nihil est, bonum esse quis dubitet?* - Die Begriffsgeschichte der Gottesformel *id quo maius cogitari non potest* beginnt wohl nicht erst mit dem stoischen Kosmotheismus (cf. CICERO, *De nat. deor. II,7,18; 30,77* Plasberg/Ax 56,20-21, 80,8-9; dazu cf. GAWLICK, *Untersuchungen zu Ciceros philosophischer Methode.* 1956, pp. 120-130 [Exkurs III: Cicero und der ontologische Gottesbeweis]; SENECA, *Nat. quaest. I, praef. 13* Gehrke 5,9-10; ID., *Epist. mor. 58,17* Reynolds 157,8-9), sondern schon mit dem theologisch konnotierten apriorischen Begriff des Besten beim frühen ARIST., *De philos., frgm. 16* Ross 84/*frgm. 30* Gigon 269b, lin. 9-12; dtsch. Übers. in: ARIST., *Fragmente* Gohlke 28 und ID., *Hauptwerke* Nestle 33; dazu B. EFFE: *Studien zur Kosmologie und Theologie der Aristotelischen Schrift „Über die Philosophie“* (Zetemata 50). München 1970, pp. 106-109. Für antike und frühscholastische Belege cf. S. GERSH: *Anselm of Canterbury.* In: HTwCWPh 1988, p. (255-278) 273sq. (Lit.!) und SCHRIMPF, *Anselm.* 1994, p. 58; cf. ferner LIBER XXIV PHILOSOPHORUM, *Prop. 5* CCM 134A, p. 11, spec. app. ad. loc. Hochscholastische Belege bietet SCHÖNBERGER, *Responsio Anselmi.* 1989, p. 41 not. 113 (Lit.); man beachte auch die Autorenakkumulation bei ECKHARD., *Serm. XXIX* nr. 295 LW IV, p. 263,5-12.

[217] Cf. HENR. DE GAND., *Summa 22,2* Badius 131vX: *Iterum ergo et iterum revolvendo sermonem dico, quia etsi homo per studium suum scire potest et intelligere hoc nomine 'Deus' significari 'id quo maius excogitari non potest', et ita quod non potest cogitare non esse, etiam si cum hoc studio suo sciat quod est purum esse, et ita quod non possit non esse, hoc nihil est ad faciendum propositionem per se notam, immo ad hoc quod dicatur propositio per se nota, oportet quod termini, scilicet subiectum et praedicatum, ultro praetendant talem rem per se significari, ut omnes vel saltem sapientes statim terminis prolatis praedicatum inesse subiecto percipiant, sicut ista nomina 'totum', 'pars', 'maius' sic ultro praetendunt sua significata, ut per ipsos omnes aliquid cognoscentes de significato horum terminorum cognoscant statim veritatem huius 'totum est maius sua parte'. Quare licet in rei veritate Deus sit suum esse et 'id quo maius cogitari non potest', quia tamen hoc termini isti ultro non praetendunt, etiam si hoc ipsum mente propter studium vel donum gratiae perciperemus, propositio quae dicit Deum esse, non potest aliquo modo propter hoc dici nota per se, et hoc maxime, quia hoc nomen 'Deus' significat prima fronte, quantum est de proprietate nominis, divinam naturam in esse quodam confuso et in generali. Et intelligendo divinam naturam tali modo, non oportet cointelligere ipsam esse.*

[218] Dies ist schon ausdrücklich in HENR. DE GAND., *Summa 19,1* Badius 116rM gesagt. Die ausführlichste Aufzählung von Elementen einer Nominaldefinition Gottes fin-

ten Wesens als statthafter Ansatzpunkt eingehen kann, nicht aber das Beweisziel bereits in sich birgt.

Der Satz 'Gott ist' ist also für niemanden selbstevident, weder für einen Dummen, noch für einen Weisen, wie Heinrich mit etwas spitzem Ton sagt.[219] Keinerlei argumentatives Gewicht besitzt darum auch die Beobachtung, daß Menschen von Jugend an gewohnheitsmäßig andere Menschen bekennen hören, daß Gott existiert, und es ihnen durch diese Gewohnheit gleichsam konnatural geworden ist, die Zustimmung zum gleichsam selbstevidenten Satz 'Gott ist' zu geben.[220] Hiermit weist Heinrich schroff ein Argument zurück, das THOMAS[221] noch recht schonend und mit einer gewissen Sympathie gegenüber dem anselmianischen Gottesargument als Einwand angeführt hat. Für Heinrich aber handelt es sich aus erklärten Gründen keineswegs um eine selbstverständliche Aussage. Ihre Selbstevidenz hat sie nicht aus sich, d. h. der Kraft ihrer Termini; ihre Selbstverständlichkeit ist vielmehr eine gewordene und erworbene. Heinrich beschließt darum seine Darlegungen mit dem nochmaligen Hinweis, daß Gottes Existenz in sich, also von der Natur dieser

det sich in HENR. DE GAND., *Summa 24,6* Badius 142vV ad finem. - Zu der implizierten Polemik Heinrichs gegen das Verständnis der *propositio per se nota* bei AEG. ROM., *In I Sent., dist. 3,2* ed. Venedig 1521, fol. 21rH-vO cf. PAULUS, *Argument ontologique.* 1935, pp. 306-308; PORRO, *Enrico di Gand.* 1990, pp. 82sq. n.14; 84 n.16. Die aegidianische *Per se notum*-Theorie wird kritisiert bei ROBERT. DE ORFORD, *Reprobationes dictorum a fr. Egidio in I Sent., dist. 3,10* ed Vella 62-67

219 Cf. HENR. DE GAND., *Summa 22,2* Badius 131vY: *Simpliciter ergo dicendum quod ista propositio 'Deus est' non est per se nota alicui, nec stulto, nec sapienti.* - Es verwundert sehr, daß angesichts derart deutlicher Formulierungen DANIELS, *Quellenbeiträge.* 1909, p. 122, meinte, Heinrich hätte eine unbestimmte Position zum anselmianischen Gottesargument. Wie weit DANIELS mit dieser Einschätzung hinter das längst erreichte, klare Selbstverständnis der Scholastiker über ihre eigene Tradition zurückfiel, offenbaren die auch Heinrich einbeziehenden Ausführungen bei G. VAZQUEZ: *Commentariorum et disputationum in I S. Theol. qq. 1-64 tomus I, disp. 19, cap. 2.* (Alcalá 1598) Lyon 1620, p. 58b: *Communis et verior sententia, in qua ceteri scholastici conveniunt, affirmat eam propositionem: 'Deus est' non esse hominibus per se notam absolute, sed solum viatoribus, in hoc enim reliqui omnes scholastici consentiunt. An vero absolute sit per se nota, variant inter se. Hanc sententiam sic explicatam tradiderunt S. Thomas in hoc art.* [*S. theol. I, q. 2, a. 2*], *et I Contra gentes 10 et 11; Ferrat. ib.; Ricard.* [*de Mediav.*] *in I d. 3 a. 1 q. 2; Occam q.4 post med.; Durand. q. 3; Gab.* [*Biel*] *q. 4 a. 2; Scot., In I d. 2 q. 2 § Ex his ad quaestionem; Greg.* [*Arim.*] *q. 1 a. 2;* [*Ioa. de*] *Bassolis q.2; Capreol. q. 2 a. 1 concl. 3; Henr. in Summa a. 22 q. 2; Caiet. et recentiores theologi in hunc articulum. In ea tamen confirmanda non consentiunt doctores citati, variant enim in definienda propositione per se nota.*

220 Cf. HENR. DE GAND., *Summa 22,2* Badius 131vY: *Ista propositio 'Deus est' non est per se nota alicui, ..., nisi forte quatenus ex pueritia assueti sumus homines audire confitentes Deum esse, et sic ex consuetudine factum est nobis quasi connaturale assentire propositioni qua dicitur 'Deus est' tamquam per se notae. Sed hoc nihil ad faciendum propositionem esse per se notam, ut patet ex praedictis.*

221 Cf. THOM. DE AQU., *S.c.G. I,11 nr.66* Pera 14: *Praedicta autem opinio provenit. Partim quidem ex consuetudine qua ex principio assueti sunt nomen Dei audire et invocare. Consuetudo autem, et praecipue quae est a puero, vim naturae obtinet. Ex quo contingit, ut ea quibus a pueritia animus imbuitur, ita firmiter teneat ac si essent naturaliter et per se nota.*

Wirklichkeit her betrachtet, im höchsten Maße evident ist und man davon nur Kenntnis bekommt durch eine freie Selbstoffenbarung in der himmlischen Schau. Alles übrige distinkte Erkennen ist aber vermitteltes Erkennen und gelingt nur aufgrund gnadenhaft gewährter Offenbarung oder aufgrund totaler Erforschung der Weltwirklichkeit durch die im Höchstmaß angestrengte natürliche Vernunft eines außergewöhnlichen Philosophen.[222] Die Selbstevidenz der Existenz Gottes ist entweder ein kaum anzunehmender Extremfall gelungenen Erkennens der natürlichen Vernunft, wie im letztgenannten Fall, oder unerwartbar frei von Gott geschenkte Teilhabe an dem Erkennen Gottes selbst, das über die Stufe des einfachen Glaubens bis hin zur unmittelbaren, vollkommenen Gottesschau das Erkennen des Menschen in sein eigenes göttliches Erkennen hineinnimmt. In den beiden Punkten, Leichtigkeit der Einsicht und Bestimmtheit des Erkennens, greift nach Heinrichs Ansicht die *ratio Anselmi* unzulässig über die Grenze des für die natürliche Vernunft Möglichen hinaus und muß sich der philosophischen Korrektur unterziehen, weil sie in der Ordnung des Vernunfterkennens Aufwand und Mühe des distinkten Erkennens verkannte. Die *ratio Anselmi*, so wie Heinrich sie versteht, provoziert zugleich den theologisch motivierten Einspruch Heinrichs, weil Heinrich das unermeßliche Offenbarseins Gottes nicht als naturhaft gegebenen und erreichbaren Gegenstand menschlichen Erkennenwollens, sondern als Gottes freieste, souveräne Selbstmanifestation verstanden wissen will.

Bei der Auflösung der drei Einwände hält sich Heinrich ausführlich beim dritten auf. Danach wäre bei Kenntnis der Terme 'Gott' und 'ist' sofort der Aussageninhalt erfaßt. Dem kann nach Heinrich zwar zugestimmt werden. Es darf daraus aber nicht abgeleitet werden, diese Termverknüpfung selbst sei von Natur aus und von selbst bekannt. Eine erste dafür geltende Bedingung, die verwandten Terme und ihre Zuordnung zu kennen, kann zwar von einigen, aber nicht von allen Erkennenden eingelöst werden. Zum zweiten gelingt es aber nicht einem Menschen - und hier macht Heinrich auch für die kundigsten Philosophen keine Ausnahme -, die erste Bedingung von Natur aus zu erfüllen. Vielmehr bedarf es dazu stets und ausnahmslos großer Forschungsanstrengung.[223] Mit erneutem Avicenna-Lob verweist Heinrich auf

[222] Cf. HENR. DE GAND., *Summa* 22,2 Badius 131vY: *Unde patet, quod ista propositio 'Deus est' non est omnino per se nota. Deum tamen esse in natura ipsius rei in se notissimum est et per se notum, id est per eam ipsam rem habet quod sit notum, quae se ipsam demonstrando facit notum se esse, cui vult; et hoc quoad apertam visionem. Quantum autem ad distinctam cognitionem sine aperta visione, hoc nulli potest esse notum nisi ex fide aut revelatione, aut summe sapienti post plenam de aliis rebus instructionem ex naturalis rationis investigatione.*

[223] Cf. HENR. DE GAND., *Summa* 22,2 Badius 131vZ: *Ad tertium, quod cognitis terminis huius propositionis 'Deus est', ipse cognoscitur esse, dicendum quod verum est, non tamen sequitur quod complexio talis naturaliter est cognita et per se, nisi termini cogniti sint naturaliter, quod non est verum in proposito. Quid enim significetur et quomodo hoc nomine 'Deus' et quomodo significatio praedicati se habet ad subiectum, non omnes statim sciunt, immo nullus, quantum est ex puris naturalibus, sed eget magna investigatione.*

den Disziplinenaufbau der Philosophie. Dort ist die Metaphysik, die eine szientifische Erkenntnis Gottes vermittelt, an die letzte Stelle der Wissenschaften gerückt, insofern es den Philosophen gelegen ist an einem geordneten Voranschreiten von den uns unbekannteren Dingen zu jenen, die für uns noch recht verdeckt, aber von ihrer Natur die bekannteren sind. Der Umstand, daß die christliche Theologie mit Gott beginnt, beruht auf anderer Grundlage, da sie offenbarungsbegründet ist.

Zwei Dinge fallen bei Heinrichs Argumentation ins Gewicht. Zuerst ist es die fraglose Akzeptanz des von ARISTOTELES gelehrten und durch AVICENNA verbürgten *ordo disciplinae* der Philosophie und die dort wirksam werdende Unterscheidung des 'für uns' und des 'für uns und an sich' Bekannten. Für den Bereich philosophischer Welterklärung und rationaler Gotteserkenntnis gelten aristotelische Rahmenbedingungen. Zum zweiten faßt Heinrich von der natürlichen Vernunfterkenntnis einen strengeren Begriff, insofern das Natürliche dieses Erkennens sich aus seiner Entgegenstellung zum angestrengten diskursiven, konkludierenden Denken erklärt. Naturales Erkennen hat formal etwas Präreflexives und Intuitives an sich. Es ist für Heinrich daher ein sofortiges, leicht gelingendes und sicheres Verstehen, das jedem Erkenntnisakt in unterschiedlicher Weise zugrunde- und vorausliegt und dem von der Inhaltsseite her gesehen nicht zuletzt auch ein untrüglich wahrheitserfassendes Erkennen gelingt. Damit ist hier wichtige begriffliche Vorarbeit für die später folgende *Primum cognitum*-Theorie geleistet.

3. Die begriffliche Trennbarkeit von Sein und Wesen in Gott

Die neuplatonisch-augustinisch orientierte Theologie zur Mitte des 13. Jahrhunderts verhandelte die Diskussion um eine Selbstevidenz Gottes für den Menschen, die sich durch den anselmianischen Gottesbegriff (nicht Gottesbeweis!) entwickelte, nicht selten unter dem Aspekt der unauftrennbaren Einheit von Sein und Wesen im Gottesbegriff.[224] Die bereits deutlich gewordene Reserve Heinrichs gegenüber der anselmianischen Position sucht sich darin einen neuen Ausdruck, daß er die Frage, ob Gott seinem Begriffe nach ohne seine Existenz gedacht werden könne, im Lichte der theologischen Attributenlehre verhandelt.[225]

[224] Cf. SUMMA FR. ALEX., *Lib. I, nr. 26* ed. Quar. I, pp. 42-44; BONAV., *In I Sent., dist. 8,1,1,2* ed. Quar. I, pp. 153-156; ALBERT. MAGN., *S. theol. I, tract. 4, q. 19, 2. 4* ed. Colon. 34/1, pp. 92,67-94,45; pp. 95,89-97,40.

[225] Zur Textinterpretation von HENR. DE GAND., *Summa 22,3* Badius 131vA-132vH cf. PAULUS, *Argument ontologique.* 1935, pp. 298-303; ID., *Essai.* 1938, pp. 40. 50. 241; GÓMEZ CAFFARENA, *Ser participado.* 1958, pp. 53. 158. 195. 210sq. 260; DUMONT, *Source.* 1982, pp. 131-133; PORRO, *Enrico di Gand.* 1990, pp. 50. 86-88. - Die theologische Attributenlehre stand von Anfang an in Heinrichs Aufmerksamkeit; cf. den Beginn von Kap. II, § 2 zu HENR. DE GAND., *Qdl. I,1* Macken 3-6.

Heinrich greift einem Mißverständnis dieser Fragestellung vor, indem er die hier gestellte Frage absetzt von der erst später zu verhandelnden Frage, ob Gott ohne sein reales Sein (*ipsum esse*) gedacht werden könne. Denn dort kommt es darauf an, daß einem komplexen Denkakt zugestimmt wird, der eine Inhärenz des Seins bei Gott negiert, wobei diese Negation nicht den Begriff Gottes, wohl aber dessen reale Existenz negiert.[226] Bei der hier anstehenden Frage allerdings wird nach Heinrich ein inkomplexer Denkakt negiert mittels einer Negation, die das Ganze - Begriff und reale Existenz (*eius esse*) - einschließt. Die Voraussetzung dazu wäre, daß die Identität und Ununterscheidbarkeit von Wesen und Sein in Gott von der Natur der Sache her gegeben sei, man Wesen und Sein aber dennoch bei Einsicht in die göttliche Natur und Wesenheit mit dem menschlichen Intellekt trennen könne. Und dies könne zweifach geschehen, zum einen indem man nicht zugleich einsieht, daß sie existiert, so daß sich hier eine Frage nach einem Urteilssatz ergibt, und zum anderen indem man nicht zugleich deren Wesen einsieht, so daß es sich um eine Frage nach einem Inkomplexen handelt.[227]

Heinrich fordert nun nochmals eine Unterscheidung ein. Derjenige, der die göttliche Wesenheit einsieht, sieht sie distinkt und im einzelnen ein, insofern er sie in ihrer wesensbestimmenden Natur einsieht. Oder er sieht sie indistinkt und im allgemeinen ein, d. h. in bestimmten allgemeinen Attributen. Für den ersten Fall gilt grundsätzlich, daß man die göttliche Wesenheit, die nichts außer ihr eigenes Sein ist, nicht ohne gleichzeitige Einsicht in deren Wesensein erkennt. Derart ist es unmöglich, Gott zu denken, ohne zugleich seine Existenz zu denken. Denn ein solches Denken folgt der Natur der Sache und erreicht adäquationstheoretisch seine Wahrheit in einer Übereinstimmung von Sache und Intellekt. Für den zweiten Fall ist hinsichtlich des Wesensseins ähnlich zu differenzieren, da das Sein Gottes entweder distinkt in sich selbst oder konfus zusammen mit dem Sein eines anderen eingesehen werden kann. Und auf keine der beiden Weisen kann man Gott erkennen außer durch gleichzeitige Einsicht in sein Sein. Denn wie man Gott

[226] Cf. HENR. DE GAND., *Summa 22,3* Badius 131vB: *Dicendum ad hoc quod quaestio de non cogitando Deum esse differt ab illa quaestione, de qua erit sermo inferius, an scilicet contingit cogitare Deum non esse* [ID., *Summa 30,3* Badius 179vK-180vY], *in hoc quod ibi actus cogitandi affirmatur. Et est quaestio de negatione inhaerentiae esse ad Deum, ut negatio cadat super esse solum.* - Zur Textinterpretation von HENR. DE GAND., *Summa 30,3* Badius 179vK-180vY cf. PAULUS, *Argument ontologique.* 1935, pp. 295. 297-299. 301. 308-311. 316. 318; PAULUS, *Essai.* 1938, pp. 40. 47. 51; HOERES, *Wesen und Dasein.* 1965, pp. 125sq. 147. 149; DUMONT, *Source.* 1982, p. 138sq.; PORRO, *Enrico di Gand.* 1990, pp. 88-90.

[227] Cf. HENR. DE GAND., *Summa 22,3* Badius 131vB-132rB: *Hic vero negatur actus cogitandi, et negatio includit totum, quia quaestio ista quaerit, utrum cogitando Deum contingit non cogitare ipsum esse, ut licet non contingit in natura rei distinguere inter Dei essentiam et esse eius, quia Deus non potest non esse, ut videbitur infra* [ID., *Summa 30,1* Badius 176vR]. *Contingat tamen separare ea per intellectum nostrum intelligendo divinam naturam et essentiam, non cointelligendo ipsam esse, ut quoad hoc sit quaestio de complexo, vel non cointelligendo eius esse, ut sit quaestio de incomplexo.*

bei klarer Einsicht in seine Natur auch klar dessen Sein einsieht, erkennt man in ähnlicher Weise Gott distinkt in einem seiner allgemeinen Attribute oder konfus durch Einsicht in etwas Kreatürliches, so wird stets Gottes Sein zugleich miterkannt, weil er nichts außer Sein ist und nichts außer Sein an ihm erkannt werden kann.

Jedoch ist auf beide Weisen auch gut möglich, Gott zu denken, ohne zugleich sein Wesenssein zu denken. Das geschieht nämlich dann, wenn man Gott als höchstes Gut schlechthin, als ein Einfachstes, als ein Gut schlechthin oder derartiges versteht. In all diesen Fällen nimmt man Einsicht in Gott oder denkt ihn gemäß einer kreatürlichen Proprietät. Dies bringt aber - vor dem Hintergrund der henrizianischen Wesensontologie gut verständlich - eine erhebliche Einschränkung mit sich: Eine solche kreatürliche Proprietät kann in ihrer Natur eingesehen werden, ohne daß sie an einer Kreatur existiert oder überhaupt existiert. Und im Bezug auf den Schöpfer kann in ihr der Schöpfer erkannt werden, ohne zugleich sein Wesenssein einzusehen. Denn die göttliche Wesenheit ist nichts anderes als jene eingesehene oder gedachte Proprietät, nur daß sie von allem Mangel frei ist.

Weiter einschränkend gelingt eine solche Einsicht in die göttliche Wesenheit nur im Maße des Menschenmöglichen und stark unvollkommen. Von Gott, der in sich reine Identität und höchste Einfachheit ist, werden vom Menschen mehrfache und unterschiedliche Begriffe gebildet. Denn vom menschlichen Erkenntnisvermögen kann in einem einzigen Begriff nicht gefaßt werden, was von der Sache selbst erfaßt werden soll. In je neuen Begriffen erfaßt er Gottes Wesenheit und Existenz, seine Weisheit und Gutheit. Es bleibt auch unangefochten, daß der Mensch durch jede Einsicht in Gott auch wegen der gegebenen Identität in Gott dessen Sein, aber auch dessen Gutheit oder Weisheit einzusehen vermag. Doch weil menschlicherseits ein je anderer Bestimmungsgrund der Gutheit und der Weisheit eingesehen wird, folgt aus der Einsicht in die Gutheit nicht simultan die Einsicht in die Weisheit.[228] Ebenso erfaßt der Mensch einen je anderen Bestimmungsgrund für die Gottheit als für deren Wesenssein, einen je anderen für das Seiende, die Wesenheit und das Sein in Gott. Als Seiendes versteht man nämlich etwas, das eine Wesenheit und ein durch das Seiende geprägtes Sein ist.[229] Derart gibt es

[228] Cf. HENR. DE GAND., *Summa 22,3* Badius 132rD: *Sed talis intellectus divinae essentiae est secundum nostram possibilitatem et imperfectus multum, qui de eo quod est idipsum et in se simplicissimum, format diversos conceptus, eo quod simul unico conceptu capere non potest quicquid de re ipsa concipiendum est. Et sic alio et alio conceptu concipit de Deo essentiam suam et ipsum esse, sicut alio et alio conceptu concipit ipsum et quod sit sapiens et quod sit bonus.*

[229] Cf. HENR. DE GAND., *Summa 22,3* Badius 132rD: *Et cum hoc intelligendum etiam, quod licet omni modo quo homo intelligit Deum, intelligit eius esse, quia ipse non est nisi esse, sicut intelligens Dei bonitatem intelligit eius sapientiam, quia idem sunt in eo bonitas et sapientia, quia tamen sicut est alia ratio bonitatis et sapientiae, ut intelligens eius sapientiam sub ratione sapientiae non oportet quod simul intelligat eius bonitatem sub ratione bonitatis, sic quia alia est ratio deitatis, alia vero esse eius, intelligens Deum sub ratione deitatis non oportet quod simul*

nach BOETHIUS viele Dinge, die in ihrer Wirklichkeit nicht getrennt werden können, wohl aber im Bewußsein und im Denken.[230] Es ist eben der menschliche Intellekt, der die Dinge, die in sich einfach sind und einen einfachen Begriff von sich haben, verknüpft und trennt. Diesen erkenntnismetaphysischen Sachverhalt erläutert Heinrich mit einem ausführlichen Averroes-Zitat,[231] in dem vom Kommentator die Beispiele von Form und Materie sowie von Anordnung und Angeordnetem herangezogen werden, die dann Heinrich wiederum theologisch zuspitzt. Demnach gibt es in jeder Kreatur eine Differenz in seinem realen und eine Differenz auch in seinem veritativen Sein im Intellekt, weil dieses veritative Sein von der Wesenheit, die in der realen Natur der Sache liegt, getrennt ist. Der Intellekt faßte diese Dinge als getrennte Dinge auf. Eine Differenz allein im menschlichen Intellekt und nicht in sich kommt einzig Gott zu, insofern intellektual auf je anderem Bestimmungsgrund seine Wesenheit, sein Sein, seine Weisheit oder seine Gutheit erfaßt werden.

Aufgrund des Gesagten liegen die Antworten auf die drei eingangs von Heinrich angeführten Einwände auf der Hand. Der erste Einwand knüpft an der Struktur apodiktischen Wissens an. Da beim demonstrativen Schluß das Prädikat nicht identisch mit dem Subjekt ist, sondern ein dazwischenliegender Mittelbegriff erforderlich ist, ist es möglich, das Subjekt ohne das Prädikat zu denken, also den Gottesbegriff ohne ein Existenzprädikat zu bilden. Heinrich gibt dem Argument Recht, insofern damit der Charakter des viatorischen menschlichen Intellekts von seiner unvollkommenen Seite getroffen ist, nämlich in seinem Unvermögen, Gottes Sein und seine Wesenheit ineins (*simpliciter*) zu erkennen. Die besagte Unvollkommenheit des Intellekts ist auch geltend zu machen gegenüber dem zweiten Einwand, daß von allem, das nicht selbstevident ist, dessen Nichtsein gedacht werden könne, da an dessen Existenz gezweifelt werden könne und die vielen mangelnde Selbstevidenz der Existenz Gottes auch seine Nichtexistenz denkbar mache. Gleiches gilt für den dritten Einwand.

Bemerkenswert an diesem Artikel Heinrichs ist neben der originellen Behandlung der tradierten Fragestellung die umsichtige Einstufung der konfusen Gotteserkenntnis. Heinrich zögert nicht, ihr hohe Gültigkeit zuzumessen, denn in ihr erkennt man sicher und wahrhaftig Gott. Aber dieses Erkennen ist bereits in sich begrenzt durch den je einen Bestimmungsgrund, den der viatorische menschliche Intellekt in einem inkomplexen, einfachen Erkenntnisakt erfassen kann. Zudem ist das konfuse Erkennen trotz einer erkenntnisgewährenden Leistung fortschreitender Entwertung ausgesetzt, insofern bei zunehmender Reflexionshelle des Erkennens das konfuse Erkennen zuse-

eum intelligat sub ratione esse, quia sub alia ratione intelligimus in Deo quod est ens et ipsam essentiam et eius esse. Intelligitur enim ens tamquam habens essentiam et esse ipso informatum.

[230] Cf. BOETH., *De hebd.* Elsässer 38,87-88: *Multa sunt quae cum actu separari non possunt, animo tamen et cogitatione separantur.*

[231] Cf. AVERR., *In Metaph. XII,39* ed. Iunt. VIII, fol. 322vL-323rC.

hends hinter sich gelassen wird. Heinrich sieht also die Stärke konfuser Gotteserkenntnis in der von ihr leistbaren Initialkenntnis Gottes, der eine Dynamik zur reflexiven Aufhellung und Erschließung eigen ist.

4. Der aposteriorisch-demonstrative Aufweis der Existenz Gottes aus den Geschöpfen

Kaum ein Theoriestück der hochscholastischen Gotteslehre hat eine solch intensive Fortführung in allen folgenden Epochen der Philosophie und Theologie erlebt, wie ihre Anstrengungen um einen gültigen Gottesbeweis.[232] Durch den biblischen Verweis auf die geschaffene Welt[233] (bes. *Weish 13,1-5*[234]; *Apg 17,22-31*[235]; *Röm 1,19-20* und *Röm 2,14-16*[236]) sah die scholastische Theolo-

[232] Während es an Einzeluntersuchungen zu den Gottesbeweisen der 'größeren' Autoren ANSELM VON CANTERBURY, BONAVENTURA, THOMAS VON AQUIN und DUNS SCOTUS bei weitem nicht mangelt, ist das für seine Zeit sehr solide gearbeitete Überblickswerk von GRUNWALD, *Geschichte der Gottesbeweise.* 1907, das die zahlreichen anderen - vermeintlichen - *auctores minores* berücksichtigt, bis heute leider immer noch nicht ersetzt. Eine konzise, systematisch orientierte Skizze bietet immerhin D. SCHLÜTER: *Gottesbeweis.* In: HWPh III (1974), col. (818-830) 823-829. - Die theologische (!) Kritik der natürlichen Theologie ist erst eine Sache der frühen Neuzeit geworden; cf. W. PANNENBERG: *Systematische Theologie, I.* Göttingen 1988, pp. 108-121.

[233] Eine instruktive dogmatisch-theologische Auswertung der Befunde historisch-kritischer Exegese leistet KRAUS, *Gotteserkenntnis.* 1987, spec. pp. 395-405.

[234] Zu *Sap. 13,1-5* cf. Ph. MÜLLER: *Weish 13,1-9 als „locus classicus" der Natürlichen Theologie.* In: MThZ 46 (1995), pp. 395-407 (Lit.).

[235] Zur Areopagrede (*Act 17,22-31*) cf. LACKMANN, *Vom Geheimnis der Schöpfung.* 1952, sowie die größeren Kommentare von G. SCHNEIDER: *Die Apostelgeschichte* (HThK 5/2). Freiburg/Basel/Wien 1982, pp. 227-244; A. WEISER: *Die Apostelgeschichte* (ÖTK 5/2). Gütersloh/Würzburg 1985, pp. 452-480 (Lit.); R. PESCH: *Die Apostelgeschichte* (EKK 5/2). Einsiedeln/Neukirchen-Vluyn 1986, pp. 127-144.

[236] Aus der uferlosen Literatur zur historisch-kritischen Exegese von *Röm 1,19-20,* die der emphatisch rationalen Auslegung in Patristik und Mittelalter eher zurückhaltend gegenübersteht, cf. U. WILCKENS: *Der Brief an die Römer, I* (EKK 6/1). Einsiedeln/Neukirchen-Vluyn 1978, pp. 95-107; D. ZELLER: *Der Brief an die Römer* (RNT). Regensburg 1985, pp. 52-61, spec. 55sq.; K. KERTELGE: *'Natürliche Theologie' und Rechtfertigung aus dem Glauben bei Paulus.* In: W. BAIER u.a. (Hg.): Weisheit Gottes - Weisheit der Welt (Fschr. J. Kard. RATZINGER zum 60. Geb.). St. Ottilien 1987, vol. I, pp. 83-95; F. MUSSNER: *NOOYMENA. Bemerkungen zum „Offenbarungsbegriff" in Röm 1,20.* In: M. KESSLER/W. PANNENBERG/H. J. POTTMEYER (Hg.): Fides quaerens intellectum (Fschr. M. SECKLER zum 65. Geb.). Tübingen/Basel 1992, pp 137-148; sehr beachtenswert H. SCHLIER: *Die Erkenntnis Gottes nach den Briefen des Apostels Paulus.* 1964. Die Auslegungsgeschichte der genannten neutestamentlichen Stellen behandelt in groben Zügen LACKMANN, *Vom Geheimnis der Schöpfung.* 1952. Die Breite des Traditionsstromes patristischer Exegese dokumentieren K. H. SCHELKLE: *Paulus - Lehre der Väter. Die altkirchliche Auslegung von Römer 1-11.* Düsseldorf ²1959, pp. 53-60, sowie die entsprechenden Stellenangaben bei H. J. SIEBEN: *Exegesis Patrum. Saggio bibliografico sull'esegesi biblica dei Padri della Chiesa* (Sussisi Patristici 2). Rom 1983, pp. 92sq. 96sq.; ID.: *Kirchenväterhomilien zum Neuen Testament* (Instrumenta Patristica 22). Steenbrug-

gie natürlicher Gotteserkenntnis die einzunehmende Richtung angezeigt, aber sie suchte sich dabei die natürliche Vernunft als Beweisinstanz und das philosophische Fragen als methodische Wegführung, um die geoffenbarte Wahrheit von der allgemeinen Erkennbarkeit Gottes zu verifizieren.

Wie alle scholastischen Theologen seiner Zeit sieht Heinrich das Ansinnen eines szientifischen Gottesbeweises aus der Schöpfung von philosophischer und von theologischer Seite in Frage gestellt.[237] Philosophischerseits wird auch und gerade für einen Gottesbeweis die Erfüllung strengster beweistechnischer Bedingungen gefordert, theologischerseits erwartet man die Beachtung der Würde, der Eigenart und des Eigenrechts gnadengetragener Glaubenserkenntnis, in der sich das Mysterium Gottes und seiner Schöpfung erschließt. Unter der Vorgabe, daß ein rationaler Beweis stets ein apodiktisches Beweiswissen im Sinne der 'Zweiten Analytiken' zu erbringen hat, läßt Heinrich - das methodische Vorgehen des Aquinaten vor Augen[238] - die Kritik bereits bei der Frage nach der Demonstrabilität der Existenz Gottes ansetzen. Beim ersten Einwand, der von AEGIDIUS ROMANUS übernommen ist, wird die Beweisbarkeit der Existenz Gottes abgestritten, weil die Logik lehrt, daß eine unmittelbare und im höchsten Maße selbstevidente Aussage nicht durch eine andere dritte, noch evidentere Aussage beweisbar ist. Denn der erkenntniserschließende Mittelbegriff ist notwendige Bedingung eines Beweises. Die Aussage 'Gott existiert' ist aber im höchsten Maße selbstevident, weil in ihr von

ge/Den Haag 1991, pp. 133. 136; cf. insbesondere W. AFFELDT: *Verzeichnis der Römerbriefkommentare der lateinischen Kirche bis zu Nikolaus von Lyra.* In: Traditio 13 (1957), pp. 396-406; F. BASILE: *La conoscenza naturale di Dio nelle interpretazioni patristiche e medievali di Rom 1,18-32.* Diss. theol. Greg. 1958 [war dem Verf. nicht zugänglich]; J. RIEDL: *Röm 2,14ff. und das Heil der Heiden bei Augustinus und Thomas.* In: Schol. 40 (1965), pp. 189-213; W. VANDERMARCK: *Natural Knowledge of God in Romans. Patristic and Medieval Interpretation.* In: TS 34 (1973), pp. 36-52. Eine im Hinblick auf Heinrichs augustinische Grundausrichtung interessante Spezialstudie verfaßte G. MADEC: *Connaissance de Dieu et action des grâces. Essai sur les citations de l'Epître aux Romains I,18-25 dans l'oeuvre de saint Augustin.* In: RechAug 2 (1962), pp. 273-309. *Röm 2,14* spielt eine Rolle in HENR. DE GAND., *Summa 24,8* Badius 145rL. 145vR.

[237] Zur Textinterpretation von HENR. DE GAND., *Summa 22,4* Badius 132vI-134rZ cf. GRUNWALD, *Gottesbeweise.* 1907, pp. 113-116; PAULUS, *Argument ontologique.* 1935, pp. 278sq. 312. 313; ID., *Essai.* 1938, p. 47; BARTH, *De tribus viis.* 1943, p. 96sq.; GÓMEZ CAFFARENA, *Ser participado.* 1958, pp. 216-223. 230sqq. 242sq.; ID., *Inquietud humana.* 1960, p. 633; ROVIRA BELLOSO, *Visión de Dios.* 1960, p. 258; PEGIS, *Towards I.* 1969, pp. 235-239; PEGIS, *Four Medieval Ways.* 1970, p. 351; DUMONT, *Source.* 1982, pp. 8. 14-30. 40-43. 61sq.; p. 219 not. 62; p. 248 not. 11; p. 309 not. 14; MACKEN, *Metaph. Proof.* 1984, pp. 249-251; PORRO, *Enrico di Gand.* 1990, pp. 93-99; SCHÖNBERGER, *Ursachenlehre.* 1994, p. 435 (ad 132vM). - Eine englischsprachige Übersetzung der ganzen Quästion erstellten WIPPEL/ WOLTER, *Medieval Philosophy.* 1969, pp. 378-389.

[238] Eine ausdrückliche, entsprechend betitelte Erörterung einer Demonstrabilität der Existenz Gottes verfaßte erstmals THOM. DE AQU., *S. theol. I, q. 2, a. 2* (in engem sachlichen Zusammenhang stehen ID., *In III Sent., dist. 24,1,2,2* Busa 348; ID., *In Boeth. De trin. I,2* Decker 63-68, und spec. ID., *S.c.G. I,12* Pera 15sq.). Als einer der ersten griff AEG. ROM., *In I Sent., dist. 3,1,3* ed. Venedig 1521, fol. 21vP-22rE, die Fragestellung auf.

Gott, der das Sein selbst ist, dasselbe von ihm selbst prädiziert wird.[239] Heinrich läßt hier noch einmal extreme Vertreter der *ratio Anselmi* zu Wort kommen. Im zweiten, im lockeren Anschluß an THOMAS[240] formulierten Einwand heißt es, daß in Gott Dasein und Wassein identisch sind, aber wegen der Unbeweisbarkeit des Wesens Gottes aus den Kreaturen auch die Beweisbarkeit seiner Existenz unmöglich sei. Zum dritten - und hier folgt Heinrich fast wörtlich THOMAS[241] - tritt die fideistische Position auf den Plan: Wenn ein apodiktischer Beweis (*demonstratio*) ein wissenverschaffender Syllogismus ist, kann dies nicht für ein Wissen um die Existenz Gottes gelten. Denn die Existenz Gottes ist ein Prinzip des Glaubens, m.a.W. ein Glaubensartikel[242], und zwar Artikel eines Glaubens, der sich nach *Hebr 11,1* Vg auf das, was nicht augenscheinlich ist, bezieht. Sollte der Glaubensartikel zudem für die menschliche Vernunft beweisbar sein, ginge auch nach dem berühmten Diktum GREGORS DES GROSSEN das Verdienst des Glaubens verloren.[243] Diesen drei Einwürfen stellt Heinrich wie fast alle seine zeitgenössischen Autoren die Autorität der Hl. Schrift entgegen, indem er *Röm 1,19-20* zitiert und die Stelle durch die Glosse erläutern läßt: „Gott, der unsichtbar war von Natur, hat ein Werk geschaffen, das durch seine Sichtbarkeit den Erbauer gezeigt hat (*monstravit*)".[244]

239 Cf. AEG. ROM., *In I Sent., dist. 3,1,3 obi. 3-4* ed. Venedig 1521, fol. 21vP: *Praeterea, idem de se ipso demonstari non potest, sed esse Dei est ipse Deus ut dicit Avicenna* [*Metaph. VIII,4* Van Riet 397-404]; *ergo etc. Praeterea, quod est per se notum non demonstratur, quia immediatorum non est demonstratio, ut dicitur I Poster.* [*I 3*, 72b18-30]; *sed Deus esse est per se notum, ut probatum est; ergo etc.*

240 Dieses Argument, das eine Wesenserkenntnis Gottes aus der Schöpfung ausschließt, entspricht THOM. DE AQU., *S. theol. I, q. 2, a. 2 obi. 2*, cf. aber auch die ausführlichere Version in ID., *S.c.G. I,12 nr. 74sq.* Pera 15.

241 Cf. THOM. DE AQU., *S. theol. I, q. 2, a. 2 obi. 1* ed. Paul. 12. Die Stelle ergänzt Heinrich lediglich um die nachfolgend genannte Gregor-Stelle.

242 Zur Entstehung dieses Begriffs am Ende des 12. Jahrhunderts und seiner variantenreichen Interpretationsgeschichte in der ersten Hälfte des 13. Jahrhunderts, in der er zum Synonym für die Prinzipien der theologischen Wissenschaft avancierte, cf. L. HÖDL: *Articulus fidei. Eine begriffsgeschichtliche Arbeit.* In: J. RATZINGER/H. FRIES (Hg.): Einsicht und Glaube (Fschr. G. SÖHNGEN zum 70. Geb.). Freiburg/Basel/Wien 1962, pp. 358-376; die hochscholastische Diskussion dokumentiert LANG, *Theologische Prinzipienlehre.* 1964, pp. 106-138, zu Heinrich, der diesbezüglich mit THOMAS konform geht, spec. pp. 124sq. 137; dazu HENR. DE GAND., *Qdl. I,4* Macken 16,82; 17,91 und ID., *Qdl. I,26* Macken 181,34-37 (Definition und Differenzierungen!).

243 Cf. GREG. MAGN., *In ev. hom. 26,1* PL 76, col. 1197C: *Fides non habet meritum, cui humana ratio praebet experimentum.* Das Zitat ist wohl durch GUILL. ALTISS., *Summa aurea, prol. 1* Ribaillier 15,12-13 in den weiteren Kontext des rationalen Glaubensverständnisses und des Gottesbeweises eingebracht worden, ihm folgten die SUMMA FR. ALEX., *Lib. I, nr. 23* ed. Quar. I, p. 34a, und BONAV., *In Sent., prooem. q. 2 obi. 6* ed. Quar. I, p. 10a.

244 Die Glosse entspricht dem Anfang des in *Summa 21,1* Badius 123vB zitierten Auszuges (cf. Kap. II, § 2,1 not. 50). Heinrich will natürlich das unterminologische *monstrare* im Glossenzitat ganz im Horizont der Theorie apodiktischen Beweisens (*demonstratio*) im Sinne der 'Zweiten Analytiken' verstehen. - Die Lesart *monstraret* der Badius-Ausgabe, die auch der *Paris., Bibl. Nat. 15355*, fol. 96ra bezeugt, ist hier geändert in das bei den anderen Zitierungen der Glosse überlieferte *monstravit.*

Der Entfaltung der Gottesbeweise schiebt Heinrich zwei Vorklärungen von unterschiedlichem Gewicht vor. Die Diskussion um die Selbstevidenz der Existenz Gottes, an die schon der erste Einwand erinnern wollte, wird von Heinrich schnell mit dem Hinweis niedergelegt, daß eine solche Selbstevidenz ausgeschlossen ist durch die gar nicht seltene Möglichkeit des Zweifelns an Gottes Existenz. Dies ist nicht zurückzuführen auf eine Unvollkommenheit oder Ungewißheit des göttlichen Seins in sich, weil es an sich das offenbarste Sein ist, sondern auf die Schwäche des menschlichen Intellekts, der aufgrund mangelnder Eigeneinsicht in das göttliche Sein sich seine Gewißheit über Gottes Existenz – wie die schon zitierte Glosse zu *Röm 1,19* unterstreicht - aus dem, was er selber über Schöpfungsrealitäten weiß, schlußfolgernd, d. h. diskursiv beweisend hervorlockt.[245]

Heinrich kommt es besonders auf das kritische Verständnis des Beweisbaren (*demonstrabile*) an, das unterschieden werden muß in das an sich aus der Natur der Sache Beweisbare und das für den menschlichen Intellekt aufgrund einer entsprechenden Disposition Beweisbare. Die erste Form des Beweisbaren scheidet hinsichtlich eines Gottesbeweises aus, weil es wegen der Identität von Gottes Sein und Wesen keinen erschließenden Mittelterm gibt, der früher und bekannter als Gott selbst wäre. Allein in der eschatologischen Schau zeigt sich Gott unmittelbar, so daß alles Zweifeln ein Ende hat und Gott selbst zum Beweis- und Erkenntnisgrund aller Dinge wird. Heinrich meint dies auch bei AVICENNA finden zu können, nach dem über Gott als dem höchsten und glorreichsten Wesen keine Definition verfügbar noch ein Beweis möglich ist, denn „er selbst ist Beweis für alles, was ist".[246] Richtet man dagegen die Beweisbarkeit an der Disposition des menschlichen Intellekts aus, steht einem Beweisversuch der Existenz Gottes nichts im Wege. Dabei ist aber nicht die Wahrheit des göttlichen Seins in sich, also seine aktuale, extramentale Existenz beweisbar, sondern die Wahrheit der Aussagenverknüpfung 'Gott existiert', die nur als geschmälertes, veritatives Sein gelten darf.[247]

[245] Cf. HENR. DE GAND., *Summa 22,4* Badius 132vK: *Plurimi enim dubitare possunt Deum esse, sed hoc non est ex imperfectione et incertitudine esse Dei in se, cum sit manifestissimus in suo esse secundum se, sed ex debilitate intellectus nostri qui eum intueri non potest ut est in se, ut ideo oporteat eum certitudinem de eo quod Deus est, ex sibi notis circa creaturas ratiocinando elicere et sic Deum esse demonstrare.*

[246] Cf. HENR. DE GAND., *Summa 22,4* Badius 132vK-L: *Dicendum ad quaestionem, quod quantum est de natura Dei in se, Deum esse non est demonstrabile homini, quia non est per medium cognoscibile, eo quod non est medium inter eius esse et essentiam, sed penitus sunt idem, ut dictum est supra, et ideo non habet prius aut notius ipso, sed hoc modo Deum esse solum est homini in futuro immediate per nudam speciem ostensibile, qua visa non erit homini dubitare quin Deus non possit nos esse nec cogitari non esse, sed erit ratio demonstrandi et cognoscendi omnia alia. Propter quod dicit Avicenna in VIII Metaph. suae: 'Primus qui est altissimus et gloriosus, non habet definitionem et non potest fieri demonstratio de eo, sed ipse est demonstratio de omni quod est'* [cf. AVIC., *Metaph. VIII,5* Van Riet 411,39-44].

[247] Darauf weist Heinrich schon *Summa 22,1* Badius 129vL-130rL deutlich hin (cf. Kap. II, § 3,1). Später knüpfte insbesondere DUNS SCOTUS an diese sprachmetaphysi-

Die Beweisanstrengung gelingt im Blick auf die Schöpfung als dem Beweisgrund, der - Heinrich formuliert vorsichtig den Aspekt - gleichsam das für den menschlichen Intellekt Bekanntere darstelle, aus dem - wegen seiner wesenhaften Abhängigkeit zu Gott als gleichsam seiner Ursache und seines Prinzips - widerspruchslos und unwiderleglich (*irrefragabiliter*) Gottes Existenz bewiesen werden könne.[248] Ja, gemäß dem von Heinrich uneingeschränkt mitgetragenen augustinischen Wissenschaftsethos sei dies nicht nur der von kundigen Philosophen beschrittene Weg, sondern auch das höchste und wahre Ziel aller Untersuchung der geschaffenen Natur, sofern sie nicht eitler, vergänglicher *curiositas* verfallen will.[249] Alle Anstrengungen um einen Beweis der Existenz Gottes aus der Schöpfung dürfen sich also durch eine theozentrische Ordnung des Wissens gerechtfertigt sehen.

Die Beweise teilt Heinrich hinsichtlich ihres methodischen Vorgehens in die zwei Hauptformen des demonstrativen und des analytischen, eher probablen Beweisganges ein. Der demonstrative Weg geht dabei ohne nähere Begründung Heinrichs[250] entweder mit Blick auf die Kausalität oder mit Blick auf die Eminenz vor.

Die Unterscheidung des demonstrativen Weges in einen Kausalitäts- und Eminenzbeweis leitet Heinrich ab aus der durch Ps.-DIONYSIUS vorgegebenen Trias Negation (*ablatio, remotio*), Eminenz (*eminentia*) und Kausalität (*causa*). Den Weg der Negation läßt Heinrich für den Existenznachweis Gottes fallen. Denn von Gott wird alles Sein der Kreatur ferngehalten, und von reinen Negationen kann nicht auf die Existenz Gottes geschlossen werden.[251] Ein Vor-

schen Position Heinrichs an; für DUNS SCOTUS cf. Th. KOBUSCH: *Ens inquantum ens und ens rationis. Ein aristotelisches Problem in der Philosophie des Duns Scotus und Wilhelms von Ockham.* In: J. MARENBON (ed.): Aristotle in Britain During the Middle Ages. Turnholt 1996, p. (157-175) 166 not. 25.

[248] Cf. HENR. DE GAND., *Summa 22,4* Badius 132vL: *Quantum vero est ex dispositione intellectus nostri, bene est ei demonstrabile. Non dico esse Dei quod habet in se, sed quod significat compositionem intellectus, ut quod ista enuntiatio sit vera, qua dicitur 'Deus est'. Et est hoc ei demonstrabile ex creaturis tamquam ex sibi notioribus, ex quibus propter essentialem dependentiam ipsarum ad Deum tamquam ad causam et principium earum irrefragabiliter probari potest, quia ipse est.*

[249] Heinrich zitiert AUG., *In Ioa. ev. 2,4* CCL 36, p. 13,22-24, und ID., *De vera rel. 29,52* CCL 32, p. 221,4-12. Die letztere Stelle ist bereits in HENR. DE GAND., *Summa 7,10* Badius 60vB im selben Umfang zitiert, wo ausführlich die theozentrische Ordnung des Wissens unterstrichen wird; in *Summa 11,7* Badius 62vI wird ein Teil der Stelle (p. 221,10-13) zur Brandmarkung der *curiositas* herangezogen.

[250] Heinrich läßt weder in diesem noch in anderen Texten erkennen, warum er diese Aufteilung vornimmt und welchen präzisen Sinn diese Unterscheidung haben soll. Bei der Frage nach dem Ordnungskriterium in der Gattung der separaten Substanzen entwickelt HENR. DE GAND., *Qdl. VIII,9* Badius 314rK einen Katalog von elf Seinsmodi und erläutert prinzipiative, kausale und dependente Abhängigkeiten innerhalb einer essentialen Ordnung, die Unterschiede begründen können. Dabei wird das Merkmal der Dependenz mit der Eminenz ineins gesetzt, aber dann der Kausalität gegenübergestellt. Cf. DUMONT, *Source.* 1982, p. 42sq.

[251] Cf. HENR. DE GAND., *Summa 22,4* Badius 132vL: *Invisibilia enim Dei (ut dicit Apostolus) a creatura mundi per ea quae facta sunt conspiciuntur, et hoc primo demonstrative, secundo*

bild dieser methodischen Beschränkung auf den Eminenz- und Kausalitätsbeweis fanden Heinrich und viele andere Vertreter der hochscholastischen Theologie in der *Summa fratris Alexandri.*[252]

Den Vorzug unter den verbliebenen Beweisarten erhält bei Heinrich die *via causalitatis,* da sie für den unwiderleglichen Nachweis einer wesenhaften Abhängigkeit der Dinge von Gott als ihrer Ursache und ihrem Prinzip höchste Beweiskraft beanspruchen darf. Der Kausalitätsbeweis untergliedert sich nochmals in Nachweisen effizienter, formaler und finaler Ursächlichkeit Gottes gemäß den Relationen der Geschöpfe zu Gott.

Den Beweis der Effizienzursächlichkeit Gottes führt Heinrich in drei Versionen vor. In geradezu wörtlichem Anschluß an die *prima via* des THOMAS VON AQUIN formuliert der erste Beweis - und nach Heinrich der manifesteste unter den drei Beweisen[253] - einen Bewegungsbeweis, der sich stark an die Darlegungen im VIII. Buch der Physik des ARISTOTELES anschließt. Am Anfang steht die durch die Sinne bestärkte und nur aus Torheit abzulehnende höchste Gewißheit, daß in der Welt Dinge in Bewegung sind und bewegt werden. Gemäß dem aristotelischen Axiom: *Omne quod movetur, ab alio movetur,* das Heinrich hier für die Sphäre des naturalen Seins umstandslos akzeptiert,[254] erklärt eine Serie von Bewegtem und Bewegendem. Das Verbot eines infiniten Regresses bei den Bewegern führt dann zur Erkenntnis eines ersten unbewegten Bewegers, „den wir als Gott verstehen".[255]

analytice. Demonstrative duplici via, ad quam omnes aliae habent reduci, scilicet causalitate et eminentia. Cum enim ut dicit Dionysius De divinis nominibus [cf. *transl. Ioa. Scoti Eriugenae.* In: Dionysiaca I, p. 403sq.]: *'ex omni existentium ordinatione in summum omnium redeundum est omni ablatione et eminentia et omni causa'. Via tamen remotionis non cognoscitur de Deo an sit, cum sit illa via negationis removendo esse omnium creaturarum de Deo, et ex negativis puris pluribus numquam sequitur aliqua affirmativa. Via autem causalitatis aut eminentiae solummodo possibile est cognoscere de Deo ex creaturis quia est.*

[252] Cf. SUMMA FR. ALEX., *Lib. I, nr. 25* ed. Quar. I, pp. 40a-42b. Cf. auch AEG. ROM., *In I Sent., dist. 3,1,3* ed. Venedig 1521, fol. 22rA-B; ID., *Qu. disp. de esse et essentia, q. 1* ed. Venedig 1503, fol. 2vb-3ra; unter Einfluß Heinrichs stehen VITAL. DE FURNO, *De rerum principio 1,3* Garcia 7; IOA. DUNS SCOTUS, *Lect. I, dist. 2* n.39 ed. Vat. XVI, p. 124; GERARD. BONON., *S. theol., q. 13, qcl. 2* Xiberta 837-841.

[253] Wie schon mehrfach in der Forschungsliteratur bemerkt, überrascht hier sehr, daß Heinrich nichts andeutet von seiner in *Summa 25,3* formulierten Fundamentalkritik - die Unfähigkeit, ausgehend von der Sphäre materialen Seins die Einzigkeit eines unbewegten Bewegers zu beweisen - am Bewegungsbeweis als der Hauptform aposteriorischer Gottesbeweise; cf. HENR. DE GAND., *Summa 25,3* Badius 153vE-F: *Nullum tamen eorum* [sc. *argumentorum a posteriori*] *probavit ..., quod non possunt esse plures* [sc. *deos*] *... Solum illa argumenta probant Deum non posse plurificari, quae hoc probabant ratione simplicitatis et ... perfectionis eius et huiusmodi, quorum media sumebantur ex parte entitatis Dei ... Et sic processerunt quasi a priori et a causa.*

[254] Die Suspension dieses aristotelischen Axioms in Heinrichs Willenslehre analysiert aufschlußreich R. J. TESKE: *Henry of Ghent's Rejection of the Principle: „Omne quod movetur ab alio movetur".* In: Henry of Ghent. Proceedings. 1996, pp. 279-308.

[255] Cf. HENR. DE GAND., *Summa 22,4* Badius 132vM-133rM: *Quarum prima et manifestior est illa quae procedit ex parte motus, quae procedit Philosophus VIII Physicorum sic. Summe cer-*

Der die *tertia via* des THOMAS wiederholende zweite Beweis Heinrichs greift die aristotelische Erörterung der Prinzipien Akt und Potenz in *De coelo I* auf. Weil gewiß ist, daß es Dinge gibt, die sein und nicht sein können, alles derartige aber nicht von sich aus Sein besitzt, da es ein aus der Potenz in den Akt gesetztes Sein hat, tritt auch nichts aus der Potenz in den Akt außer durch ein bereits im Akt befindliches Sein. Auch hier verbietet sich ein infiniter Regreß, so daß ein Sein angenommen werden muß, das die Ursache seiner Notwendigkeit in sich selbst trägt. Dieses notwendige Seiende, das seine eigene Notwendigkeit besitzt, und zwar nicht woanders her, sondern von sich selbst, „nennen wir Gott, nämlich die erste Ursache von allem", wie Heinrich mit Verweis auf den Traktat über die Notwendigkeit im Metaphysik-Kommentar des AVERROES sagt.[256]

Der dritte Kausalitätsbeweis Heinrichs, die der *secunda via* des Aquinaten entspricht, macht sich die Unterscheidung von Ursache und Wirkung zunutze. Heinrich schließt sich hier der Argumentation an, wie sie ARISTOTELES, *Metaph. II* entfaltet. Ausgangspunkt ist die sensual verbürgte Kenntnis vom Entstehen und Vergehen der sinnfälligen Dinge. Man ersieht daraus, daß es Dinge gibt, die verursacht sind. Da nichts Ursache seiner selbst (*causa suiipsius*) sein kann, sind die Dinge von etwas anderem verursacht. Da das Verbot eines infiniten Regresses auch hier gilt, „ist es notwendig, eine erste Ursache, die alle Dinge hervorbringt, anzunehmen. Diese ist es, die wir Gott nennen."[257]

An der formalen Durchführung dieser drei Beweise effizienter Kausalität Gottes fällt auf, daß sie allesamt ausdrücklich auf aristotelische Texte verweisen, und dies noch nachdrücklicher und präziser, als es Heinrichs Vorlage, die *quinque viae* des THOMAS, taten. Aber auch die inhaltlichen Prämissen und verwendeten Begriffe sind strikt aristotelisch: im Erkenntnisprozeß die Anfangsstellung einer Sinneserkenntnis, die auch sichere Evidenz zu vermitteln vermag; die überragende Einschätzung kausaler Abhängigkeit und schließlich das universale Verbot eines infiniten Regresses.

Der Nachweis der Existenz Gottes aufgrund seiner formalen Kausalität für alles Sein und Erkennen verläuft bei Heinrich in zweifacher Form. Für den ersten Beweis, den Beweis formaler Kausalität des Seins, resümiert Heinrich einen Gedankengang in AUGUSTINS *De vera religione 29,52-32,60*, in dem von der augenscheinlich wahrgenommenen Existenz endlicher Dinge, denen je nach Seinsstufe Beseelung, Sinnesvermögen oder Urteilskraft fehlt, ausgegangen wird. Sowohl bei diesen leb- und vernunftlosen Dingen wie auch bei den

tum est et sensu constat in mundo aliqua moveri, cui in hoc fatuum est contradicere, quia hoc testatur sensus. 'Omne autem quod movetur, ab alio movetur', secundum quod efficacissime persuadet ibi. ... absolute manifestum est, quod oportet ponere aliquod primum movens immobile. Et hoc est quod intelligimus Deum. Cf. THOM. DE AQU., *S. theol. I, q. 2, a. 3 corp.*

[256] Cf. HENR. DE GAND., *Summa 22,4* Badius 133rN; cf. ARIST., *De coelo I 2*, 281a28-283b25; AVERR., *Metaph. V,5* ed. Iunt. VIII, p. 108vH-110rC.

[257] Cf. HENR. DE GAND., *Summa 22,4* Badius 133rO; cf. ARIST., *Metaph. II 2*, 994a1-b31. - Heinrich erörterte die *causa sui* bereits kritisch in *Summa 21,5* (cf. Kap. II, § 2,5).

endlichen vernunftbegabten Wesen, die sich durch ihr Urteilsvermögen hervorheben, findet sich zwar graduell Schönheit, aber nicht in ihrem höchsten Grad, der ja nur in Einheit mit Unveränderlichkeit gegeben sein kann. Da auch hier ein infiniter Regreß untersagt ist, kommt man zu stehen bei einem einzigen, schönsten, rationalen Wesen, das über alle rationale Kreatur erhaben existiert und daher Gott genannt wird.[258]

Der Beweis der formalen Kausalität Gottes für alles Erkennen knüpft an die Argumentation in AUGUSTINS *De libero arbitrio II,5-6* an. Mit den Einzelsinnen beurteilen wir - wie wir selbst erfahren - die den Sinnen je eigentümlichen Dinge, so mit dem Gesichtssinn Farben und mit dem Gehör Klänge. Nun vermögen die Einzelsinne, was allen Sinnen zukommt und was die einzelnen Sinne unterscheidet. Dazu bedarf es eines Allgemeinsinnes (*sensus communis*)[259], der aber wiederum nicht alles Allgemeine zu unterscheiden vermag und dafür eine höhere Kraft, die Vernunft (*ratio*), benötigt. Da nun auch im Bereich der Vernunft stets etwas, das über anderes urteilt, etwas Besseres und Ausgezeichneteres ist als das, was beurteilt wird, käme man in einen infiniten Regreß, gäbe es nicht eine unwandelbare Weisheit über aller geschaffenen Vernunft, die wir Gott nennen.[260]

Diese beiden Einzelargumentationen eines formalkausalen Beweises sind nach Heinrichs unmißverständlicher Angabe methodisch mit den drei vorhergenannten wirkursächlichen Beweisen identisch. Der aristotelische Kon-

[258] Cf. HENR. DE GAND., *Summa 22,4* Badius 133rP: *In via autem causae formalis cum forma sit principium essendi et cognoscendi, duplex est ratiocinatio, quarum prima procedit ex parte esse, quod est in rebus a forma, secunda ex parte cognitionis, cuius principium est forma. Et ambae procedunt eodem modo arguendi quo prius. Prima est illa quam venatur Augustinus in libro 'De vera religione' longa disputatione talis: Cum certum est et videmus ad oculum, quod in qualibet natura corporea etiam infima inanimata est aliqua decentia et pulchritudo quae placet, ... cum sit in omnibus pulchritudo et convenientia, placet, et quia in se summam pulchritudinem non habet, semper in melioris comparatione respuitur qua iudicatur quantum aliquali pulchritudine perficitur et deficit a perfecta. Aut ergo erit procedere in infinitum aut erit stare in uno pulcherrimo decentissimo, a cuius pulchritudine et decentia omnia alia deficiunt et quo iudicantur. Hoc autem indubitanter est illud quod Deum appellamus, in commutabilem scilicet naturam super rationalem creaturam existentem, quia nulla creatura talis esse potest, cum sit omnis creatura mutabilis. Quare cum sic procedere in infinitum est impossibile, oportet ponere illud in quo est status quod Deus est.* - Cf. AUG., *De vera rel. 29,52-32,60* CCL 32, pp. 221-227; dazu W. BEIERWALTES: *Aequalitas numerosa. Zu Augustins Begriff des Schönen.* In: WiWei 38 (1975), pp. 140-157; A. KELLER: *Aurelius Augustinus und die Musik. Untersuchungen zu 'De musica' im Kontext seines Schrifttums* (Cass. 44). Würzburg 1993 (Lit.).

[259] Zu dem auch *sensus universalis* genannten *sensus communis* cf. ebenfalls HENR. DE GAND., *Qdl. II,6* Wielockx 32,51-53: *non solum movetur ad cognoscendum obiecta omnium sensuum particularium, sed post cognitionem confert comparando ea secundum convenientiam et differentiam.*

[260] Cf. HENR. DE GAND., *Summa 22,4* Badius 133rQ; cf. AUG., *De lib. arb. II,5,11-6,15* CCL 29, pp. 244-247; dazu G. MADEC: *Note complémentaire 13: La démonstration de l'existence de Dieu.* In: AUGUSTIN: Dialogues philos. III (BiblAug 6). Paris 1976, pp. 561-566; Waltraud M. NEUMANN: *Die Stellung des Gottesbeweises in Augustins 'De libero arbitrio'.* Hildesheim 1986.

text soll nach Heinrichs Absicht die augustinischen Argumente stützen. So wird erneut bei der Sinneserfahrung angesetzt und auch das Verbot eines infiniten Regresses ausgesprochen. Die neuplatonisch-augustinische Lehre von einer seinshierarchischen, wesenhaften Verbindung des Schönen mit dem weniger Schönen und des Urteilenden mit dem Beurteilten bekommt einen aristotelisierenden Anstrich, insofern die unerschaffene, unwandelbare, zeitfreie Schönheit und Weisheit mit dem ersten unbewegten Beweger parallelisiert wird.[261]

Heinrich führt den finalkausalen Beweis der Existenz Gottes nur in der einen Form aus, wie ihn ARISTOTELES, *Metaph. II 2* formuliert hat. Wenn wir sehen, daß etwas auf etwas anderes als auf sein Ziel hin geordnet ist, ist auch jenes Ziel auf etwas Höheres als Ziel hingeordnet, und zwar bei allen Seienden. Weil man sonst die Natur des Guten zerstörte, ist auch hier kein infiniter Regreß erlaubt, so daß man ein einziges letztes, um seiner selbst bestehendes Ziel für alle Dinge behaupten muß. Dieses nennt man als das beste Seiende auch Gott.[262] Wie die beiden vorausgehenden Beweisformen lebt auch dieser Beweis von seinen aristotelischen Elementen. Die sind der Ausgang von der Sinneserfahrung, der Rückschluß vom wesenhaft Späteren auf das wesenhaft Frühere und das Verbot des infiniten Regresses.

Gemessen an ihrer Beweiskraft stellt Heinrich die Eminenzargumente hinter die Kausalitätsargumente auf den zweiten Platz. Abhängig von ihrer Argumentationsweise fallen sie in zwei Klassen. Die erste Klasse schreitet über alles, was gut und lobenswert an den Kreaturen ist, wegen der Kleinheit und Defizienz dieser Seinssphäre hinweg zu dem, was am Schöpfer vollkommen gut und lobenswert ist. Sie lehnt sich dabei an die Argumentation der ersten Variante der formalkausalen Beweise an. Heinrich offeriert drei Argumente für diese Klasse, von denen er die ersten beiden der *Summa fratris Alexandri* entnimmt: Nach RICHARD VON ST. VIKTOR ist es im höchsten Maße gewiß und von niemandem bezweifelbar, daß es angesichts einer so großen Vielfalt der Dinge etwas Höchstes geben muß, über das hinaus es nichts Größeres oder Besseres gibt und das gleichsam die wahre Seiendheit und Gutheit ist, von der alle anderen Dinge ihre Seiendheit und Gutheit besitzen.[263] Ferner muß nach

[261] Wie DUMONT, *Source.* 1982, p. 22sq. scharfsinnig bemerkt, tritt hier gut der enzyklopädische Charakter der aposteriorischen Gottesbeweise bei Heinrich zutage. Heinrich will die schultheologische Differenzen übergreifende, allgemeine Akzeptanz der Argumente selbst aufzeigen und nicht Argumente dem Monopol einer bestimmten Tradition zuschreiben. So vermag AUGUSTINUS selbst beim Kausalbeweis Gottes - einer Domäne der mit den Namen des ALBERTUS MAGNUS und THOMAS VON AQUIN verbundenen, aristotelisch orientierten Theologie jener Tage - ein entscheidendes Wort beizutragen. Dies gelang Heinrich freilich nur um den Preis einer derart großen Annäherung des aristotelischen Kausalitäts- und des augustinischen Eminenzbegriffs, daß ein IOA. DUNS SCOTUS, *Lect. I, dist. 2,1 nr.39-86* ed. Vat. XVI, pp. 124-142, eine klarere Scheidung einforderte.

[262] Cf. HENR. DE GAND., *Summa 22,4* Badius 133r-vR; cf. ARIST., *Metaph. II 2*, 994a8-11, b9-17.

[263] Cf. RICHARD. A ST. VICT., *De trin. I,11*; das Zitat entnimmt Heinrich aus SUMMA FR.

ANSELM die Vernunft aus dem Umstand, daß es bessere Naturen als andere gibt, zu der Überzeugung kommen, daß es unter diesen Naturen eine gibt, die alles überragt, so daß sie weder eine höhere Natur neben sich hat noch haben könnte.[264] Gemäß AUGUSTINUS stellen alle, die mit Einsicht danach streben, das Wesen Gottes zu erkennen, Gott allen Naturen, nicht nur den sichtbaren und körperlichen, sondern auch den intelligiblen voran, also schlechthin allen veränderlichen Naturen. Sie wetteifern kämpferisch um die Erhabenheit Gottes. Doch niemand von ihnen könnte Gott finden, der Gott als etwas annähne, über das hinaus es doch noch etwas gäbe. Daher stimmen alle darin überein, daß es Gott ist, den sie allen übrigen Dingen voranstellen.[265]

Die zweite Klasse des eminenztheoretischen Beweises verfährt so, daß sie das, was den Kreaturen in einem Mehr oder Weniger zuzusprechen ist, vergleicht mit dem, was im Schöpfer schlechthin ist. Das erste der beiden Argumente dieser Klasse liefert ANSELM: Wo immer man ein Mehr und ein Weniger findet, muß man auch ein Absolutes finden.[266] Unter den Seienden findet man Gutes und Besseres, Schönes und Schöneres, Ergötzliches und Ergötzlicheres. Folglich muß es unter den Seienden ein schlechthin Gutes, Schönes und Ergötzliches geben, woran das Mehr und Weniger der anderen Dinge bemessen wird. Dies ist aber nichts anderes als Gott, also existiert er. Ein Argument ähnlicher Art, das ANSELMS Stufenargument stützt und fortführt, möchte Heinrich bemerkenswerterweise bei ARISTOTELES und seinem Kommentator AVERROES finden. ARISTOTELES wendet sich gegen diejenigen, die jede Meinung (*opinio*) als bloße Einschätzungen (*aestimatio*) einschätzen und jedes sichere Wissen verneinen, aber doch dabei behaupten, daß alle ihre Einschätzungen sich unterscheiden gemäß einem Mehr oder Weniger in der Wahrheit.[267] Dieses Argument läßt Heinrich sich von AVERROES erläutern: Wenn es ein Mehr und Weniger an Wahrheit oder Falschheit gibt, existiert ein schlechthin Wahres, woraufhin das Mehr und Weniger ausgesagt wird. Weil das, was ein Mehr an Wahrheit und ein Weniger an Falschheit besitzt, wegen der Beimischung des Gegenteils ein Wahreres über sich hat, könnte man ins Unendliche voranschreiten oder bei dem zu stehen kommen, das schlechthin und im höchsten Maße wahr ist.[268] Dies wäre nach ARISTOTELES die Ursache der Wahrheit der Dinge, die nach ihr sind, und daher, wie AVERROES verdeutlichend hinzufügt, die erste Ursache der Dinge, die Gott ist.[269]

Die zweite Hauptgruppe der aposteriorisch verfahrenden Gottesbeweise stellt nach Heinrich neben den demonstrativen Argumentationsformen die

ALEX., *Lib. I, nr. 25* ed. Quar. I, p. 42b.

264 Cf. ANSELM. CANT., *Monol. 4* Op. omn. I, p. 17,3-5; Heinrichs Vorlage ist ebenfalls SUMMA FR. ALEX., *Lib. I, nr. 25* ed. Quar. I, p. 42b

265 Cf. AUG., *De doctr. chr. I,7,7* CCL 22, p. 10,16-22.

266 Cf. ANSELM. CANT., *Monol. 1* Op. omn. I, p. 14,9-15.

267 Cf. ARIST., *Metaph. IV 4*, 1008b25-1009b5.

268 Cf. AVERR., *Metaph. IV,18* ed. Iunt. VIII, fol. 86rC.

269 Cf. ARIST., *Metaph. II 1*, 993b26-31; AVERR., *Metaph. II,4* ed. Iunt. VIII, fol. 30rC.

Gruppe der analytischen bzw. probablen Beweise (*rationes analeticis et probabiles*) dar.[270] Wie die Benennung schon verrät, schließt sich hier Heinrich der aristotelisch-boethianischen Methodenlehre an.[271] Eine *ratio analytica* ist nach einer eingängigen Definition des ALBERTUS MAGNUS „eine Begründung, die voranschreitet, in dem sie mittels eines Urteils ein Prinzipiiertes in seine Prinzipien auflöst".[272] Beweisform ist also ein syllogistischer Prozeß, den man als urteilende Rückführung eines Satzes auf Prinzipien, d. h. als judikative Analyse, bezeichnen kann. Während die syllogistische Beweisform zwar demonstrativen Charakter besitzt, dürfen die zugrundegelegten Begriffe, Axiome, Definitionen, Autoritäten, Maximen oder andere Annahmen nur als probable Wahrheiten bewertet werden. Denn sie werden mittels der *via inventionis*, die der Topik zugehört, lediglich aufgefunden und bewertet, nicht aber syllogistisch-ableitend demonstrativ als notwendige Wahrheiten erschlossen. Heinrich bekundet so ein ebenso tiefes wie kritisches Verständnis der von ihm auf dem Gebiet des aposteriorischen Gottesbeweises angewandten und akzeptierten aristotelisch-boethianischen Methodenlehre, indem er deren Lücken, Grenzen und Schwächen nicht überspielt.[273] Auch dies wird ihm Anlaß geben haben, einen für ihn methodisch sichereren, eben apriorischen Weg zu suchen.

Die von Heinrich gewählten analytischen Beweise, die mit Ausnahme des dritten, aristotelischen Arguments alle der *Summa fratris Alexandri* entnommen sind, stehen nach Heinrichs eigenen Worten in sachlichem Zusammenhang mit den demonstrativen Beweisen, insofern alles Probable sich auf Notwendiges rückbezieht. Auch die analytisch-probablen Argumente verschaffen daher Beweiswissen im oben beschriebenen Sinne. Sie haben also keinen bloß ornamentalen Charakter und dürfen trotz der genannten Einschrän-

[270] Überraschenderweise wurde diese methodenspezifische Benennung der probablen Beweise bei Heinrich von allen Autoren, die zu dieser Quästion Stellung nahmen, unerörtert gelassen. WIPPEL/WOLTER, *Medieval philosophy*. 1969, p. 385, übersetzen irritierend mit „fragmentary and probable arguments".

[271] Cf. zum folgenden insbesondere OEING-HANHOFF, *Methoden der Metaphysik*. 1963, pp. 72-78; ID., *Analyse/Synthese*. 1971, col. 240sq.

[272] ALBERT. MAGN., *In Anal. Post. I,4,11* Borgnet II, p. 113b, lin.34-35: *analyticam .. voco* [sc. *rationem*] *quae procedit per iudicium resolvendo principiatum in principia*. Cf. auch IOA. DAMASC., *Dialectica, cap. 49,4* [versio Rob. Grosseteste] Colligan 53,42-49: *Sciendum quod quattuor sunt dialecticae methodi, id est logicae. Divisiva, quae dividit genus in species per medias differentias. Definitiva, quae a genere et differentiis quibus divisit divisa, definit subiectum. Resolutiva, quae compositius resolvit in simpliciora, hoc est corpus in humores, humores in fructus, fructus in elementa quattuor, elementa in materiam et formam. Demonstrativa, quae per medium aliquod demonstrat propositum.* Zu diesem Text cf. L. OEING-HANHOFF: *Methode. III. Mittelalter. 2.* In: HWPh V (1980), col. 1309-1311; allg. G. RICHTER: *Die Dialektik des Johannes von Damaskos. Eine Untersuchung des Textes nach seinen Quellen und seiner Bedeutung* (Studia Patristica et Byzantina 10). Ettal 1964.

[273] Cf. HENR. DE GAND., *Qdl. IV,13* Badius 108rC: *Sic ergo rationibus naturalibus propriis fundatis in principiis naturae et generationis rerum naturalium et a priori, non autem ex rationibus communibus analyticis a posteriori, quae probabilitatem quandam faciunt, scientiam autem non generant, patet, quod ...*

kungen mit Grund den direkten Ort hinter den demonstrativen Beweisen für sich beanspruchen.

Das erste analytische Argument stammt von RICHARD VON ST. VIKTOR.[274] Er geht von der Wirkursächlichkeit aus und legt dabei zwei selbstevidente Unterscheidungen als Prämissen zugrunde. (i) Erstens kann alles Seiende entweder erdacht werden oder von Ewigkeit an existieren oder seinen Anfang in der Zeit genommen haben. (ii) Zweitens ist alles Seiende entweder so, daß es durch sich selbst sein Sein besitzt oder sein Sein von einem anderen erhält. Gemäß diesen Voraussetzungen führt RICHARD eine viergliedrige Unterscheidung aus: Alles Seiende ist entweder (1) ewig und von sich aus oder (2) weder ewig noch von sich aus oder (3) ewig und nicht von sich aus oder (4) nicht ewig und von sich aus. Die letzte Unterscheidung wird sofort als strikte Unmöglichkeit ausgesondert, weil alles, was nicht von Ewigkeit an existiert, gemäß der ersten Prämisse einen Beginn seines Seins hat. Daher besitzt es gemäß der zweiten Prämisse sein Sein von einem anderen, nicht von sich aus. Der Ursprung der Existenz ist deshalb nur unter den ersten drei Möglichkeiten auszumachen. Unter Hinzuziehung des zweiten und dritten Gliedes seiner Unterscheidung argumentiert RICHARD folgendermaßen, um die Existenz des ersten Gliedes zu begründen: Falls etwas nicht von sich aus ist oder von Ewigkeit an, wie das dritte Glied sagt, oder etwas nicht von Ewigkeit an, wie das zweite Glied sagt, besitzt jenes - gemäß der zweiten Prämisse - notwendigerweise sein Sein von einem anderen. Von diesem anderen stellt sich folgerichtig die Frage, ob es auch von einem anderen sei, so daß sich ein nicht durchführbarer infiniter Regreß ergäbe oder man zu einem Seienden gelänge, das sein Sein nicht von einem anderen besitzt. Es gäbe folglich ein Seiendes von Ewigkeit und von sich aus. Dies nennt man Gott.

Denselben Weg der Effizienzursächlichkeit beschreitet in Heinrichs Darstellung JOHANNES DAMASCENUS.[275] Alles, was ist oder gedacht werden kann, ist erschaffbar oder unerschaffbar. Falls es erschaffbar ist, wäre es wandelbar und aus dem Nichtsein ins Sein hinübergegangen. Aber dies geschieht nicht durch ein weiteres Erschaffbares, so daß sich unendlich oft die Frage nach einem weiteren Erschaffbaren stellte, aus dem es hervorgegangen wäre. Folglich stammt es von einem Unerschaffbaren, von dem wir behaupten, daß es Gott ist. Unter etwas anderem sachlichen Aspekt argumentiert der Damasze-

[274] Cf. RICH. A S. VICTORE, *De trin. I,6* Ribaillier 91,10-92,23, spec. app. font. ad lin. 10-13 zur neuplatonischen Herkunft dieses dreiförmigen Seinsbegriffs. - Die durch die SUMMA FR. ALEX., *Lib. I, nr. 25* ed. Quar. I, p. 40a, begründete Prominenz dieses Arguments in der franziskanischen Theologie des 13. Jahrhunderts bekunden IOA. PECKHAM, *In I Sent., dist. 2,1* Daniels 43; MATTH. AB AQUASP., *In I Sent., dist. 2,1* Daniels 53; GUILL. DE WARRIA, *Qu. in I Sent., q. 14* Daniels 92; IOA. DUNS SCOTUS, *Lect. I, dist. 2 nr.41* ed. Vat. XVI, p. 126.

[275] Cf. IOA. DAMASC., *De fide orth. I,3,2* Buytaert 16,23-17,42; cf. SUMMA FR. ALEX., *Lib. I, nr. 25* ed. Quar. I, p. 41a, die abhängt von GUILL. DE ALTISS., *Summa aurea I,1,1* Ribaillier 22,20-22.

ner, daß alles, was ist oder sein kann, Ursache oder Verursachtes oder beides ist. Aber alles Verursachte besitzt sein Sein von einer anderen Ursache als sie selbst, weil nichts Ursache seiner selbst dafür ist, daß es ist. Folglich gibt es entweder ein Fortschreiten ins Unendliche oder eine andere, unverursachte Ursache. Diese wird Gott genannt, womit seine Existenz bewiesen ist.

Aufgrund der Erhaltung der Dinge bieten JOHANNES DAMASCENUS und ARISTOTELES Probabilitätsbeweise für das Dasein Gottes. Nach dem Damaszener wird alles Zusammengesetzte und Zerlegbare von einem Einfachen und Unzerleglichen in seinem Sein bewahrt, weil es von sich aus ins Nichts stürzte. Da alle weltlichen Dinge von dieser Art sind, liegt die Schlußfolgerung auf der Hand.[276] Eine finalursächliche Variante dieses Arguments liefert die aristotelische Physik, nach der alle vernunftlosen Naturdinge um eines Zieles willen tätig sind. Sie tun dies aber nicht mittels eines eigenen Erkenntnisvermögens, das ihnen fehlt. Was jedoch sein Ziel nicht erkennt, wird nur dann mit Bestimmtheit an sein Ziel gelenkt, wenn es von einem Erkennenden geleitet wird, z.B. der Pfeil vom Bogenschützen. Folglich gibt es ein erkennendes Wesen, von dem alle vernunftlosen Naturdinge an ihr Ziel geleitet werden, und das wir Gott nennen.[277]

Der fünfte und letzte Probabilitätsbeweis wird aus der Natur der Wahrheit genommen und ist dem finalkausalen Beweisgang angegliedert. Heinrich belegt ihn durch einen summarischen Verweis auf Werke AUGUSTINS und ANSELMS.[278] In ihnen sieht Heinrich in reichlichem Maße und vielfältiger Form den Gedanken ausgedrückt, daß es nicht sein kann, daß die Wahrheit nicht ist, sondern sie vielmehr ewig und unveränderlich ist. Die ewige Wahrheit ist aber nichts anderes als Gott. Folglich muß Gott existieren.

Heinrich schließt mit dem Worten: „So ist also unwiderleglich offenbar, daß man notwendigerweise Gottes Existenz behaupten muß, wenn man die Existenz von Seienden behauptet.“[279] Unmißverständlich kommt noch einmal der aposteriorische Charakter der angeführten Gottesbeweise, aber nicht minder deren beanspruchte Gültigkeit zum Vorschein. Schärfer als alle seine Vorgänger klassifiziert Heinrich die Gottesargumente, und noch sehr viel kritischer ordnet er sie nach ihren Gewißheitsgraden. Die Auswahl der Autoren und die Zusammenstellung der Argumente belegen das Bemühen Heinrichs, einen Konsens der theologischen Richtungen hinsichtlich der rationalen Beweisbarkeit der Existenz Gottes aus der Schöpfung offenzulegen.[280]

[276] Cf. IOA. DAMASC., *De fide orth. I,3,3* Buytaert 17,43-49.

[277] Heinrich verweist allgemein auf das II. Buch der aristotelischen Physik; genauerhin wäre wohl an ARIST., *Phys. II 8*, 199a21-32, zu denken, wo aber jeder theologische Akzent fehlt.

[278] Cf. HENR. DE GAND., *Summa 22,4* Badius 134rT; cf. SUMMA FR. ALEX., *Lib. I, nr. 25* ed. Quar. I, p. 41a-42b.

[279] HENR. DE GAND., *Summa 22,4* Badius 134rT: *Sic igitur patet irrefregabiliter, quia necesse est ponere Deum esse, ex quo ponimus aliquid esse entium.*

[280] Dies schlug z. B. zu Buche, als F. SUÁREZ, *De Deo uno et trino I, cap.1,1,17* (1606). Op.

Kausalitätstheoretische Argumentationen, die von aristotelisch orientierten Theologen bevorzugt werden, werden von neuplatonisch-augustinischen Autoren mitgetragen. Beweisformen neuplatonisch-augustinischer Provenienz erscheinen nicht als Sondergut dieser Richtung, sondern als Gemeingut beider Schulen. So verwirklicht Heinrich eindrucksvoll auf dem Gebiet der Gotteslehre sein von AUGUSTINUS übernommenes Vorhaben, [281] PLATON mit ARISTOTELES zu versöhnen, das im 13. Jahrhundert in mannigfacher Form wieder auflebt.[282]

om. I, p. 4b, bezüglich einer Erkenntnismöglichkeit Gottes aus der Schöpfung den *Doctor solemnis* (mit ausdrücklichem Verweis auf *Summa 22,4*) in einer Reihe mit den übrigen hochscholastischen Theologen stellte.

[281] In *Summa 1,3* Badius 7vL zitiert Heinrich AUG., *Contra Acad. III,19,42* CSEL 63, p. 79,13-17: *Quod autem ad eruditionem doctrinamque attinet et mores, quibus consulitur animae, quia non defuerunt acutissimi et solertissimi viri, qui docerent disputationibus suis Aristotelem ac Platonem ita sibi concinere, ut imperitis minusque attentis dissentire videantur multis quidem saeculis multisque contentionibus. Sed tamen eliquata est, ut opinor, una verissimae philosophiae disciplina. Non enim est ista huius mundi philosophia, quam sacra nostra meritissime detestantur, sed alterius intelligibilis.* Zum Augustinus-Text cf. spec. Therese FUHRER: *Augustin, Contra Academicos (vel De academicis), Bücher 2 und 3. Einleitung und Kommentar* (Patrist. Texte und Studien 46). Berlin/ New York 1997, pp. 449-453. Cf. auch HENR. DE GAND., *Summa 1,4* Badius 12vE: *Dictum ergo utriusque et Aristotelis et Platonis coniugendum est in omnibus ... et sic erit ex utrisque eliquata una verissimae philosophiae disciplina, ut dicit Augustinus in fine de Academicis.* - Die stark divergenten Idealstaatskonzeptionen der beiden antiken Denker fügte HENR. DE GAND., *Qdl. IV,2* Badius 134vT-136rE zusammen, und zwar derart, daß den platonischen Idealstaat (insbes. die Gütergemeinschaft) dem Stand der paradiesischen Urstandsgnade zugewiesen wird, die Idealverfassung aristotelischer Lehre dem infralapsarischen Stand und eine mittlere Staatsordnung der gnadenerhobenen, wiederhergestellten Ordnung; cf. dazu ROSSMANN, *Hierarchie der Welt.* 1972, pp. 207-209.

[282] Dieses Programm einer Konkordanz von PLATON und ARISTOTELES bestimmt bereits viele Neuplatoniker. AMMONIOS SAKKAS wird sogar eine verlorene Schrift über dieses Thema (mit unzureichenden Gründen) zugesprochen, sicher belegt ist ein solches Werk für PORPHYRIOS (*Frgm. P.30 239T* Smith 258); cf. dazu KOBUSCH, *Hierokles von Alexandrien.* 1976, p. 16sq. Heinrich hätte auch den von ihm sehr geschätzten BOETHIUS zitieren können; cf. BOETH., *In Periherm., ed. sec., II, prol.* Meiser 79,16-80,6: *Ego omne Aristotelis opus ... in Romanum stylum vertens, ... omnesque Platonis dialogos vertendo vel etiam commentando in Latinam redigam formam. His peractis non equidem contempserim Aristotelis Platonisque sententias in unam quodammodo revocare concordiam et in his eos non ut plerique dissentire in omnibus, sed in plerisque quae sunt in philosophia, maxime consentire demonstrem.* Zur Lebendigkeit dieser im 13. Jahrhundert fortgesetzten Tradition cf. ALBERT. MAGN., *In Metaph. I, tract. 5,15* ed. Colon. XVI, p. 89,52-54; bezüglich der Ideenlehre IOA. DE PARIS. QUIDORT, *In I Sent., dist. 36,3* Müller 368sq. Eine durch neutralisierende Bereichszuweisungen und christologische Zentrierung modifizierte Tradition zeigt exemplarisch BONAV., *Sermo 'Christus unus omnium magister' 18sq.* ed. Quar. V, p. (567-574) 572/ed. Madec 52,23-25; 54,36-56,19: *Unde, quia Plato totam cognitionem certitudinalem convertit ad mundum intelligibilem sive idealem, ideo merito reprehensus fuit ab Aristotele; ... Et ideo videtur, quod inter philosophos datus sit Platoni sermo sapientiae, Aristoteli vero sermo scientiae. Ille enim principialiter aspiciebat ad superiora, hic vero principialiter ad inferiora. Uterque autem sermo, scilicet sapientiae et scientiae, per Spiritum sanctum datus est Augustino, tanquam praecipuo expositori totius Scripturae, sa-*

In der Entgegnung auf die Einwürfe bereitet Heinrich schon auf seine Theorie konfuser natürlicher Gotteserkenntnis vor. Der erste Einwand verlangte für jeden Beweis einen früheren und bekannteren Mittelbegriff. Nach Heinrich trifft dies sowohl an sich wie auch hinsichtlich des menschlichen Erkenntnisvermögens zu. Auch diesen letzgenannten Mittelbegriff hält Heinrich für einen Beweis der Existenz Gottes für zureichend. Käme man nämlich über die Existenz Gottes in Zweifel, indem man mit unserem Intellekt etwas erfaßt, wie etwa die göttliche Wesenheit durch eine konfuse Bezeichnung des Namens, kann doch mittels einer Kreatur, die uns bekannt ist, sein Sein für unseren Intellekt erfaßt werden, wenn auch nicht hinsichtlich der Natur der Sache.[283] Heinrich bringt so nochmals in Erinnerung, daß der Gegenstand der Gotteserkenntnis des Menschen nicht die Wirklichkeit Gottes in sich, sondern veritatives Sein, genauerhin eine Aussagenverknüpfung ist. In vorausbedeutender Weise verknüpft er diese These mit der Problematik konfuser Gotteserkenntnis.

Der zweite Einwand, der von der Identität von Dasein und Wassein in Gott ausging, trifft nach Heinrich nur zu für Sein, das in sich subsistiert, aber nicht für ein Sein, das durch eine Verknüpfung des Intellekts bezeichnet ist. Unbeschadet des Umstandes, daß das Dasein nicht gewußt werden kann, ohne daß auch das Wassein gewußt ist, kann das Wassein als solches gewußt werden. Heinrich hat dies bereits gezeigt und wird es später nochmals aufgreifen.

Der dritte Einwand gibt Heinrich willkommenen Anlaß, den Zugewinn der Gottesbeweise für das Erkennen des Glaubens und das Erkennen der Theologie zu erörtern und auf seine Sonderlehre vom theologischen Erkenntnislicht anzuspielen. Der fideistische Einwand hat die Unterscheidung des *scibile* vom *credibile* zu einem unvermittelbaren Gegensatz gesteigert, durch den jeder Versuch eines rationalen Gottesbeweises als ebenso fahrlässige wie gefährliche Verkennung der Unersetzbarkeit übernatürlicher Glaubenserkenntnis diskreditiert erscheint. Heinrich lehnt eine Gegenüberstellung von solch schroffer Art ab, kommt ihr aber in einigen Punkten entgegen, weil er mit ihr

tis excellenter, sicut ex scriptis eius apparet. Excellentiori vero modo fuit in Paulo et Moyse ... Excellentissime autem fuit in domino Iesu Christo, qui fuit principalis legislator et simul perfectus viator et comprehensor; et ideo ipse solus est principalis magister et doctor. Dazu die *Note complémentaire 25* (pp. 110-112) der Edition von G. MADEC. - Generell zum Thema cf. G. WIELAND: *Plato oder Aristoteles? Überlegungen zur Aristoteles-Rezeption des lateinischen Mittelalters.* In: TFil 47 (1985), pp. 605-630, zu Heinrich spec. pp. 608. 629; ID.: *Plato or Aristotle. A Real Alternative in Medieval Philosophy?* In: J. F. WIPPEL (ed.): Studies in Medieval Philosophy (StPHP 17). Washington, D.C. 1987, pp. 63-83.

[283] Cf. HENR. DE GAND., *Summa 22,4* Badius 134rV: *Ad primum in oppositum, quod omnis demonstratio est per medium prius et notius, dicendum quod verum est vel simpliciter vel quoad nos. Nunc autem licet ad probandum Deum esse non sit medium prius et notius simpliciter, bene tamen est medium prius et notius quoad nos, ut dictum est. Cum enim dubitamus Deum esse capiendo aliquid per intellectum, ut divinam essentiam sub significato nominis confuso, ipsum mediante creatura quae nota est nobis, esse convincimus quoad notitiam intellectus, licet non in natura rei.*

etwas Richtiges getroffen sieht. Es gilt nämlich zu unterscheiden zwischen Wahrheiten, die schlechthin nur im Glauben erfaßt werden können, und Wahrheiten, die von bestimmten Menschen nur im Glauben erfaßt werden können.[284] Die nur im Glauben erfaßbaren Wahrheiten sind ausnahmslos allen Menschen zu glauben aufgegeben, weil sie schlechthin das Erkenntnisvermögen der natürlichen Vernunft überschreiten, wie z. B. die Dreieinigkeit Gottes[285]. Derartige Wahrheiten können niemals syllogistisch-apodiktisch aus den Geschöpfen bewiesen werden. Es sind nicht notwendige, den Intellekt zur Zustimmung zwingende Gründe, sondern lediglich gewisse Ähnlichkeiten, die man in den Geschöpfen auffinden kann und die den Intellekt zu einer festeren Zustimmung zu einer solchen Wahrheit führen können. Aber der Mensch glaubt dies allein durch Gott, der es ihm durch das Glaubenslicht offenbart, damit der Mensch durch das Verdienst des Glaubens mittels eines höheren eingegossenen Lichtes einsieht, was er vorher nur geglaubt hat. Daher dürfen Wahrscheinlichkeitsgründe wohl zur Erklärung angeführt werden,

[284] Cf. HENR. DE GAND., *Summa 22,4* Badius 134rY: *Est aliquid credibile simpliciter, quod est omnibus credibile, quia excedit simpliciter naturalis rationis investigationem, ut Deum esse trinum. ... Aliud vero est credibile alicui, quod non omnino excedit naturalis rationis intelligentiam, ut est Deum esse aut esse unum.* - Im folgenden greift Heinrich auf seine eingehende Diskussion dieser Unterscheidung in *Summa 13,7* Badius 95vN-97rZ zurück; zur Interpretation dieses Textes unter diesem Aspekt der Simultaneität von Glaube und Wissen cf. BONAV., *In III Sent., dist. 24,2,1* ed. Quar. III, p. 519b-520b (Scholion, nr. 3); GRABMANN, *Erkenntnislehre des Matth. v. Aqu.* 1906, p. 150; STREUER, *Einleitungslehre.* 1968, pp. 42-45.

[285] Heinrich, der hier sehr ähnlich wie THOM. DE AQU., *Ver. XIV,9 corp.* ed. Leon. 22, p. 463,121-129 und *S.c.G. I,3* nr. 14 Pera 4 (cf. auch ID., *S. theol. I, q. 32, a. 1*) formuliert, schließt sich der Position aller maßgeblichen Autoren der Hoch- und Spätscholastik an, die einer rationalen Beweisbarkeit der Trinität ablehnend gegenüberstanden; dazu zusammenfassend STOHR, *Trinitätslehre des hl. Bonaventura.* 1923, pp. 7-24; SCHMAUS, *Liber propugnatorius.* 1930, pp. 13-46, zu Heinrich spec. p. 32sq.; LANG, *Entfaltung des apologetische Problems.* 1962, p. 45sq. n.53 (Lit.!); V. KEMPF: *Os argumentos para a existència da SS. Trinidade na alta escolastica.* In: Revista ecclesiàstica brasileira 6 (1946), pp. 863-897; W. SIMONIS: *Trinität und Vernunft. Untersuchungen zur Möglichkeit einer rationalen Trinitätslehre bei Anselm, Abaelard, den Viktorinern, A. Günther und J. Frohschammer* (FTS 12). Frankfurt a.M. 1972, pp. 115-121. Zur Interpretation der thomanischen Position cf. die jüngere Kontroverse zwischen OEING-HANHOFF, *Thomas von Aquin und die gegenwärtige katholische Theologie.* 1974, pp. 271-277; ID., *Trinitarische Ontologie und Metaphysik der Person.* 1984, spec. pp. 174-176. 178-182, der für THOMAS einen philosophisch einholbaren Existenzbeweis der Trinität behauptet, und A. HOFFMANN: *Der Mysteriencharakter der Trinität.* In: ThGl 68 (1978), pp. 267-282; ID.: *Ist der Hervorgang des Wortes beweisbar? Bemerkungen zu S. Th. I 27,1 und I 32,1.* In: MThZ 34 (1983), pp. 214-223, der für seine ablehnende Haltung neben gewichtigen Thomas-Texten auch auf den Konsens der mittelalterlichen und modernen Thomas-Interpretation verweisen kann; ebenfalls ablehnend H. Ch. SCHMIDBAUER: *Personarum trinitas. Die trinitarische Gotteslehre des hl. Thomas von Aquin* (MThS.S 52). St. Ottilien 1995, pp. 118-129 (Lit.). Befürworter eines rationalen Trinitätsbeweises waren zu hoch- und spätscholastischer Zeit nur sehr vereinzelt anzutreffen, z. B. RAIMUNDUS LULLUS, HEINRICH VON HARKLEY, PETRUS AUREOLI, ROBERT ELIPHAT, RAIMUNDUS SABUNDUS.

nicht aber zur Überzeugung derjenigen, die dieser Wahrheit ablehnend gegenüberstehen. Denn die dafür nötigen zwingenden Gründe findet man nicht in der Natur der geschaffenen Dinge, weil der Wesensgrund der Trinität (*ratio trinitatis*) in keiner Weise in der Kreatur aufleuchtet.[286] Die Existenz Gottes und seine Einzigkeit zählen dagegen zu den Wahrheiten, die zum einen glaubbar sind, zum andern aber auch nicht das Einsichtsvermögen der natürlichen Vernunft übersteigen. Für bestimmte Menschen, deren Denken mit schwächerer natürlicher Einsichtskraft begabt ist, bleiben derartige Wahrheiten etwas, das ihnen nur zu glauben übrig bleibt und für das aus den Kreaturen auch kein Beweis erbracht werden kann. Für andere, scharfsinnigere Menschen können solche Wahrheiten aus den Kreaturen probabel gemacht werden. Ihnen ist eine solche Wahrheit in einer gewissen Weise ein Wißbares und zugleich aber in einer gewissen Weise ein Glaubbares, insofern nämlich diese Wahrheit für einen viatorischen Menschen nicht so hell bewiesen werden kann, wie mittels der unverstellten Schau im Himmel erkannt zu werden erhofft wird. Heinrich spricht offen aus, daß bei derartigen Wahrheiten immer eine Simultaneität von Glaube und Wissen bzw. Einsicht bestehen bleibt.

Bei der Beantwortung des dritten Einwandes fällt auf, daß Heinrich hinsichtlich der von ihm vorher aufgeführten Gottesbeweise deren Beweiskraft für das einsichtige Denken und deren Vorsprung vor der bloß gläubigen Annahme der Wahrheit unterstrichen werden. Dies führt nach Heinrich aber nicht zu einer Entfremdung von Glaube und Einsicht, die dem kontradiktorischen Gegensatz von Wissen (*scientia*) und Meinung (*opinio*) entspräche. Die Formen des Wissens ordnen sich dreistufig: Glauben (*credere*) - Einsicht (*intellegere*) - Schauen (*videre*).

Grenze aller vom Menschen angestellten Gottesbeweise ist das Unvermögen, Gott in seiner Dreieinigkeit zu begründen. Gottes dreieines Leben kann nur in dem von Gott selbst geschenkten Licht des Glaubens und nur von Gott selbst offenbar gemacht werden. Für den Glaubenden, der die Gottesbeweise einsehend nachzuvollziehen vermag, weitet sich im Raum glaubensgestützten Erkennens sein Blick auf das Ausmaß der Intelligibilität Gottes für den menschlichen viatorischen Intellekt, dessen Ermöglichungsgrund und eschatologisch ausständiges Ziel nichts anderes als der dreieine Gott selber ist. Es verdichtet sich durch die Einsicht in den Glauben das Kontinuum der Gotteserkenntnis, das nicht den krassen Wechsel vom Dunkel des Nichtwissens

[286] Cf. HENR. DE GAND., *Summa 22,4* Badius 134rY: *Est aliquid credibile simpliciter, quod est omnibus credibile, quia excedit simpliciter naturalis rationis investigationem, ut Deum esse trinum. Tale non est omnino demonstrabile ex creaturis, licet aliquae congruentiae in creaturis inveniantur quibus ad firmius credendum tale intellectus manuduci possit. Sed solum credimus illud Deo per lumen fidei revelante, ut merito fidei aliquo superiori infuso lumine quod prius credimus, intelligamus. Unde ad talem veritatem declarandam verisimiles rationes inducendae sunt, non autem ad ipsam contra adversarios convincendam, quia non sunt in rerum natura, eo quod nullo modo relucet ratio trinitatis in creatura.* - Cf. die Parallelen des letzten Satzes zu THOM. DE AQU., *S. theol. I, q. 32, a.1 corp.*

oder bloßen Glaubens zur schattenlosen Helle der Schau kennt, sondern die Dynamik eines Erkennens im Menschen, dem von seinem Ursprung an Gott nicht von der Seite weicht.

Den Ausspruch GREGORS DES GROSSEN, daß dem Glauben der Verdienst genommen werden könne, will Heinrich differenziert verstanden wissen.[287] Denn es gibt auch eine Vernunfteinsicht, die dem Glauben vorausläuft, das zu Glaubende begründet und den Glauben bewirkt. Diese ist nicht möglich bei den schlechthin zu glaubenden Wahrheiten, wohl aber bei denen, die bestimmten Menschen nur glaubbar sind. Diese Vernunfteinsicht besitzt kein Verdienst, wenn wegen des Grundes geglaubt wird. Falls jedoch jemand, der andere Gründe für seinen Glauben übernimmt, dem Glauben zuvorkommt oder mit seiner Vernunfteinsicht dem Glauben nachfolgt, nimmt die Vernunfteinsicht nicht den Verdienst. Daher haben Philosophen, die zum Glauben kommen, in verdienstlicher Weise vieles über Gott geglaubt, das sie vorher oder später mittels der Vernunft gewußt haben. Eine derartige Vernunfteinsicht vermehrt eher das Verdienst des Glaubens, als daß es ihn fortnähme. Heinrich bemüht AUGUSTINUS: „Der Glaube trägt bei zur Erkenntnis Gottes und zur Liebe zu ihm, und zwar nicht als eines gleichsam gänzlich unerkannten und nicht mit Überlegung geliebten [sc. Gottes], sondern damit er offenbarer erkannt und fester geliebt wird."[288]

Heinrich versteht, wie noch darzulegen sein wird, die aposteriorischen Beweise als Beweise auf dem Boden der Physik, nicht der Metaphysik![289] Darum liegt ihm soviel daran, den aposteriorisch-physikalischen Beweisgang gleich in der nachfolgenden Quästion mit einem apriorisch-metaphysischen Beweis zu kontrastieren.

[287] Cf. HENR. DE GAND., *Summa 22,4* Badius 134rZ: *Dicendum, quod est quaedam ratio praevia ad fidem probans credenda et causans fidem quae non est possibilis in simpliciter credibilibus, sed solum in credibilibus alicui. Ista non habet meritum, si non nisi propter rationem creditur. Si autem alias crediturus ratione praeveniat fidem vel subsequatur, ratio non tollit meritum. Unde philosophi venientes ad fidem, multa meritorie crediderunt de Deo quae prius vel posterius ratione noverunt. Unde Augustinus VIII° De trin., cap. 9: 'Valet fides ad cognitionem et dilectionem Dei, non tamquam omnino incogniti et non dilecti, sed quo cognoscatur manifestius et quo firmius diligatur.' Unde talis ratio potius augmentat meritum quam tollat.*

[288] Cf. AUG., *De trin. VIII,9,13* CCL 50A, p. 290,38-40.

[289] So richtig DUMONT, *Source.* 1982, p. 8, gegen GÓMEZ CAFFARENA, *Ser participado.* 1958, pp. 215-230, spec. p. 227, der irrig die *Summa 22,4* verwandte *via eminentiae* mit der in *Summa 22,5* und *24,6* identifizierte.

Übersichtshilfe zu Anordnung, Beweismethodik,
Beweisabsicht und Traditionsquellen
der aposteriorisch verfahrenden Gottesbeweise bei Heinrich von Gent

(Textgrundlage: HENR. DE GAND., *Summa 22,4* Badius 132vL-134rT)

	Beweisweg	**Beweisziel**	**Zitierte Quelle/ vermittelnde Quelle** ‡ = THOM. DE AQU., *S. theol. I, q.2, a.3* * = SUMMA FR. ALEX., *Lib.I, tract. 1,1*
A.	***Rationes demonstrativae***		
I.	***Via causalitatis***		
1.	*Via causae efficientis*		
	a) *ex parte motus*	*primum movens immobile*	ARIST., *Phys. VIII* [‡ prima via]
	b) *ex conditione esse*	*ens necessarium habens suam necessitatem a se ipso*	ARIST., *De coelo I*; AVERR., *Metaph. V* [‡ tertia via]
	c) *ex conditionibus causae et causati*	*causa prima omnium efficiens*	ARIST., *Metaph. II* [‡ secunda via]
2.	*Via causae formalis*		
	a) *ex parte esse*	*forma ut principium essendi*	AUG., *De vera rel.* [~ ‡ quarta via]
	b) *ex parte cognoscendi*	*forma ut principium cognoscendi*	AUG., *De lib. arb. II* [~ ‡ quarta via]
3.	*Via causae finalis*	*ordinatio alicuius ad finem suum*	ARIST., *Metaph. II* [‡ quinta via]
II.	***Via eminentiae***		
1.	*Deducendo ab omni bono et laudabili in creaturis, quod diminutum et deficiens*	*bonum et laudabile perfectum et consummatum in creatore*	RICH. A S. VICT., *De trin.**; ANSELM. CANT., *Mon.**; AUG., *De doctr. chr.*
2.	*Comparando approbanda in creaturis et in creatore secundum magis et minus*	*Aliquid simpliciter bonum, pulchrum, delectabilis, verum*	ANSELM. CANT., *Mon**; ARIST., *Metaph. IV*; AVERR., *ibid.*

B.	*Rationes analyticae et probabiles*		
1.	*De esse ex tempore et ab alio*	*esse ab aeterno et ab se ipso*	RICH. A S. VICT., *De trin.**
2.	*De creabili*	*Increabile; causa non causata*	IOA. DAMASC., *De fide orth.**
3.	*Ex ratione conservationis rerum*	*Aliquid simplex et indissolubile*	IOA. DAMASC., *De fide orth.**
4.	*Ex rerum gubernatione*	*Gubernator rerum naturalium*	ARIST., *Phys. II* [‡ quinta via]
5.	*Ex natura veritatis*	*Veritas aeterna et immutabilis*	ANSELM. CANT., *Mon.**; AUG., *De vera rel., Solil.**, *De lib. arb.*

5. *Apriorische Wege zur Erkenntnis des Daseins Gottes aus der Schöpfung*

Im direkten Anschluß an die Darstellung aposteriorischer Wege, Gottes Dasein aus den Geschöpfen zu beweisen, beginnt Heinrich mit der Suche nach Alternativen apriorischer Art.[290] Seine genaue Frage lautet, ob Gottes Dasein dem Menschen auf einem anderen Weg bekannt gemacht werden könne als über die Geschöpfe. Heinrich will also erklärtermaßen nicht die Gebundenheit aller Gottesbeweise an die Schöpfungswirklichkeit aufheben und durch einen erhabeneren Weg direkter Gotteserkenntnis ersetzen, wie ihn gerade die Texte augustinischer Provenienz in den beiden - schon in der *Summa fratris Alexandri* wiederzufindenden - Objektionen seiner Quästion nahezulegen scheinen: Was dem Intellekt die Existenz aller anderen Dinge in der Weise zeigt, wie das Licht die übrigen sichtbaren Dinge dem Auge, zeigt sich selbst zuerst. Das körperliche Licht zeigt sich von Natur aus eher dem Auge, als daß

[290] Zur Textinterpretation von HENR. DE GAND., *Summa 22,5* Badius 134rA-135vI cf. SCHMID, *Gewißheitsgrund.* 1879, p. 104; LANG, *Glaubensbegründung.* 1930, p. 16; PAULUS, *Argument ontologique.* 1935, pp. 280. 312-320; ID., *Essai.* 1938, pp. 47. 49sq.; BARTH, *De tribus viis.* 1943, pp. 96-98; GÓMEZ CAFFARENA, *Ser.* 1958, pp. 29. 42. 160. 179sq. 199. 202. 224-228. 230sqq. 252; ROVIRA BELLOSO, *Visión de Dios.* 1960, p. 214; PEGIS, *Towards, I.* 1969, pp. 239-247; ID., *Four Medieval Ways.* 1970, pp. 352. 354; BÉRUBÉ, *Interprètes.* 1974, pp. 151-155; DUMONT, *Source.* 1982, pp. 8. 31-52. 55-58. 60. 62; p. 113 not. 18; p. 140sq. not. 81-83; p. 170 not. 37-40; p. 172 not. 48; p. 187 not. 81; p. 217 not. 59sq.; p. 302 not. 30; p. 307 not. 8; p. 311 not. 20sq., der für philosophische Belange brilliante Analysen vorlegt; DECORTE, *Avicenniserend augustinisme.* 1983, I, pp. 88. 95. 144; MARRONE, *Augustinian Epistemology.* 1983, p. 280sq.; MACKEN, *Metaph. Proof.* 1984, pp. 251-253; SCHÖNBERGER, *Transformation.* 1986, p. 116 (ad134vD); MARRONE, *Knowledge of Being.* 1988, pp. 29. 30; PORRO, *Enrico di Gand.* 1990, pp. 99-106. 117; HÖDL, *Begriff der göttlichen Unendlichkeit.* 1994, pp. 557sq. 568; SCHÖNBERGER, *Eigenrecht und Relativität des Natürlichen.* 1991, p. 229 (ad 135rE-F); ID., *Ursachenlehre.* 1994, p. 434 (ad 135rE-F).

dies die Farben täten. AUGUSTINUS, *Solil. I,8* versteht anscheinend so das Verhältnis von Licht und sichtbarer Erde. Beidem kommt Sichtbarkeit zu, nur daß die Erde nicht ohne die Erhellung durch das Licht gesehen werden könne. Auf ähnliche Weise können die „Anschaunisse der Wissenschaften" (*spectamina disciplinarum*) nicht eingesehen werden ohne die Erleuchtung durch ihre Sonne. Diese wiederum ist gemäß dem zitierten augustinischen Text nichts anderes als Gott.[291] Der zweite Einwand bietet eine zentrale These des augustinisch-neuplatonischen Denkens auf, die auch eine zentrale Lehre christlichen Glaubens darstellt, nämlich die Unmittelbarkeit des Menschen zu Gott: Ohne eine dazwischenstehende Kreatur wird der menschliche Geist von der göttlichenWahrheit selbst geformt. Daraus wird gefolgert, daß eine Wahrheit, die unmittelbar formt, aber auch unmittelbar erkannt wird.[292]

Während alle Schöpfungserkenntnis für die Gotteserkenntnis durch augustinische Texte entwertet oder doch stark relativiert schien, bemüht der Gegeneinwand Heinrichs nicht, wie man erwarten könnte, ein aristotelisch gefärbtes Argument, sondern zitiert eine schon von der *Summa fratris Alexandri* herangezogene allegorische Interpretation der Jakobsleiter durch HUGO VON ST. VIKTOR, der als ein Hauptvertreter des christlichen Neuplatonismus im 12. Jahrhundert einen bevorzugten Platz in Heinrichs Oeuvre innehat. Nach HUGO bedürfen die Engel keiner Leiter, weil sie mittels der Kontemplation herauffliegen; anders jedoch der Mensch, der nicht fliegen kann. Die Leiter bezeichnet also die Geschöpfe, die für den Menschen zur Gotteserkenntnis notwendig sind.[293] Heinrich steckt somit die Intentionen der folgenden Über-

[291] Cf. HENR. DE GAND., *Summa 22,5* Badius 134rA: *Illud quod ostendit omnia alia esse intellectui, sicut lux cetera visibilia oculo, seipsum primo ostendit quod sit. Lux enim corporalis prius naturaliter se ostendit oculo quam colores. Deus est huiusmodi, secundum quod dicit Augustinus in libro Soliloquiorum: 'Terra visibilis est et lux. Sed terra nisi luce illustrata videri non potest. Similiter disciplinarum spectamina non possunt intelligi nisi aliquo suo sole illustrentur.' Ille autem Deus est secundum Augustinum ibidem. Ergo etc.* - Cf. AUG., *Solil. I,8,15* CSEL 89, pp. 23,15-24,2. - Cf. besonders das Stellenzitat in der SUMMA FR. ALEX., *Lib. I, nr. 20, obi. 1* ed. Quar. I, p. 30a, wo Gott als *medium cognoscendi* der viatorischen Gotteserkenntnis erörtert wird; ferner EAD., *Lib. I, nr. 8, contra* ed. Quar. I, p. 15b. Das Zitat und besonders das genannte Sonnenbeispiel treten mehrfach auch in Texten zur *Primum cognitum*-Problematik auf; cf. GUIB. TORNAC., *Rudim. doctr., p. I, tract. 3, cap. 3,5sq.* Gieben 653sq.; THOM. DE AQU., *In Boeth. De trin. I,3 obi. 1; ad 1* Decker 68,18-24; 72,20-73,7; ID., *S. theol. I, q. 88, a. 3 obi.1.*

[292] Cf. HENR. DE GAND., *Summa 22,5* Badius 134rA: *August. lib. lxxxiii q.: 'Mens nulla interposita creatura ipsa veritate formatur. Illa est veritas quae Deus est', ut vult ibidem. Sed veritas informans sine medio, sine medio cognoscitur. Ergo etc.* - Cf. AUG., *De div. qu. 83, q. 51,4* CCL 44A, p. 81,76: [sc. *mens*] *nulla interposita substantia ab ipsa veritate formatur*; ID., *De vera rel 55,113,310* CCL 32, p. 259,122-125: *Religet ergo nos religio uni omnipotenti Deo, quia inter mentem nostram, qua illum intellegimus patrem et veritatem, id est lucem interiorem, per quam illum intellegimus, nulla interposita creatura est.* - Cf. SUMMA FR. ALEX., *Lib. I, nr. 20, obi. 3* ed. Quar. I, p. 30b.

[293] Cf. HENR. DE GAND., *Summa 22,5* Badius 134rA: *In oppositum est illud, quod dicit Hugo loquens de scala Iacob: 'Angeli', inquit, 'non indigent scala, quia volant per contemplationem. Homo autem qui volare non potest, indiget scala.' Scala illa creatura est ad cognoscendum*

legungen ab. Es soll in Fortführung einer breiten christlich-neuplatonischen Tradition ein Gottesbeweis aus der Schöpfung entwickelt werden, der den zur Zeit Heinrichs hoch bewerteten Beweisen aristotelischer Prägung ebenbürtig ist und sie womöglich gar überbietet.

Zur Verdeutlichung der gestellten Aufgabe erinnert Heinrich an die naturgemäße Bestimmung des Menschen zu einem zweifachen intellektualen Erkennen, dem ein zweifaches Erkennen Gottes folgt. Die erste Form kann aus rein natürlichem Vermögen durch Studium und Forschung erlangt werden und behandelt auf dem Wege der natürlichen Vernunft Gott und Geschöpfe, soweit die Philosophie sich erstreckt. Die zweite Form des Erkennens gelingt nur durch die Hilfe eines geschenkten Lichtes von übernatürlicher Gnade oder Glorie und betrachtet Gott auf dem Wege übernatürlicher Offenbarung. Für die natürlich erworbene Gotteserkenntnis führt Heinrich gleich zu Beginn die - von ihm als philosophisch intendiert bewertete[294] - Meinung AVICENNAS ins Feld, daß die Gotteskenntnis aus den Geschöpfen nicht nur aposteriorisch, sondern auch apriorisch gewonnen werden könne.[295] AVICENNA habe im ersten Buch seiner Metaphysik einen solchen Beweis in Aussicht gestellt. Das erste Prinzip werde nicht durch das Zeugnis der sinnfälligen Dinge gesichert, sondern auf dem Wege universaler intelligibler Aussagen, die es notwendig machen, daß das Seiende, das ein notwendiges Sein als sein Prinzip besitzt, ganz durch dieses Prinzip existiert. Wegen der menschlichen Erkenntnisschwäche könne dieser demonstrative Weg aber nicht anders beschritten werden, als daß dieser Prozeß von den Prinzipien hin zu den Folgerungen und von der Ursache hin zum Verursachten aufgrund von universalen Ordnungen in den existierenden Dingen voranschreitet.[296] Diese These zog den heftigen Protest des AVERROES auf sich, der

Deum. - Cf. HUGO A S. VICT., *De unione corp. et spir.* PL 177, col. 285C. Cf. SUMMA FR. ALEX., *Lib. I, nr. 18, obi.* ed. Quar. I, p. 29a; zur Auslegungstradition der Jakobsleiter cf. É. BERTAUD/A. RAYEZ: *Échelle spirituelle.* In: DSAM IV (1964), col. 62-86; Gabriele LAUTENSCHLÄGER: *Himmelsleiter. I. Spirituell.* In: LThK[3] V (1996), col. 126; Chr. HECK: *L'échelle céleste dans l'art du Moyen Âge. Une image de la quêste du ciel.* Paris 1997.

[294] Heinrich liegt es sehr daran, AVICENNAS Theorie einer Gotteserkenntnis *ex sensibilibus a priori* vor dem Vorwurf einer illegitimen Vermischung rational gewonnener Argumente und offenbarungstheologisch vermittelter Annahmen zu retten. AVICENNAS Gedanke soll auch nicht verwechselt werden mit einer - von Heinrich kurz zuvor erwähnten - übernatürlich geschenkten Gotteserkenntnis, die einen apriorischen Anstrich besitzt; cf. auch HENR. DE GAND., *Summa 22,5* Badius 135rF: *Est enim via fidei et revelationis supernaturalis, modus alius possibilis ad cognoscendum Deum esse, alius ab illa quae est via naturalis rationis ex creaturis.*

[295] HENR. DE GAND., *Summa 22,5* Badius 134rB: *In via cognoscendi Deum esse primo modo* [sc. *via naturalis rationis*] *erat opinio Avicennae (si tamen locutus est ut purus philosophus), quod praeter notitiam quam habemus de Deo ex sensibilibus a posteriori, possibilis est alia a priori.*

[296] Cf. HENR. DE GAND., *Summa 22,5* Badius 134r-vB mit einem Zitat aus AVIC., *Metaph. I,3* Van Riet 23,31-24,41. Heinrich nimmt allerdings signifikante Änderungen vor. Eine Synopse offenbart die selektive Avicenna-Rezeption Heinrichs in diesem zentralen Lehrstück natürlicher Theologie:

AVICENNA vorwirft, er hätte sich durch seine Zuweisung des Gottesbeweises an die Metaphysik in schwerster Weise verfehlt.[297] Diesem Protest gibt Heinrich recht, sofern AVICENNA tatsächlich für die Kenntnis dieser universalen Aussagen nicht die sinnenfälligen Dinge vorausgesetzt hätte. Heinrich fällt dies auch deswegen nicht schwer, weil dadurch bereits in seinem Sinne die Differenz von Philosophie und (Offenbarungs-)Theologie dahin geltend gemacht wird, daß die Philosophie gemäß der Kraft natürlicher Vernunft vom Sinnenfälligen und Verursachten zum Intelligiblen und Ursachelosen aufsteigt, während der Theologie aufgrund ihres übernatürlichen Erkenntnislichtes der umgekehrte Weg nicht nur möglich, sondern auch eigentümlich ist.[298] Unmißverständlich legt Heinrich Sinneserkenntnis als Ausgangspunkt zugrunde, um die göttliche Natur und Wesenheit oder auch alles andere Natürliche und

AVIC., *Metaph. I,3*	HENR. DE GAND., *Summa 22,5*
Postea vero manifestabitur tibi innuendo quod nos habemus viam ad stabiliendum primum principium, non ex via testificationis sensibilium, sed ex via propositionum universalium intelligibilium per se notarum,	*Postea vero manifestabitur tibi quod nos habemus viam ad stabiliendum primum principium, non ex via testificationis sensibilium, sed ex via propositionum universalium intelligibilium,*
Quae facit necessarium quod ens habet principium quod est necesse esse,	*Quae faciunt necessarium quod ens habet principium quod est necesse esse,*
et prohibet illud esse variabile et multiplex ullo modo, et facit debere illud esse principium totius, et quod totum debet esse per illud secundum ordinem totius. Sed nos propter infirmitatem nostrarum animarum non possumus incedere per ipsam viam demonstrativam, quae est progressus ex principiis ad sequentia et ex causa ad causatam, nisi in aliquibus ordinibus universitatis eorum quae sunt, sine discretione.	*et quod totum debet esse per illud secundum ordinem totius. Sed nos propter infirmitatem nostrarum animarum non possumus incedere per ipsam viam demonstrativam, quae est progressus ex principiis ad sequentia et ex causa ad causatam, nisi in aliquibus ordinibus universitatis eorum quae sunt.*

Heinrich eliminiert auffallenderweise AVICENNAS Hinweis, daß die *propositiones universales intelligibiles* auch *per se notae* sind. Eine solche Selbstevidenz brächte sie in unliebsame Nähe zum Anselmianischen Argument, so wie Heinrich es mit THOMAS verstanden und abgelehnt hat. - Zu AVICENNAS eigenem Gottesbeweis cf. MARMURA: *Avicenna's Proof From Contingency For God's Existence.* 1980; ID.: *Avicenna on Primary Concepts.* 1984; ID.: *Avicenna. IV. Metaphysics.* 1986 (Lit.); U. RUDOLPH: *La preuve de l'existence de Dieu chez Avicenne et dans la théologie musulmane.* In: A. de LIBERA/A. ELAMRANI-JAMAL/A. GALONNIER (ed.): Langages et philosophie. Hommage à J. Jolivet (EPhM 74). Paris 1997, pp. 339-346.

[297] Cf. AVERR., *Phys. I,83* ed. Iunt. IV, fol. 47rF-vI; für weitere Parallelstellen cf. PORRO, *Enrico di Gand.* 1990, p. 101sq. not. 19.

[298] Wichtige Texte zur henrizianischen Unterscheidungslehre von Philosophie und Theologie sind HENR. DE GAND., *Summa 19,1* Badius 115vK; *Summa 19,2* passim, spec. Badius 118rC.F. Cf. auch Kap. I, § 3 (Lit.).

Übernatürliche in der intelligiblen Sphäre zu erkennen, wenngleich er auch sofort einschränkt, daß dies für die übernatürlichen Dinge und besonders für göttliche Dinge in einem recht abgeschwächten Sinne gilt. Diese Gegenstandsbestimmung gilt grundsätzlich für jede naturgegebene und für jede mit natürlichen Mitteln erworbene Kenntnis.[299]

Heinrich erläutert diese Generalthese, indem er drei - hinsichtlich ihres Erkenntnisgrades absteigend angeordnete - Formen des Wissens von der aktualen Existenz eines Dinges analysiert und sie auf das Problem der Gotteserkenntnis anwendet. Zuerst kann etwas aufgrund seiner eigenen Präsenz gewußt werden, so wie ein vor den Augen präsentes Feuer gewußt wird. Zweitens wird etwas gewußt, indem man die Natur und die Wesenheit dieser Sache selbst erkennt. So kann ein Mensch die Natur des Feuers kennen, ohne es selbst präsent vor Augen zu haben. Drittens kann etwas erkannt werden aus dem Vergleich der Existenz anderer Dinge mit und aus der Abhängigkeit dieser Dinge von der Existenz dessen, das erkannt werden soll.[300]

Ein direktes und unvermitteltes Schauen, wie es die erste Wissensform ausdrückt, hieße für die Gotteserkenntnis, daß man wie in der eschatologischen Schau Gott in seiner unverhüllten Wesenheit schaut. Den Seligen ist so Gottes Existenz gewiß. Aber in jedem anderen Heilsstand ist eine derartige Kenntnis über Gottes Existenz aus rein natürlichen Kräften unmöglich zu erlangen. Denn mit dieser Wissensform übersteigt der Mensch seine eigene Natur.

Gemäß der zweiten Wissensform, die in der Erkenntnis des Wesens besteht, kann - vor den Hintergrund der henrizianischen Wesensontologie gestellt - das aktual existente Sein (*esse actualis existentiae*) einer solchen Natur nur gewußt werden, insofern deren Wesenheit (*quiditas, esse essentiae*) mit deren Existenz ineins fällt, wie es ja bei Gott gegeben ist. Dementsprechend kann aus dem Wesenssein einer Kreatur nicht deren aktuale Existenz abgeleitet werden, weil dabei auch das mögliche Fehlen einer aktualen Existenz dieser Kreatur mitgedacht werden muß. Wohl aber bürgt die Kenntnis der Wesenheit Gottes für eine Kenntnis ihrer aktualen Existenz und insbesondere für eine Kenntnis der Notwendigkeit dieser Existenz. Ausdrücklich vermerkt Heinrich, daß dieses Wissen über Gott vom Menschen mit rein natürlichen Kräften erlangt werden kann. Wenn Heinrich aber schreibt, daß diese Koin-

[299] Cf. HENR. DE GAND., *Summa 22,5* Badius 134vB: *Revera valde bene* [sc. *Averroes*] *in hoc reprehendit eum* [sc. *Avicennam*], *si intellexit notitiam illarum propositionum universalium non haberi ex sensibilibus creaturis, quoniam non est nobis omnino via ad probandum ipsum esse nisi ex sensibilibus, neque etiam ad cognoscendum ipsius naturam et essentiam neque aliqua alia circa intelligibilia, sive sint naturalia sive supernaturalia, multo tamen minus circa supernaturalia et maxime circa divina, dico notitia naturali et ex puris naturalibus acquisita.*

[300] Cf. HENR. DE GAND., *Summa 22,5* Badius 134vC: *Ad cuius intellectum sciendum, quod tripliciter contingit scire de re aliqua, an sit in actu existens. Uno modo ex praesentia eius ad modum, quo scitur ignis esse praesens oculis. Alio modo ex cognitione naturae et essentiae ipsius rei, sicut homo cognoscit naturam ignis absque eo, quod videt eam in praesenti. Tertio modo ex collatione et dependentia existentiae aliorum ad existentiam eius quod cognoscendum est esse.*

zidenz von Existenz und Essenz in der unverhüllten Schau dieser Wesenheit selbst in bestimmter, und zwar höchst manifester Weise betrachtet wird, rückt er das natürlich erwerbbare Wissen von dieser Wahrheit stark heran an die himmlische Schau, die bereits als erste Wissensform genannt worden ist. Heinrich liegt es offensichtlich sehr an dieser Kohärenz allen menschenmöglichen Wissens über Gottes Existenz, wenn er schon dieses natürliche Wissen ohne Angabe einer Begrenzung als eine gewisse Prolepse des eschatologisch vollendeten Wissens begreift.

Ohne an dieser Stelle eine weitere erläuternde Begründung dieser Wissensform zu leisten, identifiziert Heinrich - durch ein nuancierendes *ut credo* markiert - diese Wissensform mit der These AVICENNAS von den universalen intelligiblen Aussagen.[301] Die avicennische These erfährt allerdings durch Heinrich eine bedeutsame Umformung und Weiterführung. Denn die universal intelligiblen Aussagen über ein Seiendes, Eines, Gutes oder über bestimmte erste Intentionen, die zuerst vom menschlichen Intellekt erfaßt werden, werden hochgradig theologisiert und erhöht zu Manifestationen des Göttlichen selbst, in denen in spezifischer Hinsicht jeweils das schlechthin Seiende, Gute und Wahre erfaßt werden kann. Etwas, von dem solche Attribute schlechthin ausgesagt werden, ist ein partizipationsloses, in sich notwendig subsistierendes Wesen. Derartiges ist nach Heinrich das Sein selbst, das Gute selbst, die Wahrheit selbst, eben Gott selbst.[302] Diese Rückbindung an erste, nicht mehr hinterschreitbare Wirklichkeitsbegriffe wird Heinrich wohl bewogen haben, von einem apriorischen Beweis aus der Schöpfung zu sprechen. Wie andere Stellen in Heinrichs Werk nahelegen,[303] benennt das Aprio-

[301] Cf. HENR. DE GAND., *Summa 22,5* Badius 134vC: *Secundo modo nullam rem contingit scire esse in effectu, nisi quidditas sua includat suum esse existentiae, quod contingit in solo Deo, quia in solo Deo idem sunt essentia et esse, non solum essentiae, sed etiam actualis existentiae, ut dictum est supra* [cf. *Summa 21,3*]. *Igitur isto modo cognoscendi nulla creatura potest sciri esse, contingit enim scire et cognoscere essentiam cuiuslibet creaturae, non sciendo eam esse, immo cointelligendo eam non esse. Sed solum Deum possibile est scire esse, sciendo eius quidditatem et essentiam, quod scilicet talis sit, quod in eo idem sint essentia et esse, et per hoc scire ex eius essentia, quod sit necessaria existentia, ita quod non sit possibile intelligere eius essentia, intelligendo cum hoc ipsam non existere in effectu, ut infra videbitur. Et hoc possibile est hominem scire et cognoscere de Deo ex puris naturalibus, ut infra videbitur. Unde patet, quod per hunc modum Deus cognoscitur esse cognoscendo eius essentiam quoad hoc, quod eius essentia includit ipsum esse. In ipso enim non differunt existentia et essentia, quod in visione nuda ipsius essentiae manifestissime contemplatur. Hoc, ut credo, intellexit Avicenna, cum dixit, quod possit homo scire Deum esse ex via propositionum universalium intelligibilium, non ex via testificationis sensibilium.*

[302] Cf. HENR. DE GAND., *Summa 22,5* Badius 134vD: *Sunt autem propositiones illae universales de ente, uno et bono et primis rerum intentionibus quae primo concipiuntur ab intellectu, in quibus potest homo percipere ens simpliciter, bonum aut verum simpliciter. Tale autem est necessario subsistens quid in se, non in alio participatum. Et quod tale est, ipsum esse est, ipsum bonum est, ipsa veritas est, ipse Deus est.*

[303] Cf. besonders HENR. DE GAND., *Summa 25,3* Badius153vF: *Gratia autem formae arguendi solum illa argumenta probant Deum non posse plurificari, quae hoc probabant ratione simplicitatis et gubernationis et perfectionis eius et huiusmodi, quorum media sumebantur ex parte*

rische nicht etwas in der kontingenten, sensual erfaßbaren Wirklichkeit als solcher, sondern kennzeichnet die essentiale, intelligible Ordnung der Welt im ganzen und die wesensbedingte Strukturdisposition aller Seienden, die in Tätigkeit sind, also auch des erkennenden Menschen. Es ist mit dem Apriorischen hier ein 'Wesensapriori' (G. SÖHNGEN) gemeint, das wegen seiner essentialen Fülle und Kraft nicht mit einem formalen Apriori kantischer Art verwechselt werden darf. Alles Erkennen erhält von diesen Erstbegriffen seine Prägung und Gültigkeit.

Im Unterschied zu AVICENNA kann Heinrich dieses Apriori aber nicht ohne eine theologische Vereindeutigung denken. Das Recht für eine solche Neubewertung universal intelligibler bzw. transzendentaler Aussagen nimmt sich Heinrich von AUGUSTINUS, der nach Heinrichs Verständnis innerhalb seines partizipationstheoretischen Stufenbeweises für die Existenz Gottes in *De trin. VIII,1-3* augenscheinlich parallel argumentiert.[304] Gott ist für AUGUSTINUS die Wahrheit selbst, sein Wahr-Sein ist sein Sein.[305] Doch entzieht er sich als sol-

entitatis Dei, quae secundum rationem nostram intelligendi praecedit eius unitatem. Et sic processerunt quasi a priori et a causa. Ex quibus etiam rationibus habetur probatio necessaria, primum principium esse id quod est necesse esse per se, alia via quam a posteriori ex creaturis; es folgt ein Zitat von AVIC., *Metaph. I,5* Van Riet 31sq. Cf. ferner HENR. DE GAND., *Summa 1,2* Badius 6rI: *Unde quia non solum imago nata est cognosci per exemplar a priori, sed etiam econverso exemplar per imaginem a posteriori, ideo Augustinus per creaturas docet cognoscere, qualis sit ars divini exemplaris*; ID., *Qdl. IV,13* Badius 108rC: *Sic ergo rationibus naturalibus propriis fundatis in principiis naturae et generationis rerum naturalium et a priori, non autem ex rationibus communibus analyticis a posteriori, quae probabilitatem quandam faciunt, scientiam autem non generant, patet, quod ...*; ID., *Qdl. III,15* Badius 72vN: *Firma tamen fide semper tenebimus, quod ipsa* [sc. *anima*] *sit forma actus humani corporis per suam substantiam ut naturalis eius forma dans ei esse substantiale per se. Quod certum est nobis a posteriori, experimento actus intelligendi adminiculo sensus quem aperte experimur in nobis, ut dictum est. Sed a priori hoc nobis declarari non potest nisi ex naturali dispositione animae intellectivae quam habet in ordine rerum universi.*

[304] Cf. HENR. DE GAND., *Summa 22,5* Badius 134vD: *Secundum quod dicit Augustinus VIII° De trinitate:* [Cf. *cap. 2,3* CCL 50, p. 271,30-38:] *„Deus veritas est. Cum audis 'veritas est', noli quaerere, quid sit veritas. Statim enim se opponunt caligines imaginum corporalium et nebula phantasmatum et perturbant serenitatem quae primo ictu diluxit tibi, cum dicerem 'veritas est'. Ecce in ipso primo ictu qua velut coruscatione perstringeris, cum dicitur 'veritas', mane, si potes. Si non potes, relaberis in ista solita terrena.* [Cf. *cap. 3,4* CCL 50, p. 272,15-18:] *Ecce iterum bonum hoc, bonum illud, et vide ipsum bonum, si potes. Ita Deum videbis non alio bono bonum, sed bonum omnis boni." Et quia boni sic simpliciter concepti conceptus quidem boni universalis est et primus conceptus boni, post quem sequuntur alii, subdit Augustinus ibidem* [Cf. *cap. 3,4* CCL 50, p. 272,18-20]*: „Non diceremus aliud alio melius, cum vere iudicamus, nisi nobis esset impressa notio ipsius boni.* [Cf. *cap. 3,4* CCL 50, p. 273,42-44:] *Et non est, quo se convertat animus, ut fiat bonus animus, nisi maneret in se illud bonum. Unde si se avertit, non est quo iterum, si voluerit se emendare, convertat."*

[305] Zum spezifisch augustinischen Verständnis dieser Identifikation, insbesondere für den Aspekt, daß Gott in seiner trinitarischen Fülle, nicht nur die zweite göttliche Person für AUGUSTINUS die Wahrheit selbst ist, cf. W. BEIERWALTES: *Deus est veritas. Zur Rezeption des griechischen Wahrheitsbegriffes in der frühchristlichen Theologie.* In: E. DASSMANN/K. S. FRANK (Hg.): Pietas. Fschr. für B. KÖTTING (JbAC Erg.-Bd. 8).

cher dem Anblick des menschlichen Geistes, sobald direkt nach ihn gesucht wird. Denn in dem Moment, wo man nicht mehr diese Erkenntnishöhe halten kann, gleitet man sofort ab in den *mundus sensibilis*, und eine Nebelwolke von Sinneseindrücken verdunkelt die helle Sicht, die man im ersten, den ganzen Geist gleichsam durchfahrenden Augenblick aufblitzen sah,[306] als man vernahm, daß die Wahrheit selbst existiert. Da aber dem menschlichen Geist eine Kenntnis des Guten selbst eingeprägt ist, das ihm das Gute vom Bessern zu unterscheiden hilft und dem Geist nach jeder Verfehlung die erneute Hinkehr zum Guten ermöglicht, kann es bei der vergleichenden Betrachtung des einen und des anderen partikulären Gutes dann wieder gelingen, die begrenzten Güter zu transzendieren und das Gute selbst zu erblicken. Und dieses ist Gott, der nicht gut ist durch ein anderes Gut, sondern das Gut eines jeden Gutes.[307] Diesen augustinischen Begriff des schlechthin Guten interpretiert Heinrich wiederum im Horizont der avicennischen Transzendentalienlehre zum einen als einen Begriff eines universalen Gutes und zum anderen als Erstbegriff des Guten, aus dem alle anderen abgeleitet sind.

Je einfacher ein Begriff, desto früher ist er. Wie Heinrich nicht ohne Emphase sagt, sind daher *secundum Avicennam et secundum rei veritatem* Begriffe wie 'Eines', 'Ding' und dergleichen sofort in der Seele eingedrückt, und zwar durch einen Ureindruck, der nicht aus anderen Eindrücken, die bekannter sind, erworben wird. Nach AUGUSTINUS wiederum wird durch Einsicht in das Seiende jeden Seienden und das schlechthin Gute jeden Guten Gott selbst eingesehen. Mit Hilfe dieser Allianz von AVICENNA und AUGUSTINUS gewinnt

Münster i.W. 1980, pp. (15-29) 26-29, bes. 27.

[306] Die Rede von einem augenblickshaften Erkennen und die oft damit verknüpfte Rede von einer Erschütterung des Geistes gehören zur neuplatonischen Umschreibungsmetaphorik einer unvermittelten Erkenntnis des Göttlichen. PLATON beschreibt das intuitiv-schauende Erlangen der Ideen (*Epist.* 7 341c-d) und des Schönen (*Symp.* 211e 4) als 'plötzlich' (ἐξαίφνης), ebenso den Zustand, die Dialektik von Wechsel und Beharren überstiegen zu haben (*Parm.* 156d-e); dazu cf. G. KRÜGER, *Einsicht und Leidenschaft*. Frankfurt a.M. ²1948, pp. 225sq. 276-283; W. BEIERWALTES: *Exaiphnes oder: Die Paradoxie des Augenblicks*. In: PhJ 74 (1966/67), pp. 271-283; Ch. LINK: *Der Augenblick. Das Problem des platonischen Zeitverständnisses*. In: Ch. LINK (Hg.): Die Erfahrung der Zeit. Gedenkschrift für G. PICHT. Stuttgart 1984, pp. 51-84. PLOTIN, *Enn. V 5 [32], 3,13; 7,34* ed. min. III, pp. 242,13; 248,34/dtsch. Übers. Harder IIIa, pp. 79. 89 spricht entsprechend vom Erfassen des Einen. AUGUSTINUS benutzt oft Ausdrücke des Plötzlichen und Blitzhaften; cf. ID., *Conf. X,27,38* CCL 27, p. 175,6: *corucasti*; ID., *De trin. VIII,2,3* CCL 50, p. 271,36: *in ipso primo ictu qua velut coruscatione*. Hinzu kommt der metaphorische Gebrauch des Ruck- und Stoßartigen; cf. ID., *Conf. VII,17,23* CCL 27, p. 107,27-28: *in ictu trepidantis aspectus*; besonders Schilderung der Vision von Ostia: ID., *Conf. IX,10,24* CCL 27, p. 147,28: *toto ictu cordis*; für weitere Belege cf. J. J. O'DONNELL: *Augustine, Confessions. Commentary*. Oxford 1992, tom. II, pp. 441-443. 457sq. - Zur inneren Spannung des Plötzlichen zur vollkommenen Dauer der Kontemplation Gottes cf. H. U. v. BALTHASAR, *Kommentar*. In: DThA 23 (1954), p. 447sq.

[307] Cf. N. FISCHER: *Bonum*. In: Augustinus-Lexikon I (1995), col. 671-681 (Lit.).

Heinrich die Begründung einer Gotteserkenntnis, die nicht an die Sinnendinge gebunden ist, weil die zugrundegelegten Primärbegriffe auf der Ebene der quidditativen Intelligibilität der Dinge angesiedelt sind.[308]

Die Andersheit der quidditativ begründeten Gotteserkenntnis zu der Gotteserkenntnis, die auf dem Zeugnis von Sinnesdingen aufruht, ist aber keine absolute, weil die quidditative Gotteserkenntnis von geschaffenen Wesenheiten bzw. deren Wahrheit, Gutheit und dergleichen ihren Ursprung nimmt. Heinrich bezeichnet näherhin diese quidditative Erkenntnis Gottes als einen Abstraktionsprozeß. In ihm erkennt man das schlechthin Gute nicht in einem vom menschlichen Intellekt betrachteten partikulären, determinierten Gut enthalten, sondern in zeitenthobener, ewig wandlungsfreier Beständigkeit.[309] Heinrich räumt allerdings ein, daß ein solcher Abstraktionsprozeß nicht oder kaum gelingt, weil nach AUGUSTINUS die menschliche Seele, die durch eine Geschäftigkeit mit den sinnenhaften Dingen geschwächt ist, nur unter Mühen zu sich selbst zurückkehren kann.[310] Für die Durchführung eines solchen Beweises weist Heinrich voraus auf seine Behandlung der Einheit und Einzigkeit Gottes in *Summa 25,3*.[311]

[308] Cf. HENR. DE GAND., *Summa 22,5* Badius 134vD: *Et ita cum secundum Avicennam et secundum rei veritatem conceptus quanto sunt simpliciores, tanto sunt priores. Et ideo 'unum, res et talia statim imprimuntur in anima prima impressione, quae non acquiritur ex aliis notioribus se'* [cf. AVIC., *Metaph. I,5* Van Riet 31sq.], *et secundum Augustinum intelligendo ens omnis entis et bonum simpliciter omnis boni, intelligitur Deus. Ideo ex talibus conceptibus propositionum universalium contingit secundum Avicennam et Augustinum intelligere et scire Deum esse non ex via testificationis sensibilium. Quod proculdubio verum est. Est enim iste modus alius a via cognoscendi Deum esse testificatione sensibilium, qua esse creaturae testificatur esse Dei, secundum quod apparuit in quaestione praecedenti.*

[309] Cf. HENR. DE GAND., *Summa 22,5* Badius 134vE: *Non tamen non* [*non*²: del. recte GÓMEZ CAFFARENA, Ser participado. 1958, p. 227 n.22] *est omnino iste alius modus a via cognoscendi Deum esse per creaturas, quia iste modus ortum sumit a cognitione essentiae creaturae. Ex veritate enim et bonitate creaturae intelligimus verum et bonum simpliciter. Si enim abstrahendo ab hoc bono et illo possumus intelligere ipsum bonum et verum simpliciter, non ut in hoc et in illo, sed ut stans, Deum in hoc intelligimus.* - Heinrichs Formulierung ut stans spielt an auf den (letzlich boethianischen) Begriff des göttlichen *nunc permanens*, oder wie die spätere Scholastik sagte: *nunc stans*; dazu cf. H. SCHNARR: *Nunc stans*. In: HWPh VI (1984), col. 989-991. Die Wendung muß aber auch im Lichte der henrizianischen Lehre von *esse essentiae* gesehen werden.

[310] Cf. HENR. DE GAND., *Summa 22,5* Badius 134vE; cf. AUG., *De ord. II,11,30* CCL 29, p. 124,1-6.

[311] Wegen der Beschränkung dieser Studie auf die *Primum cognitum*-Lehre Heinrichs ist auf eine eingehende Interpretation der außerordentlich ausführlichen Argumentationen in HENR. DE GAND., *Summa 25,3* Badius 152rA-157rZ verzichtet; cf. dafür PRANTL, *Gesch. der Logik, III.* 1867, p. 192. 194; DE WULF, *Hist. philos. Scol. Pays-Bas.* 1893, p. 220; HAGEMANN, *De ... Ontologismo.* 1898/99, II, p. 8; SEEBERG, *Theol. des Joh. Duns Scotus.* 1900, p. 606; PAULUS, *Argument ontologique.* 1935, pp. 279. 280 (ad 154rF). 312. 316. 319 (ad 154rF); ID., *Essai.* 1938, p. 50; BARTH, *De tribus viis.* 1943, p. 97 (ad 153vE-F); GÓMEZ CAFFARENA, *Ser participado.* 1958, pp. 94sq. 99. 165. 199; PEGIS, *Towards, I.* 1969, p. 226; *ibid., III.* 1970, pp. 167-174; ID., *Four Medieval Ways.* 1970, p. 350sq.; DUMONT, *Source.* 1982, pp. 187. not. 82; pp. 230-232; DECORTE, *Avicenniserend augustinisme.* 1983, I, p. 144; PORRO, *Enrico di Gand.* 1990, pp. 107-110;

Am Ende dieser präzisierenden Überlegungen, die die von AVERROES inkriminierte These AVICENNAS erklären sollen, desavouiert Heinrich die averroistische Kritik, indem er sie auf ein tiefes Mißverständnis der avicennischen Lehre zurückführt.[312] Denn AVICENNA lehrt, wie Heinrich ihn verstehen möchte, einen Gottesbeweis frei von kreatürlichen Beweiszeugnissen, der aber sehr wohl von den Kreaturen seinen Ausgang nimmt. Diesbezüglich hat nämlich AVICENNA im direkten Anschluß an die von AVERROES kritisierte Stelle auf die Schwäche der menschlichen Seele verwiesen. Auch AUGUSTINUS hat seinen Beweisgang im Ausgang von partizipierten endlichen Seienden geführt.

Konsequenz dieser Klarstellungen ist, daß der neue apriorische Gottesbeweis aus den universalen Aussagen bzw. Transzendentalien sogar als vollkommenerer als der alte aposteriorische angesehen werden muß. Den alten Gottesbeweis identifiziert Heinrich mit dem in *Summa 22,4* genannten effizienzursächlichen Beweis aus der Ursache und dem Verursachten.[313] Dieser argumentiert erstens allein im Blick auf die sinnenfälligen Geschöpfe, insofern der Sinneserfahrung eine tragende Rolle zufällt.[314] Zweitens ist die Verbundenheit und Abhängigkeit der Existenz des einen Geschöpfes mit der eines anderen - beschrieben durch Disjunktionen wie Beweger–Bewegtes, Notwendiges–Mögliches, Ursache–Wirkung - das der natürlichen Vernunft zugängliche Erkenntnismedium.[315] Drittens wird darauf aufbauend die Existenz Gottes als Konklusion einer rationalen Deduktion erkannt.[316] Das besonders Markante dieses Beweises ist nach Heinrich, daß nicht das Wesen, sondern die Existenz der Geschöpfe Erkenntnismedium ist. Dabei ist allerdings gemäß der henrizianischen Wesensontologie wegen der Differenz von *esse essentiae* und *esse actualis existentiae* bei den Kreaturen das Existenzprädikat nicht notwendig im Subjektbegriff mitgewußt. Dieser Hinweis Heinrichs ist nur dann angemessen zu verstehen, wenn man mitvollzieht, wie sehr für Heinrichs christliches Wirklichkeitsverständnis das Bewirktsein der realen kreatürlichen Wirklichkeit im Sinne einer notwendigen, geschlossenen Kausalkette mit der Erstursache, die schlußfolgernd rückverfolgt werden kann - der Angelpunkt aller aristotelisch argumentierenden Theoretiker natürlicher Gotteserkenntnis -, in

HÖDL, *Begriff der göttlichen Unendlichkeit.* 1994, pp. 558. 567sq.

[312] Cf. HENR. DE GAND., *Summa 22,5* Badius 135rE.

[313] Cf. HENR. DE GAND., *Summa 22,4* Badius 133rO, aber auch schon ID., *Summa 22,1* Badius 130rN.

[314] Cf. HENR. DE GAND., *Summa 22,4* Badius 132vM: *summe certum est et sensu constat*; 133rO: *cum certum est et videmus in istis sensibilibus generabilibus et corruptibilibus*; 133rP: *cum certum est et videmus ad oculum*; 133rQ: *cum certum est in nobis experimur*; ID., *Summa 22,1* Badius 130rL.

[315] Cf. HENR. DE GAND., *Summa 22,5* Badius 134vC: *ex collatione et dependentia existentiae aliorum*; ID., *Summa 22,4* Badius 132rL: *Et est hoc ei demonstrabile ex creaturis tamquam ex sibi notioribus, ex quibus propter essentialem dependentiam ipsarum ad Deum tamquam ad causam et principium earum irrefragabiliter probari potest*; ID., *Summa 22,1* Badius 130rL.

[316] Cf. HENR. DE GAND., *Summa 22,4* Badius 132vK: *ex sibi notis circa creaturas ratiocinando elicere*; ID., *Summa 22,1* Badius 130rL: *per medium notius deducens via ratiocinativa.*

Wahrheit als radikale Kontingenz der Schöpfungswirklichkeit begriffen werden muß, die in der weltüberlegenen freien Schöpfungstat Gottes gründet und auch Ausdruck dieser unmittelbaren Freiheit gegenüber der Schöpfung ist. Wenn zwar eine so verstandene Kontingenz bzw. eine solche Nicht-Notwendigkeit der Existenz der Schöpfung für Heinrich nicht notwendig auf eine Existenz des göttlichen Wesens zurückschließen läßt, verbleibt aber doch der Welt aufgrund der Theorie vom *esse essentiae* eine essentielle Ordnung, die Heinrich, wie noch genauer darzulegen sein wird, als metaphysisches Fundament für seinen neuen Gottesbeweis heranzieht. Der neue Gottesbeweis besitzt folglich spezifischere und deutlichere Kenntnis der göttlichen Wesenheit, da er nicht wie der alte beim Wissen über die Existenz einer höheren und früheren Natur stehen bleibt, sondern Einsicht in die höchste Einfachheit und Identität von göttlichem Sein und Wesen erschließt.[317]

Unterscheidungslehren aposteriorisch und apriorisch verfahrender Gottesbeweise[318]

	Aposteriorische Beweisgänge	*Apriorische Beweisgänge*
Ausgangspunkt	Evidenz der Existenz sensual sicher erfaßbarer Schöpfung	das intramentale Gegebensein universaler, intelligibler Begriffe im Erkennen extramentaler Schöpfungswirklichkeit
Über-Gang des Beweises	Schluß von der aktual existierenden Schöpfung auf den aktual existierenden Gott	Schluß von der Wesenheit einer Kreatur auf Gottes Wesenheit, von der ihre Existenz notwendig gewußt ist
erreichbares Beweiswissen über Gott	eine bestimmte Natur, die höher und früher als alle Kreaturen steht	die höchste Einfachheit und Selbigkeit von Sein und Wesenheit in Gott
metaphysische Prämissen der Beweisordnung	1) das Verhältnis essentialer Abhängigkeit des Verursachten zur Ursache; 2) das Verbot eines infiniten Regresses in der Ordnung verursachter Wesenheiten	1) aktuale Essentialität des Seienden; 2) Konvertibilität und Koextensität der durch Abstraktion gewonnenen Proprietäten des Seienden

[317] Cf. HENR. DE GAND., *Summa 22,5* Badius 135rE.
[318] Die Auflistung der Unterscheidungslehren greift mehrfach zurück auf Bemerkungen bei DUMONT, *Source.* 1982, p. 47.

Explikationskräftigster Argumentationsgriff	Beachtung relativer disjunktiver Eigentümlichkeiten des endlichen Seienden	Beachtung der Konvertibilität und Koextensität der Seinsproprietäten
Bedeutung sensual gegebener Schöpfungswirklichkeit	evidenzverschaffendes formales Beweismittel zum Beweis der Existenz Gottes	materiales Beweismittel und okkasionell genutzter Ort zur Bildung der *species intelligibilis* und der daran anknüpfenden Abstraktion der Transzendentalien

Der von AVERROES gegen AVICENNAS Gottesbeweis eröffneten Kontroverse, die im Kern auf die exakte Gegenstandsbestimmung der Physik und Metaphysik abzielt,[319] gewinnt Heinrich außerdem neuen Sinn ab, indem er den avicennischen Gottesbeweis nicht nur im Hinblick auf das Verhältnis von Metaphysik und Physik, sondern besonders im Blick auf das Verhältnis von Theologie und der durch die Metaphysik repräsentierten Philosophie problematisiert. AVICENNA selber gab Anlaß zu solcher Frage, weil bei ihm eine Analyse von Prophetie und Offenbarung den äußeren Abschluß seiner Schrift über die Metaphysik bildet.[320] Für die avicennische Argumentation bietet Heinrich daher drei Interpretationsvarianten an: Erstens könnte sie ein Selbstmißverständnis und Selbstbetrug AVICENNAS sein, der mit seinen Argumenten nicht einhalten kann, was er versprochen hat; zweitens eine strikt philosophisch, genauerhin metaphysisch konzipierte Theorie; drittens eine offenbarungstheologische Extrapolation philosophischer Gotteserkenntnis. Heinrich weist, wie oben gesagt, die averroistische Kritik zurück und optiert offenkundig für die zweite Auslegungsvariante: *Quod si hanc viam intellexit, bene dixit, et in hoc catholice.*[321]

Die dritte vorgeschlagene Variante nutzt aber Heinrich, um gegenüber der Metaphysik die methodische Differenz offenbarungsbegründeten theologischen Erkennens und dessen größere Vollkommenheit des Wissens darzutun.[322] Zusammen mit dem oben zum avicennischen Gottesbeweis Gesagten soll durch die Kontrastierung mit der Theologie dessen nicht-theologischer, eben philosophischer Charakter unterstrichen werden. Während die Metaphysik nur Einsichten gelten läßt, die mit der natürlichen Vernunft aus den Geschöpfen gewonnen werden können, integriert die Theologie mittels des Glaubens derlei natürliche Einsichten gleichsam als Wahrheiten, die zum Glauben und zu den Glaubensartikeln gehören. Anders als die oft mit Feh-

[319] Cf. für die zeitgenössischen Kontroversen ZIMMERMANN: Ontologie oder Metaphysik? ²1998.

[320] Cf. AVIC., *Metaph. X,5* Van Riet 548-553.

[321] HENR. DE GAND., *Summa 22,5* Badius 135rF.

[322] Cf. HENR. DE GAND., *Summa 22,5* Badius 135rF-G; cf. auch die Hinweise in Kap. I, § 3,1 (Lit.).

lern durchsetzte Lehre der Metaphysik hat seitens der erkannten Sache die Theologie sogar einen erheblichen Vorsprung, weil der in ihr im übernatürlichen Licht erkannte Gott niemals trügt. Das übernatürliche Licht macht zudem Glaubensinhalte intelligibel. Die göttlichen Dinge erkennt der Theologe durch scharfsinniges, durch das übernatürliche Licht unterstützte Forschen um vieles evidenter aus den ersten Glaubensgrundsätzen als der Philosoph aus den ersten theoretischen Grundsätzen in den natürlichen Dingen. Nach Heinrich erkennt sogar der einfache Gläubige, indem er von den ersten und höchsten Dingen mit seiner Vernunft zu den späteren und tieferen Dingen herabsteigt, sicherer und klarer die allgemeine Ordnung der Welt und die der *inferiora* als ein Philosoph, der von den späteren niedrigen Dingen auf dem Weg der Erfahrung und der Sinneserkenntnis aufsteigt zu den ersten höheren Dingen. Die der Philosophie eigentümliche Methode ist folglich, bei den Geschöpfen zu beginnen und zum Schöpfer voranzuschreiten. Die Theologie dagegen fängt beim Schöpfer an, schreitet voran zu den Geschöpfen, die aus dem Schöpfer erkannt werden sollen, und führt nach nochmaliger Analyse alle Dinge zurück auf den Schöpfer. Die Art der *reductio* kennzeichnet nach Heinrichs Auffassung am stärksten den Unterschied. Der Philosoph hat sein gesamtes szientifisches Wissen letztlich auf die letzte Wahrheit zurückzuführen, die - von sensual erfaßten Sinnendingen genommen und in ihren ersten Prinzipien betrachtet - auf dem Wege sinnengestützter Erfahrung erfaßt worden ist. Der Theologe dagegen muß sein ganzes Wissen letztlich auf die erste Wahrheit zurückführen. Diese Wahrheit über das mit dem Intellekt erfaßte höchste Intelligible und die ersten Prinzipien der Glaubensdinge ist durch den Glauben von der ersten Wahrheit selbst empfangen.[323] Die von Heinrich beigebrachten Augustinus-Zitate unterstreichen nochmals, daß fundamentale Wahrheiten wie die über den trinitarischen Schöpfergott und die göttliche Abkunft bestimmter Moralgesetze, ja besonders der Wille Gottes selbst nicht von der Philosophie eröffnet werden können, sondern erst durch den sich selbst offenbarenden und im Glauben angenommenen Gott erkennbar sind.[324]

[323] Cf. HENR. DE GAND., *Summa 22,5* Badius 135rF: *Sicut scientiae philosophicae est incipere a creaturis et procedere ad creatorem, sic huius scientiae est incipere a creatore et procedere ad creaturas cognoscendas ex creatore et tunc iterum resolvendo omnes reducere in creatorem. Et ideo sicut philosophus omnem scientiam suam debet reducere ultimo in veritatem ultimam quae est sensibilium apprehensorum per sensum et in prima principia speculabilium accepta via experientiae ex sensu, sic theologus omnem suam scientiam debet reducere ultimo in veritatem primam quae est primi intelligibilis apprehensi per intellectum et in prima principia credibilium accepta via fidei a prima veritate.*

[324] Cf. HENR. DE GAND., *Summa 22,5* Badius 135rG; cf. AUG., *De vera rel. 7,13,39-40* CCL 32, p. 196,20-31; *De vera rel. 8,14,42* CCL 32, p. 197,1-6; ID., *De trin. III,4,9* CCL 50, pp. 135,2-136,29; *De trin. III,2,7* CCL 50, p. 132,14-18; *De trin. III,3,8* CCL 50, pp. 133,1-135,49.

An diese philosophisch-theologischen Unterscheidungslehren knüpft die Erwiderung auf den bedeutsamen ersten Einwand an. Dort hatte es geheißen, daß es Gott selber sei, der dem Intellekt alle intelligiblen Dinge darbringt, indem er sich auch als ein mit Bestimmtheit Erkanntes zu erkennen gibt. Heinrich gesteht wohl zu, daß Farben und Körper in einem erkannten Licht und Konklusionen in selbstevidenten Prinzipien gesehen werden, aber er wehrt sich gegen eine Übernahme solcher Vergleiche bezüglich des Anteils Gottes an der menschlichen Erkenntnis. Seiner Auffassung nach ist alle menschliche Erkenntnis verursacht „durch Gottes Einfluß, durch ein von ihm uns eingegebenes natürliches Licht und vielleicht mit einer gewissen allgemeinen Erleuchtung" begleitet.[325] Die augustinische Illuminationslehre steht somit nicht in einem ausschließenden Verhältnis zu einer durch Welterkenntnis vermittelten Gotteserkenntnis, bekennt sich aber auch zu einer innerlichen, allgemein zu fassenden Präsenz Gottes in aller Welterkenntnis des Menschen.

Die vom zweiten Einwand vorgebrachte Lehre von der Unmittelbarkeit des menschlichen Geistes zu Gott hat nach Heinrich volle Gültigkeit nur für die himmlische Schau. Deren übernatürliche Anteilgabe an der göttlichen Wesenheit selbst und ihre eschatologische Ausständigkeit trennt sie wesentlich vom viatorischen Erkennen der natürlichen, aber auch der übernatürlich erleuchteten Vernunft, die nach Heinrich auf ein nicht-göttliches, kreatürliches Erkenntnisbild angewiesen bleibt.

Mit seinen Hinweisen auf Differenzen von philosophischem und theologischem Wissen einerseits und Unterschieden von natürlich wie übernatürlich möglicher viatorischer und rein übernatürlich geschenkter eschatologischer Gotteserkenntnis andererseits will Heinrich noch schärfer die philosophische Eigenart der avicennischen Argumentation fassen. Nicht ohne die deutlichen Grenzen metaphysischer Gotteserkenntnis zu verschweigen, läßt Heinrich keinen Zweifel an der methodischen Stringenz der metaphysischen Argumentation AVICENNAS aufkommen. Die neuplatonische Methodenlehre AVICENNAS und seine Sonderlehre von einer quidditativen Seinserfassung erfahren eine ungeahnte inhaltliche Erneuerung und Verlebendigung, indem Heinrich durch eine schöpferische Adaption augustinischer Texte die apriorischen Elemente avicennischer Erkenntnismetaphysik theologisch potenziert. Was in der scholastischen Theologie jener Zeit als Frage nach dem *medium cognoscendi* der viatorischen Gotteserkenntnis behandelt worden ist, wird von Heinrich nun mit Hilfe einer neu geschmiedeten Allianz von AUGUSTINUS und AVI-

[325] Cf. HENR. DE GAND., *Summa* 22,5 Badius 135r-vH: *Ad primum in oppositum, quod non videntur scientiarum spectamina nisi a Deo suo sole illustrentur, dicendum, quod Deus non est qui ostendit omnia intelligibilia intellectui, ita quod non cognoscuntur nisi in ipso determinate cognito, sicut non videntur colores et corpora nisi in luce visa vel sicut non videntur conclusiones nisi in principiis per se notis. Quoad hoc enim non est simile. Sed quia per eius influentia et ab ipso nobis inditum naturale lumen et forte cum aliqua illustratione generali omnis causatur in nobis cognitio, secundum quod superius diffusius declaratum est.*

CENNA reformuliert als Frage nach dem göttlichen Grund der universalen Erstbegriffe menschlichen Welterkennens. Dadurch entkommt eine neoaugustinische Theologie natürlicher Gotteserkenntnis der Gefahr, hinter das durch die aristotelische Metaphysik erreichte Reflexionsniveau zurückzufallen.

6. Gotteserkenntnis als Grund aller Schöpfungserkenntnis

Die konsequente Theologisierung der Erstbegriffe menschlichen Denkens drängt die Frage auf, ob die Existenz eines Geschöpfes ohne ein irgendwie geartetes Mitwissen um die Existenz Gottes erkannt werden könne.[326] Heinrich referiert zwei Argumente, die ein Mitwissen der Existenz Gottes verneinen.

Der erste Einwand, der die aristotelische Beweislehre voraussetzt, erhebt das Frühere für uns zum entscheidenden Kriterium. Das Frühere kann stets eingesehen werden, ohne daß man das Spätere miteinsieht. Nun ist aber die Existenz der Kreatur früher und bekannter als die Existenz Gottes, weil diese aus der uns bekannten Existenz der Kreatur bewiesen und erkannt wird.

Im Rahmnen eines Gedankenexperiments, das der zweite, aus der Hebdomadenschrift des BOETHIUS gegriffene Einwand anstellt, soll man die Präsenz des ersten Gutes allmählich aus dem Geist entfernen, ohne dadurch dessen Existenz zu bezweifeln, und dann für alle Dinge, die gut sind, deren Existenz behaupten, um betrachten zu wollen, wie jene Dinge gut sein können, falls sie nicht aus einem ersten Gut erflössen.[327] Dies könne eben nur gelingen, wenn die Existenz der Kreatur unabhängig von der Existenz Gottes eingesehen werden könne.

Der Gegeneinwand behauptet, daß nichts, was in den Kreaturen existiert und mit dem Schöpfer gemeinsam ist, eingesehen werden kann ohne Miteinsicht in das, was es in Gott bedeutet. Gemäß dem von Heinrich so geschätzten Zitat aus AUGUSTINUS, *De trin. VIII,3* beruht dies auf dem Partizipationsverhältnis des Geschöpfes zu Gott. Für das Gute, das Wahre, das Sein und alle übrigen Dinge, die Gott und Kreatur gemeinsam zukommen, gilt dies, aber auch für alle Verknüpfungen solcher Eigenschaften.[328] Damit ist eine grundsätzliche Antwort auf die von Heinrich gestellte Frage gegeben. Heinrich setzt seiner nachfolgenden Argumentation eine fundamentale Unterscheidung voraus. Die Einsicht in die göttliche Wesenheit und nicht anders die in die

[326] Zur Textinterpretation von HENR. DE GAND., *Summa 22,6* Badius 135vK-N cf. PAULUS, *Argument ontologique.* 1935, pp. 295. 299. 301. 303. 305; GÓMEZ CAFFARENA, *Ser participado.* 1958, p. 199; DUMONT, *Source.* 1982, p. 8; MARRONE, *Augustinian Epistemology.* 1983, pp. 281. 285; ID., *Knowledge of Being.* 1988, p. 34; PORRO, *Enrico di Gand.* 1990, pp. 91. 117.

[327] Cf. HENR. DE GAND., *Summa 22,6* Badius 135vK; cf. BOETH., *De hebd.* Elsässer 38,92-93; 38,95-40,98

[328] Cf. HENR. DE GAND., *Summa 22,6* Badius 135vK; cf. AUG., *De trin. VIII,3,5* CCL 50, p. 273,46-49.

Existenz Gottes oder in Wesenheit und Existenz zusammen können sowohl in einer allgemeinen als auch in einer besonderen Weise geschehen. Eine allgemeine und konfuse Einsicht in die Existenz Gottes steht einer partikulären, speziellen Gotteserkenntnis gegenüber. Wegen der Identität von Wesen und Existenz in Gott gestattet Heinrich es sich, schon an dieser Stelle in sehr straffen Zügen seine *Primum cognitum*-Theorie, die erst bei der Erörterung des Wesens Gottes ausführlich zur Darstellung kommen soll, zu umreißen. In dieser Untersuchung werden die Ausführungen zur allgemeinen und konfusen Gotteserkenntnis aber erst dort in die Interpretation einbezogen, um unnötige Wiederholungen zu vermeiden.

Eigene Beachtung verdienen hier allerdings Heinrichs Erklärungen einer speziellen Erkenntnis der Existenz Gottes. Es gelingt nämlich sehr wohl eine spezielle Erkenntnis der Existenz kreatürlicher Dinge ohne ein spezielles Mitwissen um die Existenz Gottes, insofern hinsichtlich Gottes nicht zwingend eine spezielle Kenntnis des Termnius 'Gott' gegeben sein muß. Ungeachtet einer mangelnden speziellen Kenntnis der Existenz Gottes ist diese in einer diesbezüglichen allgemeinen, konfusen Kenntnis inbegriffen. Die Existenz Gottes kann dabei sogar in spezieller Hinsicht nicht nur nicht gewußt, sondern sogar ausdrücklich geleugnet werden! Heinrich beruft sich für diese bereits in *Summa 22,2* erörterte Simultaneität von konfusem Wissen im allgemeinen und Leugnung des exakten Wissens im Speziellen erneut auf ARISTOTELES, *Anal. Post. I 1.*[329]

In der Antwort auf den ersten Einwand führt Heinrich auch die sinnengebundene Erkenntnisweise des Menschen als einen entscheidenden Faktor an,

[329] Cf. HENR. DE GAND., *Summa 22,2* Badius 130vQ; ARIST., *Anal. Post. I 1*, 71a17-26; zur Sache ausführlicher die entsprechenden Bemerkungen in Kap. II, § 3,2. - Dem Verfasser ist kein Vertreter mittelalterlicher Theologie bekannt, der im Lichte dieser beweistheoretischen Analysen eine derart erklärbare explizite Leugnung der Existenz Gottes als einen unschuldigen Atheismus gedeutet hätte, wie es in der modernen Theologie unter anderen theologischen und philosophischen Bedingungen etwa K. RAHNER: *Atheismus und implizites Christentum.* In: ID., Schriften zur Theologie, Bd. VIII. Einsiedeln 1967, pp. 187-212, bes. 200-202, mit seiner Theorie einer entschuldbaren Simultaneität von transzendentalem Theismus und kategorialem Atheismus versucht hat. Unter soteriologischen (Universaltität der Heilstaten Christi), schöpfungs- (Röm 1,19-21), gnaden- (allgemeiner Heilswille Gottes und Prädestination) und glaubenstheologischen (Lehre von der *fides implicita*) Gesichtspunkten hat die mittelalterliche Theologie im Ganzen optimistischer über Möglichkeiten gedacht, durch die allen Menschen - auch den Nichtevangelisierten - eine hinreichende Kenntnis von Gottes Dasein und Wirken überhaupt, sogar von spezifisch christlichen Glaubensinhalten verschafft werden. Daher hat sie die unverkennbare Neigung entwickelt, expliziten Atheismus als innerlich gewollte Abweisung göttlicher Offenbarungskundgabe aufzufassen. Cf. dazu M. SECKLER: *Das Heil der Nichtevangelisierten in thomistischer Sicht.* In: ThQ 140 (1960), pp. 38-69; ID.: *Nichtchristen. II. Theologiegeschichtlich.* In: HThG dtv III (1970), pp. 246-249; ID.: *Das Haupt aller Menschen. Zur Auslegung eines Thomas-Textes* [1974]. In: ID., Die schiefen Wände des Lehrhauses. Freiburg i.Br. 1988, pp. 26-39. 207-211.

durch den die spezielle Kenntnis der Existenz der Geschöpfe dem Menschen fraglos früher gegeben ist als die über Gottes Existenz. Das boethianische Gedankenexperiment des zweiten Einwandes bekommt nur recht, insoweit sowohl die Existenz Gottes als auch die der geschaffenen guten Dinge jeweils in spezieller Weise gewußt wird. Ist aber Gottes Existenz auch nur in konfuser allgemeiner Weise gewußt, ist das Gedankenexperiment undurchführbar oder als undurchführbares ersonnen.

So läßt am Ende seiner Darlegungen über den Existenznachweis Gottes Heinrich für alle, die sich seine Argumente zu eigen gemacht haben, ein imposantes Gottesbild erscheinen. Unter jedem Wirklichkeitsaspekt verschafft Gott der mit seiner Existenz koextensiven Intelligibilität und Bonität neue Möglichkeiten, zum Menschen, zu seinem Intellekt und seinem Willen durchzubrechen. Der Mensch sieht sich vor einen Gott gestellt, der dem Menschen die Gewißheit über die Wahrheit seines Denkens und die Rechtheit seines Wollens verschafft, so daß im Gotterkennen der Mensch sich Wahrheit über sich selbst verschafft. Die von Heinrich zusammengestellten Beweiskriterien für die natürliche Gotteserkenntnis des Menschen stellen hohe Ansprüche an ein bewiesenes Wissen über Gottes Existenz und Wesen, wie besonders seine Diskussion selbstevidenten Wissens zeigt. Die aposteriorischen Gottesbeweise, die Heinrich in absichtsvoll gestalteter Auswahl gleichermaßen aus Argumenten augustinisch-anselmianisch-neuplatonischer und thomanisch-aristotelischer Tradition zusammenstellt, sollen eine Einstimmigkeit der philosophischen Vernunft auf dem Gebiet natürlicher Gotteslehre dokumentieren. Heinrich weist allerdings den aposteriorischen Beweisen einen Platz in der Physik zu. Den metaphysischen, d. h. für Heinrich: zwingend gültigen Gottesbeweis entwickelt er dagegen mit der avicennischen Lehre von begrifflichen Apriori, durch das einerseits eine tiefere Einsicht über Gottes Existenz und Wesenheit vermittelt werden kann, andererseits unliebsame kosmologische Implikate aus dem Gottesgedanken ferngehalten werden. Hauptcharakteristikum des apriorischen Gottesbeweises ist eine eminent theologische Aufladung der Transzendentalienlehre, durch die in jeden Erkenntnisakt des Menschen ein Gottesbezug hineingelegt wird.

§ 4 VORKLÄRUNGEN ZUR BESTIMMUNG VON SEIN UND WESEN GOTTES

1. *Das Sein Gottes im Verhältnis zu Wesenheit und Quiddität*

Wie Heinrich schon im Prolog zu *Summa 21* angekündigt hat, geht er gemäß der aristotelischen Methodenvorgabe, erst nach Klärung des Daseins (*an sit*) einer Sache an sich und im Hinblick auf das menschliche Erkennen entsprechend das Wassein (*quid sit*) dieser Sache zu erkunden, dazu über, nach der Frage nach der Existenz Gottes dessen Wesen zu erörtern. Zuerst überprüft Heinrich die Anwendbarkeit des Begriffs 'Quiddität' auf Gott.[330] Die beiden Einwände der Quästion lenken den Blick auf Verwendungen des Quidditätsbegriffs, die mit zentralen Annahmen in der philosophischen Theologie, nämlich der Ursachelosigkeit und Einheit Gottes, kollidieren. AVICENNA, *Metaph. VIII,4* verknüft den Besitz einer Quiddität mit dem Verursachtsein. Da aber Gott nicht verursacht ist, sondern das erste Prinzip und Ursache aller Dinge, könne demnach von einer Quiddität Gottes nicht die Rede sein.[331] Nach der ontologischen Definitionslehre[332] in ARISTOTELES, *Metaph. VII,13* ist die Definition Bezeichnung der Quiddität. Nur wem eine Definition zukommt, kommt auch eine Quiddität zu. Eine Definition kommt aber Gott nicht zu, weil jede Definition aus seinshaften Teilen besteht, die Teile der definierten Sache selbst sind. Wegen der göttlichen Einheit gibt es überhaupt keine Teile in Gott, folglich keine Definition und keine Quiddität.[333]

Dagegen stellt Heinrich Aussagen der aristotelischen 'Metaphysik', die eine Quiddität und Wesenheit gerade in einer höchsten Weise bei materiefreien Dingen gegeben sehen.[334] Gott kommt *verissime* eine Wesenheit zu, die - in einer noch zu erklärenden sprachlich treffenderen Weise - Wesenheit (*essentia*) und nicht Substanz (*substantia*) genannt wird. Folglich kommt Gott auch eine Quiddität zu.

[330] Zur Textinterpretation von HENR. DE GAND., *Summa 23,1* Badius 136rP-vT cf. GÓMEZ CAFFARENA, *Ser participado.* 1958, pp. 160sq. 165. 178sq.; DECORTE, *Avicenniserend augustinisme.* 1983, tom. I, p. 165; PORRO, *Enrico di Gand.* 1990, pp. 111-114.

[331] Cf. HENR. DE GAND., *Summa 23,1* Badius 136rP; cf. AVIC., *Metaph. VIII,4* Van Riet 401,33-34; cf. 402,44-45.

[332] HÖFFE, *Aristoteles.* 1996, pp. 77-79, bezeichnet so die ARIST., *Metaph. VIII 2,* 1043a 14sqq. gelehrte Auffassung einer Definition der seinshaften Teile eines Wesens und grenzt sie insbesondere von der aristotelischen Konzeption der Nominaldefinition ab.

[333] Cf. HENR. DE GAND., *Summa 23,1* Badius 136rP; cf. ARIST., *Metaph. VII 13,* 1039a20.

[334] Cf. HENR. DE GAND., *Summa 23,1* Badius 136rP: *Contra, quidditas et essentia idem sunt maxime in separatis a materia, ut vult Philosophus VII* [*IIII*: false ed. Badius] *et VII Metaphysicorum. Sed Deo convenit verissime essentia, quia magis proprie dicitur essentia quam substantia, ut infra videbitur. Quare verissime convenit ei quidditas.* Cf. ARIST., *Metaph. VII 16,* 1040b5-8; ID., *Metaph. VIII 6,* 1044a36.

Die kaum merkliche, aber streng durchgehaltene Terminologie des Gegeneinwandes, die den Lösungsweg der ganzen Quästion anzeigt, wird erst klar durch die Distinktion, mit der Heinrich seine Argumentation eröffnet. Für Heinrich macht es einen entscheidenden Unterschied zu fragen, ob Gott eine Quiddität zukomme oder ob er eine Quiddität besitze.[335] Zum Verständnis der erstgenannten konvenienzbegründeten Zuschreibung ist zu beachten, daß nach AVICENNA vielleicht in den materiellen Dingen Wesenheit (*essentia*) und Quiddität (*quidditas*)[336] ein je anderes sein können, so daß die Wesenheit einer Sache alles umfasse, was zur seiner Substanz gehöre, z.B. Materie und Form. Doch benenne 'Quiddität' allein die Form, wie Heinrich sogar mit AVERROES belegt.[337] In den materiefreien Dingen sind die Quiddität einer Sache und ihre Wesenheit vollkommen identisch, weil und insofern sie nach den Erklärungen des ARISTOTELES und AVERROES nicht anderes sind als Form und von Materie befreiter Akt.[338] Wenn dies in den materiebefreiten Dingen - jedenfalls in den meisten - der Fall sein mag, ist dies zuhöchst und unzweifelhaft wahr bei dem, das zuerst steht und im höchsten, keinem Geschöpf zukommenden Grade von der Materie und jeder Begrenzung seines Seins entzogen ist. Dort findet die avicennische Gleichsetzung[339] der Quiddität jedes Einfachen mit dem Einfachen selbst, das keine Rezeptibilität der Quiddität kennt, ihre prinzipielle Bewahrheitung. Auf die Frage nach der Existenz einer Quiddität Gottes kommt Heinrich zu der Antwort, daß in aller Wahrheit Gott sowohl Quiddität wie auch Wesenheit zukommen, und zwar in der Weise, die zu sprechen erlaubt, Gott sei eine gewisse Quiddität und Wesenheit.

Fragt man aber danach, ob Gott eine Quiddität besitze, muß man erst wissen, was in eigentlicher Bedeutung Besitzer einer Quiddität genannt wird.[340]

[335] Cf. HENR. DE GAND., *Summa 23,1* Badius 136rQ: *Dicendum quod in hac quaestione aliud est quaerere, an Deo conveniat quidditas aliqua, et quaerere, an Deus habeat quidditatem.*

[336] Die exakte begriffsgeschichtliche Herkunft und Bedeutungsentwicklung des Wortes *qui(d)ditas* ist noch nicht gesichert. Das Wort trat vermutlich erstmals in der nach 1150 von GERHARD VON CREMONA oder DOMINICUS GUNDISALVI in Toledo erstellten Übersetzung der 'Metaphysik' AVICENNAS auf und kam im 13. Jahrhundert zu terminologischer Höhe; cf. dazu die *Adnotatio 21* von H.-G. SENGER in: NIC. CUSANUS: *De apice theoriae* ed. Heidelb. XII (1982), p. 165sq. Es fehlte nicht an Versuchen, eine platte Synonymie mit benachbarten metaphysischen Begriffen abzuwehren, die Wortbedeutung abzugrenzen und zu präzisieren, so z. B. THOM. DE AQU., *De ente es essentia 1* nr. 6 Seidl 4,23-6,31: *Et quia illud per quod res constituitur in proprio genere vel specie, est hoc quod significatur per definitionem indicantem quid est res, inde est quod nomen essentiae a philosophis in nomen quidditatis mutatur; et hoc est etiam quod Philosophus frequenter nominat quod quid erat esse, id est hoc per quod aliquid habet esse quid. Dicitur etiam forma, secundum quod per formam significatur certitudo uniuscuiusque rei, ut dicit Avicenna in II Metapysicae suae.*

[337] Cf. AVERR., *Metaph. VII,25* ed. Iunt. VIII, p. 175rD-F.

[338] Cf. ARIST., *Metaph. VII 6*, 1032a5-6; ID., *Metaph. VIII 6*, 1045a36; AVERR., *Metaph. VIII,16* ed. Iunt. VIII, p. 224vL.

[339] Cf. AVIC., *Metaph. V,5* Van Riet 274,57.

[340] Cf. HENR. DE GAND., *Summa 23,1* Badius 136rR: *Secundo modo, an scilicet Deus habeat*

Dies ist nach Heinrich nicht anderes als dasjenige, in dem die Quiddität und der Besitzer dieser Quiddität über einen je eigenen Grund verfügen. Auch bei einer Totalumfassung der Natur einer Sache durch ihre Wesenheit benennt 'Quiddität' nur an der Sache selbst dasjenige, was deren Sein und Wesenheit determiniert. Am stärksten benennt es das letzte und höchste Komplementive in dieser Sache. Zum einen erfolgt diese Benennung in der Redeweise, daß in den materiellen Dingen das bei ihnen aus Materie und Form bestehende Ganze aus deren Wesenheit stamme, aber 'Quiddität' nur deren Form genannt wird, die sie zu einen Etwas und determinierten Seienden macht. Zum anderen geschieht dies auf eine Weise, durch die die Wesenheit einer definierten Spezies das Ganze darstellt, das auch deren Definitionsgrund beeinhaltet, jedoch die Quiddität in eigentümlicher und höchster Weise die letzte spezifische Differenz bezeichnet. Erklärungsmodell Heinrichs sind erneut die getrennten Substanzen. Bei ihnen ist ihr Ganzes, das aus der generischen Form und der Form der Differenz besteht, gleich ihrer Wesenheit. Ihre Quiddität ist aber in eigentlicher Weise die Form der Differenz, durch die sie ein spezifisch determiniertes Etwas sind. Es könnte der Fall gegeben sein, daß eine der getrennten Substanzen in solcher Einfachheit Form ist, so daß es in ihr keinen Grund für eine Zusammensetzung aus Genus und Differenz gibt, sondern nur für eine Zusammensetzung aus Sein und einer Wesenheit, wie sie weniger in einer Kreatur von höchster Einfachheit angenommen werden muß,[341] auch wenn ihr Ganze ihre Wesenheit ist. Dennoch wird eben diese Wesenheit, insofern sie Sein der Kreatur determiniert, in eigentümlicher Weise deren Quiddität genannt, weil sie auf so der Kreatur ein Sein in einer determinierten Spezies verschafft. Heinrichs Analyse getrennter Substanzen läßt ihn den spezifischen Begriff des 'Besitzen' einer Quiddität klarer fassen: Was immer eine Quiddität besitzt, besitzt ein durch seine eigene Form determiniertes Sein und dadurch einen Bestimmungsgrund für eine Zusammensetzung. In diesem Sinne darf nach Heinrich nicht von einer Quiddität Gottes gesprochen werden. Es gibt keine innerliche Determination im göttlichen Sein.[342] Daher hat Gott auch keine Definition.[343]

quidditatem, scire debemus, quod non dicitur aliquid proprie habere quidditatem nisi id, in quo possit esse alia et alia ratio quidditatis et habentis quidditatem, ut etsi essentia talis rei comprehendit totum quod est de natura eius, quidditas tamen solum nominat in ipsa re id quod determinat esse et essentiam eius, et maxime ultimum quod est completivum in re, ad modum quo in rebus materialibus totum quod est in eis et materia et forma, dicitur esse de eius essentia, quidditas autem eius solum dicitur forma quae facit, quod sit quid et ens determinatum, et ad modum quo speciei definitae essentia est totum quod continet definitiva ratio eius.

[341] Cf. dafür HENR. DE GAND., *Summa 28,5* Badius 168vA-169vG.

[342] Heinrich konzipiert in seinem Spätwerk einen Begriff der transkategorialen Indetermination Gottes, der im Horizont der göttlichen Singularität (cf. dazu Kap. II, § 2,4 not. 115) gültig ist und die Differenz des göttlichen zum kreatürlichen Sein noch tiefer ansetzt; cf. HENR. DE GAND., *Qdl. XIII,10* Decorte 66,45-49: *Ens etiam simpliciter sive indeterminatum, hoc est absque aliqua determinatione acceptum, potest considerari dupliciter: aut videlicet in quadam singularitate, vel in quadam universalitate. Et primo modo*

Heinrich wendet sich auch aus wissenschaftstheoretischen Gründen entschieden dagegen, die Frage nach dem Wassein hier anzubringen.[344] Sie hat hier ihrer Eigenart nach keinen Ort und ist zur Frage nach der Existenz zu verlagern. Bei den Dingen, die eine Quiddität besitzen, kommt nach der Existenz dieser Dinge sofort die Frage nach dem Wassein zur Beantwortung, da nach ARISTOTELES die Frage nach dem Wassein, die mit einer Definition beendet wird, die Frage nach der Existenz voraussetzt.[345] Hinsichtlich Gottes, der vollkommen in seine Existenz erkannt ist, insofern er als unbegrenztes Meer des Seins erkannt ist, gibt es keinen Ort für die Frage nach seinem Wassein, da Gott nichts hat, was sein Sein determiniert, und er reines Sein ist. Die übliche Rede von einer Wesenheit oder Quiddität Gottes darf nach Heinrich gerade hinsichtlich der Quiddität nicht in einem eigentlichen Sinne aufgefaßt werden. Denn den Namen 'Wesenheit' nimmt man von einem Sein in seiner Einfachheit, den Namen 'Quiddität' aber von dem, was ein determiniertes Sein ist und macht, daß eine Sache determiniert ist durch ihr Wassein und ihr eigenes Sein. Weiterhin ist in allen Dingen, die in einem eigentlichen Sinne eine Quiddität besitzen, deren Sein nicht das Ganze ihre Wesenheit, wie es aber gerade in Gott der Fall ist. Es ist eher eine Folge ihrer Quiddität und liegt außerhalb ihrer Bestimmung.

Die ganze vorausgehende Diskussion faßt Heinrich zusammen, indem er das bisher Gesagte in das Licht der avicennischen Nezessitätsmetaphysik

dicitur ens simpliciter solus Deus. Secundo autem modo dicitur ens simpliciter ens quod consequitur decem praedicamenta.

343 Cf. aus einer Diskussion des Limitationsbegriffs, die ebenfalls angelologische Probleme einbezog, HENR. DE GAND., *Qdl. II,9* Wielockx 70,89-00: *Sed ex parte limitationis creaturae unum scio, videlicet quod in ea potest intelligi duplex limitatio. Una in natura sua et essentia, qua finita est et certis terminis contenta. Et sic solus Deus illimitatus est et infinitus in natura et essentia. Et propter hoc qualibet species creaturae habet definitionem quae est sermo quidditatis et essentiae eius, et dicitur terminus et mensura creaturae et essentiae rei, solus autem Deus definitione caret, ut alibi expositum est* [cf. *Summa 23,1*]. *Unde qui cognoscit quod quid est de re, eam cognitione sua comprehendit, comprehendendo in sua cognitione terminos et limites naturae rei. Sic etiam Deus, ut dicit Damascenus, 'a nullo cognitus est, sed ipse solus sui ipsius contemplator'. Non tamen ex hoc negat, quin aliquo modo a beatis videri possit.*

344 Cf. HENR. DE GAND., *Summa 23,1* Badius 136r-vS: *Deus non habet definitionem, neque habet proprie locum in ipso quaestio quid est. In habentibus enim quidditatem - cognito de re an sit - statim habet locum in eodem quaestio quid sit. Quaestio enim quid est secundum Philosophum superponit quaestionem an est, ut infra dicetur. In Deo autem cognito perfecte an sit ut cognito infinito pelago esse eius, non habet locum quid sit, ut infra patebit* [cf. *Summa 24,1*], *quia non habet aliquid esse suum determinans. Non enim est nisi esse purum, ut supra dictum est* [cf. *Summa 22,4*]. *Unde etsi Deus dici potest esse quidditas quaedam, sicut est essentia quaedam, non tamen ita proprie dicitur quidditas ut essentia, quia nomen essentiae sumitur ab esse simpliciter, nomen autem quidditatis ab eo quod est determinatum esse et facit rem esse quid et in esse suo determinatam. Ex quo patet ulterius, quod in habente proprie quidditatem, esse eius non est tota eius essentia, ut est in Deo, sed magis consequens eius quidditatem et extra eius intentionem, ut supra expositum est.*

345 Cf. ARIST., *Anal. Post. II 1*, 89b34.

stellt.[346] Denn nach AVICENNAS ausdrücklicher Aussage[347] besitzt das Erste keine Quiddität und kann es auch nicht besitzen. Sonst wäre zum einem das Notwendigsein bloß Folge der Quiddität, und zum anderen hätte man auch durch eine Zusammensetzung die Einheit des Ersten zerstört. Nach avicennischer Lehre ist die Quiddität ein Signum des Verursachtseins. Derart bestimmten Dingen fehlt das Notwendigsein, ist ein Möglichsein zutieft innerlich und verschafft erst eine extrinsische Vermittlung ihrer Existenz. Diese läßt sich denken als Seinshinzufügung des Ersten, von dem aus das Sein herabfließt auf alle Dinge, die eine Quiddität besitzen. Wenn aber die Bestimmtheit des Ersten bezeichnet wird, geschieht dies nach der Entität[348] durch Negation von Ähnlichkeiten und durch Affirmation von Relationen zu ihm. Denn alles Existierende hat sein Sein von ihm erhalten und teilt seinem Ursprung nichts vom Eigenen mit.

Durch den von AVICENNA neu festgelegten Sinn von Quiddität inspiriert, erweitert und präzisiert Heinrich die durch die aristotelische Methodenlehre geforderte Frage nach dem Wassein innerhalb des Gottestraktates. Der Ausschluß aller Diversität, Possibilität und jeder anderen restriktiven Determination Gottes werden kräftig herausgestellt. Denn die Differenzen von Wesenssein und Existenz markieren die Kontingenz, die Differenz von Sein und Etwassein die Endlichkeit der Kreatur. Indetermination, Fülle und Unendlichkeit des Seins selbst (*ipsum esse*), wie augustinisch orientierte Theologie sie lehrt, werden neben die avicennische Doktrin einer ebenso existenziellen wie intrinsischen Nezessität (*necesse esse*) des Ersten gestellt. Aus deutlicher Reserve gegenüber der Applikation metaphysischer Begriffe, die ihre Herkunft aus der Analyse kreatürlichen Seins nicht ablegen können, plädiert Heinrich für eine kritische Weiterverwendung der Begriffe in der Gotteslehre, nicht ohne dabei in neuer Weise die Nichtwelthaftigkeit des göttlichen Seins zu unterstreichen.

[346] Cf. HENR. DE GAND., *Summa 23,1* Badius 136vT: *Propter omnia haec iam dicta dicit Avicenna VIII Metaphysicae suae: 'Primum non habet quidditatem. Dico enim, quod necesse esse non potest habere quidditatem quam concomitatur necessitas essendi', ita ut sit in eo compositio. Igitur omne habens quidditatem causatum est, et talia sunt omnia alia a necesse esse, et habent quidditates quae sunt per se possibiles esse, quibus non accedit esse nisi extrinsecus. Primus igitur, ut dicit, non habet quidditatem, sed super habentia quidditates fluit esse ab eo, et in omni eo quod est praeter ipsum, est additio ad esse. Cum autem designatur eius certitudo, non designatur nisi post entitatem per negationem consimilium et per affirmationem relationum ad ipsum, quoniam omne quod est, ab ipso est, et non est communicans ei quod est ab ipso. Per iam dicta patent obiecta utriusque partis.*

[347] Cf. AVIC., *Metaph. VIII,4* Van Riet 398,83-399,85.

[348] Cf. HENR. DE GAND., *Summa 26,1* Badius 157vG: *Et ideo dicit Avicenna IV Metaphysicae, quod necesse esse non potest esse eiusmodi, ut sit in eo compositio, ita ut sit hoc quidditas aliqua quae sit necesse esse, et illi sit intentio aliqua praeter certitudinem quae est necessitas essendi. Sed necesse esse non habet quidditatem, nisi quod est necesse esse, et haec est entitas.*

2. *Das Sein Gottes als reiner Selbstbesitz und Selbstvollzug der Wesenheit*

Nach den Einschränkung, die der vorhergehende Quästion für den Gebrauch der Termini 'Wesenheit' und 'Quiddität' gemacht hat, liegt es nahe, in Verschärfung dieser Kriterien für Gott jegliche Wesenheit oder Quiddität in Abrede zu stellen. Dies hieße dann verneinen, daß Gott nicht seine eigene Quiddität sei.[349]

Heinrich führt zuerst ein schon seit der Frühscholastik kontrovers bewertetes Zitat des HILARIUS VON POITIERS an, in dem die Differenz von einem Seiendem als Natur zu einem Ding der Natur parallelisiert wird mit der Differenz zwischen einem Menschen und einem Etwas an ihm. Der Einwand folgert daraus, daß Gott ein Seiendes als Natur sei, aber seine Quiddität bzw. Wesenheit ein Ding in der Natur, die er selber ist.[350] Dieselbe Verneinung schließt der zweite Einwand aus den Prämissen, daß nichts als ein Etwas von sich selbst genommen ist. Das seien aber Wesenheit bzw. Quiddität für Gott, weil sie als Form in Gott sind. Den Gegeneinwand nimmt Heinrich aus der Hebdomadenschrift des BOETHIUS.[351] Wenn für jede einfache Natur das, was es ist, identisch ist mit dem, wodurch es ist, ist Gott das, was diese einfache Natur ist, und seine Wesenheit das, wodurch sie ist.

Heinrich räumt in seiner Antwort grundsätzlich ein, daß überall dort, wo etwas nicht seine eigene Wesenheit ist, es etwas neben seiner Wesenheit geben muß. Für den Fall, daß nichts in einer Sache (*res*) ist neben seiner Wesenheit, ist das Ganze, das die Sache ist, seine Wesenheit. In Gott ist ein solches teilartiges Nebeneinander unmöglich. Vielmehr hat Gott nicht, sondern ist seine Wesenheit. Diese ist identisch mit seinem Sein. Gott ist sein Sein und nichts anderes neben seinem reinen Sein.[352]

Der erste Einwand wird durch einen Verweis auf die Erläuterungen des PETRUS LOMBARDUS niedergeschlagen. Danach handeln die Worte des HILARIUS von der Natur der Geschöpfe, so daß Gott mit dieser Unterscheidung nicht gemeint ist.[353] Bei der Antwort auf den zweiten Einwand verknüpft

[349] Zur Textinterpretation von HENR. DE GAND., *Summa 23,2* Badius 136vV-Z cf. DECORTE, *Avicenniserend augustinisme.* 1983, I, p. 165; PORRO, *Enrico di Gand.* 1990, p. 114.

[350] Cf. HENR. DE GAND., *Summa 23,2* Badius 136vV; cf. HILAR. PICTAV., *De trin. VIII,22* CCL 62A, p. 334,2-4, cit. ap. PETR. LOMB., *Sent. I, dist. 34, cap. 1,2* ed. Quar. ³1971, tom. I, p. 247,21-22.

[351] Cf. HENR. DE GAND., *Summa 23,2* Badius 136vV; cf. BOETH., *De hebd., prop. VII* Elsässer 36,45-46: *Omne simplex esse suum et id quod est unum habet.*

[352] Cf. HENR. DE GAND., *Summa 23,2* Badius 136vX: *Quandocumque aliquid non est sua essentia, oportet quod sit in eo aliquid praeter suam essentiam. Si enim nihil est in re praeter suam essentiam, totum quod res est, est eius essentia. In Deo autem non potest aliquid esse praeter eius essentiam, quoniam tunc essentia esset in Deo per modum partis et esset in eo compositio, quod est impossibile, ut infra videbitur. Absolute ergo concedere oportet, quod Deus ipse sit sua essentia. Unde cum superius ostensum est, quod essentia Dei est esse eius, absolute tenendum est, quod etiam Deus est suum esse et nihil aliud omnino praeter esse suum purum.*

[353] Cf. HENR. DE GAND., *Summa 23,2* Badius 136vY; cf. PETR. LOMB., *Sent. I, dist. 34, cap.*

Heinrich das formphilosophische Argument mit einer sprachlogisch-terministischen Beobachtung.[354] Allein bei zusammengesetzten Dingen ist ein Ding nicht das, was ein Etwas seiner selbst ist, da ein Ding nichts anderes ist als das, was seine ganze eigene Natur umfaßt. Doch in einem Einfachsten wie Gott, wo dieses Einfachste die ganze Natur der Sache und die Sache selbst ist, wird in einem eigentümlicheren Sinn von der Sache gesagt, daß sie selbst ist (*res esse ipsa*), als daß es sich selbst gehöriges Sein (*esse ipsius*) sei. Nur der Proprietät und des *modus significandi* wegen werde dieses 'sich selbst gehörig' (*eius*) gesagt. Denn 'Wesenheit' bezeichnet wie eine Form, 'Gott' jedoch wie das Suppositum einer Form. Erneut macht Heinrich also auf den signifikationstheoretischen Umstand aufmerksam, daß das Erkennen der Existenz und des Wesens Gottes vom Menschen auf der Ebene des deminutiven veritativen Seins vollzogen wird.[355] Verknüpfungen und Trennungen, die der sprachliche Ausdruck vornimmt, dürfen nicht in die aktual existierende Wirklichkeit hineingetragen werden. Bei keiner Wirklichkeit ist dies so wichtig zu beachten wie bei der singulären Wirklichkeit Gottes. Dem menschlichen Erkennen der göttlichen Wesenheit ist somit Ziel und Grenze vorgezeichnet.

§ 5 AUSMASS UND WEITE DER NATÜRLICHEN ERKENNTNIS DES GÖTTLICHEN WESENS

1. Die Möglichkeit einer Wesenserkenntnis Gottes

Streng parallel zum Traktat über die dem Menschen erreichbare Erkenntnis der Existenz Gottes eröffnet Heinrich seine Erörterungen über die Erkennbarkeit des göttlichen Wesens für den Menschen mit der Frage nach der Möglichkeit eines essentialen Erkennens.[356] Das erste der Argumente für eine wesensmäßige Erkennbarkeit des göttlichen Wesens greift gleich auf eine der

1,7 ed. Quar. ³1971, tom. I, p. 249,13-20.

[354] Cf. HENR. DE GAND., *Summa 23,2* Badius 136vZ: *Per simile dicendum ad secundum, quod in compositis illud solum habet veritatem, quod res non est id quod est aliquid sui, quia res non est nisi id quod totam naturam suam complectitur. In simplicissimo autem, sicut Deus est, ubi idipsum est tota natura rei, idipsum est res ipsa, et magis proprie 'res' dicitur 'esse ipsa' quam dicatur 'esse ipsius', et non dicitur 'eius' nisi propter proprietatem et modum significandi. Essentia enim significat ut forma, Deus autem ut suppositum formae.*

[355] Cf. HENR. DE GAND., *Summa 22,1* Badius 129vL-130rL; dazu oben Kap. II, § 3,1.

[356] Zur Textinterpretation von HENR. DE GAND., *Summa 24,1* Badius 136vA-137vG cf. HUET, *Recherches.* 1838, pp. 167. 177; LAJARD, *Henri de Gand.* 1842, pp. 177. 193; PRANTL, *Gesch. der Logik, III.* 1867, p. 192; DE WULF, *Hist. philos. scol. Pays-Bas.* 1893, p. 187sq.; ALFARO, *Lo natural.* 1952, p. 365; GÓMEZ CAFFARENA, *Ser participado.* 1958, pp. 197. 237; ROVIRA BELLOSO, *Visión de Dios.* 1960, pp. 104. 161sq. 220. 258; PORRO, *Enrico di Gand.* 1990, pp. 114-117.

höchsten theologischen Autoritäten, AUGUSTINUS, zurück. Nach augustinischer Lehre ist der menschliche Geist Ebenbild Gottes durch seine Fähigkeit, Gott fassen zu können.[357] Diese Fassungskraft besteht nach der von Heinrich als augustinisch zitierten Schrift *De spiritu et anima* in einem Erkennen.[358] Der Mensch ist nicht in jener einfachen Weise Bild Gottes, wie nach AUGUSTINS einschlägigen Worten[359] jede Kreatur Gott ähnlich ist und eine Spur Gottes darstellt, sondern durch einen im Wesen Gottes liegenden Bestimmungsgrund, d. h. durch dessen Einheit von Wesenheit und Dreipersönlichkeit. Dies sei verbürgt durch die von AUGUSTINUS und HILARIUS gestützte trinitarische Deutung des Schöpfungsaktes gemäß *Gn 1,26.* Folglich vermag der Mensch sein Urbild in der im wesentlichen trinitarischen Struktur zu erkennen. Sonst werde bei einer negativ beantworteten Frage nach einer Wesenserkenntnis Gottes, so das Anliegen dieses alarmierenden Einwandes, die biblisch begründete Lehre von der Gottebenbildlichkeit des Menschen entleert und zur Disposition gestellt.[360]

Der zweite Einwand weitet den ersten vom Intellektualen ins Voluntative aus. Denn nichts wird geliebt, es sei denn, es ist erkannt. Da nun der Mensch die Wesenheit Gottes lieben könne, gelte entsprechendes von ihrem Erkennen. Der dritte Einwand, der das bislang argumentativ Erreichte in die Pflicht nimmt, weist darauf hin, daß aller Erkenntnis über die Existenz eines Dinges ein Erkennen seines Wesens vorangegangen sein muß. Weil die Existenz Gottes schon bewiesen worden ist, muß folglich schon sein Wesen erkannt sein.

Die Ablehnung einer Wesenserkenntnis Gottes im Sinne eines „agnosticismo celeste"[361] formulieren mit unmißverständlichen Worten zwei Protagonisten der negativen Theologie in der Tradition des christlichen Neuplatonismus. JOHANNES DAMASCENUS hält insbesondere ein Erkennen der Substanz Gottes

[357] Cf. AUG., *De trin. XIV,8,11* CCL 50A, p. 436,11-12; cf. ROVIRA BELLOSO, *Visión de Dios.* 1960, p. 161sq.

[358] Cf. Ps.-AUG. [ALCHER. CLAREVALL.?], *De spiritu et anima 2* PL 40, col. 781.

[359] Cf. AUG., *De div. quaest. 83, q.51* CCL 44A, pp. 78-82.

[360] Durch diese Objektion vergegenwärtigt Heinrich die seit dem 12. Jahrhundert in der scholastischen Theologie zusammengehaltene Einheit von Gottebenbildlichkeit und Befähigung zur Gotteserkenntnis, deren theologisch gewollte Koppelung und wechselseitige Erklärung bei PETRUS LOMBARDUS, *Sent. I, dist. 3* sinnenfälligen Ausdruck bekam und von dort aus über die Sentenzenkommentare weit in die hochscholastische Theologie einwirkte. Cf. HÖDL, *Entwicklung der frühscholastischen Lehre von der Gottebenbildlichkeit des Menschen.* 1960/1969, p. 205; desweiteren R. BRUCH: *Die Gottebenbildlichkeit des Menschen nach den bedeutendsten Scholastikern des 13. Jahrhunderts.* Diss. theol. Freiburg i.Br. 1946; L. HÖDL: *Die Zeichen-Gegenwart Gottes und das Gott-Ebenbild-Sein des Menschen in des hl. Bonaventura „Itinerarium mentis in Deum" c. 1-3.* In: MM 8 (1971), pp. 94-112; ID.: *Ebenbild Gottes. II. Patristische und mittelalterliche Theologie.* 1986; COLISH, *Peter Lombard.* 1994, tom. I, pp. 227-245.

[361] Diesen treffenden Ausdruck gebraucht PORRO, *Enrico di Gand.* 1990, p. 115.

für unmöglich.[362] GREGOR DER GROSSE läßt alles Vorankommen in der Kontemplation bei etwas unterhalb des Wesens Gottes zum Stillstand kommen.[363]

Heinrich schickt seinen eigenen Darlegungen die Unterscheidung eines zweifachen washeitlichen Erkennens voraus. Einerseits ist es durch szientifisches Wissen um den definitiven Wesensgrund einer Sache möglich, andererseits durch eine Kenntnis der das Wesen einer Sache konstituierenden Natur, wobei die Kenntnis unmittelbar die Natur des Definierten erreicht.[364] Die erste Erkenntnisweise gilt nur für Dinge, die über eine Definition verfügen. Nach den Erklärungen des vorangegangen Artikels besitzt Gott aber keine ontologische Definition, die nach aristotelischem Verständnis die seinshaften Teile des Wesens in den Teilen der Definition zum Ausdruck bringt. Dies verträgt sich aber nicht damit, daß Gott einfaches und reines Sein ist. Im Erkennen der Quiddität Gottes würde gemäß dem genannten Definitionsverständnis durch Erkenntnis der göttlichen Natur, durch die er ist, was er ist, derjenige erkannt, der allein in Wahrheit auch ist, was er ist. Das aristotelische Kriterium ist aber nicht im gewünschten Maße erfüllbar. Denn nach AUGUSTINUS transzendiert das Wassein Gottes dermaßen das dem Nichts nahestehende Sein aller Dinge, daß sich durch die Erkenntniskräfte des Menschen nur in ausgesuchter Seltenheit ein rationaler Einblick in das Wesen Gottes erreichen läßt.[365]

Heinrich nimmt dann mit der Erwähnung einer Extremposition Bezug auf die seit dem Prozeß gegen die Amalrikaner 1210 mit Vehemenz geführten Diskussionen über die Unerkennbarkeit des göttlichen Wesens, die mehrere Theologen durch eine Theorie der Theophanie kompensatorisch lösen wollten.[366] Im Hintergrund stand die Gotteslehre des PS.-DIONYSIUS AREOPAGITA.

[362] Cf. IOA. DAMASC., *De fide orth. I,2,3* Buytaert 15,40-45; ID., *De fide orth. I,4,1* Buytaert 19,3-5.

[363] Cf. GREG. MAGN., *Hom. in Ezech. II, hom. 2,14* CCL 142, p. 235,349-350.

[364] Cf. HENR. DE GAND., *Summa 24,1* Badius 137rB: *Dicendum ad hoc, quod quid est de re aliqua dupliciter habet cognosci. Uno modo sciendo eius definitivam rationem, quia secundum Philosophum* [cf. ARIST., *Metaph. VII 13,* 1039a20] *'definitio est sermo quidditatis et essentiae'. Alio modo habendo naturae qua res est id quod est, immediatam in natura definiti notionem.*

[365] Cf. HENR. DE GAND., *Summa 24,1* Badius 137rB: *Primo modo quidditas solum habet cognosci in habentibus definitionem, quam Deus habere non potest, ut dictum est, quia 'omnis definitio habet partes easdem cum partibus rei definitae' secundum Philosophum VII Metaphysicorum. Deus autem simplex et purum esse est, ut dictum est supra. Si ergo Dei quidditas cognoscatur, hoc fit cognoscendo naturam eius qua est id quod est, qui solum vere est id quod est. Sed ut dicit Augustinus, serm. II super Ioan.: 'Quid est quod est, nisi quod transcendit omnia quae sic sunt, quod non sint? Quis ergo capit aut quis quocumque intenderit vires suas, ut attingat, quomodo potest id quod est?' Certe rarus est valde, secundum quod dicitur libro II De ordine: 'Ratio est mentis motio, quae ducere ad Deum intelligendum rarissimum omnino genus hominum potest.'* - Cf. AUG., *In Ioa. ev. 2,2* CCL 36, p. 12,21-25; ID., *De ord. II,11,30* CCL 29, p. 124,1-6.

[366] Cf. die ausführliche Diskussion und Rezeption der Theophanie-Theorien bei HENR. DE GAND., *Summa 33,2* Macken 128-153, spec. 133,36-134,56; 147,16-150,94; spec. die Selbstzusammenfassung *ibid.*, p. 150,88-94: *non usquequaque abhorrendae sunt theophaniae ... sic ponere eas, ut mediantibus illis quodam modo videatur Deus, scilicet in aenigmate,*

Das von Heinrich an AUGUSTINUS festgemachte Übersteigen (*excessus*) des unerschaffenen Intelligiblen über jeden geschaffenen Intellekt sahen einige Theologen als einen Grund an, es jeder Kreatur abzusprechen zu müssen, Gott in dessen Quidditat und Natur erkennen oder schauen zu können. Denn auch die Sonne könne wegen der Erhabenheit ihres Lichtes vom schwächlichen Gesichtssinn einer Fledermaus überhaupt nicht geschaut werden. Fürsprecher seiner solchen Lehre waren nicht nur der oben von Heinrich im Gegeneinwand zitierte JOHANNES DAMASCENUS und der hier unerwähnt gebliebene JOHANNES CHRYSOSTOMUS, sondern besonders auch JOHANNES SCOTTUS ERIUGENA. Die Interpretation seiner Schriften bildete ein Zentrum des damaligen Streites, in dessen Verlauf zweimal, 1225 und 1240, seine Lehre und seine Schriften von Verurteilungen in Paris betroffen waren. Heinrich zitiert aus seinem Kommentar der areopagitischen Schrift 'Über die himmlischen Hierarchien'[367], daß die göttliche Wesenheit von der rationalen Kreatur nur in Theophanien, die seine Wesenheit wie die Sonne in einer Wolke verdecken, aber nicht in sich unverhüllt geschaut und erkannt werden könne. Heinrich weigert sich zuzustimmen, weil seines Erachtens das Gleichnis falsch gewählt ist. Denn die Sonne ist, soweit es an ihr selber liegt, notwendigerweise sichtbar, insofern sie sich in ihrem ganzen hellen Glanz repräsentiert und es dabei nicht vermag, sich einem Sehenden durch sich selbst in ihrem Glanz zu beschränken. So muß also die Helle der Sonne durch ein anderes als eine Wolke beschränkt werden. Heinrichs Kritik der verwendeten theologischen Metaphorik will einem fatalen naturalistisch-nezessitaristischen Mißverständnis der christlichen Gottesidee vorbeugen. Denn die göttliche

ab hominibus in statu vitae preaesentis. Secundum hoc enim species omnis creaturae quodam modo est theophania quaedam; cf. ID., *Qdl. III,1* Badius 47vR; ID., *Qdl. IV,7* Badius 94rX. Cf. spec. Kap. II, § 3,1 not. 16 zu *Summa 22,1 ad 2*. - Zeitgenössische hochscholastische Referate liefern die SUMMA FR. ALEX., *Lib. II-1, nr. 517* ed. Quar. II, pp. 763-767, und - stark davon abhängig - BONAV., *In II Sent, dist. 23,2,3* ed. Quar. II, pp. 542-547. Seitens der modernen Forschung cf. den guten Überblick bei WICKI, *Lehre von der himmlischen Seligkeit.* 1954, pp. 113-147, spec. 122-140, der aufbaut auf DONDAINE, *L'objet et le 'medium' de la vision béatifique.* 1952; aus der neueren Literatur cf. HOYE, *Gotteserkenntnis per essentiam im 13. Jahrhundert.* 1976, p. 284 zu Heinrich nicht ganz zutreffend; fundamental J.-P. TORRELL, *Recherches sur la théorie de la prophetie au moyen age, XIIe-XIVe siècle. Études et textes.* Paris 1992, und TROTTMANN, *La vision béatifique.* 1995. Die Rolle der avicennischen Lehre von einer naturalen Vision des göttlichen Wesens untersucht F. de CONTENSON: *Avicennisme latin et vision de Dieu au début du XIIIe siècle.* In: AHLD 34 (1959), pp. 29-97; zur originär avicennischen Prophetietheorie cf. D. GUTAS: *Avicenna: De anima (V 6). Über die Seele, über Intuition und Prophetie.* In: K. FLASCH (Hg.): Hauptwerke der Philosophie: Mittelalter (Interpretationen) (Reclam UB 8741). Stuttgart 1998, pp. 91-107. Zur Klärung zentraler Termini der damaligen Diskussionen cf. Ch. TROTTMANN: Facies *et* essentia *dans les conceptions médiévales de la vision de Dieu.* In: Micrologus 5/1 (1997), pp. 3-18; J.-P. TORRELL: *La vision de Dieu* per essentiam *selon saint Thomas d'Aquin.* In: Micrologus 5/1 (1997), pp. 43-68, spec. 44-53 zur Verurteilung von 1241 (Lit.!).

[367] Cf. IOA. SCOTT. ERIUG., *Expos. in hier. coel., cap. 4* CCM 31, pp. 66-82.

Quiddität ist für die Kreatur durch keinen äußeren oder inneren Zwang sichtbar, sondern allein aufgrund des blanken eigenen Willens! Diesen im tiefsten Innern Gottes gründenden Offenbarungsvoluntarismus übernimmt Heinrich von AUGUSTINUS, weitet ihn aber über Glaubenserkenntnis und eschatologische Schau aus auf alle Arten der rationalen Gotteserkenntnis.[368] Alles Gesehenwerden Gottes ist in Wahrheit ein von Gott in aller Freiheit gewolltes Sich-Zeigen seiner selbst, eben Selbstoffenbarung. Kein naturhaftes Drängen in Gott vollzieht sich, sondern eine souveräne Selbstenthüllung des göttlichen Wesens. Weil Gott diese Freiheit hat und ist, kann er nach Heinrichs Verständnis nicht nur die Wahl eines Mediums frei bestimmen. Das kann auch heißen, daß er auf ein solches verzichtet und sich selbst unvermittelt zu sehen gibt -, oder auch sich selbst verdecken kann, ohne dafür auf ein Medium angewiesen zu sein, wie es bei der natürlichen Sonne der Fall sein

[368] Cf. AUG., *De videndo Deo* (*epist. 147,6,18*) CSEL 44, p. 289,15-18; generell W. WIELAND: *Offenbarung bei Augustinus* (TTS 12). Mainz 1978. Beim Offenbarungsvoluntarismus handelt es sich um eine der frühesten offenbarungstheologische Einsichten der Kirchenväter; cf. IREN. LUGDUN., *Adv. haer. IV,20,5*: „Der Mensch, von sich aus, sieht Gott nicht. Gott aber, weil Er will, wird von den Menschen gesehen. Von wem er will, wann er will, so wie er will." (übers. v. H. U. v. BALTHASAR. In: IRENÄUS: Geduld des Reifens. Basel 1943, p. 65). - Schlagendster Beweis für Heinrichs universalen Offenbarungsvoluntarismus ist seine Lehre von der Teilhabe des natürlichen Lichtes der Vernunft an den *rationes aeternae*, die nicht angeborener habitueller Besitz und unverlierbare Schöpfungsgabe ist, sondern einzig durch ein göttliches Willensdekret - mitunter auch ohne Rücksicht auf die ethische Dignität des Empfängers! - vermittelt wird, und zwar *quando vult et quibus vult*, so HENR. DE GAND., *Summa 1,3* Badius 10vI: *Lumen materiale monstrat se ... per quandam necessitatem naturae et ideo monstrando alia in eo quod est ratio videndi ea, non potest se occultare, quin etiam monstret se in ratione obiecti. Sed lux divina non monstrat se nisi voluntarie, quando vult et quibus vult, et ideo bene potest esse ratio videndi alia, licet non monstret se. Et quod non monstrat se, non est ex defectu suo, quin possit se summe monstrare. Sed non vult se monstrare nisi dispositis*; ID., *Summa 1,2* Badius 7vM: *Homo ex puris naturalibus attingere non potest ad regulas lucis aeternae, ut in eis videat rerum sinceram veritatem. Licet enim pura naturalia attingunt ad ipsas, quod bene verum est (sic enim anima rationalis creata est, ut immediate a prima veritate informetur, ut iam prius dictum est), non tamen ipsa naturalia ex se agere possunt, ut attingant illas, sed illas Deus offert, quibus vult, et quibus vult, subtrahit. Non enim quadam necessitate naturali se offerunt, ut in illis homo veritatem videat, sicut lux corporalis, ut in ea videat colores, sicut nec ipsa nuda divina essentia. Secundum enim quod determinat Augustinus de videndo Deum, si vult, videtur, si non vult, non videtur. Unde et regulas aeternas Deus aliquando offert malis, ut in eis videant multas veritates, quas boni videre non possunt, quia praescientia aeternarum regularum non offertur eis*; ferner ID., *Summa 24,6* Badius 142rP; ID., *Summa 49,4* Badius 34vS; ID., *Qdl. III,1* Badius 48rT; ID., *Qdl. VII,4* Wilson 38,17-22; 40,80-89; zur Sache cf. BETTONI, *Conoscibilità di Dio*. 1950, pp. 270-272; ROVIRA BELLOSO, *Visión de Dios*. 1960, p. 220. Cf. auch PETR. DE FALCO, *Qdl. II,8* Gondras 208: *Deus non speculum naturale, quos vult et sicut vult illuminat*; ähnlich auch GODEFR. DE FONT., *Qdl. X,3* Hoffmans 309. Wie die Texte bei Heinrichs Zeitgenossen PETR. A TARANT., *In IV Sent., dist. 49, q. 3, a. 4* ed. Toulouse 1652, tom. IV, pp. 476a-477a; THOM. DE AQU., *In IV Sent., dist. 49,2,7* Busa 688b-689c; AEG. ROM., *Qdl. I,21* ed. Löwen 1646, pp. 44a-46b belegen können, setzt sich Heinrich in diesem Punkt nicht von der Tradition ab.

müßte. Das Offenbarwerden der göttlichen Wesenheit für das menschliche Erkennen, so will Heinrich mit dem Areopagiten[369] sagen, ist nicht begrenzt durch eine innere Unmitteilbarkeit des göttlichen Guten, sondern teilt sich soweit mit, wie es für jeden angemessen ist.

Heinrich erkennt in diesem Umstand sofort den Angelpunkt der anstehenden Frage nach einer viatorischen Wesenserkenntnis Gottes. Denn viele Theologen, von denen Heinrich den Damaszener[370] exemplarisch herausgreift, haben daraus den Schluß gezogen, daß das Wesen Gottes viatorisch gänzlich unerkennbar bleibt und darum nur erkannt werden könne, was Gott nicht sei. Unerkennbarkeit und Unaussprechlichkeit, Unerfaßbarkeit und Unbekanntheit Gottes drücken den Erkenntniswert aller privativen wie auch positiven Aussagen nieder. Unkörperlichkeit, Unentstehbarkeit, Unvergänglichkeit und weitere derartige Aussagen bezeichnen nicht, was Gott ist, sondern nur, was er nicht ist, weil und insofern in ihnen nicht das substantiale Sein Gottes erkannt ist. Der Damaszener leitet daraus die Verpflichtung ab, allein einer negativen Theologie zu folgen, in der aus Einsicht in die Nichtidentität des göttlichen Seins mit dem der Kreaturen Gott in seiner Unendlichkeit und Unerfaßbarkeit nicht als nicht-seiend, sondern als über-seiend erkannt wird.

Heinrich legt gegen dieses Verständnis der Negation Einspruch ein, weil es in unannehmbare Konsequenzen hineinführt. Denn eine Negation solcher Attribute bezüglich der Kreatur behauptet überhaupt nichts an einem Seienden, sondern entfernt an ihm, was es ist. Privation und Negation sind aber nicht Erkenntnisprinzip für etwas in einem Seienden. Die Verhältnisse sind gemäß seiner hier nur anklingenden Negationstheorie[371] vielmehr umgekehrt, da nach avicennischer Lehre[372] das Sein bekannter ist als das Nichtsein und das Sein durch sich, das Nichtsein aber auf eine bestimmte Weise durch das Sein erkannt wird. Die von Heinrich kritisierte Position will von Gott Dinge zu erkennen, die allein deren Privation im Sein der Kreatur aussagen, falls wegen der Einfachheit des göttlichen Seins überhaupt nichts positiv von der göttlichen Substanz erkannt werden kann. Dies bedeutet aber, daß für den Menschen überhaupt nichts von Gott erkennbar ist, so daß man vom Wesen Gottes nichts anderes zu sagen wüßte, als von einem Menschen zu wissen, daß er kein Stein oder kein Holz sei. Und was noch schwerer wiegt, auch das, was Gott nicht ist, könnte nicht erkannt werden ohne eine irgendwie geartete Erkenntnis dessen, was er ist.

[369] Cf. PS.-DION. AREOP., *De div. nom. 1.*

[370] Cf. IOA. DAMASC., *De fide orth. I,4* Buytaert 19-21.

[371] Für nähere Angaben zu Heinrichs Negations- und Privationslehre cf. Kap. II, § 5,4 zu HENR. DE GAND., *Summa 24,4* Badius 140r-vE.

[372] Die 1642 von H. SCARPARIUS besorgte Edition der *Summa* verweist hier auf AVIC., *Metaph. II,1.* Dort kann aber nach dem Text der von S. VAN RIET erstellten kritischen Edition keine Textentsprechung gefunden werden.

Heinrich hält mit AUGUSTINUS dafür, daß der Mensch jedenfalls nicht wisse, daß er nicht erkennen könne, wie Gott in sich ist.[373] Falls folglich der Mensch gar nicht das Wesen Gottes kennen könnte, könnte er ihn auch gar nicht lieben, weil man wohl mit dem Gesichtssinn unerblickte Dinge lieben kann, keinesfalls aber unbekannte.[374] Heinrich läßt seine Zitatenkette aufgipfeln in den berühmten Worten vom Anfang der 'Bekenntnisse': „Wer kann dich anrufen, ohne dich zu kennen?“[375] In Anknüpfung an die anthropologische These AUGUSTINS, daß der Mensch als Gottsuchender immer auch schon ein Gottfindender ist, muß nach Heinrich dem Menschen auch im Horizont einer aristotelischen Wissenschaftskonzeption und ihrer Begrifflichkeit eine Möglichkeit der Wesenserkenntnis Gottes konzediert werden. Die Anrede an Gott im Herzen des Menschen setzt nach AUGUSTINUS voraus, daß eine gewisse große und höchste, alle veränderliche Kreatur transzendierende Substanz als Gott erkannt ist.[376] Den Zugang zu einer solchen Erkenntnis, die er inhaltlich als sehr gering bewertet, schätzt Heinrich zwar als sehr schwierig, aber doch als möglich ein.

Eine eigene Frage ist die nach dem Träger dieser Wesenserkenntnis Gottes.[377] Nach der - von Heinrich in diesem Punkt uneingeschränkt akzeptierten - aristotelischen Lehre von der teleologisch schaffenden Natur, die nichts umsonst tut,[378] liegt es im Wesen der Natur, daß die von der Natur auf eine bestimmte Tätigkeit hingeordneten Dinge zum Vollzug der ihr eigentümlichen Tätigkeiten von der Natur auch mit entsprechenden Organen ausgestattet werden. Der Mensch ist nun aber, wie ARISTOTELES[379] und mit ihm Heinrich sagen, zur Theorie Gottes hingeordnet gleichsam als zur besten und vollkommensten, die letzte und höchste Glückseligkeit verschaffenden Tätigkeit bezüglich des besten und vollkommensten Gegenstandes der Theorie. Diese Aussage der aristotelischen Eudämonielehre bringt Heinrich mit der augustinischen Imago-Lehre zusammen, nach der diese Gottebenbildlichkeit nicht in den veränderlichen und vergänglichen Akten der eigenen Schau, der eigenen Memoria oder des eigenen Willens zu suchen ist, sondern in der unsterblichen Natur der menschlichen Seele selbst.[380] Daraus ist abzuleiten, daß erstens in einer solchen Betrachtung Gottes dieser zum Gegenstand intellektualen Erkennens wird, zweitens der Gegenstand intellektualen Erkennens die Wesenheit eines Dinges, d. h. hier die Wesenheit Gottes ist und drittens

[373] Cf. AUG., *De videndo Deo* (*epist. 147,14,35*) CSEL 44, p. 309,10-13.
[374] Cf. AUG., *De trin. X,1,1* CCL 50, p. 311,1-14.
[375] Cf. AUG., *Conf. I,1,1* CCL 27, p. 1,9-10.
[376] Cf. AUG., *In Ioa. ev. I,1,8* CCL 36, p. 5,20-22; cf. ROVIRA BELLOSO, *Visión de Dios.* 1960, p. 258.
[377] Die folgenden Überlegungen Heinrichs in *Summa 24,1* greifen häufig Gedanken auf, die er schon in *Summa 4,5* Badius 32vA-33vI entwickelt hat.
[378] Cf. ARIST., *De caelo I 4*, 271a33sqq.; Parallelstellen bietet H. BONITZ: *Index Aristotelicus.* Berlin 1870, col. 836b, lin. 29-39. Heinrich zitiert ARIST., *De caelo II 8*, 290a25-26. 30-31.
[379] Cf. ARIST., *Eth. Nic. X 7*, 1177a12-1178a8.
[380] Cf. AUG., *De trin. XIV,3,4-6* CCL 50A, pp. 426,1-428,64.

die Wesenheit Gottes Gegenstand einer intellektualen Betrachtung ist, auf die der Mensch hingeordnet ist. Zwingend ergibt sich aus diesen Prämissen das Vorhandensein des Intellektvermögens im Menschen als eines entsprechenden menschlichen Organs, das diese Akte der Wesenserkenntnis ausführen kann. Es darf auch, wie Heinrich eigens bemerkt, keine Einschränkung solcher Wesenserkenntnis geben, die diese dem verheißenen Jenseits vorbehalten sein läßt. Wie Heinrich sogar von AVERROES erklären lassen kann,[381] begrenzen zwar vorhandene Schwächen und Defekte des menschlichen Erkennens das intelligible Erkennen, sie verunmöglichen es aber nicht. Die Möglichkeit zur Erkenntnis belegt darüberhinaus das natürliche Verlangen, das Wahre wissen zu wollen. Es kommt erst in der vollkommenen Erkenntnis der ersten Wahren zur Ruhe und würde keineswegs im viatorischen Leben ersehnt, wenn dort nicht diese Erkenntnis auf irgendeine Weise erfaßt würde. Dieses Wissen um Weniges ist dem Menschen Ansporn zum Größten. Die Möglichkeit und der Drang zu einer Wesenserkenntnis Gottes ist dem Menschen konnatural. Es ist theologisch präziser gefaßt eine Gabe des Schöpfers. Heinrich verweist dafür hier und an anderen Stellen auf die augustinischen Worte „Auf dich hin hast du uns geschaffen, und unruhig ist unser Herz, bis es ruht in dir."[382] Heinrich erweitert gewissermaßen die vorige schöpfungstheologische Aussage um eine gnadentheologische und eschatologische Note, indem er mit einem weiteren Augustinus-Zitat schildern läßt, daß dieses Verlangen nach Wesenserkenntnis in der Gottesleidenschaft der Frommen sich wie bei Moses zur offenen Bitte um eine direkte Schau Gottes steigert.[383]

Heinrichs Antwort auf Frage nach der Möglichkeit einer Gotteserkenntnis fällt deutlich aus, so daß er sich eine Widerlegung der ersten beiden Einwände erspart. Mit den beiden Vertretern der ablehnenden Position, JOHANNES DAMASCENUS und GREGOR DER GROSSE, geht er schonend um. Beim Damaszener will Heinrich die Leugnung einer Wesenserkenntnis Gottes nicht generell, sondern nur auf einen bestimmten Fall hin ausgesprochen sehen. GREGORS Meinung stimmt Heinrich insofern zu, als daß alle viatorische Gotteserkenntnis im Rätselbild der Kreatur sich vollzieht und daß alle viatorische wesensbezogene Gotteserkenntnis unterhalb der Einsicht in die unverhüllte Wesenheit Gottes steht.

[381] Cf. AVERR., *Metaph. II,1* ed. Iunt. VIII, fol. 29rB-C.

[382] Cf. AUG., *Conf. I,1,1* CCL 27, p. 1,6-7: *Fecisti nos ad te, et inquietum est cor nostrum, donec requiescat in te.* Heinrich zitiert diesen Text in Texten aus allen seinen Schaffensperioden, z. B. in *Summa 4,5* Badius 33vE; *Qdl. I,14* Macken 87,92sq.; *Qdl. III,17* Badius 79rH; *Qdl. XV,9* Badius 581rE.

[383] Cf. AUG., *De videndo Deo* (*epist. 147,8,20*) CSEL 44, p. 293,17-294,2; Augustins Bibeltext (*Ex 33,13*) weicht von dem später in der *Vulgata* überwiegend gebotenen Text (*ostende mihi viam tuam*) ab, findet aber eine Entsprechung in der bis zur Pariser Bibel der Sorbonne vorherrschenden Version ALKUINS (*ostende mihi faciem tuam*); cf. BIBLIA SACRA VULGATA, ed. R. WEBER, app. crit. ad loc.

Das im 13. Jahrhundert umkämpfte Verständnis einer essentialen Erkenntnis Gottes gab der negativen Theologie großen Auftrieb und neue Einflußmöglichkeiten auf die theologischen Traktate. Heinrich nimmt den Einspruch der negativen Theologie außerordentlich ernst. Ihrem Anliegen, die Erhabenheit Gottes zu wahren, stimmt er ebenso zu wie ihrer einschränkenden Beurteilung des menschlichen intellektualen Vermögens, das aus sich selbst, sondern nur mit göttlicher Hilfe vergöttlicht werden kann. Aber Heinrich ergänzt sie in einem für seine Gotteslehre zentralen Aspekt, indem er das Offenbarsein Gottes als unerzwingbares Offenbarseinwollen deutet. Offenbarung ist prinzipiell ein Freiheitsgeschehen. In einer für seine Zeit ungekannten Deutlichkeit macht Heinrich dies auch für alle Formen natürlicher Gotteserkenntnis geltend.[384] Bereits im vernunftbegründeten Gotterkennen erfährt der Mensch eine Hinwendung Gottes zu ihm, die eine vom Schöpfer eingestiftete Dynamik des Vernunfterkennens entfaltet, die im gläubigen Erkennen bestärkt und beschleunigt und in der unverhüllten Schau des göttlichen Wesens entgrenzt und vervollkommnet wird.

Damit ist zugleich ein weiteres Charakteristikum der henrizianischen Überlegungen berührt. Denn Heinrich begründet die Möglichkeit einer Wesenserkenntnis Gottes nicht durch selbstbegründete Tätigkeiten des menschlichen Geistes, der kraft eigenen Vermögens ein Gegenüber erfassen will, das ihm als Gegenstand des höchsten Verstandesaktes ein selbstgenügsames Dasein ermöglicht. So verfährt etwa der archaische Aristotelismus des BOETHIUS VON DACIEN[385], der wahrscheinlich Kollege Heinrichs während dessen Lehrtätigkeit an der Pariser Artes-Fakultät war. Heinrich setzt vielmehr bei inneren - sowohl intellektualen wie volitiven - Akten des menschlichen Geistes an, in denen der Mensch seiner Begrenztheit inne wird, sich öffnet und seine Natur transzendiert, so bei der Sehnsucht nach der höchsten Wahrheit, bei der noch so unbestimmten Liebe zum Höchsten oder bei der Anrufung Gottes im Herzen des Menschen. In diesen unabweisbaren gegebenen Akten inwendigen geistigen Lebens ist die Möglichkeit zu einer noch so schwachen Wesenserkenntnis Gottes längst in den realen Vollzug übergetreten. Über

[384] Die Ambivalenz der henrizianischen Doktrin zeigt die heftige Reaktion des DUNS SCOTUS, *Ord. I, dist. 3,1,4* n.202-280 ed. Vat. III, pp. 123-172, für den eine derart voluntarisierte Illuminationslehre gerade nicht Sicherheit für das natürliche Erkennen der menschlichen Vernunft verschafft. Durch die Verankerung in den göttlichen Willen wird nach SCOTUS die Mitteilung dieses Lichtes an jeden Menschen wegen der Kontingenz der Weltordnung fraglich, so daß man mit Heinrichs Theorie vielmehr auf die Bahn zum Skeptizismus gerate. Cf. HONNEFELDER, *Ens inquantum ens.* 1979, pp. 193-205.

[385] Cf. BOETH. DE DACIA, *De summo bono* CPhDMA VI/2, pp. 369-377; dazu A. J. CELANO: *Act of the Intellect or Act of the Will: The Critical Reception of Aristotle's Ideal of Human Perfection in the 13th and Early 14th Centuries.* In: AHDL 57 (1990), pp. 93-119, zu Heinrich pp. 103-113. 117sq.; ID.: *Boethius of Dacia: 'On the Highest Good'.* In: Tr 43 (1987), pp. 199-214.

das Zustandekommen dieser intellektualen und volitiven Dynamik gibt Heinrich aber erst an späterer Stelle Auskunft.

2. *Die Erkennbarkeit des göttlichen Wesens für die natürliche Erkenntniskraft*

Eine Begründung des Faktums eines Wesenserkenntnis Gottes, die die voraufgehende Quästion unternommen hat, klärt noch nicht hinreichend, mit welchen Kräften ein solches Erkennen ins Ziel kommt.[386] Gerade die negative Theologie christlich-neuplatonischer Provenienz brachte Argumente auf, die den rein natürlichen Vernunftkräften auf diesem Gebiet wenig oder nichts zutrauten. Widerpart dieser Skepsis gegenüber der natürlichen Vernunft ist erklärtermaßen die aristotelische Tradition. In einem ersten Argument für eine natürliche Wesenserkenntnis Gottes wird die natürliche Vernunft als universale Instanz aller Verstandesoperation stark gemacht. Das, wodurch alle andern Dinge erkannt werden und wodurch auch über diese geurteilt wird, wird notwendig durch die anderen erkannten Dinge erkannt. Deswegen werden alle anderen Konklusionen erkannt, und es ist selbst als Beweisprinzip noch eher als die Konklusionen gewußt.[387] Wie das materielle Licht vom Auge beim Erkennen der Farben und deren Beurteilung erkannt wird, so werden auch die ersten Prinzipien vom Intellekt erkannt beim Erkennen der Konklusionen und deren Beurteilung. Derart ist nach bereits zitierten Texten AUGUSTINS auch die mit der göttlichen Quiddität identische erste Wahrheit.[388] Der zweite Einwand greift eine augustinische Aussage auf, nach der die Vernunft verspricht, dem menschlichen Geist Gott so zu zeigen, wie den Augen die Sonne gezeigt wird.[389] Aber die Sonne wird den Augen durch die Präsenz ihrer Wesenheit gezeigt. Folglich verspricht also die Vernunft, Gott durch seine Wesenheit zu zeigen, was sie nicht verspräche, wenn sie es nicht erfüllen könnte. Die Vernunft kann es also, und sie ist keine andere als die natürliche. In einem dritten Einwand wird die Wahrheit gemäß ARISTOTELES als Ziel und wesensmäßiger Gegenstand des intellektualen Erkennens deklariert.[390] Aber in den Dingen, die durch sich sind, geht man vom Einfachen zum Einfachen weiter, und zwar immer weiter ins Unendliche.[391] Dies erläutert ARISTOTELES dadurch, daß die medizinische Kunst sich unbegrenzt auf die Gesundheit

[386] Zur Textinterpretation von HENR. DE GAND., *Summa 24,2* Badius 137vH-138rM cf. DE WULF, *Hist. philos. scol. Pays-Bas.* 1893, pp. 182. 188; HAGEMANN, *De ... Ontologismo, II.* 1898, p. 10; ALFARO, *Lo natural.* 1952, p. 364.

[387] Cf. ARIST., *Anal. Post. I 2,* 72a29-30; cf. ANON., *Auct. Arist.* (35, nr.29) Hamesse 313,18-19.

[388] Cf. die in HENR. DE GAND., *Summa 1,3* Badius 8vT-11rL zitierten Augustinus-Stellen.

[389] Cf. AUG., *Solil. I,6* CSEL 89, p. 19,18-24.

[390] Cf. ARIST., *Metaph. II 1,* 993b20-21.

[391] Cf. ARIST., *Topic. V 8,* 137b20-27.

bezieht und ebenso das Ziel jedes anderen Könnens unbegrenzt ist.[392] Da nun der Mensch eine bestimmte Wahrheit aus rein natürlichen Kräften erkennen kann, kann er dies bei einer größeren Wahrheit noch stärker und bei der höchsten Wahrheit am stärksten. Anders als das Verhältnis von Sinnfälligem und Sinnesvermögen schwächt eine gezielte intellektuale Ausrichtung nicht den Intellekt, sondern bestärkt ihn vielmehr. Denn nach Kenntnisnahme eines Intelligibleren sieht der Intellekt ein weniger Intelligibles nicht weniger ein, sondern mehr.[393] Da nun die höchste Wahrheit die göttliche Quiddität ist, ist auch sie mit natürlichen Kräften des Intellekts erreichbar. Der vierte Einwand geht vom aristotelischen Grundsatz aus, daß man die Wahrheit nicht weiß, ohne daß man ihre Ursache kennt.[394] Die erste Wahrheit ist Ursache aller übrigen Wahrheiten im realen und im veritativen Sein. Folglich weiß man keine andere Wahrheit, ohne daß man die erste Wahrheit kennt. Da aber viele Wahrheiten aus rein natürlichen Kräften erkannt werden, erkennt man folglich auch die erste Wahrheit, die die göttliche Quiddität ist.

Der Gegeneinwand, der auf die Betonung der unendlichen Distanz von Schöpfer und Geschöpf aus ist, bemüht AUGUSTINUS, nach dem alles Gewußte nicht anders als durch die Erkenntnis des Wissenden begriffen wird.[395] Demnach wird alles aus natürlichen Kräften Gewußte mit natürlichen Kräften begriffen. Da aber die göttliche Quiddität reines, unbegrenztes Sein ist, kann sie nicht vom begrenzten natürlichen Sein der Kreatur begriffen werden.

Den Ansatz zur Lösung des Problems sieht Heinrich in der Ausfaltung der Erkenntnistätigkeit in drei Erkenntnisweisen.[396] Sensuales und intellektuales Erkennen werden erneut parallelisiert. Die erste Form sensualen Erkennens einer Sache (1) geschieht aufgrund der unverhüllten Präsenz der Sache durch ihr Wesen, so wie das Auge die Farben an der Wand sieht. Die beiden anderen Erkenntnisform gelingen bei der Abwesenheit der Sache. Die erste der beiden (2) erkennt die Sache durch deren eigentümliches Erkenntnisbild. Ein Mensch kann so z.B. sich im Dunkeln Farben vorstellen. Die andere und insgesamt dritte Erkenntnisform (3) erkennt eine Sache durch ein fremdes Erkenntnisbild. Ein Schaf, das einen Wolf sieht, schätzt ihn so durch das Erkenntnisbild seiner Färbung und seiner äußeren Gestalt als Feind und Schädling ein.

[392] Cf. ARIST., *Polit. I 9*, 1257b25-26.

[393] Cf. ARIST., *De an. III 7*, ed. Iunt. Suppl. II, p. 154vE.

[394] Cf. ARIST., *Phys. I 1*, 184a10-16.

[395] Cf. AUG., *De civ. Dei XII,18* Dombart/Kalb 539-541.

[396] Cf. HENR. DE GAND., *Summa 24,2* Badius 138rI: *Dicendum ad hoc, quod ad modum triplicis cognitionis sensitivae contingit imaginari de Deo triplicem cognitionem intellectivam. Est enim quaedam cognitio sensitiva rei ex eius praesentia nuda per essentiam suam, sicut oculus videt colores in pariete. Est autem alia cognitio sensitiva rei in eius absentia, et haec est duplex. Una quae res ipsa cognoscitur per suam propriam speciem, sicut homo imaginatur in tenebris colores quos vidit in lumine. Alia quae res cognoscitur per speciem alienam, sicut ovis videns lupum, per speciem coloris eius et figurae aestimat inimicum et nocivum.*

Bei der Übertragung auf das intellektuale Erkennen Gottes ergibt sich für die erstgenannte Form, daß man Gott unmittelbar durch seine unverhüllte Wesenheit erkennt, und zwar in einem einfachen und nicht in einem diskursiven, ein weiteres Erkenntnismedium benötigenden Erkennen.[397] Dies ist das Erkennen der eschatologischen Schau. Ein derartiges Erkennen Gottes durch Gottes Wesen ist jeder Kreatur aus natürlichen Kräften unmöglich. Auch die allgemeine Gnade vermag nicht dem viatorischen Intellekt ein solches Erkennen zu verschaffen, wenngleich Heinrich sie wohl aufgrund der Meinung AUGUSTINS Moses und Paulus zubilligt, weil diesen beiden eine Entrückung bzw. ein Gnadenprivileg zugekommen ist.[398] Mit einem Zitat der ps.-augustinischen Schrift *De fide catholica 6,18* unterstreicht Heinrich, daß gemäß *Ex 3,14* Gott allein wahrhaft ist und im Vollsinn seine Wesenheit, sein Erkenntnisbild und seine Form genannt werden kann. Daher kann nicht schon in diesem Leben vom menschlichen Erkennen der Gott usurpiert werden, der sich im zukünftigen seinen Auserwählten schenkt.[399] Die zweite Erkenntnisweise kann auch nicht vom viatorischen Intellekt vollzogen werden, weil Gott kein Erkenntnisbild hat, das ein anderes als seine Wesenheit wäre. Nichts ist nämlich einfacher als die göttliche Wesenheit.[400] Es bleibt allein die dritte Erkenntnisweise übrig, in der die Präsenz der göttlichen Wesenheit durch den Beistand der allgemeinen göttlichen Erleuchtung aus den Geschöpfen erkannt werden kann.[401]

[397] Cf. HENR. DE GAND., *Summa 24,2* Badius 138rI: *Ad modum primae cognitionis sensitivae Deus cognoscitur immediate per nudam essentiam, et hoc simplici intelligentia, non ratione collativa per aliquod medium rationis. Unde et illa cognitio dicitur cognitio visionis, quia in ea videt Deum oculus mentis ad modum quo videt oculus corporis formam coloris. Hoc modo scire vel intelligere de Deo quid sit per essentiam, non contingit alicui creaturae ex puris naturalibus, de quo in se debet esse bona quaestio, neque similiter cognitione tali cognoscibilis est in vita ista ex communi gratia, secundum quod dicit Augustinus in libro 'De fide catholica': 'Tua essentia et species potest dici et forma et est id quod est. Reliqua autem non sunt id quod sunt. Haec verissime potest dicere: Ego sum qui sum. Haec tanta et talis est, ut de eius visione nihil in hac vita sibi usurpare mens humana audeat, quod solis electis tuis praemium in subsequenti remuneratione reservas.' Unde super illud* [*I Tim 6,16*]: *'Habitat lucem inaccessibilem, quam nullus hominum vidit, sed nec videre potest', Glosa: 'In hac vita, post autem videbitur.' Intelligo autem in hac vita secundum communem cursum et secundum communem gratiam. In raptu autem ex gratia privilegiata bene potest videri etiam in vita ista, sicut viderunt eum Paulus et Moyses, ut determinat Augustinus in libro 'De videndo Deo' ad Paulinam.*

[398] Cf. AUG., *De videndo Deo* (*epist. 147,13,31*) CSEL 44, pp. 305,2-307,4.

[399] Cf. PS.-AUG. [FULG. DE RUSPE], *De fide catholica 6,18* CCL 91A, p. 745; den Gedanken der postmortalen Schau belegt Heinrich auch mit der *Glossa ad I Tim 6,16.*

[400] Cf. HENR. DE GAND., *Summa 24,2* Badius 138rI: *Ad modum autem secundae cognitionis sensitivae non est Deus omnino natus cognosci, quia non habet speciem sui aliam a sua essentia qua cognoscibilis sit, quia nihil potest esse simplicius essentia eius, de quo alias debet esse sermo* [cf. *Qdl. III,1* Badius 47rO-48vZ].

[401] Cf. HENR. DE GAND., *Summa 24,2* Badius 138rI: *Ad modum autem tertii modo cognitionis sensitivae sic in praesenti cognoscitur quid sit ex puris naturalibus assistente divina illustratione generali, et hoc est ex creaturis, ut videbitur in sequentibus.*

Heinrichs Erwiderung auf den ersten Einwand ist sachlich und terminologisch höchst aufschlußreich.[402] Er gibt dem Argument statt, sofern damit gemeint ist, daß es im gewöhnlichen Erkennen - abgesehen von gnadengeschenkten Entrückungen und dergleichen - keinen Erkenntnisgrund für die Erkenntnis der anderen Dinge gibt als jene dritte Erkenntnisweise, die ihr Erkennen aus den Geschöpfen nimmt. Diesen Erkenntnisgrund (*ratio cognoscendi alia*) nennt er gleichsam das Ersterkannte (*tamquam primo cognitum*). Mit dieser terminologischen Gleichstellung verrät Heinrich erkenntnistheoretische Grundpositionen, die er in seiner Theorie zusammenführen möchte. Da ist zunächst zu denken an die im ersten Einwand genannte aristotelische Doktrin von der Einsicht in die ersten Prinzipien des Denkens, die die erste Wahrheit berühren. Alles szientifische Konklusionswissen nimmt von diesen selbstevidenten, nicht mehr begründbaren Prinzipien seine Sicherheit und Wahrheit. Heinrich ist auch an der Abwehr eines Skeptizismus[403] und am Aufbau einer Theorie rationalen Wissens sehr interessiert, aber er verlangt dafür anders als ARISTOTELES eine entschiedene Klärung und Vertiefung der theologischen Komponenten dieses rationalen Wissens. Diese wiederum leisten ihm die im Anschluß an AUGUSTINUS vorangetriebenen Überlegungen über die *rationes aeternae* und *regulae aeternae*. Sie gewähren als *ratio intelligendi* eine Teilhabe am intelligiblen Wesen Gottes, der selber in höchster Weise *causa essendi, ratio intelligendi, ordo vivendi*[404] ist. Schließlich geht es Heinrich auch um die Lehre von den ersterkannten Primärbegriffen, die bei AVICENNA die epistemologischen Grundlagen einer Essenzmetaphysik bilden, welche nach Heinrichs Sicht in philosophisch allein gültiger Weise den metaphysischen Gottesbegriff des einzig-einfachen, notwendigen Seins entfaltet. Heinrich läßt den Leser bei diesen Andeutungen stehen und verweist - wie auch bei der Entgegnung auf den vierten Einwand - auf die folgenden Quästionen.

Das vom zweiten Einwand aus augustinischen Texten aufgegriffene Versprechen der Vernunft, Gott in unverstellter Weise zu zeigen, behält nach Heinrich seine Gültigkeit.[405] Aber der Vernunft gelingt dies nicht in autarker

[402] Cf. HENR. DE GAND., *Summa 24,2* Badius 138rI: *Et de isto tertio modo cognoscendi processit prima ratio. Aliter enim Deus secundum communem cursum huius vitae nobis non est ratio cognoscendi alia (dico tamquam primo cognitum) quam secundum illum modum, quo cognitio eius capitur ex creaturis, ut infra videbitur.*

[403] Die Erforschung des Skeptizismus im Mittelalter steht leider noch sehr in den Anfängen; cf. M. LAARMANN: *Skeptizismus.* In: LexMA VII (1995), col. 1972-1974.

[404] Cf. AUG., *De civ. Dei VIII,4* Dombart/Kalb 326,19-20, der diese Trias, die eine theozentrische Einteilung der Philosophie in (Meta-)Physik, Logik und Ethik wiedergibt, ausdrücklich PLATO zuschreibt.

[405] Cf. HENR. DE GAND., *Summa 24,2* Badius 138rK: *Ad secundum, quod ratio promittit se demonstraturam Deum, ut oculis demonstratur sol, dicendum, quod verum est, sed non omnino in virtute sua, sed in virtute luminis gloriae vel specialis gratiae, cuius est susceptiva et firmitur per fidem se suscepturam confidit, si bene naturalibus suis usa fuerit, quia habenti dabitur. Et in tali confidentia illud promittit, non praesumendo de virtute naturali propria, sed de divina bonitate gratuita.*

Weise und in vermessenem Vertrauen auf die eigenen Kräfte, sondern nur durch aus göttlicher Güte gnadenhaft gewährte Mithilfe des Glorienlichts oder einer speziellen Gnade. Die Vernunft ist dabei das aufnehmende Vermögen. Durch den Glauben bestärkt, vertraut sie fest darauf, Gott zu erfassen, wenn sie ihre naturgegebenen Anlagen in rechter Weise nutzt, da verheißen ist, daß „dem, der hat, gegeben wird" (vgl. *Mt 13,12*).

Große Aufmerksamkeit schenkt Heinrich dem dritten Einwand. Dieser behauptete eine unendliche prozessuale Steigerung der intelligiblen Helle des Gewußten hin bis zum höchsten Prinzip des Wißbaren, der Wahrheit selbst. Heinrich wittert hier ein falsches Verständnis von der Unendlichkeit der göttlichen Wahrheit. Das zitierte Axiom, demnach vom einen Einfachen zum anderen Einfachen immer stärker erkennend ins Unendliche fortgeschritten werde, begrenzt Heinrich in seiner Gültigkeit auf Dinge, die in sich, also wesensbedingt sich zueinander verhalten. Ein Beipiel ist das Weiße und das unterscheidende Trennen, bei denen das Weißere auch stärker und das Weißeste am stärksten trennt. Gemessen am wesenbedingten Verhältnis von Erkennen und Wahrheit gilt dies entsprechend für die Erkenntnis der Wahrheit und das Erstreben des Guten. Auf diese Weise ist das Ziel der Kunst unbegrenzt. Weil nämlich der Könner das Ziel seines Werkes aus sich gemäß der Zielanstrengung erstrebt, folgt die Anstregung des Strebens, wie wenn ein Arzt die Erstellung der Gesundheit erstrebt, er noch stärker die Erstellung einer kräftigeren Gesundheit erstrebt. Wüchse die Bestimmung der Gesundheit ins Unendliche, täte sein Streben es in ähnlicher Weise. An dieser Stelle greift Heinrich ein. Denn das so beschriebene Verhältnis findet sich nicht wieder im Wechselverhältnis von Wahrheit und Erkenntnisvermögen im Wissenden, ebenso nicht im Verhältnis der Gesundheit zum subjektiven Aufnahmevermögen der Gesundheit. Wie daher der Arzt eine immer größere, ins Unendliche sich steigernde Gesundheit gemäß dem Wachstum der Gesundheit erstrebt, erstellt er aber die Gesundheit in seinem Patienten nicht in solcher Weise, sondern nach dessen subjektiver Möglichkeit.[406] Jemand, der weiß oder zum Wissen und Erkennen befähigt ist, kann für den Fall, daß die Wahrheit und das Wißbare in ihrer Bestimmung ins Unendliche wachsen, sie nicht erkennend erfassen außer nach Grad und Maß seiner eigenen Natur.[407] Daraus darf nach Heinrich kein Defekt auf seiten des Erkennbaren abgeleitet

[406] Cf. ARIST., *De coelo II 62. 64* ed. Iunt. V, fol. 140rF-vL. 142rF-143rA.

[407] Cf. HENR. DE GAND., *Summa 24,2* Badius 138rL: *Si sciens sive potens scire et cognoscere, licet veritas et scibile excrescat per intentionem in infinitum, non tamen potest eam recipere per cognitionem nisi secundum modum et gradum esse et naturae suae, ut dictum est. Nec est in hoc defectus aliquis ex parte cognoscibilis ex natura eius excellentiae, quam non potest pati recipiens, sicut est ex parte solis, ne videat eum oculus vespertilionis, sed ex parte subiecti, quia omnino eum capere non potest. Immo si capere posset quantumcumque debiliter, capientem confortaret, ut semper magis ac magis posset se cognoscere et alia et numquam corrumperet, econtrario ei quod contingit in sole et universaliter circa excellentiam sensibilium. Sed hoc habet per se quaestionem bonam.*

werden, nur weil aufgrund seiner erhabenen Natur der Erkennende es nicht erfassen kann. Der Mangel liegt allein auf seiten des Erkennenden, denn er kann das unendlich Wißbare überhaupt nicht erfassen. Andererseits ist Heinrich zu dem Zugeständnis bereit, daß bei einer auch noch so schwachen Erfassung das Erfaßte den Erkennenden in seinem Tun bestärkt, immer mehr sich und die anderen Dinge zu erkennen, und ihn nicht beeinträchtigt. Dies widerfährt dem Erkennenden nämlich bei der Blendung der Augen durch die Sonne und generell hinsichtlich der Erhabenheit der Sinnendinge. Heinrich fordert somit ein kritisches Verständnis des Unendlichen im Wissen, im Wißbaren und im Wissenden. Die für das gestellte Problem entscheidende Bestimmung ist die vom Erkenntnissubjekt selbst nicht aufhebbare Begrenzung seiner intellektualen Fassungskraft. Der Nachweis einer natürlichen Wesenserkenntnis Gottes ist also - ohne Mißverständnis der natürlichen Erkenntnisordnung und ohne Vorverweis auf eine gnaden- oder glorienermöglichte Gotteserkenntnis - innerhalb dieser Grenze zu führen.

3. Die Koinzidenz der Erkenntnis von Gottes Existenz und Wesenheit

Die in *Summa 22,1* und nochmals in *Summa 23,1* begründete Identität der Quiddität Gottes mit ihre Existenz erhält epistemologische Brisanz durch das von Heinrich übernommene aristotelische Axiom, daß alles sich so zur Wahrheit verhält, wie es sich zum Erkennen verhält. Denn die Wahrheit der göttlichen Existenz und des göttlichen Wesens ist identisch und ungeteilt, insofern das Dasein Gottes auch sein Wassein ist. Dies führt zu der ebenso problematischen wie erklärungsbedürftigen These einer Koinzidenz der Erkenntnis von Gottes Existenz und Gottes Wesenheit.[408] Bevor Heinrich sich genau dieser Frage zuwendet, stellt er im Spiegel seiner Wesensontologie hochdifferenziert die Genese szientifischen Wissens dar. Grundlage der henrizianischen Überlegungen, die stark auf seine schon früher dargelegte Wesensontologie zurückgreift,[409] ist die für die aristotelische Wissenschaftslehre zentrale Unterscheidung der Frage nach der Existenz (*si est*) von der Frage nach dem Wesen

[408] Zur Textinterpretation von HENR. DE GAND., *Summa 24,3* Badius 138rN-139vZ cf. PAULUS, *Argument ontologique.* 1935, pp. 297-303. 312. 315sq. 318; ID., *Essai.* 1938. pp. 25. 31. 39-43. 47. 51. 288; BARTH, *De tribus viis.* 1943, p. 97. 104; GÓMEZ CAFFARENA, *Ser participado.* 1958, pp. 29. 42. 44-46. 47. 51. 53. 183. 197. 201. 251; HOERES, *Wesen und Dasein.* 1965, pp. 125-127; DUMONT, *Source.* 1982, pp. 107-154; ID., *Metaph. Proof.* 1984, pp. 336. 342-349; SCHÖNBERGER, *Transformation.* 1986, pp. 111. 307-309 (ad 138vP. O); PORRO, *Enrico di Gand.* 1990, pp. 20-23. 28. 32. 35-38. 52; ID., *Ponere statum.* 1993, p. 117. - Heinrichs Ansichten erfuhren schon 1290/91 eine sehr ausführliche Kritik durch GODEFR. DE FONT., *Qdl. VII,11* De Wulf/Hoffmans 377-387 (dazu WIPPEL, *Metaphysical Thought.* 1981, pp. 105-115; DUMONT, *Source.* 1982, p. 329sq.), auf die IOA. DUNS SCOTUS, *Ord. I, dist. 3,1,2* n.16 ed. Vat. III, pp. 7,12-8,2 ausdrücklich hinwies.

[409] Cf. zu Heinrichs Wesensontologie bes. Kap. II, § 2,4.

(*quid est*) einer Sache.[410] Sie ist von Heinrich auch als Gliederungsprinzip von *Summa 21-24* benutzt. Der vierstufige Prozeß der Erkenntnisgewinnung beginnt mit einer (1) Nominaldefinition einer Wesenheit, deren fiktiver oder realer Charakter festgestellt wird. Nach einer (2) Untersuchung, ob eine fiktive oder reale *res* gemeint ist, wird (3) die reale Wirklichkeit einer Wesenheit erkundet, um schließlich (4) zu überprüfen, ob der realen Wesenheit ein bestimmtes Attribut, z.B. aktuelle Existenz, zukommt.

(1) An die Spitze der Abhandlung stellt Heinrich - nach einer Begriffsklärung, in der er mit Bezug auf die 'Zweiten Analytiken' ausführt, daß *si est* und *quid est* entweder als Vorwissen (*praecognitio*) oder als Gegenstand einer Untersuchung (*quaestio*) bestimmt werden kann[411] - die allererste aller Erkenntnisse. Sie ist die Erkenntnis des *quid est* als Vorwissen, das in einer dürftigen, einfachen und sehr konfusen Vorstellung (*conceptus*) des durch den Namen Bezeichneten besteht.[412] Nichts in dem durch den Namen Bezeichneten ist determiniert, weder ob es ein real Seiendes ist oder ein Nichtseiendes. Dieses *quid est* als Vorwissen ist eine bloße Vorstellung, keine *res a ratitudine*, sondern eine *res a reor reris*, die ihrem Begriff nach nicht auf etwas im *esse essentiae* oder im *esse existentiae* festgelegt ist. Sie steht auch indifferent sowohl gegenüber den Nichtsein und reinen Nichts als auch gegenüber allem, was eine Wesen-

410 Cf. ARIST., *Metaph. II 1*, 993b30-31. Das Zitat findet sich bereits in HENR. DE. GAND., *Summa 21, prologus* Badius 123rS. - Zur allgemeinen Behandlung der *si est/quid est*-Frage bei Heinrich cf. PAULUS, *Argument ontologique.* 1935, pp. 297-311; ID., *Essai.* 1938, pp. 28-43; GÓMEZ CAFFARENA, *Ser participado.* 1958, pp. 44-58; HOERES, *Wesen und Dasein.* 1965, pp. 153-161; DUMONT, *The quaestio si est.* 1984, pp. 342-349; PORRO, *Enrico di Gand.* 1990, pp. 17-40, spec. 32-36.

411 Cf. HENR. DE GAND., *Summa 24,3* Badius 138vO: *Hic primo videndum est, quod sciatur de re sciendo si est et quod sciendo quid est. Aliter enim non poterimus scire convenientiam et differentiam ipsorum. Prius enim oportet aliqua cognoscere in se, antequam possit cognosci eorum convenientia aut differentia inter se. Sciendum ergo primo de si est et similiter de quid est, quod utrumque uno modo est praecognitio, secundum quod Philosophus determinat de eis in principio primi Posteriorum. Alio vero modo est quaestio, secundum quod determinat de eis in primi secundi Posteriorum, et se habent quid est et si est in omnibus suis acceptionibus adinvicem secundum hunc ordinem.*

412 Cf. HENR. DE GAND., *Summa 24,3* Badius 138vO: *Quid est enim praecognitio est nuda et simpliciter cognitio et intellectus confusus eius, quod significatur per nomen, nihil in significato nominis determinando neque quod sit eius, quod est ens in rerum natura neque quod sit non ens, sed solum quod de se sit conceptus aliquis, et res non a ratitudine, sed a reor reris dicta, quae ex sua intentione non determinat aliquid esse essentiae vel existentiae neque non esse, sed se habet per indifferentiam ad id quod purum nihil est, ut hircocervus vel tragelaphus, et quod est essentia et natura aliqua secundum quod supra expositum est. Et ideo ex cognitione eius quod quid est ut est praecognitio, solum quod dicitur per nomen intelligere oportet, ut dicitur in principio Posteriorum. Et est primum, quod per vocem apprehenditur, et procedens omnem aliam notitiam et scientiam de re quacumque. Praecedit enim cognitionem de re significata si est aut non est, sive quoad esse essentiae sive quoad esse existentiae. Unde cognitio eius quod quid est, cum est praecognitio, indifferenter se habet ad ens et non ens et neutrum determinat. 'Significare enim per nomen est et quae non sunt sicut ea quae sunt', ut dicitur II Posteriorum. Unde istud quid est, nihil aliud est quam ratio nominis, quid scilicet nomen significet.*

heit und Natur besitzt. Das Erkennen eines solchen *quid est* als Vorwissen besteht einzig in der Einsicht in die Bedeutung des Namens, die durch ein ausgesprochenes Wort erfaßt wird. Dieses Vorwissen geht allem szientifischen Wissen voraus, selbst der Kenntnis des *si est* und ohnehin der des *esse essentiae* und *esse existentiae*. Indifferent zum Seienden und Nichtseienden determiniert es keines von beiden, so daß es analog sowohl für das Seiende wie auch das Nichtseiende ausgesagt werden kann.[413] Das *quid est* als Vorwissen bestimmt daher diese von ARISTOTELES festgehaltene Signifikationsleistung des Namens als den Begriff eines Namens (*ratio nominis*), d. h. als ein nominales *quid*.

(2) In dem Moment, in dem eine Vorstellung vom Begriff eines Namens - z.B. der indikativischen Name 'Mensch' oder 'Bockhirsch' - erkannt worden ist, gerät der Mensch sofort in Zweifel darüber, weil der Begriff des Namens von sich aus nicht determiniert hat, ob es ein Ding, d. h. eine Natur im Sinne des *esse essentiae* ist oder nicht.[414] Ist noch beim *quid est* als Vorwissen nach einer *res* als *res a reor reris* gefragt worden, so stellt sich nun die Frage *si est* nach einer *res* als *res a ratitudine*, dessen Wissen Heinrich im Anschluß an ARISTOTELES[415] als *si est incomplexum* vom später erklärten *si est complexum* absetzt. Dieses erste Zweifeln hat sein Fundament in der ersten Vorstellung des Geistes (*conceptus mentis*), d.i. das Seiende, das zu seinem kontradiktorischen Gegenstück, dem Nichtseienden, in Beziehung gesetzt wird. Auf dieser fundamentalen Distinktion beruht das logisch-ontologisch verstandene Widerspruchsprinzip als die erste allgemeine, will heißen selbstevidente Vorstellung des Geistes. Sowohl ARISTOTELES wie auch AVICENNA haben es gegen seine Leugner vom Signifikat des Namens her verteidigt, weil kein derartiges Prinzip dem menschlichen Erkennen vorausliegt außer der determinierten Namensbezeichnung und der entsprechenden nominalen Kenntnis des *quid est*. Deswegen ist am Anfang allen szientifischen Erkennens der Zweifel zu klären, ob eine *res* eine Natur im *esse essentiae* ist oder nicht. Damit ist in Heinrichs Wesensontologie dem aristotelischen Axiom entsprochen, daß es vom Nichtseienden keine Wissenschaft geben könne.[416] Das benötigte Wissen bezieht

[413] Für den analogen Gebrauch cf. HENR. DE GAND., *Summa 21,2* Badius 124rF. vO.

[414] Cf. HENR. DE GAND., *Summa 24,3* Badius 138vP: *Quo cognito statim de concepto in ratione nominis, ut quod nomen indicativum sit eius quod est homo aut tragelaphus, statim dubitat homo de eo quod ratio nominis de se non determinavit, videlicet si est vel non est res, scilicet aut natura aliqua quoad esse essentiae, et est prima dubitatio fundata super primum conceptum mentis qui est entis, in respectu ad suum contradictorium quod est non ens, super quo fundatur prima communis animi conceptio. 'De quolibet affirmatio vel negatio, et non simul de eodem'. Unde Philosophus IV Metaphysicorum et Avicenna Metaphysicae suae disputant contra negantes hoc ex nominis significato, tamquam nihil aliud sit praecedens huiusmodi principium in humana cognitione nisi determinata nominis significatio et cognitio eius quod quid est, quod dicitur per nomen. Unde dubitatio de re quaecumque an sit in esse essentiae natura aliqua an non, debet determinari in principio cuiuslibet cognitionis scientialis. 'De quo enim habetur scientia, necesse est scire quod est, quod enim non est, nullius scit', ut dicitur in II Posteriorum.*

[415] Cf. ARIST., *Anal. Post. II 1*, 89b24-90a5.

[416] Cf. ARIST., *Post. II 7*, 92a34-b38. Cf. HENR. DE GAND., *Summa 26,1* Badius 157vE: *Non*

sich nach Heinrich auf eine erste, einfachste inkomplexe Vorstellung eines Seienden (*primus simplicissimus conceptus incomplexus entis*), die von der nominalen Vorkenntnis gewonnen ist.[417] Es ist eine erste und einfachste Vorstellung, denn es stammt vom einfachhin ausgesagten absoluten Sein, ohne daß bei ihm Bestimmungen durch Kategorien oder Prädikabilien vorgenommen sind. Nach AVICENNA ist dies sofort in einem ersten Eindruck in die Seele eingedrückt. Jede andere Kenntnis einer *res* - sei sie geschaffen oder ungeschaffen, Substanz oder Akzidens - erfolgt additiv zu dieser Ersterkenntnis, so wie sich jede Bestimmung eines Seienden (*intentio entis*) additiv zum Sein verhält und sich durch seinen Wesengrund (*ratio*) oder durch eine Bestimmung eine Differenz erstellt. Das Sein der *res* wird dabei unter der Bestimmung erfaßt, unter der es Gegenstand der Metaphysik ist, und d. h für Heinrich: im Hinblick auf seine bloße Quiddität (*esse essentiae*), nicht aber auf seine aktuale Existenz (*esse existentiae*). Wie Heinrich ausdrücklich aufmerksam macht, ist diese Kenntnis *si est incomplexum* einer *res* bezüglich aller eigenen inneren Bestimmungen seiner selbst stets die erste Kenntnis, im Hinblick auf eine andere *res* kann sie aber auch die frühere, vorangehende Kenntnis sein.[418] Im ersten Fall liegt ungeachtet des unbestimmten Wissens über die Existenz dieser oder jener *res* ein Vorwissen (*praecognitio*) vor, das die ersten Gegenstände eines Wissen ausmacht. Aber es erschließen sich durch Perspektivenwechsel der wissenschaftlichen Betrachtung auch Prioritätsgrade im Wissen. Bestimmten *res* ist ein einfaches Sein (*esse simpliciter*) zu eigen, das nur durch das einfa-

requiritur, ut res sit in existentia ad hoc, quod de ipsa sit scientia, sed sufficit, quod sit res et natura in sua essentia.

[417] Cf. HENR. DE GAND., *Summa 24,3* Badius 138vP: *Et est istud scire de primo et simplicissimo conceptu incomplexo entis, qui natus est haberi de eo quod scitur praecognitione eius quod dicitur per nomen, scilicet an ipsum sit res et aliqua natura. Qui est primus conceptus simplicissimus, quia de esse absoluto simpliciter dicto non determinando circa ipsum hoc vel illud, sive in genere sive in specie. 'Quod statim', ut dicit Avicenna I Metaphysicae suae* [ID., *Metaph. I,5* Van Riet 31sq.], *'prima impressione in anima inprimitur'. Ita quod omnis alia cognitio de re sive creati sive increati, sive substantiae sive accidentis, per additionem se habet ad istam, sicut omnis alia intentio entis se habet per additionem ad esse, et differens est ab illa vel secundum rationem vel secundum intentionem aliquam. Et ita sicut in praecognitione quid est, cognoscitur simpliciter quid dicitur per nomen, non determinando esse vel non esse, sic in cognitione de re si est incomplexum cognoscitur simpliciter esse de re intellecta si est, non determinando circa ipsam an sit hoc vel illud, creator vel creatura, substantia aut accidens. Et hoc est comprehendere esse de re sub illa ratione, qua ens est subiectum metaphysicae, cui quodam modo accidunt substantia et accidens, sicut inferiora accidunt superioribus. Et universaliter illud dicitur accidens rei, quod est ei adveniens extra suam propriam intentionem et definitionem.*

[418] Cf. HENR. DE GAND., *Summa 24,3* Badius 138vP-Q: *Et nota, quod licet talis cognitio de esse sit prima in quacumque re respectu omnium aliarum in eadem, ipsa tamen in una re praecedit in alia re. Quaedam enim sunt ita prima, quod non possunt notificari per alia esse. Alia vero sunt, quorum esse per aliorum esse notificatur et probatur. Cognitio de esse si est circa illa quae sunt de primo modo, est praecognitio. Unde de subiecto scientiae, quod est primum in illo genere oportet praecognoscere si est, ut dicitur primo Posteriorum. Circa illa vero quae sunt de secundo modo, est quaestio, ut si est aut non est, Centaurus aut Deus, sicut dicitur in principio secundi Posteriorum.*

che Sein einer anderen *res* gewußt werden kann. Im zweiten Fall wird somit das Vorwissen gewissermaßen hinterschritten und selbst zum Gegenstand einer Untersuchung (*quaestio*) gemacht.

(3) Die dritte Stufe des Wissenserwerbs setzt ein mit dem Zweifel an der Unbestimmtheit der durch ein nominales Vorwissen verschafften Kenntnis des *si est incomplexum*.[419] Das durch das *si est incomplexum* gewußte *esse simpliciter* wird auf Determinationen wie Substanz oder Akzidens untersucht. Damit wird die Frage *quid est* gestellt, bei der nicht die das *si est incomplexum* beherrschende Distinktion Seiendes und Nichtseiendes zieht, sondern die Unterscheidung von Substanz und Akzidens. Den Beitrag des *si est* zur Kenntnis des *quid est* erklärt Heinrich anhand der Unterscheidung, daß das *si est incomplexum* einer *res* entweder *per accidens* oder *per se* erkannt werden kann.[420] Die Kenntnis des *si est* eines Akzidens an einer *res* erlaubt es, auf das für ein Akzidens notwendig vorauszusetzende Subjekt zurückzuschließen. Allerdings wird das *si est* nur allgemein (*in generali*) gewußt, was gemessen am Kriterium des definitiven Erkennens in Wahrheit ein Nichterkennen ist. Wird das *si est* jedoch *per se* erkannt, geschieht zwar auch dies nur in einer indeterminierten und konfusen Erkenntnis seiner Natur. Aber die Beziehung des *si est per se* zum *quid est* folgt der Beziehung des Namens (*nomen*) zur Definition (*ratio definitiva*). Das im *si est* undeterminiert und konfus Gewußte ist Bestandteil des *quid est* und geht auf determinierte Weise ein in den Definitionsbegriff.[421] So richten sich

[419] Cf. HENR. DE GAND., *Summa 24,3* Badius 138vP-139rP: *Cognitio autem si est incomplexo de eo quod praecognitione quid est intelligitur in nominis significato, statim postquam de eo conceptum est esse, dubitat homo de eo quod est simpliciter conceptum non determinatum, dubitat in quam si est substantia vel accidens, et est dubitatio fundata super primam divisionem esse. Quoniam, ut dicit Avicenna primo Metaphysicae* [recte: *Metaph. II,1* Van Riet 65,8sqq. 66,29]: *'Quod prius est omnibus divisionibus eorum, quae sunt per essentiam, est, quoniam esse duobus modis est. Unus quidem est non esse in alio ut in subiecto cuius est pars, quod est substantiae, alius quod est esse in alio ut in subiecto cuius est pars, et est accidentis.' Et illud quod sic dubitatur, est id quod quaeritur quaestione quid est, cuius cognitio, antequam possit haberi aut aggredi, necessario praesupponit cognitionem si est. Secundum quod dicitur in II Posteriorum* [ARIST., *Anal. Post. II 8*, 93a20-21]: *'Impossibile est scire quid est ignorantes si est', quia de eo quod non est, non contingit scire quid est, secundum quod dicit in eodem* [*loc. cit.*, 93a27-28]: *'Quid est tragelaphus non contingit scire'.*

[420] Cf. HENR. DE GAND., *Summa 24,3* Badius 139rR: *Sed intelligendum, quod scire si est contingit dupliciter de re aliqua, aut per cognitionem sui accidentis, quia ei quod non est, nihil accidit, et ideo cognoscendo si est de eo quod accidens est, necessario scitur in generali, quia est aliquid, cui accidat aut per indeterminatam et confusam cognitionem suae naturae ad modum quo significatur ipso nomine, quam determinat ipsa cognitio quid est, quae exprimitur in definitiva ratione. De eodem enim sunt quaestio si est et quid est, ad modum quo idem significat nomen et definitiva ratio. ... Scire si est de re primo modo est si est secundum accidens. Quod non est vere scire de re si est. Scire vero de ea si est secundo modo est scire de ea si est vere et per se.*

[421] Cf. HENR. DE GAND., *Summa 24,3* Badius 139rR: *Per quod innuit* [sc. *Philosophus*] *quod cognitio si est vere et per se est quodam modo pars cognitionis eius quod quid est, non autem cognitio eius quod est si est secundum accidens. ... Est enim istud si est aliqua portio eius quod quid est, quia est indeterminata cognitio generis et naturae rei, nec tamen cadit sub eo quod est quid est, quod distinguitur contra si est. Hoc enim quid est, est quaestio de natura rei determi-*

nach Heinrich das *si est per se* und das *quid est* auf dasselbe in der Natur der Sache, d. h. auf das bei Heinrich pointiert quidditativ verstandene Seiende, mag auch das *si est per se* unvollkommen und konfus, das *quid est* distinkt und definitiv vorgehen. Die Unterschiede der beiden Erkenntnisarten liegen nach Heinrichs Analyse in deren unterschiedlicher Fragerichtung begründet. Das *si est* fragt völlig unbestimmt und läßt sogar sehr allgemeine Fragen wie die nach Substanz und Akzidens aus. Das *quid est* erfragt determinativ die Natur einer Sache und sucht sie zur Höhe einer vollkommenen Definition zu bringen. Nichtsdestoweniger stehen beide in einem Kontinuum des Wissens auf der Basis einer quidditativen Ordnung des Seins. Das indeterminierte, konfuse Wissen des *si est* ist daher Initialpunkt des determinierten Wissens des *quid est*, das vollkommene Wissen des *quid est* wiederum hebt das unvollkommene Wissen des *si est* in sich auf und vollendet es.

(4) Eine vierte Stufe des Wissenserwerbs ist mit dem erreicht, was Heinrich *si est complexum* oder - im Anschluß an ARISTOTELES - *quia est* nennt.[422] Ihr geht

nata vel secundum genus, et hoc quoad incompletam cognitionem eius quod quid est, vel secundum definitivam rationem, et hoc quoad completam cognitionem eius quod quid est, in qua etiam cognoscendo quod quid est, complete cognoscitur si est, quod est quaestio de natura rei omnino indeterminata, est secundum genus generalissimum. Unde sicut imperfecta et indeterminata cognitio est principium cognitionis perfectae et determinatae, sic cognitio ex quaestione si est, est principium cognitionis ex quaestione quid est. Et econverso sicut habita perfecta et determinata cognitione, perficitur quicquid erat imperfectum in cognitione indeterminata, sic habita cognitione perfecta ex quaestione quid est, habetur perfecta cognitio eius quod quaeritur quaestio si est. - In einer sich anschließenden Analyse, die Heinrich über die averroistische Diskussion des Vakuumbegriffs in der aristotelischen 'Physik' (AVERR., *Phys. IV,57* ed. Iunt. IV, fol. 150vH; cf. ARIST., *Phys. IV 6*, 213a12-14) anstellt, exemplifiziert er das vorher Gesagte; dazu cf. DUMONT, *The quaestio si est.* 1984, pp. 347-349. Zu Heinrichs Anschauungen über Raum und Vakuum cf. A. KOYRÉ: *Le vide et l'espace infini au XIVe siècle.* In: AHDL 17 (1949), pp. (45-91) 52-67; Anneliese MAIER: *Diskussionen über das aktuell Unendliche in der ersten Hälfte des 14. Jh.* [= DTh 24 (1947), pp. 147-166. 317-337]. In: EAD.: Ausgehendes Mittelalter. Rom 1964-77, vol. 1 (1964), pp. (41-85) 48. 50sq. 61. 76; EAD.: *Das Problem der Quantität oder der räumlichen Ausdehnung.* In: EAD.: Metaphysische Hintergründe der spätscholastischen Naturphilosophie (SeL 52). Rom 1955, pp. (139-223) 147. 196

[422] Cf. HENR. DE GAND., *Summa 24,3* Badius 139rS: *Cognito autem de re si est de incomplexo et quid est definitiva ratione, restat dubitatio de si est complexo, videlicet de inhaerentia rei ad rem, et hoc vel essentiali, ut si homo est animal, si Deus est bonus, vel accidentali, ut si homo est albus vel non. Et differunt si est de incomplexo et de complexo, quia si est de incomplexo est de esse rei in se, quod est sua vera entitas. Si vero est de complexo est de veritate compositionis, quae est diminuta rei entitas apud animam. Et de isto si est complexo sciendum, quod in eis quae sunt prima et per se nota, est praecognitio, ut quoniam omne aut affirmare aut negare verum est, ut dicitur in principio Posteriorum. In eis autem quae non sunt prima nec omnino per se nota, est quaestio quam Philosophus in II Posteriorum appellat quaestionem quia est. 'Cum enim', ut dicit, 'utrum aliquid sit hoc aut hoc, quaerimus in numerum ponentes, ut utrum sol deficiat aut non, quia quaerimus. Invenientes enim quia deficit, pausamus, et si in principio sciremus, quia deficeret, non quaereremus utrum.' Cum autem sciamus ipsum quia, 'ipsum propter quid quaerimus ut scientes quia deficit, propter quid deficit, quaerimus', quo terminato finitur humanae investigationis sollicitudo.*

das vollständige Erkennen des *si est incomplexum* und des *quid est* voraus. Das *si est complexum* erfragt nun die Inhärenz[423] einer Sache in einer anderen, wobei die Inhärenz wesensgemäß oder akzidentell gegeben sein kann. Das *si est incomplexum* und das *si est complexum* unterscheiden sich darin, daß das *si est incomplexum* vom Sein einer *res* in sich handelt und dabei deren wahre Entität gewußt ist, während das *si est complexum* die Urteilswahrheit, also eine verminderte Entität der *res* in der Seele erkennt. So ist bei der *si est complexum* weiterhin darauf zu achten, daß bei dem, was früher und selbstevident ist, ein Vorwissen, d. h. ein *quid est* gegeben ist. Bei allem anderen aber liegt eine *quaestio quia* vor. Ihr gilt alle Sorge des menschlichen Forschens, das erst in einer Beantwortung der *quaestio quia* zur Ruhe kommt. Die Unterscheidungslehren von *si est incomplexum* und *si est complexum* sind von höchster Bedeutung, da Heinrich mehrfach erklärt hat, daß der von ihm unternommene Gottesbeweis als *si est complexum* zu betrachten ist und nur dieses von Gott beweist. Es bleibt also zu erklären, wie genau der Übergang vom *quid est* zum *si est complexum* gelingen kann.

Die Erörterung der auf die Erkenntnis von Existenz und Wesen Gottes spezifizierten Frage beginnt Heinrich mit der These, Erkennen sei eine gewisse Angleichung des Erkennenden mit dem Erkannten.[424] Die Frage nach einer Identität von Existenz- und Wesenserkenntnis Gottes kann daher von seiten des Erkennenden und von seiten des Erkannten gestellt werden. Von seiten des Erkannten, Gott selbst, ist zweifelsfrei eine differenzfreie Identität des Erkennens anzunehmen. So handelt die ganze Erörterung Heinrichs über den erkennenden Menschen. Dessen Erkennen beruht entweder auf dem *quid est* als Vorwissen (*praecognitio*) oder auf dem *quid est* als Fragegegenstand (*quaestio*). Zunächst hält Heinrich fest, daß für den Fall, daß das *quid est* als Vorwissen gegeben ist, nicht im selben Erkenntnisakt Gottes Existenz und Wesen erkannt werden. Denn man kann sehr wohl über Gott wissen, was durch den Namen konfus und indeterminiert an Einsicht gesagt und einge-

[423] Heinrichs Lehre von einer akzidentellen Inhärenz, die in Konsequenz zu seiner Wesensontologie gegenüber einer essentialen Inhärenz stark abgewertet erscheint, ist als eine Vorarbeit zur scotischen Lehre von kontigent inhärierenden Akzidentien zu werten; cf. dazu Th. KOBUSCH: *Inhärenz.* In: HWPh IV (1976), col. (363-366) 364.

[424] Cf. HENR. DE GAND., *Summa 24,3* Badius 139rT-V: *His praelibatis dicendum ad propositum, cum quaeritur, utrum eadem cognitione cognoscitur de Deo si est et quid est, sciendum, quod cognitio cum sit quaedam assimilatio cognoscentis ad cognitum, quaestio de identitate cognitionis potest intelligi vel ex parte cognoscentis vel ex parte cogniti. Si ex parte cogniti, sic non est dubium, quin eadem cognitione utrumque de Deo cognoscitur, quia in Deo quantum est ex parte sua differentiam nullam ponunt, sed si aliquam habeant differentiam, hoc est ex parte cognoscentis. Unde ex parte cognoscentis solum habet locum quaestio, et dicendum, quod si quid est est praecognitio, quod non eadem cognitione cognoscitur utrumque de Deo, quia bene contingit scire de Deo quid dicitur et intelligitur per nomen intellectu confuso et indeterminato, non sciendo si sit Deus, quocumque modo intelligatur si est praecognitio vel quaestio, sive de incomplexo sive de complexo.*

sehen wird, während man nicht weiß, ob Gott existiert. Keine Rolle spielt dabei, ob das *si est* als Vorwissen oder als Fragegegenstand, komplex oder inkomplex eingesehen wird. Als Beispiel zieht Heinrich die von AUGUSTINUS festgehaltenen Beobachtungen heran, daß alle der lateinischen Sprache mächtigen Menschen beim Hören der Vokabel '*Deus*' sich eine erhabenste Natur vorstellen. Bei diesen Menschen gibt es zwar ein für die Existenzerkenntnis Gottes notwendiges Vorwissen, aber es fehlt eine genaue, bei den Philosophen gelehrte Einsicht in das Wesen Gottes, so daß sie das als Gott annahmen, was sie den anderen Dingen voranstellten, sei es der Himmel, die Sonne oder anderes derartiges.[425]

Wird nun das *quid est* zum Fragegegenstand, geht es entweder um die Natur Gottes in einem seiner allgemeinen Attribute oder im besonderen um Gottes singuläre Natur, in der die Wahrheit aller Attribute aufleuchtet. Soweit die in einem allgemeinen Attribut Gottes erkennbare Natur betrachtet wird, geschieht dies hinsichtlich eines mit der Kreatur gemeinsamen Attributs durch ein indistinktes Erkennen oder hinsichtlich eines Gott allein appropriierten Attributs durch ein distinktes Erkennen. Das indistinkte Erkennen eines mit der Kreatur gemeinsamen Attributs kann wiederum komplex und inkomplex vollzogen werden, wobei das komplexe Erkennen aktuell oder habituell sein kann. Bei dem aktuellen komplexen indistinkten Erkennen gibt es keine differenzfreie Erkenntnis von Gottes Existenz und Wesenheit. Es ist nämlich vorstellbar, daß jemand in einem allgemeinen Attribut Gottes aktuell das Wesen Gottes erkennt, sei es als Gut schlechthin, d. h. analogielos, in einem indistinkten Erkennen, sei es als partizipationsloses, wesensmäßiges Gut in einem distinkten Erkennen, ohne zugleich schlechthin oder in der aktualen Existenz die Inhärenz des Seins zu erkennen. Die Aktualität der Wesenserkenntnis garantiert noch nicht die Aktualität der Existenzerkenntnis Gottes und umgekehrt.[426]

Beim habituellen distinkten Erkennen eines allgemeinen Attributes Gottes werden in einem das *quid est* und *si est complexum* Gottes erfaßt.[427] Das Exi-

[425] Cf. HENR. DE GAND., *Summa 24,3* Badius 139r-vV; cf. AUG., *De doctr. chr. I,6,13* CSEL 80, p. 11,19-26; ID., *De doctr. chr. III,7,26-28* CSEL 80, p. 86,3-28; ID., *De vera rel. 1,2,4-7* CCL 32, pp. 187,1-188,28.

[426] Heinrich verweist hier auf *Summa 22,3* Badius 131vB-132rD. 132r-vF, wo er die je anderen, wechselnden, Gottes Seinsfülle niemals ausschöpfenden *rationes* hervorkehrt, die das menschliche Verstehen zur Gotteserkenntnis heranzieht, ohne eine differenzfreie Erkenntnis von Gottes Existenz und Wesen erreichen zu können (cf. Kap. II, § 3,3).

[427] Cf. HENR. DE GAND., *Summa 24,3* Badius 139vY: *Si vero de cognitione in habitu, dicendum quod est eadem cognitio omnino qua scitur de Deo si est aliquid et quid est. Si enim intelligens quid est Deus, in eius quantumcumque generali attributo advertat de eius esse, impossibile est intelligere vel cogitare in subiecto, et secundum hoc Deus non potest cogitari non esse, ut infra dicetur* [cf. *Summa 30,3* Badius 179vK-180vY]. *Cogitans enim bonum vel sapiens vel aliquod huiusmodi sub ratione qua convenit Deo, scilicet cognitione distincta qua Deo soli convenit illud concipiendo, cogitat sub ratione qua est bonum non participatum, sed per essentiam, quae est suum esse et sua existentia, et quo maius excogitari non potest, ut habitum est ex supra determinatis.*

stenzprädikat ist ständig im Subjekt mitgedacht. Das Hervorstechende des habituellen Wissens, das Heinrich an anderer Stelle vom aktuellen und potentiellen Wissen absetzt,[428] besteht darin, etwas im Wissen aktuell zu besitzen, ohne das Wissen selbst aktualisierend auszuüben. Habituelles Wissen steht zum aktuellen Wissen nicht in einem kontradiktorischen Verhältnis, sondern wie erster und zweiter Akt.[429] Der elizitive Charakter des habituellen Wissens wird weniger als Einschränkung, sondern mehr als Erkenntnispotential einer Gotteserkenntnis bedeutsam. Nach Heinrichs Theorie der Genese szientifischen Wissens wird offenbar eine vorhergehende Erkenntnis des *si est* Gottes vorausgesetzt, denn nur sie kann eine Kenntnis des *quid est* Gottes begründen. Aber Heinrich läßt an dieser Stelle eine Erklärung für das Zustandekommen einer solchen vorausliegenden Erkenntnis eines *si est complexum* hinsichtlich Gottes Existenz und Wesen aus.

Bei einem indistinkten Erkennen des *quid est* Gottes in einem allgemeinen Attribut, das auch der Kreatur zukommt, erkennt der, der das *quid est* Gottes erkennt, nicht notwendig dessen Sein, da dieses *quid est* nicht gemäß seiner Wesensbestimmung das Sein einschließt.[430] Wird aber das *si est incomplexum* erfragt und in ähnlicher Weise das *quid est* der Natur Gottes in einem allgemeinen Attribut, gleich ob mit den Kreaturen gemein oder appropriiert, wird wegen der Identität von Wesenheit und Sein in einem und selben Erkennen das *si est* und *quid est* erfaßt. Deswegen unterscheiden sich die Erkenntnis von *quid est* und *si est* nur ihrer *ratio* nach entsprechend der bloß rationalen Differenz von Wesenheit und Sein.[431]

Das partikuläre Erkennen des *quid est* Gottes in dessen bestimmter Natur, die das reine einfachste Sein selbst ist und in der der Bestimmungsgrund aller Attribute gründet, ist ebenfalls in ein komplexes und inkomplexes Erkennen zu unterteilen.[432] Beim komplexen Erkennen werden Gottes Wesen und Exi-

Heinrich unterscheidet im folgenden das *eius esse* als *incomplexum* vom *ipsum esse* als *complexum*; cf. GÓMEZ CAFFARENA, *Ser participado*. 1958, p. 53 not. 44.

[428] Cf. spec. HENR. DE GAND., *Summa 1,11* Badius 21rB-vE, aber auch ID., *Summa 1,10* Badius 19vF-20vG und ID., *Summa 1,5* Badius 14vB-15rB.

[429] Cf. HENR. DE GAND., *Summa 37,1* Wilson 147,86-148,96.

[430] Cf. HENR. DE GAND., *Summa 24,3* Badius 139vY: *Si vero quid est Deus intelligatur in aliquo eius attributo generali cognitione indistincta, quae etiam creaturae convenit, de qua infra dicetur, non oportet, quod intelligens quid est Deus, intelligat eum esse, quia illud quid in ratione sua non includit esse.*

[431] Cf. HENR. DE GAND., *Summa 24,3* Badius 139vY: *Si vero si est sit quaestio de incomplexo et similiter quid est de natura Dei in aliquo eius generali attributo sive communi sive appropriato, sic omnino est eadem cognitio qua cognoscitur si est et quid est, quia omnino idipsum sunt in eo essentia et esse. Et sic non differt cognoscere si est et quid est nisi ratione tantum, sicut sola ratione differunt essentia et esse, ut habitum est supra.*

[432] Cf. HENR. DE GAND., *Summa 24,3* Badius 139vY: *Si vero quid est sit de natura determinata Dei in particulari, qua est ipsum esse purum simplicissimum, in quo ratio omnium attributorum fundatur, tunc similiter distinguendum ut prius de si est, quod potest esse de complexo vel de incomplexo. Si primo modo, dicendum, quod non est eadem cognitio qua de Deo cognoscitur quid est et si est, quia homo bene potest cognoscere certitudinaliter et determinate, quia vera sit*

stenz nicht zusammen erkannt. Denn ein Mensch kann sehr wohl sicher und bestimmt erkennen, daß die Aussage 'Gott existiert' wahr ist, ohne aber bestimmt und im einzelnen um das Wesen der Natur Gottes zu wissen. Jenes kann ein Mensch, der sich dabei ganz auf seine natürlichen Erkenntniskräfte verläßt, gut wissen, aber weder in diesem Leben noch durch die allgemeine Gnade. Das *si est incomplexum* besteht entweder akzidentell oder in sich (*per se*).[433] Beim akzidentellen Erkennen gelingt keine differenzfreie Erkenntnis, weil aus den Geschöpfen die Existenz Gottes erkannt werden kann, ohne um das Wesen seiner Natur im einzelnen zu wissen. Wird das *si est incomplexum* in sich betrachtet, kommt es zu einem simultanen Erkennen, weil die besondere Natur Gottes erkannt wird und nicht ein allgemeines Attribut, durch das nur akzidentell die Existenz erkannt wird. Das Fazit lautet, daß das *si est complexum* über Gott durch eine partikuläre Erkenntnis des *quid est* Gottes um vieles wirkungsvoller erkannt wird als durch eine Erkenntnis des *quid est* in einem allgemeinen Attribut.[434]

In aristotelischer Terminologie ergründet Heinrich die Möglichkeit von Wissen überhaupt und sucht nach einer unhinterschreitbaren unmittelbaren Evidenz als apriorischer Bedingung des menschlichen Erkenntnisprozesses, von der aus den Weg zur Gotteserkenntnis gelingen kann. Heinrich spiegelt dafür seine Wissenstheorie in seiner Wesensontologie. Bei der Konstituierung des ratitudinalen Grundes des *si est incomplexum* kommt AVICENNAS Lehre von der gnoseologischen Priorität bestimmter Fundamentalbegriffe, unter denen auch 'Seiendes' gehört, zum Zuge. Sie verbürgt die Transzendenz und den metaphysischen Realitätsgehalt des Erkennens auf dieser Stufe. In Heinrichs Wesensontologie wird die Ordnung der Wesenheiten ohne Bezug auf eine reale aktuale Existenz bestimmt. Deshalb kommt dieses Vorwissen ohne Erfahrungsgrundlage und ohne Bezug auf die extramentale Realität der konkreten Dingwelt aus. Es genügen Begriffsinhalte, die Ausdruck der intuitiv erschauten Objektivität der Wesenheit sind. Die Intelligibilität dieser essential begründeten Begriffsinhalte ist das Band zur Intelligibilität Gottes, dessen Wesenheit differenzfrei in seiner Existenz verwirklicht ist. Dieser in Heinrichs

ista propositio qua dicitur Deus est, cum tamen non sciat determinate et in particulari naturam ipsius Dei quid sit. Illud enim bene potest scire homo ex puris naturalibus, istud autem non nec in vita ista nec ex gratia communi, ut habitum est supra.

[433] Cf. HENR. DE GAND., *Summa 24,3* Badius 139vY: *Si vero fuerit si est de incomplexo, aut ergo cognitio si est de Deo habetur secundum accidens aut per se. Primo modo non est eadem cognitio, quia ex creaturis potest cognosci si est Deus, nihil cognoscendo de eius quid est in natura sua particulari. Si secundo modo, sic penitus est eadem cognitio, quia si est cognoscere de Deo per se non contingit nisi sciendo quid sit in particulari eius natura, non in aliquo eius attributa. Per attributa enim cognoscitur si est non nisi secundum accidens, ut infra dicendum est. Nec contingit cognoscere de Deo particulari quid sit nisi simul cognoscendo quia est.*

[434] Cf. HENR. DE GAND., *Summa 24,3* Badius 139vY: *Et sic dicendum, quod multo efficacius cognoscendo quid est in particulari, cognoscitur si est incomplexum de Deo quam cognoscendo quid est in aliquo generali eius attributo.*

Lehre von *esse essentiae* grundgelegte Primat der Intelligibilität der Essenz vor aller extramentalen Realität gibt ihm das Recht, das *si est complexum* als Entität veritativen, d. h. geschmälerten Seins im Hinblick auf eine Gotteserkenntnis abzuwerten und stattdessen das *si est incomplexum* als wahrhaft wirkliche Entität voranzustellen. Während das *si est complexum* durch eine Tätigkeit des menschliche Intellekts hervorgebracht wird, grenzt sich das *si est incomplexum* vom wesenlosen imaginären Sein der Figmente ab und tritt aufgrund der Seinsmächtigkeit essentialen Seins von selbst vor den Intellekt.[435] Wahrhaftes Sein ist nach Heinrich Wesenssein, und dieses Sein ist ein Sichdarstellen. Für die Gotteserkenntnis folgt daraus, daß dem Menschen nicht syllogistisch gewonnenes Beweiswissen die Existenz Gottes gültig erweist, sondern erst der Rückgang auf eine vom Gegenstand selbst eröffnete inkomplexe Schau des Wesens*begriffs* der göttlichen Natur. Heinrichs Nachweis, daß selbst ein allgemeines Erkennen der göttlichen Natur davon nicht ausgenommen ist, ist eine entscheidende Vorarbeit für seine Lehre von Gott als Ersterkanntem im allgemeinsten Erkennen von Wesenswirklichkeit.

4. Die Erkenntnis der Nichtgöttlichkeit der Welt und die docta ignorantia *um Gottes Wesen*

In *Summa 24,2* hat Heinrich sich bereits mit Positionen innerhalb der negativen Theologie christlich-neuplatonischer Provenienz auseinandergesetzt, die grundsätzlich eine Wesenserkenntnis Gottes ausschließen möchten. Unter der neuen Fragestellung, ob das Nichtwissen über das, was Gott seinem Wesen nach nicht sei, auch zur Erkenntnis seines Wesens beitrage,[436] kehrt Heinrich zu dieser Problematik zurück.

Heinrich konfrontiert Thesen negativer Theologie mit Grundannahmen aristotelischer Wissenstheorie. Mit Berufung auf das aristotelische Axiom, alles verhalte sich zum Erkennen, wie es sich zum Sein verhält,[437] weist der erste Einwand darauf hin, daß Kontradiktorisches nichts zum Sein seines Gegenübers beiträgt, folglich auch nichts zu dessen Erkennen. Da nun das, was etwas nicht ist, kontradiktorisch zu dem steht, was etwas ist, nützt also auch keine Erkenntnis dessen, was etwas nicht ist. Der zweite Einwand formuliert ein privationstheoretisches Argument. Eine Privation sei dazu geschaffen, mittels eines Habens zu erkennen und nicht umgekehrt. Denn das Gerade ist nach ARISTOTELES Richtmaß seiner selbst und des Ungeraden.[438] Das, was et-

[435] Cf. GÓMEZ CAFFARENA, *Ser participado.* 1958, p. 48.

[436] Cf. HENR. DE GAND., *Summa 24,4* Badius 140rA-vE. - Der Text hat offensichtlich mit Ausnahme von PORRO, *Enrico di Gand.* 1990, p. 115sq. not. 9, leider keine nennenswerte Behandlung in der bisherigen Forschung erfahren.

[437] Cf. ARIST., *Metaph. II 1*, 993b30-31.

[438] Cf. ARIST., *De an. I 4*, 411a5-6; cf. AUCT. ARIST., *De anima, I* Hamesse 176,15.

was nicht ist, ist eine Privation dessen, was das Wesen einer Sache ausmacht. Sofern man für das Erkennen darauf nicht zurückgreifen kann, erbringt die Kenntnis dessen, was etwas nicht ist, auch nichts.

Den Gegeneinwand zitiert Heinrich recht frei aus dem Johanneskommentar des AUGUSTINUS.[439] Dort gibt AUGUSTINUS dem, der weder weiß, was Gott ist, noch weiß, was er nicht ist, den Rat, erst einmal nichts anderes anzunehmen, als daß Gott existiert. Damit sei schon viel gewonnen. Denn die Wesenheit Gottes erreicht man nie. Um der Idololatrie zu entkommen, soll man darum zu der Erkenntnis dessen kommen, was Gott nicht ist, also kein Körper, keine Erde, kein Himmel, kein Gestirn. Gott ist also keine veränderliche Erscheinung. Dessen angesichtig soll man dies alles transzendieren. Dies ist Frömmigkeit, die auch dann beizubehalten ist, falls man dadurch nicht zu einer Erkenntnis des Wesens Gottes gelangt. Das Wissen über das, was Gott nicht ist, soll man daher nicht gering geachtet werden.

In der Entfaltung seiner eigenen Position wechselt Heinrich zunächst das Vokabular und greift wieder auf aristotelische Denkformen zurück. Demnach wird etwas, das auf ein Ziel zustrebt, von zwei Dingen vorangebracht.[440] Zum einen ist es eine Flucht und Trennung von dem, das die Bewegung hin zum Ziel behindert und davon abkommen läßt. Das andere ist ein Anhangen und Streben zu dem, was zum Ziel hinführt, und zwar gemäß der beiden tugenderwerbenden Teile der Gerechtigkeit, d. h. Meiden des Bösen und Tun des Guten. Die Erkenntnis des Wesens Gottes ist nun Ziel dessen, der mit eigenem Eifer zur Erkenntnis Gottes strebt. Sein Hindernis besteht in der Unkenntnis über das, was in den Kreaturen nicht Gott ist. Sein Antrieb ist sein Wissen, über welche Stufen man von der Kreatur aus zur Erkenntnis des göttlichen Wesens aufgesteigt. Und er kann es nicht durch das Wesen oder eine

[439] Cf. AUG., *In Ioa. ev. 23,9* CCL 36, p. 238,15-27. Das *transi haec omnia* hat vermutlich diese Stelle für Heinrich so anziehend gemacht. Das Ende des Zitats (*Hanc pietatem ...*), das erst Heinrichs Anliegen explizit zum Ausdruck bringt, scheint von ihm frei formuliert zu sein. Weniger wahrscheinlich ist dieser Zusatz auf eine deteriore Augustinus-Handschrift in den Händen Heinrichs zurückzuführen.

[440] Cf. HENR. DE GAND., *Summa 24,4* Badius 140rB: *Dicendum ad hoc, quod tendens in finem quemcumque duobus promovetur. Quorum unum est fuga et amotio eius, quod est impedimentum motus in finem et facit deviare a fine. Alterum vero est adhaesio et tentio eius, quod est ductivum in finem, et hoc secundum duas partes iustitiae quibus acquiruntur virtutes, scilicet discedendo a malo et faciendo bonum. Nunc autem cognitio quid est Deus, finis est tendentis studio suo in cognitionem Dei, cuius impedimentum est ignorare, quid non sit Deus in creaturis, promotivum vero eius est scire, quibus gradibus a creatura ascenditur ad cognitionem eius, quod est Deus. Nec potest scire de aliquo in creatura, quia sit gradus ascendendi ad Deum, nisi cognito quod non sit Deus. Aliter enim in illo sistere vellet in via, scilicet pro termino viae. Primum ergo quo movetur tendens cognoscere quid est Deus, est cognoscere quid non est Deus, ne in illo sistat putando id Deum esse, quod non est Deus. Et ideo dicit Boethius, quod 'cognitio mali bono deesse non potest, nec vitatur malum nisi cognitum'.* - Für das Abschlußzitat cf. BOETH., *De diff. top.* 2. PL 64, col. 184 B: *Mali quippe notitia deesse bono non potest, virtus enim sese diligit et aspernatur contraria, nec vitare vitium nisi cognitum queat.* Dieser Zitathinweis ist Dr. Horst SCHNEIDER, Bochum, zu verdanken.

Eigenschaft einer Kreatur wissen, daß sie eine Aufstiegsstufe zu Gott ist, es sei denn durch ein Wissen um das, was Gott nicht ist. Andernfalls könnte er mitten auf dem Weg bei jenem als dem vermeintlichen Ziel des Weges stehen bleiben wollen. Folglich ist das erste Movens für einen Menschen, der zur Erkenntnis des Wesens Gottes strebt, die Erkenntnis dessen, was Gott nicht ist, um nicht im Vorletzten stecken zu bleiben, falls man etwas für Gott hält, was nicht in Wahrheit Gott ist. So kann nach BOETHIUS dem Guten die Erkenntnis des Bösen nicht fehlen, wie auch das Böse nur als erkanntes gemieden wird.

Was folgt, ist eine fast geschlossene Katene von Augustinus-Zitaten, die die eben in aristotelischen Begriffen umschriebene Teleologie der quidditativen Wissenserwerbs im augustinischen Geist epistemologisch, wissensschaftsethisch, glaubenstheologisch und ekklesiologisch-institutionstheoretisch vertieft. Aus AUGUSTINS Johanneskommentar[441] entnimmt Heinrich die allgemeine Aufforderung zur Einsicht in das Wahre. Falls diese Einsicht aber nicht gelingt, soll man aber nicht in das verfallen, was falsch ist. Denn es ist besser, nichts zu wissen, als irrezugehen. Dieses Nichtwissen ist etwas, das nicht in neutraler Mitte zwischen Wahrheit und Falscheit steht, sondern ein Ehrfurchtsakt vor der noch nicht erkannten, aber ersehnten Wahrheit. Deshalb muß man sich vor allem darum sorgen, Wissen und Wahrheit zu erlagen, ohne bei Mißlingen dieser Anstrengungen zur Falschheit überzugehen. Nach Heinrichs Interpretation ist dies besonders bei der Gotteserkenntnis zu beachten, weil nach AUGUSTINS Worten in *De trinitate* „nirgendwo gefährlicher geirrt wird, noch mühsamer etwas erforscht, noch fruchtbarer etwas gefunden wird".[442] Heinrich sieht eine Fehlervermeidung bei der Gotteserkenntnis für den Menschen als äußerst schwierig an. Falls in denen, die Gott mit ihrer Vernunft suchen, noch etwas an Liebe zu Gott oder Furcht vor ihm gegeben sei - so zitiert Heinrich aus dem Zusammenhang der vorigen Stelle -, sollen sie zum Beginn des Glaubens zurückkehren und seiner Ordnung folgen. Im Glauben sieht Heinrich einen exemplarischen Fall der Simultaneität von Wahrheitssehnsucht und ausständiger Wesenseinsicht, wobei dem Glauben nichts an Würde abgeht, weil dem frei geoffenbarten Wort Gottes gefolgt wird und jedes Zuviel an vorgeblicher Vernunfteinsicht in Gottes Wesen zurückgehalten wird. Die rationalistischen Gottsucher sollen nach AUGUSTINUS auch einsehen, daß in der heiligen Kirche eine heilsame Medizin für die Gläubigen bereitgestellt ist, damit eine befolgte Frömmigkeit den schwachen Geist zum Empfang der unwandelbaren Wahrheit heilt, daß nicht ungeordnete Unbesonnenheit sich in die leere Meinung schädlicher Falschheit stürzt. Denn die schwache Sehkraft des menschlichen Geistes kann sich in einem so erhabenen Licht nicht festmachen, wenn sie nicht durch die Gerechtigkeit des Glaubens genährt wird und lebt.[443] Damit wird von Heinrich auch eine institu-

[441] Cf. AUG., *In Ioa ev. 21,1* CCL 36, pp. 211,9-212,14.
[442] Cf. AUG., *De trin. I,3,5* CCL 50, p. 32,9-11.
[443] Cf. AUG., *De trin. I,2,4* CCL 50, p. 32,19-24; p. 31,9-11.

tionelle Dimension der Wahrheitssehnsucht angedeutet, insofern es die Kirche ist, die den ihr von Gott übergebenen Glauben beachten und ordnen muß und ihn im Dienst an der Wahrheit und als Hilfe für die suchenden Menschen geltend zu machen hat, ohne daß dabei die Kirche vergißt, daß ihre Lehre an der Dunkelheit des Glaubens teilhat. Nichtsdestoweniger hilft der von Gott geoffenbarte und durch die Kirche öffentlich gelehrte Glaube aus der Unsicherheit des Vernunftwissens über Gottes Wesen heraus.[444] Durch PROSPER VON AQUITANIEN, den angesehenen altkirchlichen Verteidiger augustinischer Theologie, läßt dann Heinrich die augustinische Lehre mitteilen, daß die Übererhabenheit der Gottheit nicht nur die Fähigkeiten unserer gewöhnlichen Sprache, sondern auch unsere Einsichtsfähigkeit übersteigt.[445] So gesehen ist es nicht wenig an Erkenntnis, wenn wir schon vor unserer Einsicht in Gottes Wesen wissen können, was Gott nicht ist. Auf der Suche nach Gottes Wesen ist alles abzulehnen und zurückzuweisen, was dem Erkennenden entgegentritt und von dem der Erkennende weiß, daß es nicht das ist, was er sucht, mag er auch noch nicht die Beschaffenheit des Gesuchten kennen. Die Zitate erfahren bei Heinrich schließlich eine Aufgipfelung in dem Eingeständnis AUGUSTINS, daß dem gottsuchenden Menschen auf Erden immerhin eine belehrte Unwissenheit (*docta ignorantia*) vergönnt ist.[446] Diese Unwissenheit soll, wie der ganze Duktus der von Heinrich ausgewählten Zitate nahelegt, als eine statthafte Form des Wissens gelten, aber nicht als Wissen über ein Unerreichbares, sondern als ein Wissen um ein Unerkanntes, in dem dieses Unerkannte nicht zum Erkannten wird. Mit dem augustinischen Ausdruck *docta ignorantia*, der schon bei BONAVENTURA terminologische Höhe erreicht hat,[447] benennt Heinrich eine kathartische, gewissermaßen ikonoklastische

[444] Heinrichs *commendatio fidei* hat unbezweifelbar auch einen zeitgenössischen Bezug, insofern die These, daß der christliche Glaube die Menschen am Streben nach der Wahrheit hindere, averroistischen Kreisen zugeschrieben wurde (cf. AVERR., *Metaph. IV,2* ed. Iunt. VIII, fol. 67rB, wo AVICENNA kritisiert wird, weil dieser in seiner Philosophie zu große Zugeständnisse an die Theologie gemacht hätte) und auch später der Verurteilung von 1277 unterlag; cf. STEPH. TEMPER., *Errores 219 condemnati, nr. 180* Hissette 274: *Quod lex christiana impedit addiscere.* - In diesem Zusammenhang verbindet sich die christliche Gegenkritik mehrfach mit dem Motiv des durch seinen Glauben über das Vernunftwissen der Philosophen erhabenen alten Weiblein (*vetula*); so z. B. bei THOM. DE AQU., *Expos. in Symb. Apost.* nr. 862 Spiazzi 193; PS.-THOM. DE AQU., *Sermo III* ed. Vivès 32, p. 676a; dazu CHENU, *Das Werk des hl. Thomas.* 1960, p. 367 not. 3 und besonders SCHÖNBERGER, *Was ist Scholastik?* 1991, p. 67 mit der belegreichen Anm. 118; für die dortige Bemerkung zu Heinrich von Gent sei korrigierend verwiesen auf HENR. DE GAND., *Summa 19,2* Badius 118vH-119vN, spec. 119vN: *Unde plus solidae veritatis de secretissimis Dei et necessariis ad salutem modo scit una vetula quam antiquitus sciverunt omnes philosophi.*

[445] Cf. PROSPER. DE AQUITAN., *Liber sententiarum 61* CCL 68A, p. 272 [= AUG., *De trin. VIII,2,14-16*].

[446] Cf. AUG., *De orando Deum (Epist. 130,15,28)* CSEL 44, p. 72,13; cf. auch ID., *Epist 197,5* CSEL 57, p. 235,2-3: *Magis eligo cautam ignorantiam confiteri quam falsam scientiam profiteri.*

[447] Cf. BONAV., *Brevil. V,6,8* ed. Quar. V, p. 260a; ID., *In II Sent., dist. 23,2,3 ad 6* ed.

Funktion reflektierter Unkenntnis der göttlichen Wesenheit, deren Kern ein echtes Wissens um vor- und nichtgöttliche Realitäten ist.

Dem ersten Einwand, daß das eine Gegenüber für das andere Gegenüber weder etwas im Sein noch im Erkennen beiträgt, gibt Heinrich nur hinsichtlich der Verursachung von Sein und Erkennen statt.[448] Auf akzidentelle Weise könne aber etwas, das entfernt und verhindert, gut dazu beitragen. So umgibt das Kalte das Warme und verhindert im Warmen, daß es aus sich heraus sich ergießt; es verdichtet sich in sich und verbrennt so stärker. Das Erkennen dessen, was Gott nicht ist, bindet auf diese Weise den Intellekt zusammen, damit dieser in seinem geistigen Innern (*spiritualiter*) suche, was Gott ist, und nicht bei der Suche nach Gott mittels der außerhalb seines Intellekts liegenden Kreaturen abschweife. Diese Katharsis von Sinneserfahrung, die eine Einkehr in das Innere des Geistes gebietet, schätzt Heinrich als einen erheblichen Gewinn für die Wesenserkenntnis ein, weil sie in die wahre Wesenserkenntnis einübt. Die hier von Heinrich anempfohlene Denkbewegung ist ganz von augustinischer Geistigkeit geprägt. Sie geht von außen nach innen, von innen nach oben.[449]

Die Erwiderung auf die These des zweiten Einwandes, daß eine Privation kein Erkenntnisprinzip für ein Positives sei, nützt Heinrich, um sein Ver-

Quar. II, p. 546a; cf. zur Sache auch ID., *Itin. VII,5* ed. Quar. V, p. 313a; ID., *De scientia Christi 7, concl.* ed. Quar. V, p. 40a; ID., *Incend. amoris 3* ed. Quar. VIII, p. 17, wo (ohne Nennung des Begriffs!) ebenfalls eine sachliche Nähe mit der Ekstasis-Lehre des Ps.-DIONYSIUS AREOPAGITA gesucht wird. - Zur mittelalterlichen Geschichte dieses Begriffs, der erst durch das 1440 erschienene Werk gleichen Titels von NICOLAUS CUSANUS eine große Karriere machte, cf. immer noch die zur Materialübersicht grundlegende Studie von J. UEBINGER: *Der Begriff der Docta ignorantia in seiner geschichtlichen Entwicklung.* In: AGPh 8 (1895), pp. 1-32. 206-240, dessen Sammlung vorcusanischer Belege - er kennt nicht die oben zitierte Heinrich-Stelle! - offensichtlich auch von der Forschungsliteratur unseres Jahrhunderts nicht erweitert worden ist. Nachzutragen wären etwa die besagte Heinrich-Stelle sowie GUIGO DE PONTE OCarth († 1297): *De contemplatione*, ed. J. P. GRAUSEM: Le 'De contemplatione' de Guigues du Pont. In: RAM 10 (1929), p. (259-289) 278, der die zehnte von zwölf Stufen der Tröstungen Gottes wie folgt beschreibt: *obumbratis caliginis in cubiculo cordis ... ibi ... videtur* [sc. *Deus*] *manifeste quodam secreto intuitu, per quandam doctam ignorantiam, per quam pio sapientiae amore mediante familiariter cognoscitur*, cf. aber schon M. DE GANDILLAC: *Nikolaus von Cues.* Düsseldorf ²1953, p. 106 not. 83sq., dessen Hinweis auf GUIGO augenscheinlich unbeachtet blieb.

[448] Cf. HENR. DE GAND., *Summa 24,4* Badius 140rD: *Ad primum in oppositum, quod oppositum non confert ad esse oppositi, ergo neque ad cognitionem, dicendum, quod verum est per se in causando esse aut cognitionem. Per accidens autem amovens prohibens bene potest conferre, sic ut frigidum circumstans calidum et in hoc prohibens, ne diffundatur extra se, sed quod constringatur intra se. Et sic fortius comburit. Sic cognoscere quid non sit Deus, constringit intellectum, ut intra se spiritualiter quaerat quid sit Deus, et non evagetur quaerendo eum per creaturas extra se. Et sic valet multum ad cognoscendum quid sit Deus.*

[449] Cf. AUG., *De vera rel. 39,72,202* CCL 32, p. 234,12-14: *Noli foras ire, in te ipsum redi. In interiore homine habitat veritas. Et si tuam naturam mutabilem inveneris, transcende et te ipsum.* Cf. auch ID., *In Ioa. ev. 20,11* CCL 36, p. 209,12-14.

ständnis der Negation und Privation zu umreißen.[450] Auch nach Heinrich ist eine Privation[451] für sich genommen keinesfalls ein Erkenntnisprinzip. Auf akzidentelle Weise ist aber eine solche Behauptung nicht unpassend. Dabei muß aber nach Heinrich beachtet werden, daß eine Negation bezüglich dessen, was Gott nicht ist, zweifach ausfallen kann. Zum einen wird etwas an Gott aufgrund der bezeichneten Sache negiert, z.B. daß Gott kein Stein oder Hund ist. Zum anderen wird etwas an Gott negiert aufgrund der Unvollkommenheit, die man in den Geschöpfen findet; so ist z.B. Gott nicht gut, weil er übergut ist, die Gutheit selbst und dergleichen. Der Wert beider Negationstypen für das menschliche Mentalstreben nach Wesenserkenntnis wird von Heinrich sehr unterschiedlich beurteilt. Eine Erkenntnis dessen, was nicht Gott ist, im Sinne der ersten Art bewahrt vor dem Irrtum, nicht glauben zu sollen, was Gott nicht ist. Aber sie leitet nicht zu einer Wesenserkenntnis, weil sie rein negativ ist. Ganz anders steht es um den zweiten Negationstyp.[452] Er

[450] Cf. HENR. DE GAND., *Summa 24,4* Badius 140rE: *Ad secundum, quod privatio non est principium cognoscendi habitum, dicendum, quod verum est per se, sed magis econverso, per accidens autem non est inconveniens, ut dictum est. Verumtamen intelligendum, quod negatio circa id quod non est Deus, duplex est. Aliquid enim negatur de Deo ratione rei significatae, ut quod non est lapis aut canis. Aliquid vero negatur de ipso ratione imperfectionis, secundum quam invenitur in creaturis, ut quod Deus non est bonus, quia est superbonus et ipsa bonitas et huiusmodi. Cognitio quid est Deus primo modo, praeservat ab errore, ne credatur Deus esse, quod non est, non autem agit ad dirigendum in cognoscendo quid est, quia est pure negativa, nisi praeservando a putando esse quod non est.*

[451] Bedeutsame Texte zu Heinrichs Negationstheorie sind HENR. DE GAND., *Summa 24,1* Badius 137rC; ID., *Summa 25,2* Badius 150vV; ID., *Summa 32,4* Macken 56-75; ID., *Summa 35,1* Wilson 6,49-68; ID., *Summa 57,1* Badius 118vT-119rT; ID., *Summa 70,1* Badius 242rC-243rF. Die durch einen Großteil der henrizianischen Texte sich hindurchziehenden Reflexionen über Negation und Privation darzustellen, wäre Gegenstand einer eigenen Untersuchung. Eine exemplarische Analyse der Negationstheorie entfaltet Heinrich hinsichtlich des Unendlichkeitsattributs in *Summa 44,2* Hödl 87-99; dazu HÖDL, *Der Begriff der göttlichen Unendlichkeit in der Summa des Heinrich von Gent.* 1994. Einen Überblick über negationstheoretische Diskussionen von THOMAS VON AQUIN bis MEISTER ECKHART findet man bei SCHÖNBERGER, *Negationes non summe amamus.* 1996, dort knappe Verweise auf Heinrich pp. 476. 480sq. 482. 485. 489. 491. Konzise Beobachtungen zur gesamtscholastischen Begriffsgeschichte enthalten HÜBENER, *Logik der Negation.* 1975, zu Heinrich p. 73; der Redaktionsartikel *Negation, Negativität. I. Von der Antike bis zur Schulphilosophie des 18. Jh.* In: HWPh VI (1984), col. 671-675, sowie KOBUSCH, *Sein und Sprache.* 1987, pp. 427-437. Den Hintergrund neuplatonischer Negationstheorie beleuchtet W. BEIERWALTES: *Proklos. Grundzüge seiner Metaphysik.* Frankfurt a.M. (1965) ²1979, pp. 339-366.

[452] Cf. HENR. DE GAND., *Summa 24,4* Badius 140r-vE: *Cognitio vero de Deo quod non est secundo modo, non solum praeservat ab errore, ne credatur esse Deus quod non est, sed agit ad dirigendum in cognoscendo quid est, eo quod non est pure negativa, sed negando circa rem rationem imperfectionis, intendit includere circa eam in Deo perfectionem illi imperfectioni contraria. Unde dicitur quod Deus non est bonus, ne intelligatur bonum convenire ipsi per inhaerentiam et participationem et sic intelligatur esse bonitas ipsa per essentiam. Et hoc est, quod intellexit Avicenna in VIII Metaphysicae suae* [cf. AVIC., *Metaph. VIII,4* Van Riet 402,49-57]*: 'Prius est esse exspoliatum conditione negandi privationes et ceteras proprietates ab eo,*

bewahrt nicht nur vor demselben Irrtum wie der erste Typ, sondern treibt auch zur Wesenserkenntnis Gottes an, insofern er nicht rein negativ, sondern relativ negativ geartet ist. Denn durch Negation des Sachgrundes einer Unvollkommenheit an einer Sache erstrebt sie, diesbezüglich in Gott eine dieser Unvollkommenheit konträre Vollkommenheit einzufassen. Gott werde daher 'nicht gut' genannt, um nicht die Meinung aufkommen zu lassen, daß ihm das Gutsein mittels einer Inhärenz oder Partizipation zukomme, wo er doch von Wesen her die Gutheit selbst ist. Heinrich beruft sich für diese Negationsverständnis auf Ausführungen in AVICENNA, *Metaph. VIII,4.* An erster Stelle aller Dinge steht ein gänzlich aller Privationen und damit zusammenhängender Proprietäten beraubtes quidditätsloses Sein. Es ist aber nicht des Seins selbst beraubt, weil dieses Sein selbst seine Proprietät ist. Nicht durch Negation, sondern durch Affirmation ist dieses als ein Seiendes ausgezeichnet, dem alle Zusammensetzung und Beifügung fehlt. Diesen akzidentell bzw. *extenso nomine* zu verstehenden Negationstyp erläutert Heinrich an späterer Stelle dahingehend, daß dadurch vorher unbekannte und unbenannte Affirmationen und positive Bestimmungsgründe in Gott erschlossen werden, und zwar im Rückgriff auf einen Bestimmungsgrund, der nicht außerhalb Gottes liegt.[453]

5. Die Negation als Weg zur Welt- und Gotteserkenntnis

In der voraufgegangenen Quästion hat Heinrich ein Bekenntnis zur *docta ignorantia* abgelegt. Damit bringt er aber das Problem auf, ob und inwieweit ein solches negatives Erkennen des Nichtgöttlichen nicht doch eine affirmative Erkenntnis Gottes beinhaltet und in welchem Wechselverhältnis sich beide befinden können.[454] So wirft ein erster Einwand ein, daß das Wissen um die Nichtgöttlichkeit einer Sache ein Wissen um dessen Andersheit zu Gott voraussetzt und diese Andersheit nur durch ein Wissen um Gottes Wesen gewußt

non quod ipsum sit esse exspoliatum, cuius haec proprietas est. Ipsum enim non est illud ens exspoliatum conditione negandi, sed est ens conditione affirmandi, scilicet quod est ens cum conditione non addita compositioni.'

[453] Cf. HENR. DE GAND., *Summa 57,1* Badius 118vT: *Quae privatio extenso nomine duplex est. Una quae privat id, quod indignitatis est in alio, et est vera privatio sive defectus secundum rem, quales privationes sunt 'immortale' et 'incorruptibile' et 'infinitum' in Deo, per quas circumloquuntur verae affirmationes et rationes positivae nobis incognitae et innominatae. Et ideo tales negationes sive privationes dicuntur fundari super oppositum eius, quod negant aut privant. Quod non proprie dicitur, immo fundantur super id, circa quod intelligitur positivum quod circumloquuntur, et cuius oppositum privant. Et ratione illius, quod sic dant intelligere et circumloquuntur, huiusmodi negationes important rationem dignitatis non autem ratione negationis neque ratione eius, circa quod sunt.*

[454] Zur Textinterpretation von HENR. DE GAND., *Summa 24,5* Badius 140vF-141rK cf. PAULUS, *Argument ontologique.* 1935, pp. 299. 301. 315sq. 318; ID., *Essai.* 1938, p. 51; MARRONE, *Augustinian Epistemology.* 1983, p. 282; PORRO, *Enrico di Gand.* 1990, p. 116 not. 9.

werden kann. Denn das Andere ist Relat einer Unterschiedenheit, in der durch Kenntnis eines der Relate notwendig auch das andere erkannt ist.[455] In einem zweiten Einwand werden die Erkenntnis der Identität und Alterität darauf zurückgeführt, daß der Grund gewußt ist, der jeweils die Identität oder die Andersheit einer Sache zu einer anderen stiftet. Unter Beachtung des aristotelischen Axioms, daß sich alles entsprechend zum Sein wie zum Erkennen verhält, kann dann aber ohne Erkenntnis des Wesens einer Sache nicht das erkannt werden, was mit ihm identisch ist. THEMISTIUS brachte dafür das Beispiel von einem geflohenen Sklaven, der nach Festnahme von jemandem, der ihn nicht kennt, als solcher nicht erkannt werden kann.[456]

Die ersten beiden der von Heinrich bemühten Gegeneinwände sind zwei augustinische Texte, die bereits in der vorhergehenden Quästion Heinrichs Meinung stützen sollten. Sie unterstreichen nochmals das Vorhandensein einer der Wesenserkenntnis Gottes vorangehenden Kenntnis dessen, was Gott nicht ist. Ein neues Argument gewinnt Heinrich aus der Umkehrung der aristotelischen Lehre, daß bei einer treffenden Definition das Konträre mitbezeichnet ist. Desweiteren verweist Heinrich auf das Phänomen, daß selbst Idololatreuten sehr wohl wissen, daß Gott wegen der Erhabenheit seiner Quiddität allen Dingen voranzustellen sei, obwohl es ihnen am genauen Wissen über das, was Gott nicht ist, mangelt. Es muß also ein affirmatives Wissen um Gottes Wesen vorausgehen, sei es in diesem Fall auch nur ein Wissen der Nominaldefinition Gottes, d. h. dessen, über das hinaus es nichts Größeres und Besseres gibt.[457]

[455] Cf. HENR. DE GAND., *Summa 24,5* Badius 140vF: *Scire quid non est Deus, est scire de aliquo, quia est aliud a Deo. Non scitur autem, quia est aliud a Deo, nisi sciatur quid est Deus, quia aliud est relativum diversitatis, et cognito uno relativorum necesse est cognosci reliquum.*

[456] Cf. HENR. DE GAND., *Summa 24,5* Badius 140vF: *Ex eodem habet cognosci quid est rei alicui idem et quid diversum ab eodem, quia ab eodem est in re identitas sibi et diversitas ab alio, et sicut unumquodque se habet ad esse et ad cognitionem, sed non cognito de aliquo quid sit, non potest cognosci quid sit idem sibi, ut ex exemplo Themistii* [cf. THEMIST., *Anal. Post. paraphrasis I,1* CAG V/1, pp. 2,5-5,4 (translatio GERARDI CREMONENSIS)] *de servo fugitivo, qui enim non cognoscit eum, non potest scire si ipse est cum eum invenerit.*

[457] Cf. HENR. DE GAND., *Summa 24,5* Badius 140vF: *In oppositum est Augustinus in duabus auctoritatibus dictis in quaestione praecedenti* [cf. ID., *Summa 24,4* Badius 140rA]. *In prima ubi dicit: 'Non parva notitiae pars est, si antequam scire possimus quid sit Deus, possumus scire quid non sit.' Et in secunda ubi dicit: 'Non esse hoc quod quaerimus, novimus, quamvis illud nondum quale sit, noverimus.' Item quod econverso non potest sciri quid sit, non sciendo quid non sit, videtur, quia secundum Philosophum* [locum non inveni] *qui bene definiunt, contraria consignificant. Contraria autem sunt, quod res est et quod non est. Ergo et cetera. In contrarium est, quoniam qui scit de Deo quia est id, quod ceteris est anteponendum, scit aliquo modo quid est, quia hoc convenit ei ratione suae quidditatis super alia. Sed hoc sciens de Deo, bene ignorat quid non sit. Nam ut dicit Augustinus in 'De doctrina christiana'* [cf. AUG., *De doctr. chr. I,7,15-16* CSEL 80, pp. 11,27-12,15]*: 'Cum alii alios et alios deos colunt sive in coelo sive in terra, omnes tamen certatim pro excellentia Dei dimicant, nec quisquam inveniri potest hic, qui Deum esse credat, quo est aliquid melius.'*

Angesichts der Vielschichtigkeit der vorgestellten Argumente und Gegenargumente präzisiert Heinrich zur Beantwortung dieses Problems seine Frage.[458] Demnach soll es darum gehen, ob in einem und selben Erkenntnisakt von Gott erkannt wird, was er ist und was er nicht ist, so daß derjenige, der das eine von Gott erkennt, auch das andere erkennt. Zwei Erkenntnisweisen des Wesens Gottes scheiden dabei aus. Diese sind einerseits das durch die unverhüllte Wesenheit Gottes determinierte und andererseits das durch ein konfuses Sein in den kreatürlichen Dingen indeterminierte Erkennen des göttlichen Wesens. Im ersten Fall gibt es die Wechselseitigkeit und Simultaneität eines vollkommenen Erkennens dessen, was Gott ist und nicht ist. Wegen der stets simultanen Erkenntnis des Wesens Gottes ist jede Affirmation immer auch Ursache der vollkommenen Erkenntnis ihrer eigenen Negation. Der zweite Fall eines konfusen Erkennens - zentral für Heinrichs Begründung der *Primum cognitum*-Theorie! - bleibt nach Heinrich bewußt außer acht, weil es kein mit einer Unterscheidung verbundenes Erkennen ist. Durch das Nichtunterscheiden des Seins und des Nichtseins kann diese Erkennen auch nicht erfassen, was ein Ding nicht ist.

Die erste der beiden verbleibenden und nun zu diskutierenden Erkenntnisweisen besteht in einer allerallgemeinsten Erkenntnis (*cognitio omnino generalissima*), durch die in einfacher, unentfalteter Weise das Beste in den existierenden Dingen erkannt wird, ohne dabei die Bedingungen der Güte Gottes und seiner Präeminenz über alle Dinge zu unterscheiden. Sie ist ein Erkennen, das nicht auf das Wesen einer Sache zurückgreift, sondern durch ein Wissen zustandekommt, das durch den Namen eines Dings ausgesagt wird.[459] Die zweite Erkenntnisweise ist ein ins Besondere gehende Erkennen (*cognitio specialis*) des Besten und Präeminenten mitsamt den Bedingungen der Präeminenz über alle Dinge. Im einzelnen sind dies z. B. der Besitz des ganzen

[458] Cf. HENR. DE GAND., *Summa* 24,5 Badius 140vG: *Dicendum ad hoc quod ista quaestio quaerit, an una et eadem cognitione cognoscitur de Deo quid est et quid non est, ut qui cognoscit unum de ipso, cognoscat et aliud. Et est dicendum, quod de Deo duplex est cognitio quid est, praeter illam quae est determinata per nudam essentiam, quae non potest sciri quid sit, nisi sciendo quid non sit simul perfecte, et econverso non potest sciri perfecte quid non sit, nisi perfecte sciendo quid sit, ut semper affirmatio sit causa perfectae cognitionis ipsius negationis, et praeter illam etiam quae est indeterminata per esse confusum in eis quae sunt creaturarum, de qua videbimus in sequenti quaestione* [cf. ID., *Summa* 24,6 Badius 142rT-143vZ], *quae non est cognitio discreta, et ideo non habet locum quaestio ista de cognitione illa, quia non cognoscitur quid non sit res nisi discernendo eius esse et non esse.*

[459] Cf. HENR. DE GAND., *Summa* 24,5 Badius 140vG: *Praeter has inquam duas cognitiones de Deo eius quod quid est, sunt aliae duae. Una omnino generalissima, qua cognoscitur simpliciter, quod est optimum in eis quae sunt, non determinando conditiones bonitatis et praeeminentiae eius super alia. Et illa est cognitio qua scitur quid dicitur per nomen, non quid est res. Alia vero est specialis, quae cognoscitur, quod optimum est et ceteris praeeminens et cum hoc quae sunt conditiones praeeminentiae, videlicet quod habet omnem rationem perfectionis et nullam patitur rationem imperfectionis et defectus, quod sit simplicissimum et immutabilissimum et cetera huiusmodi.*

Wesensgrundes der Vollkommenheit, die Partizipationsfreiheit von allen Unvollkommenheits- und Defizienzgründen, ein allereinfachstes und absolut unveränderliches Sein.

Die allerallgemeinste mit einer Unterscheidung verbundene Erkenntnis des Wesens Gottes erfaßt wohl dieses göttliche Wesen. Sie überblickt aber dabei wegen der zugrundeliegenden Nominalkenntnis nur graduell das göttliche Wesen und nur partiell die Dinge, die nicht Gott sind. Diesen verweigert sie dann allerdings konsequent das Attribut göttlicher Erhabenheit. So erklärt sich das idololatrische Tun, das verehrend mit Dingen umgeht, die der Wahrheit der Dinge nach nicht Gott sind, und zugleich anderen Dingen Nichtgöttlichkeit attestiert.[460] Anders steht es bei dem ins Besondere gehende Erkennen, bei dem in allen Fällen sauber zwischen dem, was Gott ist, und dem, was Gott nicht ist, geschieden wird, weil alle Vollkommenheitsgründe Gottes und jeder Defizienzgrund einer Kreatur in absoluter Simultaneität und Wechselseitigkeit erkannt sind.[461] Träger solchen Wissens ist ein gut ausgebildeter Philosoph.[462] Man darf diese Erkenntnisweise begreifen als komplette Addition und vollkommene Summe der Erkenntnismöglichkeiten des allerallgemeinsten Erkennens, die dort zwar für einzelne Bestimmungen der Präeminenz Gottes, aber nicht für die Gesamtheit dieser Bestimmungen gelingen.[463] Die große Nähe dieser beiden Erkenntnisarten beruht nach Hein-

[460] Cf. HENR. DE GAND., *Summa 24,5* Badius 140vG: *Loquendo de cognitione de Deo quid est primo modo, contingit scire de Deo quid est, non sciendo universaliter quid non est, scilicet quoad omnia quae non sunt, quod Deus est, licet forte sciatur de pluribus, ut de illis, in quibus non invenit illam esse eminentiam quam reputat divinam, ut ostendit ultima ratio. Aliter enim idololatrae dicentes Deum esse optimum, non ponerent illud optimum esse caelum aut aliquid lucidum in caelo, quod in rei veritate Deus non est.*

[461] Cf. HENR. DE GAND., *Summa 24,5* Badius 140vG: *Loquendo autem de cognitione quid est de Deo secundo modo, non contingit scire de Deo quid est, non sciendo quid non est oppositum illi, in quo cognoscitur de Deo quid est, nec econverso. Sciendo enim quid est, sciendo scilicet omnes rationes perfectionis esse in ipso, necesse est quod simul sciat universaliter de omnibus quid non est, et quod nulla creaturarum sit, ut quod omne habens in se aliqua rationem imperfectionis, non sit Deus, et tale est omnis creatura. Sciendo vero quid sit secundum aliquam perfectionem et non secundum omnes, necesse est simul scire quid non sit secundum imperfectionem oppositam illi, licet non secundum omnem. Unde sciens de Deo, quia est perfectus in simplicitate, scit quod non est aliquid corporeum. Sciens vero quod est perfectus in immutabilitatem, scit quod non est aliqua substantiarum simplicium quae sunt mutabiles. Et econverso sciens quod non est aliqua illarum propter imperfectionem quam invenit in illis, necesse habet simul scire quid sit Deus quoad oppositam perfectionem, et sciens quid non est secundum omnes perfectiones quae sunt in creaturis, necessario scit simul quid est secundum omnes perfectiones respondentes imperfectionibus illis quae sunt in creaturis.*

[462] Cf. HENR. DE GAND., *Summa 24,5* Badius 140vH: *Philosophus bene instructus, sciendo universaliter omnes conditiones perfectionis divinae, in quibus econtra creatura habet in se aliquam imperfectionem quam similiter novit, ... necesse est eum scire simul quid non est Deus et hoc unversaliter. Et econverso ...*

[463] Cf. HENR. DE GAND., *Summa 24,5* Badius 141rH: *Et sic cognitio de Deo quid est, determinando conditiones praeeminentiae eius et cognitio quid non est ei opposita, currunt eodem cursu, quantum enim scit homo de uno et altero. Qui enim perfecte quoad omnes conditiones*

rich, der in diesem Punkt mit THOMAS ganz in Einklang steht,[464] auf dem logisch-ontologischen Axiom, daß eine Negation nur aufgrund einer Affirmation erkannt wird, wie auch eine Privation aufgrund eines Besitzes. Heinrich bietet dafür zwei signifikante Autoritäten auf. Nach AVICENNA wird das Sein durch sich, das Nichtsein aber auf eine bestimmte Weise durch das Sein erkannt.[465] Für ANSELM kann die Verneinung einer Sache nicht anders bezeichnet werde, als mit der Bezeichnung dessen, von dem die Verneinung bezeichnet wird.[466]

Heinrich sieht zwei Wege der Wesenserkenntnis Gottes und der Erkenntnis der Nichtgöttlichkeit der Schöpfung vorgezeichnet. Der von seiten der erkannten Sache als *essentialior via* zu bezeichnende Weg zur Erkenntnis dessen, was Gott ist und was er nicht ist, führt von der Erkenntnis des Wesens Gottes apagogisch hin zur Erkenntnis dessen, was nicht Gott ist in den Kreaturen. Umgekehrt führt der für das menschliche Erkennen geeignetere Weg anagogisch von der Erkenntnis dessen, was Gott nicht ist, zur Erkenntnis seines Wesens. Die dabei zu befolgende Methode ist die der Negation. Gemäß JOHANNES DAMASCENUS, den Heinrich hier als Kronzeugen aufruft, bedarf es für eine Aussage über die Substanz einer Sache stets einer Aussage über das, was es ist, nicht über das, was es nicht ist. Weil aber dies bezüglich der Substanz Gottes unmöglich ist, ist es der sehr viel leichtere Weg, sich aus jeder Abstraktion einen Erkenntnisgrund zu verschaffen.[467] Nach Heinrich ist dies der Beginn jeglicher mit Besonderung und Unterscheidung verbundenen Erkenntnis des göttlichen Wesens, nämlich methodisch mittels der Unvollkommenheitsgründe der Kreatur alle Unvollkommenheiten von Gott zu negieren und ihm Eminenz zu attribuieren.[468] Durch diesen methodisch gewon-

praeeminentiae scit quid est, perfecte scit quoad omnes creaturas quid non sit. Qui autem quoad aliquas conditiones praeeminentiae scit quid est, et quoad aliquas creaturas scit quid non est, et quoad aliquas non scit hoc. Scit enim quoad illas, in quibus est imperfectio opposita perfectioni, quam novit in Deo. Quoad alias autem non. Et hoc ideo quia negatio non cognoscitur nisi per affirmationem, sicut privatio per habitum. Secundum quod dicit Avicenna in I Metaphysicae: 'Esse cognoscitur per se, non esse vero per esse aliquo modo.' Et secundum quod dicit Anselmus, De casu diaboli: 'Remotio alicuius rei significari nullatenus potest nisi cum significatione eius, cuius significatur remotio.' Nullus enim intelligit, quid significat 'non homo' nisi intelligendo quid sit 'homo'.

464 Für die thomanische Lehre von der Negation cf. KOBUSCH, *Sein und Sprache.* 1987, p. 429sq.; SCHÖNBERGER, *Negationes non summe amamus.* 1996, p. 480sq.

465 Die 1642 von H. SCARPARIUS besorgte Edition der *Summa* verweist hier auf AVIC., *Metaph. II,1.* Dort kann aber nach dem Text der von S. VAN RIET erstellten kritischen Edition keine Textentsprechung gefunden werden.

466 Cf. ANSELM. CANT., *De casu diaboli 11* Op. omn. I, p. 249,11-12.

467 Cf. IOA. DAMASC., *De fide orth. I,4,4* Buytaert 20,31-21,35.

468 Cf. HENR. DE GAND., *Summa 24,5* Badius 141rI: *Et sic patet, quod essentialior via ex parte rei cognitae in cognoscendo quod quid est de Deo et quid non est, est procedere a cognitione quid est Deus ad sciendum quid non est in creaturis. Licet sit econverso ex parte nostra idoneor via procedendo a cognitione quid non est ad cognoscendum quid est, via scilicet remotionis, secundum quod dicit Damascenus: 'Oportet eum, qui vult substantiam alicuius dicere, quid est*

nenen und darum vollkommenen Wissen über etwas, was Gott nicht ist, wird so doch das Wissen um sein Wesen erweitert. Entscheidend für das Gelingen ist aber die strikte Vermeidung sowohl einer bloß allgemeinen Kenntnis der Definition Gottes, die Heinrich nach dem Gesagten als Nominaldefinition begreift, als auch die Vermeidung einer bloß allgemeinen Kenntnis dessen, was Gott nicht ist. In beiden Fällen mißrät eine zutreffende Konsignifikation der konträren Bestimmungen.[469]

Heinrich von Gent billigt der negativen Theologie eine große Bedeutung innerhalb der natürlichen Gotteserkenntnis des Menschen zu. Eine besondere Wendung erfährt diese theologischen Tradition bei Heinrich darin, daß die Inventivkraft der Negation im Rahmen einer Essenzmetaphysik erwiesen wird. Sie ist methodische Stütze für ein inwendiges Mentalstreben des Menschen nach Erkenntnis des göttlichen Wesens. Gerade insofern sie relative Negationen beinhaltet und in einer vorgängigen Affirmation gründet, sichert die Anbindung der Negation an die universale Gültigkeit des logisch-ontologische Widerspruchsprinzips ihre Verwendbarkeit und Gültigkeit, um Unterscheidungen und Bestimmungen in ein Universum von Wesenheiten - seien sie geschaffen oder ungeschaffen - eintragen zu können. Ihre ikonoklastische Kritik ist im Horizont der henrizianischen Wesensontologie bester Schutz davor, die essentiale Positivität des kreatürlichen Seienden in der Schöpfungswirklichkeit falsch zu deuten und dessen Vollkommenheiten idolatreutisch zu überhöhen. Alles Negieren und Unterscheiden erfolgt durch die den kreatürlichen Dingen einwohnende Positivität des Wesenssein, das als kontigentes, endliches und begrenztes Sein zwar Negativität an sich hat, aber nicht die Negativität selbst ist. Das Negative ist Grenze zum Affirmativen. Dem gottsuchenden *homo viator* wird durch die negative Theologie ein Weg gewiesen, an dessen Anfang er das Ungenügen des Endlichen und Veränderlichen im Wissen um dessen Nichtgöttlichkeit verspürt. Am Ende des denkerischen Weges tritt er aber an eine Schwelle, an der man Ewiges für Vergängliches eintauscht. Es verdient auch eigens erwähnt zu werden, daß nach Heinrich die Negation als Erfahrung des Denkens mit sich selbst nicht nur kathartische

enunciare, non quid non est. Verumtamen in Deo quid est dicere, impossibile est secundum substantiam. Facilius autem magis ex omni ablatione facere rationem.' Sic enim per rationes imperfectionis via remotionis omnis imperfectionis a Deo et attributionis eminentiae incipit homo cognoscere de Deo quid sit in speciali, ut in sequenti quaestione dicetur.

[469] Cf. HENR. DE GAND., *Summa 24,5* Badius 141rI: *Et sic cognoscendo quid est, per ipsum quid est perfecte novit quid non est, et per quid non est amplius novit quid est. Et ideo qui bene definiunt hoc modo per cognitionem de Deo quid non est vel quid est Deus, contraria consignificant, ut processit paenultima ratio et duae primae rationes. Non autem qui bene definiunt quid est cognitione generali quid est, scilicet quod dicitur per nomen, oportet quod contraria consignificent, ut dictum est. Neque qui bene definiunt quid non est, per cognitionem quid est generalem, oportet quod contrarium consignificent definiendo universaliter quid est cognitione speciali, ut processit ratio ex duabus auctoritatibus.*

Funktion für das rational-intellektuale Denken besitzt, sondern auch eine besondere Vorbereitung und Einladung zum Glauben ist.[470]

Bevor zur theologiehistorischen und textanalytischen Behandlung der henrizianischen *Primum cognitum*-Theorie im engeren Sinne übergegangen werden soll, sei hier die Gelegenheit zu einer knappen Zwischenbilanz des II. Kapitels ergriffen. Die im christlichen Glauben erfaßte und bezeugte Wahrheit über Gottes Existenz tritt im 13. Jahrhundert in eine Spannung zu der durch die natürliche Vernunft vollzogenen Analyse der Weltwirklichkeit und ihres göttlichen Grundes, die Heinrich für beide Seiten, Glaubenszeugnis und Weltwissen, fruchtbar machen will. Heinrich sah die Zeit für neue Allianzen gekommen. Gott als einzige höchste Wirklichkeit (*summa res*) ist wesenhafte, essentiale Wirklichkeit. Gottes Sein, Wirken und Erkennen in der Welt sind - wie nach Heinrichs Ansicht AUGUSTINUS und AVICENNA in glücklicher Konvergenz bezeugen können - geprägt vom Wesensvollkommenen und Wesenseinzigen. Heinrichs im Anschluß an die beiden Denker konzipierte reïstische Wesensontologie ermöglicht einen neuen Weg, der aposteriorischen Dimension der Wirklichkeitsanalyse, wie sie von aristotelisierenden Denkern vehement eingefordert wird, genüge zu tun und zugleich durch die Ausrichtung auf das intentionale (nicht das real-existente!) Sein der Dinge ein kritischeres, weil von unliebsamen kosmologischen Implikaten befreites metaphysisches Wirklichkeitskonzept szientifisch zu begründen. Nur so scheint für Heinrich die Göttlichkeit Gottes und die Weltlichkeit der Welt unangetastet zu bleiben. Für die Demonstration der Existenz Gottes aus der Schöpfung ergibt als nicht geringste Folge, daß nicht die kausale Wesensvollkommenheit Gottes bevorzugt in den Vordergrund gerückt werden darf, sondern vielmehr das Gesamt der kausalen, exemplarischen und finalen Wesensvollkommenheit und Transzendenz Gottes zur Geltung gebracht werden muß. Damit wäre aber nur ein Teilziel der so sehr auf die göttliche Priorität bedachten, innovativen Gotteslehre Heinrichs erreicht. Gott ist nämlich nicht nur hervorbringender, gestaltender und vollendender Grund aller Wirklichkeit und aller Tätigkeit des Menschen, sondern auch nach Heinrich in einem spezifischen Sinne erster Inhalt des menschlichen Erkennens. Die avicennische Lehre von Primärbegriffen wird zu einem zentralen Element erhoben, weil ihre Überzeugungskraft für Heinrich von Gent in der uneingeschränkten, universalen und apriorischen Begründung des Gottesbezugs des Menschen liegt. Doch verlangt dieser neue Begründungsweg weiterer Klärungen und Eingrenzungen, von denen die Beachtung signifikations- und negationstheoretischer Grundsätze und die Wahrung der Offenbarungsfreiheit Gottes nur die dringlichsten sind. So muß zum einen stets die Differenz von 'Bedeuten' und 'Bezeichnen'

[470] Cf. HENR. DE GAND., *Summa 24,4* Badius 140rC und spec. ID., *Summa 32,4* Macken 60,19-61,21: *Unde negationes sunt necessariae intellectui, ut per eas demonstretur quid oportet non credere de Creatore, quod est praeparatio ad illa quae oportet credere.*

für die Auswertung der substantialen Attribute des dreifaltigen einzig-einen Gottes im Blick bleiben. Analogie und Negation korrigieren miteinander jeden Bezeichnungsversuch der Wesensvollkommenheit Gottes. Zum anderen akzentuiert Heinrich wie wohl kaum ein zweiter Theologe seiner Zeit das freie Offenbar-Sein Gottes als unangreifbare, nicht hinterschreitbare Möglichkeitsbedingung natürlicher Gotteserkenntnis. Auch die Primärbegriffe vom Göttlichen finden eine Grenze an der unbestimmten-unbestimmbaren Fülle und Vollkommenheit Gottes und legen darum für das kreatürlich-begrenzte Erkenntnisvermögen des Menschen auch nicht das Signum des Konfusen ab. Das frei-willentliche Offenbar-Sein Gottes ist eine Form der Zuwendung Gottes zum Menschen, die im Lichte der Frage nach Gott als dem Ersterkannten einen vertieften Blick in das Wesenskonstitutive und Primordiale des Menschen verspricht. Doch wie dies bei Heinrich von Gent gelingen soll, ist schon Gegenstand des folgenden Kapitels.

III. Der Begründungsgang einer Ersterkenntnis Gottes als Teilelement eines apriorischen Gottesbeweises bei Heinrich von Gent

§ 1 DIE PATRISTISCHE LEHRE VON EINER EINGEPFLANZTEN ODER ANGEBORENEN GOTTESIDEE ALS GEBURTSORT DER SCHOLASTISCHEN THEORIEN NATURALER BZW. IMPLIZITER GOTTESERKENNTNIS

Gott ist für den Menschen nicht etwas Fremdes und Äußerliches, das ihm erst im nachhinein durch Gottesbeweise[1] bekannt gemacht werden müßte; die Gewißheit über seine Existenz ist der menschlichen Natur eingestiftet. Diese Überzeugung vertraten in der paganen Antike nicht nur, wie kaum anders zu erwarten, viele Zeugen der Volksreligiosität. Auch zahlreiche Philosophen gaben dieser Auffassung ihre Zustimmung. In der patristischen Zeit fand diese Anschauung vielfache Aufnahme. Das Diktum des JOHANNES DAMASCENUS (um 650 - vor 754): *Omnibus enim cognitio existendi Deum ab ipso naturaliter nobis inserta est,*[2] faßt den Sachgehalt der traditionellen Lehre mit allen bedeutsamen Teilelementen zusammen. Es wurde später von der hochscholastischen Theologie fortlaufend angeführt. Eine besondere Bedeutung bekommt die Äußerung des Damaszeners dadurch, daß Heinrich von Gent sie in einem Kurzabriß seiner *Primum cognitum*-Lehre an signifikanter Stelle plazierte und dadurch einen gewollten Anschluß an die mit diesem Diktum verbundene Tradition anzeigte.[3]

[1] Cf. H.-J. HORN: *Gottesbeweis.* In: RAC XI (1981), col. 951-977; Ch. STEAD: *Philosophie und Theologie I: Die Zeit der Alten Kirche* (Theol. Wiss. 14/4). Stuttgart 1990, pp. 78-85.

[2] IOA. DAMASC., *De fide orth. I,1, transl. Burgund.* Buytaert 12,22-23 (cf. auch Kap. II, § 1,1 not. 49) = ID., *De fide orth. I,1* PG 94, col. 789. Da sich schon im Spätlatein die Bedeutungen und Formen der Verben *inserere* 'einpflanzen' und *inserere* 'einreihen' vermischten, wurde die in der lateinischen Übersetzung benutzte Partizipialform *inserta* ohne Bedeutungsänderung variiert mit *insita*; cf. ThLL VII/1, col. 1869. 1875; ferner S. LUNDSTROEM: *Insertus statt insitus.* In: ALMA 27 (1957), pp. 231-234; J. GRUBER: *Kommentar zu Boethius De consolatione philosophiae* (Texte und Kommentare 9). Berlin/New York 1978, p. 117. - Zum Damaszener cf. LThK³ V (1996), col. 895-899 (R. VOLK), zu seiner Rezeption im Mittelalter insbesondere LexMA V (1991), col. 566-568 (H.M. BIEDERMANN/L. HÖDL).

[3] Cf. HENR. DE GAND., *Summa 22,6* Badius 135vL (cf. Kap. II, § 3,6). Darüberhinaus sind auch die einschlägigen Stellen in *Summa 21,1* Badius 123vB und *Summa 22,2* Badius 130rP zu beachten. Die Metapher des Einpflanzens findet einen kraftvollen Gebrauch in HENR. DE GAND., *Summa 1,5* Badius 14vB: *Deus inseminavit animae initia intellectus et sapientiae. Naturaliter concipit primas intentiones intelligibilium incomplexorum primo cognoscendo terminos et quidditates rerum* (cf. THOM. DE AQU., *Ver. XI,1* ed. Leon. 22, p. 321,45: *praeexistunt in nobis quaedam scientiarum semina, scilicet primae conceptiones intellectus*). Zum naturhaften, präreflexiven Erfassen der ersten Prinzipien cf. auch HENR. DE GAND., *Qdl. V,4* Badius 158vO; ID., *Qdl. V,17* Badius 190rF.

Die zitierte Formulierung des Damaszeners ist jedoch ebenso bedeutungsträchtig wie erklärungsbedürftig. Für ihr angemessenes Verständnis ist zu beachten, daß - worauf Hans BLUMENBERG aufmerksam gemacht hat - nicht jede von der Philosophie oder Theologie als Denkmodell benutzte Metaphorik in eine Begriffssprache übersetzt und dadurch ersetzt werden kann.[4] Darum soll im folgenden vorzugsweise die benutzte georgomorphe Umschreibungsmetaphorik des Einpflanzens als Leitfaden dienen, um die geschichtliche Entwicklung dieser bald auch mit der Dispositivmetapher des Angeborenseins verknüpften Erklärungsform natürlicher Gotteserkenntnis darzulegen. Dies geschieht dabei nur umrißhaft, d. h. ohne die Fülle der spekulativen Varianten zu erfassen, weil es auf die Stoßrichtung des Lehrgehalts ankommt.

1. Antik-pagane Vorläufertheorien

Die griechische Philosophie war von ihren Anfängen her immer auch Theologie, d. h. Denken und Ergründen der ersten Ursache von allem, mag sie auch bei verschiedenen ihrer Vertreter durch deren in kathartischer Absicht vorgetragene Mythenkritik in ein gespanntes, wenn nicht gar strikt ablehnendes Verhältnis zur gelebten Volksreligiosität eingetreten sein. Die Vorsokratiker fragten angesichts des Daseins des Kosmos nach seinem Grund. Die Sache selbst führte die Denker dazu, angesichts der Existenz religiösen Lebens auch nach Ursprung und Entstehen der Religion und der ihr zugrunde liegenden Gotteserkenntnis zu fragen. Dies geschah durch die Sophistik im Übergang zur klassischen Periode und intensivierte sich in den Schulgruppierungen der hellenistischen Philosophie.[5]

Eine schon recht entwickelte Vorstellung vom Ursprung der Gotteserkenntnis und der Religion bot bereits DEMOKRIT (um 460 - 380/70). Er führte sinnlich wahrnehmbare, bildhafte Göttererscheinungen an, aber auch die von Menschen fingierten Vorstellungen sowie die zwischen Furcht und Ehrfurcht liegenden psychologischen Momente, die sich beim Anblick kosmisch-metereologischer Ereignisse einstellen, und den sozialen Einfluß bzw. den Vorbildeffekt von weisen Kultpriestern.[6] Der Rhetor und Sophist ANTIPHON

[4] Cf. spec. H. BLUMENBERG: *Paradigmen zu einer Metaphorologie* [= ABG 6 (1960), pp. 1-142] (stw 1301). Frankfurt a.M. 1997.

[5] Cf. JAEGER, *Theologie.* 1953, spec. Kap. 10: „Die Theorien über Wesen und Ursprung der Religion" (pp. 196-216), wo neben wichtigen allgemeinen Entwicklungen die Theorien des PROTAGORAS (pp. 200sq. 215sq.), XENOPHON (pp. 201-204), PRODIKOS VON KEOS (p. 204sq.), DEMOKRIT (pp. 205-211), ANTIPHON (p. 211sq.) und KRITIAS (pp. 212-215) behandelt werden. Im hellenistischen Zeitalter war die griechische Philosophie zudem durch die weit in den Orient hineinreichende Expansion des Alexanderreiches deutlicher als in den Zeiten davor mit der Erfahrung bekannt gemacht und konfrontiert, daß Religion ein universales Phänomen ist.

[6] Cf. JAEGER, *Theologie.* 1953, pp. 205-211.

(um 480 - 411)[7] und ähnlich KRITIAS (fl. 400)[8] sahen die Religion aus dem Bedürfnis hervorgehen, die Einhaltung stattlicher Gesetze zu erreichen. Der Sophist PROTAGORAS argumentierte mit der Teilhabe an und der Verwandschaft mit dem Göttlichen.[9] Sein Schüler PRODIKOS VON KEOS sah dagegen in der Vergöttlichung von Naturkräften und Naturdingen, die den Zwecken der Menschen zuträglich und hilfreich sind, den Ursprung der Religion.[10]

Die seit den homerischen Gesängen bekannte und verbreitete Rede von Künsten, die ein Gott einem Menschen einpflanzt hat,[11] wurde vom Sokratiker XENOPHON (430/25 - nach 355)[12] entdinglicht und fand durch Verallgemeinerung des Wortsinnes raschen Eingang in die Diskussion um den Ursprung der Gottesidee im Menschen. Religion ist für XENOPHON eine angeborene, eingepflanzte Veranlagung des Menschen, durch deren Verwirklichung der Mensch dem Gesetz seiner Natur folgt.[13]

Auch im *Corpus Platonicum* trifft man auf diesen Ausdruck, wenn auch nur bei schwacher Signifikanz.[14] Nach dem im 'Symposion' von Aristophanes vorgetragenen Mythos des in zwei Hälften zerschnittenen Urmenschen ist dem Menschen der Eros eingepflanzt.[15] Von besonderem sachlichen Gewicht ist die gesuchte Nähe zur Anamnesislehre, die (spätestens seit dem Neuplatoni-

7 Cf. FVS 87 B 44 D.-K.

8 Cf. FVS 66 B 25 D.-K.; cf. aber A. DIHLE: *Das Satyrspiel „Sisyphos"*. In: Hermes 105 (1977), pp. 28-42, der eine Zuweisung des Fragments an EURIPIDES diskutiert.

9 Cf. PLATO, *Protag.* 322a.

10 Cf. FVS 84 B 5 D.-K.

11 Cf. HOM., *Od. 22,348.*

12 Cf. XENOPH., *Mem. I,4,16* Marchant 25,13-19. Mehrere Textkritiker plädieren allerdings für eine Atethese der Passage; dazu und zur strittigen Deutung des Textes cf. W. THEILER: *Zur Geschichte der teleologischen Naturbetrachtung bis auf Aristoteles.* (Zürich/ Leipzig 1925) Berlin ²1965, pp. 49-54; JAEGER, *Theologie.* 1953, pp. 190-195. 201-204. 297sq.; O. GIGON: *Kommentar zum ersten Buch von Xenophons Memorabilien* (Schweizer. Beitr. zur Altertumswiss. 5). Basel 1953, p. 140sq.; cf. ferner XENOPH., *Mem. I,4,7* Marchant 23,15.

13 Anders als die vorangegangenen philosophischen Theologien, die versuchten, „ihre eigene Idee des Göttlichen an die Stelle der überlieferten Gottesvorstellung [zu setzen], wird die neue anthropologische und psychologische Betrachtungsweise zur Rehabilitation der mit der philosophischen Wahrheit bisher unvereinbar scheinenden Volksreligion. An die Stelle der rationalen Kritik und spekulativen Neuformung der Gottesidee tritt die Haltung des Verstehens, das eine gegebene Welt geistiger Formen als einer weisen Naturveranlagung des Menschen entsprechend und in diesem Sinne als göttlich erweist" (JAEGER, *Theologie.* 1953, p. 203).

14 Cf. L. BRANDWOOD: *A Word Index to Plato* (Compendia. Computer-generated Aids to Literature and Linguistic Research 8). Leeds 1976, p. 342sq. s.v. ἐμφῦσαι κτλ.

15 Cf. PLATO, *Symp.* 191d1; allgemeiner gehalten ist *Tim.* 42a3, wo vom Einpflanzen der menschlichen Seele in den Körper die Rede ist. Bei PLATO, *Phaedr.* 237d7 wird allerdings in einem pejorativen Sinne eine eingeborene Begierde nach dem Angenehmen einer erworbenen Gesinnung, die nach dem Besten strebt, entgegengesetzt; cf. auch *Phaedo* 83e1 und *Leges IX* 854b3. Ein naturhaft-nezessitärer Aspekt findet sich *Polit.* 269d3 und *Resp. V* 458d3. Die *Leges* (*V* 731d6) deklarieren ferner eine angeborene Selbstliebe als Ablenkung von der Erkenntnis des eigenen wahren Selbst.

ker BOETHIUS, der weiter unten zur Sprache kommen wird) für das Verständnis der Metapher eines 'eingepflanzten Wissens' interpretationslenkend ist.[16] Im pseudo-platonischen Dialog *Eryxias* wurde schon für die Fragestellung, ob die Tugend eingepflanzt oder lehrbar sei, eine entschiedene Opposition der beiden Aneignungsweisen vorausgesetzt.[17]

Die philosophischen Schulen des Hellenismus griffen zu unterschiedlichen Erklärungsmodellen der Gotteserkenntnis. Von derlei Differenzen unangefochten blieben aber die großen Gemeinsamkeiten jener in bewußter Abkehr von platonischer und aristotelischer Philosophie entstandenen Schulen, nämlich der Primat der Ethik vor der Theorie und die Eudämonie als Lebensideal des autarken Individuums und Zielpunkt allen philosophischen Strebens.[18] Der Beitrag aller Erklärungstheorien der Gotteserkenntnis besteht demnach darin, nötige Sicherheiten zu beschaffen, den Weg zur Seelenruhe zu finden und diese zu bewahren. Diese Kontextuierung bleibt zu beachten, um die Umwertungen epikureischer und stoischer Aussagen in späterer Zeit bewerten zu können.

Für EPIKUR (341 - 270)[19] ist es dem Menschen selbstverständlich, ja geradezu zwingend zu erkennen gegeben, daß die Götter existieren. „Götter nämlich existieren, denn die Gotteserkenntnis hat sichtbare Gewißheit."[20] Beweiskräftig ist für EPIKUR die noetische Erkenntnis der Götter, die ihre gelungenste Ausgestaltung in Traumgesichten hat.[21] Von den Göttern gehen nämlich

[16] Cf. PLATO, *Meno* 86a, dazu W. THEILER: *Die Vorbereitung des Neuplatonismus.* Berlin/ Zürich (1934) ²1964, p. 41.

[17] Cf. Ps.-PLATO, *Eryxias* 398c4-5; cf. auch LYSIAS (um 445 - um 380), *Or. 33,7* Thalheim 250.

[18] Cf. G. BIEN: *Himmelsbetrachter und Glücksforscher. Zwei Ausprägungen des antiken Philosophiebegriffs.* In: ABG 26 (1984), p. (171-178) 174: „Die hellenistische Philosophie ist Eudämonologie: sie ist Glückseligkeitsgarantierungsunternehmen für in ihrer moralischen Identität gefährdete Existenzen." Die Bedeutung von Problemen rationaler Theologie für die hellenistischen Philosophenschulen fast völlig verkannt zu haben, ist eminente Schwäche von M. HOSSENFELDER: *Die Philosophie der Antike 3: Stoa, Epikureismus und Skepsis* (Gesch. der Philos. 3). München 1985; ID.: *Epikur* (BSR 520). München 1991.

[19] Zur epikureischen Theorie der Gotteserkenntnis cf. W. SCHMID: *Epikur.* In: RAC V (1962), col. (681-819) 735-740; KLEVE, *Gnosis Theon.* 1963; J. M. RIST: *Epicurus. An Introduction.* Cambridge 1972, pp. 140-142; LEMKE, *Theologie Epikurs.* 1973; ERLER, *Epikur.* 1994, pp. 149-153. 181-183 (Lit.).

[20] EPICUR., *Epist. ad Menoeceum* (DIOG. LAERT. X,123) von der Mühll 44,19-20; dtsch. Übers.: Gigon 100.

[21] EPIKUR argumentiert von seiner materialistischen Erkenntnislehre her (cf. LEMKE, *Theologie Epikurs.* 1973, pp. 5-22): Alle Wahrnehmung rührt von Ausströmungen des wahrgenommenen Objekts, die auf ein Sinnesorgan des Wahrnehmenden treffen. Schwingungen in den festen Körpern bringen wegen der Festigkeit der Körper einen kontinuierlichen Fluß abgestoßener materieller Bilder hervor. Diese Bilder sind in ihre Konsistenz feiner als der abstoßende Körper, stimmen aber in Form und Farbe mit ihm überein. Bei der Sinneswahrnehmung gelangen die Bilder durch Poren in das Sinnensorgan ein und bewegen von dort aus die Seele, oder genauer: die Seelenatome. Die Seele ist nämlich der eigentliche Ort der Wahrnehmung. Die be-

unablässig Bilderströme aus, die wegen ihrer Feinheit direkt auf das von Alogon (*anima*) unterschiedene, Vernunft und Affekte tragende Logikon (*animus*) wirken.[22] Diesem Einwirken der Bilder kommt eine präreflexive Evidenz und Gewißheit[23] zu, obschon bei mangelnder Hinwendung Fehlurteile und somit meist angsteinflößende falsche Vermutungen[24] über die Götter möglich sind. Aber selbst dabei ist immer ein Vor-Begriff (πρόληψις) vorhanden.[25] Damit ist eine allgemeine Vorstellung gemeint: das, was von einem häufig in äußerer Wahrnehmung Aufgetretenen als Erinnerung bleibt.[26] Weil nun diese geistige Erkenntnis der Götter, insbesondere in Traumbildern, bei allen Menschen auftritt, kann die Existenz von Göttern überhaupt nicht bestritten werden. Hier entwickelte sich in der paganen Antike der Gedanke eines Gottesbeweises aus der Übereinstimmung der Völker (*consensus gentium*).[27] Die Kenntnis von den Göttern leitet sich also nach EPIKUR zuerst von der noetischen Erkenntnis ab. Daneben hat der Mensch eine Kenntnis von ihnen in menschlicher Form durch alltägliche Beobachtung, z. B. durch Götterstatuen als Repräsentanten der Gegenwart eines Gottes[28]. Die Vermittlung beider Erkenntnisarten geschieht auf spezifische Weise, nämlich - wie CICERO sich an einer interpretatorisch sehr umstrittenen Stelle ausdrückt - *similitudine et tran-*

sonders kleinen, leichten, runden und glatten Seelenatome sind beim Menschen mit gröberen Körperatomen vermischt. EPIKUR unterscheidet hier das Logikon (*animus*) und das Alogon (*anima*). Nur das Logikon ist der Ort für Vernunft und Affekte; die Sinneswahrnehmung ist aber von Alogon bewirkt. Die rein noetische Erkenntnis, d. h. Denken und Träumen, ist bei EPIKUR in Anlehnung an die Sinneserkenntnis konzipiert, doch mit zwei wichtigen Differenzen. Zum einen ist nur das Logikon beteiligt, und zum anderen genügt statt eines ganzen Bilderstromes ein einziges Bild, das darüberhinaus noch feiner und kleiner beschaffen sein kann. Darum vermag es durch die Poren der Körperoberfläche unmittelbar auf das Logikon zu wirken. Die Sinneswahrnehmung und das Denken wären aber noch unvollkommen, wenn sich nicht die Sinne bzw. das Logikon in einer Hinwendung (ἐπιβολή; zur Bedeutung dieses epikureischen Begriffs für die Ausbildung des Intuitionsbegriffs cf. Th. KOBUSCH: *Intuition*. In: HWPh IV (1976), col. 524-540) diese Akte vollendeten. Gerade für die Erkenntnis der noetischen Bilder ist dies von besondere Bedeutung. Einzig ein Mangel der Hinwendung kann Irrtumsquelle für etwaige Fehlschlüsse sein. Wahrheit der Wahrnehmung ist nach EPIKUR die Übereinstimmung des vom Logikon in aufmerksamer Hinwendung erkannten Bildes mit der Gestalt des wahrgenommenen Körpers. „Trug und Irrtum dagegen liegen immer in dem Hinzugedachten" (EPICUR., *Epist. ad Herod.* [DIOG. LAERT. X,50] von der Mühll 11,2-3).

[22] Cf. EPICUR., *frg. 311. 355* Us.

[23] Cf. EPICUR., *Epist ad Menoeceum* (DIOG. LAERT. X, 123) von der Mühll 44,19-20.

[24] Cf. EPICUR., *Epist. ad Menoeceum* (DIOG. LAERT. X, 124) von der Mühll 45,4-5.

[25] Cf. CICERO, *De nat. deor. I,16,43* Plasberg/Ax 18,14-15: *anticipationem quandam deorum*; cf. A. St. PEASE: *Cicero, De natura deorum libri*. Cambridge, Mass. 1955-58 (ed. anastat. Darmstadt 1968), ad loc. (p. 296sq.), ebenso RIST, *Epicurus*. 1972, pp. 26-30.

[26] Cf. EPICUR., *frg. 255* Us.

[27] Cf. allg. zu dieser Gestalt des Gottesbeweises SEILER, *Das Dasein Gottes als Denkaufgabe*. 1965, pp. 223-227; [RED.:] *Gottesbeweis, historischer (ethnologischer)*. In: HWPh III (1974), col. 832; BRUGGER, *Gotteslehre*. 1979, pp. 228-231. 512 (Bibliogr.!)

[28] Cf. dafür SCHMID, *Epikur*. 1962, col. 740.

sitione,[29] was dem griechischen Ausdruck ὁμοιότετα μετάβασις, einem der Analogie entsprechenden Verfahren gleichkommt. Es wird also eine durch ein Urteil zugesprochene Analogie zwischen den durch den Verstand wahrgenommenen Dingen (θεωρήτα) und den durch die Sinne wahrgenommenen Dingen (φαινόμενα) behauptet.[30] Auf wesentliche Inhalte dieser Gotteserkenntnis wie die Unsterblichkeit der Götter und ihre Glückseligkeit, die nach EPIKUR vor allem dadurch ausgezeichnet ist, daß man sich nicht mit den Angelegenheiten menschlichen Tuns beschäftigen muß, braucht hier nur hingewiesen werden. Götter treten nicht wie im Mythen als möglicherweise willkürliche agierende Konkurrenten menschlichen Handelns auf, noch eliminieren sie wie in der Stoa als alles bestimmende Weltvorsehung die menschliche Freiheit. Dem Menschen wird so erst das Erreichen der Seelenruhe mit eigenen Mitteln auch realisierbar. Die eingepflanzte Gotteserkenntnis verschafft also nach EPIKUR ein Gottesbild, das eine Ethik des autarken Individuums ermöglichen soll.

Die STOA[31] maß ebenfalls der rationalen Theologie höchste Bedeutsamkeit für die Ethik zu, argumentierte aber in die entgegengesetzte Richtung. Als einzige aller antiken Philosophenschulen besaß sie ein entspanntes und geradezu integratives Verhältnis zur Volksreligion. In diesem Sinne lehrte sie - spätestens seit PANAITIOS (um 185 - 109) - eine 'dreigeteilte Theologie' (*theologia tripartita*), d. h. eine mythische der Dichter, eine politische des öffentlichen Kultus und eine physische der Philosophen.[32] So war es auch die Stoa, die erstmalig eine eigene Theorie zur Erklärung einer Gotteserkenntnis bei allen Menschen entwickelte. Die Voraussetzungen dieser Theorie liegen sowohl in der stoischen Physik als auch in ihrer Erkenntnistheorie. Ein materialistischer Pantheismus bildet die (meta-)physische Basis ihrer Theologie. Das stoffhafte Weltprinzip (πνεῦμα, *spiritus*), das mit der Natur (φύσις, *natura*) ineins gesetzt wird, ist als wirklichkeitsgestaltendes Prinzip (λόγος, *ratio*) und Vorsehung (πρόνοια, *providentia*) in allen Dingen des Kosmos gegenwärtig und wirkend. Indem der Mensch auf die Ordnung der Welt, aber auch auf die Ordnung im Sittlichen achtet, wird er der göttlichen Weltordnung im

[29] CICERO, *De nat. deor. I,19,49* Plasberg/Ax 20,19-20; dazu den Kommentar von PEASE ad loc. (pp. 317-319).

[30] Cf. PHILOD., *De signis*, col. 37,27-29.

[31] Für die folgenden Ausführungen cf. M. POHLENZ: *Die Stoa. Geschichte einer geistigen Bewegung* (2 Bde.). Göttingen (1948/49) ^{6}1984/^{5}1980; P. BOYANCÉ: *Les preuves stoiciennes de l'existence des dieux d'après Cicéron* [= Hermes 90 (1962), pp. 45-71]. Dtsch. Übers. in: K. BÜCHNER (Hg.): Das neue Cicerobild (WdF 27). Darmstadt 1971, pp. 446-488; SCHOFIELD, *Preconception, Argument, and God.* 1980; F. RICKEN: *Stoa.* In: WEGER (Hg.), Argumente für Gott. 1987, pp. 350-355; P. STEINMETZ: *Die Stoa.* In: Ueberweg/Antike IV/2. 1994, pp. (493-716) 609sq. (zur Theologie des CHRYSIPP).

[32] Zur umstrittenen Entstehung und Entwicklung der Rede von einer *theologia tripartita* bzw. *genera theologiae* und *genera deorum* cf. G. LIEBERG: *Die 'theologia tripertita' in Forschung und Bezeugung.* In: ANRW I/4 (1973), pp. 63-115; ID.: *Die theologia tripertita als Formprinzip antiken Denkens.* In: RhM 125 (1982), pp. 25-53.

Ganzen und der Existenz des Weltlogos gewahr. Eine doktrinäre Verdichtung erhielt dies in der Lehre von den Keimkräften (λόγοι σπερματικοὶ; *semina rationis*)[33], die die Präsenz des einen weltgestaltenden Logos in den Einzeldingen und sein Wirken in ihnen erklärt. Diese der stoischen Physik zugehörigen theologischen Überlegungen werden verbunden mit erkenntnistheoretischen Theorien, die die Entstehung von Allgemeinvorstellungen durch Erfahrung und Gedächtnis erklären. In der Stoa herrscht zwischen der aprioristisch klingenden Lehre von einer angeborenen Gotteskenntnis und der empirischen Gewinnung der Allgemeinvorstellungen (πρόληψις) nur eine scheinbare Spannung. Denn das Angeborensein meint nur, daß die Überzeugung von Gottes Existenz sich als naturgegebene Intuition zwar ohne menschliches Mitwirken entfalte, d. h. allein durch die auf das menschliche Verstandesvermögen einwirkende Natur, aber somit aposteriorisch aufzufassen ist.[34]

Eine herausragende Rolle in der Geschichte der angeborenen bzw. eingepflanzten Gotteserkenntnis darf CICERO (106 - 43)[35] beanspruchen. Vor allem seine Schrift *De natura deorum*, die sowohl die epikureische wie auch die stoische Positionen darstellte, enthält für die lateinische Sprache ebenso wirkungsträchtige wie prägnante Übersetzungen und Umschreibungen philosophischer Termine beider Philosophenschulen zur anstehenden Thematik. EPIKURS Lehre faßte er mit den Worten zusammen: *intellegi necesse est esse deos, quoniam insitas eorum vel potius innatas cognitiones habemus. ... Quae enim nobis natura informationem ipsorum deorum dedit, eadem insculpsit in mentibus, ut eos aeternos et beatos haberemus.*[36] Zu Recht hat man darauf hingewiesen, daß CICERO nicht nur stoische und epikureische Philosophie bis zur Ununterscheidbarkeit aneinander angleicht, sondern insbesondere bei ihm auf eine „Tendenz zum 'Apriorismus'" zu achten ist, die bei EPIKUR in dieser Deutlichkeit fehlt.[37] Diese Tendenz ist auch bei seiner Doxographie der stoischen Position auffällig. Anknüpfend an Aussagen griechischer Popularphilosophie[38], aber auch an aristotelische Argumentationsfiguren der Endoxa[39], gab CICERO

[33] Cf. G. VERBEKE: *Logoi spermatikoi.* In: HWPh V (1980), col. 484-489.

[34] Der maßgebliche Text findet sich bei AET., *Plac. IV,11* (SVF II, nr. 83, p. 28,13-30); dtsch. Teilübers. bei M. POHLENZ: *Stoa und Stoiker* (BAW). Zürich ²1964, p. 37sq.

[35] Zur ciceronianischen Theologie cf. GAWLICK: *Untersuchungen zu Ciceros philosophischer Methode.* 1956, spec. pp. 42-50. 77-108; FASCIANO: *Deos ... esse nemo negat.* 1982; M. VAN DEN BRUWAENE: *Cicéron, De natura deorum* (Coll. Latomus 192). Brüssel 1986, pp. 7-58 (pp. 153-169: Lit.), GÖRLER/ GAWLICK: *Cicero.* 1994, pp. 1043sq. 1145-1147, sowie den unentbehrlichen Kommentar von PEASE (cf. not. 25).

[36] CICERO, *De nat. deor. I,17,44-45* Plasberg/Ax 18,23-24; 19,1-3.

[37] Cf. G. GAWLICK: *Rec.* Kleve, Gnosis Theon. In: Gnomon 37 (1965), p. (465-469) 466.

[38] Cf. XEN., *Mem. I,4,16* Marchant 25,13-19; dazu JAEGER, *Theologie.* 1953, pp. 202-204.

[39] Cf. ARIST., *Eth. Nic. X 2,* 1173a1sqq., ID., *Top. I 1,* 100b21sqq.. Zur scholastischen Fortwirkung der aristotelischen Endoxa-Lehre cf. P. v. MOOS, *„Was allen oder den meisten oder den Sachkundigen richtig erscheint." Über das Fortleben des ἔνδοξον im Mittelalter.* In: HPhMA 1991, tom. II, pp. 711-744.

der stoischen Theorie vom *consensus omnium* bzw. *consensus gentium*[40] als Wahrheitsmerkmal eine für die Nachzeit klassische Ausprägung: *Itaque inter omnes omnium gentium summa constat; omnibus enim innatum est et in animo quasi insculptum esse deos.*[41] Die Darstellungen dieses Lehrstückes der epikureischen wie auch der stoischen Philosophie kann man jedoch selbst unter Einbezug aller nuancierten Ausführungen in den ciceronianischen Schriften keineswegs als historisch korrekt gelten lassen.[42] Zum Vorschein kommt vielmehr CICEROS eigenes Denken, das im Gesamt seiner theologischen Argumentation vorrangig auf die Rechtfertigung der Praxis von staatlicher *religio* aus ist und diesem Argumentationsziel einen in seiner Sicht unumstößlichen Existenznachweis der Götter zu- und unterordnet. Erst in späterer Zeit ergab sich, daß die ungeschützte Offenheit der innatistischen Formulierungen dieses Existenznachweises sich für Adaptionen anbot, die vornehmlich erkennnistheoretisch interessiert und dazu noch pointiert aprioristisch ausgerichtet waren.

Bei SENECA (4 v. - 65 n. Chr.) ist die religiöse Dimension der stoischen Philosophie in einem vorher unbekanntem Maße vertieft.[43] Seine Philosophie tendiert „zu einer beinahe religiös-mystischen Versenkung in das Wesen des Göttlichen, die zu einer Kommunikation der menschlichen Seele mit Gott führt".[44] SENECA kam oft auf die stoische Lehre von den λόγοι σπερματικοὶ zu sprechen,[45] die aber bereits ANTIOCHOS VON ASKALON und sein Vermittler

[40] Cf. GAWLICK, *Untersuchungen zu Ciceros philosophischer Methode.* 1956, pp. 77-96; K. OEHLER: *Der Consensus omnium als Kriterium der Wahrheit in der antiken Philosophie und Patristik.* In: AuA 10 (1961), pp. 103-129; M. SUHR: *Consensus omnium, consensus gentium.* In: HWPh I (1971), col. 1031sq.; Ruth SCHIAN: *Untersuchungen über das 'argumentum e consensu omnium'* (Spudasmata 28). Hildesheim 1973.

[41] CICERO, *De nat. deor. II,4,12* Plasberg/Ax 54,5-7.

[42] Einen wichtigen, klarstellenden Exkurs zu dem bei CICERO, *De nat. deor. I,17,44-45* Plasberg/Ax 18,23-24; 19,1-3, angesprochenen Innatismusproblem findet man bei RIST, *Epicurus.* 1972, pp. 165-167. In sehr ergiebigen Ausführungen weist GAWLICK, *Untersuchungen zu Ciceros philosophischer Methode.* 1956, p. 103sq. not. 2, darauf hin, daß es CICERO selber sei, der innatistische Züge in die stoische und epikureische Theologie hineingetragen habe und daher in diesen Punkt die historische Treue der ciceronianischen Doxographie sehr zurückhaltend eingeschätzt werden müsse.

[43] Hierin darf wohl ein Hauptgrund dafür gesehen werden, daß im 4. Jahrhundert ein (unzweifelhat pseudo-epigraphischer) lateinischsprachiger Briefwechsel zwischen SENECA und PAULUS (cf. E. HENNECKE/W. SCHNEEMELCHER [Hg.], Neutestamentliche Apokryphen. Tübingen [5]1989, tom. II, pp. 44-50) verfaßt wurde, der in der christlichen Welt die Akzeptanz SENECAS bis ins Mittelalter hinein beförderte.

[44] I. HADOT: *Seneca und die griechisch-römische Tradition der Seelenleitung* (QSGP 13). Berlin 1969, p. 116. - Zu stark christianisierend erscheint J. RIESCO: *Führt die Philosophie Senecas zur göttlichen Transzendenz?* In: FranzStud 49 (1967), pp. 80-109, der deutliche personale und transzendente Merkmale des senecanischen Gottesbegriffs, die SENECA von der gemeinstoischen Lehre abgrenzen, ausmachen möchte. Nicht zugänglich war dem Verf. die Arbeit von M. RODRÍGUEZ DONÍS: *Interiodad religiosa en Seneca.* In: Er 1, nr. 2 (1985), pp. 19-31.

[45] Cf. SENECA, *Epist. mor. 117,6* Reynolds 495,28-30: *Omnibus insita de dis opinio est nec ulla gens usquam est adeo extra leges moresque proiecta ut non aliquos deos credat;* ID., *Epist.*

CICERO ihrer physikalischen Funktion entledigt und in eine geistig-moralische Richtung umgedeutet hatten.[46] Dies ermöglichte SENECA, vehement und drastisch den Bezug des Menschen zur Gottheit, die im Menschen wohnt,[47] zu betonen. Das Selbstverhältnis des Menschen findet seine Erfüllung in der vollständigen Selbstintegration in die logosbestimmte Ordnung des göttlichen Kosmos, der freilich Wesensmerkmale personaler Geistigkeit fehlen.[48] Die Anschauung von einer eingepflanzten Erkenntnis des Göttlichen hat bei SENECA - ähnlich wie schon bei CICERO - die vorbereitende Funktion, die naturale Verbundenheit des Menschen mit dem göttlichen Universum zu begründen, zu verdeutlichen und zu verinnerlichen. Von dort gelangt man zur Hauptintention des Philosophierens, nämlich Gesetze für ein sittliches Handelns abzuleiten, das wegen einer Assimilation der Motive und Inhalte von religiöser Praxis nicht mehr unterschieden wird. Mit SENECA, diesem führenden Repräsentanten der kaiserzeitlichen Stoa, wird man historisch an die Schwelle zur christlichen Theologie geführt.

mor 73,16 Reynolds 224,7-11: *Deus ad homines venit, immo quod est propius, in homines venit: nulla sine Deo mens bona est. Semina in corporibus humanis divina dispersa sunt, quae si bonus cultor excipit, similia origini prodeunt et paria iis, ex quibus orta sunt, surgunt.* - Cf. auch SENECA, *Epist. mor. 94,29* Reynolds 371,1-4: *Omnium honestarum rerum semina animi gerunt, quae admonitione excitantur, non aliter quam scintilla flatu levi adiuta.ignem suum explicat.* Das dort gebrauchte Bild des Seelenfunkens (*scintilla animae*), den SENECA von CICERO (*De fin. V,15,43* Schiche 177,17-30) und dieser wiederum von ANTIOCHOS VON ASKALON übernommen hatte (cf. ANDRESEN, *Justin und der mittlere Platonismus.* 1953/1981, p. 330), ging später in die christliche Mystik über. Die bei GUIBERTS VON TOURNAI (cf. Kap. III, § 2a) Influenztheorie zentral gewordene, der neuplatonischen Tradition entnommene Emanationsmetapher findet sich in typisch ethisierender Wendung auch schon bei SENECA, *Epist. mor. 120,14* Reynolds 514,8-10: *Habebat* [sc. *vir perfectus*] *perfectum animum et ad summam sui adductum, supra quam nihil est nisi mens dei, ex quo pars et in hoc pectus mortale defluxit.*

46 Cf. ANDRESEN: *Justin und der mittlere Platonismus.* 1953/1981, pp. 328-330.

47 Cf. SENECA, *Epist. mor. 41,2* Reynolds 108,7-13: *Ita dico, Lucili: sacer intra nos spiritus sedet, malorum bonorumque nostrorum observator et custos; hic prout a nobis tractatus est, ita nos ipse tractat. Bonus vero vir sine deo nemo est: an potest aliquis supra fortunam nisi ab illo adiutus exsurgere? Ille dat consilia magnifica et erecta. In unoquoque virorum bonorum 'quis deus incertum est, habitat deus'* [VERG., *Aen. VIII,352*]. Zum Kontext der Stelle cf. H.-J. KLAUCK: *„Der Gott in dir" (Ep. 41,1). Autonomie des Gewissens bei Seneca und Paulus.* In: Nach den Anfängen fragen. Fschr. für G. DAUTZENBERG. Gießen 1994, pp. 341-362.

48 Dieser Vorbehalt gilt insbesondere gegenüber Aussagen wie SENECA, *Epist. mor. 92,30* Reynolds 358,18-21: *Quid est autem, cur non existimes in eo divini aliquid existere, qui dei pars est? Totum hoc quo continemur, et unum est et deus; et socii sumus eius et membra.* Ähnlichkeit mit biblischen Aussagen wie *2 Petr 1,4* Vg: *divinae consortes naturae,* sind rein äußerlich. Der fundamentale Unterschied der biblischen Lehre zur stoischen Kosmosfrömmigkeit besteht nicht nur im Kosmosbegriff selbst, sondern gerade auch darin, daß nach biblischer Lehre die Einigung mit Gott mit einer Abkehr von einem widergöttlichen Kosmos verbunden ist. Cf. E. BICKEL: *Seneca und Seneca-Mythus.* In: Das Altertum 5 (1959), pp. 90-100, spec. p. 97.

2. *Patristische Entfaltung*

Der Gedanke einer eingepflanzten bzw. angeborenen Gottesidee taucht bei patristischen Autoren schon sehr früh auf, allerdings ohne vorentscheidende Prädominanz.[49] Der Gebrauch von ἔμφυτος in *Jak 1,21*, ein Hapax im neutestamentlichen Kanon, darf dabei nicht überbewertet werden.[50] Denn die klassische Stelle beim Apologeten JUSTINUS († um 165) ist im Horizont einer Logos-Christologie formuliert, die diesbezüglich unverkennbar an stoische Philosopheme anknüpft.[51] Anlehnungen an die mittlere Stoa liegen auch beim patristischen Gebrauch der Termini κοὶναι ἔννοιαι[52] und σύμφυτος[53] vor.

Nach KLEMENS VON ALEXANDRIEN (um 150 - 211/15) erkennt der Mensch Gott von Natur aus, d. h. ohne äußere Belehrung. Wie später auch JOHANNES CHRYSOSTOMUS (344 - 407) und CYRILL VON ALEXANDRIEN († 444) lehrt KLEMENS, daß der Mensch von sich selbst lernt, daß Gott sein Schöpfer und Vater ist.[54] Auch der Aspekt, Gottes Existenz sei ἀδιδακτῶς, also ohne Fremdbelehrung der menschlichen Natur gegeben,[55] findet besonders weite Akzeptanz bei den späteren Theologen des christlichen Ostens. Nach breit rezipierter stoischer Lehre, für die hier die Namen von ORIGENES (um 185 - 254) und BASILIUS VON CAESAREA (329/30 - 379) stehen mögen, ist das Hegemonikon der menschlichen Seele durch eine Kenntnis Gottes geprägt und gesiegelt.[56] CYRILL VON ALEXANDRIEN verbindet das Eingepflanztsein der Gotteskenntnis mit der Spontaneität, sie vollziehen zu können.[57] Die zum Heil der Menschen eingepflanzte Gotteskenntnis kommt durch Betrachtung von Ursprung, Ord-

[49] Cf. allgemein zu diesem Thema in der Patristik W. KASPER: *Der Gott Jesu Christi.* Mainz 1982, p. 136sq.; PANNENBERG, *Systematische Theologie I.* 1988, pp. 87-93.

[50] Zur historisch-kritischen Exegese von *Jak 1,21* cf. C. CLEMEN: *Religionsgeschichtliche Erklärung des Neuen Testaments.* Tübingen ²1924, p. 40; M. DIBELIUS: *Der Brief des Jakobus.* Hg. u. erg. v. H. GREEVEN (KEK 15). Göttingen ¹¹1964, p. 145; H. FRANKEMÖLLE: *Der Brief des Jakobus, Kapitel 1* (ÖTK 17/1). Gütersloh/Würzburg 1994, p. 329sq.

[51] Cf. IUST. MART., *Apol. min. 8,1* Marcovic 149,2-3 (cf. app. font. ad loc.); dazu J. H. WASZINK: *Bemerkungen zu Justins Lehre vom Logos spermatikos.* In: A. STUIBER/A. HERMANN (Hg.): Mullus. Fschr. Th. KLAUSER (JbAC, Suppl.-Bd. 1). Münster i.W. 1964, pp. 380-390; I. ESCRIBANO-ALBERCA: *Glaube und Glaubenserkenntnis in der Schrift und Patristik* (HDG I/2a). Freiburg i.Br. 1974, p. 29sq.; LThK³ V (1996), col. 1112sq. (St. HEID).

[52] Cf. ORIG., *Contra Celsum I,4* GCS Werke I, p. 58.

[53] Cf. GREG. NAZ., *Orat. theol. II,16* Barbel 96.

[54] Cf. CLEM. ALEX., *Strom. V,14,133,7* GCS Werke II, p. 416,17; cf. auch EUSEB. CAES., *Praep. evang. II,6* GCS Werke I, p. 159; IOA. CHRYSOST., *Ad pop. Antioch., hom. 12,4* PG 49, col. 150; CYRILL. ALEX., *C. Iulian. imp. III,101* PG 76, col. 653C-D; ID., *op. cit. II,52* PG 76, col. 580C.

[55] Cf. CLEM. ALEX., *Strom. V,14,133,7* GCS Werke II, p. 416,17sq.; EUSEB. CAES., *Praep. evang. II,2* GCS Werke VIII/1, p. 159; GREG. NAZ., *Orat. theol. 2,6. 16* Barbel 74. 96; ID., *Orat. 34,10* PG 36, col. 249C; CYRILL. ALEX., *C. Iulian. imp. II,52* MG 76, col. 580C.

[56] Für ORIGENES cf. die intensiven Erörterungen bei A. LIESKE: *Die Theologie der Logos-Mystik bei Origenes* (MBTh 22). Münster i.W. 1938, pp. 103-116; cf. ferner BASIL. CAES., *In Ps 33,1* PG 29, col. 353B-C.

[57] Cf. CYRILL. ALEX., *Glaphyra in Genesim I,2* PG 69, col. 36.

nung, Schönheit und Bestand der Welt zum Vorschein.[58] Die bei den ostkirchlichen Theologen vertretene Lehre, die Kenntnis über Gott sei nicht nur von Anbeginn der Welt gegeben,[59] sondern sogar θεοδίδακτος, d. h. von Gott selber gelehrt worden, und zwar in einem mit der Schöpfung koextensiven Akt freier gnadenhafter Offenbarung,[60] wirkte über HILARIUS VON POITERS (um 315 - 367)[61] auch in die westliche Theologie ein. Stärker noch als bei der georgomorphen Metaphorik des Einpflanzens wird dabei deutlich gemacht, das dieses Wissen des Menschen über Gottes Existenz auf eine Offenbarungsinitiative Gottes selbst zurückzuführen ist. Entgegen jedem naturalistischen Mißverständnis des Erkenntniserwerbs tritt Gott als ungezwungen freier und weltüberlegener Akteur hervor.

In der lateinischen Patristik darf TERTULLIAN (um 160 - 222/223) auch im Hinblick auf die Lehre von einer angeborenen Gotteserkenntnis als Archeget angesehen werden. Er behauptet sogar eine „naturhafte Christlichkeit" der Seele.[62] Damit ist aber nicht die Bedeutung von Lebensumkehr und Taufe verneint, sondern an „eine Art virtueller Christlichkeit"[63] gedacht. Noch metaphernreicher, aber in ganz verwandter Weise behauptete ARNOBIUS (vor 250 - um 310)[64] den selben Gedanken. Auch HIERONYMUS (um 345 - 420)[65] rückte die Logos-spermatikos-Lehre deutlich in einen christologischen Horizont.

[58] Cf. CYRILL. ALEX., *Contra Iulian. imp. 3* PG 76, col. 653.

[59] Cf. IOA. CHRYSOST., *In epist. ad Rom. hom. 3,2* PG 60, col. 412.

[60] Für den Gebrauch von θεοδίδακτος als Hapax im NT (*1 Thess 4,9*) cf. EWNT III (^{2}1992), col. 345. Für patristische Belege cf. EUSEB. CAES., *Praep. ev. II,6* GCS Werke VIII/1, p. 159; ferner G. W. H. LAMPE: *Greek Patristic Lexicon.* Oxford 1961, s.v. (col. 625a).

[61] Cf. HILAR. PICTAV., *De Trin. V,21* CCL 62, p. 172,1-7: *Non est de Deo humanis iudiciis sentiendum. Neque enim nobis ea natura est, ut se in caelestem cognitionem suis viribus efferat. A Deo discendum est, quid de Deo intelligendum sit; quia non nisi se auctore cognoscitur. Adsit licet saecularis doctrinae elaborata institutio, adsit vitae innocentia, haec quidem proficient ad conscientiae gratulationem, non tamen cognitionem Dei consequentur*

[62] Cf. TERT., *Apol. 17,6* CCL 1, p. 117,27: *O testimonium animae naturaliter christianae!*; dazu N. BROX: *Anima naturaliter christiana.* In: ZKTh 91 (1969), pp. 70-75; B. WEISS: *Die 'anima naturaliter christiana' im Verständnis Tertullians.* In: M. BODEWIG u.a. (Hg.): Das Menschenbild des Nikolaus von Kues und der christliche Humanismus. Festgabe für R. HAUBST zum 65. Geb. (MFCG 13). Mainz 1978, pp. 292-304; K. KIENZLER: *Anima naturaliter christiana.* In: LThK^3 I (1993), col. 680sq. - Weitere wichtige Belege sind TERT., *Adv. Marc. I,10,3* CCL 1, p. 451,13-15: *Animae enim a primordio concientia Dei dos est; eadem nec alia et in Aegyptiis et in Syris et in Ponticis*; ID., *De anima 41,2. 3* CCL 2, p. 844,7-9. 17-20; ID., *De resurr. mort. 3* CCL 2, pp. 924,1-925,32.

[63] E. BICKEL: *Fiunt, non nascuntur Christiani.* In: Th. KLAUSER/A. RÜCKER (Hg.): Pisculi. Studien zur Religion und Kultur des Altertums. Fschr. für F. J. DÖLGER (AuC, Erg.-Bd. 1). Münster i.W. 1939, p. (54-61) 57.

[64] Cf. ARNOB., *Adv. nationes I,33* CSEL 4, pp. 21,29-22,2: *Quisquamne est hominum, qui non cum istius principis notione diem primae nativitatis intraverit? Cui non sit ingenitum, non adfixum, immo ipsius paene in genitalibus matris non impressum, non insitum, esse regem ac dominum cunctorum quaecumque sunt moderatorum?*

[65] Cf. HIERON., *Lib. I in Gal I,1* [ad v. 15sq.] PL 26, col. 351 A: *„Erat lux vera, quae illuminat omnem hominem venientem in mudum"* [Ioa 1,9]. *Ex quo perspicuum est, natura Dei*

Bei AUGUSTINUS (354 - 430) spielte die Rede von einer *cognitio insita* keine dominante Rolle, weil er mit seiner *Memoria*-Lehre eine funktionsäquivalente Theorie ausarbeitete, die die platonische Anamnesislehre adaptierte, christlich rektifizierte und durch Einbindung in die *Imago*-Lehre schöpfungstheologisch vertiefte.[66] Sie erlaubte ihm, die unablässige Gottsuche des *cor inquietum nostrum*[67] zu erklären und dabei Gott als *intimior intimo meo*[68] zu verstehen. Ungeachtet des weitgehenden Ausbleibens georgomorpher Terminologie war die augustinische Gotteslehre und Anthropologie ein entscheidender Faktor dafür, daß spätere Theologengenerationen die generelle Sinnhaftigkeit der Lehre einer eingepflanzten Gotteserkenntnis bejahten und nahezu kampflos ihre Zustimmung dazu gaben.

Soll von einem Klassiker gelten, daß sein Werk sprachlich sauber, begrifflich klar und sachlich förderlich sein soll, dann trifft dies uneingeschränkt auf BOETHIUS (um 480 - 526)[69] zu. Seine Schrift *De consolatione philosophiae*, besonders die dort im dritten Buch angestellten Überlegungen zum Glücksbegriff, ist eine klassische Darstellung der christlich-neuplatonischen Lehre von einer eingepflanzten Gotteserkenntnis.[70] BOETHIUS verknüpfte mehrere Traditionsstränge, von denen die - bei BOETHIUS mit der Lehre von einer Präexistenz der Seele verbundene - platonische Anamnesislehre am bedeutungsvollsten ist. Sie gewährleistet, die Erinnerung an den eigenen Ursprung mit der Erkenntnis Gottes gleichzusetzen. Denn im Innern des Menschen ist von Gott ein Wahrheitskeim (*semen veri*) bzw. ein Seelenfunken (*minima scintillula*) un-

in omnibus esse notitiam nec quemquam sine Christo nasci et non habere semina in se sapientiae et iustitiae reliquarumque virtutum; ID., *Epist 60,4* CSEL 54, pp. 552,18-553,1: *Absque notitia creatoris sui omnis homo pecus* (dazu J. H. D. SCOURFIELD [ed.]: *Consoling Heliodorus. A Commentary on Jerome, Letter 60.* Oxford 1992, ad loc.); ID., *Comm. in Ps XVIII.* CCL 72, p. 196,9-10: *Nullus quippe est, qui non habet semina intellectus Dei.* Cf. auch CASSIAN., *Conlationes XIII,12,7* CSEL 13, p. 380,19-21: *Dubitari ergo non potest inesse ... omni animae naturaliter virtutum semina beneficio creatoris inserta.* Beide Kirchenväter lassen gut die seit PANAITIOS übliche Ethisierung der *Semina*-Lehre beobachten.

[66] Cf. dazu spec. AUG., *Conf. X,25,36-27,38* CCL 27, p. 174sq.; ID., *De civ. Dei VIII,6* CCL 47, pp. 222-224; ID., *De civ. Dei XI,26* CCL 48, p. 345sq. Eine eindringliche Darstellung findet man bei E. v. IVANKA: *Plato Christianus.* Einsiedeln 1964, pp. 194-208; zum Gesamtzusammenhang cf. ferner RATZINGER, *Der Weg der religiösen Erkenntnis nach Augustinus.* 1970.

[67] Cf. AUG., *Conf. I,1,1* CCL 27, p. 1,7.

[68] Cf. AUG., *Conf. III,6,1* CCL 27, p. 32sq.

[69] Zum boethianischen Lehre der Gotteserkenntnis cf. GILSON, *History.* 1955, pp. 101sq. 604; BALTES, *Gott, Welt, Mensch.* 1980; K. S. FRANK, *Boethius.* In: WEGER (Hg.), Argumente für Gott. 1987, pp. 78-81.

[70] Cf. BOETH., *Cons. philos. III, pr. 2,4* CCL 94, p. 38,11-13: *est enim mentibus hominum veri boni naturaliter inserta cupiditas*; dazu GRUBER, *Kommentar.* 1978 (cf. supra not. 2), p. 238; desweiteren ID., *Cons. philos. III, m.9,5-6* CCL 94, p. 52,5-6: *insita summi/forma boni livore carens* (dazu GRUBER, *Kommentar.* 1978, p. 280); ID., *Cons. philos. V, m. 4,22* CCL 94, p. 98,22 (dazu GRUBER, *Kommentar.* 1978, p. 402sq.).

verlierbar eingestiftet.[71] Der Zugang zum eigenen Grund ist der menschlichen Seele nicht verwehrt, weil sie nie an totaler Selbstvergessenheit im Sinne einer Vergessenheit ihres eigenen wahren Selbst leidet.[72] Mag der Mensch auch noch so weite Abwege auf der Suche nach dem höchsten Gut beschreiten, auf denen er sich selbst und Gott entfremdet wird, so geht die Seele doch ihrer prinzipiellen Orientierung zu Gott und ihres Wissens um ihn niemals vollständig verlustig. Darum kann die Seele auch immer zurückgerufen werden und den Weg der Umkehr einschlagen, der in Wahrheit ein Weg der Heimkehr ist. Die noetische Grundlage dieses platonischen Exitus-Reditus-Schemas ist das Wissen um Gott als das Prinzip, von dem alles ausgeht, und als das Gut, zu dem alles strebt. Dieses Fundamentalwissen um zentrale Gottesprädikate nennt BOETHIUS in stoisierender Redeweise ein allgemeines Bewußtsein (*communis conceptio*) der menschlichen Seelen.[73] Ein naturhaftes, vorreflexives Wissen von Gott als dem Ersten, Einen, Guten und Vollkommenen, als dem Erhalter und Vollender der Welt bildet die Basis für jede nachfolgende reflexiv-demonstrative Erkenntnis Gottes. Der boethianische Beweisgang setzt bei dem menschlichen Streben nach dem Glück, dem vollendeten und erfüllenden Guten, an. Das göttliche Gute selbst ist vollkommene Form des Guten und überragt alle anderen endlichen Güter. Da alles Unvollkommene nur als Diminution eines Vollkommenen existiert und wegen des Verbots eines infiniten Regresses über Gott hinaus nicht Größeres als einheitsbegründendes Prinzip der endlichen Dinge gedacht werden kann, eröffnet sich so eine Erkenntnis der Existenz Gottes, die zugleich eine Erkenntnis seiner wesenhaften Gutheit ist. Das von der philosophierenden Vernunft beweisförmig Gewußte steht dabei in einem explizierenden und bekräftigenden Verhältnis zu dem von Gott schon

[71] BOETH., *Cons. philos. I, pr. 6,20* CCL 94, p. 16,47-48: *tibi ex hac minima scintillula vitalis calor illuxerit*; ID., *Cons. philos. III, m. 11,11* CCL 94, p. 59,11: *haeret profecto semen introrsum veri*; dazu mit vielen Parallelstellen der antik-paganen Literatur GRUBER, *Kommentar.* 1978, pp. 158. 307.

[72] Cf. BOETH., *Cons. philos. V, m. 3,23* CCL 94, p. 94,23: *Non in totum est oblita sui.* Zur dahinterstehenden (neu-)platonischen Tradition mit entsprechenden Belegen cf. BALTES, *Gott, Welt, Mensch.* 1980, pp. 321-331; M. LAARMANN: *Selbstvergessenheit.* In: HWPh IX (1995 [publ. 1996]), col. 545-551.

[73] Cf. BOETH., *Cons. philos. III, pr. 10,7* CCL 94, p. 53,20-23: *Deum, rerum omnium principem, bonum esse communis humanorum conceptio probat animorum; nam cum nihil Deo melius excogitari queat, id quo melius nihil est, bonum esse quis dubitet?*

vorher in der menschlichen Seele veranlagten Wissen.[74] Nach boethianischer Lehre ist folglich der Weg zu Gott „von überraschender Einfachheit".[75]

Der Satz des JOHANNES DAMASCENUS baut, wie klar gemacht werden sollte, auf einer ost- und westkirchlich gleichermaßen fortgeführten Tradition auf. In ihr wird eine elementare Form der Gotteserkenntnis behauptet, die der menschlichen Natur tief innerlich ist und sie mit der Fähigkeit begabt, Gottes Dasein mit der sich entwickelnden reflektierenden Vernunft leicht und spontan zu bejahen.

3. Fortentwicklungen in der hochscholastischen Theologie

Vom Ausgang der Patristik bis zum Beginn der Hochscholastik hielt sich die Lehre von einer eingepflanzten Gotteskenntnis im Hintergrund. Hauptgründe lagen nicht nur in der Dominanz augustinischer Theologie und ihrer Terminologie. Der später zum Hauptzeugen gewordene JOHANNES DAMASCENUS, der dem lateinischen Westen erst seit 1148 in der Übersetzung des BURGUNDIO VON PISA greifbar geworden war, wurde von PETRUS LOMBARDUS in seinem Sentenzenbuch an einschlägiger Stelle nicht zitiert. Frühscholastische Theologen zogen augenscheinlich den Damaszener auch nicht zur Kommentierung von *Röm 1,19-21* heran.[76] Der Gedanke einer für alle Menschen unmöglichen Unkenntnis über Gottes Existenz war freilich Gemeingut der frühscholastischen Theologie, wie repräsentativ HUGO VON ST. VIKTOR belegen kann.[77]

Eine der frühesten Verwendungen des Damaszenerzitates findet sich im Prolog der um 1229 verfaßten *Summa aurea* des WILHELM VON AUXERRE.[78] Doch besitzt das Zitat dort nur illustrativen Charakter, weil es die Behandlung der Frage nach der Existenz Gottes begründen soll: Trotz einer eingepflanzten Gotteserkennntnis werde aus sündenbedingter Torheit Gott geleugnet. Demnach war für WILHELM VON AUXERRE, aber auch noch für RICHARD FISH-

[74] Die Kohärenz beider Wissensformen bekräftigt BOETHIUS, indem er ausdrücklich die von PLATON gelehrte Vorstellung vom göttlichem Ursprung der Philosophie aufgreift. Cf. PLATO, *Tim.* 47b; BOETH., *Cons. philos. I, pr. 4, 8* CCL 94, p. 7,23-24: *qui te* [i.e. *philosophiam*] *sapientium mentibus inseruit, deus*; dazu GRUBER, *Kommentar.* 1978, p. 117sq. – Für PROKLOS, dessen Schüler AMMONIOS HERMEIU Lehrer des BOETHIUS in Athen war, cf. C. STEEL: *Breathing Thought: Proclus on the Innate Knowledge of the Soul.* In: J. J. CLEARLY (ed.): The Perennial Tradition of Neoplatonism (AMPh.DWMC I/24). Leiden 1997.

[75] FRANK, *Boethius.* 1987, p. 80.

[76] Cf. die bei A. M. LANDGRAF: *Zur Lehre von der Gotteserkenntnis in der Frühscholastik.* In: New Scholasticism 4 (1930), pp. 261-288, edierten Texte.

[77] Cf. HUGO A S. VICT., *De sacr. I,3,1* PL 176, col. 217: *Deus* [*ab initio* suppl. HENR. DE GAND.] *sic notitiam suam in homine temperavit, ut sicut nunquam quid esset totum poterat comprehendi, ita numquam quia esset prorsus posset ignorari.* Der Text wird mit oben gekennzeichneter Ergänzung von Heinrich in *Summa 22,1* Badius 130rP zitiert.

[78] Cf. GUILL. DE ALTISS., *Summa aurea I, prol.* Ribaillier 20,72-76.

ACRE OP († 1248)[79], einen renommierten Vertreter der älteren Dominikanerschule in Oxford, die Formulierung des Damaszeners offensichtlich noch außerhalb des Interesses und in sich unproblematisch.

Dies änderte sich spätestens mit der wahrscheinlich 1236-45 zusammengestellten *Summa fratris Alexandri.*[80] Man darf sie als das wohl erste theologische Lehrbuch der Scholastik ansehen, in dem eine verselbständigte Behandlung habitueller natürlicher Gotteserkenntnis zu finden ist.[81] Das Thema wurde anläßlich der Frage virulent, ob die göttliche Wesenheit so bekannt sei, daß ihre Nichtexistenz nicht gedacht werden könne.[82] ALEXANDER verstand die Quästion trotz des eindeutigen Quästionentitels nicht nur als Auseinandersetzung mit dem Proslogion-Argument des ANSELM VON CANTERBURY - sie bleibt im folgenden außer acht -, sondern gestaltete sie auch als kritische Diskussion um den Sinn des Diktums des JOHANNES DAMASCENUS aus. Denn zunächst wird das Diktum als Beleg für die Selbstevidenz der Existenz Gottes angeführt:[83] Obersatz ist das Axiom, daß naturhafte Eindrücke (*naturales impressiones*) wegen der Konstanz der Natur unveränderlich, universal und bei allen identisch sind. Da nun nach dem Damaszener beim Menschen die Kenntnis von der Existenz Gottes naturhaft eingeprägt ist, ist diese Kenntnis folglich universal und bei allen identisch. Dadurch scheidet bei der rationalen Kreatur ein Zweifel an der Nichtexistenz der göttlichen Wesenheit aus. Überraschenderweise bietet ALEXANDER dieselbe Stelle auch als Gegeneinwand an, nun aber um die nachfolgenden Ausführungen des Damaszeners

[79] Cf. RICH. FISHACRE, *In I Sent., dist. 3* Daniels 24.

[80] Ungeachtet der vertrackten Fragen um Verfasserschaft und Abfassungszeit findet man in den betreffenden Texten recht deutlich die originäre Meinung des ALEXANDER VON HALES OMin wieder. Cf. ANON. [i.e. V. DOUCET]: *Prolegomena.* In: ALEX. DE HALES, S. theol., ed. Quar. IV (1948), zur Datierung pp. cccxxxix-ccclv; zu den Quellenverhältnissen der einschlägigen Texte zur Gotteserkenntnis spec. p. ccxlviii. - Zur theologischen Wissenschaftslehre und Theorie natürlicher Gotteserkenntnis der SUMMA FR. ALEX. cf. GÖSSMANN, *Metaphysik und Heilsgeschichte.* 1964, pp. 37-48. 179sq.; WASS, *The Infinite God.* 1964, pp. 14-30. Die theologisch hoch bedeutsame Transzendentalienlehre untersuchen J. FUCHS: *Die Proprietäten des Seins bei Alexander von Hales. Beitrag zur Geschichte der scholastischen Seinslehre.* München 1930, pp. 7-33. 50-70, sowie weiterführend AERTSEN, *Medieval Philosophy and the Transcendentals.* 1996, pp. 40-48.

[81] Cf. H. GRÄN: *Die Seelenlehre des Alexander von Hales, dargestellt nach seiner Sentenzenglosse und den „Quaestiones antequam esset frater“.* Diss. phil. München 1965, zur *cognitio Dei impressa* pp. 140. 151. 156sq., zur *prima bonitas* p. 160. - Zur enormen Bedeutung ALEXANDERS für Heinrich von Gent cf. Kap. I, § 3,1.b.

[82] Cf. SUMMA FR. ALEX., *Lib. I, nr. 26* ed. Quar. I, pp. 42-44*: Utrum necesse sit divinam essentiam sic notam esse, ut non possit cogitari non esse.*

[83] Cf. SUMMA FR. ALEX., *Lib. I, nr. 26* ed. Quar. I, p. 43a: *Item, naturales impressiones, manente natura, sunt immutabiles et universales et eadem apud omnes; sed 'cognitio existendi Deum est nobis naturaliter impressa', sicut dicit Damascenus; ergo, cum semper maneat natura, constat quod haec cognitio est universalis et eadem apud omnes; ergo de esse divinae essentiae nullus potest dubitare. Ita ergo est quod non potest ignorari a creatura rationali.*

ergänzt.[84] Da ist von einer veranlagten Gotteserkenntnis die Rede, aber auch von der Übermacht des Bösen, die den Toren zur Gottesleugnung führt. Demnach könne die göttliche Wesenheit vom Toren ignoriert und als nichtexistent gedacht werden. Die Lösung dieser Interpretationdifferenzen des damaszenischen Diktums versuchte ALEXANDER, indem er - aufbauend auf eine originäre Lehre vom Wissenshabitus[85] - die Unterscheidung eines aktuellen und eines habituellen Erkennens einforderte.[86] Das habituelle Wissen ist von Natur aus der *ratio superior*, die der intelligiblen Welt zugewandt ist, eingeprägt und darf als eine Ähnlichkeit der ersten, göttlichen Wahrheit angesehen werden. Dadurch ist der menschliche Intellekt in der Lage gesetzt, das Sein selbst zu erschließen, und zwar so kraftvoll, daß keine vernunftbegabte Seele von Gottes Sein nicht wüßte. Gottesleugnung wird nach ALEXANDER erst möglich, wenn die Seele sich mit ihrer *ratio inferior* der Sphäre des Kreatürlichen zuwendet.

Auf diese Theorie der *Summa fratris Alexandri* reagierte ALBERTUS MAGNUS in seiner nach 1274 verfaßten *Summa theologiae sive De mirabili scientia Dei* mit kritischen Bemerkungen.[87] ALBERT bestritt die Unausweichlichkeit der Zustimmung für den Fall eines aktuellen Erkennens des höheren Seelenteiles,

[84] Cf. SUMMA FR. ALEXANDRI, *Lib. I, nr. 26* ed. Quar. I, p. 43a-b.

[85] Cf. SUMMA FR. ALEXANDRI, *Lib. I, nr. 24* ed. Quar. I, p. 36a-b: *Respondeo: Sicut superius dictum est, est cognitio de re 'quia est' et 'quid est'. Cognitione 'quid est' cognoscitur creatura certius quam Deus; cognitione vero 'quia est' cognoscitur Deus certius aliquo modo. Nam multiplex est certitudo: est enim certitudo quantum ad sensum et est certitudo quantum ad intellectum; item, secundum intellectum dupliciter: aut secundum habitum aut secundum actum; item, secundum habitum multipliciter: aut secundum habitum innatum aut secundum habitum infusum aut secundum habitum acquisitum per viam sensus. - Dicendum ergo, quod creatura certius cognoscitur quam Deus dupliciter, scilicet certitudine sensus et certitudine, quae est per habitum acquisitum per viam sensibilium; Deus autem certius cognoscitur dupliciter, scilicet certitudine quae est per habitum innatum, et illa, quae est per habitum infusum: primo modo ab omnibus, secundo modo a fidelibus.*

[86] Cf. SUMMA FR. ALEXANDRI, *Lib. I, nr. 26* ed. Quar. I, pp. 43b-44a: *Dicendum, quod est cognitio de Deo duplex: cognitio actu, cognitio habitu. Cognitio de Deo in habitu naturaliter nobis impressa est, quia ipsa naturaliter est in nobis habitus impressus, scilicet similitudo primae veritatis in intellectu, quo potest conicere ipsum esse et non potest ignorari ab anima rationali. Cognitio vero in actu duplex est. Una est, cum movetur anima secundum partem superiorem rationis et habitum similitudinis primae veritatis superiori parti rationis impressum, eo modo quo recolit suum principium per hoc, quod videt se non esse a se. Et hoc etiam modo non potest ignorare Deum esse in ratione sui principii. Alia est, cum movetur anima secundum partem inferiorem rationis, quae est ad contemplandas creaturas. Et hoc modo potest non cognoscere Deum esse, cum scilicet per peccatum et errorem aversa a Deo obtenebratur, eo modo quo dicit Apostolus, Rom. 1,21: ... Et hoc modo 'dixit insipiens: non est Deus'; aliis autem modis non.* - ALEX. DE HALES., *Glossa in I Sent., dist. 3, nr. 4* BFS 12, p. 40,6-7, spricht im Anschluß an den bei AUGUSTINUS, *De trin. VIII,3* formulierten Stufenbeweis für das Dasein Gottes, der ja bei Heinrich von Gent eine überragende Bedeutung bekommen wird, von einer dem Menschen durch die Natur eingeprägten Erkenntnis der Gutheit.

[87] Cf. ALBERT. MAGN., *S. theol. I, tract. 4, q. 19, cap. 2* ed. Colon. 34/1, pp. 92-94: *Utrum Deum non esse possit vel cogitari non esse.* - Cf. K. SCHMIEDER: *Alberts des Großen Lehre vom natürlichen Gotteswissen.* Freiburg i.Br. 1932, spec. pp. 14-24. 71-77 [Rec.: T. BARTH PhJ 49 (1936), pp. 407-409].

weil nur ein allgemeines Erkennen der Existenz Gottes gegeben sei, aber kein spezifisches Erkennen, das von der Verehrung eines vermeintlich göttlichen Seienden abhielte. Die Lehre der SUMMA FR. ALEXANDRI von einem habituellen Gotterkennen stieß allerdings bei ALBERT auf keinen offenen Widerspruch.

Einer der eifrigsten Schüler des *Doctor universalis*, ULRICH ENGELBERTI VON STRASSBURG OP (um 1225 - nach 1277), erhob in seiner um 1270 verfaßten Schrift *De summo bono* die Frage nach einer eingepflanzten Gotteserkenntnis sogar in den Rang eines separaten Lehrstücks.[88] Als ersten von fünf Wegen der natürlichen Vernunft, zur Erkenntnis von Gottes Existenz zu gelangen, nannte ULRICH eine natürliche Eingebung (*naturalis instinctus*).[89] Gottes Existenz ist den Menschen eingepflanzt und daher auch - was ULRICH ineinssetzte - durch sich selbst den Menschen evident. Für die allen Völkern und jedem einzelnen Menschen gemeinsame Gotteserkenntnis berief sich ULRICH überraschenderweise auf die bei CICERO, *De nat. deor. I,16,43-17,44* genannten epikureischen Philosophen, denen er ein *Consensus omnium*-Argument in den Mund legte und die hier so zu einer im Mittelalter für sie eher seltenen ehrenvollen Erwähnung gelangten.[90] Bei dieser Art der natürlichen Gotteser-

[88] Cf. ULRIC. DE ARGENT., *De summo bono I,1,3* CPhTMA I/1, pp. 10-13: *Cap. 3. In quo ostenditur, quod cognitio existendi Deum est nobis naturaliter insita.* Der Quästionentitel fand einen späten Nachhall bei THOMAS AB ARGENTINA, *In I Sent., dist. 3, q. 1* [a. 1335-37] Venedig 1564 (ed. anastat. Ridgewood, N.J. 1965), fol. 32vb-34vb: *An notitia Dei qua ipse esse cognoscitur, sit humano intellectui naturaliter inserta.* - Zum Text des ULRICH VON STRASSBURG cf. die Ausführungen bei A. de LIBERA: *Introduction a la mystique rhénane.* Paris 1984, p. 104sq.; A. de LIBERA/B. MOJSISCH: *Einleitung.* In: CPhTMA I/1 (1989), pp. xv-xviii, spec. xv, sowie HÖDL, *Das ‚intelligibile'.* 1983, pp. 358-363, sowie ID.: *Die Würde des Menschen in der scholastischen Theologie des späten Mittelalters.* In: A. HOLDEREGGER/R. IMBACH/R. Suarez de MIGUEL (Hg.): De dignitate hominis. Fschr. für C.-J. PINTO DE OLIVEIRA (SThE 22). Freiburg i.Br./Freiburg i.Ue. 1987, pp. (107-132) 123-127, der die Differenz ULRICHS zum thomanischen Lösungsansatz vor dem Hintergrund der jeweiligen Intellekttheorie betont. - Cf. VerfLex^2 IX (1996), col. 1252-1256 (L. STURLESE).

[89] Cf. ULRIC. DE ARGENT., *De summo bono I,1,3* CPhTMA I/1, p. 10,3-4: *Ratio autem naturalis quinque viis proficit in Dei cognitionem. Una est naturalis instinctus, quo cognoscitur de Deo quia est.* Der Terminus *instinctus* ist wegen des personalen Charakters des Aktes der Gotteserkenntnis statt mit „Antrieb" angemessener mit „Eingebung" zu übersetzen (so auch LIBERA/MOJSISCH. *Einleitung.* 1989, p. xv; cf. GEORGES, *Lat.-dtsch. Hdwb.* s.v.). Zahlreiche patristische und scholastische Belege für den weit ausgreifenden Gebrauch von *instinctus* bietet M. SECKLER: *Instinkt und Glaubenswille nach Thomas von Aquin.* Mainz 1961, pp. 32-66 und spec. pp. 44-46, wo die stark entwickelte, mit einer *Fides implicita*-Theorie verknüpfte *Instinctus*-Lehre der SUMMA FR. ALEXANDRI vorgestellt wird. Rezeptionslinien bis in die Neuzeit verfolgt R. A. GREENE: *Instinct of Nature: Natural Law, Synderesis, and the Moral Sense.* In: JHI 58 (1997), pp. 173-198. - Nur hingewiesen sei hier auf die kirchlich verurteilte Ablehnung des *instinctus naturalis* beim jansenistisch orientierten P. QUESNEL; cf. CLEMENS XI.: *Const. „Unigenitus Dei Filius", prop. 66* (8. Sept. 1713). DH 2466: *Qui vult Deo appropinquare, nec debet ... adduci per instinctum naturalem ...*

[90] Cf. ULRIC. DE ARGENT., *De summo bono I,1,3* CPhTMA I/1, p. 10,5-9: *Hoc enim nobis naturaliter insertum est, et ideo per se nobis notum esse probant philosophi Epicurei per hoc si-*

kenntnis schloß ULRICH dezidiert eine unmittelbares Erfassen der göttliche Wesenheit aus. Gegenstand des Erkennens ist ein Abbild (*similitudo*), das nicht von Gott selbst abstrahiert ist, da vom einem Allereinfachsten keine Abstraktion vollzogen werden kann, sondern von Gott verursacht und dem menschlichen *intellectus possibilis*, Gottes besonderem Bild und Gleichnis (*imago et similitudo*), eingeprägt und eingepflanzt ist. Nach ULRICH ist diese Einprägung identisch mit dem Licht des tätigen Intellekts, das beim sensualem Erkennen aber erst in einem reflexiven Akt als Zeichen der Existenz und Präsenz Gottes aufgedeckt werden kann.[91] Eine im Mittelalter sehr ungewöhnliche Illustration erhielt ULRICHS Lehre durch das bei CICERO überlieferte aristotelische (!) Höhlengleichnis.[92]

Kehrt man von ALBERT und ULRICH wieder an die Pariser Universität der 50er und 60er Jahre des 13. Jahrhunderts zurück, trifft man auf PETRUS DE TARANTASIA OP, den nachmaligen Papst INNOZENZ V. Er versuchte in seinem 1256-58 entstandenen Sentenzenkommentar den Aufriß einer vierfach gestuf-

gnum, quod hoc commune est apud omnes nationes et, quod commune est omnibus individuis alicuius naturae, hoc necessario sequitur naturam communem in eis et non aliquid, in quo distincta sunt individua.

91 Cf. ULRIC. DE ARGENT., *De summo bono I,1,3* CPhTMA I/1, p. 11,38-44: *Ex his patet, quod illud est per se notum, cuius notitia ita habetur in confuso habitu naturaliter inserta intellectui, quod solum experimentum sine probatione sufficit ad eius actualem et determinatam notitiam. Sed Dei notitia in habitu lucis intellectus agentis, quae est Dei similitudo, naturaliter inserta est intellectu possibili, et haec confusa cognitio, ut ad actum determinatum producatur, non exigit nisi experimentum tale, quale sumitur de causa.* Cf. auch ID., *De summo bono I,1,7* CPhTMA I/1, p. 19,31-36; p. 20,47-60.

92 Cf. ULRIC. DE ARGENT., *De summo bono I,1,3* CPhTMA I/1, pp. 11,44-(12,)50. Das nicht im griechischen Original erhaltene aristotelische Höhlengleichnis - leider unerwähnt geblieben bei M. GATZEMEIER: *Höhlengleichnis.* In: EnzPhW II (1984), col. 119b-120b, und J. SZAIF: *Höhlengleichnis.* In: LThK³ V (1996), col. 226 - besitzt seinen für das lateinische Mittelalter entscheidenden Überlieferungstext in CICERO, *De nat. deor. II,37,95-96* Plasberg/Ax 87,7-88,6 (= ARIST., *De philos., frg. 13.* In: ID., Fragmenta selecta, ed. Ross, pp. 81-83/Fragmenta, ed. Gigon nr. 838, p. 791), dazu der Kommentar von PEASE, *Cic., De nat. deor.*, ad loc. (pp. 783-787); H. FLASHAR, *Aristoteles.* In: Ueberweg/Antike III (1983), p. (175-457) 282; G. JÄGER: *Das sogenannte Höhlengleichnis des Aristoteles. Überlegungen zu Cicero, De natura deorum 2,95.* In: J. GRUBER u.a. (Hg.): Humanismus und Bildung. Bd. 2: Interpretationen (Auxilia 28). Bamberg 1991, pp. 51-60 [detaillierte Interpretation des ciceronianischen Textes; Lit.!]. Zahlreiche Bemerkungen insbesondere zur patristischen und neuzeitlichen Rezeptionsgeschichte des aristotelischen Höhlengleichnisses bietet H. BLUMENBERG: *Höhlenausgänge.* Frankfurt a.M. 1989, dort spec. pp. 193-206 zum ciceronianischen Text. Dem lateinischen Westen unbekannt blieb GREG. NYSS., *De mortuis oratio* GNO IX, p. (28-68) 37sq.; dazu W. BLUM: *Eine Verbindung der zwei Höhlengleichnisse der heidnischen Antike bei Gregor von Nyssa.* In: VigChr 28 (1974), pp. 43-49. Eine schwachen, zudem noch über AVERR., *Phys. IV,97* ed. Iunt., fol. 177vK-M vermittelten Reflex zeigt ALBERT. MAGN., *Physica IV, tract. 3, cap. 4* ed. Colon. IV/1, p.267,8-13; cf. auch ID., *Physica IV, tract. 3, cap. 3* ed. Colon IV/1, p. 264,17-25.

ten Erkennbarkeit der göttlichen Existenz zu geben.[93] Gott sei erstens erkennbar als „Licht und Ursache der Erkennbarkeit aller erkennbaren Prinzipien und Konklusionen", zweitens als „ein gleichsam selbstevidentes Prinzip", drittens als Konklusion eines syllogistischen Beweisganges und viertens als ein Glaubensartikel. Die zweite Variante ist eine von der Natur eingepflanzte Erkenntnis Gottes, in der Gott konfus und in einem Allgemeinen erkannt, insofern Gott als die Wahrheit selbst, die Güte selbst und dgl. in seinem Wirken widerscheint.[94]

Bei JOHANNES PECKHAM OMin, der seinen Sentenzenkommentar vermutlich nur wenige Jahre nach PETRUS VON TARANTASIA, jedenfalls aber vor 1270 schrieb, findet man eine dreigliedrige Formierung der für den viatorischen Menschen erreichbaren Gotteserkenntnis. Der in sich wahre Gott, das Evidenteste allen Wahren, wird in einer allgemeinen Weise erkannt. Die Einschränkung dieses Erkennens machte PECKHAM in der Unvollkommenheit und Insuffizienz der natürlichen Dinge aus, die durch Schulung oder Gnade vorangebracht werden müssen. Aus dem ausführlich zitierten Damaszenerwort las PECKHAM eine dreifache Gotteserkenntnis, d. h. durch einen naturhaften Eindruck, durch Nachforschung, die aus den Geschöpfen gesammelt worden sind und durch die in der Hl. Schrift auffindbare Offenbarung. Diesen Erkenntnisarten korrespondieren spezifische Erkenntnisgegenstände. Das naturhafte Gotterkennen erfaßt Gottes Dasein. Das Verfolgen der Spuren Gottes in seinen Kreaturen läßt erkennen, daß er einzig-einer, wahr und gut ist. Die Schriftoffenbarung lehrt, daß Gott der dreieine und doch einzig-eine Schöpfer und Vergelter ist. Entsprechend den Erkenntnisgraden des natur-

[93] Cf. PETR. DE TARANT., *In I Sent., dist. 3, q. 1, a. 2, resp.* ed. Toulouse 1652, tom. I, p. 29a-b: *Deum esse uno modo est quasi lux et causa cognoscibilitatis omnium cognoscibilium tam principiorum quam conclusionum; alio modo est quasi principium per se notum; alio modo est demonstrationis conclusio; alio modo est quasi articulus fidei. Nam cognoscibile aliquid dupliciter potest considerari. Aut secundum se in propria natura; sic Deus est per se notum, quia cum sit immaterialis, est per se intelligibilis, et non facit ipsum intellectus noster actu intelligibilem abstrahendo, sicut cetera intelligibilia. Aut in comparatione ad nos, et hoc dupliciter. Aut in ratione generali, secundum quam relucet in omnibus suis effectibus inquantum est veritas, bonitas et cetera; et sic etiam est per se notum. Aut in ratione propria, qua dicitur Deus vel summum bonum, et hoc dupliciter. Nam propter elongationem Dei a sensu non statim occurrit intellectui sicut cetera principia, ut 'omne totum maius est sua parte', huiusmodi enim principia cognoscimus statim, ubi terminos cognoscimus, sicut dicit Philosophus in primo Posteriorum. In cognitionem ergo divini esse est devenire dupliciter, vel ratiocinando, id est ab effectibus in cognitionem causae discurrendo, aut simpliciter assentiendo. Primo modo est conclusio demonstrationis, secundo modo est articulus fidei. Primo modo harum quattuor considerationum illuminat semper intellectum, secundo modo cognitio eius inserta est naturaliter, tertio modo intellectus per effectus eius intelligit eum, quarto modo per fidem simpliciter assentit in eum.* - Cf. PETR. DE TARANT., *Qdl., q.* 7 [a. 1264], ed. P. GLORIEUX, RThAM 9 (1937), p. 268sq.: *Utrum anima omnem veritatem, quam videt, videat in prima veritate.*

[94] Cf. PETR. DE TARANT., *In I Sent., dist. 3, q. 1, a. 2, ad 1* ed. Toulouse 1652, tom. I, p. 29b: *Cognitio haec inserta dictur esse confuse et in generali, in quantum inserta est notio veri et amor boni. Unde et omnia bonum appetunt. Et sic dicuntur appetere Deum non in propria ratione.*

haften, d. h. präreflexiven Erkennens, des apodiktischen Beweiswissens und des im gnadenhaften Glauben fest Angenommenen ordnete PECKHAM die drei Erkenntnisformen als Progressionsmomente des viatorischen Gotterkennens einander zu: „Die Natur initiert das Erkennen, der Beweis gibt ihm Stütze, der Glaube befestigt es."[95] So faßt man auch bei PECKHAM deutlich die in der Franziskanerschule vorangetriebene Theorie, die ein naturales Gotterkennen, das begrifflich und sachlich vom syllogistisch verfahrenden Beweiswissen der natürlichen Vernunft abgrenzt ist, zwar mit den Schwundkennzeichen der Präreflexivität verbindet, aber auch diesem naturalen Gotterkennen das Vorzugsmerkmal erkenntnisdynamisierender Initialkraft zuerkennt.[96] Es sei erwähnt, daß PECKHAM 1269-71 als Nachfolger des WALTER VON BRÜGGE OMin in Paris als *magister actu regens* lehrte und in dieser Zeit streitbarer Kollege des Aquinaten war.

Doch auch THOMAS VON AQUIN griff das tradierte Verständnis natürlicher Gotteserkenntnis begrifflich und sachlich auf, freilich nicht ohne Umdeutungen vorzunehmen, die auf seine intensive Rezeption der aristotelischen Erkenntnislehre zurückzuführen sind. Das Damaszenerzitat trat bei THOMAS von seinen Frühschriften an fast immer im Kontext mit dem anselmianischen Ar-

[95] Cf. IOA. PECKHAM, *In I Sent., dist. 2, q. 1, quaesitum 1, resp.* [ante 1270] Daniels 45: *Respondeo: Deum esse est verum et verorum evidentissimum, quantum est de se. Est quidem generaliter cognitum; sed naturalia imperfecta sunt nec sufficiunt, nisi arte vel gratia promoveantur. Unde dicit Damascenus libro I cap. 1,3: 'Cognitio existendi Deum ab ipso naturaliter nobis inserta est, et providentia et gubernatio creaturae magnitudinem divinae praedicant naturae et per legem et prophetas deinde per unigenitum filium secundum quod possibile est nobis, sui ipsius manifestavit cognitionem.' Ex his verbis colligitur, quod Deus a nobis tripliciter cognoscitur, scilicet per naturalem impressionem, per investigationem quae ex creaturis colligitur, et per revelationem quae in scripturis invenitur. Ex naturali dictamine colligitur Deum esse; per creaturarum vestigium colligitur ipsum unum, verum, bonum esse; per scripturarum oracula ipsum esse trinum et unum creatorem vel reparatorem. Propterea Deum esse est naturaliter cognitum, demonstratione probatum et fide etiam creditum. Natura cognitionem initiat, demonstratio iuvat, fides confirmat.* Den Zusammenfluß der terminologischen Traditionsströme belegt sehr schön ID., *In I Sent., dist. 17* Spettmann 215: *Dico speciem innatam notionem animae concreatam, sicut dicit Damascenus, cap. I, quod 'cognitio existendi Deum omnibus ab ipso naturaliter inserta est'. Et haec aliquando vocatur notio impressa, sicut dicit Augustinus, IX. De trin., cap. 5: 'Necque in omnibus bonis, quae commemoravi, aliud alio iudicaremus melius, nisi esset nobis impressa notio ipsius boni.' Et sic cognoscuntur per similitudinem omnia nobis naturaliter cognita, sicut de bonitate et sapientia dicitur II*[*,9*] *De libero arbitrio.* Zum *habitus innatus* und zur *species innata* cf. das *Scholion* zu BONAV., *In II Sent., dist. 39,1,2* ed. Quar. II, p. 904sq. - Die dazu als Ursprungserklärung des menschlichen Erkennens konvergierende und sensual-aposteriorische Elemente stark berücksichtigende Illuminationslehre des *Doctor ingenuosus* erläutert G. MELANI: *Tractatus de anima Ioannis Pecham* (Bibl. di Studi Francescani 1). Florenz 1948, spec. pp. 100-103. 109-115.

[96] Schon DOUCET, *De naturali seu innato supernaturalis beatitudinis desiderio.* 1926, spec. pp. 169-177, beobachtete für die voluntative Sphäre die sinnentsprechende Gegenüberstellung eines *appetitus naturalis seu innatus* mit einem *appetitus elicitus* bei den Theologen des 13. Jahrhunderts. An diese schulübergreifende Lehrtradition knüpfte kritisch transformierend Heinrichs *Primum volitum*-Lehre an (cf. Epilog, not. 4).

gument auf.[97] Im Gegensatz zur *ratio Anselmi* selbst wurde aber die patristische Lehre von THOMAS nicht entschieden abgelehnt, sondern durch kritische Neuinterpretation gegen eine unzutreffende Verknüpfung mit der inkriminierten *ratio Anselmi* abgesichert, die im Verständnis des Aquinaten fälschlich ein gegebenes selbstevidentes Wissen von Gottes behauptete. Damit wurde die traditionelle *Cognitio Dei insita*-Lehre für einen - an späterer Stelle noch darzustellenden[98] - originär thomanischen Entwurf impliziter Gotteserkenntnis brauchbar gemacht. Die eingepflanzte Gotteserkenntnis legte THOMAS anfänglich als angeborene, inhaltliche unbestimmte Prinzipien aus, durch die man mit Leichtigkeit die Existenz Gottes erfassen könne.[99] Spätere Aussagen bei THOMAS kehrten dagegen mehr die Inhaltsseite dieser anfangshaften Gotteserkenntnis hervor und beschrieben sie nun in der Terminologie der aristotelischen Erkenntnistheorie als ein allgemeines und konfuses Erkennen der Existenz Gottes.[100] Neu war dabei die Kombination mit einem Lehrstück thomanischer Anthropologie, das in relativer Unabhängigkeit von dieser Diskussion entstanden war. Gemeint ist seine Lehre eines natürlichen Verlangens nach Gottesschau (*desiderium naturale videndi Deum*),[101] die erst das Streben der menschlichen Geistnatur zur Erfüllung bringt. Diesem Begehren liegt ein einfaches (*simpliciter*), naturales, d. h. präreflexives Wissen um Gottes Existenz zugrunde, das freilich nicht vor Fehlbestimmungen des höchsten Gutes und wahrhaft Göttlichen bewahrt.[102] Aber dieses Begehren spannt den ganzen Menschen mit all seinen intellektualen und voluntativen Vermögen an, sein Initialwissen zu vervollkommnen.

[97] Cf. THOM. DE AQU., *In I Sent., dist. 3, q. 1, a. 2, arg. 1; ad arg. 1* Busa 10c. 11a; ID., *Ver. X,12, obi. 1* ed. Leon. 22, p. 338; ID., *In Boeth. De trin. I,3* Decker 70,5-7; ID., *S. theol. I, q. 2, a. 1, obi. 1* ed. Paul. 11a.

[98] Cf. Kap. III, § 2,2.a.

[99] Cf. spec. THOM. DE AQU., *In Boeth. De trin. I,3* Decker 74,1-2; ID., *Ver. X,12, obi. 1* ed. Leon. 22, p. 342.

[100] Cf. spec. THOM. DE AQU., *S. theol. I, q. 2, a. 1, ad 1* ed. Paul. 12a; ID., *Qdl. VIII,2,2* [*4*] ed. Leon. 25, p. 59, lin. 89-94: *Et quia naturalis cognitio est quaedam similtudo divinae veritatis menti nostrae impressa, secundum illud Psalmi: 'signatum est super nos lumen vultus tui, Domine', ideo huiusmodi habitus cognoscuntur in prima veritate.*

[101] Die entscheidenden Textbelege und exzellente Interpretationhinweise gibt ENGELHARDT, *Desiderium naturale.* 1972, col. 126sq. Dieser Theorie sekundiert in wichtigen Aspekten die thomanische *Instinctus*-Lehre; dazu M. SECKLER: *Instinkt und Glaubenswille nach Thomas von Aquin.* Mainz 1961, sowie die weiterführende Rezension von E. SCHILLEBEECKX: *Das nicht-begriffliche Erkenntnismoment im Glaubensakt: Problemstellung* [= TTh 3 (1963), pp. 167-194]. Dtsch. Übers. in: ID.: Offenbarung und Theologie (Ges. Schr. 1). Mainz 1965, pp. 261-293.

[102] Cf. THOM. DE AQU., *S. theol. I, q. 2, a. 1, ad 1* ed. Paul. 12a; ID., *Comp. theol. II, cap. 8* nr. 569-570 ed. Leon. 42, p. 198,38-199,76, und spec. ID., *S.c.G. III,38* nr. 2161 Pera 44: *Est enim quaedam communis et confusa Dei cognitio, quae quasi omnibus hominibus adest, sive hoc sit per hoc quod Deum esse sit per se notum, sicut alia demonstrationis principia, sicut quibusdam videtur, ut in primo libro* [*cap. 10*] *dictum est; sive quod magis videtur, quia naturali ratione statim homo in aliquem Dei cognitionem pervenire potest.*

Mag der Aquinate durch seine Theorie impliziter Gotteserkenntnis eine Deutung des Damaszenerwortes gegeben haben, die in späterer Zeit eigene Beachtung gefunden hat, so sang doch BONAVENTURA schon 1257 das Hohelied der hochscholastischen Theologie auf die Lehre von einer eingepflanzten Gotteserkenntnis. Nicht weniger als zehn Argumente reihte er in der Eröffnungsquästion seiner *Quaestiones disputatae de mysterio trinitatis* aneinander.[103] Beginnend mit dem Damaszenerzitat wurden einschlägige Stellen bei HUGO VON ST. VIKTOR, BOETHIUS und besonders AUGUSTINUS, ja selbst der Anfangssatz der 'Metaphysik' des ARISTOTELES für die Wahrheit dieser Lehre in Anspruch genommen. Für BONAVENTURA hat sich offensichtlich die Selbstevidenz der Existenz Gottes auch dadurch ausgewiesen, daß sie eine Konsonanz der maßgebenden Autoritäten stiftet, die die Lehrstreitigkeiten der philosophischen und theologischen Richtungen übertönt.

§ 2 DIE KRITISCHE SICHTUNG DER TRADITIONELLEN LEHRE EINER NATURALEN BZW. IMPLIZITEN GOTTESERKENNTNIS UND IHRE ORIGINÄRE WEITERFÜHRUNG BEI HEINRICH VON GENT

1. Die gestufte Erkennbarkeit des Wesens Gottes aus der Schöpfung

Der vorige Paragraph hat eine starke und breite Tradition vorgestellt, die wegen einer im Menschen eingepflanzten Veranlagung eine Leichtigkeit der Gotteserkenntnis behauptet. Der Durchgang durch die Überlieferungsgeschichte der Theorie einer eingepflanzten Gotteserkenntnis hat aber schon andeuten können, wie sehr die Erklärungen der einzelnen Autoren dieser Tradition hinsichtlich ihrer theologischen, metaphysischen, kosmologischen, anthropologischen und erkenntnistheoretischen Prämissen differieren. Hein-

[103] Cf. BONAV., *De myst. trin. I,1, fund. 1-10* ed. Quar. V, pp. 45a-46b. Für BONAVENTURA gewährleistete das von AUGUSTINUS übernommene Zueinander von Gotteserkenntnis und Gottebenbildlichkeit die Berechtigung der Aussage; cf. spec. ID., *De myst. trin. I,1, concl.* ed. Quar. V, p. 49a: *Cognitio huius veri innata est menti rationali, in quantum tenet rationem imaginis, ratione cuius insertus est sibi naturalis appetitus et notitia et memoria illius, ad cuius imaginem facta est, in quem naturaliter tendit, ut in illo possit beatificari.* Cf. auch L.-B. GUILLON: *Béatitude et desir de voir Dieu au moyen age.* In: Angelicum 26 (1949), pp. (3-30. 115-142) 127-133; FAY, *Bonaventure and Aquinas on God's Existence: Points of Convergence.* 1977, pp. 586-588. - Zur bonaventurianischen Lehre von einer präreflexiven *cognitio naturalis* cf. auch BONAV., *In IV Sent., dist. 49, 1,2 ad 1* ed. Quar. IV, p. 1003b; ID., *In II Sent., dist. 24, 1,2,3 concl.* ed. Quar. II, p. 566; dazu Ch. NÖLKENSMEIER: *Ethische Grundfragen bei Bonaventura* (FGPhP V/2). Leipzig 1932, p. 54. Weitere Ausführungen zur bonaventurianischen Theorie angeborener Gotteserkenntnis finden sich in Kap. III, § 2,a,ii.

rich von Gent empfand insgesamt ein Ungenügen an den bisherigen Theorien naturhafter Gotteserkenntnis. Aus innerlicher Zustimmung zu dieser Tradition sah er sich aber gedrängt, einen neuen, eigenen Entwurf vorzulegen, der in seiner sachlichen Kohärenz und methodischen Konsistenz den strenger gewordenen Kriterien philosophischer Vernunft und szientifisch verfahrender Theologie besser entsprechen und zugleich den Gehalt der Tradition unverkürzt bewahren sollte. Ähnlich BONAVENTURA und THOMAS vor ihm suchte er eine Lösung mit Hilfe einer reflexiven Erkenntnisanalyse, die auf einer Metaphysik der Erkenntnis aufruht. Wie aus dem in Kap. II Gesagten hervorgeht, vertritt Heinrich eine reïstisch-essentialistische Metaphysik im Gefolge AVICENNAS, die durch eine stark theologisierte Transzendentalienlehre augustinischer Provenienz ergänzt wird. Wie auf diesem Boden eine neue Theorie naturaler Gotteserkenntnis errichtet werden kann, zeigt Heinrich bei der Beantwortung der Frage, ob aus den Geschöpfen das Wassein Gottes szientifisch gewußt werden könne.[104]

Heinrich wählt vier Gegenargumente aus. Der erste Einwand behauptet wegen der infiniten Differenz von Gott und Kreatur die Unmöglichkeit einer washeitlichen Gotteserkenntnis und wirft das Analogieproblem wieder auf. Ein zweiter Einwurf verlangt im Anschluß an die augustinische Erkenntnistheorie, daß Gott als der, der anderes zu erkennen gibt, für eine Erkenntnis des Ersten nicht durch ein anderes Drittes erkannt werden könne, sondern nur durch sich selbst. Drittens gelingt nach pseudo-dionysischer Lehre wegen der unendlichen Distanz der Ordnungen kein Übergang von einer unteren Ordnung zur göttlichen. Viertens schließlich legt *Weish 14,11 Vg* als biblisches Zeugnis dar, daß die Kreatur als Irrtumsursache des menschlichen Erkennens für eine washeitliche Gotteserkenntnis disqualifiziert sei.

Der Gegeneinwand führt die Glosse zu *Röm 1,20* an, daß aus der Schönheit des Sternenhimmels die Größe und Bewunderungswürdigkeit des Schöpfers erkannt werden könne. Da nun die Größe Gottes mit seiner Wesenheit ineinsfalle, könne aus den Geschöpfen Gottes Washeit erkannt. Durch die Wahl dieses einschlägigen Bibelbelegs legt sich Heinrich auf eine affirmative Antwort fest.

[104] Zur Textinterpretation von HENR. DE GAND., *Summa 24,6* Badius 141rL-143vD cf. PAULUS, *Argument ontologique.* 1935, pp. 275. 278-280. 281-286. 291. 299. 316; ID., *Essai.* 1938, pp. 10. 14. 47. 51. 56. 60; BARTH, *De tribus viis.* 1943, pp. 99. 103sq.; ALFARO, *Lo natural.* 1952, p. 364; BETTONI, *Processo astrattivo.* 1954, pp. 71-75; GÓMEZ CAFFARENA, *Ser participado.* 1958, pp. 187. 197-202. 229-233. 260; PREZIOSO, *Ontologismo.* 1961, p. 85sq.; BEHA, *Theory of Cognition.* 1960/61, p. 395; BROWN, *Avicenna.* 1965, p. 123; PEGIS, *Towards II.* 1969, pp. 98-105; BÉRUBÉ, *Interprètes.* 1974, p. 156sq.; DUMONT, *Source.* 1982, pp. 58-62; 155-173; MARRONE, *Augustinian Epistemology.* 1983, pp. 281-284; MACKEN, *Metaph. Proof.* 1986, pp. 253-260; SCHÖNBERGER, *Transformation.* 1986, pp. 116 (ad 143vS). 152 (ad 143vA); MARRONE, *Knowledge of Being.* 1988, pp. 30. 32-35; PORRO, *Enrico di Gand.* 1990, pp. 118-121; WIELOCKX, *Aeg. Rom., Apol.* 1985, p. 139 (ad 142vT-V); SCHÖNBERGER, *Eigenrecht und Relativität des Natürlichen.* 1991, p. 229 (ad 141rN); ID., *Ursachenlehre.* 1994, p. 434 (ad 141rN).

Die Fragestellung selbst wird von Heinrich in wichtiger Weise präzisiert, insofern sich alle folgenden Überlegungen sich um eine Gotteserkenntnis aus sinnenhaft erfaßbaren körperlichen Geschöpfe drehen, nicht aber um eine Gotteserkenntnis aus unkörperlichen, den Körpersinnen unzugänglichen Kreaturen.[105] Denn von den letztgenannten hat man nur Kenntnis durch die sinnenhaft erfaßbaren Kreaturen. Ist die Bedeutung der Sinneserkenntnis festgeschrieben, tut sich das Problem auf, welche Wissenschaft am geeignetsten ist, um sensual vermitteltes Wissen für eine washeitliche Erkenntnis Gottes als einer übernatürlichen, nicht sinnlich wahrnehmbaren Substanz auszuwerten. Für Heinrich kämen Physik und Metaphysik in Frage, von denen die Metaphysik, wie schon an anderer Stelle bei Heinrich ausgeführt,[106] eindeutig den Vorzug erhält.[107] Weil aber die Physik das Veränderliche und sinnlich Wahrnehmbare an einer Substanz untersucht, erkennt man aus geschaffenen sinnenfälligen Substanzen nur die Existenz Gottes, nicht seine Washeit. Dies geschieht dadurch, daß man ein Verursachtes mit seiner Ursache oder ein Bewegliches mit seinem Beweger in Beziehung setzt. Ein solcher Beweisgang gehört nach Heinrichs Auffassung eindeutig in die Physik, und wenn er in der Metaphysik benutzt wird, dann nur insoweit ein Metaphysiker durch Annahme des in der Physik Gültigen in die Rolle eines Physikers wechselt. Die metaphysische Betrachtung nimmt dagegen das Seiende und die Substanz als

[105] Cf. HENR. DE GAND., *Summa 24,6* Badius 141rM: *Dicendum ad hoc, quod cum sint quaedam creaturae sensibiles corporales, quaedam vero incorporales insensibiles, quaestio de cognitione Dei in nobis ex creaturis, non intelligitur nisi ex creaturis corporabilibus sensibilibus, quia etiam de creaturis incorporabilibus insensibilibus non habemus cognitionem aliquam nisi ex corporabilibus sensibilibus.*

[106] Cf. Kap. II, § 3,5 zu HENR. DE GAND., *Summa 22,5* Badius 134rB-135rF.

[107] Cf. HENR. DE GAND., *Summa 24,6* Badius 141r-vN: *Secundum hunc ergo modum intelligendi quaestionem, sciendum quod ex substantiis materialibus sensibilibus dupliciter potest acquiri cognitio aliqua de substantia supernaturali insensibili. Uno modo inquantum mobilis et sensibilis, hoc est secundum quod est substantia naturalis, et de consideratione physici. Alio modo secundum quod est ens et substantia simpliciter, et de consideratione metaphysici. Primo modo ex substantiis sensibilibus creatis habetur cognitio de Deo, quia sit, scilicet ex collatione causati ad causam, mobilis ad moventem. Et sic probatio, quia Deus est, per se pertinet ad physicum et naturalem philosophum, et non ad metaphysicum, nisi in quantum induit formam physici accipiendo probata a physico. Secundo vero modo ex substantiis sensibilibus creatis habetur nostra cognitio de Deo, et quia sit, alia scilicet via quam deductione ex creaturis, de qua sermo habitus est supra, et etiam quid sit, si qua cognitio de Deo quid sit, a nobis in praesenti habetur. Et hoc fit via eminentiae per abstractionem a creaturis intentionum, quae secundum analogiam communiter conveniunt creatori et creaturis. Et sic cognitio ex creaturis quia est et quid est Deus, per se pertinet ad metaphysicum. Unde Commentator super principio VII Metaphysicae* [cf. AVERR., *Metaph. VII,5* ed. Iunt. VIII, fol. 155vM-156rC] *assignans differentiam considerationis substantiae sensibilis a physico et metaphysico, dicit quod 'in naturabilibus perscrutatus est philosophus de principiis corporis, secundum quod est naturale, hic vero, secundum quod est substantiam tantum. Et ista quaestio inducit ad sciendum primam formam omnium et ultimum finem, quoniam cum fuerit scitum, quid sit quidditas huius substantiae sensibilis, tunc erit scita prima causa omnium entium. Illa vero quaestio in scientia naturali inducit ad sciendum primam materiam et formas naturales et primum motorem.'*

solche in den Blick und führt nicht nur zur Erkenntnis der Existenz, sondern auch zur Erkenntnis der Washeit Gottes, soweit sie für den viatorischen Intellekt erreichbar ist. Die Metaphysik benutzt nicht wie die Physik die Methode der Deduktion vom Verursachten zur Ursache. Die ihr eigentümliche Methode ist die der Eminenz. Durch sie abstrahiert man von den Kreaturen deren Intentionen, die durch Analogie Schöpfer und Geschöpf gemeinsam sind.

Nach dieser Disziplinenzuweisung der Frage nach der Washeit Gottes an die Metaphysik macht sich Heinrich daran, Möglichkeiten und Grenzen des metaphysischen Wissen zu bestimmen und greift, wie er selber ausdrücklich vermerkt, auf verschiedene in *Summa 24,3*[108] getroffene Unterscheidungen zurück.[109] Um zum Ziel des metaphysischen Fragens, das Erkennen des *quid est*, zu gelangen, ist die Erkenntnis des *si est incomplexum* notwendig, während das *si est* einer Sache durch sich selbst oder akzidentell gewußt werden kann. Ein Erkennen an sich setzt voraus, daß das Prinzip der Erkenntnis aus der Natur der Sache selbst, d. h. die Washeit in der ihr eigentümlichen Natur entnommen ist.

Bei Kreaturen gelingt dies wegen der Differenz von Quiddität und Sein und der Differenz von universalem und partikulärem Bestimmungsgrund dadurch, daß man anfänglich die Natur einer Sache in ihrem völlig indeterminierten Sein erkennt. Darauf folgt das Erfragen des Bestimmungsgrundes der Natur einer Sache, soweit sie generisch oder spezifisch ist bzw. bei einem definitiven Bestimmungsgrund als Gattung oder Differenz ausfällt. Für Heinrich ist es wichtig, daß man von Kreaturen ein Wissen des *si est incomplexum* durch sich selbst erreichen kann, das auch ein Wissen ohne genaue Kenntnis des determinierten Wesensseins der Sache sein darf.

Die Wesenheit Gott ist allerdings wegen ihrer Einfachheit vollkommen frei von Differenzierungen der genannten Art.[110] Sie kann darum niemals als sol-

[108] Cf. Kap. II, § 5,3.

[109] Cf. HENR. DE GAND., *Summa 24,6* Badius 141vN: *De quaestione ergo in prima philosophia propria ad sciendum quid est de Deo ex creaturis, sciendum quod quaestio ista quid est de natura et substantia Dei, non potest terminari nisi cognoscendo de eo si est de incomplexo, ita quod quantum cognoscit de si est, tantum cognoscit de quid est, et econverso, ut habitum est supra* [cf. *Summa 24,3*], *ubi determinatum etiam est, quomodo si est potest sciri de re vel per se vel secundum accidens, ut enim patet ex ibi determinatis scire de re si est, per se non cognoscitur nisi accipiendo principium notitiae huius ex natura rei in se ipsa, cognoscendo scilicet in propria eius natura quid est res, et hoc fit in creaturis, ubi differunt quidditas et esse, et ratio universalis et particularis, cognoscendo primo naturam rei in esse omnino indeterminato, quantum pertinet ad quaestionem si est de incomplexo, ad quod sequitur quaestio per quid est de natura rei determinatae secundum genus vel speciem, vel secundum definitivam rationem per genus et differentiam.*

[110] Cf. HENR. DE GAND., *Summa 24,6* Badius 141vN: *De quaestione ergo in prima philosophia propria ad sciendum quid est de Deo ex creaturis, sciendum quod quaestio ista quid est de natura et substantia Dei, non potest terminari nisi cognoscendo de eo si est de incomplexo, ita quod quantum cognoscit de si est, tantum cognoscit de quid est, et econverso, ut habitum est supra* [cf. *Summa 24,3*], *ubi determinatum etiam est, quomodo si est potest sciri de re vel per se vel secundum accidens, ut enim patet ex ibi determinatis scire de re si est, per se non co-*

che in einem indeterminierten und allgemeinen Erkenntnisprinzip erkannt werden, das erst durch später fortlaufend hinzukommende Beifügungen und Bestimmungen die Erkenntnis der Washeit Gottes verschafft. Das Erkenntnisprinzip der göttlichen Wesenheit, soll sie denn durch sich selbst in ihrer Existenz erkannt werden, ist nach Heinrich allein die göttliche Wesenheit selbst. Eine solche Erkenntnis der göttlichen Wesenheit in ihrer Existenz geschieht nur durch die eschatologische, unverstellte und offene Schau Gottes. Weil das *si est incomplexum* dem *quid est* Gottes erkenntnismetaphysisch korrespondiert, bedingt die Unmöglichkeit für den viatorischen Intellekt, das *si est incomplexum* durch sich selbst zu wissen, die Unmöglichkeit, das *quid est* Gottes zu erkennen.

Ist nun von Heinrich für die Wesenheit Gottes das Erkennen ihres *si est incomplexum* durch sich selbst für unmöglich erklärt worden, bleibt noch zu prüfen, ob ein akzidentelles Erkennen einer Sache möglich ist, das sein Erkenntnisprinzip von einen dritten hernimmt.[111] Das Erkennen eines Feuers aufgrund seines aufsteigenden Rauches wäre ein solcher Fall. Heinrich hält ein solches Erkennen des *si est incomplexum* Gottes in genau zwei Varianten für möglich. Bei der ersten erkennt man von den Kreaturen die Natur eines all-

gnoscitur nisi accipiendo principium notitiae huius ex natura rei in se ipsa, cognoscendo scilicet in propria eius natura quid est res, et hoc fit in creaturis, ubi differunt quiditas et esse, et ratio universalis et particularis, cognoscendo primo naturam rei in esse omnino indeterminato, quantum pertinet ad quaestionem si est de incomplexo, ad quod sequitur quaestio per quid est de natura rei determinatae secundum genus vel speciem, vel secundum definitivam rationem per genus et differentiam. In Deo autem, quia in ipso non est distinguere per diversas intentiones esse et naturam, ut visum est supra, neque contingit cognoscere si est per se, principium scilicet cognitionis eius, accipiendo ex ipsa divina natura primo indeterminate et in generali, et deinde procedendo per appositionem alicuius et determinationem ad cognoscendum quod quid est in eo, ac si Deus haberet quiditatem ad modum creaturae, quod negatum est prius. Sed si cognoscatur de Deo per se si est, necesse est, quod principium cognitionis sit eius natura determinata, quae non cognoscitur nisi nuda et aperta visione. Hoc ergo modo cognoscendi de Deo quid est ex si est, omnino impossibile est in vita ista, sicut et videre nudam essentiam Dei. Nec hoc igitur modo omnino possibile est de Deo cognoscere ex creaturis quid est aut si est per se.

[111] Cf. HENR. DE GAND., *Summa 24,6* Badius 141vN: *Scire autem de re si est secundum accidens, accipit principium cognitionis ex aliquo, quod accidit ei, ut cum cognoscimus, quia ignis est per fumum quem videmus ascendentem, hoc modo per creaturas contingit cognoscere de Deo si est incomplexum, in cognoscendo scilicet ex creaturis naturam alicuius generalis attributi eius, vel simpliciter quoad cognitionem de Deo indistinctam vel ratione tali qua nulli creaturae natum est convenire, et hoc quoad cognitionem eius distinctam, et eodem modo quid est contingit ex creaturis sciri et non alio. Et sicut hoc modo non est vere et per se scire de re si est, ita nec quid est. Istud enim si est nullo modo per se habet ad cognoscendum per ipsum quid est vere, de quo quidem loquitur Damascenus ut supra* [cf. *Summa 24,1* Badius 137rA; *Summa 24,5* Badius 141rI], *et ad quod referunt intentum, dicentes, quod de Deo in vita ista non contingit cognoscere quid est, quin tamen secundum accidens ex creaturis in eius generali attributo aliquo modo sciatur de Deo quid est, sicut et si est; scimus enim ex creaturis, quia bonus et quia magnus et cetera huiusmodo, ut enim dicit Augustinus V De trinitate* [cf. AUG., *De trin. V,8,9* CCL 50, p. 216,38-39]*: 'Hoc est illi esse, quod magnum esse', hoc de bonitate omnibusque praedicatis quae de Deo possunt pronuntiari.*

gemeinen Attributes Gottes. Dieses allgemeine Attribut kann im Falle einer indistinkten Erkenntnis Gottes sogar an sich erkannt werden. Es kann aber bei der zweiten Variante auch durch eine Wesensbestimmung gelingen, insofern diese keiner Kreatur als Kreatur zukommen kann; in diesem Fall wäre jedoch die Kreatur distinkt zu erkennen. Weil bei beiden Varianten das Wissen über das *si est* einer Sache nicht wahrhaft und durch diese selbst erlangt ist, wird auch nicht deren Wesenheit wahrhaft und durch diese selbst erkannt. Eine Verwechslung mit der *visio beatifica* will also Heinrich strikt ausschließen.

In einer breit geführten Auseinandersetzung mit JOHANNES DAMASCENUS, die aus *Summa 24,1* und *24,5* mit hinübergenommen ist, verteidigt Heinrich seine Ausführungen gegen ein Mißverständnis, er hielte die Erkenntnis der überseienden göttlichen Substanz durch sich selbst möglich.[112] Gott als Über-Sein hat nichts gemein mit dem Sein, das den zehn Kategorien analog zugesprochen wird. Heinrich betont, daß es dieses kategoriale Sein ist, aus dem all unser natürliches, viatorisches Gotterkennen an sich und zuerst genommen bzw. - wie Heinrich sich vielsagend ausdrückt - „hervorgelockt" ist.[113] Es gibt kein natürliches Erkennen der göttlichen Wesenheit durch sie selbst, weil jede Kreatur als partizipierendes Seiendes nur gleichsam ein aktuales Sein bezüglich des Seins Gottes besitzt, aber auch bezüglich all der Dinge, die an der göttlichen Substanz erkannt werden.

Heinrich weist innerhalb einer eingeschobenen Selbstzusammenfassung auch entschieden darauf hin, daß die Schau der göttlichen Wesenheit von Gott selbst eröffnet ist, weil er sich allein aufgrund seines Willens sichtbar macht.[114] Keinesfalls kann ein Mensch durch Betrachten der Kreaturen, die naturhaft notwendig dem Erkennen offen stehen, und einen dazugehörigen

[112] Cf. HENR. DE GAND., *Summa 24,6* Badius 141vN-142rO; die Texte des JOHANNES DAMASCENUS (*De fide orth. I,4,4-5*), auf die Heinrich Bezug nimmt, stehen in *Summa 24,1* Badius 137rA und *Summa 24,5* Badius 141rI.

[113] Cf. HENR. DE GAND., *Summa 24,6* Badius 141vO: *Et intelligit super esse, quod est analogum ad decem praedicamenta, circa quod cadit per se et primo omnis nostra huius vitae cognitio, et ex quo elicitur cognitio naturalis, quam habemus de Deo si est et quid est. Unde quia ex illo non potest elici notitia, qua per se Deus cognoscitur si est et quid est in substantia, sed solum per accidens. Creatura enim omnis inquantum habet esse participatum, quasi esse actuale habet respectu esse Dei et eorum qua habent cognosci circa divinam substantiam.*

[114] Cf. HENR. DE GAND., *Summa 24,6* Badius 142rP: *Dicendum igitur breviter ad propositum, quod cognoscere de Deo quid sit dupliciter contingit. Uno modo distincte et in particulari. Alio modo indistincte et in universali. Primo modo cognoscitur quid est, videndo eum in sua propria specie et natura, quod non est nisi videndo eius nudam essentiam, quam nulla creatura ex puris naturalibus potest videre, ut alias declarabitur* [cf. *Summa 22,5* Badius 134vC; *Qdl. III,1* Badius 47rO-48vZ]. *Et ideo tali modo non potest homo cognoscere de Deo ex creaturis quid est. Et quod amplius est, licet homo vel aliqua creatura ex puris naturalibus videre posset nudam divinam essentiam et quidditatem, non tamen ex speculatione creaturarum posset ad hoc ascendere, quia Deus non natura est visibilis a naturalibus cuiuscumque creaturae, sed voluntate tantum, ut dictum est supra* [cf. *Summa 1,2* Badius 7vM; *Summa 1,3* Badius 11vI]. *Et ideo quantumcumque homo ascendat per naturaliter cognoscibilia ad divinam quiditatem nudam cognoscendam, numquam poterit attingere.*

Aufstieg von den Geschöpfen hoch zu Gott gelangen. Wie von Heinrich bereits in seinem offenbarungsvoluntaristischen Anschauungen theologisch behauptet, so ist Gottes Sein auch in erkenntnismetaphysischer Hinsicht essentiales freiheitliches Sein.

Das natürliche Erkennen der Wesenheit Gottes muß also anders vorankommen. Eine Assimilation von Erkennendem und Erkanntem kommt wegen der ontologischen und erkenntnistheoretischen Inferiorität des Menschen nicht in Betracht. Heinrich sucht nun einen Weg über eine tragfähige Gemeinsamkeit von Gott und Mensch. Diese Gemeinsamkeit sieht er in „substantiellen Attributen" (*attributa substantialia*) der Kreatur gegeben, die „gleichsam göttliche universale Dispositionen" (*quasi dispositiones divinae universales*) sind.[115] Der Quasi-Charakter drückt zwar etwas ihren Wert herab, beeinträchtigt aber nicht substantiell deren Beweiskraft. Denn diese substantiellen Attribute indizieren etwas an der göttlichen Natur und geben etwas vom *quid est* Gottes zu erkennen. Denn sie sind analog zu Gott und Kreatur. Heinrich zählt die Transzendentalien Seiendes, Gutes, Eines, Wahres, Schönes und andere dieser Art dazu. Es ist allein dieser Weg über allgemeine Attribute, den Heinrich als Basis natürlichens Wissens bezüglich der göttlichen Wesenheit konzediert.

Für dieses allgemeine Erkennen fordert Heinrich wiederum eine Unterscheidung distinkter und indistinkter Wissensformen, deren Abfolge der Genese menschlichen Erkennens überhaupt entspricht. Sachlich stellen diese Wissensformen einen Prozeß quidditativer Analyse dar. Die für diese Analyse befolgte Methode besteht in dem Dreischritt von Abstraktion (*abstractio*), Eminenz (*praeeminentia*) und Negation (*remotio*). Während Eminenz und Negation, die beide pseudo-dionysischer Abkunft sind, einstufig voranschreiten, entfaltet Heinrich mit besonderer Sorgfalt ein neuartiges zweistufiges Abstraktionsmodell,[116] das der Eminenz und Negation vorgegliedert ist und eine

[115] Cf. HENR. DE GAND., *Summa 24,6* Badius 142rP-Q: *Est tamen creatura naturae divinae conformis quoad aliqua eius attributa substantialia, et hoc non ut sunt ipsa natura divina in esse particulari considerata, sed ut sunt quasi quaedam dispositiones divinae universales, eo quod eis communicant aliquo modo creaturae.* [fol. 142rQ] *Cum igitur nullum medium cognoscendi potest deducere ad ulteriorem cognitionem alterius, quam sit proportio similitudinis suae ad ipsum, eo quod non ducit in cognitionem alterius nisi sub ratione similis, cum ergo rationem similis ad divinam quiditatem, ut quiditas est in esse suo particulari considerata, creatura non habet, sed se habet ad ipsam per summam et infinitam distantiam, et solum habet rationem similis ad ipsam, ut est ens, bonum, unum, verum, pulchrum et cetera huiusmodi, quae secundum aliquam rationem analogiae sunt communia creatori et creaturae, et hoc non in esse particulari, quo sunt ipsa divina quiditas, sed solum in esse universali, quo sunt substantialia eius attributa. Idcirco species universalis creaturae in cognitionem divinae quiditatis, ut habet se in esse naturae suae particulari, nullo modo deducere potest, sed solum deducere potest in eius cognitionem sub ratione alicuius generalis attributi eius, et hoc est cognoscere de Deo quid est in universali et secundum accidens solum, quantumcumque etiam universitatis creaturarum effigies in mente humana describitur.*

[116] Cf. HENR. DE GAND., *Summa 24,6* Badius 142vS: *Ad cuius intellectum sciendum, quod duplex est abstractio per intellectum a supposito participante formam. Uno modo, ut relatae ad supposita. Alio modo, ut absolutae a suppositis. Considerata primo modo, est abstractio uni-*

Abstraktion des Intellekts ist, die von einem formpartizipierenden Suppositum abstrahiert. Der erste Abstraktionstyp schreitet vom Partikulären zum Universalen, wie etwa das Gute von diesem Gut da und jenem Gut da abstrahiert wird. Man verbleibt bei einer allgemeinen Form, die mitteilbar ist und von Kreaturen partizipiert werden kann, zumal weil diese Form der Kreatur eigentümlich ist. Der zweite Abstraktionstyp abstrahiert eine Form, die vollständig des Materiellen entledigt betrachtet wird. Selbst Partizipation und Allgemeinheit werden abstrahiert und ein Absolutes und Unmitteilbares betrachtet. Hier ist die betrachtete Form die eines unmitteilbaren und in sich subsistenten Dinges, die dem Schöpfer der Dinge eigentümlich ist. Heinrich dekliniert die beiden Abstraktionsstufen am transzendentalen Begriff des Guten. Das auf der ersten Stufe abstrahierte Gut ist ein Gut, an dem alle Kreaturen teilhaben können. Das auf der zweiten Stufe abstrahierte Gut ist ein in sich subsistentes Gut, wie nur es das unerschaffene Gut, Gott selbst, sein kann. Die erste Abstraktion, die vom Dies und Das eines sinnenfälligen Dinges absieht, geht vom konkreten Ding aus und erreicht ein allgemeines Gut. Die zweite Abstraktion geht bereits von einem universalen Gut aus, sieht auch von dem noch auf der ersten Abstraktionsstufe faßbaren Suppositum ab, um ein subsistentes Gut, Gott als den Schöpfer, zu erreichen. An Heinrichs Explikationen dieser doppelstufigen Abstraktion fällt besonders auf, daß auf der zweiten Stufe alle Vollkommenheiten gleichberechtigt analog auf Gott und Kreatur bezogen werden dürfen. Das für den weiteren Argumentationsgang wohl wichtigste Ergebnis ist, daß auf beiden Abstraktionsebenen die zugrundeliegenden Formen jeweils analog zueinander sind.

Der nun hinsichtlich seiner Abstraktionsformen bereits beschriebene Prozeß quidditativer Analyse wird von Heinrich in ein dreistufiges Schema überführt. Gemäß des jeweiligen Präzisionsgrades, den das quidditative Erkennen

versalis a particulari, ut boni ab hoc bono et ab illo bono, quia secundum Philosophum [cf. ARIST., *Metaph. III 4*, 999a24-1000a24] *'universale est unum in multis'. Secundo modo est abstractio formae omnino a materia consideratae, scilicet ut in se subsistentis, ut boni ab omni participante bonum, quod est substantialiter et in se subsistens bonum. Unde primo modo intelligitur forma, ut est participata a creatura. Secundo modo, ut est impartibilis existens in creatore. De quibus ipsum bonum communiter acceptum analogice dicitur. Unde sicut cum cognoverimus sensu hoc bonum in substantia sensibili abstrahendo per intellectum bonum ad hoc, consideramus bonum primo simpliciter, ut est commune quoddam et universale bonum, non ut hoc neque ut illud, sed tamen ut participatum et existens in multis, scilicet in hoc et in illo. Sic cognoscendo primo per intellectum bonum ipsum ut universale et abstractum, postmodum abstrahendo bonum per intellectum ab alio omnino et considerando ipsum ut bonum simpliciter, non ut hoc vel illud neque ut huius vel illius, sed ut nullius omnino (quod est bonum in se subsistens solius creatoris), secundario iuxta bonum participatum creaturae cognoscimus bonum per essentiam ipsius creatoris, non tam via excellentiae quam via remotionis, et sicut est de bono, sic est de omnibus aliis attributis communiter convenientibus creaturae et creatori, quae per iam dictum modum possunt ex creaturis cognosci inesse creatori.*

der Wesenheit Gottes erreicht hat, gliedert es sich in die Stufenfolge: *generalissime - generalius - generaliter.*[117]

Die Stufe, auf der man in allerallgemeinster Weise (*generalissime*) die Wesenheit Gottes erkennt, bedeutet eine im höchsten Maße konfuse Einsicht in Gottes Washeit in ihren Attributen. Sie wird vermittelt durch eine Einsicht in etwas, was in einer Kreatur Exzellenz und Würde besitzt. Heinrich will die von ihm befolgte metaphysische Methode, die von einem allerallgemeinsten Erkennen der Wesenheit Gottes zu sprechen erlaubt, schon bei AUGUSTINUS (*De trin. VIII,3,5*) dargestellt sehen: „Wenn du von diesem Gut oder jenem Gut hörst, das auch in anderer Weise ein Nicht-Gut genannt werden könnte, und wenn du es vermochtest, ohne die Dinge, die durch Teilhabe gut sind, das Gut selbst zu erschauen, durch dessen Teilhabe sie gut sind (zugleich nämlich siehst du auch dieses [teilhabelose Gut] selbst ein, wenn du von diesem oder jenem Gut hörst), wenn du also vermochtest, jene Güter beiseite zu legen und dann jenes Gut durch sich selbst erschaut zu haben, hast du Gott erschaut."[118] Nach Heinrichs Deutung des Textes spricht Augustinus sogar von einer dreifachen Einsicht in das Gute, so daß es ein dreiförmiges Erkennen Gottes auf der Stufe allerallgemeinster Wesenseinsicht gibt. Auf der ersten Unterstufe erkennt man Gott als 'dieses Gut', d. h. ein partikuläres Gut, und zwar in einer im höchsten Maße von der Kreatur indistinkten Weise. In der Aussage „dieses Gut" sind zwei Dinge gesagt: ein „dieses", das dem Kreatürlichen zugehörig ist, und ein „Gut", das Schöpfer und Geschöpf gemein-

[117] Den theologischen Grund, warum das im folgenden dargestellte, kontinuierlich anwachsende distinkte Erkennen der göttlichen Wesenheit hinsichtlich auch nur einer Stufe nicht als spezielles Erkennen bezeichnet wird, ersieht man aus der Schlußpassage des *corpus articuli* (cf. spec. HENR. DE GAND., *Summa 24,6* Badius 143vZ; ferner Badius 143rZ: *Hoc est ergo, quod de Deo ex creaturis possumus scire quid sit, quamvis respectu eius quod de ipso scibile est in nuda visione naturae eius, modicum sit.*). Danach ist es zwar für den viatorischen Menschen strikt unmöglich, das auszusprechen, was in einer unverstellten Gottesschau an Gott in sich erkennbar ist, dagegen aber nicht ganz unmöglich, das über Gott auszusagen, was in einer allgemeinen Erkenntnis erkennbar ist. Wie die Gegenüberstellung eschatologischer und viatorischer Gotteserkenntnis zeigt, ist nach Heinrich alles viatorische Erkennen immer auch ein allgemeines Erkennen, und zwar durchgängig in allen dem Menschen erreichbaren Wissensgraden. Wie bei allen mittelalterlichen Theologen ist der Bewertungsmaßstab natürlicher Gotteserkenntnis von der Vollkommenheit der *visio beatifica* hergenommen, so daß trotz aller methodisch ausweisbaren Erkenntnisgewißheiten viatorischen Wissens dieses im Vergleich zur Intensität der eschatologischen Gottesschau eher als Anomalie des menschlichen Erkennens gewertet wurde. Zugleich hat Heinrich es aber auch nicht unterlassen, im Hinblick auf die *visio* den inchoativen Charakter des im Allgemeinen vollzogenen Erkennen herauszuheben. Komplementär zu dieser theologischen Deutung wäre auf den damals (noch) breiten Konsens in der philosophischen Erkenntnistheorie zu verweisen, nach den alles, auch das Individuelle und Singuläre, in einem Allgemeinen erkannt und ausgedrückt wird.

[118] Zur Bedeutung dieses Textes für die henrizianische Lehre von der Gotteserkenntnis cf. Kap. II, § 2,2 not. 65.

sam ist, so daß eine Unterscheidung zwischen der Güte einer Kreatur und der Güte Gottes unterbleibt.

Durch Subtraktion des partikulär determinierenden „dieses“, das Begrenztheiten wie Materialität und dgl. anzeigt, erreicht man die zweite Unterstufe, auf der das „Gut“ stärker als vorher der Beschränktheit des Kreatürlichen enthoben ist. Diese Zurücknahme des Konfusionsgrades ist gemäß Heinrichs Ausführungen als Resultat der ersten Abstraktionsstufe zu werten. Die prädizierte Güte ist erstens analog zu Gott und Kreatur und gehört zweitens wie 'Eines' und 'Seiendes' zu den ersten Intentionen, die der Intellekt durch sich und zuerst von den Dingen bildet. Die Analogizität der Prädikation will aber Heinrich streng nach seiner eigenen Analogielehre[119] verstanden wissen und setzt daher in einer absichernden Erläuterung hinzu, daß das Gut einer Kreatur und das Gut des Schöpfers zwei distinkt unterschiedene Begriffe sind, die so distinkt sind wie das Sein der Kreatur vom Sein Gottes. Trotz seinsmäßiger Distanz erfaßt der menschliche Intellekt allein wegen der Begriffsnähe beide als einen. So ist auf eine konfuse und indistinkte Weise die mit seiner Quiddität identische Güte Gottes durch das Gut einer Kreatur erkannt. Bei Heinrich ist damit der Punkt erreicht, an dem erstmalig aus der Erkenntnis einer Kreatur ein Begriff der Wesenheit Gottes entnommen werden kann. Außerdem ist der Umstand, daß dieser Begriff der göttlichen Wesenheit noch konfus und indistinkt ist, eine Mißlichkeit, die durch einen weiteren Abstraktionsschritt behoben werden kann.

Diesen fehlenden Abstraktionsschritt stellt die dritte Unterstufe allerallgemeinsten Gotterkennens dar. Sie unterscheidet im analog gemeinsamen Begriff des Guten den des Schöpfers und den der Kreatur. Denn sie versteht das göttliche Gut als ein Gut, das subsistiert und folglich nicht in einem anderen existiert. Das göttliche Gut wird nicht als partizipiertes Gut verstanden, sondern in seiner Alterität zu allen partizipationsabhängigen Gütern als das begriffen, was allen anderen Gütern durch Partizipation an ihm selbst ihre Gutheit verschafft. Die Kenntnis dieses allein dem Schöpfer zugehörige Guts trägt nach Heinrich unzweifelhaft zur tieferen Kenntnis Gottes selbst bei. Der am analogen Begriff des Guten vollzogene Abstraktionsschritt kann nach Heinrichs wiederholt und betont vorgetragener Lehre in gleicher Weise am Begriff des Seienden, Wahren, Schönen, Gerechten geschehen. Geeignet sind überhaupt alle Intentionen, die etwas Würde- und Ehrenvolles in Schöpfer und Geschöpf beinhalten, weil in ihnen der Wesengrund des Ersten Wahren (*ratio primi veri*), Schönen, Gerechten usf. erkannt wird. Im Rückgriff auf die in *Summa 24,3* dargelegte Wissenstheorie gilt für Heinrich eine Erkenntnis der Wesenheit Gottes in ihren ersten und einfachen Attributen soviel wie eine Erkenntnis Gottes in den Primärbegriffen, die gleichsam (!) wie erste Prinzipien durch sich selbst und von ihrer Natur aus sofort erkannt sind. Die Ähnlichkeit (nicht die Identität!) der Primärbegriffe mit selbstevidenten ersten

[119] Für Heinrichs Analogielehre cf. Kap. II, § 2,2.

Prinzipien ist Heinrich so wichtig, daß er sie durch ein Gleichnis verdeutlicht. Wie nämlich das Auge Farbe und Licht zugleich erfaßt, erfaßt das Auge die Farbe jedoch nur aufgrund des Lichts, mag es auch besser über das Sehen der Farbe urteilen als über das Sehen des Lichts, weil die massige Dichte der Farbe das Wesen des Lichts verdunkelt. Ebenso erfaßt der Intellekt in einem konfusen Sein zugleich die Wesensbestimmung sowohl des Ersten Guten als auch die des kreatürlichen Guten, mag der Intellekt auch ausschließlich über das Gut einer Kreatur oder doch früher als über das Gut des Schöpfers urteilen, weil die massige Dichte des geschaffenen Gutes im Menschen die Begriffsbestimmung des ungeschaffenen Guts verdunkelt. Mit diesem Gleichnis würdigt Heinrich nicht das kreatürliche, insbesondere das materielle Sein herab, sondern legt ihm eine fundamentale Bedeutung bei. Denn es sind gerade die am kreatürlichen Sein gegebenen Vollkommenheiten, die eine Einsicht in Gottes Wesenheit garantieren, wenn sie als Folge geleisteter Abstraktion in absoluter, subsistenter, partizipationsloser Weise begriffen worden sind.

Übersichtshilfe zur henrizianischen dreistufigen Theorie allgemeiner Gotteserkenntnis
(HENR. DE GAND., *Summa 24,6* Badius 142vT-143rZ)

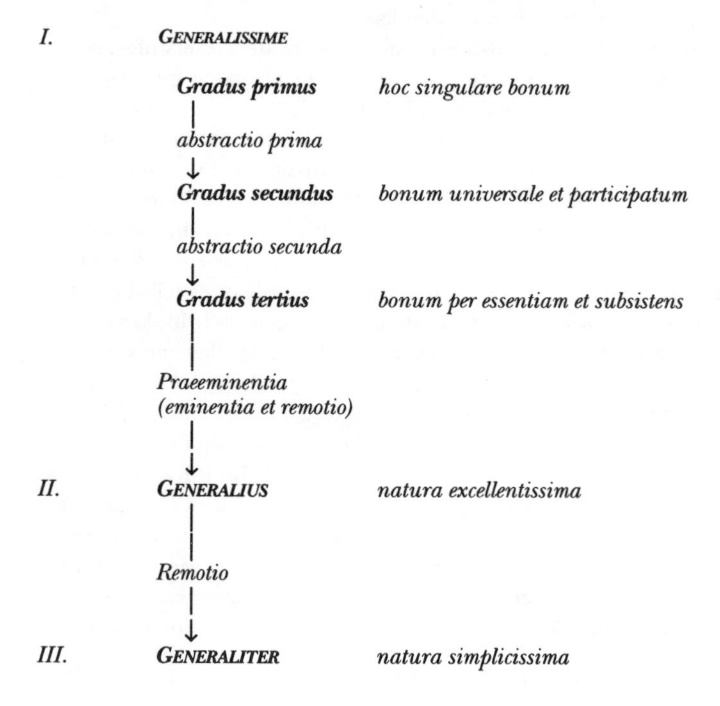

Auf diese Form der Wesenserkenntnis Gottes, die äußerst allgemein (*generalissime*) ausfällt, läßt Heinrich eine Wesenserkenntnis Gottes folgen, die noch ziemlich allgemein (*generalius*) charakterisiert ist.[120] Sie erkennt Gottes Wesenheit unter einen gewissen Präeminenz. Für Heinrich ist die Präeminenz ein konstantes Gottesprädikat aller geschichtlich auftretenden Religionen. Denn laut AUGUSTINUS wird sie trotz Differenzen in der Bestimmung der Gottesidee von allen für Gott eingeräumt, die um seine Erhabenheit ringen. Die Präeminenz Gottes läßt Gottes Wesenheit nicht einem Erkenntnisgrund erkennen, der Gott und Kreatur gemeinsam ist, sondern ausschließlich Gott zugehört. Auch dies geschieht in einem allgemeinen Attribut, das keineswegs zu einem singulären Suppositum kontrahiert wird, dem allein es zukäme. In diesem Attribut erkennt man die Wesenbestimmung der Quiddität Gottes, wie wenn eine Form in sich und allgemein, nicht jedoch wie in einem determinierten Suppositum betrachtet wird.

Die genauere Vorgehensweise dieser zweiten Erkenntnisstufe besteht zunächst in einem Vergleichen der geschaffenen Naturen, dem ein Auffinden einzelner Defekte folgt.[121] Durch Vernunftanstrengung erkennt man dann, daß alles Unvollkommene auf etwas Vollkommenes zurückgeführt werden muß. Dazu ist nach Heinrich ein Transzendieren der gesamten Schöpfung erforderlich, bei dem die zweifache Methode der Negation und der Eminenz zu befolgen ist.[122] Erst daraufhin findet eine über alle Kreatur gestellte Natur,

[120] Cf. HENR. DE GAND., *Summa 24,6* Badius 142vV: *Secundo modo, scilicet generalius, sed non generalissime cognoscit homo quid sit Deus, intelligendo Deum in suis generalibus attributis non simpliciter et absolute intellectis, ut in modo praecedenti, sed sub quadam praeeminentia, ut scilicet est quaedam natura excellentissima, qualem naturam Deum esse omnes confitentur de eius sublimitate dimicantes, quantumcumque diversificent opiniones suas, quis sit Deus, ut dicit Augustinus I De doctrina christiana* [cf. AUG., *De doctr. chr. I,6,13-7,16* CSEL 80, pp. 11,10-12,15]. *Talem autem naturam intelligendo, non solum intelligimus quiditatem quae Dei est sub illa ratione in qua potest communicare cum creatura, ut in modo praecedenti, sed talem quae quiditas solius Dei est, quae sub tali ratione concipitur, qua soli Deo convenit, et hoc in eius generali attributo, nequaquam contrahendo ipsum ad aliquod suppositum singulare, cui soli conveniat, in quo intelligitur ratio quiditatis divinae, ut forma quaedam est in se considerata et in universali, non ut in aliquo determinato supposito.*

[121] Cf. HENR. DE GAND., *Summa 24,6* Badius 142vV: *Et contingit homini ista cognitio primo ex creaturis. Sapientes enim primi discurrentes rerum naturas et invenientes in singulis defectum aliquem, et quod imperfectum est per industriam naturalis rationis cognoscentes, quod omne imperfectum ad aliquod perfectum reducendum est via naturalis rationis, omnes creaturas transcendentes, simul via remotionis et eminentiae invenerunt ponendam super creaturam aliquam naturam liberam ab omni defectu et imperfectione et dispositam omni nobilitate et perfectione, et illam cuius erat talis natura et quiditas, Deum appellabant. A quibus posteri nominis impositionem suscipientes, licet naturam rei significatae non perspicientes et in ipsa Dei naturae errantes et in illo in quo non erat ponenda, eam ponentes, appellabat tamen unusquisque Deum id quod ei excellentissimum videbatur, ut dicit Augustinus* [cf. AUG., *De doctr. chr. I,7,15-16* CSEL 80, pp. 11,27-12,15].

[122] Cf. auch HENR. DE GAND., *Summa 24,6* Badius 143rY-Z, spec. 143rY: *Et quomodo sic transcendendum est? Ex eminentia utique conditionum laudabilium in creaturis et amotione defectuum circa easdem. Non enim in transcendendo creaturas ad cognoscendum Deum poss-*

frei von allem Mangel und jeder Unvollkommenheit, in aller Würde und Vollkommenheit geordnet. Eine solche Natur nennen die Philosophen 'Gott'. Das Ziel, die Wesenheit Gottes *generalius* zu erkennen, ist also dann erreicht, wenn eine Nominaldefinition Gottes gefunden hat.[123]

Den Umstand, daß dieses nominale Wissen um Gottes Wesenheit, das nach Heinrichs Meinung in menschlichen Frühzeiten von Philosophen gelehrt worden war, im Laufe der Geschichte abdunkelte und idololatrische Irrtümer begangen wurden, nutzt Heinrich für die öfters bei ihm zu findende Mahnung, daß die in den philosophischen Wissenschaften gelehrte Erkenntnis der Kreaturen für die Theologie - Heinrich nennt sie hier traditionell *sacra scriptura* - höchst notwendig (*summe necessaria*) sei.[124] Die Philosophie trägt nicht nur bei zu Erkenntnis der Existenz Gottes, sondern auch zur Erkenntnis all dessen, was Gott nicht ist, was wiederum auch eine der natürlichen Vernunft erreichbare Form des Wissens über Gottes Wesenheit ist. Schlimmste Irrtümer wie Idololatrie und auch Gottesleugnung sind Folgen dieser Unkenntnis philosophischer Wahrheit. Man versteht Heinrich sicher nicht falsch, wenn er damit der Philosophie auch die Verpflichtung auferlegt, solchen Verirrungen menschlicher Religiosität - insbesondere der Gottesleugnung - sich mit ganzer kritisch-argumentativer Kraft entgegenzustellen.

Die Abschlußstufe einer natürlichen Erkenntnis der Wesenheit Gottes aus den Geschöpfen ist erklommen, wenn man Gottes Washeit *generaliter* er-

unt separari abinvicem via remotionis et eminentiae, quia remotio pura defectus creaturae a Deo nihil ponit in Deo. Eminentia autem laudabilium circa creaturam ex creatura non ponitur in Deo, nisi quia laudabilis in creatura annexus est defectus, propter quem non potest eis attribui eminentia talium. Für seine Transzendenztheorie beruft er sich dort auf AUG., *In ev. Ioa. 2,4* CCL 36, p. 13,22-24; ID., *In ev. Ioa. 20,11* CCL 36, pp. 209,5-210,3; ID., *Sermo 117,14* PL 38, col. 669; ID., *De vera rel. 29,52,143-144* CCL 32, p. 221,4-12.

[123] Hier breitet Heinrich am ausführlichsten im seinem Gesamtwerk aus, welche Elemente er in einer Nominaldefinition Gottes enthalten sehen möchte. Meistens begnügt sich Heinrich jedoch mit der Nennung der anselmianischen Gottesformel (cf. Kap. II, § 3,2 not. 49).

[124] Cf. HENR. DE GAND., *Summa 24,6* Badius 142vV-143rX: *A quibus posteri nominis impositionem suscipientes, licet naturam rei significatae non perspicientes et in ipsa Dei naturae errantes et in illo in quo non erat ponenda, eam ponentes, appellabat tamen unusquisque Deum id quod ei excellentissimum videbatur, ut dicit Augustinus* [cf. AUG., *De doctr. chr. I,7,15-16* CSEL 80, pp. 11,27-12,15]. [fol. 143rX] *Unde contingit, quod idololatrae concipientes et cognoscentes quid est Deus in generali ut natura quaedam excellentissima, qualem secundum Augustinum omnes Deum esse consentiunt, ignorantes tamen illud in particulari, quid ponendum erat esse tale, creaturarum ignorantiam habentes, multum circa quiditatem Dei errabant in particulari, dicentes eam esse id quod non est, secundum quod dicit Augustinus ibidem I De doctrina christiana. Et ideo dictum fuit supra* [cf. *Summa 5,4* Badius 38vN; *Summa 7,11* Badius 60vE], *quod summe necessaria est sacrae scripturae ad Dei cognitionem cognitio creaturarum ex philosophicis scientiis. Ipsa enim summe promovet ad sciendum non solum an sit Deus, sed etiam ad sciendum quid non sit Deus, et cum hoc etiam quid sit, quantum homo ex puris naturalibus potest cognoscere. Eorum vero ignorantia in summos errores deducit, non solum, ut incommutabile nomen deitatis attribuant ligno aut lapidi, sed etiam ut 'insipiens dicat in corde suo: Non est Deus', sicut dicitur in Psalmo* [*13,1* Vg].

kennt.[125] Das Erkennen *generalissime* geschah in allgemeinen Attributen Gottes, wobei Würdiges und Ehrvolles der Kreaturen auf Gott in einfacher Weise zurückgeführt wurden. Das Erkennen *generalius* betrachtete Gott in seiner Eminenz und führte das, was an den Kreaturen würdig und ehrenvoll ist, in einem eminenten Sinne auf Gott zurück. Das Erkennen *generaliter* nun erfaßt die Washeit Gottes in ihrem ersten und einfachsten Attribut. Dafür führt sie alle Würde- und Ehrenattribute Gottes auf ein erstes einfachstes Attribut zurück, und zwar auf intellektualem Wege, weil alles in Gott mit seiner Wesenheit identisch ist. Gottes Wesenheit, so hält Heinrich mit Verweis auf vorher Gesagtes fest, ist in ihrer Wirklichkeits- und in ihrer Bedeutungsdimension identisch ihrem Sein und ihrer Existenz. Gottes Wesen zu erkennen heißt immer auch, Gottes Existenz zu erkennen. Während die erste Stufe die Methode der Abstraktion befolgte, die zweite sowohl die Eminenz- als auch die Negationsmethode anwandte, so befolgt die dritte, letzte und vollkommenste Stufe viatorischen Erkennens einzig die Methode der Negation. Der exklusive Gebrauch dieser Methode erklärt sich daraus, daß die beiden vorangehenden Stufen zahlreiche unannehmbare Gottesattribute ausscheiden, nicht aber Unterschiedenheit und Zusammensetzung. Denn die Vollkommenheiten an den Kreaturen werden nur in Unterschiedenheit und Zusammensetzung erkannt. Frappante Folge war das Anschwellen eines Attributenkatalogs, der Gottes Einheit und Einfachheit zu verdunkeln drohte. Heinrich versuchte dem abzuhelfen, indem er diese Attributenvielfalt durch das Attribut der Einfachheit Gottes in eine Klammer setzte. Man steht nun am Ende der Erkenntnismöglichkeiten des viatorischen Intellekts. Hält man in Erinnerung, daß Heinrich in *Summa 22,5* einen metaphysischen Beweis für die Existenz Gottes in Aussicht gestellt hatte,[126] der aus Gottes Wesenheit auch Gottes Existenz beweise, hat man diesen metaphysischen Gottesbeweis hier vor Augen.

So bedeutsam nun die in diesem Text dargestellte Endstufe des quidditativen Erkennens Gottes aus den Geschöpfen für Heinrichs Verständnis der

[125] Cf. HENR. DE GAND., *Summa 24,6* Badius 143rZ: *Tertio modo, generali scilicet, cognoscit homo quid sit Deus, non solum in suis generalibus attributis, reducendo quicquid dignitatis et nobilitatis est in creaturis in Deum simpliciter, ut in primo modo, neque sub quadam excellentia, reducendo quicquid dignitatis et nobilitatis est in creaturis in Deum in excellentia, ut in secundo modo, sed cognoscendo quid sit in eius primo attributo simplicissimo, reducendo scilicet omnia nobilitatis et dignitatis attributa eius in unum primum simplicissimum, scilicet per intellectum, quia quicquid in ipso est eius essentia, et quod eius essentia nihil omnino sit aliud re vel intentione quam eius esse sive existentia, ut declaratum est supra* [cf. *Summa 21,3* Badius 125vA-126vI; *Summa 21,4* Badius 126vK-128vZ]. *Et hoc ex creaturis de ipso habet cognosci sola via remotionis. Cum enim cognitum fuerit de ipso quid sit primo et secundo modo, nihil restat amplius ex creaturis de ipso cognoscendum, nisi quomodo quaecumque cognoscuntur esse in ipso, se habent in ipso, et hoc convincitur ex creaturis, ex eo quod homo percipit, quod illa quae sunt nobilitatis in creaturis, sunt in eis quandam diversitatem et compositionem et hoc, quod defectus est et imperfectionis. Notum enim est, quia a Deo removenda est omnino diversitas et compositio, et quod in ipso sunt per summam unitatem et simplicitatem.*

[126] Cf. Kap. II, § 3,5.

Methode der Metaphysik und ihres eigentümlichen Gegenstandes ist, so fällt doch für die Frage nach Heinrichs *Primum cognitum*-Theorie das Interesse auf Heinrichs Entgegnung auf den dritten Einwand.[127] Es wurde im Anschluß an Ps.-DIONYSIUS verneint, daß durch Abbilder (*similitudines*) einer niederen Ordnung eine höhere Ordnung erkannt werden könne. Heinrich nimmt eine begriffliche Unterscheidung vor. Abbild kann zum einen ein Erkenntnisbild (*species*) sein, das ein Erkennen zustande bringt, indem es den Erkennenden zur Erkenntnis mit einer Form versieht. Ein solches Erkenntnisbild ist nicht Erkenntnisgegenstand, sondern Erkenntnisgrund für etwas drittes, z. B. das Erkenntnisbild eines Steines in der Seele für das Erkennen des Steines. Abbild kann zum anderen das Erkenntnismedium und ersterkannte Objekt sein, das zur Erkenntnis eines dritten führt, wie eine erkannte Wirkung zur Erkenntnis ihrer Ursache führt. Legt man für den ps.-dionysianischen Einwand die erste Definition eines Abbildes zugrunde, geht sein Einwand in die Richtung, daß Gott in seiner Wesenheit durch kein Erkenntnisbild geschaut werden könne, das als Erkenntnismedium den Intellekt zur Schau mit einer Form versieht. Gott kann überhaupt nicht durch ein Erkenntnisbild geschaut oder erkannt werden, daß eine Kreatur ist oder einer solchen zugehört. Immer muß das Erkenntnisbild, durch das ein Ding erkannt wird, eigentümlicher und einfacher sein als das Erkannte - ein Grundsatz, der die gesamte Erkenntnistheorie Heinrichs beherrscht und hier seine ps.-dionysianische Herkunft verrät. Die Bedeutung des Abbild als des Erkenntnismediums und ersterkannten Objekts scheint Ps.-DIONYSIUS nach Heinrichs Auffassung nicht im Sinn gelegen haben, falls er nicht vielleicht das vollkommene Erkennen gemeint habe. Die Wesenheit Gottes als des Schöpfers wird nämlich vom viatorischen Intellekt niemals vollkommen erkannt, selbst nicht durch eine vollkommene Erkenntnis, die durch das Erkenntnisbild einer Kreatur vermittelt ist. Heinrich räumt aber ein, daß dies bei einer gewisse allgemeine Erkenntnis mittels eines geschaffenen Erkenntnisbildes gut möglich ist, und verweist selber auf die folgende Quästion. Damit hat sich Heinrich selber die Aufgabe gestellt, Gott als Ersterkanntes in der Schöpfung aufzuweisen. Daß dies nicht

[127] Cf. HENR. DE GAND., *Summa 24,6* Badius 143vB: *Ad tertium, quod per similitudines inferioris ordinis non possunt superiora cognosci, dicendum, quod est similitudo quae est species, qua fit cognitio informando cognoscentem ad cognoscendum, quae non est obiectum cognitum, sed solum ratio cognoscendi aliud ut species lapidis in anima ad cognoscendum lapidem. Alia vero est similitudo quae est medium cognoscendi et obiectum primum cognitum, ducens ad cognoscendum aliud, ut effectus cognitus ducit in cognitionem suae causae. De specie primo modo loquitur Dionysius, intendens quod Deus in essentia sua nulla specie quae est medium informans visum intellectus ad videndum, videtur. Sic enim creator per speciem quae est creatura vel creaturae, videri aut cognosci non potest. Semper enim species qua cognoscitur res, specialior et simplicior debet esse cognito. De specie secundo modo non loquitur, nisi forte intendat de cognitione perfecta. Perfecta enim cognitione per speciem creaturae numquam cognoscitur quid est creator perfecte. Aliqua tamen cognitione generali bene potest per ipsam cognosci, ut dictum est, et in sequenti quaestione adhuc amplius dicetur.*

unmotiviert geschah, sondern durch eine Vorgeschichte in der scholastischen Theologie vorbereitet war, soll im folgenden Abschnitt dargelegt werden.

2. *Gott als das Ersterkannte in der Schöpfung*

a) Die theologische Frage nach Gott als dem Ersterkannten vor Heinrich von Gent

Um die Theorie primärer Seins- und Gotteserkenntnis bei Heinrich von Gent angemessen bewerten zu können, muß sie in den Zusammenhang der Diskussionen der zweiten Hälfte des 13. Jahrhunderts gestellt werden. Die Lehre, daß Seiendes in irgendeiner Weise der ‚erste Gegenstand' des Intellekts sei und darüberhinaus dieses Seiende in seiner allgemeinsten Form die Gottheit sei, war im 13. Jahrhundert ein in vielen Zusammenhängen diskutiertes Thema geworden. Unbeschadet aller Eigenlehren kam man in den Schulen am Ende der Überlegungen zum selben Ergebnis: *Patet etiam, ... quomodo in omni re, quae sentitur sive quae cognoscitur, interius lateat ipse Deus.*[128] Mächtigen Anschub gab seitens der Philosophie als *dux ac princeps philosophiae post Aristotelem*[129] insbesondere der von Heinrich so geschätzte AVICENNA. Er lehrte gemäß seinen vielzitierten Worten: *res et ens et necesse talia sunt, quod statim imprimuntur in anima prima impressione, quae non acquiritur ex aliis notioribus se*[130], eine „gnoseologische Priorität des Seins"[131], die nicht nur bei THOMAS VON AQUIN[132] und Heinrich, sondern auch bei vielen anderen Denkern dieser Zeit problematisiert worden ist. Die tragenden Begriffe der Diskussion waren besonders von Denkern der unmittelbaren Vorgängergeneration Heinrichs eingeführt worden. Die einschlägigen Ausführungen Heinrichs in *Summa 24* sind im Jahre 1277, also nur drei Jahre nach dem Tod des THOMAS VON AQUIN verfaßt worden. Mit Blick auf Heinrich sind daher die Franziskanertheologen

[128] BONAV., *De reductione artium ad theologiam* nr. 26 ed. Quar. V, p. 325b. Eine theophanietheoretische Wendung erfährt dieser Gedanke bei BONAV., *In II Sent., dist. 16, art. 1, a. 1, concl.* ed. Quar. II, p. 394b: *Deus ..., cum sit summa lux, fecit omnia ad sui manifestationem; ... nec est perfecta manifestatio, nisi adsit qui intelligat.* - Die Autorschaft BONAVENTURAS für die zuerst genannte Schrift bestreitet D. HATTRUP: *Bonaventura zwischen Mystik und Mystifikation. Wer ist der Autor von De Reductione?* In: ThGl 87 (1997), pp. 541-562.

[129] ROGER. BACON., *Opus maius IV* Bridges I, 212sq.; cf. auch IOA. DE POLLIACO, *De autoritate Aristotelis in puris naturalibus*, ed. M. GRABMANN: Aristoteles im Werturteil des Mittelalters. In: MGL II. 1936, p. 101, lin. 21: *Avicenna, qui inter Arabes fuit maximus.*

[130] AVIC., *Philos. prima I,5* Van Riet 31sq.; cf. Kap. II, § 2,1 not. 13 zur Zitierhäufigkeit dieser Stelle bei Heinrich.

[131] SCHÖNBERGER, *Transformation.* 1986, p. 95; cf. St. F. BROWN, *Avicenna.* 1965, spec. 117sq.

[132] Cf. CRAEMER-RUEGENBERG: *„Ens est quod primum cadit in intellectu" - Avicenna und Thomas von Aquin.* 1991.

GUIBERT VON TOURNAI und BONAVENTURA, aber auch die kritische Reaktion des THOMAS VON AQUIN zu beachten.[133]

i) Die Influenztheorie des Guibert von Tournai OMin

In den Jahren 1259-61 lehrte in der Pariser Franziskanerschule GUIBERT VON TOURNAI (um 1215/20 - 1288).[134] In den Jahren vorher war GUIBERT bis ca. 1240 als Weltkleriker - wie wenige Jahre später auch der aus dem selben Bistum stammende Heinrich von Gent – als Magister artium in Paris tätig, bis er dann dem Franziskanerorden beitrat. Anstelle seines engen Freundes BONAVENTURA, der 1257 zum Generalminister des Ordens gewählt worden war, und wohl auch nicht ohne dessen Weisung rückte GUIBERT im selben Jahr als *magister actu regens* nach. Zu GUIBERTS Schriften zählt das *Rudimentum doctrinae,* eine Art Kompendium der christlichen Weisheit, in dem Abschnitte enthalten sind, die die Rolle des göttlichen Lichtes bei der menschlichen Wahrheitserkenntnis erklären. [135] Teile dieser Schrift sind wörtlich dem Werk *De veritate* des ROBERT GROSSETESTE (um 1170 - 1253) entnommen.[136] Besonderes Interesse lenken zwei Passagen im *Rudimentum doctrinae* auf sich, in denen GUIBERT über Wahrheitserkenntnis und das Phänomen eines primären, wenn auch häufig unbewußten Erkennens Gottes spricht.[137]

Gottes Tätigkeit im menschlichen Wahrheitserkennen und Gottes Rolle als primäres Erkenntnisobjekt betrachtete GUIBERT als Aspekte einer einzigen Manifestation göttlichen Eingreifens in den menschlichen Verstehensprozeß. Ohne einen Einfluß (*influentia*) des ungeschaffenen Lichtes kann der menschliche Intellekt die Wahrheit nicht erkennen.[138] Nach BÉRUBÉ, dessen Interpretation wir hier folgen,[139] bezeichnet dieser von GUIBERT bewußt aufgewählte Begriff der *influentia* etwas vom göttlichen Licht selbst Unterschiedenes, das emanationshaft zwischen der Gottheit und dem menschlichen Erkenntnisvermögen steht. *Illuminatio, lumen* von göttlicher *lux* oder *splendor*

[133] Cf. die bedeutsamen Studien von C. BÉRUBÉ und St. P. MARRONE (Lit.verz. s.v.).

[134] Cf. LexMA IV (1989), col. 1770 (M. GERWING), ferner cf. zu GUIBERTS Biographie F. ACCROCCA: *Introduzione.* In: I Mistici. Scritti dei Mistici Francescani. Secolo XII. Vol. I (Dizionario Francescano). Asisi 1995, pp. 597-607; MACKEN, *MPhFLC, I, nr. 87.* 1997, pp. 220-228.

[135] Eine Teiledition der uns interessierenden Abschnitte erstellte S. GIEBEN. In: BÉRUBÉ/GIEBEN, Guibert de Tournai. 1974, pp. 643-654.

[136] Vgl. BÉRUBÉ/GIEBEN, *Guibert de Tournai.* 1974, p. 635sq. - Es ist hier nicht der Ort, die lichttheoretischen Überlegungen des *Lincolniensis* auszubreiten; dafür sei verwiesen auf J. MCEVOY: *The Philosophy of Robert Grosseteste.* Oxford 1982, pp. 320sqq., der zudem GROSSETESTE zurecht gegen den Vorwurf der Ontologismusnähe verteidigt.

[137] GUIBERT. TORNAC., *Rud. doctr., pars 1, tract. 2, sectio B, cap. 2* Gieben 643-647; ID., *Rud. doctr., pars 1, tract. 3, cap. 2* Gieben 647-651.

[138] GUIBERT. TORNAC., *Rud. doctr. 1,2,B,2* [Kapitelüberschrift] (ed. Gieben 643): *Quod sine influentia lucis increatae non potest intellectus veritatem intelligere.*

[139] Cf. BÉRUBÉ/GIEBEN, *Guibert de Tournai.* 1973, pp. 627-642; und spec. BÉRUBÉ, *Interprètes.* 1974, pp. 135-140.

meinen dasselbe. GUIBERT präzisierte seine Aussagen, wenn er darlegt, daß Gott nur in einer bestimmten Weise das Ersterkannte sei. Das Erkennen aller Dinge geschieht „in" Gottes Licht und gründet in Gott. Gleichwohl wird Gott nicht in seiner Wesenheit geschaut. Mit Bezugnahme auf AUG., *De trin. IX,11,16* spricht GUIBERT von *aliqua similitudo ... tantum inferiore ..., in quantum est in inferiore natura.* Dasselbe bedeutet es, wenn das göttliche Licht nur in seinem Widerschein (*refulgentia*) gesehen wird.[140] Bemerkenswerterweise griff GUIBERT zur Erklärung von *refulgentia, lumen* und *splendor* auf AVIC., *De an. III,1* zurück, wo *lux, lumen* und *radius* unterschieden werden.[141] GUIBERT interessierten die ersten beiden. *Lux* bezieht sich nach seiner Deutung auf die *substantialis perfectio* eines scheinenden Gegenstandes, während *lumen* für eine Qualität steht, die von diesem Gegenstand ausgeht und sich manifestierend über andere Gegenstände ausbreitet. Auf das menschliche Erkennen angewandt, ist die *lux* Gott selbst in seiner Wesenheit, wie er nur für die Seligen offenbar ist. Für diese ist Gott wahrhaftig Vollendung der Erkenntnis und das *primum intelligibile.* Das *lumen* bzw. der *splendor* ist das, was dem infralapsarischen Intellekt erkennbar ist: eine Art natürlicher, von Gott unterschiedener Eingebung, die in dieser Welt als das rektifizierende Ersterkannte zur Grundlegung allen sicheren Weltwissens fungiert. Dies ist von GUIBERT gemeint, wenn er sagt, Gott wirke auf den Intellekt und werde *in sua influentia* gewußt.

GUIBERT gebrauchte den Begriff göttlicher Illumination bzw. *influentia,* der den Prozeß göttlichen Eingreifens in den menschlichen Erkenntnisvorgang spezifiziert und beschränkt. Gott greift nicht unmittelbar in das menschliche

[140] GUIBERT. TORNAC., *Rud. doctr. 1,3,2 nr. 8* Gieben 649-651: *Nec ex istis credat aliquis nos ponere, quod ab intellectu humano in via plene cognoscatur divina essentia; vel quod intellectus humanus infor-* [p. 650]) *metur ipsa, nisi sub similitudine aliqua, prout dicit Augustinus in IX De Trinitate, cap. XI*[*,16*]. *Quemadmodum cum per sensus corporum discimus corpora fit eorum aliqua similitudo in animo nostro, ita cum lucem increatam noverimus fit in aliqua similitudine illa notitia, tantum inferiore in quantum est in inferiore natura. Haec Augustinus. Illa enim lux inaccessibilis increata nobis est invisibilis, quia nimia. Videtur tamen in sua refulgentia vel circumfulgentia. Et ad hoc inducatur distinctio quam facit Avicenna* [*De an. III,1*]*: lux est substantialis perfectio lucidi; lumen vero qualitas a luce procedens ad res detegendas et colores manifestandos; splendor vero idem cum lumine, sed in hoc differt quod lumen est dispositio quae inest corpori a natura propria, splendor ab intrinseca; radius vero idem cum utroque, sed addit distinctionem partium et multiplicationem luminis procedentem a luce secundum processum rectilineum. Lux prout consideratur in sui essentia, perfectio est in patria beatorum spirituum; et est primum intelligibile, quod primo intelligitur et quo intellecto alia intelliguntur, prout dicit Gregorius* [*Hom. in evangelica II,40,8* PL 76, 1309]*: Quid est quod non videant qui videntem omnia vident. Prout vero consideratur in sua influentia in via, sic lucet in sua imagine naturaliter impressum secundum illud psalmi* [*4,7* Vg]*: „Signatum est super nos lumen vultus tui, Domine", vel fulget gratis super infusum, et sic etiam est primum intelligibile. Prout vero amplius multiplicatur, haec influentia descendit ad* [p. 651] *vestigium creaturae, in qua distincte intelligitur Dei potentia, sapientia, bonitas; et hoc secundum processum rectilineum, quia a summo spiritu usque ad minimam creaturam et infimam, transiens per medium, suam relinquit et multiplicat influentiam, ut patet quarto capitulo De divinis nominibus.*

[141] AVIC., *Liber de anima III,1* Van Riet I, p. 170sq.

intellektuale Wahrheitserkennen ein, sondern agiert dabei durch etwas Inferiores, das *illuminatio, lumen* oder *influentia* genannt werden kann. Dieses Inferiore geht allerdings den Intellekt direkt an. GUIBERTS Leitwort ist *influentia*. Nicht Gott, sondern seine *influentia* ist der entscheidende Faktor bei der göttlichen Erleuchtung.

ii) Die begriffs- und wesensanalytisch begründete Theorie von Gott als dem Ersterkannten bei Bonaventura OMin

BONAVENTURA[142] hatte, wie man zwingend zeigen konnte,[143] auch GUIBERTS Thesen vor Augen, als er seine eigene Theorie göttlicher Illumination und primärer Gotteserkenntnis entwickelte. Bei der Frage, ob der viatorische Intellekt das, was er weiß, mit und aus der Gewißheit eines göttlichen Erkenntnisgrundes wisse[144], waren nach BONAVENTURA zwei bejahende Antworten als irrig abzuweisen.[145] Die erste Antwort, die von der Ersten Akademie gegeben

[142] Für diesen Abschnit sei besonders verwiesen auf B. ROSENMÖLLER: *Die religiöse Erkenntnis nach Bonaventura* (BGPhThMA 23/3-4). Münster i.W. 1925, pp. 1-32; E. GILSON: *Die Philosophie des heiligen Bonaventura.* (Paris ³1953) Darmstadt 1960, pp. 406-432; OEING-HANHOFF, *Methoden der Metaphysik.* 1963, pp. 15-17. 21sq.; L. HÖDL: *Die Zeichen-Gegenwart Gottes und das Gott-Ebenbild-Sein des Menschen in des hl. Bonaventura „Itinerarium mentis in Deum", c. 1-3.* In: MM 8 (1971), pp. 94-112; BÉRUBÉ, *Interprètes.* 1974, pp. 140-144; HÖDL, *„Gott-schauen" im theologischen Verständnis des hl. Bonaventura und die aktuelle Frage der Gotteserfahrung.* 1974; MARRONE, *Augustinian Epistemology.* 1983, pp. 259sq. 266sq.; SCHÖNBERGER, *Transformation.* 1986, pp. 108-110; SPEER, *Triplex veritas.* 1987, pp. 82-89; K.-H. HOEFS: *Erfahrung Gottes bei Bonaventura* (EThS 57). Leipzig 1989. Von allgemeiner thematischer Bedeutung sind H. U. v. BALTHASAR: *Herrlichkeit. Eine theologische Ästhetik. Bd. 2: Fächer der Stile.* Einsiedeln 1962, pp. 308-310; A. GERKEN: *Theologie des Wortes. Das Verhältnis von Schöpfung und Inkarnation bei Bonaventura.* Düsseldorf 1963, spec. pp. 105-116 (Das „lumen inditum"); D. CONNELL: *St. Bonaventure and the Ontologist Tradition.* In: S. Bonaventura 1274-1974. Grottaferrata 1974, tom. II, pp. 289-308; C. F. GEYER: *Intellectus plene resolvens. Bonaventuras Beitrag zu einer philosophischen Theologie.* In: ThPh 51 (1976), pp. 359-384; LEINSLE, *Res et Signum.* 1976, pp. 144-156, spec. 148-153 (angeborene Gottesidee, Ontologismus).

[143] Vgl. BÉRUBÉ, *Interprètes.* 1974, pp. 140-144.

[144] BONAV., *De scientia Christi q. 4* ed. Quar. V, p. 17: *Utrum quidquid a nobis certitudinaliter cognoscitur, cognoscatur in ipsis rationibus aeternis.*

[145] Cf. BONAV., *De scientia Christi q. 4 concl.* ed. Quar. V, pp. 22b-23a: *Cum dicitur, quod omne, quod cognoscitur certitudinaliter, cognoscitur in luce aeternarum rationum, hoc tripliciter intelligi: uno modo, ut intelligatur, quod ad certitudinalem cognitionem concurrit lucis aeternae evidentia tanquam ratio cognoscendi tota et sola. - Et haec intelligentia est minus recta, pro eo quod secundum hoc nulla esset rerum cognitio nisi in Verbo; et tunc non differret cognitio viae a cognitione patriae, nec cognitio in Verbo a cognitione in proprio genere, nec cognitio scientiae a cognitione sapientiae, nec cognitio naturae a cognitione gratiae, nec cognitio rationis a cognitione revelationis; quae omnia cum sint falsa, nullo modo est ista via tenenda. - Ex hac enim sententia, quam quidam posuerunt, nihil certitudinaliter cognosci nisi in mundo archetypo et intelligibili, sicut fuerunt Academici primi, natus fuit error, ut dicit Augustinus contra Academicos libro secundo, quod nihil omnino contingeret scire, sicut posuerunt Academici novi, pro eo quod ille mundus intelligibilis est occultus mentibus humanis. Et ideo, volentes*

wird, sagt aus, das göttliche Licht bzw. die göttlichen *rationes* seien das suffiziente und ausschließliche Medium (*ratio cognoscendi tota et sola*) sicheren Wissens. Die zweite Antwort behauptet, es sei zwar nicht die *ratio aeterna*, aber dessen *influentia*, die unmittelbar an dieser Wahrheitserkenntnis beteiligt sei und statt der Gottheit selbst vom Intellekt erfaßt werde. Diese zweite Position deckt sich mit der GUIBERTS. Deutlich sichtbar nahm BONAVENTURA gegen seine Theorie Stellung. Der Irrtum lag nach BONAVENTURA in der Implikation, der Geist (*mens*) käme zur Wahrheitserkenntnis durch einen *habitus suae mentis*, anstatt selbst direkt zur ewigen Wahrheit zu drängen. Genauer besehen war der Streit zwischen BONAVENTURA und GUIBERT ein Streit um eine korrekte Augustinusinterpretation, in dem BONAVENTURA die Meinung vertrat, daß die augustinische Rede von einer *similitudo*, begriffen als eine von Gott in inferiorer Natur geschaffene Wirkung, nicht in das Problem sicherer Wahrheitserkenntnis eingeführt werden dürfe.[146]

Nun kann man aber bei BONAVENTURA Texte ausmachen, die in seinen epistemologischen Überlegungen eine Bereitschaft ankündigen, beim Prozeß der Wahrheitserkenntnis nicht so sehr Gott selbst, sondern eine Wirkung von ihm am Werke zu sehen, obwohl BONAVENTURA meistens keinen formalen Unterschied bei den Modi macht, in denen Gott in den natürlichen intellektualen Prozessen des Menschen gegenwärtig und wirksam ist.[147] Alle diese Wirkweisen sind Manifestationen eines und desselben Urhebers und Ausdruck der einzigartigen Rolle Gottes im Leben des Menschen. Aber BONAVENTURA schrieb mitunter Gott selbst in Fällen, wo dieser das eigentlich erstrebte

primam tenere sententiam et suam positionem, inciderunt in manifestum errorem; quia „modicus error in principio magnus est in fine“. - Alio modo, ut intelligatur, quod ad cognitionem certitudinalem necessario concurrit ratio aeterna quantum ad suam influentiam, ita quod cognoscens in cognoscendo non ipsam rationem aeternam attingit, sed influentiam eius solum. - Et hic quidem modus dicendi est insufficiens secundum verba beati Augustini, qui verbis expressis et rationibus ostendit, quod mens in certitudinali cognitione per incommutabiles et aeternas regulas habeat regulari, non tanquam per habitum suae mentis, sed tanquam per eas quae sunt supra se in veritate aeterna. Et ideo dicere, quod mens nostra in cognoscendo non extendat se ultra influentiam lucis increatae, est dicere Augustinum deceptum fuisse, cum auctoritatis ipsius exponendo non sit facile ad istum sensum trahere; et hoc valde absurdum est dicere de tanto Patre et Doctore maxime authentico inter omnes expositores sacrae Scripturae.

[146] Cf. MARRONE, *Augustinian Epistemology.* 1983, p. 260.

[147] Dies ist gut greifbar in BONAV., *In Hex. V,1* [rep. A] ed. Quar. V, pp. 353a-354a: *Intellectualis lux est veritas, quae est radians super intelligentiam sive humanam sive angelicam; quae inexstinguibiliter irradiat, quia non potest cogitari non esse. Irradiat autem aliquid tripliciter: ut veritas rerum, ut veritas vocum, ut veritas morum: ut veritas rerum est indivisio entis et esse, ut veritas vocum est adaequatio vocis et intellectus, ut veritas morum est rectitudo vivendi. Quod patet ex parte principii, quod irradiat; ex parte subiecti, quod irradiationem suscipit; ex parte obiecti, ad quod irradiat. In quantum haec lux est causa essendi, est lux magna; in quantum est ratio intelligendi, est lux clara; in quantum est ordo vivendi, est lux bona.* Dazu MARRONE, *Augustinian Epistemology.* 1983, p. 266; SPEER, *Triplex veritas.* 1987, pp. 48-52.

Erkenntnisobjekt ist, eine vermittelte Präsenz und Wirksamkeit zu.[148] Recht deutlich erkennt man BONAVENTURAS revidierte Position in einem Text, der ausdrücklich über die eingeborene Gotteserkenntnis spricht:[149] Gott sei stets dem Intellekt präsent,[150] und es sei nicht notwendig, von Gott eine *similitudo*, durch die er erkannt werde, zu abstrahieren. Nichtsdestoweniger muß, insoweit als der Intellekt aktuell Gott erkennt, ein von Gott unterschiedener, aber formal konstituierender Grund im Intellekt sein, als dessen Ausdruck das intellektuale Wissen bezeichnet werden kann. Die schon von GUIBERT angeführte Augustinus-Stelle (AUG., *De trin. IX,11,16*) paraphrasierend, sagte BONAVENTURA: *intellectus informatur quadam notitia ... quia facit ipsam meliorem.*[151] Damit wird nun doch eine besondere Vermittlung bei der göttlichen Illumination zugelassen. Es scheint, daß dann, wenn eine Auffassung von Gottes Rolle im menschlichen Verstehen zu implizieren drohe, daß Gott selbst Gegenstand eines viatorischen Intellekts werden könnte, BONAVENTURA darauf gedrängt habe, diese Doktrin so zu modifizieren, daß die Unzugänglichkeit[152] Gottes gesichert bleibt. Bei diesen Anlässen machte er vom Begriff der *influentia* Gebrauch, den er beharrlich vermied, wenn immer er vorher auf den Vorgang, durch den Gott den Intellekt erleuchte, zu sprechen kam. Wenn wir schon jetzt auf die Anschauungen des Heinrich von Gent vorgreifen, fällt auf, daß Heinrich das als Theoriekomplex erkannte, breit explizierte und fortentwikkelte, was BONAVENTURA erst noch schemenhaft zu formulieren versucht: daß der Prozeß der primären Gotteserkenntnis, wie GUIBERT ihn erklärt hatte, als die Konfusion zweier zu unterscheidender Aspekte göttlichen, genauerhin

[148] Cf. BONAV, *In I Sent., dist. 17,1,1,4* ed. Quar. I, pp. 301b-302b: *Utrum caritas in universali sit cognoscibilis etiam a non habente eam.* - Zur Interpretation cf. MARRONE, *Augustinian Epistemology.* 1983, p. 266.

[149] Cf. BONAV., *In I Sent., dist. 3,1,1,1* ed. Quar. I, pp. 69b-70a: *Dicendum, quod Deus in se tamquam summa lux est summe cognoscibilis; et tamquam lux summe intellectum nostrum complens, et quantum est de se, esset summe cognoscibilis et nobis, nisi esset aliquis defectus a parte virtutis cognoscentis; qui quidem non tollitur perfecte nisi per deiformitatem gloriae. Concedendae sunt igitur rationes, quod Deus sit cognoscibilis a creatura et etiam clarissime cognoscibilis, quantum est de se, nisi aliquid esset impediens vel deficiens ex parte intellectus, sicut post patebit.*

[150] Im Hintergrund steht die augustinische Unterscheidung von körperlicher und geistiger Präsenz (cf. AUG., *In Ioa. ev. 92,1* CCL 36, p. 555 u.ö.), auf der seine Illuminationslehre fußt; vgl. KOBUSCH, *Präsenz.* 1989, col. 1260.

[151] Cf. BONAV., *In I Sent., dist. 3,1,1,1 ad 5* ed. Quar. I, p. 70a: *Ad illud quod ultimo obicitur de informatione, dicendum quod Deus est praesens ipsi animae et omni intellectui per veritatem; ideo non est necesse, ab ipso abstrahi similitudinem, per quam cognoscatur; nihilominus tamen, dum cognoscitur ab intellectu, intellectus informatur quadam notitia, quae est velut similitudo quaedam non abstracta, sed impressa, inferior Deo, quia in natura inferiori est, superior tamen anima, quia facit ipsam meliorem. Et hoc dicit Augustinus IX De Trinitate, c. 11: 'Quemadmodum, cum per sensus corporum discimus corpora, fit eorum aliqua similitudo in animo nostro: ita cum Deus novimus, fit aliqua similitudo Dei; illa notitia tamen inferior est, quia in inferiore natura est'.*

[152] Cf. dazu Marianne SCHLOSSER: *Lux inaccessibilis. Zur negativen Theologie bei Bonaventura.* In: FranzStud 68 (1986), pp. 3-140.

trinitarischen[153] Agierens aufzufassen sei. Gott ist einmal Gott als Erkenntnisobjekt und ein andermal Gott als reines Licht oder Medium der Erkenntnis.

In klassischer Weise hat BONAVENTURA seine Theorie primärer Seins- und Gotteserkenntnis in seinem *Itinerarium mentis in Deum*[154] dargelegt. Für BONAVENTURA sind nur die primäre Gottes- und (typisch augustinisch) Selbsterkenntnis nicht durch sinnliche Wahrnehmung bedingt.[155] Dabei berief er sich für seine Illuminationslehre sogar ausdrücklich auch auf ARISTOTELES.[156] Denn das Licht als die Bedingung allen Sehens und aller Sichtbarkeit wird selber nicht gesehen und bleibt (vorerst) unsichtbar. BONAVENTURA nahm diese platonische Lichtmetapher auf, band sie aber ein in die nach ARISTOTELES in der Metaphysik zu verhandelnden Frage nach der Ersten Ursache.[157] Diese Option war erkenntnisfördernd für das BONAVENTURA vornehmlich interessierende Problem der Gotteserkenntnis. Er suchte die Tatsache einer primären Gotteserkenntnis durch eine Reflexion auf die Bedingungen menschlicher Erfahrungserkenntnis zu begründen: Denn der menschliche

[153] In seinem Spätwerk trug BONAVENTURA trinitätstheologische Präzisierungen nach. Denn dem göttlichen Wort werde zwar appropriativ zugesprochen, der universale Erkenntnisgrund zu sein, doch sei die ganze und ungeteilte Dreifaltigkeit als Licht und Erkenntnisgrund tätig. Cf. BONAV., *In Hex. II,4,3,13* [rep. B] Delorme 138: *Verbum est ratio intelligendi omnia per appropriationem, licet tota Trinitas sit lumen et ratio intelligendi.* Cf. ferner BONAV., *In I Sent., dist. 6, a. 1, q. 3* ed. Quar. I, p. 129sq. sowie ID., *In I Sent., dist. 27, p. 2, a. 1, q. 1* ed. Quar. I, p. 482sq. Die Christozentrik der bonaventurianischen Illuminationslehre untersucht S. SCHMIDT: *Christus als 'scala nostra'. Christozentrische Aspekte im ‚Itinerarium mentis in Deum' des heiligen Bonaventura*. In: FranzStud 75 (1993), pp. (243-338) 281-285.

[154] Der beste Textkommentar zu BONAV., *Itin. III* findet sich immer noch in ID.: *Itinerarium mentis in Deum.* With an Introd., Transl. and Comm. by Ph. BOEHNER (Works of Saint Bonaventure 2). St. Bonaventure, N.Y. 1956, spec. pp. 120-124.

[155] Vgl. BONAV., *In II Sent., dist. 39,1,2* ed. Quar. II, p. 904: *Anima novit Deum et seipsam ... sine adminiculo sensuum exteriorum.* Cf. auch BONAV., *De scientia Christi, q. 4 fund. 31* ed. Quar. V, p. 20b: *naturaliter est prior conversio animae super ipsam virtutem sibi intimam, quam super se ipsam vel vera extrinseca; ergo impossibile est, quod aliquid cognoscat nisi illa summa veritate praecognita.* - Ähnlich wie Heinrich versuchte BONAVENTURA, sich von verfänglichen Implikaten der damals dominierenden aristotelischen Kosmologie freizuhalten.

[156] Vgl. BONAV., *In II Sent., dist. 39,1,2* ed. Quar. II, p. 904: *Valde notabiliter dicit Philosophus, quod in anima nihil scriptum est, non quia nulla sit in ea pictura vel similitudo abstracta.* - Nach RATZINGER, *Geschichtstheologie des heiligen Bonaventura.* (1959) ²1993, p. 139, hatte die Illuminationstheorie „nicht den Rang einer Entscheidungsfrage zwischen Aristoteles und Augustinus".

[157] Wie R. SCHAEFFLER: *Frömmigkeit des Denkens? Martin Heidegger und die katholische Theologie.* Darmstadt 1978, pp. 6-8, eindringlich aufmerksam macht, erfolgte eine bemerkenswerte Fernwirkung dieses erkenntnistheoretisch-reflexiv gefaßten Seinsbegriffs bei BONAV., *Itin. V,3* – und zwar vermittelt durch das Zitat dieser Bonaventura-Stelle bei HEIDEGGERS frühem akademischen Lehrer C. BRAIG: *Vom Sein. Abriß der Ontologie.* Freiburg i.Br. 1896, p. V sq. – auf HEIDEGGERS transzendentalphilosophisch und zugleich ontologisch durchgeführte Analyse von „Stimmungen" als einer antipsychologistischen Begründung von Metaphysik.

Intellekt erkennt die Dinge dieser Welt immer auch als endliche, begrenzte und unvollkommene Seiende. Privationen aber sind nur durch das Wissen um die entsprechenden Positionen. Folglich muß der Erkenntnis endlicher unvollkommener Seiender ein apriorisches Wissen um das schlechthin vollkommene unendliche Sein selbst zugrunde liegen.[158] Das göttliche Sein ist also das Ersterkannte.[159] Dies ist möglich, da der endliche geschaffene Geist als Bild Gottes ein Spiegel ist, in dem zuerst das in ihm widerstrahlende Licht des göttlichen Seins und dann erst das endliche Sein selbst erfaßt wird.[160] Der *intellectus plene resolvens*, der die Analyse seines eigenen Erkennens vollzogen hat, hat die divisive Methode der Begriffs- und Wesensanalyse[161] auf sich, d. h. sein eigenes Erkennen, angewendet. Er ist in neuplatonischer Tradition den Weg von der Wirkung zur einfachen Ursache gegangen.

iii) Die Theorie impliziter Gotteserkenntnis bei Thomas von Aquin OP

Von knappen Hinweisen in der magistralen Studie Josémaria GÓMEZ CAFFARENAS abgesehen[162], ist kaum THOMAS VON AQUIN ins Spiel gebracht worden, um Heinrichs *Primum cognitum*-Lehre interpretatorisch zu erhellen. Dies erstaunt um so mehr, als daß THOMAS schon in seinem Frühwerk die These, Gott sei das Ersterkannte des menschlichen Geistes, kritisch behandelte. Bereits in seinem Kommentar zu boethianischen Hebdomadenschrift schrieb THOMAS: *Quamvis secundum naturalem ordinem cognoscendi Deus sit primum cognitum, tamen quoad nos prius sunt cogniti effectus sensibiles eius.*[163] Damit ist schon seine grundsätzliche Position umrissen, die in seiner zwischen 1257 und An-

[158] Cf. BONAV., *Itin. III,3* ed. Quar. V, p. 304: *Cum privationes et defectus nullatenus possint cognosci nisi per positiones, non venit intellectus noster ut plene resolvens intellectum alicuius entium creatorum, nisi iuvetur ab intellectu entis purissimi, actualissimi, completissimi et absoluti, quod est ens simpliciter et aeternum, in quo sunt rationes omnium in sua puritate. Quomodo autem sciret intellectus, hoc esse ens defectivum et incompletum, si nullam haberet cognitionem entis absque omni defectu?*; cf. ID., *Itin. V,3* ed. Quar. V, p. 308: *Esse igitur est quod primo cadit in intellectu, et illud esse est, quod est purus actus.*

[159] Für Bestimmungen des *ens primum* als *primum cognitum* bei BONAVENTURA cf. den 'Index sententiarum philosophicarum' innerhalb des dem Sentenzenkommentar beigegebenen Indexbandes (pp. 430c-431a) der Quaracchi-Edition. Eine sehr lesenswerte, belegreiche Erörterung des Themas findet man bei VEUTHEY, *S. Bonaventurae philosophia christiana.* 1943, pp. 101-120, spec. pp. 107-109.

[160] Cf. BONAV., *In II Sent., dist. 23,2,3* ed. Quar. II, p. 544; ID., *Itin. III,1* ed. Quar. V, p. 303; ID., *In Hex. V,25* ed. Quar. V, p. 358; ID., *In Hex. XII,12* ed. Quar. V, p. 386. - Zur Kritik des THOMAS, daß dieser „Spiegel" doch erbsündlich deformiert sei, vgl. OEING-HANHOFF, *Methoden der Metaphysik.* 1963, p. 89sq.; ID., *Gotteserkenntnis.* 1974, p. 100sq.

[161] Cf. OEING-HANHOFF, *Methoden der Metaphysik.* 1963, pp. 15-17. 21sq. - Nach LEINSLE, *Res et Signum.* 1976, p. 151sq., sei auch auf den für BONAVENTURA zentralen Begriff des *contuitus* zu achten, da er gleichsam äquivalent für das *implicite cognoscere* bei THOMAS sei.

[162] Cf. GÓMEZ CAFFARENA, *Ser participado.* 1958, ad indicem s.v.

[163] THOM. DE AQU., *In Boeth. De hebd. IV*, nr. 58 ed. Leon. 50, p. 279,40-43.

fang 1259 verfaßten *Expositio super librum Boethii De trinitate* eine ausführliche Explikation erfuhr.[164] Mehr noch als die eigene Meinung des THOMAS soll aber im folgenden die thomanische Darstellung der Gegenposition Aufmerksamkeit erhalten. Denn THOMAS hatte Gegner mit klar konturierter Lehrmeinung vor Augen: *Quidam dixerunt, quod primum, quod a mente humana cognoscitur etiam in hac vita, est ipse Deus, qui est veritas prima, et per hoc omnia alia cognoscuntur.*[165] In den sechs vorangeschickten *obiectiones* ließ THOMAS das Argumentationsrepertoire seiner Gegner auftreten.

[164] Cf. zur Textinterpretation von THOM. DE AQU., *In Boeth. De trin. I,3* Decker 68-74 die grundlegenden Ausführungen bei GRABMANN, *Einleitungslehre.* 1948, spec. pp. 74-96; BASSLER, *Kritik des Thomas.* 1970, pp. 97-110; F. VAN STEENBERGHEN: *Le problème de l'existence de Dieu dans les écrits de S. Thomas d'Aquin* (PhMed 23). Löwen 1980, pp. 98-103; ferner J. F. WIPPEL: *The Commentary on Boethius De trinitate.* In: Thomist 37 (1973), pp. 133-154. AERTSEN, *Medieval Philosophy and the Transcendentals.* 1996, p. 164sq., der weder hier noch im Lit.verz. seiner Untersuchung die oben genannte Arbeit GRABMANNS aufführt, hält es für möglich, daß die von THOMAS angeführte Gegenposition zur Zuspitzung der Argumentation von diesem selber aufgebaut worden wäre. Zur Datierung der Schrift zwischen 1257 und Anfang 1259 cf. J. P. TORRELL: *Magister Thomas.* Freiburg i.Br. 1993, p. 87sq. - Zur thomanischen Lehre vom Ersterkannten des menschlichen Intellekts cf. IOA. CAPREOLUS, *Defens. theol. I, dist. 2,1* Paban/Pègues I, pp. 117a-144a (gegen DUNS SCOTUS und PETRUS AUREOLI gerichtet); H. E. PLASSMANN: *Die Metaphysik gemäß der Schule des hl. Thomas, §§ 11-15.* Soest 1862, pp. 64-103 (cf. Kap. IV, § 2,2 not. 411); LAKEBRINK, *Klassische Metaphysik.* 1968, pp. 60-62; REDING, *Struktur des Thomismus.* 1974, pp. 68-71; LAKEBRINK, *Sein des Seienden.* 1974, pp. 58-60; R. M. BATTLO: *El concepto de ser primer principio del entendimiento para s. Tomas de Aquino.* In: Actas del V Congreso Internacional de Filosofia Medieval. Madrid 1979, tom. II, pp. 943-950; SCHÖNBERGER, *Transformation.* 1986, pp. 101-108; M. TAVUZZI: *Aquinas on the Preliminary Grasp of Being.* In: Thomist 51 (1987), pp. 555-574; SCHENK, *Gnade vollendeter Endlichkeit.* 1989, pp. 552. 554; M. KUR: *Ens ut primum cognitum* [summarium anglice conscriptum]. In: Przeglad Tomistyczyny 5 (1992), pp. 43-62; SCHULTHESS, *Philosophie im lateinischen Mittelalter.* 1996, p. 182sq.; AERTSEN, *Medieval Philosophy and the Transcendentals.* 1996, p. 164sq.; M. GUMANN: *Der Ursprung der Erkenntnis des Menschen nach Thomas von Aquin. Konsequenzen für das Verhältnis von Philosophie und Theologie* (Eichstätter Studien, N. F. 40). Regensburg 1999.

[165] THOM. DE AQU., *In Boeth. De trin. I,3 resp.* Decker 70,21-23. - Auch wenn von der bisherigen Forschung kein Autor namentlich genannt werden kann, hat man doch mit höchster Wahrscheinlichkeit davon auszugehen, daß reale Personen gemeint sind. Hätte THOMAS diese Position aufgebaut, nur um seine eigenen Argumentation zu schärfen, dürften sich bei anderen Autoren seiner Epoche nicht so viele gleichgerichtete polemische Äußerungen gegen zeitgenössische Tendenzen finden, die Gott als ersterkanntes Objekt des viatorischen Intellekts behaupten; cf. BONAV., *De Scientia Christi, q. 4 corp.* ed. Quar. V, 22a-b: *Est notandum, quod cum dicitur, quod omne, quod cognoscitur certitudinaliter, cognoscitur in luce aeternarum rationum, hoc ... potest intelligi uno modo, ut intelligatur, quod ad certitudinalem cognitionem concurrit lucis aeternae evidentia tamquam ratio cognoscendi tota et sola. Et haec intelligentia est minus recta pro eo, quod secundum hoc nulla esset rerum cognitio nisi in Verbo; et tunc non differet cognitio viae a cognitione patriae, nec cognitio in Verbo a cognitione in proprio genere, nec cognitio scientiae a cognitione sapientiae. nec cognitio rationis a cognitione revelationis; quae omnia cum sint falsa, nullo modo est ista via tenenda.* Allem Anschein nach hat auch noch PETR. IOA. OLIVI, *De Deo cognoscendo, q. 1 corp.* BFS 6, p. 477, sehr verwandte *adversarii* vor Au-

An erster Stelle kommt eine Interpretation der augustinischen Illuminationslehre zu stehen, nach der das Ersterkannte als dasjenige bestimmt wird, in dem alle übrigen Dinge erkannt werden und das Erkannte beurteilt wird. Weil nach Aussage der Schriften AUGUSTINS *De trinitate* und *De vera religione* die erste Wahrheit, also Gott damit gemeint ist, ist Gott das Ersterkannte.

Die zweite gegnerische Position trägt mit Berufung auf den *Liber de causis* eine Influenztheorie[166] vor. In der Ordnung mehrerer Ursachen fließt die erste Ursache früher in die zweite Ursache ein und verläßt sie auch als letzte. Weil nun das menschliche Wissen durch die Dinge verursacht ist, ist das Wißbare bzw. das Intelligible für den menschlichen Geist Ursache der Einsicht. Folglich strömt das erste der intelligiblen Dingen zuerst in den menschlichen Geist, so daß dieser auch Einsicht in die Dinge erlangt. Demnach ist wegen des Primats der göttlichen Intelligibilität Gott selbst das Ersterkannte des Menschen.

Gemäß dem dritten Einwand wird bei jeder Erkenntnis, bei der das Frühere und Einfachere zuerst erkannt wird, das Erste und Einfachste zuerst erkannt. Im menschlichen Erkennen ist es auch das Frühere und Einfachere, das früher in das Erkennen eintritt als das Zusammengesetzte. Weil nach AVICENNA das Seiende das Ersterkannte für das menschliche Erkennen ist und nach dem *Liber de causis* das Sein als das erste über den geschaffenen Dingen steht, tritt Gott, der schlechthin der erste und einfachste ist, als Ersterkanntes in das menschliche Erkennen ein.[167]

Die vierte Objektion operiert mit einem Axiom: Das Ziel, das zwar das letzte in der Abfolge ist, ist aber das erste in der Absicht. Gott als Letztziel des menschlichen Willens ordnet alle anderen Ziele darauf hin und weist sich dabei in der Absichtsbildung als das erste aus. Da dies nicht ohne ein Erken-

gen: *Quidam dicere voluerunt, moti auctoritatibus Augustini ..., quod Deus in vita ista directe et immediate videtur a nobis, ita tamen quod aliter videant stulti, aliter beati.* In einer weiteren Beziehung dazu steht der von STEPHANUS TEMPIER, *Articuli 219 condemnati, 1277, nr. 9* Hissette 30 („Cette proposition est l'expression manifeste de l'ontologisme"; ibid.), inkriminierte Auffassung: *Quod Deum in hac vita mortali possumus intelligere per essentiam.* Eine diesmal nicht illuminationistisch, sondern rational-naturalistisch überzogene Variante formuliert der Verurteilungsartikel 8, ed. Hissette 27: *Quod intellectus noster per sua naturalia potest pertingere ad cognitionem primae causae. Hoc male sonat, et est error, si intelligatur de cognitione immediata.* - Cf. auch DANIELS, *Quellenbeiträge.* 1909, pp. 143-153; B. A. LUYCKX: *Die Erkenntnislehre Bonaventuras* (BGPhMA 23/3-4). Münster i.W. 1923, pp. 242-253.

166 Es scheint gut möglich, daß THOMAS hier an die Auffassungen des GUIBERT VON TOURNAI dachte.

167 Das avicennische Argument vom *ens* als Erstbegriff des menschlichen Intellekts findet im thomanischen Oeuvre mehrfache Erwähnung, teils mit Nennung des Urhebers (THOM. DE AQU., *De Ver. I,1* ed. Leon. 22, p. 5,100-104; ID., *De Ver. XXI,1* ed. Leon. 22, p. 593,144-146), teils anonym (ID., *Qdl. VIII,2,2* [*4*] ed. Leon. 25, p. 58,65-71; ID., *S. theol. I-II,94,2*; ID., *De virt. in comm. 2 ad 8* Odetto 712; ID., *In Metaph. IV, lect. 6* nr. 605 Cathala/Spiazzi 167sq.).

nen des Zieles geschehen kann, ist Gott auch das Ersterkannte des menschlichen Intellekts.

Fünftens wird vom intelligiblen, materiefreien Sein Gottes behauptet, daß es für den *intellectus possibilis* das leichter zugängliche Erkenntnisobjekt sei. Denn das, was keiner vorangehenden Tätigkeit bedarf, damit eine weitere Tätigkeit eines anderen Tätigen folgt, unterliegt früher der Tätigkeit jenes Tätigen als das, das noch einer weiteren bereitenden Tätigkeit bedarf. Die sinnfälligen Dinge bedürfen allerdings der Abstraktion von der Materie durch den tätigen Intellekt, bevor sie von *intellectus possibilis* eingesehen werden. Da aber Gott von sich aus im höchsten Maße vom Materiellen getrennt ist, wird er früher von *intellectus possibilis* erkannt als die sinnfälligen Dinge und ist das Ersterkannte.

In der sechsten und letzten Objektion wird die Prämisse gesetzt, daß etwas von Natur aus Erkanntes, dessen Nichtsein nicht gedacht werden könne, das Ersterkannte für den menschlichen Intellekt sei. Die Lehre des JOHANNES DAMASCENUS, die Erkenntnis über Gottes Existenz sei allen Menschen eingepflanzt, und die These des ANSELM VON CANTERBURY, von Gott könne sein Nichtsein nicht gedacht werden, ergänzen und erklären sich gegenseitig, so daß folglich Gott als Ersterkanntes erwiesen ist.

Die Reihung der Objektionen durch THOMAS ist schon Gliederung, Herkunftsdeutung und Bewertung des Themenkomplexes.[168] (1) Die Herkunft des Problems liegt in der augustinischen Illuminationstheorie, die einen unmittelbaren, von sensualer Erkenntnis unbeeinträchtigten Kontakt mit der göttlichen Wahrheit behauptet und das Problem der Bewertung von Sinneserkenntnis aufwirft. (2) Die Influxus-Theorie parallelisiert unter Berufung auf den neuplatonischen *Liber de causis* Kausalverhältnisse der Seinsordnung mit Abfolgeverhältnissen der Erkenntnisordnung, wodurch das neuplatonische Kausalitätsverständnis problematisch, d. h. korrekturbedürftig erscheint. (3) Das Heranziehen der avicennischen Lehre von Primärbegriffen wirft die Frage nach dem Ursprung der Verstandesbegriffe auf. (4) Die Verknüpfung des Lebenszieles des Menschen mit dem von ihm Ersterkannten macht auf das gottbezogene Ganze der Geistnatur des Menschen aufmerksam, das Willen und Intellekt gleichermaßen umgreift. (5) Im gemeinsamen Blick auf die Seinsweise Gottes und das Intellektvermögen des Menschen müssen Leistung und Wert abstraktiven Erkennens, aber auch das dem Menschen adäquate Erkenntnisobjekt erörtert werden. (6) Schließlich geht es auch um die Einschätzung intuitiver, präreflexiver Formen der Gotteserkenntnis und die Bestimmung ihres Evidenzgrades, insofern die Gültigkeit szientifischer Gottesbeweise auf dem Spiel steht.

[168] Die primär anti-augustinische Stoßrichtung der thomanischen Argumentation ist noch offensichtlicher in dem 1265-68 verfaßten Artikel gleichen Titels, *S. theol. I, q. 88, a. 3*, wo THOMAS von den sechs Objektionen aus *In Boeth. De trin. I,3* nur die erste übernimmt und als dritte Objektion ein Argument einfügt, das von der augustinischen *Imago*-Lehre her Gott als Ersterkanntes beweisen soll.

THOMAS gab auf diese Gesichtspunkte der *Primum cognitum*-Problematik eine Antwort, in der er gegenüber der augustinisch-neuplatonischen Gegenposition mit aller Konsequenz die aristotelische Erkenntnistheorie zur Geltung brachte. Die augustinische Illuminationslehre, von der sich Thomas schon vorher deutlich distanziert hatte,[169] rückt das menschliche Erkennen der ersten Wahrheit zu sehr an die Schau der göttlichen Wesenheit heran, die dem viatorischen Intellekt versagt ist. Die Identifikation des einfließenden göttlichen Lichtes mit dem Ersterkannten wird abgelehnt, weil dieses Licht nicht direkt, sondern nur als von Intellekt hervorgebrachtes Intelligibles in einem reflexiven Akt erkannt werden kann. THOMAS hält fest, daß hinsichtlich der Ordnung der Erkenntnisvermögen ein aus den Sinnen Erkennbares (*cognoscibile a sensu*) das Ersterkannte ist. Hinsichtlich der Ordnung der Erkenntnisobjekte in einem Erkenntnisvermögen ist für den *intellectus possibilis* das ihm vom *intellectus agens* Zugeführte das Ersterkannte, für den *intellectus agens* wiederum sind es die von den Phantasmata abstrahierten Formen. Unter diesen Formen haben dann nochmals die stärker allgemein gehaltenen Abstraktionsformen einen Vorrang.

Wie man sieht, wird von THOMAS in allen Fällen die Unmittelbarkeit einer göttlichen Präsenz verneint. Ist aber damit der menschliche Intellekt vollkommen entdivinisiert? Bricht Thomas vollständig mit der augustinisch-neuplatonischen Tradition? Dies ist zu überprüfen an der hochdifferenzierten Lehre einer impliziten Gotteserkenntnis,[170] die THOMAS anstelle der abgelehnten augustinisierenden Theorien über Gott als Ersterkanntes ausgebildet hat. Sie ist von ihm zwar nicht in geschlossener textlicher Form vorgetragen worden, aber besitzt erkennbar kohärente, aufeinander verweisende Teilelemente. Es ist ein noch zu schreibendes Kapitel in der Geschichte des Thomismus, daß diese komplexe Theorie erst im 20. Jahrhundert eine angemessene Rezeption erfahren durfte. Es sei dafür vor allem erinnert an die eher von einem systematischen Interesse geleiteten Arbeiten von Joseph MARÉCHAL SJ (1878 - 1944)[171], von dem neben anderen die folgenden Autoren[172]

[169] Cf. THOM. DE AQU., *In Boeth. De trin. I,1* Decker 56-63.

[170] Im folgenden werden Formulierungen übernommen, die zum großen Teil schon bei LAARMANN, *God as* Primum cognitum. 1996, pp. 171-191, publiziert worden sind.

[171] Cf. MARÉCHAL, *Point de départ de la métaphysique*. 1922-47, spec. *Cahier III: Le thomisme devant la philosophie critique* (1926). - Cf. J. B. LOTZ (Hg.): *Kant und die Scholastik heute* (PPhF 1). München 1955; ID.: *Joseph Maréchal*. In: CPhKD II. 1988, pp. 453-469 (Lit.!). Eine frühe Kritik der Positionen MARÉCHAL's findet man u. a. bei E. GILSON: *Réalisme thomiste et critique de la connaissance*. Paris 1939. Trotz unmißverständlicher Äußerungen bei RAHNER, *Hörer des Wortes*. 1941, p. 104 (= SW 4, p. 126) spart H. U. v. BALTHASAR: *Wahrheit. I.: Wahrheit der Welt*. Einsiedeln 1947 (= Theologik, I. Einsiedeln ²1985), pp. 292-297; ID.: *Einführung*. In: E. PZYWARA: Sein Schrifttum. 1963, p. 13sq. not. 17, nicht mit dem Vorwurf der Ontologismusnähe. Das ungenügende Verständnis der Kantischen Lehren beklagt H. J. KROLL: *Die Methode der Transposition bei J. Maréchal*. Diss. phil. Freiburg i.Br. 1967. Eine bemerkenswerte Kritik aus kanti-

abhängig sind: Karl RAHNER SJ (1904 - 1984)[173], Johannes B. LOTZ SJ (1903 - 1994)[174], Max MÜLLER (1904 - 1990)[175], Bernhard WELTE (1904 - 1988)[176], Bernard LONERGAN SJ (*1904-1984)[177], Joseph DE FINANCE SJ (*1904)[178], Juan ALFARO SJ (*1914)[179]. Der gegenüber MARÉCHAL eigenständige systematische Ansatz von Dominik DE PETTER SJ (1905 - 1971)[180] wurde bei Edward SCHILLE-

scher Sicht äußert R. SCHAEFFLER: *Die Wechselbeziehungen zwischen Philosophie und katholischer Theologie.* Darmstadt 1980, pp. 187-200.

[172] Cf. allgemein O. MUCK: *Die deutschsprachige Maréchal-Schule - Transzendentalphilosophie als Metaphysik: J. B. Lotz, K. Rahner, W. Brugger, E. Coreth u.a.* In: CPhKD II. 1988, pp. 590-622.

[173] Cf. K. RAHNER: *Geist in Welt. Zur Metaphysik der endlichen Erkenntnis bei Thomas von Aquin.* Innsbruck 1939. Die zweite, von J. B. METZ im Auftrag des Verfassers überarb. und erg. Aufl., München 1957, hat bedenkliche Eingriffe in den Text RAHNERS erfahren. - Cf. N. KNOEPFFLER: *Der Begriff 'transzendental' bei Karl Rahner. Zur Frage seiner Kantischen Herkunft* (ITS 39). Innsbruck 1993. - RAHNERS Thomas-Deutung provozierte deutliche Kritik bei A. HUFNAGEL: *Der Intuitionsbegriff des Thomas von Aquin.* In: ThQ 133 (1953), pp. 427-436, in heftigster Form bei C. FABRO: DTh(P) 74 (1971), p. 338: *„deformator thomisticus radicalis"*, und LAKEBRINK, *Klassische Metaphysik.* 1967, passim; ID.: *Geist und Welt nach Thomas von Aquin.* 1975. Trotz der gegenüber MARÉCHAL und RAHNER teilweise rüden Tonart wird man FABRO und LAKEBRINK vom Standpunkt historischer Thomas-Interpretation weitestgehend rechtgeben müssen. W. BREUNING: *Ontologismus.* In: LKDogm 1987, p. 404, sieht in der transzendentalen Anthropologie RAHNERS, die ein stets gegebene Gottverwiesenheit des Menschen thematisiert, eine Rezeption der wohlverstandenen berechtigten Anliegen des Ontologismus.

[174] Cf. J. B. LOTZ: *Das Urteil und das Sein. Eine Grundlegung der Metaphysik* [Zweite, neubearb. und verm. Aufl. von „Sein und Wert I" (1938)] (PPhF 2), München 1957; ID.: *Das Problem des Apriori.* In: Mélanges Joseph Maréchal (ML.P 32). Brüssel/Paris 1950, tom. II, pp. 62-75.

[175] Cf. M. MÜLLER: *Sein und Geist. Systematische Untersuchungen über Grundproblem und Aufbau mittelalterlicher Ontologie.* Tübingen 1940.

[176] Cf. B. WELTE: *Der philosophische Glaube bei Karl Jaspers und die Möglichkeit seiner Deutung durch die thomistische Philosophie.* In: Symposion 2 (1949), pp. 89-167.

[177] Cf. B. LONERGAN: *The Concept of* Verbum *in the Writings of St. Thomas Aquinas.* In: Theological Studies 7 (1946), pp. 349-392; 8 (1947), pp. 35-79. 404-444; 10 (1949), pp. 3-40. 359-393; repr. ID.: *Verbum. Word and Idea in Aquinas*, Ed. by D. B. BURREL. Notre Dame, Ind. 1967. - Cf. allgemein St. W. ARNDT: *Bernard J. F. Lonergan.* In: CPhKD II. 1988, pp. 753-770.

[178] Cf. J. de FINANCE: *Être et agir dans la philosophie de Saint Thomas.* Paris 1945. - Zu Leben und Werk cf. P. GILBERT: *Die dritte Scholastik in Frankreich.* In: CPhKD II. 1988, p. (412-436) 435sq.

[179] Cf. spec. J. ALFARO: *La dimension trascendental en el conocimiento humano de Dios segun S. Tomas.* In: Greg. 55 (1974), pp. 639-675. - Zu den Verdiensten ALFAROS für die Heinrich-Forschung cf. Kap. IV, § 2,4.

[180] Cf. D. de PETTER: *Impliciete intuitie.* In: TFil 1 (1939), pp. 84-105; ID.: *Intentionaliteit en identiteit.* In. TFil 2 (1940), pp. 515-550; ID.: *Zin en grond van het oordeel.* In: TFil 11 (1949), pp. 3-26; ID:, *De oorsprong van de zijnskennis volgens de H. Thomas van Aquino.* In: TFil 17 (1955), pp. 199-254; ID.: *Begrip en werkelijkheid. Aan de overzijde van het conceptualisme.* Hilversum/Antwerpen 1964; ID.: *Naar het metafysische.* Utrecht/Antwerpen 1972. - Cf. A. WYLLEMAN: *Petter, John Emiel de (Dominicus Maria).* In: Nationaal Biograafisch Woordenboek. Brüssel 1964sqq., tom. XIV (1994), col. 509-515.

BEECKX OP (*1914)[181] fortgeführt. Gustav SIEWERTH (1904 - 1963)[182] konfrontierte die thomanische Lehre mit dem Deutschen Idealismus. Um historische Treue bemühte sich neben Hyacinthe PAISSAC OP[183] besonders Ludger OEING-HANHOFF (1923 - 1986)[184].

Nach diesen forschungsgeschichtlichen Präliminarien soll nun aber die thomanische Lehre von einer impliziten Gotteserkenntnis kurz und gedrängt dargestellt werden. Denn eine stets gegebene Gotteserkenntnis zu entfalten - so lautet die nicht unpolemisch vorgetragene These von L. OEING-HANHOFF - ist „das Ziel der thomistischen Erkenntnisanalyse. Daher ist dieser Thomas eigene Weg sein bedeutendster und originalster Beitrag zu diesem Problem - und nicht die im Rahmen der aristotelischen Methoden- und Wissenschaftslehre stehenden 'Fünf Wege', deren Zielpunkt und deren Elemente auch sämtlich schon in der Thomas vorgegebenen Tradition vorliegen."[185] An einer Stelle, die zum 'Credo' für den Transzendentalthomismus[186] im Gefolge MA-

[181] Cf. SCHILLEBEECKX, *Das nicht-begriffliche Erkenntnismoment in unserer Gotteserkenntnis.* 1952/1965. Cf. R. J. SCHREITER: *Edward Schillebeeckx - Eine Einführung in sein Denken.* In: ID. (Hg.): Erfahrung aus Glauben. E. Sch.-Lesebuch. Freiburg i.Br. 1984, pp. (17-40) 17-19; P. KENNEDY: *Deus Humanissimus. The Knowability of God in the Theology of Edward Schillebeeckx* (FZPhTh, Ökum. Beih. 22). Freiburg/Schw. 1993.

[182] Cf. SIEWERTH, *Apriorität der Erkenntnis als Einheitsgrund.* 1936; ID., *Apriorität der menschlichen Erkenntnis.* 1936; ID., *Der Thomismus als Identitätssystem.* 1939.

[183] Cf. PAISSAC, *Existence de Dieu et connaissance habituelle.* 1953. Seine Überlegungen werden aufgegriffen von F. M. GENUYT: *Vérité de l'être et affirmation de Dieu. Essai sur la philosophie de saint Thomas* (BiblThom 42). Paris 1974, spec. pp. 181-195.

[184] Cf. OEING-HANHOFF, *Thomas von Aquin und die Situation des Thomismus heute.* 1962; ID., *Wesen und Formen der Abstraktion.* 1963; ID., *Gotteserkenntnis.* 1974. - Zu Leben und Werk OEING-HANHOFFS cf. Th. KOBUSCH: *Zum Tode Ludger Oeing-Hanhoffs.* In: PhJ 94 (1987), pp. 1-10; LThK³ VII (1998), col. 980 (H. MEINHARDT).

[185] OEING-HANHOFF, *Gotteserkenntnis.* 1974, p. 103. Gegen eine interpretatorische Überbewertung der *Quinque viae* wenden sich ebenfalls deutlich AERTSEN, *Der wissenschaftstheoretische Ort der Gottesbeweise.* 1985; W. KLUXEN: *Der Übergang von der Physik zur Metaphysik im thomistischen Gottesbeweis.* In: FZPhTh 40 (1993), pp. 44-54, spec. 44. - Die folgenden Ausführungen zur thomanischen Theorie impliziter Gotteserkenntnis sind wesentlich abhängig von OEING-HANHOFF, *Wesen und Formen der Abstraktion.* 1963, pp. 17-37; ID., *Methoden der Metaphysik.* 1963, pp. 81-91; ID., *Gotteserkenntnis.* 1974, pp. 97-124, und fassen die Ergebnisse dieser Untersuchungen zusammen. Cf. ferner KOBUSCH, *Sein und Sprache.* 1987, pp. 369-371; J. A. AERTSEN: *Nature and creature* (STGMA 28). Leiden 1988, pp. 218-229.

[186] Die hermeneutische Leistungsfähigkeit des Transzendentalthomismus für die historische Thomas-Forschung im allgemeinen sowie für die hier zu besprechenden theologischen Elemente des menschlichen Erkenntnisaktes umreißt prägnant SCHENK, *Gnade vollendeter Endlichkeit.* 1989, pp. 526-533, spec. 529 zum *primum cognitum.* - Die Kritik am Transzendentalthomismus des 20. Jahrhunderts ist gleichsam antizipiert bei den meist suarezianisch geleiteten Attacken neuscholastischer Denker des 19. Jahrhunderts gegen den Ontologismus; cf. dazu G. A. MCCOOL: *From Unity to Pluralism: The Internal Evolution of Thomism.* New York 1989, pp. 31sq. 40. 81sq. 110sq.

RÉCHALS geworden ist, sagt denn auch THOMAS: *Omnia cognoscentia cognoscunt implicite Deum in quolibet cognito.*[187]

In seiner Erkenntnistheorie geht THOMAS von der Lehre aus, das Erkennen sei im eigentlichen Sinne ein Sagen.[188] Wie das äußere Sprechen ein äußeres Wort, so habe auch unser Erkennen als *actio immanens* ein inneres Wort zum Resultat, das in der gesprochenen Rede, dem Zeichen des vom Erkennen Begriffenen, geäußert wird. *Quicumque enim intelligit, ex hoc ipso quod intelligit, procedit aliquid intra ipsum, quod est conceptio rei intellectae ... Quam quidem conceptionem vox significat, et dicitur verbum cordis significatum verbo vocis.*[189] Im Falle der zu analysierenden, für menschliches Erkennen grundlegenden Erfahrungserkenntnis ist dieses innere Wort ein Urteil, eine *compositio*, wie THOMAS sagt, in der *phantasma, species intelligibilis* und das eingeborene *lumen intellectus agentis* verbunden werden. Hierbei ist genau darauf zu achten, daß das Urteil wie jede Zusammensetzung auch aus verschiedenen Komponenten besteht. Diese bestehen jedoch nicht selbständig für sich, sondern sind wesentlich aufeinander und auf die konkrete menschliche Erkenntnis, die sich im Urteil vollzieht, hingeordnet. Es handelt sich deshalb um unselbständige Formalprinzipien der Erkenntnis[190], die nur in der Reflexion für sich betrachtet werden können.

Zu diesen *principia, quibus intelligitur*, im Unterschied zum *id quod intelligitur*, zählt THOMAS außer *phantasmata* und *species intelligibilis* auch das angeborene Licht der Vernunft.[191] Das *id quod intelligitur* ist das Erkannte, sofern es

[187] THOM. DE AQU., *Ver. XXII,2 ad 1* ed. Leon. 22, p. 617. Zum historischen Kontext der Thomas-Stelle cf. Elsbeth MICHEL: *Nullus potest amare aliquid incognitum. Ein Beitrag zur Frage des Intellektualismus bei Thomas von Aquin* (SF N.F. 57). Freiburg i.Ue. 1979. - Die besagte Thomas-Stelle wird im „transzendentalthomistischen" Schrifttum zitiert z. B. bei MARÉCHAL, *Le point de départ de la métaphysique, cahier V.* (1925) ²1949, p. 314; RAHNER, *Geist in Welt.* 1939, p. 161 (²1957, p. 232); ID., *Hörer des Wortes.* 1941, p. 84 (²1963, p. 85); J. B. METZ: *Christliche Anthropozentrik.* München 1962, pp. 73-80 [mit phantasievollen Interpretationen].

[188] THOM. DE AQU., *Ver. IV, 2 ad 5* ed. Leon. 22, p. 125: *Omne intelligere in nobis proprie loquendo est dicere.*

[189] THOM. DE AQU., *S. theol. I, q. 27, a. 1 corp.* ed. Paul. 142a cf. ID., *Pot. VIII,1; IX,5* und bes. *S.c.G IV,11.* - Die Studie von E. E. STEGER: *The* verbum cordis *according to St. Thomas Aquinas.* Washington D.C. 1967, konnte vom Verf. nicht eingesehen werden.

[190] Cf. THOM. DE AQU., *S.c.G. I,46* n. 390 Pera 59: *Species enim intelligibilis principium formale est intellectualis operationis: sicut forma cuiuslibet agentis principium est propriae operationis*; ID., *De spir. creat. 9.* Eine ausführliche Behandlung der unselbständigen Prinzipien erhält man bei OEING-HANHOFF, *Ens et unum.* 1953, pp. 21-110.

[191] THOM. DE AQU., *Qdl. VII,1,1resp.* ed. Leon. 25, p. 8,72-88: *In visione intellectiva triplex medium contingit esse. Unum, sub quo intellectus videt, quod disponit eum ad videndum. Et hoc est in nobis lumen intellectus agentis, quod se habet ad intellectum possibilem nostrum sicut lumen solis ad oculum. Aliud medium est, quo videt; et hoc est species intelligibilis, quae intellectum possibilem determinat, et habet se ad intellectum possibilem ut species lapidis ad oculum. Tertium medium est, in quo aliquid videtur; et hoc est res aliqua, per quam in cognitionem alterius devenimus, sicut in effectu videmus causam et in uno similium vel contrariorum videtur aliud; et hoc medium se habet ad intellectum sicut speculum ad visum corpora-*

als Ergebnis des Erkennens und als das von der Sache Erfaßte im Erkennenden ist. Das Erfahrungsurteil wird in seiner einfachsten Form dadurch vollzogen, daß einer sinnfälligen Gestalt oder einem durch *phantasmata* repräsentierten sinnfälligen Einzelnen, das durch einen Wesensbegriff (*species intelligibilis*) in seinem allgemeinen Wesen erfaßt wird, auch mit der Kopula das Sein zugesprochen wird. Somit besitzt das Erfahrungsurteil nach THOMAS die Form eines Attributionsurteils, weil es verschiedene Erkenntnisprinzipien zusammensetzt: Diesem hier, das die *phantasmata* repräsentieren, kommt das im Licht der Vernunft erfaßte Sein und z. B. Menschsein (*humanitas*) zu, das mit einer *species intelligibilis* repräsentiert wird. Das vom göttlichen selbständigen Sein (*ipsum esse subsistens*) zu unterscheidende Sein der seienden Dinge werden vom menschlichen Intellekt aber nicht im unvollkommenen Sinnfälligen erfaßt.[192] Denn es ist als *perfectio omnium perfectionum.*[193] Das Sein bezeichnet Akt und Grund des Seienden, der eine Wesenheit und ihre Vollkommenheiten formal, d. h. durch Selbstmitteilung, als Seiendes konstituiert. Deshalb enthält das Sein in seiner Einfachheit alle Wesensvollkommenheiten ungeschieden in sich und ist *perfectio omnium perfectionum*, obwohl es im Unterschied zum göttlichen subsistierenden oder existierenden Sein[194] nur als unselbständiges Prinzip der konkreten Seienden besteht und deshalb nicht eigentlich (selbständig) ist oder subsistiert.[195] Aber wir erfassen das Sein der seienden Dinge dadurch, daß der menschliche Geist sich zwar nicht seines ja auch materiellen Wesens, wohl aber seines Seins stets bewußt ist. Somit ist der menschliche Geist Bewußtsein, bewußtes Sein. Geistige Erkenntnis ist nach THOMAS primär Selbsterkenntnis. Das ergibt sich aus der Erkenntnisart Gottes und der reinen Geister. Das von sinnlicher Rezeptivität und damit von äußerer Einwirkung unabhängige, stets gegebene Verständnis des sinnlich nicht erfaßbaren Seins ist aber ständiges geistiges Erkennen. Da jedoch das individuelle Wesen des erkennenden Menschen auch materiell, d. h. nicht aktuell intelligi-

lem, in quo oculus aliquam rem videt; cf. THOM. DE AQU., *In III Sent., dist. 14,1,2,1* Busa 999; ID., *Ver II,6* ed. Leon. 22, p. 65-67; ID., *Ver. XI,1* ed. Leon. 22, p. 347-354; ID., *S. theol. I, q. 84, a. 5.*

[192] Cf. e.g. THOM. DE AQU., *In II Sent., dist. 19,1,1, ad 6* Busa 180b: *Intellectus omnino sine corpore intelligit, quia haec operatio non perficitur mediante organo corporali.*

[193] THOM. DE AQU., *Pot. VII,2 ad 9* Pession 192.

[194] Cf. THOM. DE AQU., *Subst. sep. 9* n.94 ed. Leon. 40, p. D 57,104-118: *Cum enim necesse sit primum principium simplicissimum esse, necesse est, quod non hoc modo esse ponatur quasi esse participans sed quasi ipsum esse existens. Quia vero esse subsistens non potest esse nisi unum, sicut supra habitum est, necesse est omnia alia, quae sub ipso sunt, sic esse quasi ese participantia. Oportet igitur communem quandam resolutionem in omnibus huiusmodi fieri, secundum quod unumquodque eorum intellectu resolvitur in id, quod est, et in suum esse. Oportet igitur supra modum fiendi, quo aliquid fit, forma materiae adveniente, praeintelligere aliam rerum originem, secundum quod esse attribuitur toti universati rerum a primo ente, quod est suum esse.*

[195] THOM. DE AQU., *Pot. I,1, resp.* Pession 8sq.

bel ist[196], wird in der geistigen apriorischen Erkenntnis des Menschen nur das Sein, nicht die konkrete, aus Sein und Wesen bestehende Substanz des Erkennenden erfaßt. *Intellectus agens ... semper intelligit. Sed non intelligit semper nisi se ipsum.*[197] Dies bestätigt, daß wir von seiten der tätigen Vernunft, die aber von sich her noch keine konkrete menschliche Erkenntnis bringt, stets erkennen.

Inhalte dieser ständigen Erkenntnis kann aber nicht die konkrete, auch materielle Substanz des Erkennenden sein, sondern nur das Sein.[198] „Wegen seiner Lehre, der menschliche Geist sei unmittelbar *forma corporis*, modifiziert Thomas also die augustinische Lehre einer apriorischen Selbst- und Gotteserkenntnis des menschlichen Geistes zur Lehre einer ständigen abstrakten Seinserkenntnis des *intellectus agens*."[199] Aber auch die apriorische Erkenntnis hat ein immanentes Resultat. Auch das erkannte Sein, sofern es als Ergebnis der apriorischen Erkenntnis erkannt im Erkennenden ist, ist freilich ein noch weiter zu bestimmendes inneres Wort. THOMAS nennt dieses *verbum informe*, das erkannte Sein im Erkennenden, meistens das angeborene Licht der Vernunft. Denn im Licht des erkannten Seins können aus dem sinnlich Wahrgenommenen allgemeine Wesensbegriffe gebildet oder abstrahiert werden, die (wie Menschsein) eine endliche Weise des Seins bezeichnen. In diesem Licht zeigt sich das in der Wahrnehmung Gegebene als an sich seiend. Die erste Leistung geistigen Erkennens besteht demnach darin, das dem sinnlich Wahrgenommenen Sein zugesprochen wird: ‚Dieses hier ist.' Sofern es naturhaft als ein Etwas erkannt wird, d. h. als ein Wesen, dem Sein zukommt, wird der Begriff *ens* gebildet, der bezogen auf das zunächst aktuell Seiende die Einheit von Sein und Wesen[200] bezeichnet. Alle weiteren Begriffe werden durch nähere Determination dieses ersten naturhaft gebildeten konkreten Begriffes *ens* gewonnen.[201] Dabei determiniert jede weitere Bestimmung (z. B. sprachbegabtes Seiendes = Mensch) auch weiter den zugrundeliegenden abstrakten Wesensbegriff, den allgemeinsten Wesensbegriff *essentia* (irgendein Wesen) z. B. zum spezifischen Wesensbegriff *humanitas*.

Dagegen erkennt der menschliche Geist mit dem apriorisch offenbaren Sein implizit stets Gott, der das für sich bestehende, d. h. subsistierende Sein ist.[202] Die implizite Gotteserkenntnis ist damit gegeben, daß vom Sein stets

[196] THOM. DE AQU., *S.c.G II,75* n.1544-1559 Pera 217-221.

[197] THOM. DE AQU., *Ver. X,8 s.c. 11* ed. Leon. 22, p. 321,178-185.

[198] THOM. DE AQU., *Ver. X,8 ad 1* ed. Leon. 22, p. 323,332-334: *Mens, antequam a phantasmatibus abstrahat, sui notitiam habitualem habet, qua possit percipere se esse.*

[199] OEING-HANHOFF, *Wesen und Formen der Abstraktion.* 1963, p. 24 not. 63.

[200] Cf. THOM. DE AQU., *Ver. I,1* ed. Leon. 22, p. 5.

[201] Cf. THOM. DE AQU., *Ver. I,1* ed. Leon. 22, p. 5.

[202] Cf. THOM. DE AQU., *In I Sent., dist. 3,4,5 sol.* Busa 14c: *Secundum quod intelligere nihil aliud dicit quam intuitum, qui nihil aliud est quam praesentia intelligibilis ad intellectum quocumque modo, sic anima semper intelligit se et Deum indeterminate et sequitur quidam amor indeterminatus.* Dieser Text bei THOMAS ist bedeutsam für einen ausführlichen Vergleich mit Heinrich, der auch Heinrichs *Primum volitum*-Doktrin einbezöge (cf. Kap. III, § 1,3 not. 96; Epilog not. 4). THOMAS spricht hier deutlich aus, daß der na-

erkannt ist, daß es unmöglich nicht sein kann oder sein Nichtsein absolut ausgeschlossen ist. Damit entspräche man dem, was im ontologisch formulierten Widerspruchsprinzip als „Wesen" des Seins erkannt ist. Aber das allgemeine Sein (*esse commune*)[203] der Dinge ist lediglich unselbständiges Prinzip, also unvollkommen ist und schließt deshalb nicht irgendein Nichtsein aus. Es zeigt sich damit als Teilhabe und Gleichnis des subsistierenden Seins.[204] Das subsistierende Sein wiederum manifestiert sich im allgemeinen Sein. In diesem wird das subsistierende Sein implizit erkannt, insofern man am subsistierenden Sein das Wesen des Seins erkennt, nämlich den Ausschluß jeglichen Nichtseins.

Die thomanische Lehre impliziter Gotteserkenntnis folgt der metaphysischen Methode der *resolutio naturalis,*[205] mit der ein zusammengesetztes Seiendes in seine Prinzipien aufgelöst wird. Originär thomanisch ist die Anwendung dieser Methode auf ein jegliches Seiendes, das in Materie, Form und Sein geschieden wird. In der reflexiven Analyse einer Erkenntnis individueller Substanzen angewendet, kann die reflexive Erkenntnisanalyse mit der Struktur der welthaften Erfahrungserkenntnis zugleich die metaphysische Konstitution der erkannten Dinge erschließen, insbesondere Gott als subsistierendes Sein, an dem alles Seiende partizipiert. was ist, teilhat. Das Hauptresultat der von THOMAS VON AQUIN durchgeführten erkenntnismetaphysischen Analyse, das auch zum Zentralsatz der thomanischen Anthropologie wird, besteht zweifellos darin, das Wesen des menschlichen Geistes in seiner notwendigen Bezogenheit auf Gott offengelegt zu haben.

turhaften Erkenntnis Gottes eine ebenso naturhafte, stets gegebene, aber noch nicht elektiv-bewußt vollzogene Liebe zu Gott folge; cf. auch THOM. AQU., *S. theol. I, q. 60, a. 5* und die viel bekanntere Stelle *Ver. XXII,2.*

[203] Cf. L. OEING-HANHOFF: *Esse commune/subsistens.* In: HWPh II (1974), col. 749-751.

[204] THOM. DE AQU., *In div. nom. V,2* n.660 Pera 245: *Omnia alia existentia participant eo, quod est esse, non autem Deus, sed magis ipsum esse creatum est quaedam participatio Dei et similitudo ipsius.*

[205] Cf. OEING-HANHOFF, *Methoden der Metaphysik.* 1963; ID., *Analyse/Synthese.* 1971. Die von OEING-HANHOFF vorgetragene Deutung der *via resolutionis* innerhalb der thomanischen Methodenlehre wurde in Einzelaspekten kritisiert von AERTSEN: *Method and Metaphysics.* 1989; metakritische Bemerkungen zu AERTSENS Ausführungen findet man bei KOBUSCH, *Gottesbegriff und Freiheit.* 1993, p. 112sq.; eine mittlere Position behauptet SWEENEY, *Three Notions of 'Resolutio'.* 1994.

b) Heinrichs Neuversuch als kritische Reformulierung der augustinischen Tradition

Heinrichs Behandlung der Frage, ob der Mensch aus den Geschöpfen zuerst die Wesenheit Gottes erkenne,[206] gibt sich von Beginn an als Disput mit der aristotelisch-thomanischen Sachposition. Beide von Heinrich angeführten Einwände führen zentrale Elemente der thomanischen Erkenntnistheorie ins Feld.

Der erste Einwand bringt vor, daß bei jedem Erkenntnisakt, der durch ein Medium geschieht, das Medium früher erkannt werden muß als das Letzte.[207] Bei der Erkenntnis der Wesenheit Gottes aus den Geschöpfen sind aber die Geschöpfe als Medium gebraucht. Folglich ist Gott nicht das Ersterkannte in den Geschöpfen.

Der zweite Einwand zeichnet den Prozeß schöpfungsvermittelter Erkenntnis der Wesenheit Gottes in thomistischer Sicht nach, und dies mit sichtlicher Betonung seiner sensualen Elemente:[208] Es wird aus einem Phantasma sensualer Abkunft eine Erkenntnis herausgehoben, aus der man eine *species sensibilis* schöpft. Aus ihr erkennt der menschliche Intellekt die Wesenheiten der Dinge, aber so, daß mittels einer *species sensibilis* zuerst die materielle Form erkannt wird, weil die *species sensibilis* nur für eine materielle Form Erkenntnisgrund sein kann. Erkennt also der menschliche Intellekt aus den Kreaturen die Wesenheit Gottes, die aber rein immateriell ist, kann der Intellekt sie keinesfalls zuerst, sondern nur in einer zweiten Hinsicht, d. h. reflexiv erkennen.

Heinrich setzt einen recht ausführlichen Gegeneinwand entgegen, in dem er das ganze Gewicht der augustinischen Theologie geltend macht.[209] Das

[206] Zur Textinterpretation von HENR. DE GAND., *Summa 24,7* Badius 143vE-144vK cf. PAULUS, *Argument ontologique.* 1935, pp. 275. 281. 283-289. 291. 295sq. 315sq.; ID., *Essai.* 1938, pp. 10. 56. 59. 62. 84. 93; BARTH, *De tribus viis.* 1943, pp. 99-104; NYS, *Werking.* 1949, p. 103 (ad 144vK); GÓMEZ CAFFARENA, *Ser participado.* 1958, pp. 42. 201. 203-205; ID., *Inquietud humana.* 1960, p. 633; PREZIOSO, *Ontologismo.* 1961, p. 86; PEGIS, *Towards, II.* 1969, pp. 105-112; BÉRUBÉ, *Interprètes.* 1974, p. 157sq.; DUMONT, *Source.* 1982, p. 43 not. 40sq.; p. 44 not. 44sq.; p. 105 not. 42; pp. 172-195 passim; p. 284 not. 7; p. 285 not. 12; p. 297 not. 2sq.; p. 299 not. 13; p. 301 not. 25; DECORTE, *Avicenniserend augustinisme.* 1983, I, pp. 88sq. 98; MARRONE, *Augustinian Epistemology.* 1983, p. 285; SCHÖNBERGER, *Transformation.* 1986, pp. 112 (ad 144vK). 116sq. (ad 144vH-K). 310 (ibid.); MARRONE, *Knowledge of Being.* 1988, pp. 30-34; PORRO, *Enrico di Gand.* 1990, pp. 47. 121-124.

[207] Cf. HENR. DE GAND., *Summa 24,7* Badius 143vE: *Primo sic. In omni cognitione per medium prius oportet cognosci medium quam postremum, quia omnis cognitio est ex priori et notiori. Quid est Deus ex creaturis cognoscitur ut per medium. Ergo et cetera.*

[208] Cf. HENR. DE GAND., *Summa 24,7* Badius 143vE: *Secundo sic. Quid est Deus non cognoscitur ex creaturis nisi notitia eliquata ex phantasmate et sensu, quo primo haurimus species sensibiles, a quibus abstrahuntur species intelligibiles, quibus intellectus noster cognoscit rerum quidditates, sed per speciem talem non cognoscitur primo nisi forma materialis, quia ipsa non est per se ratio nisi formae materialis. Si ergo ex creaturis cognoscit quid est Deus, cum quiditas eius non sit nisi forma immaterialis, omnino non potest illam cognoscere primo, sed secundario.*

[209] Cf. HENR. DE GAND., *Summa 24,7* Badius 143vE: *In contrarium est, quoniam illud est primo cognitum, quo cetera habent iudicari, si debeant ab intellectu cognosci, quod patet in*

Ersterkannte wird von Heinrich eingangs definiert als das, wodurch die anderen Dinge beurteilt werden, falls sie vom menschlichen Intellekt erkannt werden sollen. Der prinzipienhaft-regulative Charakter des Ersterkannten ist damit unterstrichen. Dies entspricht dem Verhältnis von Prinzip und Prinzipierten. Demnach begründet, leitet, sichert und vollendet das Ersterkannte alle Erkenntnis. Die Wesenheit Gottes ist genau von solcher Art. Kein Intellekt kann über etwas Gutes, Gerechtes oder andere Würdebestimmungen urteilen, die Gott und Kreatur gemeinsam zukommen, außer durch eine Erkenntnis des Guten oder Gerechten schlechthin, das als solches durch sich selbst, nicht durch ein drittes erkannt wird. Ein Gut oder Gerechtes dieser Art ist allein Gott. Diese Identifikation habe AUGUSTINUS in vielen seiner Schriften ausgesprochen.

Zu Beginn seiner Antwort führt Heinrich die bei seinen theologischen Zeitgenossen geläufige Unterscheidung von einer naturalen und einer rationalem Gotteserkenntnis aus dem geschaffenen Dingen ein. Die naturale Gotteserkenntnis ist nach Heinrichs knappen Ausführungen formal eine Erkenntnis Gottes, der sofort, d. h. nicht-diskursiv,[210] und naturhaft, d. h. nezessitär[211] mit den ersten Intention des Seienden erfaßt ist. Die rationale Gotteserkenntnis besteht dagegen in einem achtsamen Erkennen, das der Methode syllogistischer Deduktion folgt. Die Analyse dieser beiden Erkenntnisweisen im Hinblick auf ihren Ursprung, ihre Methode und ihre inhaltliche Geltungsweite soll nun begründen, daß Gott als Ersterkanntes in der Schöpfung angesehen werden darf.

Heinrich zieht die Untersuchung der rationalen Erkenntnis Gottes aus den Geschöpfen voran, weil er für das rational-diskursive Erkennen eindeutig verneint, daß in ihm Gott das Ersterkannte ist.[212] Gott ist vielmehr dabei das

principio et principiato. Quid est Deus, est huiusmodi. Non enim potest iudicare intellectus de aliquo, quod sit bonum aut iustum, et de ceteris conditionibus nobilitatis, quae communiter conveniunt Deo et creaturae, nisi cognoscendo quia bonum simpliciter et iustum, quod per se et non per aliud cognoscitur esse tale, ut vult Augustinus IV De trinitate, De vera religione, De soliloquio et ubicumque loquitur de hac materia. Tale autem bonum et iustum non est nisi bonum et iustum, quod est ipse Deus, ut vult ibidem. Ergo et cetera.

[210] Cf. HENR. DE GAND., *Qdl. V,14* Badius 177rR: *Discursu dico, quo cognoscitur hoc post hoc, non hoc ex hoc, qualis est in nobis.*

[211] Cf. HENR. DE GAND., *Summa 24,7* Badius 144rH: *Nihil enim talium cognoscitur in creatura aut intelligitur ut tale nisi prius cognoscendo et intelligendo ipsum sub intentione entis et unius et ceterarum primarum intentionum, ut quod sit ens aut unum, quae necessario prima impressione saltem prioritate naturae concipiuntur de quolibet, antequam concipiatur aliquid eorum, quia album aut quia homo. Concipiendo autem ens, necessario concipitur primum et simpliciter ens, ut dictum est. Sicut enim concipiendo hoc bonum necessario concipitur bonum simpliciter, et in illo bonum quod Dei est vel ipse Deus est, ut dictum est per Augustinum supra, sic concipiendo hoc quod est homo vel album, concipio ens simpliciter et in illo primum ens quod Deus est.*

[212] Cf. HENR. DE GAND., *Summa 24,7* Badius 143rF: *Dicendum ad hoc, quod cognitio Dei ex creaturis duplex est, quaedam naturalis, quaedam rationalis. Prima est cognitio Dei cum primis intentionibus entis concepta statim et naturaliter. Secunda est cognitio via ratiocinativae*

Letzterkannte, weil zuerst die Washeit der Kreatur erkannt wird, durch die die Washeit Gottes vermittelt erkannt wird. Heinrich schreibt ein derartig vermitteltes Erkennen dann den drei höheren Formen des quidditativen Wissens zu, die er in *Summa 24,6* aufgeschlüsselt hatte. Betroffen sind der dritte Grad des Erkennens *generalissime*, das Erkennen *generalius* und das Erkennen *generaliter*. Beim erstgenannten Erkennen geschieht die Gotteserkenntnis aus den Geschöpfen auf dem methodischen Wege der Eminenz und Negation, indem man erst von 'diesem' singulären Gut, dann auch vom schlechthin allgemeinen Gut, das von der Kreatur partizipiert wird, das partizipationslose subsistierende Gute schlechthin abstrahiert. Dafür muß man aber zuerst das singuläre Gut erkennen, dem die erste Abstraktionsstufe folgt, auf der vom allgemeinen Gut abstrahiert wird. Dann erkennt man das allgemeine partizipierte Gut, von dem dann in einem dritten Schritt durch eine Abstraktion, die durch Eminenz und Negation erfolgt, das abgetrennte partizipationslose Gut gewonnen wird. Auf all den genannten Stufen wird Gott als das partizipationslose subsistierende Sein und einfache Entität unleugbar durch Vermittlung eines zuvor erkannten kreatürlichen Gutes erkannt. Hier verbietet sich nach Heinrich der Gedanke an eine Ersterkenntnis Gottes auch schon dadurch, daß dem erfolgreichen Vorankommen in den Abstraktionsstufen ein immer klareres Wissen um die Bestimmungen kreatürlichen Seins einhergehen muß.

Die Ersterkenntnis Gottes aus den Geschöpfen kann folglich nur als eine Form naturhaften Erkennens zustandekommen. Das naturale Erkennen der göttlichen Wesenheit aus den Geschöpfen vollzieht nach Heinrichs Lehre auf der ersten und zweiten Stufe des Erkennens *generalissime*.[213] Die Wesenheit

deductionis animadversa. Loquendo de cognitione ista secundo modo, quid est Deus non est primum quod homo cognoscit ex creaturis, sed ultimum potius. Immo prius cognoscitur quid est ipsius creaturae, et per illud quid est Deus, via eminentiae et remotionis. Abstrahendo enim ab hoc bono singulari et etiam a bono simpliciter universali et participato a creatura, ipsum bonum simpliciter quod non est bonum participatum, sed subsistens bonum, prius oportet intelligere bonum singulare, a quo primo fit abstractio boni universalis, et deinde etiam ipsum bonum universale participatum, a quo ulterius bonum separatum non participatum per eminentiam et remotionem abstrahitur quam illud, quod ab illo abstrahitur. Et sic prius oportet intelligere (ut dictum est) bonum creaturae, quam bonum creatoris intelligatur ut subsistens bonum et simpliciter, qui est tertius gradus intelligendi Deum in modo generalissimo intelligendi quid est, supra determinato. Quare et multo magis oportet intelligere dicto modo bonum creaturae prius quam bonum creatoris ut sub ampliori eminentia et abstractione, scilicet intelligendo ipsum ut optimum et summum bonum, quod pertinet ad modum intelligendi quid est Deus modo generaliori, et adhuc multo magis prius, quam intelligatur ut tale, ut optimum, quod non est aliud quam id ipsum bonum, immo pura bonitas quae est ipsa simplex entitas. Quod pertinet ad modum intelligendi quid est Deus in generali et simpliciter.

[213] Cf. HENR. DE GAND., *Summa 24,7* Badius 144rG: *Loquendo autem de primo modo supra dicto intelligendi Deum quid est, scilicet naturaliter in primis intentionibus entis (quae sunt ens, verum, unum, bonum) naturaliter intellectis, quod pertinet ad modum intelligendi Deum quid sit modo generalissimo in primo et secundo gradu eius, dicendum, quod quid est Deus, est primum comprehensibile per intellectum, cuius ratio est, quod huiusmodi est natura nostrae co-*

Gottes wird naturhaft in den ersten Intentionen des Seienden erkannt, zu denen Seiendes, Wahres, Eines, Gutes und weitere Transzendentalien zählen. Die Wesenheit Gottes faßt Heinrich hier als das erste durch den Intellekt Erfaßbare (*primum comprehensibile per intellectum*)[214] auf, insofern er den Beginn der Intellekterkenntnis mit dem Beginn der Sinneserkenntnis in Parallele setzt. Die letztere beginnt gemäß ihrer Natur immer bei einem Unbestimmten (*indeterminatum*). Das Sinnesvermögen erfaßt ebenso gemäß seiner Natur immer das Sinnenhafte früher in einem indeterminierten als in einem determinierten Sein. Für das determinierte und indeterminierte Erkennen ist sogar eine Simultaneität denkbar, die Heinrich mit einem an THOMAS erinnernden Beispiel erläutert.[215] Das Sinnesvermögen erkennt nämlich bei jemandem, der aus der Ferne kommt, eher, daß es ein Körper als daß es ein Lebewesen ist, und erkennt eher, daß es ein Lebewesen als daß es Mensch ist, und eher, daß es ein Mensch als das Individuum Sokrates ist. Der Vergleich mit der Erkenntnissphäre ist schnell gezogen. Es muß aber nach Heinrich das Spezifikum intellektualen Erkennens beachtet werden, daß diese vorgängige Erkenntnis des je Allgemeineren als seiner Natur nach ‘früher’, aber nicht als temporär ‘früher’[216] aufgefaßt werden darf. Dementsprechend erkennt der menschliche Intellekt von allem ‘früher’, daß es ein Seiendes ist, als daß es dieses Seiende ist, und erkennt ‘früher’, daß es ein Gut ist, als daß es dieses Gut ist. Der Intellekt erkennt auch eher, daß es eine Seiendes ist, als daß es eine Substanz ist. Dies gilt nach Heinrich für alle Stufen des Erkennens, insofern das höhergradig konfuse Allgemeine früher erkannt wird als das Partikuläre und

gnitionis a sensu acceptae, quod semper ab indeterminato incipiat, sicut et ipse sensus per naturam semper sensibilia sub esse indeterminato prius concipit quam sub esse determinato. Licet quandoque simul duratione concipiat indeterminatum simul cum determinato, quod patet quando distinguuntur cognitio determinata et indeterminata. Sicut enim sensus de veniente a longo prius cognoscit, quod sit corpus quam quod sit animal, et prius quod sit animal quam quod sit homo, et prius quod sit homo quam quod sit Sortes, sic et intellectus semper intelligit de quocumque prius natura, etsi non semper prius tempore, quod sit ens, quam quod sit hoc ens, et quod bonum quam quod hoc bonum, et quod ens quam quod sit substantia, et sic de ceteris gradibus intelligendi, semper prius intelligendo universalia confusa magis particularibus et determinatis, et sic universaliter quanto intelligibile magis est indeterminatum, tanto naturaliter prius ipsum intellectus noster intelligit.

[214] Heinrich scheint mit dem gewählten Begriff des Erfaßbaren (nicht: des Erfaßten!) anzudeuten, daß auch in naturhaften Erkennen keine sture Faktizität der Ersterkenntnis Gottes in den Geschöpfe gegeben ist. – Die Unterscheidung zwischen einem *apprehensum* und einem *apprehensibile* bei MATTHAEUS AB AQUASPARTA scheint hier Heinrichs Gedanken fortzuführen; cf. Kap. IV, § 1,b.i.

[215] Cf. THOM. DE AQU., *S. theol. I, q. 2, a. 1, ad 1* ed. Paul. 12.

[216] Cf. HENR. DE GAND., *Summa 24,7* Badius 144rH: *nisi naturaliter prius, licet quandoque simul duratione cognito eo, quod est simpliciter et indeterminatum verum, bonum, pulchrum, ens, unum et huiusmodi. ... nisi prius cognoscendo et intelligendo ipsum sub intentione entis et unius et ceterarum primarum intentionum, ut quod sit ens aut unum, quae necessario prima impressione saltem prioritate naturae concipiuntur de quolibet, antequam concipiatur aliquid eorum.*

Determinierte. Was für kein Teilmoment des rationalen Erkennen zutrifft, gilt allerdings für das naturale Erkennen überhaupt: Je indeterminierter das Intelligible ist, desto früher erkennt es naturhaft der menschlich Intellekt.

Nachdem so die Naturhaftigkeit, d. h. die ontologische Priorität dieses Erkennens begründet worden ist, wendet sich Heinrich dem Merkmal der Indetermination zu.[217] Er führt die Unterscheidung einer privativen und einer negativen Indetermination ein. Unter einer privativen Indetermination versteht Heinrich eine Indetermination, durch die ein Gut als Allgemeines, als eines in vielen und von vielen Dingen, als das Gut dieses oder jenes Dinges verstanden wird, ohne dabei als 'dieses Gut' oder 'jenes Gut' aufgrund eines Partiziptionsverhältnisses determiniert zu sein. Die negative Indetermination meint dagegen jene Indetermination, die ein schlechthin Gutes als subsistierendes Gut erkennt. Es handelt sich um ein partizipationsloses, determinationsunfähiges Gut, dessen negative Indetermination ontologisch über der privativen Indetermination steht. Für das naturhafte intellektuale Erkennen des Menschen erschließt sich nach Heinrichs Auffassung eine theologisch hoch bedeutsame Grundstruktur: Das naturhaft 'frühere' Erfassen des Indeterminierten vor dem Determinierten bleibt davon unberührt, ob dieses Determinierte sich distinkt oder indistinkt zu einem Determinierten verhält. Wenn daher der menschliche Intellekt irgendein Gut oder etwas anderes, das von Gott aus den Kreaturen erkannt werden kann, in sich selbst erkennt, und zwar naturhaft, dann geschieht es, daß dieser Intellekt ein negativ indeterminiertes Gut 'früher' miterkennt (*cointelligit*).

Die Theologisierung der Ersterkenntnis des Intellekts erhält bei Heinrich eine Bestärkung, indem sie an die theozentrische Ordnung allen Seins und Erkennens rückgebunden wird.[218] Gott ist Ursprung (*principium*) und Ziel (*finis*) des menschlichen Erkennens. Er ist Ursprung alles Erkennens, inso-

[217] Cf. HENR. DE GAND., *Summa 24,7* Badius 144rH: *Nunc autem indeterminatio duplex est. Quaedam privative dicta. Quaedam negative dicta. Cum enim dicitur hoc bonum aut illud bonum, intelligitur ut summe determinatum et per materiam et per suppositum. Indeterminatio privativa est illa qua intelligitur bonum ut universale, unum in multis et de multis, ut huius et illius bonum, licet non ut hoc vel illud bonum, quod natum est determinari per hoc et illud bonum, quia est participatum bonum. Indeterminatio vero negativa est illa quae intelligitur bonum simpliciter ut subsistens bonum, non ut hoc vel illud neque huius vel illius, quia est non participatum bonum non natum determinari, et est indeterminatio huius boni maior quam illius. Ergo cum semper intellectus noster naturaliter prius concipit indeterminatum quam determinatum, sive distinctum a determinato sive indistinctum ab eodem, intellectus noster intelligendo bonum quodcumque in ipso naturaliter, prius cointelligit bonum negatione indeterminatum, et hoc est bonum quod Deus est. Et sicut de bono, ita de omnibus aliis de Deo intellectis ex creaturis.*

[218] Cf. HENR. DE GAND., *Summa 24,7* Badius 144rH: *ut scilicet in ipso Deo sit principium et finis nostrae cognitionis, principium quoad eius cognitionem generalissimam, finis quoad eius nudam visionem particularem, ut sic sit principium et finis omnium rerum in esse cognitivo, sicut est principium et finis earum in esse naturae, et sicut nihil aliud potest perfecte cognosci nisi ipso prius perfecte cognito, sic nec aliquid potest cognosci quantumcumque imperfecte nisi ipso prius saltem in generalissimo modo cognito.*

fern es auch eine uranfängliche, naturhaft 'frühere' allgemeinste Erkenntnis von ihm gibt. Er ist Ziel alles Erkennens, insofern es eine unverstellte Schau Gottes geben wird, in der seine Besonderheit offenbar wird. Als Ursprung und Ziel aller Dinge im Bereich des Erkennens (*in esse cognitivo*) ist Gott zugleich Ursprung und Ziel im Bereich der Natur (*in esse naturae*). Den für das rational-diskursive Erkennen geltende Satz: 'Nichts kann vollkommen gewußt werden, wenn nicht zuvor Gott vollkommen gewußt wird', formuliert Heinrich gemäß diesem ontisch-epistemologischen Vorrang Gottes und im Hinblick auf das naturale Erkennen um zur These: 'Nichts kann noch so unvollkommen erkannt werden, wenn nicht ‹früher› zumindest auf einer alleral l-gemeinsten Weise auch Gott erkannt ist.'

Die Gottesidee Heinrichs ist die Seele seiner *Primum cognitum*-Theorie. Alles intellektuale Erkennen streckt sich verlangend[219] danach aus, Vollkommenheiten an den Dingen zu fassen, die Abglanz der göttlichen Vollkommenheit selbst sind. Die erkenntnisfüllenden ersten Intentionen, sofern sie als negative Indetermination erkannt werden, sind in Wahrheit Gottesattribute. Die negative Indetermination ist desweiteren ein Modus der Unbestimmtheit, der dem in allerallgemeinster Weise erkennenden Intellekt die wesenhafte Unendlichkeit und unendliche Wesenheit Gottes ahnen läßt. Die Naturhaftigkeit dieses allerallgemeinsten Erkennens hält im menschlichen Intellekt unablässig und unverlierbar die Kräfte lebendig, durch die zwar der menschliche Intellekt erst durch eigenes Bemühen[220] auf höherer Abstraktionsstufe zu präziserem Wissen über das kreatürliche und göttliche Sein gelangt, durch die aber letztlich - durch diese Naturhaftigkeit vermittelt - Gott selber als Schöpfer der Natur den Menschen zu sich, d. h. zur unverstellten Schau seiner Wesenheit heranzieht.

Diese potenziert theologisierte Sicht der naturalen Ersterkenntnis Gottes aus den Geschöpfen verteidigt Heinrich gegenüber den thomistischen Einwürfen, die in den beiden Objektionen der Quästion laut geworden sind. Der erste Einwurf hatte darauf hingewiesen, daß bei einem Erkennen aus einem

[219] Enge thematische Zusammenhänge bestehen zu der in HENR. DE GAND., *Summa 4-5* Badius 30vZ-42rD entwickelten Lehre vom natürlichen Wissensverlangen des Menschen, in der der Anfangssatz der aristotelischen 'Metaphysik' im Kontext christlicher Gotteslehre und Anthropologie eine eschatologische Ausweitung erfährt. Die Sehnsucht, Gott voll zu erkennen, ist nicht negierbar, aber auch deren Erfüllung vom Menschen allein nicht realisierbar, weil und insofern schon uranfänglich in Gottes freier Selbstoffenbarung begründet.

[220] Durch dieses vom Menschen selbst beizutragende Moment des reflexiven Erkennens, das seiner Zielbestimmung nach in der eschatologischen Schau in und durch Gott vollendet werden soll, ist dem möglichen Vorwurf entgegengetreten, die Naturhaftigkeit der Ersterkenntnis sei eine Form der Entmündigung des Menschen durch die Gnade der Schöpfung. Cf. HENR. DE GAND., *Summa 1,5* Badius 15rB: *Cognitio principiorum naturaliter acquiritur, quia nec studio nec deliberatione, et quoad hoc dicitur cognitio eorum naturalis. Cognitio vero conclusionum voluntario studio et mentis indagatione acquiritur, et ideo nullo modo dicitur naturalis.*

anderen dieses dritte als Medium zuerst erkannt werde, was in problematisierten Fall die Kreatur wäre. Heinrich versucht diesem Einwand durch die Unterscheidung eines formal und eines material vermittelten Erkennens genüge zu tun.[221] Ein formal vermitteltes Erkennen liegt dann vor, wenn das, aus dem ein drittes erkannt wird, mittels seines Begriffs formaler Erkenntnisgrund für das dritte ist. Im apodiktischen Wissen werden dementsprechend die Konklusionen aus den Prinzipien erkannt, wie auch alles andere, das durch ein drittes erkannt wird, durch das erkannt wird, wodurch ihm mittels eines Schlußverfahrens die Kenntnis eines dritten verschafft wird. Heinrich verneint, daß durch ein allerallgemeinstes Erkennen die Wesenheit Gottes aus den Kreaturen formal erkannt werde. Aber mit Emphase behauptet Heinrich dies für die Erste Wahrheit, durch die der menschliche Intellekt jegliche Wahrheit über eine Kreatur erfaßt. Die Gutheit in den Geschöpfen wird auch nicht erkannt, ohne daß die erste Gutheit erkennt ist, die nach augustinischer Lehre dem menschlichen Geist eingeprägt ist. Das vom thomistischen Einwurf aufgestellte Kriterium wird nach Heinrichs Aussage gut beim Erkennen *generaliter* und *generalius* sowie bei der dritten Stufe des Erkennens *generalissime* befolgt.

Dagegen ist ein material vermitteltes Erkennen dann gegeben, wenn das, wodurch ein drittes erkannt wird, aufgrund seines Begriffs nicht formaler Erkenntnisgrund für das dritte ist, sondern von dem entnommen ist, wodurch das dritte erkannt werden soll.[222] Wie von einem Sinnenfälligen eine *species sensibilis* abstrahiert wird, durch die der Intellekt ein Intelligibles erkennt, so

[221] Cf. HENR. DE GAND., *Summa 24,7* Badius 144vI: *Ad primum in oppositum, quod quid est Dei cognoscitur ex creaturis, ergo creaturae prius, dicendum, quod aliquid cognosci ex alio contingit dupliciter, formaliter et materialiter. Formaliter, quando illud ex quo cognoscitur aliud, est per suam notitiam formalis ratio cognoscendi aliud. Quemadmodum in demonstrativis conclusiones cognoscuntur ex principiis et omne quod cognoscitur per aliud tamquam per illud, quo acquirit sibi per discursum notitiam alterius. Hoc modo ex creaturis non cognoscitur per intellectum quid est Deus, cognitione dico generalissima, immo magis econverso quicquid veritatis de creaturis per intellectum concipitur, formaliter concipitur ex ratione cognitionis primae veritatis, sicut non cognoscitur bonitas in creaturis nisi ex ratione primae bonitatis, cuius cognitio est naturaliter menti impressa, ut dictum est supra secundum Augustinum. Cognitione vero generali et generaliori et in tertio gradu cognitionis generalissimae bene cognoscitur isto modo cognoscendi quid est Deus, ex creaturis via deductionis, scilicet excellentia et remotione, ut prius dictum est.*

[222] Cf. HENR. DE GAND., *Summa 24,7* Badius 144vI: *Materialiter vero cognoscitur aliquid ex alio, quando illud ex quo cognoscitur aliud, non est per suam notitiam formalis ratio cognoscendi aliud, sed quia ab illo extrahitur, quo alterum cognoscatur. Quemadmodum enim a sensibili abstrahitur species intelligibilis qua cognoscit intellectus intelligibile, hoc modo quicquid de Deo cognoscimus, et de quocumque alio cognitione naturali ex creaturis cognoscimus. Species enim prima intelligibilis ex phantasmate abstrahitur, qua per intellectum concipiuntur primo primi conceptus intelligibiles, entis scilicet et unius, veri et boni et aliarum generalium intentionum ut generales sunt, non distinguendo in eis id quid creatoris ab eo quod est creaturae, sicut a substantia abstrahitur ens simpliciter commune analogum ad substantiam et accidens non discernendo sub eo id quod est substantiae, ab eo quod est accidentis. Sicut etiam in univocis abstrahitur natura communis ut natura animalis ab asino, non discernendo sub illa quod est asini, ab eo quod est equi.*

erkennt der menschliche Intellekt durch eine naturhafte Erkenntnis aus den Geschöpfen das, was er von Gott erkennt, in derselben Weise auch von allem anderen. Durch die erste *species sensibilis,* die von einem Phantasma abstrahiert wird, werden durch den Intellekt zuerst die ersten intelligiblen Begriffe erfaßt. Damit sind Seiendes, Eines, Wahres, Gutes und die anderen allgemeinen Intentionen gemeint, aber nur soweit, wie sie allgemein bleiben, d. h. solange noch nicht bei ihnen unterschieden wird zwischen dem, was dem Schöpfer und was der Kreatur zugehört. Ähnlich wird von einer Substanz ein bezüglich Substanz und Akzidens schlechthin analog Seiendes abstrahiert, ohne zwischen dem der Substanz und des Akzidens Zugehörigen zu unterscheiden. Auch im Univoken wird eine allgemeine Natur abstrahiert, wie z. B. die Tiernatur vom Esel, ohne in ihr zu unterscheiden, ob es die Natur eines Esels oder eines Pferdes ist. Wenn mittels einer Spezies von sinnenfälligen Dingen jene ersten allgemeinen Intentionen erfaßt worden sind, muß sofort ein Urteil der Vernunft über die Wahrheit des Begriffs gefällt werden, in dem das determiniert wird, was dem Geschöpf und was dem Schöpfer zukommt. Doch bevor diese auf das Partikuläre achtende Erfassung geschehen kann, was denn dieses oder jenes Gut sei, kann dies nicht früher gelingen, als daß der Wesensgrund des Guten schlechthin erfaßt ist, über den der menschliche Intellekt nicht urteilt, sondern durch den selbst er über alles andere urteilt und erkennt, mag das Gut schlechthin auch unerkannt bleiben.[223] Auch hier nimmt Heinrich die allerallgemeinste Erkenntnis aus der thomistischen Kritik heraus, weil diese Kritik in seinen Augen ein berechtigtes Kriterium reflexiven Wissens auf eine Wissensform anwendet, für die in der thomistischer Wissenstheorie offensichtlich kein angemessener Ort gefunden werden kann. Heinrich sieht seine eigene Theorie allerallgemeinsten Erkennens als Ergänzung, ja noch mehr als Überbietung der thomistischen Wissenstheorie an.

Im zweiten thomistischen Einwand wird argumentiert, daß bei einer Erkenntnisvermittlung durch eine Spezies, die von Phantasmata abstrahiert ist, als Ersterkanntes die Quiddität eines materiellen Dinges erfaßt wird.[224] Hein-

[223] Cf. HENR. DE GAND., *Summa 24,7* Badius 144vI: *Per species igitur sensibilium conceptis illis primis generalibus intentionibus statim cum iudicium debet fieri rationis de veritate concepti, determinando sub illo quod est creaturae, ab eo quod est creatoris, antequam hoc potest fieri, ut scilicet de particulari percipiat, quod sit bonum hoc, hoc non potest percipere nisi prius percipiendo rationem boni simpliciter, de qua non iudicat, sed per ipsum iudicat et cognoscit de quocumque alio quod sit bonum hoc, licet illa non discernit, sicut oculus corporis videns colorem in luce, primo videt lucem, et per illam iudicat de colore, licet non discernat de luce sicut de colore propter subtilem eius immutationem. Et sic in omnibus conceptibus, in quibus aliquid iudicatur esse verum, bonum aut huiusmodi, et universaliter in quibus aliquid percipitur ut verum, bonum, pulchrum aut huiusmodi, prima ratione concipiuntur conceptus primi entis, veri, boni, in quibus (ut dictum est) cognitione generalissima cognoscitur quid est Deus.*

[224] Cf. HENR. DE GAND., *Summa 24,7* Badius 144vK: *Ad secundum quod per speciem abstractam a phantasmatibus non intelligitur primo nisi quiditas rei materialis, dicendum, quod species intelligibilis rei, puta asini, in intellectu possibili, non solum est ratio concipiendi conceptus quiditatis illius rei determinatae, qua differt ab alia re, sed omnium conceptuum commu-*

rich gibt nun eine Replik, die sich sehr auf die Terminologie der Gegenseite einläßt und seine Absicht unterstreicht, mit seiner eigenen *Primum cognitum*-Lehre der thomistischen Theorie des Ersterkannten in erkenntniskritischer und theologischer Hinsicht voraus zu sein. Der thomistische Begriff der *species intelligibilis* wird vereinnahmt, indem ihr zwar auch zugeschrieben wird, Erkenntnisgrund für jenen quidditativen Begriff einer determinierten Sache zu sein, durch den sich die Sache von anderem unterscheidet. Damit ist nach Heinrich nur die halbe Wahrheit über den Erkenntnisbeitrag der *species intelligibilis* gesagt. Denn sie ist auch Erkenntnisgrund für alle allgemeinen Begriffe bis hin zum ersten allgemeinsten Begriff. Das ist für Heinrich nichts anderes als der Begriff des Seienden als Seienden, der sogar implizit in jedem determinierten Begriff enthalten ist. Wenn also ein allgemeiner Begriff wie Seiendes abstrahiert wird, der indifferent allgemein ist, zwingt nichts, in diesem allgemeinen Begriff zuerst etwas Kreatürliches zu erkennen, sondern vielmehr Gott. In einem allgemeinen Begriff wie das Seiendes schlechthin erkennt man nicht das der Kreatur Zugehörige, wenn man nicht das in einem dritten gründende Sein so versteht, daß das Allgemeine wie eines für viele verstanden wird. Ein solches in einem anderen gründenden Seiendes kann der menschliche Intellekt nicht erkennen, wenn nicht naturhaft früher das schlechthin abstrahierte Seiende verstanden ist. Dies ist nämlich eine Einsicht in ein Seiendes, das in reinem Sein subsistiert, also Gott.

Erlangt dieses Seiende die Aufmerksamkeit des diskursiven Intellekts, wird es distinkt erkannt.[225] Verbleibt der Intellekt jedoch bei seinem einfachen

nium usque ad primum conceptum communissimum entis ut ens est, qui etiam implicite continetur in quolibet conceptu determinato. Si ergo abstrahatur conceptus aliquis generalis ut entis, veri vel boni, qui indifferenter (ut dictum est) communis est ad id quod est creatoris et ad id quod est creaturae, patet quod in illo non oportet primo intelligi quod creaturae est, immo quod Dei est. In conceptum enim universalis puta entis simpliciter, non intelligitur quod creaturae est, nisi intelligendo ens in alio ad modum, quo universale intelligitur ut unum in multis. Non autem potest intelligi ens in alio, nisi naturaliter intelligatur prius ens absolute abstractum simpliciter ut nec hoc nec illud, nec huius nec illius, qui est intellectus entis subsistentis in puro esse, quod non est nisi Dei.

[225] Cf. HENR. DE GAND., *Summa 24,7* Badius 144vK: *Quod si advertat homo et concipiat ut in se subsistens, Deum distincte intelligit. In omnibus ergo generalibus intentionibus rerum, cum aliquam illarum intelligis simpliciter ut ens, verum, bonum, primo Deum intelligis, etsi non advertis; et quantum steteris in illo simplici intellectu, tantum stas in intellectu Dei. Si autem modo aliquo quod simpliciter conceptum est, determines, statim in intellectu creaturae cadis. Secundum quod dicit Augustinus VIII De trinitate* [cf. AUG., *De trin. VIII,2,3* CCL 50, p. 270,32-38]: *'Quoniam Deus veritas est, cum audis ‹veritas›, noli quaerere, quid veritas. St atim enim se opponent caligines imaginationum et nebula phantasmatum et perturbabunt serenitatem quae primo ictu diluxit tibi, cum dicerem veritas. Ecce, in ipso primo ictu qua velut coruscatione perstringeris, cum dicitur ‹veritas›, mane, si potes, si autem non potes, relaberis in ista solita et terrena.' Sed nec hoc impedit omnino Dei intellectum, quia in omni conceptu entis quantumcumque determinato includitur primus conceptus entis simpliciter, et in illo conceptus primi entis saltem quoad duos primos gradus intelligendi ipsum modo generalissimo, ut iam dictum est.*

präreflexiven Hinschauen, oszilliert er zwischen distinktem und indistinktem Erkennen,[226] bleibt er auch bei seiner Hinschau auf Gott. Sobald man nur einen einzigen Akt der Determination setzt, fällt man aus dieser präreflexiven, allerallgemeinsten Schau Gottes heraus und in die Schau einer Kreatur hinab. Heinrich führt zum Beleg für seine Theorie einer viatorischen Schau der Wesenheit Gottes in den Geschöpfen Aussagen AUGUSTINS in *De trin. VIII,2,3* an, die eine augenblickshafte, stoß- und blitzhafte Erkenntnis Gottes beschreiben, die aufgrund „der Wolken von Vorstellungsbildern und des Nebels der Sinnesbilder“ sofort vergeht. Doch ist das nach Heinrichs Meinung kein absolute Verhinderung einer Erkenntnis der göttlichen Wesenheit. Denn in jedem gleichwie determinierten Begriff des Seienden ist der erste Begriff des Seienden schlechthin inkludiert, der wiederum den Begriff des ersten Seienden gemäß der beiden ersten Stufen allerallgemeinsten Gotterkennens umfaßt.

3. Gott als Totalgrund allen Wissens

Die in der vorhergehenden Quästion getroffenen Bestimmungen über die Rolle der ersten Intentionen für eine Primärerkenntnis Gottes in aller Welterkenntnis erhebt Heinrich in zwei nachgestellten Quästionen zum Leitthema und präzisiert es in immer neuen Anläufen weiter. In *Summa 24,8* wird das durch die ersten Intentionen erfaßte Wissen von Gottes Wesenheit beleuchtet, insofern es auch als Erkenntnisgrund (*ratio intelligendi*) für das Wissen über alle übrigen Dinge bedeutsam ist.[227] Die Thematik ist Heinrich durch die Diskussionen in den augustinisierenden Theologengruppen des 13. Jahrhunderts vorgegeben, in denen Gültigkeit und Grenze der augustinischen Illuminationslehre für das Zustandekommen natürlicher Gotteserkenntnis verhandelt wurden. Heinrich möchte augustinisches Erbe mit der avicennischen Theorie eingeprägter Primärbegriffe verbinden.

In den beiden Objektionen bringt Heinrich zwei unterschiedliche Definitionen des Erkenntnisgrundes zu Wort, die sich nicht mit einer Ersterkenntnis Gottes vertragen und zudem fundamentale intellektuale bzw. moralische Akte ohne eine Ersterkenntnis Gottes zustandekommen lassen. Erkenntnisgrund meint nach der ersten, formal gehaltenen Definition einen Grund, der

[226] Cf. PORRO, *Enrico di Gand.* 1990, p. 124.

[227] Zur Textinterpretation von HENR. DE GAND., *Summa 24,8* Badius 145rL-146rS cf. PAULUS, *Argument ontologique.* 1935, pp. 281. 289-292; BARTH, *De tribus viis.* 1943, p. 101; GÓMEZ CAFFARENA, *Ser participado.* 1958, pp. 29. 44. 205-207. 209-233; ROVIRA BELLOSO, *Visión de Dios.* 1960, p. 49; PREZIOSO, *Ontologismo.* 1961, pp. 64. 85. 86sq. 100; BEHA, *Theory of Cognition.* 1960/61, p. 57; WIELOCKX, *L'amour.* 1971, p. 243; BÉRUBÉ, *Interprètes.* 1974, p. 159sq.; MARRONE, *Augustinian Epistemology.* 1983, p. 282; ID., *Truth.* 1985, pp. 25. 41. 56. 62; ID., *Knowledge of Being.* 1988, p. 24sq.; PORRO, *Enrico di Gand.* 1990, p. 123; WIELOCKX, *Aeg. Rom., Apol.* 1985, p. 158 (ad 145rN).

den Verstandesblick zu einem Erkenntnisakt bestimmt.[228] Dies sei auf jeden Fall nach AUGUSTINUS das vom menschlichen Geist hervorgebrachte und geformte Wort (*verbum*) bzw. ein universales Erkenntnisbild (*species universalis*), das von geschaffenen Dingen erfaßt worden ist. Gemäß der zweiten inhaltsbestimmten Definition ist dasjenige Erkenntnisgrund, wodurch jemand sein Gewissen bildet und versteht, was gut und böse ist.[229] Damit sei aber nach der *Glosa ordinaria* zu *Röm 2,14* das Naturgesetz gemeint, das nicht in einer Gotteserkenntnis besteht, sondern eher in der Kenntnis der Dinge, über die der Mensch mit diesem Gesetz zu urteilen habe.

Der Gegeneinwand argumentiert mit den für Heinrichs erkenntnistheoretische Optionen vielsagenden Autoritäten HUGO VON ST. VIKTOR, BOETHIUS und AUGUSTINUS, daß eine sichere Erkenntnis nur diejenige sei, die ein Ding in seinem Wahrheitsgrund in Gott und nicht in einem kreatürlichen Abbild erkenne.[230]

Seiner Antwort auf diese Positionen schickt Heinrich eine lange Vorklärung voraus, die einerseits den Inhalt der Gotteserkenntnis und andererseits den Erkenntnisgrund des Erkannten erörtert.[231] Ausdrücklich verweist er da-

[228] Cf. HENR. DE GAND., *Summa 24,8* Badius 145rL: *Primo sic. Illud quod est ratio informandi aciem intelligentiae ad actum intelligendi, est ratio cognoscendi. Quia secundum quod Augustinus XV De trinitate, cap 10* [cf. AUG., *De trin. XV,10,19* CCL 50A, p. 486,76-77]*: 'Formata cognitio ab ea re quam scimus, verbum est', in quo scilicet consistit intellectualis cognitio. Ratio informandi aciem intelligentiae ad actum intelligendi creaturas est species universalis ab ipsis recepta. Secundum Augustinum XI De trinitate, cap. 3* [cf. rectius AUG., *De trin. XI,2,6* CCL 50, pp. 339,161-340,165]*: 'Detracta specie corporis quae corporaliter sentitur, remanet in memoria similitudo eius, qua rursus voluntas convertit aciem mentis, ut inde formetur intrinsecus, sicut ex corpore obiecto sensibili extrinsecus formabatur.' Ergo et cetera.*

[229] Cf. HENR. DE GAND., *Summa 24,8* Badius 145rL: *Secundo sic. Illud quo quis sibi conscius est et intelligit, quid bonum et quid malum, est ratio cognoscendi illud. Hoc est lex naturalis, ut dicit Glosa* [sc. *ordinaria*] *super illud Rom. II* [v.14]*: 'Cum gentes quae legem non habent'. Lex autem naturalis non est aliqua Dei cognitio, sed magis ipsarum rerum de quibus homo iudicat per illam legem. Ergo et cetera.*

[230] Cf. HENR. DE GAND., *Summa 24,8* Badius 145rL: *In contrarium est, quoniam illa sola cognitio certa est, qua res cognoscitur in ratione suae veritatis, non in ratione suae imaginis. Ut enim dicit Hugo super 10 cap. Angelicae hierarchiae* [cf. HUGO A S. VICTORE, *Comm. in hier. coel. II, cap. 1* PL 175, col. 955A]*: 'Si imago videtur, veritas non videtur. Imago enim veritas non est.' Sed quicquid per intellectum accipitur a creaturis cognoscendis, solum est imago creaturae, ut species universalis intelligibilis abstracta ab ipsa. Secundum quod dicit Boethius super Commen. Porphyr.* [cf. BOETH., *In Isag.* CSEL 48 (locum non inveni)]*: 'Universale est essentialis similitudo suppositorum.' Illud autem solum creaturarum veritas est, quod intellectus concipit per cognitionem in Deo. Dicit enim Augustinus II De libero arbitrio* [cf. AUG., *De lib. arb. II,12,33* CCL 29, pp. 259,1-260,6]*: 'Praesto esse incommutabilem veritatem omnia quae vera sunt continentem omnibus communiter vera cernentibus.' Ergo et cetera.*

[231] Cf. HENR. DE GAND., *Summa 24,8* Badius 145rM: *Hic distinguendum est primo ex parte cogniti de Deo, secundo ex parte rationis cognoscendi in Deo. Quantum ad primum sciendum secundum quod habitum est supra articulo I° in quaestione secunda* [cf. *Summa 1,2* Badius 4vC], *quod alia est cognitio qua apprehenditur de re id quod est verum in ea, et alia qua apprehenditur veritas eius, et quod perfecta notitia rei non consistit solum in cognoscendo id quod*

bei auf seine schon in *Summa 1,2*[232] erfolgten, umfänglichen Ausführungen zur Illuminationslehre und Wahrheitstheorie. Sie werden nun in zentralen Punkten zur Erklärung seiner *Primum cognitum*-Theorie herangezogen.

Wichtigster Punkt ist die originär henrizianische Unterscheidung vom Erkennen eines 'Wahren' (*verum*) und der Erkenntnis einer 'Wahrheit' (*veritas*). Die vollkommene Erkenntnis einer Sache besteht nicht nur in dem Erkennen dessen, was wahr ist in einem Ding, sondern in einem Wissen, das neben diesem Wahren einer Sache auch deren Wahrheit erkennt. Heinrich unterscheidet mit großer Sorgfalt das Wissen der Wahrheit über Dinge vom reinen Wissen der Dinge, die wahr sind. Sensitives sowie intellektives Erkennen, das etwas erfaßt, insofern es in der äußeren Welt angetroffen wird, erfaßt, was in ihm wahr ist (z. B. daß es ein wahrer Stein, ein wahres Holz, ein wahrer Mensch sei), aber es erfaßt nicht dessen Wahrheit. Wenn der Intellekt ein Ding in einfacher Weise weiß (*simpli intelligentia id, quod res est*), erreicht er doch nicht dessen Wahrheit. Die Wahrheit eines Dinges besteht in der Korrespondenz zu seinem Exemplar und kann nur bei einem Vergleich, den der Intellekt selber zieht, gegeben sein. Deswegen wird die Wahrheit einer Sache vom Intellekt in einer *cognitio secunda* erlangt[233], und zwar *componendo et dividendo*[234].

verum est in re, sed cum hoc in sciendo veritatem eius. Unde primus intellectus de re quo intelligitur id quod est in intellectu vero, omnium potest esse aut plurium indifferenter, quia sequitur imaginem veram et sensum verum de re, quam multi ascendere non possunt. Intellectus vero secundus sapientium solum, quia sequitur iudicium de concepto ex imaginatione et sensu transcendens imaginationem et sensum.

[232] Zur Textinterpretation von HENR. DE GAND., *Summa 1,2* Badius 3vA-8vT cf. DE WULF, *Hist. philos. scol. Pays-Bas.* 1893, pp. 165-169. 175. 177sq. 180-185. 195; HAGEMANN, *De ... Ontologismo.* 1898/99, fasc. I, p. 7; fasc. II, pp. 10. 12; BRAUN, *Erkenntnislehre.* 1916, pp. 42-46. 54. 57sq. 69-72. 83. 85-87. 89. 96. 101; DWYER, *Wissenschaftslehre.* 1933, pp. 34-37. 44-47. 53. 56; PAULUS, *Argument ontologique.* 1935, pp. 270sq. 274sq.; ID., *Essai.* 1938, pp. 4. 8. 10. 238-241. 246; BARTH, *De tribus viis.* 1943, p. 101 (ad 7vM); NYS, *Werking.* 1949, pp. 121-135; BETTONI, *Processo astrattivo.* 1954, pp. 12sq. 20-29. 31sq. 59; GÓMEZ CAFFARENA, *Ser participado.* 1958, pp. 16-20. 44. 117sq. 243; ROVIRA BELLOSO, *Visión de Dios.* 1960, pp. 23. 49. 152. 157. 165. 207. 212. 227. 230; PREZIOSO, *Ontologismo.* 1961, pp. 62-68. 77-89. 95-107; BEHA, *Matthew of Aquasparta.* 1960, pp. 53-60. 450;. 20. 393; MACKEN, *Illumination divine.* 1972, p. 104sq.; BÉRUBÉ, *Interprètes.* 1974, pp. 146-148; DECORTE, *Avicenniserend augustinisme.* 1983, tom. I, pp. 74-76; MARRONE, *Truth.* 1985, pp. 14-30. 34sq. 37; SCHÖNBERGER, *Transformation.* 1986, p. 112 (ad 4vC); MARRONE, *Knowledge of Being.* 1988, p. 24sq; MARENBON, *Later Med. Philos.* 1987, pp. 145-148; PORRO, *Enrico di Gand.* 1990. p. 32. 45sq.; WIELOCKX, *Aeg. Rom., Apol.* 1985, p. 158 (ad 4vC); PORRO, *Sinceritas veritatis.* 1994, pp. 422-426.

[233] Cf. HENR. DE GAND., *Summa 1,2* Badius 5rD: *In cognitione autem secunda, qua scitur sive cognoscitur veritas ipsius rei, sine qua non est hominis cognitio perfecta de re, cognitio et iudicium intellectus omnino excedunt cognitionem et iudicium sensus, quia, ut dictum est, intellectus veritatem rei non cognoscit nisi componendo et dividendo, quod non potest facere sensus.*

[234] Cf. HENR. DE GAND., *Summa 1,2* Badius 4vC: *Intellectus veritatem non concipit simplici intelligentia, sed solum compositione et divisione, ut Philosophus vult VI° Metaphysicorum.*

Zur Vervollkomnung der intellektualen Erkenntnis sind folglich zwei Dinge unabdingbar.[235] Das erste ist ein vom Intellekt gebildetes Wort (*verbum*), durch das der Intellekt das Wesenswas (*quid quod est*) einer Sache erfaßt. Das zweite ist ein Urteil über diesen Begriff. Im ersten Fall handelt es sich um eine Einsicht in die einfachen Begriffe (*intellectus simplicium*), die das Wahre in einer Sache erfaßt und nie fehlgeht. Die Wahrheit erfaßt erst die *compositione et divisione* verfahrende zweite Einsicht. Allerdings kann sie nicht nur zu wahren, sondern auch zu falschen Schlüssen kommen. Alle Falschheit entstammt den Urteilen bzw. Vergleichen des Intellekts bzw. des Vorstellungsvermögens. Allein die direkte, präreflexive Sinnes- und Intellekterkenntnis ist untrüglich wahr, und zwar immer, mag sie auch nur das Wahre und nicht die Wahrheit über eine Sache erfassen.

Die zweite Vorklärung betrifft den Erkenntnisgrund der Gotteserkenntnis. Denn das Wesenswas (*quid quod est*) einer Sache kann als Objekt und als Erkenntnisgrund je zweifach vom Menschen erkannt werden. Als Objekt kann das Wesenswas zum einen distinkt und im besonderen in dessen unverstellter Wesenheit und Natur erkannt werden, zum anderen indistinkt und im allgemeinen in einem seiner allgemeinen Attribute. Als Erkenntnisgrund für das Wesenswas einer Kreatur kann die Kreatur nun auf die eine Weise erkannt werden, daß die göttliche Natur und Wesenheit in der ihr eigentümlichen Weise Erkenntnisgrund ist, während in der anderen Weise die göttliche Wesenheit aufgrund eines ihrer allgemeinen Attribute Erkenntnisgrund ist.

Hält man das Gesagte in Erinnerung, dann ist für Heinrich schnell dargetan, daß Gott Erkenntnisgrund für die Erkenntnis der Kreaturen ist.[236] Denn

[235] Cf. HENR. DE GAND., *Summa 24,8* Badius 145rN: *Et in hoc perficitur cognitio intellectiva, ad quam duo requiruntur. Quorum primum est verbum intellectus quo informatur concipiendo quod quid est de re. Secundum vero est iudicium de tali conceptu, sine quo intellectus purus non est, sed semper phantasticus manet. Et est primus intellectus simplicium, et ideo semper verorum est secundum Philosophum. Intellige non concipiendo veritatem rei, sed id quod verum est in re. Veritatem enim solum concipit intellectus secundus, qui in compositione et divisione consistit. Unde et verus et falsus potest esse secundum Philosophum. In quo et plures deluduntur credentes percipere veritatem, qui tamen eam non percipiunt verisimilitudine phantasmatum decepti. Secundum quod dicit Augustinus De vera religione* [cf. AUG., *De vera rel. 49,95,268* CCL 32, p. 249,29-31]*: 'Amplectamur nostra phantasmata quae redeuntibus nobis ad intelligendum veritatem in itinere nobis occurrunt et nos transire non sinunt.' Quae tamen quantum est ex se, non nisi verum ex imaginatione et sensu ostendunt. Unde non solum intellectus simplicium apprehensionum semper verus, quin etiam semper verus est et ipse sensus in apprehendendo et nuntiando, ita quod omnis falsitas in iudicio et collatione vel intellectus vel imaginationis oriatur. Secundum quod dicit Augustinus III De Academicis* [cf. AUG., *Contra Acad. III,11,25-26* CCL 29, pp. 9,41-50,58]*: 'Credo sensus non accusari vel quod imagines falsas ferentes patiuntur, vel quod falsa in somnis videmus. Quicquid possunt videre, oculi verum vident, noli plus assentire, quam ut ita tibi persuadeas apparere, et nulla deceptio est.'*

[236] Cf. HENR. DE GAND., *Summa 24,8* Badius 145rP: *Dicendum igitur ad quaestionem, quod loquendo de cognitione eius quod quid est in creatura, apprehendendo id quod res est non apprehendendo veritatem eius, semper cognitionis eius quod quid est in creaturis, est ratio cognoscendi id quod quid est in Deo, non sub ratione essentiae et naturae in esse particulari, sed sub*

das Wesenwas Gottes wird nicht aufgrund seiner besonderen Wesenheit und Natur erkannt, sondern aufgrund eines allgemeinen Attributs, und zwar in der Weise, wie das Gattungserste stets Grund der nachfolgende Gattungsglieder ist. Das Wesen Gottes unter einem allgemeinen Attribut ist nämlich das, was der Mensch zuerst aus den Kreaturen erkennt. Gott ist daher nicht nur Erkenntnisgrund, insofern die Erste Wahrheit alleiniger Erkenntnisgrund der reflex-syllogistisch erfaßten Wahrheit ist.

Der Beweis dafür, daß die Wesenheit Gottes auch Objekt des Erkennens ist, wird bei Heinrich durch eine metaphysische Wesensanalyse determinierten Seins gewonnen, weil er sich „aus der Natur der erkennbaren Dinge selbst" ergibt.[237] Denn ein durch Materie oder singuläres Suppositum determiniertes Seiendes bzw. ein determiniertes Wesen besitzt sein Sein allein durch eine Form, die in diesem Seienden determiniert ist, aber in sich selbst aufgrund der Natur ihrer eigenen Wesenheit nichts Determiniertes besagt. Daher besitzt ein solches Seiendes sein Erkanntsein allein aus der Erkenntnis seiner Form in sich, wobei die Natur und Wesenheit dieser Form in ihrem eigenen indeterminierten Sein der Erkenntnisgrund ist. Heinrich lehrt eine Reziprozität des Seinsursprungs und des Erkenntnisursprungs.[238] Wie sich etwas zum Sein verhält, so verhält es sich auch zum Erkennen. Kein Intellekt vermag es, z. B. an einem determinierten Gut gemäß dessen Natur und Wesenheit zu erkennen, welche Qualität oder welches Wesen dieses Gut besitzt, wenn es nicht auch das schlechthin Gute und Seiende erkennt. Gemäß den

ratione eius attributi in esse universali ad modum, quo id quod est primum in unoquoque genere, semper est ratio eorum quae sunt post, ut dictum est in quaestione praecedente [cf. *Summa 21,3* Badius 126vI], *quod id quod est de Deo sub eius generali attributo, est id quod homo primo cognoscit ex creaturis, ut non solum sit ratio cognoscendi secundum quod prima veritas est tantum ratio cognoscendi quamlibet aliam veritatem, ut dictum est supra in articuli primi quaestione secundo* [cf. *Summa 1,2* Badius 7r-vL; cf. *Summa 1,3* Badius 10rF-vG].

[237] Cf. HENR. DE GAND., *Summa 24,8* Badius 145vP: *Sed ut sit etiam obiectum cognitum, secundum quod dicetur in quaestione sequenti, et hoc eveniet ex natura ipsarum rerum cognoscibilium. Sicut enim ens determinatum per materiam aut per suppositum singulare et determinatum, id quod est non habet esse nisi per formam quae in eo determinatur, quae de natura essentiae suae in se non dicit aliquid determinatum, et ideo neque habet cognosci esse tale ens nisi ex cognitione ipsius formae in se ratione naturae et essentiae suae in esse suo indeterminato, unumquodque enim sicut se habet ad esse, et ad cognitionem. Nemo enim potest cognoscere de hoc bono aut pulchro in natura et essentia sua quale ens aut quid sit, nisi cognoscendo bonum et ens simpliciter. Sic non habet esse hoc ens aut hoc bonum nisi per ens simpliciter aut bonum simpliciter. Et sicut est de hoc bono et hoc ente respectu boni et entis simpliciter et absolute dicti, sic est de bono et ente participato respectu boni et entis non participati. Sicut enim hoc bonum et hoc ens non potest esse neque cognosci nisi per ens aut bonum simpliciter dictum, sic et ipsum bonum et pulchrum simpliciter consideratum ut non determinatum per materiam aut per suppositum, si non est essentialiter, sed participatione bonum, et ita determinatum per materiam aut suppositum, non habet esse neque cognosci nisi per ipsum bonum simpliciter non participatum, ut sicut bonum participatum non habet esse nisi per bonum non participatum, sic nec potest cognosci esse tale nisi cognito ipso quod est simpliciter et per se bonum nec determinatum nec participatum.*

[238] Cf. BÉRUBÉ, *Interprètes.* 1974, p. 159.

Determinationsgraden der Dinge gilt nach Heinrich entsprechendes noch deutlicher für Partizipationsverhältnisse, wie mit einer Vielzahl von Zitaten aus dem achten Buch *De trinitate* AUGUSTINS belegt wird.[239]

Aufgrund der von Heinrich hier dargelegten Kriterien scheidet aus, daß Gott beim Erkennen der Wahrheit eines kreatürlichen Wesens Erkenntnisgrund ist. Die Wahrheit einer Sache (*veritas rei*) kann nur durch die Konformität dieser Sache mit seinem zweifachem Urbild erkannt werden, d. h. einerseits konform mit der von der Sache entnommenen universalen Spezies im erkennenden menschlichen Geist, und andererseits konform mit der verursachenden Wirklichkeit (*causans res*), der im göttlichen Geist existierenden *ars idealis*. Die letztere Konformität kann aber nach Heinrich nicht durch ein naturhaft, d. h. bleibend gegebenes Erkenntnisvermögen des Menschen, sondern nur durch unerzwingbare, frei gewährte göttliche Illumination erreicht werden. Allein die göttliche Aktion der Illumination läßt den Menschen zur 'reinen Wahrheit' (*sincera veritas*)[240] gelangen.

Die Beantwortung der Objektionen wird von Heinrich nochmals darauf wert gelegt, daß auf der reflexionsfreien Stufe der Erkenntnis eines Wahren und nur dort Gott als Erkenntnisgrund der Geschöpfe erkannt ist.[241] In seiner

[239] Cf. HENR. DE GAND., *Summa 24,8* Badius 145vP: *Secundum quod dicit Augustinus VIII De trinitate* [cf. AUG., *De trin. VIII,3,4* CCL 50, p. 272,14-21]*: 'Bonum hoc, bonum illud. Quid plura et plura? Vide ipsum bonum, si potes. Ita Deum videbis. Nec alio bono bonum, sed omnis boni bonum. Neque enim in omnibus bonis diceremus aliud alio melius, cum vere iudicaremus, nisi esset nobis impressa notio ipsa boni, secundum quam probaremus aliquid et aliud alio praeponeremus.' Et infra* [cf. AUG., *De trin. VIII,6,9* CCL 50, p. 281,61-62]*: 'Ubi novimus quid sit iustus, etiam cum iusti nondum sumus?' Et infra* [cf. AUG., *De trin. VIII, 6,9* CCL 50, p. 283,111-112]*: 'An illud quod videt, veritas interior est praesens animo, quam valet intueri?' Quasi dicat: immo. Et sic est de cognitione boni et iusti, quod non cognoscimus bonum aut iustum nisi in ratione primi boni et iusti, sicut est de amore boni, quod sicut non amamus aliquod bonum nisi in ratione primi boni, sic nec cognoscimus verum nisi in ratione primi veri. De amore enim omnis boni in ratione primi boni dicit ibidem* [cf. AUG., *De trin. VIII,6,9* CCL 50, p. 283,122-124]: *'Cur alium diligimus, quem iustum credimus, et non diligimus ipsam formam, ubi videmus quid sit iustus, ut et nos iusti esse possemus?' Et infra* [cf. AUG., *De trin. VIII,6,9* CCL 50, p. 283,124-127]*: 'An vero et nisi istam diligeremus, nullo modo eum diligeremus quem ex ista diligimus? Sed dum iusti non sumus, minus eam diligimus quam ut iusti esse valeamus.'*

[240] Heinrichs von AUGUSTINUS übernommener Ausdruck *sincera veritas* läßt sich kaum adäquat ins Deutsche übersetzen. Gemeint ist jedenfalls die Wahrheit in ihrer hellsten, lautersten und reinsten Form. Cf. die schöne Studie von PORRO: *Sinceritas veritatis.* 1994, zu Heinrich spec. pp. 420-429

[241] Cf. HENR. DE GAND., *Summa 24,8* Badius 145vR: *Ad primum, quod ex specie detracta a corpore manet memoria, unde formatur acies mentis ad intelligendum verum, dicendum, quod verum est in cognoscendo id quod est de re, non autem intelligendo veritatem rei vel simpliciter vel sincere et iudicio certo, quod solum fit in ratione primae veritatis, ut dictum est* [cf. 145vP ad fin.]. *In cognoscendo etiam vel id quod verum est, vel ipsam veritatem quocumque modo non contingit aliquid intelligere in creaturis nisi intelligendo id quod Deus est in primis conceptibus generalibus, ut dictum est* [cf. 145rP]. *Ad secundum, quod in lege naturali intelligit homo quid bonum et quid malum, dicendum similiter, quod hoc non facit intelligendo sinceram veritatem, aut etiam forte veritatem qualemcumque nisi in lumine primae veritatis tam-*

Erläuterung zum Gegeneinwand bekundet Heinrich, daß die Intention seiner Theorie sich ganz mit den Ausführungen AUGUSTINS deckt.[242] Alles Wahre und jede Wahrheit werde in der ersten Wahrheit erkannt. AUGUSTINUS habe allerdings eine bisweilen undifferenzierte Ausdrucksweise und unterscheide nicht immer genügend zwischen der Erkenntnis der Wahrheit durch eine unverhülltes Urbild der göttlichen Wesenheit und dem Erkennen eines Wahren in allgemeinen Attributen. Heinrich trägt unverkennbar seine auch avicennisch inspirierte Theorie vollständig in die augustinischen Texte hinein. Der apologetische Ton dieses Abschnittes verrät die Rivalitäten damaliger theologischer Richtungen um eine authentische Augustinus-Interpretation und das Rechtfertigungsbedürfnis Heinrichs, dem die innovativen Seiten seiner Theorie sehr wohl bewußt waren.

Der springenden Punkt der henrizianischen Theologie natürlicher Gotteserkenntnis, die theologisierte Deutung der Primärbegriffe, ist angezeigt im Ausspruch: *Quolibet intellecto intelligitur id, quod Deus est, in primis conceptibus rerum.*[243] Er klingt wie das Echo der avicennisch-augustinischen *Primum cognitum*-Theorie Heinrichs auf den bekannten Satz des THOMAS VON AQUIN: *Omnia cognoscentia cognoscunt implicite Deum in quolibet cognito.*[244] Auf der Basis völlig andersgearteter metaphysischer und erkenntnistheoretischer Optionen will Heinrich in der theologischen Hauptaussage mit THOMAS gleichziehen.

4. *Gotterkennen im Erkennen des analog Allgemeinen*

Heinrich von Gent beschließt seinen Begündungsgang einer Ersterkenntnis Gottes mit einer Erörterung, ob Gottes Wesenheit nicht nur Erkenntnisgrund für die Erkenntnis aller Kreaturen ist, sondern auch das Ersterkannte an den

quam in eo quod est ratio intelligendi tantum, non autem obiectum intellectum, ut supra determinatum est [cf. 145rP], *aut intelligendo quocumque modo veritatem, aut id quod verum est, nisi in ratione primae veritatis tamquam in eo quod est obiectum primo cognitum, ut patebit in quaestione sequenti* [cf. *Summa 24,9* Badius 146rT-147rZ], *quod in hoc est ratio cognoscendi alia, non tamquam in eo quod est ratio cognoscendi tantum, quia quolibet intellecto intelligitur id quod Deus est in primis conceptibus rerum, ut dictum est.*

[242] Cf. HENR. DE GAND., *Summa 24,8* Badius 145vS-146rS: *Ad argumentum in oppositum, bene probat intentum nostrum secundum determinationem Augustini, quod nullum verum aut alicuius rei veritas potest cognosci aliter quam in prima veritate, et hoc vel in nudo exemplari divinae essentiae, ut in eo quod est ratio cognoscendi veritatem tantum, non autem obiectum cognitum, vel in aliquo eius generali attributo, ut in eo quod est primum obiectum cognitum et per hoc ratio cognoscendi omne aliud quod intelligibiliter cognoscitur. Et ex his duobus conflatur determinatio Augustini, quod omne quod intelligitur, in prima veritate intelligitur. Aliquando enim loquitur secundum unum modum, ut in VIII De trinitate* [cf. AUG., *De trin. VIII,3,4* CCL 50, p. 272,15sqq.]*: 'Vide bonum hoc et bonum illud' et cetera. Saepius autem loquitur secundum alium modum, nec habet perfecte intentionem Augustini, qui intelligit eum secundum alium modum solummodo locutum fuisse.*

[243] HENR. DE GAND., *Summa 24,8* Badius 145vR.

[244] THOM. DE AQU., *Ver. XXII,2 ad 1* ed. Leon. 22, p. 617.

Kreaturen.[245] Nach Heinrich dreht sich die Frage nicht um jenen Fall, daß Gott nur als Erkenntnisgrund auftritt und als solcher überhaupt nicht in seiner Wesenheit vom viatorischen Intellekt erkannt werden kann. Für eine Antwort auf dieses Problem verweist er seinen Leser auf die Ausführungen in *Summa 1,3*. Im folgenden beschäftigt allein die Frage, wie die Wesenheit Gottes erkannt werde, insofern Gott als Ersterkanntes auch Erkenntnisgrund der kreatürlichen Wesenheiten ist. Wie in der vorigen Quästion gesehen werden konnte, ist es gut möglich, daß mit der ansonsten stark divergierenden thomistischen Gegenposition ein Konsens erzielt werden kann, sofern Gott als Erkenntnisgrund allen Weltwissens (nicht als ersterkanntes Objekt des Intellekts!) behauptet wird. Den brisantesten Punkt der Kontroverse greift nun Heinrich heraus, nämlich die Frage, ob Gott als Erkentnisgrund selbst zum Erkannten, und zwar angemessener Weise zum Ersterkannten werden könne. Der Begriff des göttlichen Ersterkannten und der geeignete Weg zur einer solchen Gotteserkenntnisse sind zu besprechen.

Zuerst stellt Heinrich eine zweifache Ersterkenntnis Gottes mit unterschiedlichem Inhalt vor.[246] Eine Ersterkenntnis Gottes in seiner Besonderheit und in seiner determinierten göttlichen Natur wird allein einer eschatologischen Gottesschau zugemessen. Für eine Ersterkenntnis Gottes im allgemeinen durch eines seiner Attribute lassen sich zwei Subformen finden.[247] Die eine Subform ist ein allgemeines Erkennen der allgemeinen Attribute, das wiederum generell oder speziell ausfallen kann. Die andere Subform ist eine partikuläres Erkennen der allgemeinen Attribute. Bei der allgemeinen Er-

[245] Zur Textinterpretation von HENR. DE GAND., *Summa 24,9* Badius 146rT-147rZ cf. PRANTL, *Gesch. der Logik, III.* 1867, p. 192; SCHMID, *Erkenntnißlehre.* 1890, II, p. 389; HAGEMANN, *De ... Ontologismo, II.* 1898, p. 10; BRAUN, *Erkenntnislehre.* 1916, p. 68; PAULUS, *Argument ontologique.* 1935, pp. 281. 289. 290. 291. 292-296; ID., *Essai.* 1938, p. 56; BARTH, *De tribus viis.* 1943, p. 100 (ad 146vX); GÓMEZ CAFFARENA, *Ser.* 1958, pp. 42. 204. 210. 218; BÉRUBÉ, *Interprètes.* 1974, pp. 160-162; DUMONT, *Source.* 1982, p. 103 not. 35; p. 105 not. 43; p. 158sq. not. 6; p. 180sq. not. 70-72; p. 192 not. 49. 54; p. 194 not. 66; MARRONE, *Augustinian Epistemology.* 1983, p. 281sq.; WIELOCKX, *Aeg. Rom., Apol.* 1985, p. 139 (ad 146vY); MARRONE, *Knowledge of Being.* 1988, pp. 24sq. 33sq.; PORRO, *Enrico di Gand.* 1990, p. 123.

[246] Cf. HENR. DE GAND., *Summa 24,9* Badius 146rV: *De quo sciendum secundum praedeterminata, quod id quod quid est primo cognitum de Deo, potest esse primo cognitum vel in speciali in natura divina determinata, vel in generali in aliquo eius attributa* [cf. *Summa 24,6*]. *Primo modo cognoscendo quod quid est de creatura per hoc quod quid est de Deo, non solum cognoscit homo quid est Deus, sed etiam distincta cognitione id cognoscit, ad modum quo cum cognoscitur imago Herculis, in ipso Hercule videndo ipsum, distincte et perfecte cognoscitur et videtur ipse Hercules* [cf. *Summa 1,2*]. *Sed talis cognitio eius quod quid est de Deo, non est propria viae, sed patriae, ut dictum est supra* [ibid.].

[247] Cf. HENR. DE GAND., *Summa 24,9* Badius 146rX: *Secundo modo cognoscere quod quid est de creaturae per cognitionem eius quod quid est de Deo, in eius scilicet generali attributo, contingit dupliciter intelligere, secundum quod de re qualibet particulari duplex potest esse cognitio. Una communis generalis vel specialis, alia vero particularis, secundum quod in ea est natura universalis, generalis vel specialis et particularis. Generali enim cognitione cognoscimus de Callia quod sit animal, speciali quod sit homo, particulari quod sit Callias.*

kenntnis erkennt man von Kallias, daß er ein Lebenwesen ist, bei der speziellen, daß er ein Mensch ist, bei der partikulären, daß er das Individuum Kallias ist. In der ersten Erkenntnisweise des generellen Erkennens,[248] das durch ein Wissen um die Zugehörigkeit zu einem bestimmten Genus ausgezeichnet ist, erkennt man von jedem partikulären Ding gleichsam mittels eines ersterkannten Mediums als einen allgemeinen Erkenntnisgrund, der zuerst in seinem partikulären Sein erkannt sein muß, um Gattung und Art trennen zu können. Durch ein solches generelles oder spezielles Ersterkanntes erkennt man z. B. alles, was einem über historische Personen erzählt und zu glauben vorgestellt wird. Eine solche allgemeine Ersterkenntnis eines logischen Genus ist für eine Erkenntnis Gottes nicht anwendbar, weil Gott sich nicht in einem Genus befindet, das er mit anderen Dinge teilen könnte.[249] Das transgeneri-

[248] Cf. HENR. DE GAND., *Summa 24,9* Badius 146rX: *Primo modo per generalem cognitionem, quam habemus de re in forma generis, puta animalis vel per specialem in forma speciei, puta hominis, cognoscimus de quolibet particulari tamquam per medium primo cognitum et communem rationem cognoscendi, de quolibet quod nobis occurrit, an sit animal vel homo, non prius ipso cognito in esse suo particulari. Per hanc notitiam generalem vel specialem cognoscimus omnia, quae nobis historice de partibus hominis narrantur et credenda proponuntur. Secundum quod dicit Augustinus VIII De trinitate, cap. 5* [cf. AUG., *De trin. VIII,4,7* CCL 50, pp. 276,47-50]: *'Habemus quasi regulariter infixam naturae humanae notitiam, secundum quam quicquid tale aspicimus, statim hominem esse cognoscimus vel hominis forma';* [cf. AUG., *De trin. VIII,5,7* CCL 50, pp. 276,1-2:] *'Secundum hanc notitiam cognitio nostra informatur, cum credimus pro nobis Deum hominem factum';* [cf. AUG., *De trin. VIII,4,7* CCL 50, pp. 276,41-47]: *'Nam et ipsius facies dominicae carnis innumerabilium cognitionum diversitate variatur et fingitur, quae tamen una erat quaecumque erat, neque in fide nostra quam de domino nostro Iesu Christo habemus, illud salubre est, quod sibi animus fingit longe fortasse aliter quam res habet, sed illud quod secundum speciem de homine cogitamus';* [cf. AUG., *De trin. VIII,4,7* CCL 50, pp. 275,26-31]: *'Necesse enim est cum aliqua corporalia lecta vel audita, quae non vidimus, credimus, fingat sibi animus aliquid in lineamentis formisque corporum, sicut occurrit cogitanti, quod aut verum non sit aut etiam si verum est (quod rarissime potest accidere), non hoc tamen fide teneamus, quicquam prodest, sed aliud aliquid quod per hoc insinuatur.'* [cf. AUG., *De trin. VIII,5,7* CCL 50, pp. 277,11-278,16. 20-26]: *'Et secundum species et genera rerum vel natura insit, vel experientia collecta, de factis huiusmodi cogitamus, ne fides nostra ficta sit. Neque enim novimus faciem virginis Mariae, in quibus membrorum lineamentis fuit Lazarus, neque Bethaniam, neque sepulcrum, neque omnino scimus quicumque ista non vidimus, an ita sint ut ea cogitamus, immo probabilius aestimamus ita non esse. Namque cum alicuius species eadem occurrit oculis nostris, quae occurrebat animo, cum eam prius quam videremus, cogitabamus, non parvo miraculo movemur, ita raro et paene numquam accidit.' Est tamen possibile. Secundum quod exponit Commentator super III De anima* [cf. AVERR., *In De an. III*; locum non inveni]: *'Et tamen firmissime credimus, quia secundum speciem generalemve notitiam, quae certa nobis est, cogitamus.*

[249] Cf. HENR. DE GAND., *Summa 24,9* Badius 146vX: *Unde quod supra determinavimus, quia de Deo possumus cognoscere quid sit notitia generali, non sumitur ibi notitia generalis sicut hic, ut modo cognoscamus quid sit Deus quasi in forma universali, et videndo nudam essentiam cognoscamus quid sit in forma particulari, prius cognoscendo quid sit Deus quam quid sit iste Deus, sicut prius cognoscimus quid sit homo quam quid sit iste homo, eo modo quo individuum est quid sub specie. Sed sumitur ibi generalis notitia pro notitia in aliquo eius attributa quod communitate analogiae est communiter conveniens ipsi et creaturae. Respectu cuius dicitur specialis illa notitia, quae est in nuda eius essentia, in qua omne attributum eius est id*

sche Sein Gottes ist nur durch eine analoge Gemeinsamkeit des Seins von Schöpfer und Geschöpf faßbar. Daran gemessen wird jenes Wissen speziell genannt, das man von der unverstellten göttlichen Wesenheit besitzt, in der jedes Attribut er selbst ist. Einzig wegen der Eigenart des menschlichen Erkennens *generalius* erkennt man ein Attribut, das mal wie eine unverstellte Wesenheit einzusehen ist, mal wie eine Wesenheit, mal als noch etwas anderes.

Die Wesenheit Gottes ist der Erstbegriff in den allgemeinen und ersten Begriffen des Seienden.[250] Zumal die Erstbegriffe der allgemeinen und universalen Intentionen des Seienden sind als Ersterkannte auch Erkenntnisgrund aller anderen Begriffe unterhalb des Begriffs des Seienden in allen Dingen. Das Sein ist nämlich das zuerst Erkannte und Begriffene in jeglichem Seienden. Das Sein ist Erkenntnisgrund, um jegliche Intention einer Sache unterhalb des Seins zu begreifen, wie Heinrich unter Berufung auf den proklischen *Liber de Causis* festhält. Wegen dieser Einheit von Seins- und Erkenntnispriorität Gottes ist die Erkenntnis der Wesenheit Gottes in ihren allgemeinen Attributen der zuerst begriffenen Gegenstand des menschlichen Intellekts. Er steht sogar vor den zuhöchst universalen Begriffen irgendeiner kreatürlichen Intention und ist erster Erkenntnisgrund des Wesens jeder Natur.

Fraglich bleibt nur, ob dieses göttliche Ersterkannte ins Bewußtsein gehoben werden kann, oder wie Heinrich sich ausdrückt: ob bloß ein Kennen (*cognoscere*) oder doch ein Unterscheiden (*discernere*) gegeben sei. Ein Kennen ist jedes einfache Begreifen einer Sache durch den Intellekt, auch wenn der Intellekt auf die begriffene Sache nicht achtet. Zum Beispiel erfaßt jemand, der sich geistig auf anderes konzentriert, mit seinem körperlichem Auge mittels

ipsum, licet modo nostro intelligendi generalius intelligimus rationem attributi quam intelligenda est nuda essentia, et alia ratione concipimus attributum quam concipienda est essentia, et alia ratione unum attributum quam aliud, ut declarabitur inferius loquendo de attributis [cf. *Summa 51,2*].

[250] Cf. HENR. DE GAND., *Summa 24,9* Badius 146vX: *Si igitur isto secundo modo cognitionis universalis generalis vel specialis de Deo in aliquo eius attributo tamquam im primo cognito intelligatur quod quid est Deus, ratio cognitionis de alio, in cognoscendo scilicet eius naturam propriam et particularem, hoc modo concessimus in quaestione praecedenti quod cognitio eius quod quid est de Deo, est ratio cognoscendi quod quid est in omni creatura, ex hoc videlicet quod quid est Deus primum conceptum est in generalibus et primis conceptibus entis, qui quidem primi conceptus generalium atque universalium intentionum entis sunt primo cognita, et per hoc ratio cognoscendi omnes alios conceptus sub ente in quacumque re, esse enim est primo cognitum et conceptum in quolibet ente* [cf. *Summa 1,2,14* Badius 4vC-5rD], *et est ratio concipiendi quamlibet aliam intentionem rei sub esse, ut dicitur in Commento primae propositionis De causis. Quare per hunc etiam modum, ut dictum est, cognitio eius quod quid est de Deo in eius generalis attributis est primum obiectum conceptum ab intellectu nostro, etiam ante maxime universales conceptus alicuius intentionis in creaturis, ut dictum est in quaestione ante praecedente, et est prima ratio cognoscendi quod quid est in qualibet creatura, ut dictum est in quaestione proxima praecedenti. Unde non restat dubium quantum pertinet ad istam quaestionem, nisi an in eo quod quid est Dei, est ratio cognoscendi quod quid est in creatura, et primo cognitum ita sit primo cognitum, quod distincte cognoscatur et discernatur ab eo quod per ipsum cognitum est in creatura.*

einer in seinem Auge erfaßten Spezies jemanden, der vor seinem Angesicht vorbeigeht, von dem er bei späterer Befragung bestreitet, ihn gesehen zu haben, weil er auf ihn nicht geachtet hat. Ein unterscheidendes Erkennen besteht in einem achtsamen Wissen, durch das das eine Erkannte vom anderen unterschieden wird. Die Reflexionshöhe und Bewußtseinshelle sind also entscheidenden Faktoren, die die Antwort auf die Frage nach einer Ersterkenntnis Gottes festlegen.

Nach Heinrichs klar geäußerter Lehre ist Gott nur Ersterkanntes, soweit er in seinen allgemeinen Attributen auf erster und zweiter Stufe des allerallgemeinsten Wissens erkannt wird.[251] Mag aber Gott auf eine solche Weise als Ersterkanntes und Erkenntnisgrund für alles übrige erkannt und begriffen werden, wird Gottes Wesenheit nach Heinrich aber doch nicht so erkannt, daß sie von der Wesenheit der Kreatur geschieden sei. Der Grund dafür liegt im gänzlichen Fehlen eines determinierenden oder appropriierenden Wesensgrundes, der etwas exklusiv Gott zuweisen könnte.[252] Gerade beim allerallgemeinsten, ersten Begriff des Seins wird das Sein des Schöpfers nicht vom Sein der Kreatur geschieden. Der Intellekt begreift wegen der Nähe der Existenz beide als ein gleichsam Eines. Darum fehlt dieser Ersterkenntnis Gottes jedes diskursive Moment. Es geschieht bekanntermaßen seitens des

[251] Cf. HENR. DE GAND., *Summa 24,9* Badius 146vY: *Dicendum igitur ad quaestionem, quod est primum cognitum a nobis de Deo, quod est ratio cognoscendi quod quid est in creaturis, non est nisi quod quid est Deus in suis generalibus attributis modo generalissimo, et hoc quoad primum et secundum eius gradum, ut quod sit bonum, pulchrum aut aliquid huiusmodi simpliciter, sub tali scilicet modo concipiendi quodlibet istorum, sub quo communiter potest convenire creaturae et creatori, non sub aliquo modo convenienti Deo specialiter, et non creaturis, ut quod est bonum vel pulchrum subsistens, et hoc modo generalissimo in tertio eius gradu, vel quod sit bonum praeeminentissimum, et hoc modo cognoscendi Deum generalius, vel quod sit bonum quod est ipsa bonitas, ita quod pura rei entitas, et hoc modo cognoscendi Deum generaliter, et sic de aliis attributis nobilitatis primis, in quibus cognoscitur quid est Deus.*

[252] Cf. HENR. DE GAND., *Summa 24,9* Badius 146vY: *Isto autem modo cognoscendi de Deo quod quid est, et ex hoc quod quid est in creaturis dicendum, quod etsi Deus isto modo cognoscendi cognoscatur et intelligatur ut primum cognitum et ratio cognoscendi aliud, non tamen cognitione ista quod quid est de Deo, distinguitur ab eo quod quid est creaturae, quia sub nulla ratione determinante aut appropriante attributum illud Deo concipitur, immo si hoc modo concipitur sub ratione entis, non distinguitur esse eius ab esse creaturae. Si sub ratione boni non distinguitur secundum intellectum bonum quod est in Deo ab eo quod est bonum in creatura, sed intellectus ambo concipit quasi unum, eo quod prope sunt existentia, ut dictum est supra. Unde ista cognitio eius quod quid est de Deo non habetur per investigationem et discursum rationis, sed naturaliter et simplici conceptu, sicut et concipiuntur prima principia complexa et incomplexa, inter quae conceptus Dei sub ratione entis aut boni simpliciter alicuius huiusmodo intentionis generalis est, aut primo primus, quem non discernit propter eius simplictatem ab intentionalibus huiusmodi convenientibus creaturis, a quibus concipitur quod in eis convenit creatori, sicut etiam intelligendo entia particularia, in quibus primo conceptu homo intelligit intentionem entis simpliciter et universalis ad omne ens creatum, non discernit illam propter eius simplicitatem ab aliis intentionibus communibus et particularibus, quamvis non sint tantae simplicitatis, ut est intellectus entis simpliciter communis de Deo et creaturis, et maxime ut est intentio entis, quae soli Deo convenit.*

menschlichen Intellekts naturhaft und durch einen einfachen Begriff, wie auch die ersten komplexen und inkomplexen Prinzipien erfaßt werden. Unter solchen Begriffen ist der Begriff von Gott als schlechthin Seiendes oder Gutes etwas Generelles oder das Allererste (*primo primus*), das der Intellekt wegen seiner Einfachheit nicht unterscheidet von Intentionen, die den Kreaturen zukommen. Von diesen Intentionen wird erfaßt, was in ihnen mit Gott übereinkommt. So versteht das menschliche Erkennen vom partikulären Seienden durch ein Erstbegriff die Intention des schlechthin Seienden und die Intention dessen, was universal jedem geschaffenen Seienden zukommt. Dabei unterscheidet der menschliche Intellekt wegen der Einfachheit des Erstbegriffes nicht jenen Begriff des Seins schlechthin von den anderen allgemeinen und partikulären Intentionen, obwohl diese nicht von solcher Einfacheit, wie es der Begriff des Gott und den Kreaturen schlechthin gemeinsamen Seienden ist, sind und nicht im höchsten Maße einfach, wie es der Gott allein zukommende Seinsbegriff ist.

Zusammengezogen heißt dies, daß Gott als alleiniger Verstehensgrund der kreatürlichen Dinge selber weder erkannt, noch unterschieden wird. Erkennt man die Wesenheit einer Kreatur durch die Wesenheit Gottes, insofern er durch seine unverstellte Wesenheit zum ersterkannten Objekt wird, wird Gottes Wesen distinkt erkannt. Eine solche Ersterkenntnis Gottes ist aber dem viatorischen Intellekt versagt. Das Ersterkannte über Gott, das Verstehensgrund für alle Schöpfungskenntnis ist, besteht für den viatorischen Menschen in nichts anderem als in Gottes Wesenheit, soweit sie in ihren allgemeinen Attributen in allerallgemeinster Weise erkannt ist. Das auf diese Weise ersterkannte göttliche Wesen und der göttliche Verstehensgrund werden auf diese Weise auch nicht vom kreatürlichen Wesen unterschieden. Gott als Ersterkanntes ist eine indistinkte, aber permanent notwendige Voraussetzung aller Verstandeserkenntnis.

Die in *Summa 24,9* ausgebreiteten Argumente lassen alle entscheidenden Begriffe und Beweisschritte der henrizianischen *Primum cognitum*-Theorie zusammenkommen und sind selber ein vorzügliches Resume des Ganzen, weil vom Autor der Gedanken selber verfaßt. Sie sollen aber nicht von der Aufgabe einer Zusammenfassung des Kapitels entledigen, zumal sie hier auch Raum geben, das Apriori in der henrizianischen *Primum cognitum*-Lehre näher zu umreißen.

Heinrich von Gent konzipiert seine *Primum cognitum*-Theorie nicht, um ein bereits allseits anerkanntes, mittlerweile gar zum allgemeinen Lernpensum der theologischen Schulen zuzurechnendes Lehrstück darzulegen. Vielmehr äußert Heinrich sich in kritischer Absicht zu den seiner Ansicht nach übergroßen Gefahren einer totalen Aristotelisierung der christlichen Glaubenslehre, deren signifikante Tendenz er in einer Entdivinisierung des menschlichen Intellekts ausmachen will. Gott und sein Gewahrwerden sind nicht erst „Beweis"-Resultat oder gar Konstrukt des menschlichen Denkens. Wie aus

Kap. II dieser Arbeit ersichtlich werden sollte, unternimmt Heinrich eine Neubegründung einer Erkenntnis von Gottes Wesen in seiner Schöpfung, Der auch von Heinrich an keiner Stelle geleugnete Bezug zur sensual vermittelten Weltwirklichkeit bei der Gotteserkenntnis erfährt im Horizont seiner neu konzipierten reistischen Wesensontologie eine tiefgreifende Umgestaltung, insofern die Priorität des Seins im Erkenntnisprozeß nun die Priorität des intentionalen und nicht die des real-existenten Seins ist. Genauerhin wird dabei Gottes Wesen aus der Erkennntnis seiner allgemeinen Attribute erhoben. Dabei will Heinrich aber nicht stehenbleiben. Er macht es sich darüberhinaus zum Ziel, nicht nur zu zeigen, daß bei Gottesprädikationen mittels erster Intentionen wie 'Seiendes', 'Wahres', 'Gutes', 'Schönes' usf. wahrhaftig erfaßt werde, sondern daß Gott wahrhaftig als Erstes erkannt werde, wenn der Mensch derlei Prädikationen einfachhin (*simpliciter*) erfaßt. Die Distinktion eines naturalen, präreflexiven von einem rationalen, syllogistisch-deduktiv verfahrenden Erkennen soll dies leisten. Bei der rationalen Gotteserkenntnis - verstanden im besagten Sinne - ist Gott nicht das Erste, sondern vielmehr das Letzte des Erkennens. Dabei erreicht sie im Ausgang von den gleichsam als Erkenntnismedium benutzten Geschöpfen auf dem Wege der Negation und der Eminenz schließlich Gott. Beim naturalen Erkennen dagegen gelingt dies nach Heinrich sofort und diskursfrei, eben präreflexiv.

Um diese Zentralthese seiner Theorie von Gott als Ersterkanntem halten zu können, fügt Heinrich mehrere Präzisierungen an. Zum einen erfaßt nach Heinrich das sinnenbezogene menschliche Erkennen gemäß einer sachlichen, nicht einer temporären Priorität zuerst das stärker Indeterminierte. Zum anderen sind allgemeine Prädikate über Gott indeterminierter als solche über Geschöpfe. Auf diese größere Unbestimmtheit Gottes wiederum ist der Unterscheidung einer privativen und einer negativen Indetermination anzuwenden. Durch eine privative Determination sieht man ein allgemeines Prädikat ein, z. B. ein von sich aus weder als dieses oder jenes bestimmbares Gut, das man nicht als dies oder jenes, sondern nur durch dieses oder jenes Dritte determiniert werden kann. Die privative Indetermination bezeichnet eine Indetermination, bei der ein allgemeines, nicht nur aktuell, sondern auch potentiell indeterminiertes Prädikat eingesehen wird. Ist bei der privativen Indetermination noch die Möglichkeit zu einer etwaigen späteren Determination gegeben, fehlt bei der negativen Indetermination nicht nur die Möglichkeit, sondern sogar die Eignung zu einer Determination. Ein Vergleich beider Indeterminationformen weist die negative Indetermination als mächtigere und für eine divinale Prädikation passende Indetermination aus, und zwar gerade dann, wenn von den Kreaturen her allgemeine, indeterminierte Prädikate wie 'Seiendes', 'Wahres' usf. gewahr werden. Ist dies der Fall, erfaßt nach Heinrich der menschliche Intellekt gemäß einer sachlichen, nicht immer notwendigerweise auch temporären Priorität nicht ein geschaffenes Seiendes, Wahres, Gutes, sondern ein unerschaffenes Seiendes, Wahres, Gutes und so fort. Eine weitere und entscheidende Einschränkung eines solchen Erkenntnisaktes ist allerdings, daß z. B. ein unerschaffenes Wahres nicht distinkt-diskret als solches erkannt wird, sondern nur konfus, unausdrücklich, latent und ohne propositionale Affirmation. Gleichwohl ist der reale Wahrheitsgehalt der Ersterkenntnis nicht substantiell geschmälert, da sie in ungebrochener Kontinuität zur Vollgestalt der Gotteserkenntnis, der eschatologischen Gottesschau, steht.

Heinrich von Gent ringt als christlicher Theologe mit philosophischem Verantwortungssinn um eine angemessene Sinngebung des menschlichen Erkenntnisaktes. Die naturale, präreflexive Kenntnis Gottes ist notwendig, damit der Maßstab, mit dem alles andere geordnet und an dem alles bewertet wird, notwendig 'früher' erkannt sein muß. Heinrichs Gottesbegriff ist folglich nicht nur der erste - und sei er noch so indistinkt - erkannte Gegenstand des menschlichen Geistes, sondern zugleich dessen Gewißheitskriterium. Das menschliche Erkennen muß Sicherheit besitzen, um zu seinem Ziel, der Schau Gottes, mit Erfolg zu gelangen. Zentrale philosophische Bezugsgröße der Überlegungen Heinrichs ist AVICENNA, der mit seiner Theorie der Primärbegriffe das menschliche Erkennen von seiner prinzipienhaften Seite erklärte. AUGUSTINUS sekundiert mit seiner Illuminationslehre, die ebenfalls Ursprung und Geltung menschlichen Wissens erklären will, aber dabei streng theologisch verfährt. Das ohne Gottesbegriff denkbare Apriori bei AVICENNA wird bei Heinrich theologisch aufgeladen, insofern Heinrich einen gottgerichteten Dynamismus menschlichen Erkennens und Wollens mit der Präsenz von Primärbegriffen verknüpft. So geht das Apriori bei Heinrich weit über logische Strukturen hinaus. Es ist inwendiges Signum des im menschlichen Geist bleibend wirksamen Schöpfergottes. Darum gewinnt dieses göttliche Apriori nicht erst in dem Moment der reflexiven Erfassung und Bewußtmachung einen bestimmenden Einfluß auf das Erkennen. Es ist Gott, der auf den Menschen zutritt - von Anfang an, ausnahmslos, konkurrenzlos.

§ 3 DIE FORTFÜHRUNG DER *PRIMUM COGNITUM*-THEORIE IN DER LEHRE VOM *VERBUM INFORME*

1. *Vorhenrizianisches Traditionsgut*

Die[253] scholastischen Überlegungen zu einem *verbum informe* sind Bestandteil erkenntnistheoretischer und trinitätstheologischer Reflexionen. Wie hier nicht anders möglich, ist AUGUSTINUS für alle scholastischen Autoren alleiniger Ausgangspunkt und entscheidende Inspirationsquelle. Bei ihm findet sich der hier nun interessierende Begriff des *verbum informe*, auch *verbum formabile* oder *verbum nondum formatum* genannt.[254] Sowohl bei THOMAS[255] wie auch bei

[253] Die folgenden Ausführungen sind schon teilweise bei LAARMANN, *God as primum cognitum*. 1996, publiziert, hier aber erweitert und ggf. korrigiert.

[254] Cf. AUG., *De trin. XV,15,25-16,26* CCL 50A, pp. 499,54-501,34; cf. ID., *De trin. XV, 15,25* CCL 50A, pp. 499,60-500,78: *Sed quid est quod potest esse verbum, et ideo iam dignum est verbi nomine? Quid est, inquam, hoc formabile nondumque formatum, nisi quiddam mentis nostrae, quod hac atque hac volubili quadam motione iactamus, cum a nobis nunc hoc, nunc illud, sicut inventum fuerit vel occuerit, cogitatur? Et tunc fit verum verbum, quando illud quod nos dixi volubili motione iactare, ad id quod scimus pervenit, atque inde formatur, eius omnimodam similitudinem capiens; ut quomodo res quaeque scitur, sic etiam cogitetur, id est, sine voce, sine vocis cogitatione, quae profecto alicuius linguae est, sic in corde dicatur. Ac per hoc etiam si concedamus, ne de controversia vocabuli laborare videamur, iam vocandum esse verbum quiddam illud mentis nostrae quod de nostra scientia formari potest, etiam priusquam formatum sit, quia iam, ut ita dicam formabile est; quis non videat, quanta hic sit dissimilitudo ab illo Dei Verbo, quod in forma Deri sic est, ut non antea fuerit formabile priusquam formatum, nec aliquando esse possit informe, sed sit forma simplex et simpliciter aequalis ei de quo est, et cui mirabiliter coaeterna est.*

[255] Aus der Vielzahl der Literatur zur thomanischen *Verbum*-Lehre cf. spec. A. HUFNAGEL: *Intuition und Erkenntnis nach Thomas von Aquin* (Veröff. des Kath. Inst. für Philosophie. Albertus-Magnus-Akad. zu Köln II/5-6), Münster i.W. 1932, pp. 166-173; H. PAISSAC: *Théologie de Verbe. Saint Augustin et Saint Thomas.* Paris 1951; OEING-HANHOFF, *Wesen und Formen der Abstraktion.* 1963; MÜLLER, *Verbum mentis.* 1968, pp. 45-58; R. A. TE VELDE (ed.): *Vruchtbaar woord. Wijsgerige beschouwingen bij een theologische tekst van Thomas van Aquino. Summa contra Gentiles, boek IV, hofstuk 11* (Wijsgerige Verkenningen 9). Löwen 1990, darin: C. STEEL, [Textkommentar zu THOM. DE AQU., *S.c.G. IV,11*] (pp. 37-43); H. BERGER: *Graden van emanatie, van leven en van zelfreflectie* (pp. 47-60); R. A. TE VELDE: *De binnenkannt van de taal. Over her 'verbum interius' bij Thoms van Aquino* (pp. 61-87); J. A. AERTSEN: *Eenheid en veelheid in God* (pp. 89-103); B. VEDDER, *De metafoor van de vruchtbaarheid* (pp. 105-124); C. STEEL: *Het ene woord en de vele woorden* (pp. 125-132); Y. FLOUCAT: *L'intellection et son verbe selon saint Thomas d'Aquin.* In: RevThom 97 (1997), pp. 443-484. 640-693. - H.-G. GADAMER: *Wahrheit und Methode. Grundzüge einer philosophischen Hermeneutik* (Ges. Werke 1). Tübingen (1960) [6]1990, pp. 422-431, trägt eine an der Differenz des menschlichen zum göttlichen Wort interessierte, sprachontologische Interpretation der thomanischen *Verbum*-Lehre vor; cf. auch die Ausführungen zum *verbum formabile* bei J. GRONDIN: *Gadamer und Augustin. Zum Ursprung des hermeneutischen Universalitätsanspruchs.* In: ID.: Der Sinn für Hermeneutik. Darmstadt 1994, p. (24-39) 31. - Kritik gegenüber

Heinrich[256] ist die Theorie impliziter Seins- und Gotteserkenntnis eingebettet in eine *Verbum-mentis*-Lehre, da nach beiden Autoren jede Erkenntnis, also auch die Gotteserkenntnis in einem wie auch immer verstandenen Wort (*verbum*) ihren gültigen Ausdruck erhält.

Zwei Beobachtungen deuten daraufhin, daß Heinrich die *Verbum*-Lehre des THOMAS genau studiert hat und seine eigene Theorie als eine Antwort auf die des THOMAS verstanden werden kann.[257]

Denn zum ersten artikuliert Heinrich in *Qdl. III,15* seine *Verbum*-Lehre in greifbarem terminologischen Anschluß [258] an *S.c.G. I,53* und *S.c.G. IV,11.* Doch bei Heinrichs Erklärung de je unterschiedlichen essentialen und notionalen göttlichen Erkennens kommt es zur offenen Konfrontation[259] mit der insbesondere in den *Quaestiones disputatae de Potentia* ausgebreiteten *Verbum*-Lehre des THOMAS. So heißt es dann bei Heinrich, *Qdl. VI,1*: *Multum deficiunt a ratione verbi, qui dicunt, quod prima notitia simplex concepta in intellectu de re intellecta verbum est.*[260] Damit ist, in henrizianische Terminologie transponiert, exakt die thomanische Doktrin in das Visier der Kritik genommen.

Zum zweiten trägt das dem THOMAS zugeschrieben Opusculum *De intellectu et intelligibili* eine *Verbum informe*-Lehre vor. Wie Vernon J. BOURKE[261] hat darlegen können, handelt es sich aber um ein kompiliertes Werk, bestehend aus Teilen der *Quaestiones disputatae de Potentia*, der *Summa theologiae*, dem Metaphysik-Kommentar des THOMAS und einem eigenständigen Passus rätselhafter

GADAMERS Deutung äußern HÜBENER, *Theorie der Philosophiegeschichte.* 1982, p. 194 not. 171, und AERTSEN, *Eenheid en veelheid in God.* In: Vruchtbaar woord. 1990, p. 102.

256 Zur *Verbum*-Lehre des Heinrich cf. spec. NYS, *Werking.* 1949; ROVIRA BELLOSO, *Visión de Dios.* 1960, pp. 48-70; CANNIZZO, *Verbum mentis.* 1962; MÜLLER, *Verbum mentis.* 1968, pp. 73-86; WIELOCKX, *L'amour.* 1970, pp. 242-251; J. V. BROWN, *Meaning of 'notitia'.* 1981; MARRONE, *Truth.* 1985, ad indicem s.v., spec. pp. 82-92; WIELOCKX, *Aeg. Rom., Apol.* 1985, p. 157sq.; KOBUSCH, *Sein und Sprache.* 1987, pp. 86-96. 102. 118. 274. 489-492; TACHAU, *Vision and Certitude.* 1988, pp. 28-39. – Die für Heinrichs Trinitätstheologie sehr ergiebige Untersuchung von FRIEDMAN, *Verbum mentis.* 1996, spec. pp. 177-180, erläutert v.a. im Anschluß an HENR. DE GAND., *Summa 40,7* knapp die henrizianische Theorie von der Bildung eines *verbum mentis*, verweist auch auf *Summa 59,2*, läßt aber Heinrichs Ausführungen zum *verbum informe* unerwähnt.

257 Bereits das Ostern 1277 gehaltene HENR. DE GAND., *Qdl. II,6* Wielockx 30-33 besitzt eine spürbare antithomanische Stoßrichtung; dazu cf. spec. PATTIN: *Henricus van Gent, Qdl. II en IX.* 1985.

258 HENR. DE GAND. *Qdl. III,15* Badius 76rA: *Dicta species informans intellectum ut proximum principium eliciendi huiusmodi actum, est propria similitudo illius rei intellectae et format sive generat in anima per ipsam actum intelligendi; immo potius totus homo intelligens per ipsam mediante actu intelligendi intentionem quandam ipsius rei intellectae, quae dicitur verbum sive notitia.*

259 HENR. DE GAND., *Summa 58,1* Badius 124rH: *Non ergo omne, quod est in alio ut intellectum in intelligente, verbum est, neque in Deo neque in hominibus, sed aliquod sic et aliquod non.*

260 HENR. DE GAND., *Qdl. VI,1* Wilson 16,25-26.

261 V. J. BOURKE: *The Unauthenticity of the 'De intellectu et intelligibili' Attributed to St. Thomas Aquinas.* In: New Scholasticism 14 (1940), pp. 325-345.

Herkunft.[262] Besonders dann, wenn man den von P. MANDONNET[263] edierten und von J. PERRIER[264] entscheidend korrigierten Text dieser letztgenannten Passage zugrundelegt, wird man hellhörig:

Ps.-THOMAS DE AQUINO, *De intellectu et intelligibili*

Sciendum autem, quod intellectus semper habet apud se verbum secundum interiorem intelligentiam; et dicitur interior intelligentia, quod est ipsius animae secundum se, prout est quid subsistens, non autem habet illud semper secundum exteriorem intelligentiam. Et dicitur exterior intelligentia secundum exteriorem cognitionem; et ista proprie est hominis, 5 *secundum quod convertit se cogitando super ipsa phantasmata quae sunt potentia intelligibilia. Et sic intellectus semper habet apud se verbum informe, non autem semper formatum. Dicitur autem verbum informe, quia non est formatum, licet sit genitum, vel quia caret forma qua fit, vel quia non ducit in cognitionem rerum exteriorem propter indistinctam et confusam cognitionem. Iterum etiam, quia non est productum ad exteriorem mani-* 10 *festationem per exteriorem cognitionem.*

Sed homo non percipit, quod habeat semper apud se verbum illud informe. Primo propter extraneitatem sui ad intellectum; secundo propter sui profunditatem; tertio propter sui subtilitatem, et hoc ex animae similiter, vero ex parte corporis, quia anima est mole carnis oppressa, et ideo non percipit hoc; item quia est materialium caligine obscurata.

15 *Notandum etiam, quod triplex est verbum: verbum cordis sive intelligibile, verbum imaginationis sive imaginabile, verbum oris sive vocale. Primum est manifestum, secundum disponens, tertium operans.*

Notandum etiam, quod in partibus imaginis est ordo naturae, ita quod memoria praecedit intelligentiam interiorem, prout est gignitiva ipsius, offerens vel exhibens speciem, 20 *quam habet; at haec naturaliter praecedit, exteriorem vero intelligentiam praecedit et natura et tempore.*

Item intelligentia interior praecedit naturaliter voluntatem interiorem; et ratio est, quia oportet cum aliquis vult intelligere, quod ante praeconcipiat, quid est intelligere. Et sic intelligentia naturaliter praecedit voluntatem, memoria vero utramque; voluntas autem 25 *interior praecedit intelligentiam exteriorem.*

2 *quod*] *quae* Ma. – 6 *autem*[1]] *verbum* suppl. Ma. – *formatum*] *formatur* Ma. – 6sq. *quia non est formatum ... cognitionem rerum exteriorem*] om. Ma. – 10 *quod*] *intellectus* suppl. Ma. – 12 *vero*] *non* Ma. – 13 *item*] *iterum* Ma. – 15 *intelligibile*] *intellectuale* Ma. – 16sq. *manifestum*] *manens* Ma. – 18 *in*] *tribus* suppl. Ma. – *ordo naturae*] *et ordo temporis* suppl. Ma. – 19 *exhibens*] *ostendens ei* Ma. – 20sq. *exteriorem vero intelligentiam praecedit*] om. Ma. – 22 *cum*] *antequam* Ma. – *vult*] *velit* Ma. – *ante*] om. Ma.

P = *Paris., Bibl. Nat. lat. 14548*, fol. 124a-125d, cuius lectiones cit. ap. PERRIER, BullThom 7 (1950), p. 103sq.; Ma. = *textus receptus*, qui invenitur in THOM. DE AQU., Opusc. omn. Ed. P. MANDONNET. Paris 1927, tom. V, p. 378

[262] Dem Passus voraus gehen THOM. DE AQU., *Pot. IX,5 corp.*; ID., *Pot. IX,9 corp.*; ID., *Pot. VIII,1 corp.*; es folgen dann Exzerpte aus THOM. DE AQU., *S. theol. I, q. 79, a. 10 ad 3; ID., S. theol. I, q. 27, a. 1 corp.; ID., S. theol. I, q. 34, a. 1 ad 2; ID., S. theol. I, q. 27, a. 4 corp., obi. & ad 2; ID., S. theol. I, q. 14, a. 4 corp.; ID., S. theol. I, q. 59, a. 1 ad 1; ID., In I Metaph., lect. 2* nr. 45-46.

[263] THOM. DE AQU., *Opuscula omnia*. Ed. P. MANDONNET. Paris 1927, tom. V, p. 378.

[264] Cf. J. PERRIER: *Rec.* Bourke, The Unauthenticity ... In: BullThom 7 (1950), p. 103sq.

Bereits 1877 gab Ignatius JEILER[265] wegen dieses Passus einen ausdrücklichen Hinweis auf Heinrich von Gent, der offensichtlich mit Ausnahme von Martin GRABMANN[266] keine nennenswerte Beachtung fand. Selbstverständlich stammt der oben angeführte ps.-thomanische Text nicht von Heinrich. Aber er bezeugt eine intensive Beschäftigung mit der *Verbum informe*-Lehre unter Thomisten, die sich in ein konstruktives Gespräch mit Heinrich von Gent einließen. Man war wohl der Meinung, aus einer sachlichen Nähe heraus mit diesem von THOMAS eher beiläufig gebrauchten[267], von Heinrich aber prononcierten Begriff eine originäre Lehre des THOMAS hilfreich explizieren zu können. Anscheinend hielt man beide Lehrauffassungen für prinzipiell kompatibel oder doch für konvergent.

2. Heinrichs Neuinterpretation im Geist schöpferischer Tradition

Zu Recht stellt sich die Frage ein, ob eine Nähe der thomanischen *Verbum*-Konzeption zu der des Heinrich behauptet werden könne. Denn die Lehre von einer impliziten resp. apriorischen Gotteserkenntnis bei Heinrich darf anhand des *Verbum*-Begriffs erläutert werden[268]. Er drängt sich insbesondere im Spätwerk des THOMAS wie auch des Heinrich gegenüber konkurrierenden Termini vor. Vermutlich, weil er im Sinne beider Autoren stärker die im *formatum* angezeigte Eigenleistung des begreifenden Intellekts zum Ausdruck bringt. Nicht zuletzt wird die Verwendung von *verbum* anstelle von bspw. *intentio intellecta* oder *notitia declarativa* besser den Interessen theologischer Analogiebildung entsprochen haben.[269]

In einem auf das Jahr 1286 zu datierenden Text stellte Heinrich von Gent einen engen Konnex zwischen seiner Lehre von der *cognitio generalissima* und

[265] Cf. JEILER, *Ursprung und Entwicklung der Gotteserkenntnis*. 1877, p. 142sq.

[266] Cf. GRABMANN, *Werke des hl. Thomas von Aquin*. ³1948, p. 409.

[267] Cf. THOM. DE AQU., *In Ioa. ev. I,1* nr. 26; daneben ID., *Pot. IV,1 corp.*

[268] Die Interpretation wird erschwert, da eine enorme lexikalische Variationsbreite bei den Hauptbegriffen der jeweiligen Erkenntnislehre unserer Autoren gegeben ist, wenn vom Erkennen in seiner Vollkommenheit und dessen Resultat die Rede ist. Bei THOMAS kann das *verbum mentis* auch heißen: *verbum interius* (ID., *Ver. IV,1 corp.*), *verbum interius conceptum* (ID., *S.c.G. IV,11*), *verbum cordis* (ID., *In I Sent. 27,2,1 corp.*; *Ver. IV,1 corp.*), *conceptio intellectus* (ID., *In I Sent. 27,2,1 corp.*; ID., *Ver. IV,2 corp.*; ID., *Pot. VIII,1 corp.*; ID., *S. theol. I, q. 27, a. 2 ad 2*), *ratio intellecta* (ID., *S.c.G. IV,11*), *intentio intellecta* (ID., *S.c.G. I,53*; *IV,11*), *intentio rei intellectae* (ID., *S.c.G. I,53*) oder auch *similitudo rei intellectae* (ID., *Pot. VIII,1 corp.*; ID., *S.c.G. IV,11*). Die Anzahl der Synonyma bei Heinrich ist nicht geringer; sehr häufig gebraucht er: *notitia declarativa, notitia manifestativa, notitia distinctiva*, desweiteren *notitia discretiva* (ID., *Summa 54,9*), *intentio rei intellectae, quidditas rei intellecta* (ID., *Qdl. II,6* Wielockx 32,60), *quod quid est de re* (ID., *Qdl. II,6* Wielockx 32,71), *quasi quaedam lux in intellectu concepta, in qua rem mentaliter videt et discernit* (ID., *Qdl. II,6* Wielockx 32,62) oder auch schlicht *veritas* (ID., *Qdl. II,6* Wielockx 32,60).

[269] Cf. ENGELHARDT, *Intentio*. 1976, spec. col. 472.

des *verbum informe* her, wie er an den *loci classici* der *Primum cognitum*-Theorie, nämlich *Summa 21-24*, noch nicht beobachtet werden kann. Im unmittelbaren Umkreis von *Summa 58,2* Badius 131vM, dieser von der bisherigen Forschung oft zur Erklärung der henrizianischen *Primum cognitum*-Lehre herangezogenen Stelle, legt der *Doctor solemnis* in *Summa 59,2 ad 1um* in bekannter Ausführlichkeit den *modus formandi verbum* dar.[270]

Heinrich weist eingangs darauf hin, daß die je unterschiedliche Hervorbringung eines Wortes bei Mensch, Engel und Gott auf einen je unterschiedlichen Erkenntnismodus zurückgeführt werden muß. Von Heinrich vorausgesetzt ist, daß die im dreieinen göttlichen Wesen geschehende Hervorbringung des göttlichen Wortes eine 'apriorische Grammatik' des menschlichen Denkens bildet, deren Apriorität durch die zeitüberlegene und insbesondere schöpfungsbewirkende Erhabenheit des innertrinitarischen göttlichen Lebens begründet ist. Daher gibt es in spezifischer Weise - und darauf kommt es Heinrich nun an - beim Menschen entsprechend der unterschiedlich einsehbaren Dinge einen je anderen Modus, ein *verbum* zu bilden.

Seine Erklärung beginnt er mit der Trennung einer konfusen Sinneserkenntnis von einer konfusen Intellekterkenntnis. Die konfuse Sinneserkenntnis erläutert er ausgehend vom Proömium der aristotelischen Physik.[271] Die dem Menschen eigentümliche Erkenntnisweise ist es, mit konfusen Dingen zu beginnen. Es ist zwar für den Menschen anfangs ein *manifestum* und *cognitum*, aber tatsächlich ein *confusum*, und dies aufgrund der zeitlichen Priorität in diesem Leben. Erst in einer nachträglichen Analyse trifft man auf die bestimmenden Gründe der Wesenheiten und beweist deren letzte Bestandteile und Prinzipien. Deswegen - und hier implantiert Heinrich einen originär augustinischen Begriff in einen typisch aristotelischen Gedankengang - gibt es zuerst ein *verbum formabile*, da man von den Dingen eine konfuse Erkenntnis *sub ratione definiti*, d. h. mit dem Charakter des Definiten besäße, wie er bei einer bestimmten und distinkten Erkenntnis aktuell gegeben ist. Heinrich gibt ein auch von AUGUSTINUS[272], BONAVENTURA[273] und besonders von

[270] Cf. HENR. DE GAND., *Summa 59,2* Badius 140vD-142rH.

[271] Cf. ARIST., *Phys. I 1*, 184 a10-b14; das alltägliche Vorwissen liegt jeder philosophischen Reflexion nicht im Sinn einer art- oder gattungsmäßigen Allgemeinheit, sondern im Sinn eines unbestimmt Allgemeinen, eines 'zusammengegossenen Ganzen' (συνκεχυμένον ὅλον) voraus. Zur Interpretation cf. W. WIELAND: *Die aristotelische Physik. Untersuchungen über die Grundlegung der Naturwissenschaft und die sprachlichen Bedingungen der Prinzipienforschung bei Aristoteles.* Göttingen 1962, pp. 85sqq.; J. FRITSCHE: *Methode und Beweisziel im ersten Buch der 'Physikvorlesung' des Aristoteles.* Frankfurt a.M. 1986; Ch. PIETSCH: *Prinzipienfindung bei Aristoteles* (BzA 22). Stuttgart/Leipzig 1992, p. 62sq. - Der Terminus *suppositio confusa* war Gemeingut aller Logiker des 13. Jahrhunderts; cf. PETR. HISP., *Tract. VI,8sq.* De Rijk 82sq.; J. PINBORG: *Logik und Semantik im Mittelalter. Ein Überblick* (Problemata 10). Stuttgart-Bad Cannstatt 1972, p. 61sq.; P. V. SPADE: *The Semantics of Terms.* In: CHLMPh 1982, pp. (188-196) 194-196.

[272] Cf. AUG., *De magistro 5,16.* CCL 29, p. 174sq.

[273] Cf. BONAV., *Itin. III,4* ed. Quar. V, p. 305a.

THOMAS[274] her bekanntes Beispiel: Wenn wir irgendetwas Körperliches von weitem sehen, sehen wir zuerst mittels des Gesichtssinnes und der Phantasie ein, daß es sich um eine körperliche Substanz handelt. Später, wenn es sich mehr und mehr genähert hat, erkennen wir aufgrund der Bewegung, daß es ein Lebewesen ist, danach aufgrund der körperlichen Statur, daß es ein Mensch, schließlich sogar, welcher Mensch es ist, falls wir ihn schon anderswoher kennengelernt haben. Doch ist dieses Erkennen nur solange im Intellekt konfus, bis man die nach ARISTOTELES bei allen Menschen identische Wesenheit erkennt. Wir erkennen aber diesen Menschen nicht durch eine schon von ihm gegebene konfuser Erkenntnis, sondern durch ein Schließen und Einsehen des Intellekts sowie kraft einer Erleuchtung des *intellectus agens*. Dadurch werden die wesentlichen Bestandteile im Definiten offenbar, wie das *universale in phantasmate* durch dieselbe Einstrahlung einsichtig wird. Gemäß den Bestimmungen der Logik heißen diese Bestandteile Genus und Differenz, aber von diesen beiden wird uns zuerst das Genus als das gleichsam Konfusere bekannt, erst dann die Differenz als das, was das Genus unterscheidet und dieses zu einer Spezies bestimmt, und zwar so, daß in beiden Fällen je für sich und zugleich ein *verbum perfectum* des Definiten erfaßt wird. Soweit die konfuse Sinneserkenntnis.

Bei der konfusen Intellekterkenntnis ist in ähnlicher Weise und in zeitlicher Priorität, *licet forte imperceptibilis nobis*, das Konfusere erkannt, und zwar bei den *simplicia*, deren Wesenheit keine Teile kennt noch Bestimmungsgründe von der Art, wie es die letzten Differenzen der am meisten besonderten Species sind. Derartige *simplicia* treten ganz zu Anfang dem Intellekt entgegen, so daß er von ihnen erkennt, daß sie irgend etwas *in rerum natura* sind, aber nicht, was sie mit Bestimmtheit sind. Aber immer wird von ihnen entweder nichts erkannt oder das Ganze erkannt, was an ihnen erkennbar ist, mag es auch nicht *totaliter* sein.

Heinrich parallelisiert, wie oft in seinem Werk[275], sensuales und intellektuales Erkennen, und dies an einem Beispiel, wie es einem bienenfleißigen, Tag und Nacht forschenden Pariser Magister der Theologie gut ansteht. Denn das Beispiel könnte sich ihm in seinem Studierzimmer aufgedrängt haben. Wenn wir nämlich bei dämmrigen Licht ein Buch sehen, sehen wir sofort, daß in ihm etwas geschrieben steht. Dabei liegt die mangelnde Deutlichkeit an zweierlei. Erstens an der *intentio lucis*, durch deren erhellende Einstrahlung dem Gesichtssinn nach Beseitigung des verstellenden Dunkels sichtbar wird, was darin geschrieben ist. In der Weise, wie das Licht des *intellectus agens* über die Phantasmata strahlt und den Schatten der materiell bedingten partikulären

[274] Cf. THOM. DE AQU., *S. theol. I, q. 2, a. 1 ad 1*; cf. HENR. DE GAND., *Summa 24,7* Badius 144rG (dazu Kap. III, § 2).

[275] Cf. die besonders ausführlich gehaltenen Vergleiche in HENR. DE GAND., *Summa 1,3* Badius 9rB; ID., *Summa 33,2* Macken 130,60-136,02; 142,61-145,46; ID., *Summa 58,2* Badius 130rF-vH.

Umstände verscheucht, so leuchtet es auch über das verworren Erkannte (*confuse intellectum*)[276] und vertreibt den Schatten der Konfusion. Zweitens liegt es an der Annäherung des Gesichtssinnes, insofern der Gesichtsinn an einen naheliegenden Ding etwas zu unterscheiden vermag, was ihm bei entfernt stehenden Dingen versagt bleibt. Der *aspectus* bzw. die *intuitio* des Intellekts selbst ist eine geistige Annäherung an das Intelligible, durch die gleichsam dessen Inneres durchdrungen wird. Es handelt sich um eine sichere Erkenntnis, die nur durch ein Mehr oder Weniger von der vorherigen konfusen Erkenntnis unterschieden ist. Dieses determinierte Erkennen stellt quasi ein *verbum in sensu*[277] dar, wenn auch nicht im eigentlichen Sinne, da es nicht durch die Tätigkeit eines Sinnes, sondern nur des Objekts gebildet ist. Es erfüllt aber mehr die Bestimmung eines *verbum* als jenes, das einige das essentiale göttlich Wort nennen, weil dort die *visio certa* eine konfuse voraussetzt, doch im Göttlichen dies nicht zutrifft. Das auch als deutliche Erkenntnis (*notitia declarativa*) bezeichnete *verbum*, legt immer eine schlichte Erkenntnis (*notitia simplex*) zugrunde, so daß eine zweifache Erkenntnis (*notitia*) erforderlich ist, wo immer ein *verbum* auftritt. Von seiten des Intellekts ist jenes konfuse Erkennen des schlichten, nicht-komplexen Einsehens (*notitia simplicis intelligentiae*) einer *res universalis* der Memoria zuzuweisen. Denn die Memoria bewegt zu Anfang den Intellekt *sub ratione intelligentiae* in Richtung auf eine determinierte Erkenntnis, wenn es den Intellekt dahin bringt, am Erkannten das in dessen Natur Determinierte zu erkennen. Was immer der Intellekt auffaßt, zu Anfang erfaßt er in einer plötzlichen Weise, was etwas ist. Daher beugt sich der Intellekt, gleichsam wie von einem Blitz getroffen und erschüttert (*quasi attonitus*) aus eigener aktiver Kraft über seinen eigenen Akt und über das konfus erkannte Objekt und wird noch lebhafter bewegt, jenes Objekt zu seiner deutlicheren Erkenntnis noch sorgfältiger zu betrachten. Auf diese Weise nämlich richtet das plötzlich von Licht getroffene leibliche Auge seinen Blick zum schärferen Hinsehen in das Licht, um es vollkommener zu sehen, und dies durch einen *appetitus delectatus*, also einen Drang, der seinen Gefallen gefunden hat an dem, was der Intellekt oder der Sinn erkennt, und daran, es noch vollkommener zu erkennen und sich am Erkannten zu erfreu-

[276] Wichtig und wegbahnend für JOHANNES DUNS SCOTUS war die Diskussion von HENR. DE GAND., *Summa 24,3* bei GODEFR. DE FONT., *Qdl. VII,11* (cf. dazu Kap. II, § 5,3). Die bei Heinrich belegbare Unterscheidung eines *confusum cognitum* von einem *confuse cognitum* spielt später bei DUNS SCOTUS eine entscheidende Rolle für sein Verständnis von Evidenz und seinen Begriff der *propositio per se nota*. Zur Bedeutung des DUNS SCOTUS für die Begriffsgeschichte der *propositio per se nota* cf. Th. KOBUSCH: *Luther und die scholastische Prinzipienlehre*. In: Medioevo 13 (1987 [publ. 1990]), pp. (303-340) 304-314.

[277] Zu dieser in der Scholastik wohl erstmaligen Konzeption eines *quasi verbum in sensu* (HENR. DE GAND., *Summa 59,2* Badius 141rE) cf. HENR. DE GAND., *Qdl. II,6* Wielockx 31,23-(32,)55. 33,73-82; dazu PATTIN, *Henricus van Gent, Qdl. II en IX*. 1985.

en. Heinrich zitiert ein kurioses Beispiel AUGUSTINS:[278] Der Geist eines Kindes ist begierig, Licht zu schöpfen. So kommt es vor, daß bei Eltern, die aus mangelnder Vorsicht und Unwissenheit über die Folgen eine Lampe dort in Raum aufstellen, wo das Kind liegt und es seine Augen darauf wenden oder seinen Nacken drehen kann, das Kind seinen Blick nicht vom Licht abwendet, so daß einige Kinder, wie man weiß, schielende Augen bekamen. Wenn daher, so fährt Heinrich fort, das Objekt nicht verweilt, sondern vorübereilt, verbleibt nur eine konfuse und indeterminierte Erkenntnis. So erfassen wir, wenn etwas plötzlich vorüberfliegt und dabei den körperlichen Sinn bewegt, daß wir etwas gesehen haben, wissen aber nicht, was es mit Bestimmtheit gewesen ist. Dies sei der schon in *Summa 24,6* erklärte Modus, in dem wir in diesem Leben Gott sehen und sein *quid est* in einer allgemeinsten Erkenntnis erkennen, daß Gott etwas sei, was unseren Geist gleichsam in einem Augenblick und im Vorüberflug (*quasi ictu oculi transvolando*)[279] unseren Geist verändert, wir aber nicht mit Bestimmtheit erfassen, welche Natur und eine wie beschaffene es sei.[280]

Die augustinische Umscheibung wird von Heinrich ergänzt und fortgeführt mit einer Zitatenkatene aus den 'Moralia' GREGORS DES GROSSEN, die den momentanen und transitorischen, aber doch auch erkenntnishaften Charakter einer derartigen Gottesbegegnung unterstreicht: „So bietet er sich uns zur Einsicht dar, daß jedoch der Strahl selbst seines Intellekts uns umnebelt und erneut durch die Dunkelheit des Nichtwissens so uns niederdrückt, daß jedoch unserem Geist Strahlen seiner Klarheit untermischt, damit auch ein erhobener [Geist (*mens*)] irgend etwas sehe und zurückgeworfen erzittere; und weil sie Ihn, wie Er ist, nicht sehen kann, in irgendeiner Weise durch Sehen erkenne."[281] Denn, so zitiert Heinrich aus einer anderen Stelle bei

[278] Cf. AUG., *De trin. XIV,5,7* CCL 50A, pp. 429,1-430,15. - Das Problem der Selbsterkenntnis von Kindern ist als solches knapp erwähnt bei GERAD. DE ABBATISVILLA, *Qdl. VI,9* Pattin 47,62-63.

[279] Es wäre Thema einer eigenen Untersuchung, Heinrichs Lehre der *cognitio generalissima* und ihre aufweisbaren Anspielungen an AUGUSTINS Schilderung der Vision von Ostia (*Conf. XI,10,23-25* CCL 27, pp. 147,1-148,51) in den Kontext der Rezeption der *Confessiones* im 13. Jh. im allgemeinen und bei Heinrich im besonderen zu stellen; cf. AUG., *Conf. VII,17,23* CCL 27, p. 107,27-32: [sc. *potentia ratiocinans*] *pervenit ad id, quod est in ictu trepidantis aspectus. Tunc vero 'invisibilia tua per ea, quae facta sunt, intellecta' conspexi, sed aciem figere non evalui et repercussa infirmitate redditus solitis non mecum ferebam nisi amantem memoriam et quasi olefacta desiderantem, quae comedere nondum possem.*

[280] Die hier von Heinrich gebrauchte Wendung *in ictu oculi* fällt erstmals - und als Hapax im neutestamentlichen Kanon - in der paulinischen Schilderung des Auferstehungsaktes *1 Kor 15,52* und findet im Werk AUGUSTINS einen spezifischen Gebrauch für das mystische Erkennen (cf. dazu ausführlicher Kap. II, § 3,5 not. 306). Cf. *1 Cor 15,51sq.* Vg: *Ecce, mysterium vobis dico, omnes quidem resurgemus, sed non omnes inmutabimur.* [52]*In momento, in ictu oculi, in novissima tuba; canet enim, et mortui resurgent incorrupti, et nos inmutabimur.*

[281] GREG. MAGN., *Mor. XVI,8,30* CCL 143A, p. 805,29-34: *Sic se nobis intelligendum praebet, ut tamen ipsum nobis radium sui intellectus obnubilet, et rursum sic caligine nos ignorantiae*

GREGOR, „wenn [Er] sich auch nicht ganz bekannt macht, offenbart er doch etwas von sich dem menschlichen Geist."[282] Außerdem gilt nach GREGOR: „Sie [sc. die Seele] vermag nicht lange im Licht zu verbleiben, weil er nach Art der Entrückung sieht."[283] Heinrich benennt die Anwesenheit von Erfahrungsindizien einer Ersterkenntnis, die Gott und nichts anderes erkennt, meint aber zugleich in einem erkenntnismetaphysischen Sinne den Einschlagspunkt des Ewigen in die Zeit, ein zeitloses Einwirken Gottes auf die Seele, d. h. auf den Intellekt. Er ist ein Element des Zeitlosen in der Seele, so daß die Seele zu einem Ort des Apriorischen wird.[284]

Aus diesem sehr anspielungs- und daher sehr voraussetzungsreichen Text sollen nur zwei Theorielemente herausgegriffen werden, die einerseits auf die henrizianische *Primum cognitum*-Theorie klärendes Licht werfen und andererseits und zugleich in Bezug auf die thomanische Lehre impliziter Gotteserkenntnis besondere Bedeutung haben.

Zunächst ist da von Heinrichs Verständnis der *cognitio confusa* zu sprechen. Ihre emphatische Anfangsstellung im Text deutet an, was Heinrich neu zu entwerfen und zu begründen versucht. Es geht um nicht weniger als eine Uminterpretation und Neubewertung konfuser Dingerkenntnis, die im engen Zusammenhang mit seiner Wesensontologie[285] entwickelt wird und auch nur von ihr her adäquat verstanden werden kann.

Nach Heinrich ist im Wissen der ersten Begriffe, von denen Seiendes der grundlegendste ist, Gott „im Allgemeinen und mit einer gewissen Konfusion"[286] mitgewußt. Obwohl der Verstand in einer konfusen Kenntnis des Seins, die von Eigenschaften, die kreatürlich Seienden eigentümlich sind, angeleitet ist"[287], einiges von Gottes Quiddität erkennt, ist ein so beschaffenes Wissen undeutlich und noch fern weg, ja in dieser Hinsicht sogar im Gegensatz zum distinkten Erkennen der *visio beatifica*, weil dieses Wissen nicht die göttliche Wesenheit unverstellt und in ihrer eigenen, besonderen Deutlichkeit und Klarheit erfaßt. Denn das Konfuse dieses tatsächlichen Erkennen scheint für

reprimit, ut tamen menti nostrae radios suae claritatis intermicet, quatenus et sublevata quidpiam videat et reverbarata contremiscat, et quia eum, sicuti est, videre non potest, aliquatenus videndo cognoscat. - Zur Dauer der Beschauung cf. F. LIEBLANG: *Grundfragen der mystischen Theologie nach Gregors des Großen Moralia und Ezechielhomilien* (FThS 37). Freiburg i.Br. 1934, pp. 156-160.

[282] Cf. GREG. MAGN., *Mor. V,29.52* CCL 143, p. 254,32-33: *Etsi se plene non intimat, quiddam tamen de se humanae menti manifestat.* Zu dieser Stelle und weiteren Parallelen cf. LIEBLANG, *Grundfragen.* 1934, p. 144.

[283] Cf. GREG. MAGN., *Mor. VIII,30,50* CCL 143, p. 421,38: *Inhaerere diu luci non valet, quia raptim videt.*

[284] Zur Wirkungsgeschichte des platonischen εξαιφνης in der christlichen Mystik cf. H. U. v. BALTHASAR: *Kommentar* [zu THOM. DE AQU., *S. theol. II-II, q. 180, a. 8*]. In: Dtsch. Thomas-Ausg., Bd. 23 (1954), p. 447sq.

[285] Cf. Kap. II, § 2,4.

[286] HENR. DE GAND., *Summa 22,2* Badius 130vQ.

[287] HENR. DE GAND., *Summa 24,5* Badius 140vG.

Heinrich gerade die voranbringende Eigenheit dieses noetischen Sachverhalts zu sein. Diese Unbestimmtheit, dieses Fehlen an Klarheit könne eben als Indiz für ein intellektuales Erkennen Gottes selbst, und nicht nur eines endlichen Seienden verstanden werden. Das Sein, das man in diesem ersten Zugriff erkennt, ist eine einzige prägnante Fülle. Konfuses Erkennen ist in einer gewissen Ähnlichkeit zu probablen Sätzen eher als Vorschein, denn als Anschein der Wahrheit zu bewerten. Es besitzt für Heinrich letztlich nicht rein defizitären und restriktiven, sondern betont innitierenden, inchoativen Charakter. Die konfuse Seins- und Gotteserkenntnis behält ihr Recht inkraft der Antizipation desjenigen Wissensstrebens, das das distinkte Erkennen besitzt und zum Verstehen und zur reflektierten Affirmation der Realität des subsistierenden Seins führt. Es ist keinesfalls eine psychologische Illusion im modernen Sinne.[288]

Der andere Punkt ist die Eigenheit des *verbum informe*.[289] Die Bildung eines *verbum* bei einem Verstehensakt ist unumgänglich.[290] Wenn nun bei Heinrich jede Erkenntnis gemessen wird an Wahrheit, Vollkommenheit und Gewißheit, erfüllt die im *verbum informe* mitgegebene Gotteserkenntnis nur das erste Kriterium. Die wahre, vollkommene und gewisse Erkenntnis ist eine *conversio super se et super actum intelligendi et super obiectum intellectum*[291], deren Ziel das Bewußtsein des Erkenntnisobjekts aufgrund seiner Vergegenwärtigung als objektive Existenz im *verbum mentis* ist. Unter dem Bewußtsein des Erkenntnisobjekts versteht Heinrich das Bewußtwerden der subjektiv seelischen Tätigkeit, die sich auf real vorhandene, im *phantasma universale* begründete Universalbegriffe erstreckt. Erkenntnis ist demnach eine *assimilatio*, die in der intentionalen Darstellung des Erkenntnissubjekts besteht. Zur *ratio verbi mentalis perfecti* heißt es bei Heinrich: *Verbum est terminus intellectualis emanans ab intelligente secundum actum, manens in ipso intelligente, alterius declarativum.*[292]

[288] Cf. GÓMEZ CAFFARENA, *Ser participado.* 1958, pp. 193. 248.

[289] Zum *verbum informe/formabile/non formatum* bei Heinrich cf. *Summa 1,3* Badius 10vG; *Qdl. IV,8* Badius 97rL, lin. 4; 98vQ, lin. 33-99rQ, ibid. spec. 98vQ, lin. 50-52: *Sciendum, quod dicitur verbum non sola notitia, quae est forma obiecta intellectui, nec ipsa notitia, quae est actus eius informatus per obiectum, sed et ipsa potentia intellectiva, ut informata est per actum informatum ab obiecto; et tale verbum est pars imaginis in nobis*; ferner *Qdl. V,25* Badius 204vL; *Qdl. VI,1* Wilson 15,8-16,24; *Summa 61,6* Badius 179vO. In HENR. DE GAND., *Summa 34,2* Macken 174,46-175,61 und *Summa 24,3* Macken 219,31-45 wird das ungeformte inkomplexe Wort mit dem Begriff des transzendenten Seienden bzw. Wahren im weitesten Sinne identifiziert.

[290] Cf. HENR. DE GAND., *Qdl. II,6* Wielockx 32,67-68. 70-71: *in omni actu intelligendi, quantumcumque modicus sit, necesse est formare verbum. ... necesse est eum* [sc. *intellectum*] *aut nihil intelligere aut quod quid est de re in se formare.*

[291] HENR. DE GAND., *Summa 58,2* Badius 130vH.

[292] HENR. DE GAND., *Summa 40,7* Wilson 285,84-286,2: *Et per illas sex conditiones excluduntur illa, quibus aliquo modo videtur convenire ratio verbi, sed non convenit ratio verbi perfecta aut nullo modo convenit. Dicitur TERMINUS operationis intellectualis ad differentiam obiecti intelligibilis, quod est formale principium omnis intellectualis operationis, ut iam dictum est supra. Dicitur autem ACTIONIS INTELLECTUALIS ad differentiam amoris procedentis, qui*

Von all diesen aktiv-manifestierenden Momenten trifft keines auf das *verbum informe* zu. Es ist zwar zu verstehen als eine erste, dem Intellekt akzidentiell inhärierende Operation[293], aber diese kommt erst zustande durch das Intelligible selbst, das auf das intellektuale Vermögen der Memoria einwirkt. Diese Operation, die den verbalen Charakter sicherstellt, besteht darin, daß das Objekt den kognitiven Akt hervorlockt[294]. Es liegt eine präkonzeptionelle, primäre, primordiale und in diesem Sinne apriorische Orientierung des Intellekts am Sein überhaupt vor. Dies bedeutet aber auch für Heinrich vor allem dies: Ein Proprium des Menschseins, nämlich intellektuales Tätigsein, wird überhaupt erst eröffnet durch Gott als Ursprung, Grund und Ziel allen Seins. Er, der in diesem irgendwie verstandenen Intelligiblen erfaßt ist, wirkt in formaler und finaler Kausalität auf den kreatürlichen Erkenntnisvorgang ein. Gott, das am meisten Intelligible, macht zunächst sich selbst und erst dann die anderen Dinge erkennbar. Als erschließenden Horizont nennt Heinrich Gott auch emphatisch *cognitio omnium cognitionum.*[295] Daher ist die intellektuale *memoria,* wie bei AUGUSTINUS auch als unräumlicher Ort unveränderlicher Wahrheiten verstanden, nach Heinrichs ausdrücklicher Lehre nichts anderes als der von Außenerfahrung separierte *intellectus possibilis,* der den *habitus scientialis,* der virtuell alles Wißbare ist, in sich schließt[296].

Heinrich von Gent erweist sich so zum wiederholten Male als höchst eigenständiger Rezipient relevanter theologischer Traditionen, der diese durch Aufdeckung ihrer verschütteten Ursprünge aufbricht, erneuert und zugleich verwandelt. Heinrichs Lehre vom *verbum informe* ist eine originale Entfaltung

est terminus actionis voluntariae. Dicitur autem EMANANS ad differentiam rei intellectae simplici intelligentiae, quae est terminus actionis intellectualis, quae est intelligere simplicis intelligentiae, sed non est emanans et procedens in esse per illam actionem, sed solummodo est terminus, in quem terminatur huiusmodi actio et sistit. Dicitur autem AB INTELLIGENTE SECUNDUM ACTUM ad differentiam actionis, quae est intelligere simplici intelligentia, quae emanat ab intelligente non secundum actum, sed secundum habitum tantum. Illa enim est prima actio intelligentis, qua fit intelligens secundum actum. Dicitur autem MANENS IN IPSO ad differentiam verbi vocalis, quod corporaliter extra emittitur et est signum verbi manentis intra. Ultimo autem dicitur DECLARATIVUM ALTERIUS ad differentiam cuiuscumque concepti post primum intellectum simplici intelligentia, qui non est declarativus illius, ut iam patebit. - Zu *definitio, origo* und *vis* des *verbum vocale* cf. HENR. DE GAND., *Summa 73,1* Badius 264rB-266rM. - Eine ausführliche Kritik genau dieser oben zitierten *Verbum mentis*-Definition Heinrichs entfaltete IACOBUS DE THERMIS [DE THERÍNES] SOCist († 1321): *Qdl. II,17* [Natal. 1307] Glorieux 303-311: *Utrum intellectus possibilis active se habeat in formatione verbi.*

293 Cf. HENR. DE GAND., *Qdl. VI,1* Wilson 14,84sqq.

294 Zum elizitiven Charakter des Erkenntnisobjekts cf. HENR. DE GAND., *Qdl. XI,7* Badius 459vT; ID., *Qdl. VI,6* Wilson 68,61-63; 69,78-87.

295 HENR. DE GAND., *Summa 58,2* Badius 127vD.

296 Cf. HENR. DE GAND., *Qdl. V,25* Badius 204vK: *Ita, quod memoria intellectualis nihil aliud sit proprie dicta quam intellectus possibilis, ...*; ID., *Qdl. XI,7* Badius 459vX; ID., *Qdl. XIII,8* Decorte 54,23-25; ID., *Qdl. XIV,6* Badius 566vE.

im 13. Jahrhundert, ohne Vorgänger im strengen Sinne, aber offensichtlich auch ohne Kontinuität im späteren scholastischen Diskussionsverlauf.[297]

3. Exkurs: Zur Wiederentdeckung der Abditum mentis-*Lehre Augustins im 13. Jahrhundert*

Heinrichs Lehre von Gott als dem Ersterkannten des menschlichen Intellekts hat den wichtigen Aspekt, ergänzend und korrigierend zu theologisch adaptierten Hauptthesen aristotelischer Intellektlehre das seelische Leben des Menschen im Innersten als divinisiert zu kennzeichnen. Es wundert daher nicht, daß Heinrich für das Erreichen dieses Zieles auch verwandte Theoreme heranzieht, zumal wenn sein Vorzugsautor AUGUSTINUS solche bereithält. Heinrichs Wahl fällt auf dessen Anschauung vom *abditum mentis.* Zahlreiche Autoren des ausgehenden 13. und beginnenden 14. Jahrhunderts, die man gemeinhin unter der höchst kontroversen Bezeichnung 'Mystik' subsumiert, haben sich in unterschiedlicher Weise um eine Adaption dieser Anschauung bemüht. Dafür mögen die Namen eines DIETRICH VON FREIBERG OP und MEISTER ECKHART OP stehen. Die augustinische Rede von einem *abditum mentis,* „die seit ihrem Ursprung ... die mystische Literatur unaufhörlich befruchtet, wird mit dem νοῦς ποιητικὸς des Aristoteles verknüpft und mit den Bestimmungen der neuplatonischen Intelligenzenlehre durchsetzt. So entsteht ein mystischer Grundbegriff von prismatisch wirkendem Reichtum der Reflexe."[298] Es wäre allerdings irrig, wenn man - etwa der längst obsolet gewordenen historiographischen Entgegenstellung von 'Mystik' und 'Scholastik' folgend - die *Abditum mentis*-Lehre AUGUSTINS beschränkt sehen möchte auf universitätsferne Mystikerkreise, die der akademischen Theologie kritisch, wenn nicht gar schroff ablehnend gegenübergestanden hätten. Ohne eine auch nur entfernt auf Vollständigkeit angelegte Begriffsgeschichte vorlegen zu wol-

[297] Zeitgenössische Theologen Heinrichs gehen eher marginal auf die augustinische *Verbum informe*-Lehre ein; cf. PETR. DE FALCO: *Qdl. 2, resp. 3: Utrum verbum sit intellectionis formale principium vel obiectum* Gondras (145-149) 148; PETR. IOA. OLIVI: *Tractatus de verbo.* Ed R. PASNAU: Petri Johannis Olivi Tractatus de Verbo. In: FrStudies 53 (1993 [publ. 1997]), pp. (121-153) 134-148, spec. p. 140, lin. 180-189. Eine frühe Frontalkritik an der henrizianischen *Verbum*-Lehre insgesamt formulierten THOM. DE SUTTON, *Qdl. I,17* [a. 1284] Schmaus/González-Haba 115-123: *Utrum verbum mentis sit ipse actus intelligendi vel aliquid per actum intelligendi formatum*; ID., *Quaest. ord., dl. III,11* [a. 1286] Schmaus/González-Haba 409-416: *Utrum intellectus noster possibilis se habeat active in formando verbum*; ID., *Quaest. ord., q. 17: Utrum verbum mentis humanae sit ab intellectu effective* Schneider 473-494 und GODEFR. DE FONT., *Qdl. X,12* [a. 1294] Hoffmans 358-365: *Utrum verbum mentale formetur in intellectu ab ipso intellectu, in quo est, vel ab alio.*

[298] BERNHART, *Die philosophische Mystik des Mittelalters.* 1922, p. 174.

len,[299] möchten die folgenden Ausführungen in stark geraffter Form auf einige bislang wenig beachtete Beiträge scholastischer Theologie hinweisen, die die knappen, kaum über Andeutungen hinauskommenden Ausführungen bei AUGUSTINUS, *De trin. XIV,7* über ein *abditum mentis*[300] sachlich vorangebracht und zu einer konzisen theologischen Lehre fortentwickelt haben.

Der besagte augustinische Text erläutert die Unterscheidung zwischen dem Mentalakt, etwas zu kennen (*nosse*), und dem, etwas zu denken (*cogitare*). Das menschliche Erkennen kann nach AUGUSTINUS beim bloßen Kennen auf eine Intensitätsstufe zurückfallen, auf der man nicht mehr weiß, daß man doch etwas weiß, nämlich ein noch näher zu bestimmendes apriorisches[301] Wissen. AUGUSTINUS verwandte dabei die sowohl bei antik-paganen wie auch bei frühchristlichen Autoren gängige Vokabel *abdere*[302], um den Verborgenheitscharakter innerster seelischer Regungen zu kennzeichnen. Das von AUGUSTINUS reflexiv erschlossene apriorische Wissen wird in einem *abditum mentis*, in einem 'Seelenversteck' (J. BERNHART), angesiedelt. Den theologischen Hintersinn seiner bewußtseinstheoretischen Überlegungen offenbaren die sich direkt anschließenden Erörterungen über das *principale mentis humanae*[303], also das in der späteren mystischen Literatur oft behandelte Zentralor-

[299] Auskünfte zur *Abditum mentis*-Lehre bei den 'mystischen' Autoren - allerdings unter fast vollständigem Ausschluß universitätstheologischer Texte, wie sie bei der nun folgenden Darstellung herangezogen werden - verschaffen H. FISCHER/F. JETTÉ: *Fond de l'âme.* In: DSAM V (1964), col. 650-666; P. REITER: *Der Seele Grund. Meister Eckhart und die Tradition der Seelenlehre* (Epistemata 139). Würzburg 1993; P. HEIDRICH: *Seelengrund.* In: HWPh IX (1995 [publ. 1996]), col. 93sq. (Lit.).

[300] Cf. AUG., *De trin. XIV,7,9* CCL 50A, p. 433,19. - Zur augustinischen Lehre vom *abditum mentis* cf. BERNHARDT, *Mystik.* 1922, p. 75 (dort auch Angaben zur älteren Lit.); M. SCHMAUS, *Die psychologische Trinitätslehre des hl. Augustinus* (MBTh 11). Münster i.W. 1927, pp. 309. 320. 324; REITER, *Der Seele Grund.* 1993, p. 201sq.

[301] Die bei R. OTTO (1869 - 1937) vorgenommene Identifikation des religiösen Apriori mit dem Seelengrund, wie ihn die mittelalterliche rationale Mystik verstand, erklärt sich allerdings erst aus der Probemstellung postkantianischer Erkenntnistheorie; cf. dazu A. PAUS: *Religiöser Erkenntnisgrund. Herkunft und Wesen der Aprioritheorie Rudolf Ottos.* Leiden 1966; H.-W. SCHÜTTE: *Religion und Christentum in der Theologie Rudolf Ottos* (ThBT 15). Berlin 1969; C. COLPE: *Über das Heilige. Versuch, seiner Verkennung kritisch vorzubeugen.* Frankfurt a.M. 1990, pp. 40-49.

[302] Das Verb *abdo, abdidi, abditum* (ἀποτίθημι; Gloss.: *abscondo* ἀποκρύπτω) wird auch auf Affekte und Gedankenregungen in einem übertragenen Sinne gebraucht, z. B. SENECA, *Epist. moral. 83,16* Reynolds 282,6-7: *vino aestuante quidquid in imo animo iacet abditum, effertur et prodit in medium.* Christliche Autoren greifen diesen Sprachgebrauch auf und kehren ihn entschieden in eine personal-religiöse Dimension, wobei das Innere des Menschen (CYPR., *De eleem. 13* CSEL 3/1, p. 383,13: *secreta et abdita mentis exprome*), aber auch das Geheimnis Gottes selbst (HIER., *Epist. 30,13* CSEL 54, p. 248,3 [cf. app. crit. ad loc.]: *in abdita eius* [sc. *Dei*] *intrare*) gemeint sein kann.

[303] Cf. AUG., *De trin. XIV,8,11* CCL 50A, p. 435,2. *Principale* ist die terminologisch feste Übersetzung für ἡγεμονικόν. Für einen ersten Überblick über die antike Begriffsgeschichte cf. Th. KOBUSCH: *Hegemonikon.* In: HWPh III (1976), col. 1030sq.; zu dem für die christliche Tradition zentralen ORIGENES cf. die intensiven Erörterungen bei A. LIESKE: *Die Theologie der Logos-Mystik bei Origenes* (MBTh 22). Münster i.W. 1938,

gan des Menschen, das diesen in unmittelbaren Kontakt mit dem Göttlichen treten läßt. Die augustinische Rede von einem *abditum mentis* ist als Versuch zu werten, im menschlichen Geist, der dem trinitarischen Schöpfergott ebenbildlich gestaltet ist, ein unverlierbares, zutiefst innerliches Wissen um seine göttliche Abkunft aufzuspüren. In diesem Grund der Seele ist es Gott selbst, der allem Leben des erkennenden Geistes Nahrung und Licht gibt.

Für die Erkundung der hochscholastischen Diskussionen über ein *abditum intelligere* und der sie beherrschenden Intentionen erhält man wichtige Fingerzeige durch einen der fleißigsten theologischen Doxographen des Mittelalters, DIONYSIUS CARTHUSIANUS. Er referiert im ersten Buch seines 1459-64 verfaßten Sentenzenkommentares über die Vielzahl scholastischer Ansichten, ob die schöpfungsmäßige Gottebenbildlichkeit des Menschen in unablässig tätigen Akten der Seele liege sowie ob und inwieweit dafür eine verborgen Tätigkeit der höheren Seelenkräfte angenommen werden dürfe.[304] Die Komplexität des Themas läßt sich erahnen, wenn DIONYSIUS angesichts der Divergenz der Positionen konsterniert antwortet: *Quid horum verius, maioribus acutioribusque committo.*[305] Auslöser der Diskussion waren die genannten augustinischen Ansichten über die Sonderrolle unterbewußter Seelenvorgänge, die in größter Spannung zu den Anschauungen aristotelischer Erkenntnislehre und rationaler Psychologie stehen. Denn die von AUGUSTINUS behauptete ständige, wenn auch latente Selbsterkenntnis der Seele, die mit einer entsprechend qualifizierten Gotteserkenntnis einhergeht, ist undenkbar, wenn man mit ARISTOTELES annimmt, daß alles Erkennen erst mit einer sensualen Erkenntnis beginnt und zudem eine derart erhabene Tätigkeit wie die Selbsterkenntnis, sei sie aktuell oder auch habituell vollzogen, dem Geist nicht latent sein kann. Die augustinische Lehre von einer ständigen Selbsterkenntnis der menschlichen Seele, die wegen deren Gottebenbildlichkeit unlösbar mit einer Gotteserkenntnis verbunden ist, war damit in ihrer Tauglichkeit für die theologische Theorie der Gotteserkenntnis angefochten. DIONYSIUS zitierte für die aristotelisierende Richtung ALBERTUS MAGNUS[306], THOMAS VON AQUIN[307], PETRUS VON TARANTAISE[308], RICHARD VON MEDIAVILLA[309] und AEGIDIUS ROMANUS[310]. Für die augu-

pp. 103-116; immer noch lesenswert ist der materialreiche, von der stoischen Philosophie bis zum Beginn der frühen Neuzeit führende Aufsatz von E. von IVANKA: *Der 'Apex mentis'.* In: ID.: Plato Christianus. Übernahme und Umgestaltung des Platonismus durch die Väter. Einsiedeln 1964, pp. 315-351.

[304] Cf. DION. CARTH., *In I Sent., dist. 3, q. 12* Op. omn. 19, pp. 270b-277b*: Duodecimo quaeritur, an potentiae istae, in quibus consistit imago, sint vere indesinenter in actu, saltem respectu obiectorum, in quorum actibus praecipue attenditur imago.* - Zur Rolle des DIONYSIUS CARTHUSIANUS in Heinrichs Wirkungsgeschichte cf. Kap. IV, § 1,1.

[305] Cf. DION. CARTH., *In I Sent., dist. 3, q. 12* Op. omn. 19, p. (270b-277b) 276b.

[306] Cf. ALBERT. MAGN., *In I Sent., dist. 3, art. 29 corp.* Borgnet 25, p. 129b-130b.

[307] Cf. THOM. DE AQU., *In I Sent., dist. 3, a. 4, q. 5 corp.* Busa 14c; ID., *S. theol. I, q. 93, a. 7 ad 4* ed. Paul. 453sq.

[308] Cf. PETR. DE TARANT., *In I Sent., dist. 3, q. 5, a. 3 corp.* ed. 1652, p. 38a-b.

[309] Cf. RICH. DE MEDIAV., *In I Sent., dist. 3, q. 2* ed. 1591, I, p. 54b-55a.

stinische Richtung werden WILHELM VON AUVERGNE[311] und Heinrich von Gent angeführt. Den weitaus größten Raum von allen Autoren erhält aber Heinrich, nicht zuletzt auch, weil DIONYSIUS ihn einer korrekten und authentischen Auslegung der augustinischen Lehre für fähig hält. Die von DIONYSIUS herangezogenen Texte des Heinrich von Gent[312] fallen auch dadurch auf, daß allein in ihnen auch der Begriff des *abditum mentis* gebraucht wird. Dadurch scheint eine exzeptionelle Position Heinrichs in der akademischen Diskussion in der zweiten Hälfte des 13. Jahrhunderts angedeutet zu sein.

Der einschlägige Text ist Heinrichs zu Ostern 1286 gehaltenes *Quodlibet IX,15* mit dem ostentativen Titel: *Utrum in nobis sit aliquod intelligere abditum.*[313] Nach Zitation der einschlägigen augustinischen Texte hält Heinrich an zentraler Stelle[314] als *intentio Augustini* fest, daß das unbewußte Einsehen (*abditum intelligere*) kein habituelles, sondern ein aktuelles Einsehen meint, das nicht 'von außen' bewirkt ist, sondern einzig durch Einstrahlung des ewigen Lichtes. Dieses Einwirken auf den menschlichen Geist geschieht durch das unerschaffene göttliche Licht, das sich dabei für den menschlichen Geist zum offenbarmachenden Grund des intelligiblen Erkenntnisobjekts macht und dem menschlichen Geist eine wahre Kenntnis dieses Objekts eindrückt, wenngleich auch im Maße der jeweiligen Disposition des Empfangenden. Es ist dies sogar nach Heinrich der natürliche Erkenntnismodus der sich selbst erkennenden Seele,[315] wenn sie nicht durch die Erbsünde geschwächt und durch einen vergänglichen Körper beschwert wäre und daher häufig durch Selbstvergessen-

[310] Cf. AEG. ROM., *In I Sent., dist. 3, princ. 1, q. 1, a. 4 corp.* ed. 1521, fol. 28vbO-29raA.

[311] Cf. GUILL. ALVERN., *De trin. 26* Switalski 144,51-145,76.

[312] DIONYSIUS zitierte neben dem *locus classicus*, HENR. DE GAND., *Qdl. IX,15* Macken (258-269) 258,11-13; 259,55-260,59; 265,22-266,31; 269,22-25; 267,65-269,22 auch die recht entlegene Stelle HENR. DE GAND., *Qdl. VIII,12* Badius 324r-vC, wodurch er aufs neue seine enorme Belesenheit im henrizianischen Oeuvre offenbarte.

[313] Zur Textinterpretation von HENR. DE GAND., *Qdl. IX,15* Macken 258-269, das insbesondere hinsichtlich der prononciert vertretenen henrizianischen Illuminationslehre kontrovers beurteilt wird, cf. DE WULF, *Hist. philos. scol. Pays-Bas.* 1893, pp. 170-172. 181. 192-194; HAGEMANN, *De ... Ontologismo, II.* 1898, pp. 8. 12; SEEBERG, *Theologie des Johannes Duns Scotus.* 1900, p. 610; BAUMGARTNER, *Grundriß.* 1915, p. 513; BRAUN, *Erkenntnislehre.* 1916, pp. 47. 60. 74. 79. 82sq. 108; DWYER, *Wissenschaftslehre.* 1933, pp. 39-41. 43. 50sq. 53; PAULUS, *Argument ontologique.* 1935, p. 272sq.; ID., *Essai.* 1938, p. 94; RÜSSMANN, *Ideenlehre.* 1938, p. 36; NYS, *Werking.* 1949, p. 119; BETTONI, *Processo astrattivo.* 1954, pp. 71. 75-79; GÓMEZ CAFFARENA, *Ser participado.* 1958, pp. 22. 29. 34. 59; ROVIRA BELLOSO, *Visión de Dios.* 1960, pp. 23. 47. 161. 164; PREZIOSO, *Ontologismo.* 1961, pp. 62. 96-98; BEHA, *Theory of Knowledge.* 1961, pp. 57. 59; MACKEN, *Illumination divine.* 1972, pp. 82-112 (passim); DECORTE, *Avicenniserend augustinisme.* 1983, I, pp. 205. 277; MARRONE, *Truth.* 1985, pp. 31. 94-104. 128. 134-140; MARRONE, *Knowledge of Being.* 1988, pp. 28. 38; PORRO, *Enrico di Gand.* 1990, pp. 46. 53.

[314] Cf. HENR. DE GAND., *Qdl. IX,15* Macken 265,22-266,55. - Eine kritische Relecture der augustinischen *Abditum mentis*-Theorie wird bei HENR. DE GAND., *Qdl. XV,9* Badius 581rD geboten.

[315] Cf. auch HENR. DE GAND., *Qdl. IV,7* Badius 96r-vH.

heit[316], d. h. durch Vergessen ihres eigenen wahren Selbst, sich von Gott abwendete. Nach Heinrichs Auffassung gibt es folglich eine dem menschlichen Geist zutiefst innerliche und ihn inwendig vollständig durchformende Präsenz Gottes, die allem Erkennen und Wollen Richtung geben will. Dieses Innerste des Menschen, sein wahres Selbst, verhält sich unmittelbar zum agierenden göttlichen Licht, und zwar nach Heinrich in unablässiger Aktivität, mag dies auch nicht in allen Momenten vom menschlichen Geist gewußt sein. Der entscheidende Grund für diese Annahme liegt darin, daß ein stets vorausgehendes Einwirken des unwandelbaren göttlichen Lichtes auf den empfangenden menschlichen Geist bei diesem unablässig ein lebendig antwortendes Erkennen hervorruft, und sei es noch so verhalten. Die in Heinrichs Text[317] auffindbare Gleichsetzung Gottes mit dem *intellectus agens* zeigt unmißverständlich an, daß seine Überlegungen in den Kontext einer bestimmten Richtung der Aristoteles-Interpretation gestellt sind. Denn es war die augustinische Variante der Illuminationslehre - nicht die dionysische Tradition -, die sich im 13. Jahrhundert mit den Nous-Theorien arabischer Herkunft zu einer eigenen Richtung verband, die den *intellectus agens* mit Gott identifizierte, und nach einer Prägung von E. GILSON als 'augustinisme avicennisant' bezeichnet wird.[318]

Sogar die ältere Dominikanerschule sah sich dieser Tradition verpflichtet und stand in Austausch mit der franziskanisch-augustinischen Theologie. So trifft man nicht ganz unerwartet auf weitere Autoren, die die augustinische *Abditum mentis*-Lehre mit den griechisch-arabischen Intellektlehren in Beziehung setzten. Der Oxforder Theologe ROBERT KILWARDBY OP († 1279)[319] erörterte in seinem zwischen 1256 und 1277 verfaßten Quästionenkommentar zum Sentenzenbuch die augustinische Lehre von der trinitarischen Gottebenbildlichkeit des Menschen. Insofern nur die *ratio superior* der menschlichen Seele eine *imago* ist, aber alle übrigen Seelenteile nur ein *vestigium* der Trinität darstellen, darf nach KILWARDBY nur in der *ratio superior* ein Trinitäts-

[316] Zur Begriffsgeschichte dieser typisch (neu-)platonischen Bewertung der *oblivio sui* cf. M. LAARMANN: *Selbstvergessenheit.* In: HWPh IX (1995 [publ. 1996]), col. 545-551.

[317] Cf. HENR. DE GAND., *Qdl. IX,15* Macken 264,92-96; 265,6-10.

[318] Instruktive Kennzeichnungen findet man bei K. HEDWIG: *Illumination.* In: LThK³ V (1996), col. 423-425.

[319] Cf. ROB. KILWARDBY, *Quaest. in I Sent., q. 65* Schneider 189-191, spec. p. 190, lin. 29-39: *Item de illa trinitate quam prae manibus habemus, scilicet memoriae, intelligentiae et voluntatis, nota, quod secundum veritatem est in abdita mentis notitia quae semper im mente manet cum tota sua perpetuitate, et eadem secundum manifestationem est in aperta cogitativa quae tempore accedit menti et recedit. Haec habes ex lib. XIV 'De trinitate' c. 5 et 6 in fine, item ex c. 13 et 14 et c. 21 in fine. Idem etiam aestimo dicendum secundum Augustinum de reliqua trinitat,e scilicet mente, notitia eius et amore, scilicet quod ipsa ut est imago summa trinitatis, in abdito mentis sit secundum veritatem et principaliter, in manifesta autem cogitatione secundum manifestationem et secundario. Haec est determinatio Augustini de trinitatibus indicativis summae trinitatis in libro suo 'De trinitate'.* Cf. auch *ibid.*, p. 191, lin. 53-55: *Istae videntur esse rationes Augustini, quare ponit imaginem summae trinitatis in superiori ratione, et hoc in abdito eius, et in aliis trinitatibus quae in homine sunt nisi vestigium.*

spiegel lokalisiert werden. Doch KILWARDBY streitet sie ab für die manifesten Akte von *memoria, intelligentia* und *voluntas,* da diese Akte temporärer Natur sind, also entstehen und vergehen. Allein im *abditum mentis* verbleibt die *notitia* auf immer mit all ihrer ganzen ununterbrochenen Fortdauer. Die trinitarische Gottebenbildlichkeit des Menschen findet sich folglich im Seelengrund *secundum veritatem et principaliter,* in den manifesten Akten lediglich *secundum manifestationem et secundario.* Wie eine spätere Stelle klar macht, will KILWARDBY seine vertiefende Interpretation sogar in sachlicher - aber nicht terminologischer! - Übereinstimmung mit dem Augustinus-Verständnis BONAVENTURAS verstanden wissen.[320]

Auf die Diskussion der augustinischen *Abditum mentis*-Lehre wurde auch von frühthomistischer Seite reagiert. Dies dokumentiert FERRARIUS CATALANUS (FERRANDUS HISPANUS) OP.[321] Über diesen mutmaßlichen Thomas-Schüler ist bekannt, daß er in Paris unmittelbar nach dem direkten Thomas-Nachfolger ROMANUS DE ROMA OP zum *magister theologiae* ernannt worden war und 1275, wahrscheinlicher noch Ostern 1276 ein aus 12 Quästionen bestehenes Quodlibet gehalten hatte. Der Titel der hier interessierenden 7. Quästion lautet: *Utrum intelligentia abdita sit idem quod intellectus agens.*[322] FERRARIUS kannte die

[320] Cf. ROB. KILWARDBY, *Quaest. in I Sent., q. 67* Schneider (194-198) 196, lin. 74-76: *Tertii* [sc. BONAV., *In I Sent., dist. 3,2,2,1 ad 2* ed. Quar. I, p. 89a] *volunt, quod per mentem intelligatur substantia mentis ut prius vel principalis memoria quam vocat Augustinus abditum mentis, et per notitiam et amorem duo actus, scilicet nosse et diligere se.*

[321] Cf. MARTÍ DE BARCELONA, *Documents per la Història de la Filosofia a Catalunya: Ferrarius Catalanus O.P. (s. XIII).* In: Criterion 3 (1927), pp. 479-483. - Bibliographien: SOPMA I (1970), pp. 379-382; IV (1993), p. 81; CH. H. LOHR, *Commentaries.* In: Traditio 23 (1967), p. 407sq.; ID., *Commentators,* Fribourg/Paris 1988, p. 57sq. - Quästionenverzeichnis: GLORIEUX, *Lit. quodl., I.* 1925, p. 109sq. - Texteditionen: M. GRABMANN, *Quaestiones tres Fratris Ferrarii Catalani O.P. doctrinam S. Augustini illustrantes ex Codice Parisiensi editae.* In: Estudis Franciscans 42 (1930), pp. 382-390 [*Qdl. 1. 2. 7*]; eine vollständige Edition des Quodlibets erstellte L. ROBLES (ed.): *Ferrarius Catalanus O.P. Sucesor de Tomás de Aquino (Qdl. inédito).* In: Escritos del Vedat 4 (1974), pp. 425-478; FERRAR. CATALAN., *De specie intelligibili,* ed. Z. KUKSEWICZ. Medioevo 3 (1977), pp. 187-235. - Zur *Abdita intelligentia*-Lehre bei FERRARIUS cf. auch die Ausführungen bei H. NOLZ: *Die Erkenntnislehre Meister Eckharts und ihre psychologischen und metaphysischen Grundlagen.* Diss. phil. Wien 1949 [war dem Verf. nicht erreichbar; aber cf. REITER, *Der Seele Grund.* 1993, p. 274].

[322] FERRAR. CATALAN., *Qdl., q.* 7 Robles 453, lin. 408 - 454, lin. 478 (ed. Grabmann 389sq.): *Ad quartam quaestionem sic proceditur et videtur, quod intelligentia abdita sit idem quod intellectus agens, quia in parte intellectiva cogitativa non est nisi duplex potentia, scilicet intellectus agens et possibilis. Sed intelligentia abdita non est intellectus possibilis, quia dividitur ex opposito contra memoriam, prout pertinet ad imaginationem, quae videtur intellectum possibilem nominare. Ergo est intellectus agens.*

Sed contra. Intellectus agens non oritur a memoria. Sed intelligentia abdita oritur a memoria, quia memoria est partus intellectivae. Ergo intelligentia abdita non est idem quod intellectus agens.

Solutio. Ad istam quaestionem dicendum est, quod sicut dicit Augustinus, intelligentia procedit a memoria sicut Filius a Patre. Est enim intelligentia partus sive proles memoriae. Hoc enim modo in istis tribus: memoria, intelligentia et voluntate, invenitur imago trinitatis, quia

kritischen Analysen des THOMAS VON AQUIN[323] zur augustinischen Memoria-Lehre und bekämpfte Versuche einer Identifikation des *intellectus agens* mit einer *abdita intelligentia*. Denn wenn nach augustinischem Selbstverständnis

sicut in trinitate Filius est a Patre, Spiritus Sanctus a Patre et Filio, ita memoria est ab intelligentia et voluntas ab utraque.

Intellectus vero agens non est ab intellectu possibili nec quantum ad essentiam potentiae nec quantum ad actum, quin potius intellectus possibilis educatur in actum per agentem, sicut tertio De anima [ARIST., *De an. III 5*, 430a18-199] *dicitur. Et ideo intelligentia abdita nullo modo potest esse intellectus agens.*

Ad illud quod in contrarium obiicitur, dicendum est, quod intelligentia abdita non nominat potentiam intellectivam aliam ab intellectu possibili.

Sciendum est secundum philosophos, quod quadruplex est differentia intellectus, scilicet intellectus agens, possibilis, in habitu sive formalis, et intellectus adeptus. Quorum duo, scilicet intellectus agens et possibilis, sunt diversae potentiae, sicut in omnibus alia est potentia activa, alia passiva. Intellectus autem possibilis distinguitur, quia quandoque est in potentia tantum, et sic dicitur possibilis; quandoque est [p. 454] *in actu primo, qui est sicut scientia, et sic dicitur intellectus in habitu sive formalis; quandoque in actu secundo, qui est sicut considerare, et sic dicitur intellectus in actu sive formaliter. Et ista tria non distinguunt intellectum secundum diversas potentias, sed secundum diversos status.*

Ulterius sciendum est, quod secundum quosdam ista tria, prout pertinent ad imaginem, nominant potentias, et dicitur potentia large quaecumque proprietas animae sive in recipiendo sive in conservando sive in operando. Animam autem intellectivam consequitur quaedam proprietas sive officium, ut species intelligibiles recipiat sive retineat. Unde dicitur tertio De anima [ARIST., *De an. III 4*, 429a27; cf. THOM. DE AQU., *Ver. X,2* ed. Leon. 22, p. 300,59-61], *quod anima est 'locus specierum, praeter quod non tota, sed intellectiva'. Et quia materia est terminus, potest reflecti super species intelligibiles et eas intelligere. Ideo consequitur voluntas. Proprietas autem consequens animam, inquantum est specierum intelligibilium retentiva, dicitur memoria; illa, per quam super species convertitur cognoscendo, intelligentia; illa, per quam ad eas afficitur, voluntas. Et sic memoria et intelligentia nominat unam potentiam, scilicet intellectum possibilem habentem habitudinem ad diversa, scilicet ad tenendam notitiam alicuius habitualiter et considerandum illud actualiter.*

Alii vero dicunt, quod propter ista tria pertinent ad imaginem, memoria nominat habitualem notitiam, intelligentia actualem cogitationem ex illa notitia proeuntem, voluntas vero actualem voluntatis motum ex cogitatione procedentem. Et sic accipit Augustinus XIV libro De trinitate capitulo VII [cf. *De trin. XIV,7,10* CCL 50A, pp. 434,51-435,57], *ubi dicit: 'In istis potentiis ista imago cognoscitur memoria, intelligentia, voluntate. Hanc et nunc dico intellectivam, quam intelligimus cogitantes, et eam voluntatem sive amorem sive dilectionem, quae istam prolem parentemque coniungit.'*

Dicendum ergo, prout memoria nominat potentiam vel proprietatem sive officium potentiae, sic intelligentia abdita dividitur ex opposito contra eam, non autem prout memoria dicit habitualem notitiam. Immo hoc modo intelligentia abdita idem est quod memoria.

Ad illud, quod obiicitur in contrarium, dicendum, quod intelligentia abdita non oritur a memoria hoc modo dicta. Sed intelligentia aperta oritur ab ea. Unde dicit Augustinus XV libro De trinitate [cf. *De trin. XV,21,40* CCL 50A, pp. 518,17-19], *quod 'intelligentia, quae apparet in cogitatione, oritur ab intelligentia, quae in memoria iam fuerat et latebat'. Intelligentia autem abdita dicitur esse in memoria primo modo dicta, sicut habitualis notitia est in potentia, in memoria autem secundo dicta per identitatem.*

[323] Cf. zur *Abditum mentis*-Problematik besonders THOM. DE AQU., *Ver. X,3* ed. Leon. 22, pp. 303-305; ID., *S. theol. I, q. 93, a. 7* ed. Paul. 453sq.; ferner cf. THOM. DE AQU., *In I Sent., dist. 3, q. 4, a. 1* Busa 13b-c; ID., *Ver. X,2* ed. Leon. 22, pp. 299-303; ID., *S.c.G. II,74* Pera 214-217; ID., *S. theol. I, q. 79, a. 6-7* ed. Paul. 380-382.

die *intelligentia* der *memoria* entsteigt, entspricht die *intelligentia* ihrer Tätigkeitsweise nach dem *intellectus possibilis*, darf also nicht mit dem *intellectus agens* identifiziert werden. Dies versucht er mit einer Theorie von einem dreifachen Status des *intellectus possibilis* zu erhärten. Nach FERRARIUS sind aus dem augustinischen Ternar von *memoria, intelligentia* und *voluntas* die beiden ersten Glieder gleichzusetzen mit dem *intellectus possibilis*, der sich in zweifacher Weise verhält, d. h. entweder als habituelles Festhalten einer Kenntnis oder als deren aktuelles Bedenken. Die *intelligentia abdita* ist folglich strikt als Potenz anzusehen und daher auch nicht zu verwechseln mit der aristotelisch begriffenene Memoria, die als Habitus etwas Potentielles an sich hat, aber bereits durch mehrere Akte zum Habitus geworden ist. FERRARIUS ist zu zahlreichen Bedeutungsumsetzungen genötigt, um den Wortlaut der augustinischen Ternare vor den Ansichten der aristotelischen Psychologie bestehen lassen zu können. Wie bei THOMAS VON AQUIN darf man hier von einer 'ehrenvollen Interpretation' der traditionellen Autoritäten reden. Vom Gehalt der augustinischen Psychologie des menschlichen Geistes und ihren trinitätstheologisch auswertenden Stukturbeschreibungen hat man sich freilich längst entschieden distanziert. Wie die gewundenen Überlegungen bei FERRARIUS verraten, wurde AUGUSTINS *Abditum mentis*-Lehre im Frühthomismus aufgrund gewandelter philosophischer Grundlagen gewaltsam umgedeutet und dadurch letztlich in ihrem theologischen Gehalt suspendiert.[324]

Dominikanische Denker von anderer geistiger Abkunft schätzten das augustinische Theorem allerdings ungleich höher ein. DIETRICH VON FREIBERG OP (nach 1240 - nach 1310)[325], ein deutscher Ordensbruder des Aquinaten, war nach philosophischer und theologischer Ausbildung in bislang unbekannten dominikanischen Ordensstudien und erster Lehrtätigkeit in Freiberg wahrscheinlich im akademischen Jahr 1272/73 zum Weiterstudium nach Paris entsandt. Mit einiger Wahrscheinlichkeit wird DIETRICH von den damals dort Lehrenden auch FERRARIUS CATALANUS gehört haben.[326] Aus seiner um 1296 abgefaßten Notiz: *ego fui praesens in quadam disputatione Parisius et audivi, quod*

[324] Nur beiläufige Bemerkungen zur *notitia abdita* findet man bei HUGO SNEYTH OP (*1251/53, fl. 1290 Univ. Oxford.): *Quaestio 149 De mente: Utrum mens per essentiam suam se ipsam cognoscat.* In: Z. PAJDA: Hugo Sneyth et ses questions de l'âme (BiblThom 48). Paris 1996, pp. (83-131) 94. 110.

[325] Für biographische Angaben cf. L. STURLESE: *Dokumente und Forschungen zu Leben und Werk Dietrichs von Freiberg* (CPhTMA, Beih. 3). Hamburg 1984, spec. pp. 1-63.

[326] Nach GLORIEUX, *Rép. des maitres en théol.* 1933, tab. III, lehrten damals NICOLAUS VON PRESSOIR, RANULPHUS VON HOMBLIÈRES, ADENULF VON ANAGNI, FERRARIUS CATALANUS, ODO VON CHATEAUROUX, JOHANNES DES ALLEUX, GOTTFRIED VON BAR, GERHARD VON REIMS und WILHELM DE LA MARE. Angesichts des oben bereits zu FERRARIUS CATALANUS Gesagten, darf wohl die Aussage von STURLESE, *Leben und Werke Dietrichs von Freiberg.* 1984, p. 4, seines Wissens hätte „keiner von ihnen ... Spuren in Dietrichs philosophischem Werk hinterlassen", eingeschränkt werden.

dicebat unus solemnis magister, qui tunc actu disputabat et habuit totum studium,[327] die zwar unzweifelhaft seinen dortigen Aufenthalt bezeugt, kann aber nach Beurteilung aller bislang greifbaren biographischen Dokumente wohl vermutet, aber nicht zwingend geschlossen werden, daß er selber auch Heinrich von Gent gehört haben könnte.[328] Ungeachtet dieser noch ungelösten Frage der persönlichen Bekanntschaft beider Autoren lassen sich aber doch auffällige thematische Gemeinsamkeiten aufzeigen, die sich nur zum Teil auf die damals allgemein lebendiger werdende Beschäftigung mit der Thematik zurückführen lassen. DIETRICH konzipierte eine im Mittelalter singulär dastehende Theorie des menschlichen Intellekts. Dabei nimmt bei DIETRICH das von ihm mit dem *intellectus agens* identifizierte *abditum mentis* eine zentrale Rolle in seiner Intellekttheorie ein, insofern in neuer Weise diese augustinische Lehre als „Theorie der Substantialität des *intellectus agens* oder des *abditum mentis*“[329] interpretiert wird - eine Interpretation, die freilich schon bald im Mittelalter Kritik auf sich zog.[330] Von Bedeutung ist, daß die Überlegungen DIETRICHS in einem bislang wenig beachteten Kontext mit seiner eigenen Lehre von Gott

[327] THEODORIC. THEUTON., *De intellectu et intelligibili II,30,1* CPhTMA I/1, p. 169: *Ad ultimam rationem dicendum, quod arguunt de lapidibus, quod etiam est Achilles eorum, et reputant demonstrationem; sicut ego fui praesens in quadam disputatione Parisius, et audivi, quod hoc dicebat unus solemnis magister, qui tunc actu disputabat et habuit totum studium, quia solus disputabat primam quaestionem suam post principium suum, sicut moris est Parisius.* - Zum Gebrauch von *solemnis* für die offizielle Lehrtätigkeit der Dozenten cf. Kap. I, § 1 not. 46.

[328] Cf. L. STURLESE, *Leben und Werk Dietrichs von Freiberg.* 1984, p. 4 (gegen E. KREBS und die vielen, die ihm darin folgten, z. B. die 'Ueberweg'-Bearbeiter M. BAUMGARTNER und B. GEYER); den besagten Passus bei DIETRICH unterzieht STURLESE zudem einer minutiösen Analyse (p. 11sq.).

[329] Cf. dafür MOJSISCH, *Augustins Theorie der 'mens'.* 1994, pp. 194. 200; generell zum Thema ID., *Theorie des Intellekts.* 1977, pp. 46-71, spec. pp. 42sq. 60. 71sq. not. 113; HÖDL, *Das ,intelligibile'.* 1983, pp. 363-367; LARGIER, *Zeit, Zeitlichkeit, Ewigkeit.* 1989, pp. 63-71; PUTALLAZ, *Connaissance de soi.* 1991, pp. 303-380; K. RUH: *Geschichte der abendländischen Mystik, Bd. 3.* München 1996, pp. 208-212; L. STURLESE: *Storia della filosofia tedesca nel medioevo. Il secolo XIII.* Florenz 1996, pp. 213-242; kritisch zur Dietrich-Deutung bei FLASCH und MOJSISCH äußern sich Th. KOBUSCH: *Die Modi des Seienden nach Dietrich von Freiberg.* In: B. MOJSISCH (Hg.): Von Meister Dietrich zu Meister Eckhart (CPhTMA, Beih. 2). Hamburg 1984, pp. 46-67 sowie J. HALFWASSEN: *Gibt es eine Philosophie der Subjektivität im Mittelalter? Zur Theorie des Intellekts bei Meister Eckhart und Dietrich von Freiberg.* In: PhTh 72 (1997), pp. 337-359, spec. 350-358, wo allerdings trotz lichtvoller Interpretation im Horizont neuplatonischer Nusmetaphysik weder auf DIETRICHS Verhältnis zum averroistischen Monopsychismus noch auf seine Rezeption der augustinischen *Abditum mentis*-Lehre eingegangen wird; mit Blick auf ECKHART cf. auch REITER, *Der Seele Grund.* 1993, pp. 269-282.

[330] Cf. GRABMANN, *Deutung und Umbildung der aristotelischen Lehre von 'noûs poietikós'.* 1936, zu Heinrich von Gent cf. pp. 4sq. 26sqq. 61. 92, zu DIETRICH cf. p. 97; zuletzt zum Thema M. J. F. M. HOENEN: *Metaphysik und Intellektlehre. Die aristotelische Lehre des 'intellectus agens' im Schnittpunkt der mittelalterlichen Diskussion um die natürliche Gotteserkenntnis.* In: ThPh 70 (1995), pp. 405-413, spec. 408 zu DIETRICH.

als dem Ersterkannten stehen.[331] In seiner um 1290 verfaßten Schrift *De visione beatifica* lenkte DIETRICH gleich im Proömium seines Werkes die Aufmerksamkeit des Lesers auf seine Argumentationsvoraussetzung, daß alle Aussagen der Philosophen über den tätigen Intellekt sachlich konvertibel seien mit den Ausführungen AUGUSTINS über das *abditum mentis*.[332] Dies verteidigte DIETRICH ausdrücklich gegen die Augustinus-Interpretation des THOMAS VON AQUIN.[333] Den Sinn seiner eigenen Intellektlehre umschrieb DIETRICH durch eine Summierung mehrer in seinen Augen konvergierender Theoreme unterschiedlicher geistiger Herkunft.[334] Für alles weitere grundlegend ist die Annahme eines mit dem tätigen Intellekt substantiell identischen *abditum mentis*, in dem als eine größtmögliche Ähnlichkeit zu Gott die Ebenbildlichkeit[335] des Menschen anzusehen ist. Letzteres weist den menschlichen *intellectus agens* aus als höchstbefähigte aller dem Menschen von Gott eingepflanzten Kräfte. Er ist es, der die in beständiger Hinkehr zu Gott den Akt der Gotteserkenntnis als Verwirklichung seines Wesens selbst vollbringt.[336] DIETRICH begriff Gott als Prinzip des Intellekts der Natur, folglich als dem Begriff nach 'früher' und somit als Ersterkanntes des menschlichen Intellekts.[337] Dies wurde an späterer Stelle dahingehend präzisiert, daß dieses 'Früher' nicht temporärer Art ist, sondern im einen-einfachen Akt des Einsehens gründet, der nach Weise des Prinzips selbst vollzogen wird und in dem daher Erkennen des Prinzips, der eigenen Wesenheit und der Allheit der Dinge zusammengenommen sind.[338] Will man DIETRICHS Theorien in den Gang der scholastischen Diskussionen

[331] Cf. K. FLASCH, *Einleitung*. In: DIETRICH VON FREIBERG: Schriften zur Intellekttheorie (Op. omn. 1). Hg. v. B. MOJSISCH (CPhTMA I,1). Hamburg 1977, p. (ix-xxvi) xviii; desweiteren RUH, *Gesch. der abendl. Mystik. 3.* 1996, p. 192.

[332] Cf. THEODERIC. THEUTON., *De vis. beat., prooem. 4-5* CPhTMA I/1, p. 14,32-50.

[333] Cf. THEODERIC. THEUTON., *De vis. beat. 1,1,2.4 (1)* CPhTMA I/1, p. 25,80-99.

[334] Im Zuge einer intensiven Proklos-Rezeption nimmt DIETRICH allerdings vom augustinischen *Abditum mentis*-Verständnis das fundamentale Signum des Kreatürlichen, so daß nach DIETRICH das *abditum mentis* infolge einer unmittelbaren *emanatio* aus Gott entspringt (cf. LARGIER, *Zeit, Zeitlichkeit, Ewigkeit.* 1989, p. 64 not. 140 im Anschluß an A. DE LIBERA: *Introduction a mystique rhénane.* Paris 1984, p. 223 not. 73). R. IMBACH: *Die deutsche Dominikanerschule.* In: Margot SCHMIDT/D. BAUER (Hg.): Grundfragen der Mystik (Mystik in Gesch. u. Ggw. I/5). Stuttgart-Bad Cannstatt 1987, pp. (157-172) 164-168, plädiert dafür, bei DIETRICH VON FREIBERG „von einem averroistisch inspirierten Augustinismus oder gar einem Averroismus augustinischer Prägung zu sprechen" (p. 168).

[335] Zu diesem Aspekt cf. spec. MOJSISCH, *Theorie des Intellekts.* 1977, p. 43.

[336] Cf. THEODERIC. THEUTON., *De vis. beat. 1,5 (7)* CPhTMA I/1, p. 63,64-70: *Sic ergo patent quattuor, quae enumerata sunt supra consideranda circa primum articulum principalem huius tractatus. Quorum primum est, quod abditum mentis, quod est intellectus agens, est vere substantia; secundum, quod in ipso attenditur perfecta similitudo ad Deum, quae est imago Dei; tertium, quod praecipue capax Dei est prae omnibus viribus, quas Deus in nostra natura plantavit; quartum, quod semper in Deum conversus est sua intellectuali operatione, quae est essentia eius.*

[337] Cf. THEODERIC. THEUTON., *De vis. beat. 1,3,3 (11)* CTPhMA I/1, p. 58,98-120.

[338] Cf. THEODERIC. THEUTON., *De intell. et intell. II,40* CPhTMA I/1, p. 176,30-46.

über das Ersterkannte stellen, auch wenn bei ihm der Begriff des *primum cognitum* nicht fällt, wird man ihm eine Extremposition zuweisen müssen, weil bei ihm Gott ohne etwa eine abschützende Analogielehre zum stets aktuell Ersterkannten erklärt wird.

Von DIETRICH VON FREIBERG ist dann der Weg kurz zu seinem Schüler MEISTER ECKHART OP (um 1260 - 1328)[339], von dem aus die augustinische *Abditum mentis*-Lehre - nun auch in ein deutsches Sprachgewand gebracht und mit dem Ausdrücken *scintilla animae, synderesis* u. dgl. fortschreitend synonymisiert - weiteste Verbreitung im Schrifttum der rheinisch-flämischen Mystik fand. Sein Schüler HEINRICH SEUSE OP (1299-1399)[340] band eine bonaventurianisch anmutende *Primum cognitum*-Lehre an. Erwähnung verdient JOHANNES PICARDI VON LICHTENBERG OP[341], 1308-10 Provinzial der deutschen Dominikaner, 1310/11 Professor der Theologie in Paris. Dieser vielfach schon merklich thomistisch beeinflußte Vertreter der deutschen Dominikanerschule nahm aufgrund seiner nahezu schulmäßig verfestigten Ausrichtung eine hart ablehnende Haltung zu Heinrichs *Abditum mentis*-Lehre ein und attackierte sie mit großer Vehemenz,[342] ließ aber merkwürdigerweise die Theorie DIETRICHS unerwähnt und von seiner Kritik verschont.

Mit schultheologisch fixierten Autoren der Art des JOHANNES PICARDI brach auch der Rezeptionswille für Heinrichs Anschauungen ab. Als GIOVANNI PICO DELLA MIRANDOLA um 1468 Heinrichs *Abditum mentis*-Lehre verteidigte,[343] war ihm die Vielzahl der Deutungen des 13. Jahrhunderts nicht mehr gegenwärtig. Heinrich stand nunmehr da als mächtiger, allerdings auch stark isolierter

339 Cf. ECKHARD., *Predigt 21.* DW I, p. 360,3 mit Anm.; B. DIETSCHE: *Der Seelengrund nach den deutschen und lateinischen Predigten.* In: U. M. NIX/R. ÖCHSLIN (Hg.): Meister Eckhart der Prediger. Freiburg/Basel/Wien 1960, pp. 200-258; H. FISCHER/F. JETTÉ, *Fond de l'âme.* In: DSAM V (1964), col. 650-666; BERNHART, *Philosophische Mystik.* 1922, pp. 71. 75. 174; K. RUH: *Meister Eckhart. Theologe - Prediger - Mystiker.* München 1985, p. 147; O. LANGER: *Meister Eckharts Lehre vom Seelengrund.* In: Margot SCHMIDT/ D. BAUER (Hg.): Grundfragen der Mystik (Mystik in Gesch. u. Ggw. I/5). Stuttgart-Bad Cannstatt 1987, pp. 173-192; N. LARGIER: *Kommentar* [zu I,32,26-36,5]. In: MEISTER ECKHART: Werke I (Bibl. Dtsch. Klassiker 91). Frankfurt a.M. 1993, pp. 763-772, spec. 769 (p. 772: Lit.).

340 Cf. HENR. SUSO, *Horologium, cap. 51*; dazu RUH, *Gesch. der abendl. Mystik, 3.* 1996, p. 456sq. (Lit.) mit p. 192 not. 20.

341 Für biobibliographische Angaben cf. VerfLex² IV (1983), col. 706-710 (L. STURLESE); LThK³ V (1996), col. 930sq. (L. STURLESE).

342 Cf. IOA. PICARDI DE LUCIDOMONTE, *Qu. 22: Utrum imago trinitatis sit in anima vel secundum actus vel secundum potentiam* (Köln 1303/05), ed. MOJSISCH, Meister Eckhart. 1983, pp. (148-161) lin. 153-155. 156-247.

343 Cf. IOA. PICUS MIRAND., *Apologia.* Op. omn. I, pp. 235-237, dazu E. MONNERJAHN: *Giovanni Pico della Mirandola. Ein Beitrag zur philosophischen Theologie des italienischen Humanismus* (VIEG 20). Wiesbaden 1960, p. 205, not. 60; G. DI NAPOLI: *Giovanni Pico della Mirandola e la problematica dottrinale del suo tempo* (Coll. Philos. Lateran. 8). Rom/Paris 1965, pp. 174sq. 386-393. - Zur herausragenden Bedeutung PICOS für die allgemeinen Wirkungsgeschichte Heinrichs cf. Kap. IV, § 1,2.

Sprecher neuplatonisch-augustinischer Geistigkeit aus klassisch theologischer Zeit. Doch ist zumindest der Werdegang der *Abditum mentis*-Lehre AUGUSTINS in den schulübergreifenden Diskussionen der akademischen Theologie des 13. Jahrhunderts ein Ausweis für die außerordentliche Fruchtbarkeit des theologischen Augustinismus im Mittelalter. Heinrich von Gent darf dafür nicht den geringsten Anteil beanspruchen.

Mag auch der Wirkungskreis der Schriften des DIETRICH VON FREIBERG, des wohl profiliertesten und exponiertesten Denkers unter den scholastischer *Abditum mentis*-Theoretikern, begrenzt gewesen sein, so stellt sich doch die Frage, ob keiner der scholastischen Theologen des Mittelalters, die von DIETRICHS hoch entwickelten Argumentationsgängen Kenntnis gehabt haben könnten, ihm in der Sache widersprochen hat. Oder gibt es doch einen Reflex in der akademischen Theologie jener Zeit auf die *Abditum mentis*-Theorie DIETRICHS und dazu noch im Oeuvre des Heinrich von Gent? DIETRICH verfaßte *De visione beatifica* im Jahre 1290. Zu Weihnachten 1291, nach PAULUS zu Ostern 1292 disputierte Heinrich sein *Quodlibetum XV*. In dessen *quaestio 9* stellte er sich der Frage, *utrum intellectio, qua angelus aut mens intelligunt se, sit sibi essentialior, quam sit intellectio, qua intelligunt Deum.*[344] Die bisherige Forschung[345] sah in diesem Text eine letzte Affirmation und Aufgipfelung der henrizianischen *Primum cognitum*-Theorie und nahm ihn ganz aus dieser begrifflich- thematischen Perspektive in den Blick. Doch im Lichte der damaligen *Abditum mentis*-Diskussionen, zudem durch kodikologische Hinweise bestärkt,[346] hebt sich ein längerer Passus der *responsio* heraus, in dem Heinrich die Frage nach der eine erkenntnismäßigen Priorität bzw. Prinzipialität Gottes mit der Frage nach der akzidentellen bzw. substantiellen Rolle der *ratio intelli-*

[344] Cf. HENR. DE GAND., *Qdl. XV,9* Badius 580vC-581vE.

[345] Zur Interpretation von HENR. DE GAND., *Qdl. XV,9* Badius 580vC-581vE cf. SCHMID, *Erkenntnißlehre.* 1890, II, p. 121sq.; GRABMANN, *Erkenntnislehre des Matthaeus von Aquasparta.* 1906, p. 92; GÓMEZ CAFFARENA, *Ser participado.* 1958, pp. 60. 190. 207-209; GÓMEZ CAFFARENA, *Inquietud humana.* 1960, passim; ROVIRA BELLOSO, *Visión de Dios.* 1960, p. 166; WIELOCKX, *L'amour.* 1971, p. 161 not. 70; BÉRUBÉ, *Interprètes.* 1974, p. 162sq.; MACKEN, *Deseo natural.* 1980, p. 842sq.; MACKEN, *Lebensziel.* 1979, pp. 115-118; DECORTE, *Avicennereend augustinisme.* 1983, I, pp. 50. 95. 33. 348sq. 355; MACKEN, *Primum cognitum.* 1984, pp. 311-315; PORRO, *Enrico di Gand.* 1990, p. 123 not. 23.

[346] Die zu Ende des 13. oder Beginn des 14. Jahrhunderts verfaßte, alle 15 Quodlibets Heinrichs enthaltende Handschrift *Vat. lat. 853*, die vormals im Besitz der Prämonstratenserabtei Vicogne-lez-Valenciennes war (cf. MACKEN, *Bibl. manuscr. II.* 1979, pp. 781-786), führt unter ihren zahlreichen, wohl von einem Schreiber jener Abtei eingefügten Randvermerken auf fol. 180r (~ HENR. DE GAND., *Qdl. IX,5* Macken 111,44-116,10) und fol. 192r (~ HENR. DE GAND., *Qdl. IX,15* [Heinrichs *Abditum mentis*-Theorie!] Macken 259,47-265,28) einen *frater theod.* an, dessen Identität mit DIETRICH VON FREIBERG (THEODRICUS DE VRIBERG) von PELZER, *Codices Vaticani latini, II.* 1931, p. 226, erwogen wird. Leider bleiben diese Angaben jener Handschrift im Quellen- und Variantenapparat der kritischen Heinrich-Edition ungenannt, obwohl die Handschrift zur Textkonstitution herangezogen worden ist (ed. cit., p. xvii sq.).

gendi beim Akt der menschlichen Selbsterkenntnis koppelt und beide ineinander spiegelt.[347] Der Textpassus scheint unterbewertet, sähe man in ihm nur eine Selbsterklärung und Selbstverdeutlichung Heinrichs, um lautgewordenen Einspruch gegenüber seiner zu Ostern 1286 in *Qdl. IX,15* vorgetragenen Interpretation der augustinischen *Abditum mentis*-Lehre niederzuschlagen. Heinrich widersetzt sich einer Totaldivinisierung des menschlichen Intellekts. Seine emphatische Rede von einer nur akzidentellen Einsicht (*intellectio accidentalis*) meldet theologische Bedenken an und zielt auf die Abwehr einer überschwänglichen Adaption der augustinischen *Abditum mentis*-Lehre unter Denkern des ausgehenden 13. Jahrhunderts, die mit ihrer aristotelisierenden, genauerhin averroistischen Befürwortung eines Monopsychismus die christliche Fundamentaldifferenz von Schöpfer und Geschöpf neutralisieren, wenn nicht gar in ihrem Gehalt aushöhlen. Heinrichs kritische Relecture der Lehre von *abditi actus intelligendi* verneint eine essentiale Identität menschlicher und göttlicher Intellekttätigkeit. Die Grundthese Heinrichs aber bleibt unangetastet: Daß den Menschen und all sein innerstes Erkennen und Wollen - und sei es noch so anfanghaft, zaghaft und unvollkommen – nichts anderes anzieht,

[347] Cf. HENR. DE GAND., *Qdl. XV,9* Badius 581rD, lin. 1-22: *Dico secundum alias a me determinata in quaestionibus de quolibet, quod angelus aut mens non intelligit se nisi sicut alia a se. Primo scilicet intelligendo se sub ratione universalis proximi sui. Universale enim est per se et primum obiectum intellectus creati, sicut singulare est per se et primum obiectum sensus. Igitur si angelus aut mens intelligit se sub ratione singularis, hoc non est primo et immediate et quasi directo aspectu secundum lineam rectam, sed mediante intellectu universalis sui intellecti primo et immediate et quasi aspectu obliquo secundum lineam reflexam, prout determinat Philosophus in III De anima. Ratione autem universalis, qua intelligit hoc modo se, haurit ex sua memoria abdita, sicut et haurit universalia, quibus intelligit alia a se. Quorum universalium nullum determinat sibi intellectum ad semper movendum ipsum, sed quandoque movet ipsum unum illorum, quandoque aliud. Propter quod quaelibet ratio intelligendi per rationem universalis sibi est accidens, et nulla est per essentiam idem quod intellectus, sed re differens ab illo, et hoc non minus, quando intelligit se, quam quando intelligit aliud a se.* [lin. 11] *Unde etsi secundum Augustinum ponat aliquis, quod intellectus semper intelligit se quodam abdito actu intelligendi, illa intellectio accidens est in illo et per rationem universalis, quemadmodum et illa intellectio, qua se quandoque intelligit et quandoque non intelligit. Et neutra illarum est idem quod ipsum intelligens. Et sic operatio, qua intelligit aliud creatum a se, non minus est ei essentialis, hoc est substantialis, ut intellectio et intellectus sunt idem quam operatio, qua intelligit se. Et si utraque est ipsum intelligens, utraque aequaliter est essentialis, et etiam si intellectio, qua intelligit Deum, est ipsum intelligens, et ipse similiter, tunc omnis intellectio esset eis essentialis intelligenti aeque. Aut si intellectio, qua intelligit se, sit ipsum intelligens sine sua essentia, et intellectio, qua intelligit Deum, non sit sua essentia, intellectio, qua intelligit se, neccessario est sibi essentialior quam illa, qua intelligit Deum. Semper enim est essentialior rei cuique intellectio illa, quae est sua essentia et idem cum intelligente, quam quaecumque alia, quae non est sua essentia nec idem cum intelligente.* [lin. 20] *Et hoc loquendo de essentialitate penes tertium modum eius, quod est per se, licet aspiciendo ad rationem quietandi et non quietandi, quae pertinet ad secundum modum dicendi per se, eo quod sunt accidentia operanti creato, essentialior esset intellectio, qua intelligit Deum, ut procedit secunda obiectio, et bene.* [Auszeichnungen von M. L.] – Der Verf. wird an anderer Stelle eine eingehendere Interpretation dieser von Heinrich in allen ihren formalen Teilen sehr bewußt komponierten und enorm inhaltsverdichteten Quästion vorlegen.

voranträgt und vervollkommnet als das unerschaffene Wahre und Gute, Gott selbst. Der Mensch ist daher in Wahrheit mehr auf Gott als auf sich selbst bezogen. Sein ersehntes Glück der Überfülle wird er erst in der *visio Dei beatifica* erlangen. Darum ist die Lehre von Gott als dem Ersterkannten des menschlichen Intellekts in der theozentrisch-theologischen Gedankenwelt des *Doctor solemnis* wie wohl keine zweite Doktrin dazu geeignet, das Ganze und Eigentliche der henrizianischen Position zu veranschaulichen.

IV. Das Fortleben der *Primum cognitum*-Lehre des Heinrich von Gent im Zusammenhang seiner allgemeinen Wirkungsgeschichte. Ein Beitrag zur Historiographie des *Doctor solemnis*

§ 1 KRITISCHE FORTFÜHRUNG, TOTALKRITIK UND SPLITTERHAFTE TEILREZEPTION. ZUR WIRKUNGSGESCHICHTE HENRIZIANISCHER LEHREN IN MITTELALTER UND FRÜHER NEUZEIT

Einem Denker von solch tief schürfender wie weit umgreifender Kraft wie Heinrich von Gent, dessen voluminöse Hauptwerke Problemkonzentration mit Perspektivenreichtum zu verbinden vermochten, blieb eine reiche Wirkungsgeschichte nicht versagt. Dabei spielte in wissenssoziologischer Hinsicht eine nennenswerte Rolle, daß Heinrich als Weltkleriker bis zum Jahr 1609 nicht die Unterstützung eines Ordens hatte, der seine Lehre als Ordensdoktrin angenommen hätte und so für deren breitenwirksame Kontinuität mit lehrmäßiger Verteidigung, Spezifizierung und Weiterentwicklung eingetreten wäre. Diese wissenschaftshistorische Konstellation darf andererseits auch als Vorteil verstanden werden, insofern nicht eine Ordenstradition über eine bisweilen hyperkorrekte, zu Verstarrung führende 'orthodoxe' Interpretation des Oeuvre zu wachen hatte. Man durfte einen wohlverstandenen Eklektizismus[1] walten lassen. Ohne Verpflichtung auf das Werkganze konnten dadurch Theorieelemente Heinrichs frei adaptiert und deren Vitalität auf die Probe gestellt werden. Schwächen bestimmter Lehrstücke wurden wettgemacht durch die höhere Plausibilität anderer von Heinrich vorgeschlagener Problemstellungen und Lösungsansätze.

Wie schon im Einleitungsteil dieser Arbeit ausgeführt,[2] ist die hermeneutische Funktion einer intensiven Beschäftigung mit der Wirkungsgeschichte Heinrichs für das Verständnis seiner Lehren evident. Darum seien im folgenden einige Fingerzeige zur künftigen Erforschung der *fama Henrici* gegeben. Sie beheben freilich nicht den erheblichen Mangel an detaillierten Autorenstudien, um ein abgerundetes Bild vom Fortleben der zahlreichen henrizianischen Eigenlehren und speziell seiner *Primum cognitum*-Theorie zeichnen zu können.

[1] In der Aufklärungsphilosophie des 17. Jahrhunderts unterschied man die *philosophia scholastica* als parteigängerische *philosophia sectaria* von der unvoreingenommenen *philosophia eclectica* als der *philosophia vera*; dazu cf. H. HOLZHEY: *Philosophie als Eklektik*. In: Studia Leibnitiana 15 (1983), pp. 19-29; M. ALBRECHT: *Eklektik. Eine Begriffsgeschichte mit Hinweisen auf die Philosophie- und Wissenschaftsgeschichte*. Stuttgart 1994; irreführend sind die Ausführungen zu diesem schon bei DIOGENES LAERTIOS I,21 belegten Begriff bei W. NIEKE: *Eklektizismus*. In: HWPh II (1972), col. 432sq.

[2] Cf. Einleitung § 2,2 (p. 13sq.).

1. *Breitenwirksame Stimulanz der Denkansätze Heinrichs trotz Fundamentalkritik seiner gnoseologischen und metaphysischen Zentralthesen in den Theologenschulen des Mittelalters*

a) Zur allgemeinen Entwicklung der Wirkungsgeschichte Heinrichs vom Ausgang des 13. bis zum Ende des 15. Jahrhunderts

Unmittelbaren zeitgenössischen Einfluß bekam Heinrich durch universitäre Gebrauchsliteratur wie Übersichten zur Examensvorbereitung und andere Hilfsmittel des universitären Alltags, die eine effizientere Lesepraxis der Werke Heinrichs ermöglichen wollten und für die Verbreitung seines Gedankenguts nicht unterschätzt werden dürfen. Eine von einem ANONYMUS zu Studienzwecken angefertigte Auflistung der Lehrdifferenzen Pariser Magister der Theologie vom Ende des 13. Jahrhundert führte Heinrichs Meinung ständig an.[3] Ein weiterer ANONYMUS aus dem Umkreis des GOTTFRIED VON FONTAINES erstellte eine Heinrich stark berücksichtigende *Tabula super novem quodlibet magistri Godefridi quantum ad articula et loca, in quibus dissentit ab aliis, et hoc a quinto quodlibet et sic deinceps.*[4] Hinzu traten zahlreiche weitere *abbreviationes, compilationes* und *tabulae.*[5]

Heinrichs Domäne war der von Weltklerikern getragene Zweig der Pariser theologischen Fakultät, wie das außergewöhnlich hohe Lob kundgab, das der in vielen theologischen Punkten henrizianisch beeinflußte PETRUS VON AUVERGNE († 1303)[6] erteilte, als er bei einem Referat einer Lehre Heinrichs deren Urheber mit *quidam de doctoribus nostris, viri subtilis intellectus et magnae considerationis, pie et religiose considerantes* umschrieb. Von Heinrichs eigener Schule - den *Gandavistae,* wie JOHANNES DE POLLIACO[7] sie nannte - scheint JOHANNES VON GENT[8], 1303 als Magister der Theologie erwähnt, von einiger Bedeutung

[3] Cf. DONDAINE, *Catalogue de dissensions doctrinales.* 1938.

[4] J. HOFFMANS: *La table des divergences et innovations doctrinales de Godefried de Fontaines.* In: RNSPh 36 (1934), pp. (412-436) 424-436.

[5] Cf. die Zusammenstellung bei MACKEN, *Bibl. manuscr.* 1979, vol. II, pp. 1133-1189.

[6] PETR. ALVERN., *Qdl. IV,5,* cit. ap. E. HOCEDEZ: La théologie de Pierre d'Auvergne. In: Gr. 11 (1930), p. (526-552) 537. - Cf. desweiteren E. HOCEDEZ: *La philosophie des Quodlibets de Pierre d'Auvergne.* In: ADGM 1935, pp. (779-791) 780sq. 786-791; A. MONAHAN (ed.): *Peter of Auvergne's „Quaestiones in Metaphysicam".* In: J. R. O'DONNEL (ed.): Nine Medieval Thinkers. A Collection of Hitherto Unedited Texts (STPIMS 1). Toronto 1955, pp. (145-181) 178sq. - Zur Person des PETRUS VON AUVERGNE, der um 1275 Rektor der Pariser Universität war und dort 1296-1302 als *magister in theologia* lehrte, cf. LOHR, *Commentators.* 1988, p. 197sq.; M. GERWING: *Petrus de Alvernia.* In: LexMA VI (1993), col. 1961sq.; ID., *Vom Ende der Zeit.* 1996, pp. 449-455.

[7] Cf. IOA. DE POLLIACO, *Qdl. I,5* Cod. Vat. lat. 1017, fol. 13ra. – Cf. H. ROOS: *Neuentdeckte Sophismata zum Formproblem (Patricius de Hibernia, Johannes Dacus, anonymer Verfasser aus dem Kreis um Heinrich von Gent).* In: PhTh 46 (1971), pp. 248-255.

[8] Cf. CHART. UNIV. PARIS. II, p. 103, n. 637; HÖDL, *Kritik des Johannes de Polliaco.* 1959, p. 18sq.; ID., *Aulien des Magisters Johannes de Polliaco.* 1960, pp. 58-62; ID.: *Neue Wege.* 1963,

gewesen zu sein, doch ist kaum mehr als sein Name von ihm bekannt. GOTTFRIED VON FONTAINES († 1306/09)[9], den man mittlerweile eher als frühen Kollegen Heinrichs denn als dessen Schüler einzuschätzen hat, hatte noch die Möglichkeit nutzen können und wollen, im Wechsel der zweimal jährlich stattfindenden Quodlibetalien in vielen Themen die unmittelbare akademische Kontroverse mit Heinrich zu suchen. JOHANNES DE POLLIACO († nach 1321), ein Schüler GOTTFRIEDS, bestritt auf der Basis eines kritischen, an THOMAS VON AQUIN angelehnten Neoaristotelismus einerseits Heinrichs Voluntarismus[10], griff aber andererseits ekklesiologisch dessen Argumente gegen den Pastoralstatus und das Beichtprivileg der Mendikanten auf.[11] Heinrichs ekklesiologische Ansichten wirkten auch bei seinem Schüler JOHANNES DE ANNOSIS (VON ANNEUX) (1250/70 - 1328/29)[12] nach.

Obgleich für Heinrich in der Schule der Augustiner-Eremiten[13] bereits zu Beginn seiner theologischen Karriere in AEGIDIUS ROMANUS OESA (1243/47 - 1316)[14] einer der größten und prominentesten Widersacher seiner Wesensontologie erwuchs, durfte ein Augustinus-Interpret vom Range Heinrichs dort stets auf kritische Beachtung hoffen. Eine Harmonisierung der Lehrdifferenzen zwischen beiden erstrebte JAKOB VON VITERBO OESA († 1307/08)[15], der,

p. 613. - Gegen die Zuweisung diverser Schriften des JOHANNES VON JANDUN (DE IANDUNO) an seinen belgischen Landsmann JOHANNES VON GENT (DE GANDAVO) durch A. M. LANDGRAF: *Johannes von Sterngassen OP und sein Sentenzenkommentar.* In: DTh(F) 4 (1926), p. (207-214. 327-350) 334, und UEBERWEG-GEYER, *Grundriß.* 1928, p. 615, argumentiert mit Nennung der älteren Literatur schlüssig J. RIESCO TERRERO: *Juan de Janduno y el Gandavense. Luz sobre una controversia histórica.* In: Salm. 7 (1960), pp. 331-343.

[9] Cf. spec. TIHON, *Foi et théologie.* 1966, und WIPPEL, *Metaphysical Thought.* 1981, sowie die dort auffindbare Literatur.

[10] Cf. HÖDL, *Kritik des Johannes de Polliaco.* 1959, p. 18sq.; ID., *Aulien des Magisters Johannes de Polliaco.* 1960, pp. 58-60. 69. - Cf. LThK³ V (1996), col. 958sq. (M. LAARMANN).

[11] Cf. R. ZEYEN: *Die theologische Disputation des Johannes de Polliaco zur kirchlichen Verfassung* (EHS XXIII/64). Frankfurt a.M./Bern 1976, passim; DUMONT, *Time, Contradiction, and Free Will.* 1992 (IOA. DE POLL., *Qdl. I,10* in Auseinandersetzung mit HENR. DE GAND., *Qdl. X,10. 13*); L. HÖDL: *Der Umbruch der rechtsdogmatischen und bibeltheologischen Argumentation in der Prozeßschrift des Johannes de Polliaco von 1318.* In: H. J. F. REINHARDT (Hg.): Theologia et Ius Canonicum. Festgabe für H. HEINEMANN zur Vollendung seines 70. Lebensjahres. Essen 1995, pp. 481-499, spec. 482-485.

[12] Cf. Susanne STRACKE-NEUMANN: *Johannes von Anneux: ein Fürstenmahner und Mendikantengegner in der ersten Hälfte des 14. Jahrhunderts.* Mammendorf/Obb. 1996; BBKL III (1992), col. 258-260 (EAD.).

[13] Cf. ZUMKELLER, *Augustinerschule.* 1964, ad indicem (p. 257) s.v.

[14] Zur Biographie des AEGIDIUS ROMANUS cf. J. R. EASTMAN: *Das Leben des Augustiner-Eremiten Aegidius Romanus (ca. 1243-1316).* In: ZKG 100 (1989), pp. 318-339 (Lit.); LThK³ I (1993), col. 180sq. (R. WEIGAND).

[15] Cf. J. BENES: *Valor 'possibilium' apud S. Thomam, Henricum Gandavensem, B. Jacobum de Viterbio.* In: DTh(P) 29 (1926), pp. 612-634; 30 (1927), pp. 94-117. 333-355; F. DELORME (ed.): *Le Cardinal Vital du Four.* In: AHDL 2 (1927), pp. (151-337) 185sq. 272. 285. 311. 314sq. 322. 324sq. 327. 329. 332. 334. 336; F. CASADO: *El pensamiento filosófico del beato*

1288 *baccalaureus*, 1293-99 Magister der Theologie in Paris, in unmittelbarer Nachbarschaft zu Heinrich lebte. In ähnlichem Geist übte auch HEINRICH VON FRIEMAR d. Ä. OESA (um 1245-1340)[16] vornehme Kritik. PROSPER VON REGGIO EMILIA OESA[17], der 1316 in Paris die Magisterwürde erlangte, schätzte für seinen umfänglichen wissenschaftstheoretischen Kommentar zum Sentenzenprolog besonders den auf gleichem Gebiet ebenso publikationsstarken *Doctor solemnis*. Gleiches galt für ALFONSUS VARGAS TOLETANUS OESA (um 1300 - 1366)[18], HUGOLINUS VON ORVIETO OESA (um 1300 - 1373)[19], der sogar Heinrichs Lehre von *lumen theologicum* erneuerte, DIONYSIUS VON MODENA (fälschlich: MONTINA) OESA (um 1335 - 1400)[20] und AUGUSTINUS FAVARONI von Rom OESA (1360 - 1443)[21]. Dagegen bekämpften DIONYSIUS VON BORGO SAN SEPOLCRO OESA (um 1280 - 1342)[22], Wegbereiter des Humanismus im Orden und ein guter Freund von PETRARCA und BOCCACCIO, wie auch THOMAS VON STRASSBURG OESA († 1357)[23] in seinem Sentenzenkommentar oft Heinrich. GREGOR VON RIMINI OESA (um 1305 - 1358)[24], der die post-ägidianische Epo-

Santiago de Viterbo. In: CDios 163 (1951), pp. 437-454; 164 (1952) 301-331; 165 (1953), pp. 103-144. 282-302. 489-500; P. GIUSTINIANI: *Il problema delle idee in Dio secondo Giacomo di Viterbo OESA.* In: AAug 42 (1979), pp. (285-342) 287-323.

16 Cf. STROICK, *Heinrich von Friemar.* 1954, passim, spec. pp. 8sq. 87-89. 91-94. 102-112. 155-158. 183-186. - Cf. LThK³ IV (1995), col. 1385sq. (Gabriele LAUTENSCHLÄGER).

17 Cf. ZUMKELLER, *Augustinerschule.* 1964, p. 203.

18 Cf. J. KÜRZINGER: *Alfonsus Vargas Toletanus und seine theologische Einleitungslehre. Ein Beitrag zur Geschichte der Scholastik im 14. Jahrhundert* (BGPhThMA 22/5-6). Münster i.W. 1930, pp. 62sq. 151-154. - Cf. LThK³ I (1993), col. 390 (Ch. H. LOHR).

19 Cf. A. ZUMKELLER: *Die theologische Erkenntnislehre des Hugolinus von Orvieto* (Cass. 9). Würzburg 1941, ad indicem s.v.; BEUMER, *Erleuchteter Glaube.* 1955.

20 Cf. ZUMKELLER, *Augustinerschule.* 1964, p. 235sq.; LThK³ III (1995), col. 245sq. (ID.).

21 Cf. ZUMKELLER, *Augustinerschule.* 1964, p. 239; LThK³ I (1993), col. 1249 (ID.).

22 Cf. ZUMKELLER, *Augustinerschule.* 1964, p. 207; LThK³ III (1995), col. 244 (W. ECKERMANN).

23 Cf. B. LINDNER: *Die Erkenntnislehre des Thomas von Straßburg. Nach den Quellen dargestellt* (BGPhThMA 27/4-5). Münster i.W. 1930, pp. 52-54; TRAPP, *Augustinian Theology in the 14th Century.* 1956, pp. 177-182; LThK² X (1995), col. 147sq. (D. TRAPP).

24 Die bisherige Gregor-Forschung ist dem gut belegbaren Einfluß Heinrichs offensichtlich noch nicht nachgegangen. - Cf. GREG. ARIM., *Sent. I, prol. 3* Trapp/Marcolino I, pp. 93sq. 97. 101. 114 (cit. HENR. DE GAND., *Qdl. IX,4*); GREG. ARIM., *Sent. I, dist. 5,2 add., add. 26* Trapp/Marcolino I, pp. 463-465 (cit. HENR. DE GAND., *Summa 54,3* Badius 84rE-vF); GREG. ARIM., *Sent. I, dist. 5,2* Trapp/Marcolino I, pp. 471sq. 474sq. (cit. HENR. DE GAND., *Summa 54,3* Badius 84rE-vG); GREG. ARIM., *Sent. I, dist. 2,2 add.* Trapp/Marcolino I, p. 463 (cit. HENR. DE GAND., *Summa 59,2* Badius 142rI); GREG. ARIM., *Sent. I, dist. 11 prol.* Trapp/Marcolino II, p. 178 (cit. HENR. DE GAND., *Qdl. V,9* Badius 167rP.vV); GREG. ARIM., *Sent. I, d.12,1* Trapp/Marcolino II, p. 193 (cit. HENR. DE GAND., *Summa 60,8*); p. 196 (cit. HENR. DE GAND., *Summa 54,2* Badius 78vK); GREG. ARIM., *Sent. I, dist. 24,2* Trapp/Marcolino III, p. 56 (cit. HENR. DE GAND., *Qdl. IV,5* Badius 92rK); GREG. ARIM., *Sent. I, dist. 28-32,2* Trapp/Marcolino III, p. 129 (cit. HENR. DE GAND., *Summa 32,5*); p. 154 (cit. HENR. DE GAND., *Qdl. V,1* Badius 155rN; *Qdl. IX,3* Badius 351rE); p. 174 (cit. HENR. DE GAND., *Qdl. IX,1 ad 1*); GREG. ARIM., *Sent. I, d.24,1,2* Trapp/Marcolino III, pp. 27. 32 (cit. HENR. DE GAND., *Summa 25,1* Badius

che im Orden einleitete, setzte sich in seinem 1343/44 verfaßten Sentenzenkommentar noch häufig mit Heinrichs trinitätstheologischen Positionen auseinander. JOHANNES Hiltalingen VON BASEL OESA († 1392)[25] erwähnte in seinem monumentalen Sentenzenkommentar an 152 Stellen den *Doctor solemnis*, wenn auch meist in kritischer Wendung.

Andererseits fand Heinrichs neoaugustinische Reaktion auf die pluriforme Aristotelesrezeption des 13. Jahrhundert erwarteten Widerspruch bei all denen, die sich als Sachwalter einer christlich legitimen Aristotelesgefolgschaft verstanden. Bei Schülern und Anhängern des THOMAS VON AQUIN waren dabei vornehmlich Heinrichs Illuminationslehre, seine kritisches Verständnis der *scientia subalternata*[26], seine Lehre von einer *distinctio intentionalis* von *essentia* und *existentia*[27], die Lehre von der *forma corporeitatis*[28] sowie sein Willensprimat eine stete *causa belli* gewesen. Namhafte Heinrich-Kritiken des Frühthomismus[29] waren die *Abbreviatio et impugnatio quodlibetorum Henrici de Gandavo* des BERNHARD VON AUVERGNE (DE CLARAMONTE [CLERMONT]) OP (fl. 1300)[30], die zu Teilen in die *Defensiones theologiae divi Thomae Aquinatis* des JOHANNES CAPREOLUS OP eingegangen sind,[31] fener die *Abbreviatio et impugnatio quodlibetorum I-XIV Henrici de Gandavo* des ROBERT VON ORFORD (COLLETORTO) OP († wohl vor 1300)[32], die *Quaestiones ordinariae* und *Quodlibeta* des THOMAS SUTTON

147rA); GREG. ARIM., *Sent. I, dist. 33-34,1* Trapp/Marcolino III, p. 189sq. (cit. HENR. DE GAND., *Qdl. XIII,1* Badius 523rI); GREG. ARIM., *Sent. I, dist. 40-41,1,2* Trapp/Marcolino III, pp. 325. 327 (cit. HENR. DE GAND., *Qdl. VIII,5*); p. 343 (cit. HENR. DE GAND., *Qdl. IV,19* Badius 133vO); GREG. ARIM., *Sent. II, dist. 1,3* Trapp/Marcolino IV, p. 98sq. (cit. HENR. DE GAND., *Qdl. I,7* Badius 5rS; *Qdl. VIII,9* Badius 317vD-318rE); GREG. ARIM., *Sent. II, dist. 26-28,1* Trapp/Marcolino VI, p. 88 (cit. HENR. DE GAND., *Qdl. V,20*). - Cf. LThK³ IV (1995), col. 1025 (W. ECKERMANN).

[25] Cf. TRAPP, *Augustinian Theology in the 14th Century.* 1956, pp. 252-254; ZUMKELLER, *Augustinerschule.* 1964, p. 232. - Cf. LexMA V (1991), col. 556 (A. ZUMKELLER).

[26] Cf. St. F. BROWN, *Aquinas' Subalternation Theory.* 1990, pp. 337-345.

[27] Cf. GRABMANN, *Doctrina S. Thomae de distinctione reali inter essentiam et esse.* 1924, passim, spec. pp. 146-148; PATTIN: *De verhouding tussen zijn en wezenheid.* 1955, ad indicem s.v.

[28] Cf. SCHNEIDER, *Die Einheit des Menschen.* 1972, passim.

[29] Cf. generell ROENSCH, *Early Thomistic School.* 1964, ad indicem s.v.

[30] Cf. M. GRABMANN: *Bernhard von Auvergne († nach 1304).* In: MGL II (1936), pp. 548sq. 552sq. 555-557; A. PATTIN (ed.): *La structure de l'être fini selon Bernard d'Auvergne OP.* In: TFil 24 (1962), pp. (668-737) 672-681. 689. 708-737; MACKEN, *Bibl. manuscr. II.* 1979, p. 1185sq.; dazu ergänzend Th. W. KÖHLER: *'Reprobationes' Bernhards von Auvergne OP in einer Harburger Handschrift.* In: RThAM 38 (1971), pp. 196-210. - Cf. LexMA I (1980), col. 1998 (H.-J. OESTERLE).

[31] Cf. IOA. CAPREOL., *Defens. IV, dist. 10, q. 2, a. 3, § 1, III, ad arg. Henrici* Paban/Pègues VI, pp. 192b-193a.

[32] Cf. MARTIN, *Controverse sur le péché originel.* 1930; SCHNEIDER, *Die Einheit des Menschen.* 1972, pp. 140-153; F. E. KELLEY: *Two Early English Thomists. Thomas Sutton and Robert Orford vs. Henry of Ghent.* In: Thom. 45 (1981), pp. 345-387; weitere Lit. bei MACKEN, *Bibl. manuscr. II.* 1979, p. 1205sq.; LexMA VII (1995), col. 903 (M. LAARMANN).

OP (nach 1250 - nach 1315/20)[33] und vor allem die 1301-07 verfaßten Schrift *De quattuor materiis contra Henricum de Gandavo*[34] des HERVAEUS NATALIS OP († 1323)[35]. Die mehrfach dem gut thomistisch argumentierenden HUMBERT VON PREUILLY (DE PRULLIACO) OCist († 1298) zugeschriebenen *Opiniones contrariae*, die Differenzpunkte zwischen THOMAS und Heinrich nach der Distinktionenfolge eines Sentenzenkommentars gegenüberstellten, stammen sicher nicht von ihm, sondern von einen Anhänger Heinrichs.[36] Auch REMIGIUS VON FLORENZ (CHIARO DE' GIROLAMI) OP (1235 - 1319)[37], der Lehrer DANTES, und

[33] Cf. THOM. DE SUTTON, *Quaestiones ordinariae.* Ed. J. SCHNEIDER (VKHUT 3). München 1978, ad indicem s.v. (pp. 971b-973b); SCHMAUS, *Liber propugnatorius.* 1933, ad indicem s.v.; W. SENKO: *Trzy studia nad spuscizna i pogladami Tomasza Suttona dotyczacymi problemu istoty i istnienia (Les trois études sur Thomas Sutton OP)* [summarium Gallice conscriptum: 279s.]. In: StudMediew 11 (1970), pp. (111-283) 153-155. 157. 168. 173. 183-185. 189sq. 192sq. 199sq. 210sq. 220. 233sq. 239. 245. 248-250. 253; F. E. KELLEY: *Two Early English Thomists. Thomas Sutton and Robert Orford vs. Henry of Ghent.* In: Thom. 45 (1981), pp. 345-387; W. SENKO: *Kilka uwag na temat historii Tomaszowego pojecia istnienia we wczesnej szkole tomistycznej [Einige Bemerkungen zur Geschichte des Begriffs der Existenz bei Thomas von Aquin und in der frühen Thomistenschule].* In: Przeglad Tomistyczny 3 (1987), pp. 21-27; J. F. WIPPEL: *Thomas of Sutton on Divine Knowledge of Future Contingents (Qdl. II, qu. 5).* In: KSMPh, II. 1990, pp. (364-372) 364. 366-372. Cf. auch dessen Werk *Contra quodlibet Ioannis Duns Scoti.* Ed. J. SCHNEIDER (VKHUT 7). München 1978, ad indicem s.v. - Cf. L. HÖDL: *Thomas von Sutton. Ein Forschungsbericht.* In: MThZ 33 (1982), pp. 54-58; LexMA VIII (1997), col. 724sq. (M. GERWING).

[34] Für eine Quästionenübersicht cf. MACKEN, *Bibl. manuscr. II.* 1979, pp. 1191-1196; Teileditionen bei S. MANGIAPANE: *Il „De ente et essentia" nel „De quatuor materiis" di Herveo Nédéllec. Studio e test critico* (Diss. in Laur. ined., Fac. di Filos. del Pont. Ateneo Salesiano, Rom). Turin 1957; STELLA, *La prima critica alla noetica di Enrico di Gand.* 1959; CLIVIO, *La prima critica di Erveo di Nédellec all'antropologia di Enrico di Gand.* 1974.

[35] Cf. MARTIN, *Controverse sur le péché originale.* 1930; J. SANTELER: *Der kausale Gottesbeweis bei Herveus Natalis nach dem ungedruckten Traktat „De cognitione primi principii"* (PGW III/1). Innsbruck 1930, pp. 18sq. 65. 67. 86; HÖDL, *Grundfragen der Sakramentenlehre.* 1956; E. B. ALLEN: *Hervaeus Natalis: An Early 'Thomist' and the Notion of Being.* In: MS 22 (1960), pp. (1-14) 1. 14; W. SENKO: *Les opinions d'Hervé Nédellec au sujet de l'essence et de l'existence.* In: MedPhilosPol 10 (1961), pp. (59-74) 62sq. 73; P. STELLA (ed.): *A proposito di Pietro da Palude, In I. Sent., d. 43, q. 1: la questione inedita „Utrum Deum esse infinitum in perfectione et vigore possit efficaci ratione probari" di Erveo Natalis.* In: Sal. 27 (1960), pp. 245-325; K. PLOTNICK: *Hervaeus Natalis OP and the Controversies over the Real Presence and Transubstantiation* (VGI 10). München/Paderborn 1970, pp. 30-34. 43-45; E.-H. WEBER: *La démonstration de l'existence de Dieu chez Hervé de Nedellec et ses confrères Prêcheurs de Paris.* In: Z. KALUZA/P. VIGNAUX (ed.): Preuve et raisons à l'Université de Paris: logique, ontologie et théologie au XIVe siècle. Paris 1984, pp. (25-41) 26. 28. 31. 36. 39.

[36] Cf. MACKEN, *Bibl. manuscr. II.* 1979, pp. 1176-1183 (mit Quästionenverzeichnis); die Autorschaft eines Heinrich-Schülers beweist C. HEIDACK: *Humbert von Preuilly († 1298). Eine philosophiehistorische Untersuchung mit Textbeilagen aus dem unedierten Sentenzenkommentar Humberts und den „Quaestiones diversarum opinionum", die dem Humbert zugeschrieben werden.* Diss. phil. Bonn 1965, pp. 30-33 [Rec.: A. PATTIN, TFil 31 (1969), p. 153].

[37] Cf. E. PANELLA: *Dal bene comune al beno del comune. I trattati politici di Remigio del Girolami.* In: Politica e Vita Religiosa a Firenze tra '3000 e '500. Pistoia 1985, pp. (1-198) 102. 131. 159-161. - Cf. LexMA VII (1995), col. 708 (R. IMBACH).

PETRUS DE PALUDE OP (um 1270 - 1342)[38] gehen auf Heinrichs Ansichten ein. JOHANNES de Regina VON NEAPEL OP († nach 1336)[39] rekurrierte in seiner berühmten Verteidigung thomanischer Theoreme gegen angeblich antithomistisch gerichtete Thesen des Pariser Verurteilungsdekrets von 1277 ausdrücklich auf eine mit THOMAS konvergierende Anschauung Heinrichs.[40] Einige der im St. Jacobus-Konvent zu Paris studierenden und dozierenden Dominikaner hatten eine gute Bekanntschaft mit Heinrichs Lehren besessen, wie JOHANNES QUIDORT VON PARIS OP († 1306)[41] sowie die deutlich von Heinrich beeinflußten JAKOB VON METZ OP (fl. 1300)[42] und DURANDUS A S. PORCIANO OP (um 1275 - 1334)[43] in ihren Schriften kundtaten. Zu ihnen dürfen an dieser Stelle mit einigem Grund auch Exponenten deutscher Dominikanertheologie gerechnet werden. DIETRICH VON FREIBERG OP (um 1240 - 1318/20)[44] stand mehrfach, besonders mit seiner *Abditum mentis*-Lehre, in

[38] Cf. MARTIN, *Controverse sur le péché originel.* 1930, pp. 137-144. 235-283; P. FOURNIER: *Pierre de La Palu.* In: HLF 37 (1938), pp. 39-84; P. STELLA (ed.): *Una questione inedita di Pietro da Palude sulla unicità della forma nel sinolo ilemorfico (In 2 Sent., d. 31, q.4).* In: Sal. 19 (1957), pp. 590-617. - Cf. LexMA VI (1994), col. 1979sq. (E. LALOU).

[39] Cf. F. MERTA: *Die Lehre von der visio beata in den Quodlibeta und Quaestiones disputatae des Johannes von Neapel OP († 1336).* Diss. theol. München 1964, pp. 68-71. – Cf. SOPMA II (1975), p. 496sq.; IV (1993), p. 164sq.

[40] Cf. P. T. STELLA: *Gli „Articuli Parisienses, qui doctrinam eximii doctoris beati Thomae de Aquino tangunt vel tangere asseruntur" nella acezione di Giovanni Regina di Napoli.* In: Sal. 27 (1975), pp. 39-67, der eine gründliche literarhistorische Analyse dieses Textes (= IOA. DE NEAP., *Qdl. II,2*) und eine gegenüber JELLOUSCHEK 1925 wesentlich verbesserte Textedition bietet; der Heinrich-Verweis loc. cit., p. 46,18-20.

[41] Cf. C. TRABOLD: *Esse et existentia nach Johannes Quidort von Paris im Vergleich mit Thomas von Aquin.* In: FZPhTh 5 (1958), pp. (3-36. 156-177. 404-442) 406-408; J. P. MÜLLER: *Un cas d'éclecticisme métaphysique: Jean de Paris (Quidort) O.P.* In: MM 2 (1963), pp. (651-660) 658-660; DECKER, *Gotteslehre des Jakob von Metz.* 1967, pp. 409-411; J. P. MÜLLER (ed.): *Eine Quästion über das Individuationsprinzip des Johannes von Paris OP (Quidort).* In: J. MÖLLER/H. KOHLENBERGER (Hg.): Virtus politica. Festgabe A. HUFNAGEL zum 75. Geb. Stuttgart-Bad Canstatt 1974, pp. (335-356) 339sq. 355sq.; GERWING, *Vom Ende der Zeit.* 1995, pp. 257. 271.

[42] Cf. J. KOCH: *Jakob von Metz, O.P., der Lehrer des Durandus de Porciano, O.P.* [= AHDL 4 (1929), pp. 169-232]. In: ID.: Kl. Schr. (SeL 127/128). Rom 1973, vol. II, pp. (7-118) 16. 46. 51; PAULUS, *Essai.* 1938, p. 187sq. 190 zur Relationslehre; L. ULLRICH: *Fragen der Schöpfungslehre nach Jacob von Metz OP. Eine vergleichende Untersuchung zu Sentenzenkommentaren aus der Dominikanerschule um 1300* (EThSt 20). Leipzig 1966, pp. 131-136. 190sq. 256-258; DECKER, *Gotteslehre des Jakob von Metz.* 1967, pp. 361-364. 403-405; KÖHLER, *Der Begriff der Einheit und ihr ontologisches Prinzip.* 1971, pp. 297-304. 441-443.

[43] Cf. J. STUFLER: *Bemerkungen zur Konkurslehre des Durandus von St. Pourcain.* In: ADGM 1935, pp. (1080-1090) 1081-1083; PAULUS, *Essai.* 1938, pp. 188-197 (Relationslehre); J.-L. SOLÈRE: *La puissance et l'infini: Durand de Saint-Pourçain.* In: O. BOULNOIS (ed.): La puissance et son ombre. De Pierre Lombard à Luther. Textes traduits et commentés. Paris 1994, pp. (289-320) 291. 297. 316; desweiteren die zu JAKOB VON METZ angegebene Literatur. - Cf. LThK³ III (1995), col. 411sq. (L. ULLRICH).

[44] Cf. P. MAZZARELLA: *Metafisica e gnoseologia nel pensiero di Teodorico di Vriberg.* Neapel 1967, pp. 201-215. 231-243; R. IMBACH: *Gravis iactura verae doctrinae: Prolegomena zu einer Interpretation der Schrift „De ente et essentia" Dietrichs von Freiberg O.P.* In: FZPhTh 26

thematischer Nähe zu Heinrich[45]. Dessen Schüler, Meister ECKHART OP (um 1260 - 1328)[46], der bereits 1293/94 als *lector sententiarum* an der Pariser Universität wirkte und damals wohl auf Heinrich als *unus ex famosis modernis* anspielte,[47] war mit Heinrichs Anschauungen über die *vita activa* und *contemplativa* bekannt. Der um 1305 in Köln als Lektor wirkende JOHANNES PICARDI VON LICHTENBERG OP (fl. 1310)[48] attackierte heftig Heinrichs *Abditum mentis*-Theorie. JOHANNES VON STERNGASSEN OP († vor 1342)[49] dagegen zitierte in seinem nach 1307/08 verfaßten Sentenzenkommentar und in seinen Quästionen mehrfach Heinrich im Wortlaut und machte sich häufig dessen Meinung zu eigen. HEINRICH VON LÜBECK OP (um 1280 - nach 1336)[50], um 1323 Lektor des Kölner Generalstudiums, kritisierte unter anderem Heinrichs Wesensontologie und seine Lehre von der Mitwirkung Gottes.

(1979), pp. (369-425) 378-381. 389. 396. 404. 407. 412; A. DE LIBERA: *La problématique des 'intentiones primae et secundae' chez Dietrich de Freiberg.* In: K. FLASCH (Hg.): Von Meister Dietrich zu Meister Eckhart (CPhTeuMA, Beih. 2). Hamburg 1984, pp. (68-94) 70. 74. 78. 90sq.; LARGIER: *Zeit, Zeitlichkeit, Ewigkeit.* 1989, pp. 203-205. 217-219.

45 Dazu cf. die Ausführungen in Kap. III, § 3,3.

46 Cf. GRABMANN, *Pariser Quaestionen Meister Eckharts.* 1926, pp. 72. 74. 90. 121; MOJSISCH, *Meister Eckhart.* 1983, ad ind. s.v.; WÉBER, *Continuités et ruptures.* 1984, pp. 165sq. 168sq. 171sq.; ID., *Eckhart et l'ontothéologisme.* 1984, pp. 25-28. 38sq. 42. 44-48. 51-53. 65-67. 69-71. 75. 79-82; C. BÉRUBÉ, *Le dialogue de Duns Scot et d'Eckhart à Paris en 1302.* In: CFr 55 (1985), pp. (323-350) 329-335. 337. 339. 341sq. 345-347; SCHÖNBERGER, *Secundum rationem esse.* 1987, pp. 256. 261. 263; E.-H. WÉBER: *L'argumentation philosophique personelle du théologien Eckhart à Paris en 1302/ 1303.* In: K. JACOBI (Hg.): Meister Eckhart: Lebensstationen – Redestationen (QFGD N.F. 7). Berlin 1997, pp. (95-114) 95. 98sq. 101. 103. 105. 110-112; W. GORIS: *Einheit als Prinzip und Ziel. Versuch über die Einheitsmetaphysik des „Opus tripartitum" Meister Eckharts* (STGMA 59). Leiden 1997, pp. 199-206.

47 Cf. ECKHARD., *Liber parabolarum Genesis, cap. I,3-4, nr. 68.* LW I, p. 534, lin. 7, wo von der Ewigkeit der Wesenheit der Dinge die Rede ist (der App. verweist auf HENR. DE GAND., *Qdl. X,7* Badius 415-422, bes. 416rH; *Summa 68,5* Badius 230vV). Es ist im übrigen die einzige Stelle in ECKHARTS überlieferten Werken, an der er die Bezeichnung *modernus* benutzt, so A. M. HAAS: *Aktualität und Normativität Meister Eckharts* (1992). In: ID.: Mystik als Aussage. Frankfurt a.M. 1996, p. (336-410) 383 not. 149.

48 Cf. dazu Kap. III, § 3,3.

49 Cf. W. SENNER: *Johannes von Sterngassen OP und sein Sentenzenkommentar* (QFGD N.F. 4-5). Berlin 1995, ad indices s.v. vol. I, p. 392; vol. II, pp. 395. 398. 402sq. 409.

50 Cf. HÖDL, *Neue Begriffe.* 1963, p. 614; W. BUCICHOWSKI (ed.): *Le principe d'individuation dans la question de Henri de Lubeck „Utrum materia sit principium individuationis".* In: MPhPol 21 (1975), pp. (89-113) 95sq. 105sq.; ID. (ed.): *Henryka z Lubeki kwestia „Utrum quocumque agente materia possit esse sine omni forma".* In: StudMediew 22/2 (1983), p. (143-153) 150; ID. (ed.): *Henryka z Lubeki quodlibetalna kwestis „Utrum possit fieri vel esse aliquod ens, quod sit interioris ordinis quam materia prima".* In: StudMediew 23/1 (1984), pp. (131-144) 132. 140sq.; HENR. DE LÜBECK: [*Qdl. II,4*] *Utrum Deus agat in omni re immediate.* OTHE.S 11, p. (31-46) 31sq. - Cf. LThK³ IV (1995), col. 1393 (W. SENNER).

Die in sich hoch diffizilen Beziehungen franziskanischer Denker[51] zum *Doctor solemnis* hat die bisherige Forschung bei einer Vielzahl von Autoren festhalten können. In Zeitgenossenschaft zu Heinrich und in gedanklichem Austausch mit ihm standen auf seiten der älteren Franziskanerschule PETRUS DE FALCO OMin (fl. 1277-1280)[52], MATTHAEUS AB AQUASPARTA OMin (um 1237 - 1302)[53], RICHARD VON MEDIAVILLA OMin (um 1249 - 1302/08)[54], PETRUS JOHANNIS OLIVI OMin (um 1249 - 1298)[55], GONSALVUS HISPANUS OMin (um 1255 - 1313)[56], unter sachlich-doktrinellem Aspekt zählen auch BERTRAM VON AHLEN (DE ALEMANNIA) OMin (fl. 1315)[57], PETRUS VON SUTTON OMin (fl. 1309-11)[58] und

[51] Cf. Hadrianus a KRIZOVLJAN: *Primordia scholae franciscanae et thomismus.* In: CFr 31 (1961), pp. (133-175) 145. 150sq. 155sq. 170. Einen guten Überblick über die vielen Formen franziskanischer Intellektualität erhält man bei H. ROSSMANN: *Franziskanerschule.* in: LexMA IV (1989), col. 824-830.

[52] Cf. A.-J. GONDRAS (ed.): *Pierre de Falco: Quaestiones disputatae de quolibet.* In: AHDL 33 (1961), pp. (105-236) 106. 112. 115. 125. 137. 150. 157. 160. 166. 180. 185. 194. 208. 212. 221; ID. (ed.): *Pierre de Falco: Questions disputées ordinaires* (3 vol.) (AMNam 22-24). Löwen/Paris 1968, ad indicem s.v. - Zu Person und Werk cf. GONDRAS, *Introduction.* In: Pierre de Falco, Questions disputées ordinaires. 1968, tom. I, pp. 7-27; ID.: *Les aspects fondamentaux de la pensée de Pierre de Falco.* In: AHDL 38 (1971), pp. (35-103) 44. 60. 62sq. 95. 99; LexMA VI (1993), col. 1974 (A. SPEER).

[53] Cf. GRABMANN, *Erkenntnislehre des Kardinals Matthaeus von Aquasparta.* 1906, ad indicem s.v.; PREZIOSO, *L'attività del sogetto pensante.* 1950, pp. (259-326) 294-300; BEHA, *Matthew of Aquasparta's Theory of Cognition.* 1960, pp. 193-198; 1961, pp. 20-27. 53-61. 393-397. 415-418. 432-435. 447-451; BÉRUBÉ, *Interprètes de S.Bonaventure.* 1974, pp. 131-172; MARRONE, *Augustinian Epistemology.* 1983, passim.

[54] Cf. HOCEDEZ, *Richard de Middleton.* 1925, ad ind. s.v.; LECHNER, *Sakramentenlehre des Richard von Mediavilla.* 1925, ad ind. s.v.; RUCKER, *Ursprung unserer Begriffe.* 1934, ad ind. s.v., der sehr nachdrücklich den allgemeinen Einfluß Heinrichs auf die richardische Erkenntnislehre darstellt; PORRO, *Ponere status.* 1993, pp. 138-143; G. A. WILSON: *Henry of Ghent's Quodlibet VII as a Source for Richard of Mediavilla's Quaestio privilegii Papae Martini.* In: FrStudies 53 (1993 [publ. 1997]), pp. 97-120 (HENR. DE GAND., *Qdl. VII,24* als Referatvorlage für die Einwände gegen die Mendikanten, auf die RICHARD repliziert). - Cf. LexMA VII (1995), col. 823sq. (M. LAARMANN).

[55] Cf. spec. BETTONI, *Pier di Giovanni Olivi.* 1960, ad ind. s.v.; BÉRUBÉ, *Olivi, critique de Bonaventure et d'Henri de Gand.* 1976/1983, pp. 19-79. - Zur korrekten Schreibung des Namens (Petrus Johannis [*nicht:* Johannes!] Olivi) cf. EHRLE, ALKMA 3 (1887), p. 410.

[56] Cf. GONSALVUS HISPANUS: *Quaestiones disputatae et de quodlibet.* Ed. L. AMORÓS (BFS 9). Quaracchi 1935, ad indicem onomasticum s.v.; B. MARTEL: *La psychologie de Gonsalve d'Espagne* (PIEM 21). Montréal/Paris 1968, pp. 48sq. 123sq. 164-166; B. HUGHUES: *Franciscans and mathematics.* In: AFH 76 (1983), pp. (98-128) 103. 111.

[57] Cf. MACKEN, *Bibl. manuscr. II.* 1979, pp. 1187-1189; ergänzend dazu cf. M. BIHL: *Fr. Bertramnus von Ahlen OFM. Ein Mystiker und Scholastiker, c. 1315.* In: AFH 40 (1947 [ed. 1949]), pp. (3-48) 18-23; VerfLex² I (1978), col. (827-829) 828 (K. RUH).

[58] Cf. F. [i.e. G. J.] ETZKORN: *Peter of Sutton (?) OFM, Quodlibeta.* In: FrStudies 23 (1963), pp. (68-139) 76sq. 91; ID.: *Peter of Sutton (?), Quaestiones disputatae.* In: FrStudies 24 (1964), pp. (101-143) 122. Neben der Identität des PETRUS VON SUTTON (cf. BgF 12 [1958-63], nr. 1729, p. 425) ist insbesondere die Datierung seiner Schriften noch recht unbestimmt. ETZKORN, *Quodlibeta.* 1963, p. 70, grenzt sie auf die Jahre 1285-1323 ein und macht wegen der Lehraktivität des PETRUS in Oxford die Jahre um 1310 wahr-

NIKOLAUS VON LYRA OMin (um 1270 - 1349)[59] dazu. Zu Heinrich-Schülern unter den Franziskanern zählt auch VITALIS DE FURNO OMin (um 1260 - 1327)[60], der Hauptgegner des Heinrich-Kritikers OLIVI und inzwischen als Verfasser der jahrhundertelang DUNS SCOTUS zugeschriebenen Schrift *De rerum principio* erkannt. Ein eher gespanntes Verhältnis zu Heinrichs Ansichten hatten der Franziskanertertiar RAIMUNDUS LULLUS (1232 - 1315/16)[61] und dessen früher Pariser Anhänger THOMAS LE MYÉSIER († 1336)[62].

Eine über ganz Europa strahlende Stätte der Heinrich-Rezeption war bis weit ins 14. Jahrhundert hinein die von Franziskanern dominierte Universität zu Oxford.[63] Leider liegen noch viele Personen und viele Sachdetails der dort schon zu Heinrichs Lebzeiten einsetzenden, höchst vielgestaltigen Rezepti-

scheinlich. Auffällig bei dieser späten Datierung wäre, daß noch um 1310 in Oxford Heinrichs *Summa* als *quaestiones* zitiert worden wäre, obgleich spätestens seit ca. 1300 durch DUNS SCOTUS die heute übliche Benennung gängig wurde (cf. Kap. I, § 2,1b). Cf. PETR. DE SUTTON, *Qu. disp. 5* Etzkorn 122: *De qua quaestione* [*utrum intellectus possibilis intelligat per species sibi impressas formaliter*] *tactum est aliquid supra, quaestione prima, ubi quaeritur, an intellectus sit potentia passiva in prima opinione. Et si magis exquisite volueris videre eam, quaere in quaestionibus magistri Henrici de Gandavo* [i.e. *Summa 1,11* Badius 21rB-C]. *Ego enim propter defectum illius et ad vitandum nimiam prolixitatem volui istam quaestionem plus pertractare.*

59 Cf. E. LONGPRÉ: *Le quodlibet de Nicolas de Lyre OFM.* In: AFH 23 (1930), p. (42-56) 49sq. (Ablaßlehre). - F. PELSTER: *Nikolaus von Lyra und seine Quaestio de usu paupere.* In: AFrH 46 (1953), p. (211-250) 212 schreibt ihm eine alphabetische *Abbreviatio* der Quodlibets Heinrichs zu; anders MACKEN, *Bibl. manuscr.* 1979, vol. I, p. 515; vol. II, p. (1135-1138) 1138, der aber die Arbeit von PELSTER nicht erwähnt. - Cf. LexMA VI (1994), col. 1185 (R. PEPPERMÜLLER).

60 Cf. G. GODEFROY: *Vital du Four.* In: DThC XV/2 (1950), col. (3102-3115) 3108sq.; L. v. UNTERVINTL: *Die Intuitionslehre bei Vitalis de Furno OMin († 1327).* In: CFr 25 (1955), pp. (53-113. 225-258) 61. 68. 97. 100. 227sq. 230sq. 233. 241. 256sq.; LYNCH, *Theory of Knowledge of Vital du Four.* 1972, pp. 48-50. 61-86. 171-181. - Cf. DEDIEU, *Ministres provinciaux.* 1983, pp. 178-182; LexMA VIII (1998), col. 1764sq. (J. DECORTE).

61 Cf. H. RIEDLINGER: *Introductio generalis* [= *Quomodo artium magistri Parisienses saeculo decimo quarto ineunte erga fidem christianam se habuerint, disquisitio.* Habil.-Schr. Freiburg i.Br. 1963, erw. Fassung]. In: RAIM. LULL., Opera latina 154-155: Opera Parisiensia anno MCCCIX. Palma de Mallorca 1967, pp. (1-258) 68sq. 72-74. 85. 103. 105. 108. 111. 287; KLIBANSKY/PANOFSKY/SAXL, *Saturn und Melancholie.* 1990, p. 475; A. MADRE: *Die theologische Polemik gegen Raimundus Lullus. Eine Untersuchung zu den Elenchi auctorum de Raimundo male sententium* (BGPhThMA N.F. 11). Münster i.W. 1973, pp. 84. 95; E. W. PLATZECK: *Raimund Lull. Sein Leben - seine Werke* (2 vol.), Düsseldorf 1962, ad indicem s.v.; V. SERVERAT: *Utrum culpa sit in christianis ex ignorantia infidelium. Un sondage dans les relations entre Raymond Lulle et Henri de Gand.* In: RSPhTh 73 (1989), pp. 369-396. - Cf. LexMA VII (1995), col. 490-494 (H. RIEDLINGER).

62 Cf. J. N. HILGARTH, *Ramon Lull and Lullism in Fourteenth Century France.* Oxford 1971, ad indicem s.v. 'Ghent, Henry of'.

63 Cf. CATTO, *Theology and Theologians, 1220-1320.* 1984, p. 504sq., spec. 505: „His [sc. Henry's] work was the starting point of philosophical and theological debats for nearly half a century." Für spätere Zeiten cf. W. J. COURTENAY: *Theology and Theologians from Ockham to Wyclif.* In: J. I. CATTO/R. EVANS (ed.): Late Medieval Oxford (T. H. ASTON [ed.]: The History of the Univ. of Oxford, vol. II). Oxford 1992, pp. (1-34) 10. 12. 18sq.

onsprozesse im Dunkeln. Sie weisen die enorme Vitalität des henrizianischen Denkens aus und dürfen nicht nur als Vorgeschichte der skotischen Lehre die besondere Aufmerksamkeit zukünftiger Heinrich-Forschung beanspruchen. So engagierte sich ROGER MARSTON OMin (um 1245 - um 1303)[64] spätestens seit 1282 in Heinrichs Gefolge für die Verbreitung eines in avicennisierender Lesart wiedererstarkten Augustinismus. GUILLELMUS ANGLICUS (fl. 1285)[65] knüpfte an Heinrichs Wesensontologie an. Namentlich WILHELM VON WARE OMin (1255/60 - nach 1305)[66], einer der Lehrer des DUNS SCOTUS, setzte sich vielfach mit den Ansichten Heinrichs auseinander und machte sie sich auch mehrfach zu eigen. Der von seinen Zeitgenossen als *discipulus* Heinrichs titulierte RICHARD VON CONINGTON OMin († 1310)[67] verteidigte Heinrichs Analogielehre gegen skotische Einwände.

JOHANNES DUNS SCOTUS OMin (1265 - 1308)[68] überragt hinsichtlich seiner ebenso extensiven wie intensiven Heinrich-Rezeption alle franziskanischen Theologen vor ihm und nach ihm. Bei ihm hat man sogar den Eindruck, als hätte er in gleich verteilter Faszination und Ablehnung zu Heinrich in ihm den Vor-Denker und *interlocutor principalis* gefunden, der ihm Argumentationsniveau, Problemaufriß und Methodenstrenge vorgab: *Nullus tam frequenter*

64 Cf. PELSTER, *Roger Marston OFM.* 1928, pp. 528sq. 534; GILSON, *Roger Marston.* 1933, p. 41; PREZIOSO, *L'attività del sogetto pensante.* 1950, pp. 294-300; R. HISSETTE: *Esse – essentia chez Roger Marston.* In: Sapientiae doctrina (Mél. H. BASCOUR) (RThAM, Num. spec. 1). Löwen 1980, pp. (110-118) 113. 117; LexMA VII (1995), col. 944 (M. LAARMANN), dort weitere Lit.

65 Dieser nahezu unbekannte Autor war möglicherweise Magister in Oxford und Schüler Heinrichs, den er *quidam famosus* nennt (*terminus post quem* ist Ostern 1286); cf. H. ANZULEWICZ/G. KRIEGER: *Eine Guillemus Anglicus zugeschriebene Quästio „Utrum iste terminus 'homo' secundum unam rationem indifferens sit ad supposita eius existentia et non existentia". Einleitung und Textausgabe.* In: RThPhM 64 (1997), pp. 352-384.

66 Cf. SCHMAUS, *Liber propugnatorius.* 1930, ad ind. s.v.; ID.: *Augustinus und die Trinitätslehre Wilhelms von Ware.* In: M. GRABMANN/J. MAUSBACH (Hg.): Aurelius Augustinus. Köln 1930, pp. (315-352) 318sq. 322. 324. 327. 332sq. 33; LECHNER, *Beiträge.* 1932, pp. 100sq. 106. 110. 112. 114. 122sq.; L. AMORÒS: *La teologia como cienca practica en la escuela franciscana en los tiempos que preceden a Escoto.* In: AHDL 9 (1934), pp. (261-303) 263. 293; PELSTER, *Kommentare zum vierten Buch der Sentenzen.* 1952, pp. 349-358. 363-367; HÖDL, *Zum scholastischen Begriff des Schöpferischen.* 1991; DUMONT, *The 'Collationes Oxonienses' of John Duns Scotus.* 1996, pp. 62-68. - Cf. LexMA IX (1998), col. 193-195 (L. HÖDL).

67 Cf. St. F. BROWN, *Richard of Conington.* 1966, p. 298; DUMONT, *The 'Collationes Oxonienses' of John Duns Scotus.* 1996, pp. 59-63. 65-73. 77-80. 83. 85; grundlegend immer noch V. DOUCET: *L'oeuvre scolastique de Richard de Conington OFM.* In: AFrH 29 (1936), pp. 396-442. Für Testimonien scholastischer Autoren über CONINGTONS Heinrich-Schülerschaft bzw. -Gefolgschaft cf. die Apparatangaben zu IOA. DUNS SCOTUS, *Ord. I, dist. 8, pars 1, q. 3, nr. 5* ed. Vat. IV, p. 174sq. und spec. ID., *Lect. I, dist. 3, pars 2, q. un., nr. 212* ed. Vat. XVI, p. 312.

68 Die Literaturflut, in der auch auf die Rezeption henrizianischer Gedanken bei DUNS SCOTUS eingegangen wird, ist schon seit einiger Zeit unübersehbar geworden (cf. die kontinuierlichen Berichte in BgF). Darum erübrigen sich an dieser Stelle bibliographische Hinweise. - Cf. LThK[3] III (1995), col. 403-406 (L. HONNEFELDER).

et abundanter allegatur quam doctor sollemnis, Henricus Gandavensis.[69] Auf unabsehbare Weise bestimmten und bestimmen seine ablehnenden, modifizierenden oder affirmativen Stellungnahmen zu Lehrpunkten Heinrichs deren Schicksal bis in unsere Tage.

Von der skotischen Lehre beeinflußt zeigten sich Vertreter der jüngeren Franziskanerschule wie ROBERT COWTON OMin (um 1275 - nach 1313)[70], WILHELM VON NOTTINGHAM OMin (um 1280 - 1336)[71] und ROGER VON NOTTINGHAM OMin (fl. 1343-58)[72]. Eine gleichermaßen ausgedehnte wie selbständige Heinrich-Lektüre bezeugt wiederum der Scotus-kritische PETRUS AUREOLI OMin (um 1280 - 1322)[73].

Die schon benannte Vorliebe für den *Doctor solemnis* in Oxford setzte sich auch noch nach dem beginnenden Einfluß des skotischen Denkens fort,[74]

69 COMMISSIO SCOTISTICA [i.e. C. BALIC]: *De ordinatione I. Duns Scoti disquisitio historico-critica.* In: IOA. DUNS SCOTI ... Op. omn., tom. I (Vatikanstadt 1950), p. (1*-329*) 166*. - Trotz dieser Einsicht in die Quellenlage des skotischen Denkens kommt die Scotus-Forschung infolge ihrer eigenen historiographischen Entwicklung erst allmählich in die Lage, unbefangener die Frage nach der Originalität der scotischen Theologie und Philosophie zu stellen. Die mit Blick auf DUNS SCOTUS aufgebrachte Rede von einem ‚Zweiten Anfang der Metaphysik' (L. HONNEFELDER) läuft freilich bei unbedachtem Gebrauch in die Gefahr, das schuldoktrinär motivierte Urteil der Neuscholastik über Heinrich als antithomistischen Dissidenten und präscotistische Übergangsfigur (cf. Kap. IV, § 2,3) durch eine methodengeschichtlich begründete Dichotomisierung der innerscholastischen Denkentwicklung zu substituieren. Beide Male kommt man von einer bloß zweipoligen, auf THOMAS und DUNS SCOTUS eingeengten Sicht der hochscholastischen Lehrentwicklungen nicht los.

70 Cf. B. HECHICH: *De immaculata conceptione beatae Mariae virginis secundum Thomam de Sutton OP et Robertum de Cowton OFM. Textus et doctrina* (BIC 7). Rom 1958, pp. 56-59. 133-136. 170-189; THEISSING, *Glaube und Theologie.* 1970, pp. 27-31. 134-142. 222-225; St. F. BROWN: *Robert Cowton OFM and the Analogy of the Concept of Being.* In: FrStudies 31 (1971), pp. 5-40; HÜBENER, *Rec.* Guill. de Ockham, In I Sent., dist. 2-3. 1971, p. 221sq. zur Rezeption und Überbietung der henrizianischen Analogielehre bei COWTON. - Cf. LexMA VII (1995), col. 904 (M. LAARMANN).

71 Cf. L. MEIER: *Wilhelm von Nottingham († 1336), ein Zeuge für die Entwicklung der distinctio formalis an der Universität Oxford.* In: F.-J. VON RINTELEN (Hg.): Philosophia Perennis. Fschr. J. GEYSER zum 60. Geb. Regensburg 1930, pp. (247-266) 254-256. 259; M. SCHMAUS: *Guillelmi de Nottingham doctrina de aeternitate mundi.* In: Anton. 7 (1932), pp. (139-166) 139sq. 143-145. 152. 158; J. BARBARIC: *Guilelmi de Nottingham O.F.M. († 1336) Quaestiones sex de eucharistiae sacramento. Disquisitio et textus critice editus* (Pont. Univ. Lateran. Theses ad Lauream in S. Theol. 57). Rom 1976, ad indicem s.v., spec. p. 66. - Cf. LexMA IX (1998), col. 177sq. (Maria BURGER).

72 Cf. E. A. SYNAN (ed.): *The 'Introitus ad sententias' of Roger Nottingham.* In: MS 25 (1963), pp. (259-279) 263sq. 272. 274sq. - Cf. NCE XII (1967), p. 554sq. (J. A. WEISHEIPL).

73 Cf. SCHMÜCKER, *Propositio per se nota.* 1941, pp. 94-100. 111-114. 222-244; STREUER, *Einleitungslehre.* 1968, pp. 26-28. 87-91. 112-115. 138-141; Katharine H. TACHAU: *Peter Auriol on Intentions and the Intuitive Cognition of Non-Existents.* In: CIMAGL 44 (1983), pp. (122-150) 124. 129. - Cf. LexMA VI (1994), col. 1962 (M. LAARMANN).

74 Cf. K. MICHALSKI: *Le criticisme et les scepticisme dans la philosophie du XIVe siècle* [1926]. In: ID.: La philosophie au XIVe siècle. Six études (OPh 1). Hg. und eingel. v. K. FLASCH. Frankfurt a.M. 1969, pp. 76-82; G. LEFF: *Paris and Oxford. Universities in the Thirteenth and*

namentlich bei JOHANNES VON RODINGTON OMin († 1348)[75], der an Heinrichs Skeptizismuskritik anknüpfte und illuminationstheoretisch weiterführte. JOHANNES VON READING OMin (fl. 1319-1323)[76], ein direkter Scotus-Schüler, setzte sich mit Heinrichs Theologiebegriff auseinander, noch ausführlicher tat dies der Weltkleriker HEINRICH VON HARCLAY (um 1270 - 1317)[77]. WALTER BURLEIGH (um 1274/75 - nach 1344)[78] rezipierte in seinem Frühwerk stark Heinrichs Kategorienlehre. Der Oxforder ROBERT GRAYSTANES OSB († um 1336)[79] handelte über Sein und Wesenheit mit Argumenten Heinrichs gegen die thomanische Lehre. RICHARD FITZRALPH (Armacanus) (um 1299 - 1360)[80] sowie der stark augustinisch beeinflußte Nominalismusgegner und spätere Erzbischof von Canterbury, THOMAS BRADWARDINE (um 1290/1300 - 1349)[81], der 1325-35 im Merton-College lehrte, griffen auf nahezu allen Themenfeldern mehrfach auf Heinrichs Ansichten zurück. Bei den Karmeliten ragten in Oxford ROBERT WALSINGHAM OCarm († um 1330)[82] und besonders sein be-

Fourteenth Centuries. An Institutional and Intellectual History. New York/ London/Sydney 1968, ad indicem s.v.; CATTO, *Theology and Theologians 1220-1320.* 1984, pp. 471. 498. 501sq. 504sq. 507-510. 512sq.

75 Cf. IOA. DE RODINGTON, *In I Sent., dist. 3,3,* ed. B. NARDI: Sogetto e oggetto del conoscere nella filosofia antica e medievale. Rom 1952, pp. 74-92; desweiteren K. MICHALSKI: *Le criticisme et les scepticisme dans la philosophie du XIVe siècle.* [1926]. In: ID.: La philosophie au XIVe siècle. 1969, pp. (69-149) 146-148; GILSON, *History.* 1955, p. 453; M. M. TWEEDALE: *John of Rodynton on Knowledge, Science and Theology.* Diss. Univ. of California, Los Angeles 1965 [war dem Verf. nicht zugänglich]; COURTENAY, *Schools and Scholars.* 1987, ad indicem s.v.

76 Cf. S. J. LIVESEY (ed.): *Theology and Science in the 14th Century. Three Questions on the Unity and Subalternation of the Sciences. From John of Reading's Commentary on the Sentences. Introd. and Crit. Ed.* (STGAM 25). Leiden 1989, pp. 38-43. 59-61. 122. 142. 160.

77 Cf. A. MAURER: *Henry of Harclay's Question on the Unity of Being.* In: MS 16 (1954), pp. (1-18) 8-10. 14; ID. (ed.): *Henry of Harclay's Questions on Immortality.* In: MS 19 (1957), p. (79-107) 85; ID.: *Henry of Harclay: Disciple or Critic of Duns Scotus?* In: MM 2 (1963), pp. (563-571) 565-568. 570. - Cf. LexMA IV (1989), col. 2092sq. (M. LAARMANN); LThK³ IV (1996), col. 1387sq. (Maria BURGER).

78 Cf. A. D. CONTI: *Ontology in Walter Burley's Last Commentary on the 'Ars vetus'.* In: FrStudies 50 (1991 [publ. 1992]), pp. (121-176) 146-148.

79 Cf. ROB. GRAYSTANES, *Comm. in Sent., q. 6.* Ed. L. A. KENNEDY. In: RThAM 56 (1989), pp. 102-116; allgemein LexMA VII (1995), col. 905 (M. LAARMANN).

80 RIC. FITZRALPH knüpfte auch deutlich an Heinrichs *Qdl. IX,15* an; cf. RIC. FITZRALPH., *Qu. in Sent., q. 9.* MS. Oriel 15, fol. 29vb-31ra; dazu mit Textzitaten J. A. ROBSON: *Wyclif and the Oxford Schools. The Relation of the „Summa de ente" to Scholastic Debates at Oxford in the Later Fourteenth Century* (CSMLT N.S. 8). Cambridge 1961, pp. 74-76. 87. Cf. ferner K. MICHALSKI: *Le problème de la volonté à Oxford et à Paris au XIVe siècle* [1937]. In: ID.: La philosophie au XIVe siècle. Six études (OPh 1). 1969, p. (281-413) 311. - Cf. LexMA IV (1989), col. 506sq. (T. P. DOLAN).

81 Cf. H. A. OBERMAN: *Archbishop Thomas Bradwardine, a Fourteenth Century Augustinian. A Study of His Theology in Its Historical Context* (Proefschrift ... aan de Rijksuniversiteit te Utrecht). Utrecht 1957, pp. 34. 92-94. 146.

82 Cf. B. F. M. XIBERTA: *Robert Walsingham, carmelita, mestre de teologia a Oxford, a primeries des segle XIVe.* In: Criterion 4 (1928), pp. 298-324; EMDEN, *BRUO III.* 1959, col. 1970sq.;

rühmter Schüler JOHANNES BACONTHORPE OCarm († um 1348)[83] heraus. Bei GERHARD VON BOLOGNA OCarm († 1317)[84], 1295 erster Doktor der Karmeliten in Paris, zeigt dessen *Summa* in Aufbau und Gliederung deutliche Abhängigkeit von Heinrich von Gent.

Infolge des Siegeszuges des Skotismus[85] seit Beginn des 14. Jahrhunderts blieb henrizianisches Gedankengut auch soweit präsent, wie es z.B. bei HUGO A NOVO CASTRO OMin (um 1280 - nach 1322)[86], WILHELM VON ALNWICK OMin († 1333)[87], LANDOLFO CARACCIOLO von Neapel OMin (um 1290 - 1351)[88] oder WILHELM VON VAUROUILLON OMin († 1463)[89] in die skotistischen Texte Eingang gefunden hat. Eine für Heinrich ungünstige Folge war allerdings, daß fortschreitend nicht nur der Frageskopus, sondern auch die Textkenntnis Heinrichs allein vom skotischen Text hergenommen wurden, wie es sich schon beim ca. 1320-23 verfaßten Kommentar zum ersten Sentenzenbuch des

COURTENAY, *Medieval Learning in England.* 1987. - Cf: LThK² VIII (1963), col. 1343 (A. HOFMEISTER).

[83] Man beachte auch die *Primum cognitum*-Lehre bei BACONTHORPE (cf. Kap. IV, § 1,1,b, iii), der 1322/23 als Magister der Theologie in Paris wirkte. Cf. desweiteren K. LYNCH: *De distinctione intentionali apud Mag. Johannem Baconthorp.* In: AOCarm. 7 (1931), pp. 351-404; Th. GRAF: *De subiecto psychico gratiae et virtutum secundum doctrinam scholasticorum usque ad medium saeculum XIV. Pars prima: De subiecto virtutum cardinalium* (StAns 3-4). Rom 1935, pp. 134-140. 169-225, ad indicem s.v.; Beryll SMALLEY: *John Baconthorpe's Postill on St. Matthew* [= MRS 4 (1958), pp. 91-145]. In: EAD.: Studies in Medieval Thought and Learning. London 1981, p. (289-343) 305; E. BORCHERT (ed.): *Die Quaestiones speculativae et canonicae des Johannes Baconthorp über den sakramentalen Charakter* (VGI 19). Paderborn 1974, pp. 9. 16.

[84] Cf. Beryll SMALLEY: *Gerard of Bologna and Henry of Ghent.* In: RThAM 22 (1955), pp. 125-129; P. DE VOOGHT: *La méthode théol. d'après Henri de Gand et Gérard de Bologne.* In: RThAM 23 (1956), pp. 61-87. - Cf. LexMA IV (1989), col. 1316 (M. GERWING).

[85] Cf. allg. M. LAARMANN: *Scotismus.* In: EKL³ IV (1996), col. 161-164.

[86] Cf. L. AMORÒS: *Hugo von Novo Castro und sein Kommentar zum ersten Buch der Sentenzen.* In: FranzStud 20 (1933), pp. (177-222) 185. 192. 211. 214. - Cf. LThK³ V (1996), col. 310 (M. LAARMANN).

[87] Cf. O. WANKE: *Die Kritik Wilhelms von Alnwick an der Ideenlehre des Johannes Duns Scotus. Utrum esse intelligibile conveniens creaturae ab aeterno sit productum ab intellectu divino.* Diss. phil. Bonn 1965, pp. 18. 63sq. 286 [Rec.: T. BARTH FranzStud 48 (1966), pp. 187-189]; C. PIANA (ed.): *Una 'determinatio' inedita di Guglielmo Alnwick OFM († 1333), come saggio di alcune fonti tacitamente usate dall' autore.* In: StFr 79 (1982), pp. 191-231; Th. B. NOONE: *Alnwick on the Origin, Nature, and Function of the Formal Distinction.* In: FrStudies 53 (1993 [publ. 1997]), pp. (231-261) 231. 236sq. 239-244. 251.

[88] Cf. W. GROCHOLL: *Der Mensch in seinem ursprünglichen Sein nach der Lehre Landulfs von Neapel. Edition und dogmengeschichtliche Untersuchung* (VGI 9). München/Paderborn 1969, pp. 29. 70-73. - Cf. LThK³ II (1994), col. 939 (M. F. FELDKAMP).

[89] Cf. I. BRADY (ed.): *The „Liber de anima" of William of Vaurouillon OFM.* In: MS 10 (1948), p. (224-297) 294; 11 (1949), p. (247-307) 253sq.; T. TOKARSKI: *Guillaume de Vaurouillon et son Commentaire sur les 'Sentences' de Pierre Lombard.* In: MPhPol 29 (1988), pp. (49-119) 62. 76. 80sq. - Cf. LexMA IX (1998), col. 192sq. (M. GERWING).

Doctor fundatus, PETRUS DE ATARABIA OMin (um 1275 - nach 1347)[90], beobachten läßt. Ungeachtet dieser allgemeinen Entwicklung im Skotismus ließen sich mehrere Vertreter dieser Richtung nicht davon abhalten, henrizianisches Lehrgut nicht nur eingehend zu behandeln, sondern es sogar gegen die Kritik des DUNS SCOTUS in Schutz zu nehmen. In der Frage nach der Ewigkeit der Welt machte sich selbst der *Scotellus*, PETRUS DE AQUILA OMin († 1361)[91], zum Parteigänger Heinrichs. Der *Doctor supersubtilis*, FRANCISCUS DE MAYRONIS OMin (fl. 1350), griff gegen die skotische Theorie der *distinctio formalis* Heinrichs Lehre vom *esse essentiae* neu auf[92] und machte Heinrich gegenüber SCOTUS bei der Diskussion der originäre skotischen Lehre vom Realitätsstatus des Möglichen hinsichtlich der *obiecta secundaria* des göttlichen Erkennens stark.[93] Für die Heinrich-Rezeption der Skotisten darf gelten: „Das Neue in der Lehre des Scotus hat also die Virulenz bzw. die Relevanz der früheren Positionen nicht ohne weiteres erledigt."[94]

Für WILHELM VON OCKHAM OMin (um 1268 - 1347/1349?) schien es oft lohnend, direkt auf Heinrichs Anschauungen einzugehen.[95] Gut faßbar ist dies in Ockhams Erörterungen, die sich allgemeinen erkenntnistheoretischen Problemen[96] und der Ideenlehre[97] zuwenden, aber auch der Prädestination[98]

[90] Cf. PETR. DE ATARRABIA SIVE DE NAVARRA, *In primum Sententiarum Scriptum.* Quod ad fidem codicum manuscriptorum critice ed. P. SAGÜES AZCONA (Bibliotheca Theologica Hispana, Ser. II,1, 1-2). Madrid 1974 (2 vol.), ad indicem s.v.

[91] Cf. PETR. DE AQUILA, *Quaest. in Sent., lib. II, dist. 1, q. 2 col. 2* ed. Speyer 1480 (s. fol.). - Cf. BBKL VII (1994), col. 333sq. (St. MEIER-OESER).

[92] Cf. FRANC. DE MAYRONIS, *In I Sent., dist. 42, q.1* ed. Venedig 1520, fol. 118rbH. - Cf. ROSSMANN, *Hierarchie der Welt.* 1972, ad indicem s.v.; A. MAURER/A. P. CAIRD: *The Role of Infinity in the Thought of Francis Meyronnes.* In: MS 33 (1971), pp. (201-227) 202. 207.

[93] Cf. HONNEFELDER, *Scotus und der Scotismus.* 1995, pp. 255sq. 257. 262.

[94] HONNEFELDER, *Scotus und der Scotismus.* 1995, p. 262.

[95] Cf. allg. H. JUNGHANS, *Ockham im Lichte der neueren Forschung* (AGTL 21). Berlin/ Hamburg 1968, ad indicem s.v., G. LEFF: *William of Ockham. The Metamorphosis of Scholastic Discourse.* Manchester (1975) ²1977, ad indicem s.v., M. MCCORD ADAMS, *William Ockham.* Notre Dame, Ind. 1987 (2 vol.), ad indicem s.v., sowie die recht ergiebigen Indices der *Opera omnia.* St. Bonaventure, N.Y. 1974-88. Eine Spezialuntersuchung der Heinrich-Rezeption bei OCKHAM fehlt; cf. D. PERLER: *Wilhelm von Ockham: Das Risiko, mittelalterlich zu denken* [Rec. M. MCCORD ADAMS, William Ockham. 1987]. In: FZPhTh 37 (1990), pp. (209-231) 221. 223sq. 228sq.; V. LEPPIN: *Geglaubte Wahrheit. Das Theologieverständnis Wilhelms von Ockham* (FKDG 63). Göttingen 1995, ad indicem s.v. Bei OCKHAM taucht Heinrichs Lehre von der *species intelligibilis* nur noch im Spiegel der skotischen Kritik auf; cf. D. PERLER: *Things in the Mind. Fourteenth-Century Controversies over „Intelligible Species".* In: Vivarium 34 (1996), pp. 231-253, spec. 235-239 (HENR. DE GAND., *Qdl. V,14* über IOA. DUNS SCOTUS, *Ord. I, dist. 3,3,1* an OCKHAM vermittelt).

[96] Cf. G. MARTIN: *Wilhelm von Ockham. Untersuchungen zur Ontologie der Ordnungen.* Berlin 1949, pp. 120-128; HÜBENER, *Rec. Ockham, In I Sent., dist. 2-3.* 1971, pp. 216. 219-222; SCHÖNBERGER, *Realität und Differenz.* 1990, pp. 100-102. 104. 106. 110. 113-115. 118. 120sq.

[97] Cf. BANNACH, *Lehre von der doppelten Macht Gottes.* 1975, pp. 135-154; HÜBENER, *Idea extra artificem.* 1977, pp. 37sq. 49. 52.

und Allmacht Gottes[99], der Ewigkeit der Welt[100] sowie auch der Trinitätstheologie[101]. Aufgrund mangelnder Detailstudien der Nominalismusforschung läßt sich bislang der z. T. erhebliche Grad der Aufnahme und Abwandlung henrizianischer Theorien bei OCKHAM und anderen nominalistischen Autoren wie Adam WODEHAM OMin (um 1298 - 1358)[102] oder Gabriel BIEL (um 1408 - 1495)[103] aber nur schwer abschätzen.

Mittelalterliche Chronisten notierten Heinrichs schulübergreifende Bedeutung für das intellektuelle Leben. AEGIDIUS MUCIDUS OSB (1274 - 1353)[104] brachte in seiner 1347-49 abgefaßten Chronik der Abtei Saint-Martin zu Tournai den *archidiaconus Tornacensis, doctor in theologia egregius et nominatissimus* als Anwalt des Weltklerus im Mendikantenstreit in Erinnerung. Der seinerzeit hoch angesehene HEINRICH VON HERFORD OP (vor 1326 - 1370)[105]

[98] Cf. D. PERLER: *Prädestination, Zeit und Kontingenz. Philosophisch-historische Untersuchungen zu Wilhelm von Ockhams „Tractatus de praedestinatione et de praescientia Dei respectu futurorum contingentium“* (BSPh 12). Amsterdam 1988, pp. 182. 195. 229-242. 243. 293.

[99] Cf. E. KARGER: *Causalité divine et toute-puissance: Guillaume d'Ockham.* In: O. BOULNOIS (ed.): La puissance et son ombre. De Pierre Lombard à Luther. Textes traduits et commentés. Paris 1994, pp. (323-356) 324. 336-338. 343; J. P. BECKMANN: *Wilhelm von Ockham* (BSR 533). München 1995, p. 141sq.

[100] Cf. M. A. S. de CARVALHO: *The Problem of the Possible Eternity of the World according to Henry of Ghent and his Historians.* In: Henry of Ghent. Proceedings. 1996, pp. (43-70) 45. 50. 59. 61-65. 69.

[101] Die Tatsache ist aufgrund der Heinrich-Zitate in OCKHAMS *Ordinatio* evident, aber noch von keiner Stuidie zur ockhamschen Trinitätslehre aufgegriffen worden.

[102] Cf. W. J. COURTENAY: *Adam Wodeham. An Introduction to His Life and Writings* (SMRT 21). Leiden 1978, pp. 42. 54sq. 152; O. GRASSI (ed.): *Il problema della conoscenza di Dio nel commento alle Sentenze di Adam Wodeham (Prologo e q.1).* In: Medioevo 8 (1982), pp. (43-136) 45. 53. 78.

[103] Cf. H. A. OBERMAN: *Der Herbst der mittelalterlichen Theologie* (*Spätscholastik und Reformation. Bd. I*) [= The Harvest of Medieval Theology - Gabriel Biel and Late Medieval Nominalism, Cambridge, Ma. 1963]. Zürich 1965, pp. 138. 237. 243; W. ERNST: *Gott und Mensch am Vorabend der Reformation. Eine Untersuchung zur Moralphilosophie und -theologie bei Gabriel Biel* (EThSt 28). Leipzig 1972, pp. 79. 93. 131sq. 143. 171. - Cf. LThK³ II (1994), col. 437 (F.-J. BURKHARD).

[104] Cf. AEGID. MUCID., *Chronicon alterum.* Ed. J. J. DE SMET: Recueil des chroniques de Flandre (Corpus Chronicorum Flandriorum 2). Brüssel 1841, p. 164; dazu EHRLE, *Heinrich von Gent.* 1885, p. 393sq., A. D'HAENENS: *Comptes et documents de l'abbaye de Saint-Martin de Tournai sous l'administration des gardiens royaux, 1312-1355* (Académie royale de Belgique, Commission royale d'histoire). Brüssel 1962, p. 41 not. 1; LThK³ I (1993), col. 180 (K. SCHNITH).

[105] HENR. DE HERVORDIA, *Liber de rebus memorabilioribus sive Chronicon, cap. 96.* Ed. A. POTTHAST. Göttingen 1859, p. 213: *Secundo anno Adolfi doctor solemnis magister Henricus de Gandavo celeberrimus cepit haberi. Hic scripsit summam theologiae, verborum quidem intricatione et obscuritate quantitateque notabili voluminis obtusioribus onerosam, sed sensuum subtilitate plurima et profunditate mirabili refertissimam et fecundissimam, et ob hoc a perspicatioribus quam pluribus avidius anhelatam. Scripsit etiam eiusdemmodi de quolibet 15, et super metaphysicam. Hic Parisius doctor solemnis nominatur usque in praesentem diem. Floruerunt eodem tempore frater Iacobus de Viterbio ordinis eremitarum et magister Godfridus de Fontibus. Quorum pri-*

dokumentierte in aufschlußreichen Worten in seiner bis 1355 reichenden Weltchronik den inzwischen aufgekommenen - bemerkenswerterweise mehr auf seine *Summa* als auf seine Quodlibets gegründeten - Ruhm des *Doctor solemnis*: „Im zweiten [Regierungs-]Jahr des [Königs] Adolf [von Nassau] errang der *doctor solemnis* Heinrich von Gent besondere Hochschätzung. Er schrieb eine Summe der Theologie; für die Stumpfsinnigen ist sie durch die komplizierte, schwierige Ausdrucksweise und durch den beachtlichen Umfang unbequem. Von sehr vielen Einsichtigeren wird sie aber überaus begehrt, weil sie durch höchsten begrifflichen Scharfsinn und wunderbare Tiefe reich und fruchtbar ist. Er schrieb von gleicher Art auch fünfzehn Quodlibets und [einen Kommentar] über die Metaphysik. Bis heute wird er in Paris als *doctor solemnis* bezeichnet." JOHANNES CAPGRAVE OESA (1393 - 1464)[106] vermittelte in seinem König HEINRICH VI. gewidmeten *Liber de illustribus Henricis* einen sehr ähnlichen und nochmals gesteigerten Eindruck vom Genter Theologen. Von Autoren dieser Art führt dann ein noch unerforschter Weg zu den literarhi-

mus tria, secundus tredecim de quolibet scripserunt exquisite. Isti doctores tres, quamquam in doctrinis suis cum beato Thoma de Aquino quandoque non concordaverunt, unus tamen eorum magister Godfridus, quolibet 12º quaest. 5ª [ed. Hoffmans 103] *docuit, eum esse sal, quod condiret doctrinas doctorum omnium temporum illorum, ut anno secundo Rodulfi dictum est.* Die Übersetzung erfolgt in Anlehnung an HÖDL, *Neuausgabe der Summa.* 1987, p. 158. - Cf. zu diesem Werk E. HILLENBRAND: *Heinrich von Herford.* In: VerfLex² III (1981), col. (745-749) 746-748 (Lit.); LexMA IV (1989), col. 2093 (D. BERG). In seiner *expositio* der lange verloren geglaubten Konstitution *Super cathedram* von BONIFAZ VIII., die im Mendikantenstreit Gewicht hatte, zitierte HEINRICH VON HERFORD mehrfach Ausführungen des *Doctor solemnis*; cf. K. P. SCHUMANN: *Heinrich von Herford. Enzyklopädische Gelehrsamkeit und universalhistorische Konzeption im Dienste dominikanischer Studienbedürfnisse* (Veröff. der Hist. Komm. für Westfalen 44 = Quellen u. Forsch. zur Kirchen- u. Religionsgesch. 4). Münster i.W. 1996, p. 41.

[106] IOA. CAPGRAVE, *Liber de illustribus Henricis.* Ed. F. Ch. HINGESTON (RBMAS 7). London 1858 (ed. anastat. New York 1965), pp. 178-180: *Henricus de Gandavo. Cuius conditionis extiterit vel qualis eius vita fuerit, in notitiam plurimorum nondum pervenit. Quidam aiunt eum sic dictum, quia natus sit in Gandavo et nativitatis locum in perpetuam transisse memoriam. Quidam autem eum dicunt fuisse archidiaconum ibidem, et ex officio traxisse cognomen. Notitia eius apud nos hoc modo convaluit. Scripsit* [*notabilem*] *librum, cuius titulus est 'De quaestionibus suis ordinariis', et aliud opus etiam solemne, cuius titulus est 'De quodlibetis'. Primum opus* [*sic incipit:*] *'Quia theologia est scientia, in qua est sermo'. Secundum autem sic: 'Quaerebantur in nostra disputatione'. Magna laus huic viro ex scripturis suis consurgit, quippe qui incognitus transisset, si scripta* [p. 179] *sua ad lucem non venissent. ... Haec dicta sunt pro viro, qui post mortem in scriptis suis apud nos vivit et plus honoris apud exteras nationes scriptis suis meruit quam si civitatem natalem sibi moenibus circumcinxit. Erat vir in scholastica lingua satis exercitatus et in moralibus non mediocriter profundus. Unde et Titulum laudis apud scholasticos promeruit, ut sicut sanctus Thomas dictus est 'Doctor communis' et venerabilis Aegidius 'Doctor declarativus' ac Duns 'Doctor subtilis', ita et iste* [p. 180] *quoque ad summam laudem dictus est 'Doctor solemnis'. Haec est laus huius viri literatissimi et scholastici, Domine mi Rex, ut dicetur nomen hoc sublime non tantum imperatoria maiestate, sed et regali potestate, sed et militari nobilitati, sed et postremo clericali subtilitati.* Cf. zur Stelle A. WAUTERS: *Sur les documents apocryphes qui concerneraient Henri de Gand, le docteur solennel, et qui le rattacheraient à la famille Goethals.* In: BCRH 14 (1887), pp. 179-190. - Cf. LThK³ V (1996), col. 888 (K. SCHNITH).

storischen Werken eines Johannes TRITHEMIUS und weiterer frühneuzeitlicher Historiographen.[107]

Der Mitte des 14. Jahrhunderts einsetzende Konjunkturaufschwung für Autoren der *via antiqua*, also auch für Heinrich, ließ unterschiedliche Rezeptionsvarianten entstehen. Während die Eucharistielehre des Ultrarealisten und Nominalismusverächters JOHN WYCLIF (um 1335 - 1384)[108], die öfters stützend auf Heinrichs rekurrierte, später kirchlicher Zensur unterlag, griffen im Laufe von Konsolidierungsversuchen kirchlich-theologischer Lehre gegen Ende des 14. Jahrhunderts konservativ gesinnte Kirchenleute auf die probaten Autoren des schon damals als klassisch eingeschätzen 13. Jahrhunderts zurück. Im Zuge dieser Bestrebungen entwarf JOHANNES GERSON (1363 - 1429) für die befreundeten Professoren des Navarra-Kollegs einen theologischen Lektüreplan, in dem er mit Nachdruck auch Heinrich empfahl.[109] Wie auch schon bei BERNHARDINUS VON SIENA (1380 - 1444)[110] ist Heinrich in GERSONS Oeuvre häu-

[107] Cf. Kap. IV, § 2,1. - Der hier beschrittene Untersuchungsgang empfing Anregungen von HOCEDEZ, *Richard de Middleton.* 1925, pp. 3-27, der mit Gewinn für Biographie und *fama* seines behandelten Autors ähnlich verfuhr.

[108] Cf. I. WYCLIF, *De eucharistia tractatus maior, cap. 1. 5. 7* [ca. 1381]. In: ID., De eucharistia tractatus maior. Accedit Tractatus de eucharistia et poenitentia sive de confessione. Ed. J. LOSERTH. London 1892, pp. (1-326) 4. 116 (cit. HENR. DE GAND., *Qdl. IX,9*). 206 (cit. HENR. DE GAND., *Qdl. I,6*); ID., *Tractatus de apostasia, cap. 6* [a. 1383]. Ed. M. H. DZIEWICKI. London 1889, p. 75, lin. 32-34 (Heinrichs Rede von einer *aliquitas panis*); ebenso ID., *Tractatus de blasphemia* [a. 1381]. Ed. M. H. DZIEWICKI. London 1893, p. 26, lin. 28. Weitere Erwähnungen macht WYCLIF, *De veritate sacrae scripturae, cap. 28.* Ed. R. BUDDENSIEG. London 1905-07, tom. III,142sq. (cit. HENR. DE GAND., *Summa 9,1*: ein Urheber der beiden Testamente); ID., *De actibus animae* [a. 1363/67]. In: ID., Miscellanea philosophica. Ed. M. H. DZIEWICKI. London 1902-05, tom. I, p. (1-127) 92 lin. 25 (Heinrichs Lehre von der *negatio*); *Tractatus de benedicta incarnatione, cap. 4* [ante a. 1367]. Ed. E. HARRIS. London 1886, p. 62, lin. 6 (cit. HENR. DE GAND., *Qdl. XII,12*: *triduum mortis*, Einheit des Leibes Christi); ID., *Tractatus de ecclesia, cap. 13. 14* [a. 1378]. Ed. J. LOSERTH. London 1886, p. 283 (Recht auf Almosenempfang der Mendikanten). 317sq. (Zitat aus HENR. DE GAND., *Qdl. VI,23* Wilson 220,54-58). - Cf. J. A. ROBSON: *Wyclif and the Oxford Schools. The Relation of the „Summa de ente" to Scholastic Debates at Oxford in the Later Fourteenth Century* (CSMLT N.S. 8). Cambridge 1961, ad indicem s.v.

[109] IOA. GERSON, *Epist. ad magistros Collegii Navarrae* (29. April 1400). Oeuvr. compl. II, p. 33sq.: *Ad primum iuvant, exempli gratia, quaestiones super Sententias et praesertim illorum doctorum, qui purius ac solidius conscripserunt, inter quales meo iudicio dominus Bonaventura et sanctus Thomas et Durandus videntur numerandi. Excellit quidem in suis quotlibetis Henricus de Gandavo. Excellunt recentiores in multis, in quibus hoc unum placet quod pure physicalia aut metaphysicalia aut quod amplius pudet logicalia, sub terminis theologicis involuta miscuere.* - Cf. R. BÄUMER: *Johannes Carlerius de Gerson.* In: LexMA V (1991), col. 562sq.

[110] Cf. BERNARDIN. SENEN., *Quadragesimale de christiana religione. Serm. XXXIII, art. 1, cap. 2* [*Quomodo tenentur satisfacere fures, et quando homini liceat furando satisfacere sibiipsi*] (praed. 1429-36). Op. omn. Studio et cura PATRUM COLLEGII S. BONAVENTURAE. Quaracchi 1950-65, tom. I, p. 403sq. (Zusammenfassung von HENR. DE GAND., *Qdl. VI,27*); ID., *Quadragesimale de christiana religione. Serm. LVI, art. 2, cap. 7* [*Quibus denegandum est sanctissimum Sacramentum*]. Op. omn. II, p. 303 (ein fälschlich Heinrich von Gent zugewiesenes Zitat aus der Summa des ASTESANUS); ID., *Quadragesimale de evangelio aeterno.*

fig als eine Autorität für ethische Probleme herangezogen[111] In einem 1416 auf dem Konstanzer Konzil gehaltenen *sermo*, in dem GERSON bezeichnenderweise das korrekte Verständnis von und den verständigen Umgang mit regionalkirchlichen Lehrverurteilungen erörterte, rühmte er die *scripta antiquorum doctorum, videlicet Guillelmi Parisiensis, Alberti Magni, Guillelmi Altissiodorensis, sancti Thomae, Alexandri de Hales, domini cardinalis Bonaventurae, Henrici de Gandavo et aliorum plurimorum theologorum, qui fuerunt magna luminaria mundi.*[112]

Vertreter der *via antiqua* nahmen damals keine pauschal ablehnende Haltung zu Heinrich ein. Der *princeps thomistarum*, JOHANNES CAPREOLUS OP (um 1380 - 1444)[113], hatte - trotz erklärter Absicht, zu authentischer Lehre

Serm. XXVII: De sacra confessione et fructibus eius, art. 2, cap.1 [*Triplex opinio quando liceat retardare confessionem*]. Op. omn. IV, p. 55 (Zitat aus HENR. DE GAND., *Qdl. IV,34* Badius 148vE); ID., *Quadragesimale de evangelio aeterno. Serm. XXXII: De origine dominiorum et rerum translatione, art 1, cap. 2* [*Quod praeceptum legis naturae de habendo omnia communia post lapsum revocatum est, et maxime propter tria*]. Op. omn. IV, p. 121sq. (veränd. und erweit. Zitat von HENR. DE GAND., *Qdl. IV,20* Badius 135vC-136rD); ID., *Quadragesimale de evangelio aeterno. Serm. XLII, art 1, cap. 2* [*Quod homo licite pacisci potest pro interesse damni emergentis de praesenti, ubi ostenditur quare pignus dotis uxoris marito non computatur in sortem*]. Op. omn. IV, p. 355sq. [Zitat von HENR. DE GAND., *Qdl. V,33* Badius 210rL-211rP). - Cf. LThK³ II (1994), col. 279sq. (J. LANG).

[111] Cf. I. GERSON, *De consiliis evangelicis et statu perfectionis.* Oeuvr. compl. III, p. 19 (Bezugnahme auf HENR. DE GAND., *Qdl. III,20; Qdl. XI,19. 20; Qdl. XIII,17*); ID., *De Ioannis humilitate in Mc. I,7* (1402). Oeuvr. compl. III, p. 103 (zur Kritik kirchlichen Pomps namentlicher Bezug auf HENR. DE GAND., *Qdl. II,19*); ID., *De vita spirituali animae* (1402). Oeuvr. compl. III, p. 170 (Bedeutung der *lex positiva*). ID., *op. cit.* Ed. cit., p. 182 (das *peccatum veniale* als Verstoß gegen das göttliche Gebot gemäß HENR. DE GAND., *Qdl. III,21*); ID., *Notulae super quaedam verba Dionysii de coelesti hierarchia* (1402). Oeuvr. compl. III, p. 205 (bei Heinrich Annahme einer *distinctio rationis sola* für den Hervorgang der Dinge aus den *rationes ideales* in Gott); ID., *Homilia in Pasch.* (1394). Oeuvr. compl. VII*, p. 786 (Heinrichs Lehre über das Sein Christi im *triduum mortis*); ID. *Homilia in Natal.* (1402). Oeuvr. compl. VII*, p. 954 (Kritik der *curiositas* gegenüber den Dingen dieser Welt mit Bezug auf HENR. DE GAND., *Summa 1,1*); ID., *Discours sur le fait des mendiants* (1410). Oeuvr. compl. VII*, p. 989 (Freiheit in der Wahl des Beichtvaters); ID., *Collectorium super Magnificat, tract. III* (1427/28). Oeuvr. compl. VIII, p. 206 (Bevorzugung der henrizianischen Theorie einer *dictinctio rationis* der Seele von ihren Potenzen gegenüber den Lehren des THOMAS und des DUNS SCOTUS).

[112] GERSON, *Octo regulae super stylo theologico* (ante 15. Mai. 1416). Oeuvr. compl. X, p. 256.

[113] IOA. CAPREOLUS, *Defens. I, dist. 8,1,1* Paban/Pègues I, pp. 315a-b. 321a-322a (*esse essentiae*, HENR. DE GAND., *Qdl. I,7*); *Defens. I, dist. 35,1,1,1* Paban/Pègues II, pp. 353a-354a. 362a-363b (Ablehnung der *species impressa*; HENR. DE GAND., *Qdl. IV,7*); *Defens. II, dist. 1,2,3* Paban/Pègues III, p. 42a (*conservatio* der Schöpfung im Sein; HENR. DE GAND., *Qdl. I,7*; später wird F. SUÁREZ, *Disp. metap., disp. 31, sect. 2, nr. 2* Op. omn. 26, p. 229, wegen dieser Passage an CAPREOLUS den Vorwurf richten, der Meinungs Heinrichs gefolgt zu sein); *Defens. II, dist. 3,1,5* Paban/Pègues III, pp. 220b-221b. 251b-253a (Vielheit, Individuationsprinzip und Individualität der Engel; HENR. DE GAND., *Qdl. II,8*); *Defens. II, dist. 3,2,4* Paban/Pègues III, pp. 264a-265a. 298a-300a (Leugnung der *species* als Erkenntnisprinzip bei Mensch und Engel; HENR. DE GAND., *Qdl. V,14*); *Defens. II, dist. 7,2,1* Paban/Pègues III, pp. 460a. 462a-b (Wirken und Wollen der Engel; HENR. DE GAND., *Qdl. XIII,6*); *Defens. II, dist. 14,1,2* Paban/Pègues IV, pp. 45a-b. 48a-49a (Kraft

und Diktion des Aquinaten zurückkehren zu wollen - in seine metaphysische Terminologie wie viele Thomisten seit dem 14. Jahrhundert Hauptbegriffe der henrizianischen Wesensontologie übernommen: *Quia, sicut dicit Henricus, et bene meo iudico, essentia habet duplex esse, scilicet esse essentiae et esse existentiae.*[114] Zugleich sah CAPREOLUS noch zu Beginn des 15. Jahrhunderts hauptsächlich auf dem Feld der Schöpfungslehre, Sakramententheologie und Eschatologie im *Doctor solemnis* einen bedeutsamen und einer ausführlichen Kritik würdigen Gegner der thomanischen Doktrin. Darin folgte ihm insbesondere THOMAS VIO DE CAIETAN OP (1469 - 1534) in seinem Summenkommentar.[115] Die Gnadenlehre Heinrichs attackierte CAIETAN sogar als Hauptgegnerin der thomistischen Lehre.[116]

der Himmelskörper auf Bewegungen; HENR. DE GAND., *Qdl. XI,15*); *Defens. II, dist. 19,1,2* Paban/Pègues IV, pp. 165a-166a. 170a-172a (Materiebegriff; HENR. DE GAND., *Qdl. VII,8*); *Defens. II, dist. 25,1,1* Paban/Pègues IV, pp. 235a-236b. 245a-250b (Inklinationskraft des *bonum apprehensum* auf Intellekt und Willen; HENR. DE GAND., *Qdl. IX,5*); *Defens. II, dist. 25,1,2* Paban/Pègues IV, pp. 237b-238a. 252a-253a (Autokinese des Willens; HENR. DE GAND., *Qdl. XIII,11*); *Defens. II, dist. 32,1,1* Paban/Pègues IV, pp. 362a-b. 365b-366a (Verhältnis von Form und Individuationsprinzip; HENR. DE GAND., *Qdl. III,5*); *Defens. III, dist. 2,1,1* Paban/Pègues V, pp. 15a-16a. 18a-21a (göttliche Allmacht und das Vermögen, zur Inkarnation eine vernunftlose Natur anzunehmen; HENR. DE GAND., *Qdl. XIII,5*); *Defens. III, dist. 9,1,2* Paban/Pègues V, pp. 138a-b. 140b (Anbetungswürdigkeit eines Bildes Christi; HENR. DE GAND., *Qdl. IV,2*); *Defens. III, dist. 27-30,1* Paban/Pègues V, pp. 359a-b. 363b-364b (*caritas* und *amicitia* als Tugenden; HENR. DE GAND., *Qdl. X,12*); *Defens. IV, dist. 10,2,1* Paban/Pègues VI, pp. 184a-b. 192b-193a (Transsubstantiationslehre; HENR. DE GAND., *Qdl. IX,8*); *Defens. IV, dist. 14,2,2* Paban/Pègues VI, pp. 316a-317a. 321a-324b (Wiederaufleben der Gnade; HENR. DE GAND., *Qdl. V,24*); *Defens. IV, dist. 33-42,1,2* Paban/Pègues VI, pp. 524b. 540a-b (Ordensgelübde als Ehehindernis; HENR. DE GAND., *Qdl. V,28*); *Defens. IV, dist. 43,2,2* Paban/Pègues VII, pp. 35b. 49a-b (Leibverwiesenheit der *anima separata*; HENR. DE GAND., *Qdl. XI,14*); *Defens. IV, dist. 44,2,3* Paban/Pègues VII, pp. 65a-b. 72b-73a (Impassibilität des Auferstehungsleibes; HENR. DE GAND., *Qdl. IX,16*); *Defens. IV, dist. 44,4,1* Paban/Pègues VII, pp. 101a-b. 113a-b (Einwirkung des Höllenfeuers auf die Körper der Verdammten; HENR. DE GAND., *Qdl. XI,8*); *Defens. IV, dist. 44,4,2* Paban/Pègues VII, pp. 102b. 117a-118a (Einwirkung des Höllenfeuers auf die *anima separata*; HENR. DE GAND., *Qdl. VIII,34*); *Defens. IV, dist. 49,1,1* Paban/Pègues VII, pp. 137b-138a. 142a-143a (der Akt himmlischer Seligkeit als *illapsus* Gottes in die Seelensubstanz; HENR. DE GAND., *Qdl. XIII,12*). - Cf. GRABMANN, *Johannes Capreolus OP, der 'Princeps thomistarum'.* In: MGL III. 1956, pp. 370-372. 376. 381. 384. 393. 403. 410; J. HEGYI: *Die Bedeutung des Seins bei den klassischen Kommentatoren des heiligen Thomas von Aquin. Capreolus - Silvester von Ferrara - Cajetan* (PPhF 4). Pullach 1959, pp. 18. 35; neuere Lit. in LexMA V (1991), col. 561 (M. LAARMANN).

[114] IOA. CAPREOLUS, *Defens. II, dist. 1,2,3* Paban/Pégues III, p. 76a. Cf. C. FABRO, *Per la semantica originaria dello 'esse' tomistico.* In: Euntes Docete 9 (1956), p. (437-466) 440; HEGYI, *Bedeutung des Seins.* 1959, p. 18.

[115] Cf. e.g. THOM. DE VIO CAIETAN., *In S. theol. I, 23,5, nr. 4.* Ed. Leon. 4, p. 279b; dazu A. G. WEILER: *Heinrich von Gorkum († 1431). Seine Stellung in der Philosophie und der Theologie des Spätmittelalters.* Hilversum u.a. 1962, p. 181.

[116] Cf. dazu grundlegend J. ALFARO: *Lo natural y lo sobrenatural. Estudio historico desde santo Tomas hasta Cayetano (1274-1534).* Matriti 1952, ad indicem s.v.

Eine bislang noch unklare Rolle übernahm Heinrichs Denken für die Lehrentwicklung in der Frühphase des sog. Albertismus[117] zu Paris und Köln. JOHANNES DE NOVA DOMO († vor 2. 6. 1418), 1410/11 als *magister artium* der Picardischen Nation in Paris erwähnt, griff die nicht-albertistische Terminologie *esse essentiae* und *esse actualis existentiae* auf.[118] HEYMERICUS DE CAMPO (VAN DEN VELDE) († 1460), der Heinrich sogar zu den Patronen der *Albertistae* zählte,[119] kritisierte mit albertinischen und henrizianischen Argumenten die thomistische Lehre der Realdistinktion von Sein und Wesen.[120] Auf der thomistischen Gegenseite in Köln, z. B. bei HEINRICH VON GORKUM († 1431)[121], war Heinrich natürlich als einer der Gegner ausgemacht. PETRUS NIGRI OP († um 1483) attackierte in seinen Darlegungen über das Verhältnis von Sein und Existenz auch die *opinio Henrici de Gandavo, quem plures sequuntur.*[122] Eine starke Nachblüte seines Denkens durfte dagegen Heinrich in den Schriften des DIONYSIUS CARTHUSIANUS (VON RYCKEL/ RIJKEL) (1402/03 - 1471)[123], erleben,

[117] Cf. J. PAULUS, *Rec.*: Meersseman, Geschichte des Albertismus. 1933-35. In: ID.: *Monographies récentes.* 1937, pp. 485-488. - Deutliche Einschränkungen der Aussagekraft dieser Schulbezeichnung formuliert H. G. SENGER, *Albertismus? Überlegungen zur 'via Alberti' im 15. Jahrhundert.* In: MM 14 (1981), pp. 217-236. Mit metakritischen Überlegungen antwortet M. J. F. M. HOENEN: *Heymeric van de Velde († 1460) und die Geschichte des Albertismus: Auf der Suche nach den Quellen der albertistischen Intellektlehre des 'Tractatus problematicus'.* In: ID./A. DE LIBERA (Hg.): Albertus Magnus und der Albertismus (STGMA 48). Leiden 1995, pp. 303-331, spec. pp. 304-306.

[118] Cf. IOA. DE NOVA DOMO, *Tractatus de esse et essentia.* Ed. G. MEERSSEMAN: Geschichte des Albertismus, Heft 1: Die Pariser Anfänge des Kölner Albertismus (Inst. Hist Fr. Praed., Romae, ad S. Sabinae; Diss. hist. 3). Rom 1933, p. (91-191) 102, lin. 1-5; p. 115, lin. 3-10; R. HAUBST: *Albertismus.* In: LThK² I (1957), col. 284. - IOA. DE NOVA DOMO, *Tractatus universalium.* Ed. G. MEERSSEMAN: Eine Schrift des Kölner Universitätsprofessors Heymericus de Campo oder des Pariser Professors Johannes de Nova Domo? In: Jb. des Kölnischen Geschichtsvereins 18 (1936), pp. (144-168) 152-168. - Für Bio-Bibliographisches cf. Z. KALUZA: *Les querelles doctrinales à Paris: Nominalistes et realistes aux confins du XIVe et du XVe siècles.* Bergamo 1988, pp. 87-125.

[119] Cf. G. MEERSSEMAN: *Geschichte des Albertismus, Heft 2: Die ersten Kölner Kontroversen* (Inst. Hist. Fr. Praed., Romae, ad S. Sabinae; Diss. hist. 5). Rom 1935, p. 63.

[120] Cf. HEYMER. DE CAMPO: *Liber problematicus, q. 16.* Köln 1496, fol. 50r-59v, dazu R. HAUBST: *Albert, wie Cusanus ihn sah.* In: G. MEYER/A. ZIMMERMANN (Hg.): Albertus Magnus, Doctor universalis, 1280/1980 (WSAMA.P 6). Mainz 1980, pp. (167-194) 175.

[121] Cf. WEILER, *Heinrich von Gorkum.* 1962, p. 118.

[122] Cf. PETR. NIGRI, *Clypeus Thomistarum, q. 32.* Venedig 1504, fol. 56r; dazu GRABMANN, *Doctrina S. Thomae de distinctione reali inter essentiam et esse.* 1924, pp. 186-188. - Cf. LexMA VI (1994), col. 1979 (M. LAARMANN).

[123] DION. CARTH., *Comm. in I-IV Sent.* Op. omn. 19-25. - Cf. MACKEN, *Denys the Cartusian.* 1984, pp. 60-65; ID.: *The Intellectual Intuition of the Infinity of God in the Philosophy of Denys the Cartusian.* In: FranzStud 68 (1986), pp. 237-246; K. EMERY, Jr.: *Theology as a Science: The Teaching of Denys of Ryckel (Dionysius Cartusiensis, 1402-1471).* In: KSMPh III. 1990, pp. (376-388) 382. 384sq.; ID.: *'Sapientissimus Aristoteles' and 'Theologissimus Dionysius'. The Reading of Aristotle and the Understanding of Nature in Denys the Cartusian.* In: MM. 21/1 (1991), pp. (586-606) 586-589. 591. 599-601. 605. - Zur Biographie und Werkchronologie cf. DSAM III (1957), col. 430-449 (A. STOELEN); VerfLex² II (1980),

der neben vielem anderen die Lehre von den drei *lumina* wieder aufgriff.[124] Der unendlich belesene, literarisch ungemein rezeptive wie auch produktive *Doctor ecstaticus* versammelte in seinem 1459-64 verfaßten Sentenzenkommentar kompilatorisch und katenenhaft alle *doctores magis authentici* von Beginn der Hochscholastik an. Es findet sich dabei kaum ein Kommentarteil ohne eine doxographische Referenz auf den *Doctor solemnis.*[125]

In Erfurt machte der Gründungsmagister AMPLONIUS RATING DE BERCKA (1365/67-1434/35)[126] in seinen Statuten für das um 1412 gestiftete Collegium Porta Coeli den dortigen Magistern zur Auflage, bei aller Vorliebe für die modernen Autoren und die zu befolgenden *via communis* stets mit Reverenz von den *antiqui*, zu den AMPLONIUS auch Heinrich von Gent zählt, zu sprechen.[127] Der Erfurter Theologe Heinrich TOKEN († 1454) kennzeichnete Heinrich vor dem Hintergrund seiner *Quodlibeta* als *sacrae theologiae professor digressi-*

col. 166-178 (M. A. SCHMIDT); P. DINZELBACHER (Hg.): *Wörterbuch der Mystik* (KTA 456). Stuttgart 1989, col. 116b-118a (P. J. A. NISSEN; Lit.).

124 Cf. DION. CARTH., *Comm. in III Sent., d.24, q. un.* Op. om. 23, p. 415-428; dazu GRABMANN, *Erkenntnislehre des Matthaeus von Aquasparta.* 1906, p. 150; BEUMER, *Theologische und mystische Erkenntnis.* 1941, pp. 63-66. 76; ID., *Theologie als Glaubensverständnis.* 1953, pp. 105-116.

125 Cf. DION. CARTH., *In Sent., prol.* Op. omn. 19, p. 36: *Verumtamen operi huic intendo inserere et miscere quaedam ex libris doctissimorum virorum, qui etsi super Sententias non scripserunt, tamen scripta eorum libro respondent Sententiarum, ut sunt scripta Guilelmi Parisiensis, Udalrici de Argentina, Henrici Gandavi*; dazu M. L. FÜHRER: *Ulrich of Strassbourg and Nicholas of Cusa's Theory of Mind.* In: Classica et Mediaevalia 36 (1985), p. (225-239) 238, not. 62, der auf das Interesse an Heinrich in Kölner und auch Pariser Albertisten-Kreisen hinweist; grundsätzlich zum Thema K. EMERY, Jr.: *Denys the Cartusian and the Doxography of Scholastic Theology.* In: M. D. JORDAN/K. EMERY, Jr. (ed.): Ad litteram. Authoritative Texts and Their Medieval Readers. Notre Dame, Ind./London 1992, pp. 327-359.

126 Für einen knappen, präzisen biographischen Abriß cf. Dagmar GOTTSCHALL: *Pseudo-Aristoteles in der Büchersammlung des Naturwissenschaftlers Amplonius Rating de Bercka.* In: MM 23 (1995), pp. 78-80.

127 Cf. AMPLONIUS RATING DE BERCKA, *Statutum XIX.* Ed. H. WEISSENBORN. In: Mitt. des Vereins für die Gesch. und Altertumskunde von Erfurt 9 (1880), p. 151: ... *primo textus dividendo secundum modernos et conclusiones ponendo; deinde si commentator Albertus, Thomas, Aegidius, Halis, Henricus de Gandavo ... circa textum aliquid boni et notabilis dixerint, hoc dicatur, quaestiones vero breviter et summarie tangantur cum dubiis sui occurentibus*; dazu E. KLEINEIDAMM: *Universitas Studii Erfordensis. Überblick über die Geschichte der Universität Erfurt im Mittelalter 1392-1521. Teil I: 1392-1460* (EThSt 14). Leipzig 1964, p. 185. 188. - Zur Heinrich-Rezeption in Erfurt cf. auch L. MEIER: *Citations scolastiques chez Jean Bremer.* In: RThAM 4 (1932), p. (160-186) 180; ID.: *Ein neutrales Zeugnis für den Gegensatz von Skotismus und Ockhamismus im spätmittelalterlichen Erfurt.* In: FranzStud 26 (1939), pp. (167-182. 258-287) 174. 268sq.; E. D. SYLLA: *The Oxford Calculators in Erfurt manuscripts.* In: MM 21 (1995), p. (323-340) 332. - Der Erfurter Nicolaus LAKMANN OMin trennte bisweilen den *antiquus* Heinrich vom *modernus* DUNS SCOTUS; dazu L. MEIER: *Die Barfüßerschule zu Erfurt* (BGPhThMA 38/2). Münster i.W. 1958, p. 88. Kilian STETZING OMin begann eine Quästion zum Vorrang von *vita activa* oder *contemplativa* mit sofortiger namentlicher Nennung von HENR. DE GAND., *Qdl. XII,28*; dazu L. MEIER, *Barfüßerschule.* 1958, p. 52 not. 64.

vus.[128] Heinrichs Ekklesiologie fand Widerhall beim Reformtheologen und späteren Bischof von Worms, MATTHAEUS VON KRAKAU (1335/40 - 1410), der 1395-96 und 1400-1405 in Heidelberg lehrte,[129] wie auch bei dessen Schüler NIKOLAUS MAGNI DE JAWOR (JAUER) (um 1355 - 1435)[130]. Der Heidelberger Magister Stephan HOEST (um 1430 - 1472)[131], ein stark nominalistisch beeinflußter Skotist, verteidigte 1469 die *via moderna,* indem er sogar Heinrich von Gent in die Genealogie dieser Richtung eingliederte.

Die bis hier angeführten Zeugnisse aus der mittelalterlichen Scholastik sollen nun genügen. Ungeachtet des mißlichen Forschungsstandes, durch den es leider noch weitgehend im Dunkeln liegt, wie die Rezeption Heinrichs in den Schulen jener Zeit, den *Reales* und *Nominales*[132] dieser Epoche, des genaueren ausgesehen hat, möge trotz ausgewählter und meist knapper Hinweise eine beachtliche Resonanz zahlreicher henrizianischer Theorien im Raum der scholastischen Theologie und Philosophie erkennbar geworden

[128] Henr. TOKEN, *Rapularius.* Ed. P. LEHMANN: Aus dem Rapularius des Hinricus Token. In: ID.: Erforschung des Mittelalters, IV. Stuttgart 1961, p. (187-205) 201: *Henricus de Gandavo, sacrae theologiae professor digressivus, archidiaconus Brugensis et Tornacensis, a. D. 1288 disputavit Parisius in scholis suis eius quodlibeta solemnia, quae sunt 15, quorum quodlibet subdividitur in multas quaestiones.* - Cf. VerfLex² IX (1995), col. 964-971 (Hildegund HÖLZEL).

[129] Cf. Z. KALUZA: *Eklezjologia Mateusza z Krakowa (uwagi o „De praxi Romanae curiae).* In: StudMediew 18/1 (1977), pp. (51-174) 67. 73. 78. 85. 137. 141. 143sq. - Cf. LexMA VI (1993), col. 397 (G. LABUDA).

[130] Cf. F. X. BANTLE: *Nikolaus Magni de Jawor († 1435) und Johannes Wenck im Lichte des Codex Mc. 31 der Universitätsbibliothek Tübingen.* In: Schol. 38 (1963), p. (536-574) 546sq.

[131] Cf. Stephan. HOEST, *Licentia pro moderna via* (12. März 1469), ed. Baron (164-179) 176,213-223: *Per viam hanc* [sc. *modernam*] *viri plurimi singuli nobilitate praediti instituti sunt, edocti sunt et in praecelsum eruditionis culmen evecti sunt. Et ut de principibus modernae inventionis sileam, Henrico scilicet de Gandavo, acutissimo et philosopho et theologo, Iohanne Scoto, qui ob sui generalis praerogativam acuminis meruit subtilis cognominari, Wilhelmo Ockham, qui rubiginem omnis vetustatis detergens hanc viam primus dicitur purificasse, recentiores commemorabo. An non clarissimi viri et perpetua memoria celebrandi fuerunt Marsilius et Buridanus?* - Cf. dazu G. RITTER: *Studien zur Spätscholastik, II: Via antiqua und via moderna auf den deutschen Universitäten des XV. Jahrhunderts.* In: SHAW.PPh 1922, Abh. 7. Heidelberg 1922, pp. 71. 150-153; F. BARON (ed.): *Stephan Hoest, Reden und Briefe. Quellen zur Geschichte der Scholastik und des Humanismus im 15. Jh., hg., übers. und eingel.* (Humanist. Bibl., Reihe II, Bd. 3). München 1971, pp. 45-48; St. SWIEZAWSKI: *Le probleme de la 'via antiqua' et de la 'via moderna' au XVe siècle et ses fondements idéologiques.* In: MM 9 (1974), p. (484-493) 492.

[132] Zur Geschichte der philosophiehistorischen Scheidung von Realisten und Nominalisten cf. F. HOFMANN/T. TRAPPE: *Realismus/Nominalismus. I.* In: HWPh VIII (1992), col. 148-156. Über die erstaunliche Reichweite und innovative Kraft des mit dem Titel 'Nominalismus' deklarierten Denkens informiert mit deutlichen Korrekturen an bisherigen Engführungen Th. KOBUSCH: *Nominalismus.* In: TRE XXIV (1994), pp. 589-604. Von dorther wird auch die mehrfach behauptete Begünstigung dieser Richtung durch Heinrichs gleichsam pränominalistisches Denken neu zu bedenken sein (cf. die Ausführungen zu PAULUS, *Essai.* 1938, in Kap. IV, § 2,4).

sein. Der nächste Abschnitt wendet sich nun speziell dem Schicksal der *Primum cognitum*-Theorie Heinrichs zu.

b) Das Schicksal der henrizianischen *Primum cognitum*-Theorie bis zur Mitte des 14. Jahrhunderts

i) Die Aufnahme der henrizianischen *Primum cognitum*-Theorie in der zeitgenössischen Theologie

Die Rezeptionsgeschichte der *Primum cognitum*-Theorie des Heinrich von Gent ist zugleich auch Rezeptionsgeschichte seiner *Summa quaestionum ordinariarum*. Mögen auch die dort konkurrenzlos ausführlich entfaltete theologische Wissenschaftslehre und Trinitätstheologie die Karriere dieser Quästionensammlung wesentlich mitgetragen haben, so muß man doch dafür auch die schnell gewonnene Aufmerksamkeit der ebenso provokant wie inspirierend eingeschätzten *Primum cognitum*-Lehre Heinrichs eigens hinzurechnen.

Einer der profiliertesten Bonaventura-Schüler, MATTHAEUS AB AQUASPARTA OMin, nahm sehr schnell Notiz von den bei Heinrich, *Summa 21-24* ausgebreiteten Argumenten. Dabei verstärkte er hinsichtlich der Frage nach dem Ersterkannten die bei seinem Lehrer beobachtbare Verknüpfung der augustinischen Ideenlehre mit der avicennischen Theorie der Erstbegriffe. Seine kritische Adaption und ebenso intensive wie extensive Reformulierung der bonaventurianischen Argumentationsgänge in *De scientia Christi, q. 4* und *Itinerarium II,9; III,3-4* verliehen dem dort Gesagten einen neuen beweistechnischen Schliff.[133] Stärker und kritischer als sein Lehrer BONAVENTURA bedrängte ihn besonders das Problem, wie eine gnoseologische Priorität Gottes mit der offenkundigen Priorität des Experientialen auch beim intellektualen Verstehens einhergehen könne.[134] Eine Lösung sucht MATTHAEUS in der Unterscheidung zwischen dem Erfaßten (*apprehensum*) und dem aufgrund seiner Natur Erfaßbaren (*apprehensibile*), wobei das göttliche Sein sowohl als das zuerst Erfaßbare (*primum apprehensibile*) als auch als Erfahrbarkeitsgrund (*ratio apprehendi*) fungieren kann. Gott ist nach MATTHAEUS bereits dadurch Ersterkanntes des menschlichen Intellekts, insofern Gott als das zuerst Erfaßbare in seiner Prinzipialität aller menschlichen Intellekttätigkeit ausgewiesen ist. Eine aktuelles Erkanntsein Gottes, und sei es von noch so opaker Art, ist nicht gefordert. Wenn somit MATTHAEUS nicht Heinrichs Entwurf im ganzen, wohl aber manche seiner Problemperspektiven und Lösungsgriffe übernahm, wie

[133] Cf. MATTH. AB AQUASP., *Quaest. de cogn., q. 2.* BFS I², pp. 222-246, spec. 236-240 - Zur Interpretation cf. spec. BÉRUBÉ, *Interprètes.* 1974, pp. 131-133. 163-172

[134] Cf. MATTH. AB AQUASP., *Quaest. de anima beata, q. 1, ad 11* [a. 1278/80] BFS 18, p. 195,24-196,10; dazu BÉRUBÉ, *Interprètes.* 1974, p. 171sq. Die folgenden Distinktionen bei MATTHAEUS verfeinern Überlegungen bei HENR. DE GAND., *Summa 24,7*; cf. Kap. III, § 2,2,b not. 214.

Steven P. MARRONE[135] eingehend darlegen konnte, so darf man doch sein Verhältnis zu ihm als selektive Rezeption bei kreativer Adaption bezeichnen.

Bei PETRUS DE FALCO OMin, „ein[em] Vertreter des Neo-Augustinismus, der sich durch Klarheit und Mäßigung auszeichnet"[136] und zwischen 1279 und 1281 in Paris lehrte, findet man eines der bislang frühesten Zitate aus der *Summa* Heinrichs. Eine Durchschau seiner Quästionentitel auf eine Beschäftigung mit Heinrichs *Primum cognitum*-Theorie fällt allerdings negativ aus.

Dies ändert sich bei seinem Schüler RICHARD VON MEDIAVILLA OMin, der eine recht eingehende Auseinandersetzung mit Theorien zum Ersterkannten des menschlichen Intellekts in einer seiner wohl gegen Ende des Jahres 1284 anzusetzenden *Quaestiones disputatae* entfaltete. RICHARD stellte sich das Problem, ob der Engel oder der Mensch von Natur aus etwas geschaffenes Wahres in der ewigen Wahrheit einsehen.[137] Der fünfte der ablehnenden Einwände führt die These ein, daß der Erkenntnisgrund (*ratio intelligendi*) identisch sei mit dem Ersterkannten (*primum cognitum*), und parallelisierte im Rückgriff auf AVICENNA die Sinnes- mit der Intellekterkenntnis. Wie nach AVICENNA das erste sinnenhaft Erfaßte mit höchster Sicherheit das ist, was in einem Sinnesorgan vermerkt und erfaßt wird, so wäre es in ähnlicher Weise auch beim Intellekt. Doch die ewige Wahrheit ist für den geschaffenen Intellekt nicht das Ersterkannte, weil gemäß *Röm 1,20* die geschaffenen Dinge Erkenntnisgrund der natürlichen Gotteserkenntnis ist. Folglich ist der eingangs vorausgesetzte Parallelismus von Erkenntnisgrund und Ersterkanntem nicht gegeben.[138]

[135] Cf. MARRONE, *Augustinian Epistemology.* 1983, pp. 285-290; cf. auch schon BÉRUBÉ, *Guibert de Tournai.* 1974, pp. 640-642.

[136] VAN STEENBERGHEN, *Die Philosophie im 13. Jahrhundert.* 1977, p. 464; F. X. PUTALLAZ: *Figure francescane alla fine del XIII secolo.* Mailand 1996; desweiteren cf. Kap. I, § 2,1b; Kap. IV, § 1,1.

[137] Cf. RICH. DE MEDIAV., *Quaestio disputata 13: Utrum angelus vel homo naturaliter intelligat verum creatum in veritate aeterna.* In: PP. COLLEGII A S. BONAVENTURA (ed.): De humanae cognitionis ratione anecdota quaedam seraphici doctoris S. Bonaventurae et nonnullorum ipsius discipulorum. Quaracchi 1883, pp. 221-245; teilw. dtsch. Übers. in: H. SPETTMANN (Hg.): *Die Erkenntnislehre der mittelalterlichen Franziskanerschulen von Bonaventura bis Skotus.* Paderborn 1925, pp. 66-79. Eine gründliche Analyse des besagten Textes unter dem Hauptaspekt der göttlichen Ideen als Erkenntnisgrund und objektiver Faktor der begrifflichen Erkenntnis bietet RUCKER, *Ursprung unserer Begriffe.* 1934, pp. 68-97. RUCKER sieht den Hauptgegenstand der Kritik RICHARDS in der Zurückweisung einer exzessiven Illuminationslehre, für die BONAVENTURA und der *Doctor sollemnis* stehen sollen (pp. 86. 100sq.). Heinrichs *Primum cognitum*-Theorie ist RUCKER offensichtlich unbekannt, obwohl er mehrfach auf die Thematik zu sprechen kommt (pp. 76sq. 164). Zur handschriftlichen Überlieferung cf. LECHNER, *Richard von Mediavilla.* 1925, p. 8sq.; zur Datierung der Quästion cf. HOCEDEZ, *Richard de Middleton.* 1925, pp. 27-33; eine *tabula quaestionum* bietet ID.: *Les 'Quaestiones disputatae' de Richard de Middleton.* In: RSR 6 (1916), pp. 493-513.

[138] Cf. RICH. DE MEDIAV., *Qu. disp. 13, arg. 5* ed. Quar. 221sq.: *Item, ratio cognoscendi est primum cognitum, unde Avicenna in sexto Naturalium libro secundo, capitulo secundo dicit: 'Primum enim sensatum certissime est illud quod describitur in instrumento sensus, et illud apprehendit.' Ergo a simili ita est in intellectu. Sed veritas aeterna non est primum cognitum a intel-*

RICHARD gab dem Einwand recht und bejahte folglich den sensualen Charakter des Ersterkannten. Aber er hielt diese Annahme ausdrücklich für falsch, falls von dem Erkenntnisgrund die Rede ist, der die wesensbestimmende Form des Erkannten betrifft. Nach RICHARD gilt dies gerade für den mit einem Leib verbundenen Intellekt, wie er durch ein Beispiel klar machen will: Das Bild einer Rose, die dem menschlichen Intellekt Erkenntnisgrund für die Wesenheit der Rose ist, ist nicht das Ersterkannte, sondern die Wesenheit der Rose. Das Wissen, im Intellekt das Bild einer Rose - und nicht deren Wesenheit - zu besitzen, erfaßt man vielmehr nur durch Reflexion. Die avicennischen Aussagen seien dahin zu verstehen, daß das durch einen Körpersinn Ersterfaßte das Ersterkannte ist, insofern *durch* es sinnenhaft erfaßt wird. Ähnlich ist das natürliche Verstandeslicht, aufgrund dessen man die ewige Wahrheit einsehen soll, nicht das Ersterkannte, sondern das, wodurch man zuerst formal einsieht. Folglich ist die ewige Wahrheit aufgrund jenes natürlichen Lichtes der durch einen reflektierten Vergleich offengelegte Erkenntnisgrund des Menschen. Erkennt man ein geschaffenes Wahres durch die ewige Wahrheit als Erkenntnismittel, ist die ewige Wahrheit nicht an sich und unmittelbar erster Erkenntnisgrund des Menschen. Denn der Erkenntnisweg des Menschen ist nach RICHARD, der sich dafür auf *Röm 1,19-21* beruft, eben ein Weg des Aufstieg von den geschaffenen Dingen hin zu Gott. In ziemlich abrupter Weise führt RICHARD dann die Bestimmung ein, das Ersterkannte des menschlichen Intellekts sei die allgemeinste Bedeutung von 'Seiend' (*generalissima intentio entis*), und zwar in einem analogen, keinesfalls univoken Sinne bezogen auf alles Seiende, sei es geschaffen oder unerschaffen. Der Vorgang der Bedeutungsspezifizierung sei dann so vorzustellen, daß das menschliche Erkennen zuerst naturgemäß zum geschaffenen Sein herabsteigt. Daraufhin findet es durch Reflexion dazu zurück, das unerschaffene Seiende zu erkennen, wobei dieses Erkennen durch geschaffenes Seiendes vermittelt ist, ein Dunkel behält und den Grad des Allgemeinen nicht verläßt. Schließlich trägt dann die Erkenntnis des unerschaffenen Seienden dazu bei, in gewisser Weise dem Wissen über das geschaffenen Seiende stärkere Sicherheit zu verleihen. Dieser niedrige Erkenntnisgrad ist nach RICHARD bleibende Eigenschaft und feste Grenze des natürlichen Erkennens.[139]

lectu creato, quia sicut dicitur ad Romanos primo: 'Invisibila Dei per ea quae facta sunt, intellecta conspiciuntur'. Ergo veritas aeterna non est ratio cognoscendi intellectui creato naturaliter. Zur Interpretation dieser Textstelle cf. RUCKER, *Ursprung unserer Begriffe*. 1934, p. 76sq.

[139] Cf. RICH. DE MEDIAV., *Qu. disp. 13, ad arg. 5* ed. Quar. 238sq.: *Ad illud, quod arguebatur quinto, quod ratio cognoscendi est primum cognitum. Ista propositio falsa est loquendo de ratione cognoscendi per modum formae. Similitudo enim rosae, quae est intellectui meo ratio intelligendi essentiam rosae, non est primo intellecta ab intellectu meo, sed ipsa essentia rosae. Et hoc certum est de intellectu coniuncto corpori corruptibili. Ego enim nescio similitudinem rosae esse in intellectu meo nisi quasi argumentando, quia enim intelligo essentiam rosae et scio, quod non est praesens intellectui meo, ex hoc devenio in notitiam, quod habeo eius similitudinem. Praeterea similitudo coloris est ratio visui meo videndi colorem et non videtur. Unde illud verbum Avicennae debet*

RICHARD trug also der durch aristotelisierende Theologen wie THOMAS VON AQUIN festgeschriebene Vermittlungsfunktion sensualer Welterkenntnis für alle natürliche Gotteserkenntnis voll Rechnung. Zugleich modifizierte er die in der mitttleren Franziskanerschule favorisierte Illuminationslehre um zu einer analogietheoretisch fundierten Abstraktionslehre, in der daran festgehalten wird, daß in allen Erkenntnisbemühungen, die auf das Erfassen der intelligiblen Wesensform eines Seienden gerichtet sind, Gott als dunkel, analog und allgemein Ersterkanntes zugegen ist.

In seinem 1285-95 verfertigten Sentenzenkommentar trug RICHARD Überlegungen zur natürlichen Gotteserkenntnis vor, die deutlicher sachliche und verbale Anklänge zur henrizianischen Lehre besitzen.[140] Bei der Erörterung, ob die erste naturhafte Erkenntnis Gottes die sei, die durch seine Spuren in dieser Welt erworben werde, findet sich schon das erste der von RICHARD angeführten Argumente bereits bei Heinrich. Die Gotteserkenntnis wird nämlich abgeleitet von der augustinischen Lehre, Merkmale einer gerechten Seele ließen sich nur durch vorhergehende Kenntnis des Gerechten selbst erkennen.[141] Zweitens gibt es keine Bewegung der Seele zur Erkenntnis von etwas, von dem sie keine Kenntnis besitzt. Denn nach ARISTOTELES hat alles, was zu etwas hin bewegt wird, an diesem teil. Da die Gotteserkenntnis mittels der Spuren Gottes in dieser Welt erworben ist, ist eine andere Gotteserkennt-

exponi. Cum enim vult, quod illud quod describitur in instrumento sensus, est primum sensatum, debet sic exponi: quod est primum, per quod sentio; similiter lumen naturale, ratione cuius dicor intelligere in aeterna veritate, non est a me primum intellectum, sed est illud, quo ego primo intelligo formaliter. Unde ipsa veritas aeterna ratione illius naturalis luminis est mihi ratio intelligendi: est prima per comparationem ad intellectum meum; secundum enim quod dicor intelligere verum creatum per aeternam veritatem sicut per aliquid cognitum, sic veritas aeterna non est intellectui meo prima ratio intelligendi per se et immediate; quia, sicut dicebatur, ex cognitione creaturae ascendimus naturaliter ad cognitionem Creatoris; unde ipsa veritas aeterna non est primum cognitum a nobis. Primum enim cognitum a nobis est generalissima intentio entis, prout dicit commune analogum, non univocum, ad omne ens tam creatum quam increatum; sed cum specificatur ista intentio, prius - naturaliter loquendo - descendit naturalis cognitio in ens creatum; tandem [p. 239] *arguendo revertitur ad cognoscendum per ens creatum ens increatum mediate et obscure et in generali; et postea per cognitionem ipsius entis increati magis certificatur aliquo modo de ente creato; sed adhuc manet in infimo gradu cognitionis, et plus non potest cognitio naturalis.*

140 Cf. RICH. DE MEDIAV., *In I Sent., dist. 3, pars 1, art. 3, q. 2* ed. Brescia 1591, tom. I, pp. 46b-47a: *Tertio quaeritur utrum cognitio Dei per vestigium sit prima cognitio, quam habemus de Deo per naturam.* - Zur Lehre von der natürlichen Gotteserkenntnis beim *Doctor solidus* cf. die sehr knappen Bemerkungen bei HOCEDEZ, *Richard de Middleton.* 1925, p. 188sq., der aber ein zu großes Gewicht auf die aposteriorischen Beweismomente legt. Cf. auch RUCKER, *Ursprung unserer Begriffe.* 1934, p. 81sq., spec. not. 107.

141 Cf. RICH. DE MEDIAV., *In I Sent., dist. 3, pars 1, art. 3, q. 2, arg. 1* ed. Brescia 1591, tom. I, p. 46b: *Secundum Augustinum 8 De trin., cap. 6, nullus potest cognoscere signa animi iusti, omnino nesciens, quid sit iustus. Ergo a simili nullus potest cognoscere signa Dei omnino nesciens quid sit Deus. Sed vestigium est aliquid signum Dei. Ergo nullus potest cognoscere vestigium Dei in creatura et ex consequenti nec Deum cognoscere per vestigium nisi prius praecognito aliquo modo, quid sit Deus.* Cf. HENR. DE GAND., *Summa 24,8* Badius 145vP; cf. auch RICH. DE MEDIAV., *In I Sent., dist. 3, pars 1, art. 2, q. 1 resp.* ed. Brescia 1591, tom. I, p. 42b.

nis vorauszusetzen.[142] Zum dritten setzt die Erkenntnis Gottes in seinen Spuren ein Verlangen nach Gotteserkenntnis voraus. Dem Verlangen wiederum geht nach augustinischer Auffassung eine eingeprägte Kenntnis voraus.[143] Der erste der beiden von RICHARD angeführten Gegeneinwürfe stellt die thomistische These auf, daß der Mensch Dinge erkennt, indem er entweder deren Wirkungen oder deren Ursachen erkennt. Da nun der ursachelose Gott nur in seinen Wirkungen erkannt werden kann, ist die erste natürliche Gotteserkenntnis die durch seine Spuren in dieser Welt.[144] Der zweite Gegeneinwurf führt in die augustinische Unterscheidung von Spur und Ebenbild ein aristotelisches Kriterium zur Erkenntnisgenese ein. Wegen der Unmöglichkeit, in diesem Leben Gott in sich zu schauen, sei von den verbleibenden Möglichkeiten - durch eine Spur oder durch ein Ebenbild - die Gotteserkenntnis durch eine Spur wegen ihres größeren Konfusionsgrades früher anzusetzen als die Gotteserkenntnis durch ein Ebenbild.[145]

Angelpunkt der Überlegungen bei RICHARD ist eine naturale Gotteserkenntnis, die wie bei Heinrich mehr oder minder allgemein ausfällt.[146] Wird

[142] Cf. RICH. DE MEDIAV., *In I Sent., dist. 3, pars 1, art. 3, q. 2, arg. 2* ed. Brescia 1591, tom. I, p. 46b: *Item, anima non movet se ad acquirendum cognitionem alicuius rei, cuius nullam penitus habet cognitionem, quia secundum Philosophum 6 Phys.* [c. 32] *omne quod movetur ad aliquid, partem habet de eo ad quod movetur. Sed cognitio Dei per vestigium est cognitio acquisita. Ergo talis cognitio praesupponit aliquam cognitionem de Deo.*

[143] Cf. RICH. DE MEDIAV., *In I Sent., dist. 3, pars 1, art. 3, q. 2, arg. 3* ed. Brescia 1591, tom. I, p. 46b: *Item cognitio Dei per vestigium praesupponit appetitum cognoscendi Deum, quia sicut dicit Augustinus 9 De trin., cap. ult.: 'Partum mentis antecedit appetitus.' Sed appetitus cognoscendi Deum praesupponit aliquam cognitionem de Deo, quia sicut dicit Augustinus 10 De trin., cap. 1: 'Nisi impressam cuiusque doctrinae haberemus in animo notionem, nullo ad eam discendam studio flagraremus.' Ergo cognitio Dei per vestigium praesupponit aliquam de Deo cognitionem.*

[144] Cf. RICH. DE MEDIAV., *In I Sent., dist. 3, pars 1, art. 3, q. 2 in opp. 1* ed. Brescia 1591, tom. I, p. 46b: *Contra. Nostra prima naturalis cognitio de Deo est per effectus, quia anima non potest acquirere cognitionem de re aliqua nisi per eius effectum vel causam. Deus autem non habet causam, sed cognitio Dei per suos effectus est cognitio eius per vestigium. Ergo prima nostra naturalis cognitio de Deo est per vestigium.*

[145] Cf. RICH. DE MEDIAV., *In I Sent., dist. 3, pars 1, art. 3, q. 2, in opp. 2* ed. Brescia 1591, tom. I, p. 46b: *Item, omnis nostra naturalis cognitio de Deo est per vestigium vel per imaginem, quia Deum non possumus naturaliter cognoscere per se ipsum. Sed prior est in nobis cognitio Dei per vestigium quam per imaginem, quia est magis confusa. Ergo cognitio Dei per vestigium est prima cognitio, quam de Deo habemus per naturam.* Im Hintergrund stehen die Ausführungen bei ARIST., *Phys. I 1.*

[146] Cf. RICH. DE MEDIAV., *In I Sent., dist. 3, pars 1, art. 3, q. 2 resp.* ed. Brescia 1591, tom. I, pp. 46b-47a: *Respondeo quod quamvis omnis cognitio, quam habemus de Deo per naturam, sit valde in generali, tamen una magis est in generali quam alia. Cum enim intelligimus ens in communi non descendendo ad ens creatum vel increatum, intelligimus Deum intellectione generalissima, inquantum intelligimus aliquid commune sibi et cuilibet creaturae non communitate univoca, sed analoga. Et haec naturalis cognitio de Deo prior est quam Dei cognitio per vestigium, quia ista praesupponit in intellectu alicuius alterius cognitionem, sed illa non. Unde secundum Avicennam, lib. I Metaphysic., cap. 5, ens commune omnibus rebus nullo modo potest manifestari nobis per aliquid notius illo. Alio modo cognoscitur Deus a nobis in generali, inquantum cognoscimus esse aliquod ens increatum, cuiuslibet entis creati causam effectivam, exemplarem et fi-*

ein Seiendes im allgemeinen erkannt, und zwar ohne die weitergehende Differenzierung in ein geschaffenes und ein ungeschaffenes Seiendes vorzunehmen, dann wird Gott in einer allerallgemeinsten Erkenntnis erfaßt. RICHARD setzt aber erklärend und absichernd hinzu, dieses für Gott und jedwede Kreatur Gemeinsame werde analog und nicht univok ausgesagt. Der Vorrang dieser allerallgemeinsten Gotteserkenntnis vor einer Erkenntnis aus der Schöpfung ergibt sich daraus, daß für letztere das Erkenntnis der Schöpfung als Erkenntnis eines Anderen und Nichtgöttlichen vorausgesetzt werden muß. Denn nach Lehre AVICENNAS, auf den sich RICHARD hier beruft, kann das allen Dingen gemeinsame Sein durch sich selbst und nicht durch etwas diesem Bekannteres offenkundig gemacht werden. Neben dieser allerallgemeinsten Gotteserkenntnis, in der die Differenz von Geschaffenem und Ungeschaffenem unberücksichtigt bleibt, gibt es aber auch eine allgemeine Gotteserkenntnis, die jedoch diese Unterscheidung vornimmt. Gott wird dann erkannt als ein unerschaffenes Seiendes, das Wirk-, Exemplar- und Zielursache für jegliche Kreatur ist. Nach RICHARD ist dies auf eine *cognitio per vestigium* zurückzuführen, die durch Schöpfungserkenntnis gewonnen ist. Gleichwohl besitzt ein solches Erkennen die Auszeichnung der Erstheit. Daher fiel es RICHARD auch nicht schwer, die erhobenen Einwände im Sinne seiner eigenen Theorie einzukassieren.[147]

Wie Heinrich führte RICHARD VON MEDIAVILLA eine Stufung im Bereich der naturalen Gotteserkenntnis ein. Sie fiel bei ihm allerdings nicht drei-, sondern nur zweistufig aus. Auch die Analogizität des allerallgemeinsten Gotterkennens wurde behauptet. Gegenüber Heinrich nahm RICHARD eine Umakzentuierung vor, die zugunsten der schöpfungsvermittelten Gotteserkenntnis ausfällt. Anders als Heinrich war bei ihm die durch Schöpfungserkenntnis vermittelte allgemeine *cognitio per vestigium* ebenbürtig zur analogen und undifferenzierten Gotteserkenntnis, die sich auf den transkategorialen, transzendentalen Begriff des Seienden stützt. RICHARD wollte offensichtlich dem Einspruch der aristotelisierenden Theologen gerecht werden, indem er versuchte, die beide Formen naturaler Gottserkenntnis - die augustinisch-avicennische und die aristotelisch-thomanische Variante - in ein labiles Gleichgewicht zu bringen.

nalem; et hanc cognitionem habemus de Deo per naturam, primo per vestigium. Patet igitur, quod etiam naturali cognitione quam habemus de Deo, inquantum cognoscitur ut quid distinctum ab ente creato, cognitio per vestigium est prima.

[147] Cf. RICH. DE MEDIAV., *In I Sent., dist. 3, pars 1, art. 3, q. 2 ad arg. 1-3; ad opp. 1-2* ed. Brescia 1591, tom. I, p. 47a: *Duo prima argumenta ad partem primam procedunt de cognitione Dei generalissima, qua cognoscitur in ratione entis generalissime dicti. - Ad tertium dicendum simili modo, tamen non omnem cognitionem per vestigium oportet praecedere appetitum, quamvis oporteat, quod praecedat ordine naturae vel temporis formatam cognitionem, quae est partus mentis vel non sine partu. - Argumenta ad partem aliam procedunt de cognitione Dei, qua cognoscitur ut quid distinctum ab ente creato.*

Der Gang der Diskussion zeigt aber, daß derartige Ausgleichsversuche nur kurze Zeit Bestand hatten. In Oxford stritt man schon bald um das Verständnis der henrizianischen Theorie, was die bereits angesprochene herausgehobene Rolle der Oxforder Universität für die Heinrich-Rezeption auch für die Fortführung der *Primum cognitum*-Diskussion belegt.[148] Schon vor einiger Zeit machte A. G. LITTLE auf den überragenden Wert der Handschrift *Worcester, Bibl. Cathedral. Q. 99* aufmerksam.[149] Sie ist mit mit *quaestiones variae* vornehmlich der Jahre 1300-1302 gefüllt. Ein anonymer Oxforder Theologe[150] führt die Quästion, *utrum veritas prima primo intelligatur a mente humana.* Darauf replizierte ein gewisser KIRKEBI (KIRKEBY)[151]: *Responsio. Ad quaestionem dico, quod prima veritas non est primum cognitum in statu viae.* Mitdisputanten sind offenkundig auch der kaum bekannte Oxforder Theologe KYKELY (fl. 1300)[152] sowie der als 27. Lektor der Franziskaner wahrscheinlich 1298/99 in Oxford tätige THOMAS RUNDEL (RONDEL) OMin.[153]

Deutlich kritische Töne zur *Primum cognitum*-Diskussion vernahm man seitens PETRUS JOHANNIS OLIVI (um 1248/49 - 1296). In seinen vom Editor als *Quaestiones de cognoscendo Deo* betitelten Texten eröffnete der Franziskanerspirituale einen tiefen Einblick in den gegen Ende des 13. Jahrhunderts ungemein heftig geführten Streit um die korrekte Interpretation der augustinischen Illuminationstheorie. OLIVI trat als entschiedener Gegner jeglicher illu-

[148] Der Verf. beabsichtigt, demnächst Editionen der nachfolgend angeführten Texte Oxforder Autoren vorzulegen.

[149] Cf. LITTLE/PELSTER, *Oxford Theology.* 1934, pp. 219-362, die *tabula quaestionum* pp. 287-334. - Da bis zum Druck dieser Arbeit keine verwertbare Kopie dieser Handschrift beschafft werden konnte, muß man sich hier leider meistens auf die Mitteilung formaler Angaben aus der bisherigen Sekundärliteratur beschränken.

[150] Cf. LITTLE/PELSTER, *Oxford Theology.* 1934, pp. 267-269, für kodikologische Angaben p. 289. - Der mit dem Anfangssatz zitierte erste Einwand der Quästion spielt an auf ein bei THOM. DE AQU., *In Boeth. De trin. I,3* Decker 73,18-19 angeführtes Argument.

[151] Cf. KIRKEBI: *Responsio* ... Worcester, Bibl. Cathedr. Q. 99, fol. 29vb-30ra; dazu LITTLE/PELSTER, *Oxford Theology.* 1934, pp. 267-269. 365, für kodikologische Angaben p. 289.

[152] Cf. KYKELY: *Qdl. II,3: Utrum de Deo possit haberi scientia proprie dicta a priori, concludendo unam rationem perfectionalem de alia.* In: Cod. Worcester, Bibl. Cathedr. F. 3, fol. 117r-119r; dazu M. SCHMAUS: *Kykeley, cujusdam adhuc ignoti auctoris anglici saeculo XIV florentis, Quaestio de cooperatione divina.* In: Bohoslavia 10 (1932), fasc. 3, pp. 1-36; GLORIEUX, *Lit. quodl. II.* 1935, p. 189sq. In *Qdl. II,15* führt KYKELY wohl auch eine Auseinandersetzung mit Heinrich hinsichtlich der Frage, *utrum verissimum verbum imaginis sit cogitatio formata ex scientia in memoria per aciem cogitantis.*

[153] THOMAS RUNDEL (RONDEL) OMin setzte seine im Cod. Worcester, Bibl. Cathedr. F. 3, fol. 14va-vb überlieferte Determination auf die Frage, *an Deum esse sit per se notum,* mit den Worten ein: *Item, non est nota, quia scitur a priori aut quia scitur a posteriori.* Zumal RUNDEL seine Sentenzenlesung in Paris abgehalten haben soll, ist es nicht auszuschließen, daß dieser Text wie auch seine im selben Kodex, fol. 25rb enthaltene Determination der Frage, *utrum primum bonum sit proprium et formale obiectum voluntatis creatae,* Reflexe auf Heinrichs *Primum cognitum-* bzw. *Primum volitum*-Theorien sind. Cf. LITTLE/PELSTER, *Oxford Theology.* 1934, pp. 293sq. 295sq.; zur Person p. 278.

minationistischen Erkenntnistheorie auf, ohne jedoch gezielt und exklusiv Heinrichs Theorie zu attackieren.[154]

Den Titel seiner Quästionen nach ging der wenig erforschte, zwischen 1280 und 1295 literarisch tätige RAIMUNDUS RIGALDI (RIGAUT) OMin († 1296), ein Lehrer des VITALIS DE FURNO OMin, in seiner *Quaestio disputata* Fragen nach, die im Kontext der henrizianischen Lehre angesiedelt sind.[155] Bei AEGIDIUS ROMANUS OESA, dem großen zeitgenössischen Kontrahent Heinrichs, findet sich - ein wenig überraschend - kein Reflex auf Heinrichs Verständnis des Ersterkannten. Dies überrascht um so mehr, als daß verwandt klingende Äußerungen aus dem aegidianischen Frühwerk zensuriert worden sind, AEGIDIUS also schon früh ein kritisches Verständnis für die *Primum cognitum*-Problematik an den Tag gelegt haben könnte. Denn in seinem zwischen 1271 und 1273 verfaßten ersten Buch seines Sentenzenkommentars stellte AEGIDIUS die These auf: *Si igitur res aliqua scitur, oportet quod Deus aliquo modo sciatur.*[156] Unter den zwischen dem 7. und 28. März 1277 in Paris verurteilten Thesen des AEGIDIUS tauchte diese um ihr absicherndes *aliquo modo* verstümmelte Lehrmeinung auf als These 29: *Ipso* [i. e. *Deo*] *scito, omnia sciuntur.*[157] In seiner *Apologia* zu diesem Verurteilungsdekret erklärte AEGIDIUS den Sinn seiner Ausführungen dahin, daß sie erstens entsprechend ihrem Kontext allein im Blick auf die *visio beatifica* ausgesagt sind und zweitens die besagte Gotteserkenntnis den Seligen nur in dem Maße zuteil wird, wie Gott selbst es gewährt.[158] Die Differenz zur Problemstellung Heinrichs ist also unverkennbar.

Zu den führenden Thomisten der ersten Generation und unmittelbaren Zeitgenossen Heinrichs gehörte BERNHARD VON TRILIA (LATREILLE) OP (um 1240 - 1292).[159] Er war 1266-76 als Lektor u. a. in Montpellier und Bordeaux

[154] Mehrere Studien wollen eine direkte Polemik OLIVIS gegen Heinrich aus den genannten Texten herauslesen. Doch wie z. B. eine Untersuchung der von OLIVI den kritisierten Positionen zugewiesenen Augustinus-Referenzen zeigen könnte, sind diese Positionen nicht autorenspezifisch konturiert, so daß Heinrich nur insofern von OLIVIS Kritik getroffen wird, als er einer unter anderen Vertretern einer theologisierten *Primum cognitum*-Theorie ist. Cf. die bibliographischen Angaben in Kap. IV, § 1,1 not. 55, besonders die dort angegebene Studien von C. BÉRUBÉ.

[155] Cf. RAIM. RIGALDI, *Qu. disp. 1* Delorme 838: *Quaerebatur, utrum primus conceptus entis sit entis increati vel entis communiter dicti ad ens creatum et increatum*; ID., *Qu. disp. 2* Delorme 838: *Quaeritur, utrum ens creatum non cointelligendo ens increatum possit intelligi.* Cf. F. DELORME: *Quodlibets et questions disputées de Raymond Rigaut, maître franciscain de Paris, d'après le Ms. 98 de la Bibl. Comm. de Todi.* In: ADGM 1935, p. (826-841) 838; zu Person und Werk H. DEDIEU: *Les ministres provinciaux d'Aquitaine des origines à la division de l'Ordre (XIIIe s. - 1517).* In: AFH 76 (1983), pp. (129-214. 646-700) 166-168 (Lit.!).

[156] AEG. ROM., *In I Sent., dist. 19, p. 2, princ. 1, q. 1 corp.* Venedig 1521, fol. 110vL.

[157] Cf. dazu WIELOCKX, *Aeg. Rom., Apol.* 1985, pp. 55 (Text). 63. 139. 201.

[158] Cf. AEG. ROM., *Apol., nr. 29* Wielockx 55: *Certe, sicut scitur Deus, sic sciuntur omnia, ut si scitur perfecte, sciuntur omnia perfecte, si vero scitur Deus, secundum quod requirit notitia beatorum, tunc sciuntur omnia, quae ad beatitudinem requiruntur.*

[159] Cf. für ältere Lit. LThK² II (1958), col. 249sq. (E. FILTHAUT), ferner ROENSCH, *Early Thomistic School* 1964, pp. 84-88. 290; SOPMA I (1970), pp. 234-237; IV (1993) 53.

tätig, 1280 als Lektor in St. Jakob-Konvent zu Paris, 1282 ebendort lizenziert, dann 1284-87 als *magister theologiae* in Paris. In seinen *Quaestiones de cognitione animae corpore coniunctae* behandelte er die Frage, *utrum prima veritas sit primum intelligibile, qud primo intelligitur ab anima coniuncta corpori.*[160] Vier Lehrpositionen trägt BERNHARD vor. Die erste Position lehrt die erste Wahrheit als *ratio et medium cognoscendi omnia alia* analog dem Licht beim körperlichen Sehen. Die zweite Position benennt einen Widerschein der ersten Wahrheit im menschlichen Geist (*quaedam ipsius in mentem humanam refulgentia*). Vor der vierten und letzten Position, die die im teilweise wörtlichen Anschluß an THOM. DE AQU., *In Boeth. De trin. I,3* formulierte Auffassung des BERNHARD selbst darstellt, kommt ausführlicher als alle anderen eine Theorie zur Darstellung, die frappante Ähnlichkeit mit der des Heinrich von Gent besitzt.[161] Demnach ist bei den Intellekttätigkeiten eine begriffliches Erfassen und ein diskursives Erschließen eines Gegenstandes zu unterscheiden. Für die letztgenannte Intellekttätigkeit ist Gott nicht das Ersterkannte, da zum einen gemäß *Röm 1,20* der Mensch von den Kreaturen aus den Weg zur Erkenntnis Gottes findet und zum anderen die Metaphysik als philosophische Theologie erst nach Durchgang aller anderen philosophischen Disziplinen erfaßt wird. Beim begrifflichen Erfassen eines Gegenstandes dagegen wird Gott zuerst erkannt, allerdings nicht dann, wenn man distinkt und im einzelnen erkennt, sondern nur bei einem indistinkten und allgemeinen Erkennen, insofern man dabei erste und oberste Begriffe wie das Seiende, Wahre, Gute, Eine und dgl., die natürlich gebildet werden, erfaßt. Denn diese Erstbegriffe sind nach AVICENNA desto früher, je einfacher. BERNHARD schätzt diese Theorie *rationabilior inter ceteras* ein, führt allerdings gleich mehrere Gründe für ihre Unhaltbarkeit an. BERNHARD stößt sich an der Parallelisierung von Erkenntnis- und Seinsordnung, die für den auf Sinneserkenntnis angewiesen viatorischen Menschen sich gegenläufig verhält. Das Erkannte und auch das das Erkannte Bezeichnende werden im primären Blick auf geschaffene Dinge erfaßt bzw.

[160] Cf. BERN. DE TRILIA: *Qu. de cogn. animae coniunctae corpori, qu. utrum prima veritas sit primum intelligibile, quod primo intelligitur ab anima coniuncta corpori* Grabmann 75sq. [Teiledition nach Nürnberg, Stadtbibl., Cod. Cent. I, 67, fol. 26r-30r]; zur Textinterpretation cf. GRABMANN, *Einleitungslehre.* 1948, pp. 86-96. Dort wird eine ausführliche Paraphrase des Textes gegeben, weswegen man sich hier kurz halten kann. - Nicht erreichbar war dem Verf. die Arbeit von F. LANG: *Bernard de Trilia et ses Quaestiones de cognitione animae coniunctae corpori. Étude et édition.* Paris: École nationale des Chartres, Thèse pro manuscripto 1950; cf. die Zusammenfassung dieser Studie in: *Position des thèses de l'Ecole des Chartres 1950,* pp. 69-72. - Cf. nun GORIS, *Kritik des Bernhard von Trilia.* 1998, der neben einer ausführlichen Analyse auch eine Edition des o. g. Textes bietet.

[161] Cf. zum folgenden Referat GRABMANN, *Einleitungslehre.* 1948, pp. 90-93, der aber p. 93 bemerkt, er habe keinen Vertreter einer solchen Lehre ausfindig machen können, und stattdessen auf parallele Auffassungen eines franziskanischen ANONYMUS, *Qu. disp. 5: Utrum lux aeterna sit nobis ratio cognoscendi.* Ed. E. LONGPRÉ: Nuovi documenti per la storia dell'agostinismo francescano. In: Studi Francescani 20 (1923), pp. 314-351 (Edition: pp. 329-340), verweist.

gebildet, nicht aber primär vom Ungeschaffenen. Der Text ist in engster zeitlicher und räumlicher Nachbarschaft zu Heinrich von Gent geschrieben worden. Auffallend ist trotz einer ablehnenden Gesamthaltung die höchst respektvolle und noble Art der Doxographie. Offensichtlich verstand diese Generation der Thomas-Schüler den für THOMAS und die 'Augustinisten' gemeinsamen Problemhorizont. Sie notierte selbst entferntere Ähnlichkeiten der Argumentation noch mit kritischer Sympathie als sachliche Konvergenzen und verurteilte sie nicht sofort als vorkritische Lehrform oder zustimmungsunwürdiges Abweichen von einer invariablen thomistischen Schuldoktrin. Nichtsdestotrotz unterließ BERNHARD VON TRILIA es nicht, unleugbare und unaufhebbare Differenzpunkte ins Licht zu heben. Die gesamte spätere Thomistenschule folgte ihm darin.

ii) Die Tradierung der henrizianischen *Primum cognitum*-Theorie in der Spätscholastik unter dem Druck skotistischer, thomistischer und nominalistischer Fundamentalkritiken

α) Die Zertrümmerung der henrizianischen *Primum cognitum*-Theorie im Umkreis des Skotismus

Der Franziskaner JOHANNES DUNS SCOTUS, herausragende Abschlußgestalt der Hochscholastik und Begründer eines in den folgenden Jahrhunderten höchst erfolgreichen Metaphysikentwurfs, war in vielem ein gelehriger Schüler des Heinrich von Gent, aber hinsichtlich der Theorie über das Ersterkannte des menschlichen Intellekts dessen entschiedenster Gegner.[162] Es drängt sich ein ausführlicher Vergleich beider Denker auf, der stärker als bisher die literargeschichtlichen Umstände berücksichtigt und das skotische Heinrich-Verständnis auf historische Richtigkeit hin überprüft. Doch trotz bedeutsamer Vorarbeiten hätte dies - wegen der vorauszusetzenden gründlichen Analyse der diffizilen skotischen Lehre einerseits und der kritischen Durchsicht der dazugehörigen skotisch zentrierten Forschungsliteratur andererseits - Gegenstand einer eigenen Arbeit zu sein. Hier soll es also darauf beschränkt bleiben, die Haupteinwände aufzuführen, die SCOTUS selbst für entscheidend hielt und die die kritische Auseinandersetzung mit Heinrichs

[162] Zur *Primum cognitum*-Lehre bei DUNS SCOTUS cf. WOLTER, *Transcendentals and Their Function.* 1946, pp. 58-99; FÄH, *Erkennbarkeit Gottes.* 1965/1968; REDING, *Struktur des Thomismus.* 1974, pp. 39-42; HONNEFELDER, *Ens inquantum ens.* (1979) ²1989, pp. 55-267 (p. 58sq.: Lit.), für die Heinrich-Kritik spec. pp. 72-74. 193-205; SCHÖNBERGER, *Transformation.* 1986, pp. 117-121; BOULNOIS, *Jean Duns Scot.* 1988, ad indicem s.v.; A. B. WOLTER: *The Philosophical Theology of John Duns Scotus.* Ed. Marilyn MCCORD ADAMS. Ithaca, N.Y. 1990, ad indicem s.v. - Innerhalb der Heinrich-Forschung äußern sich speziell zur skotischen Heinrich-Kritik PAULUS, *Essai.* 1938, p. 64sq. not. 1; DUMONT, *Source.* 1983, pp. 282-304. – Cf. auch die einschränkenden Bemerkungen des Verf. im Vorwort (p. IV not. 2) zu dieser Arbeit.

Primum cognitum-Theorie – auch außerhalb der skotistischen Schule – nicht unerheblich kanalisierten.

SCOTUS hatte wohl schon sehr früh in Oxford, einem Zentrum damaliger Heinrich-Rezeption, eingehende Kenntnisse über das Oeuvre Heinrichs erworben und sich fortwährend damit auseinandergesetzt. Seinen klassischen Ort fand die skotische Erwiderung auf Heinrichs *Primum cognitum*-Theorie in dem im kompendiös gehaltenen ersten Teil der dritten Distinktion des ersten Buches seines später zur *Ordinatio* ausgearbeiteten Sentenzenkommentars.[163]

Das Referat der Meinung des Heinrich von Gent ist zugleich deren Deutung. Denn die von Heinrich aufgestellte Frage formulierte SCOTUS in mehrfach gesteigerter Spezifizierung um. In seiner *Lectura* stellte er für seine Heinrich-Kritik einen fünfgliedrigen Katalog der bedeutsamsten Sachkomplexe auf.[164] SCOTUS verneint, daß Gott vom Menschen in jeglichem Begriff endlichen Seins auf indeterminierte Weise analog mitgewußt ist. Da die Beschaffenheit eines analogen Begriffs endlichen Seins nach SCOTUS weder essentiell noch virtuell dies leisten kann, ist der Weg der Univozität zu beschreiten. Die auch von Heinrich vertretene Lehre, daß die göttliche Wesenheit auf natürlicher Weise nicht in ihrer besonderen Beschaffenheit, d. h. in ihrer Singularität, erkannt werden könne, wird von SCOTUS dahingehend präzisiert, daß selbst die allgemeinen Begriffe über Gott nicht dessen von kreatürlichem Seienden abgegrenzten Singularität bezeichnen, sondern auf der Ebene der Univozität verbleiben. SCOTUS traf damit insbesondere Heinrichs Lehre von der privativen Indetermination des göttlichen Seins, die SCOTUS für den viatorischen Menschen als unerreichbare Erkenntnis einer singulären Bestimmung Gottes einschätzte. Das vollkommenste Wissen, das der natürliche viatorische Intellekt über Gott erreichen kann, wird vielmehr wegen der Repugnanz des göttlichen Seins zu jeder formalen Determination, die sie in ihrer Singularität begrenzt, durch die bei Heinrich abgestufte negative Indetermination erreicht.

Einen methodologisch zentralen Unterschied zeigt der zwischen Heinrichs Analogielehre und der skotischen Univozitätslehre bestehende Gegensatz an. Heinrichs Ansicht, durch transzendentale Begriffe, die von der aprio-

[163] Cf. IOA. DUNS SCOTUS, *Ord. I, dist. 3, p. 1, q. 2-3* ed. Vat. III, pp. 3-123; ID., *Lect. I, dist. 3, p. 1, q. 2* ed. Vat. XVI, pp. 224-281. - Die Ausführlichkeit, Gründlichkeit und Schärfe der skotischen Kritik bewirkte, daß von nun an zahlreiche Sentenzenkommentare an dieser Stelle die Frage nach dem Ersterkannten aufwarfen. Für das Gros der späteren Autoren war sie allerdings keine lebendige Frage mehr, sondern ein nur aus Traditionszwängen abzuhandelndes Thema. Dies ist, wie weiter unten gezeigt wird, z. B. bei Gabriel BIEL (cf. Kap. IV, § 1,1,ii,δ) sehr gut sichtbar.

[164] Cf. IOA. DUNS SCOTUS, *Lect. I, dist. 3, p. 1, q. 2, nr. 19* ed. Vat. XVI, p. 231,8-15: *Circa solutionem istius quaestionis quinque sunt declaranda: primo ostendetur, quod non concipitur Deus a nobis quasi per accidens; secundo, quod non concipitur in communi conceptu analogo, qui sint duo conceptus; tertio, quod Deus non concipitur a nobis in particulari, non tamen propter rationem praedictae opinionis; quarto, quid sit perfectissimum, quod possumus de Deo cognoscere; quinto, per quid cognoscimus hoc, quod perfectissime de Deo cognoscimus.*

risch erfaßbaren Quiddität endlicher Dingen durch Abstraktion gewonnen worden sind,[165] das Dasein Gottes beweiskräftig erschließen zu können, löste SCOTUS ab durch eine Theorie eines gleichfalls quidditativ verfahrenden metaphysischen Beweises, der aber wegen der durch die Univozitätslehre möglich gewordenen Berücksichtigung von welthaften Kausalitäts- und Eminenzverhältnissen aposteriorisch ansetzt.

Eine abschließende Würdigung der Bedeutung von Heinrichs *Primum cognitum*-Theorie für die skotische *Theologie* natürlicher Gotteserkenntnis steht noch aus, und dies nicht zuletzt als Folge von historiographischen Engführungen der neuzeitlichen Scholastikforschung. Eine historisch gerechte Würdigung Heinrichs hätte die auch von DUNS SCOTUS beibehaltene Lehre von einer *cognitio Dei inserta*[166] zu beachten und über alle skotische Methodenkritik an Heinrich hinweg auf Kontinuitäten in theologischen Grundaussagen der beiden Theologen hinzuweisen.

Umfang und Prägnanz der Heinrich-Kritik beim *Doctor subtilis* wiesen freilich den späteren Skotisten einen schon breit und fest ausgebauten Weg. Naheliegend verdeutlichten und vertieften eine große Zahl von Frühskotisten ihre Schulpositionen im Rahmen ihrer Sentenzenkommentierung. In der Quodlibetalienliteratur bemühte sich insbesondere der Skotist und Ockham-Gegner JOHANNES DE READING OMin[167] um die Lehre seines Schulhauptes.

[165] Eine wichtige Rolle in diesem Disput spielte auch Deutung von AUG., *De trin. VIII,2-3*, eines für Heinrichs Argumentationsgang zentralen Textes. SCOTUS, der eine aufwendige Exegese dieses Textes betrieb (cf. ID., *Ord., dist. 3, p. 1, q. 3, nr. 191-201* ed. Vat. I, pp. 117-123; . ID., *Ord., dist. 8, nr. 50. 86* ed. Vat. IV, pp. 172sq. 193sq.; ID., *Lect. I, dist. 3, p. 1, q. 2, nr. 31-32* ed. Vat. XVI, p. 236sq.; ; ID., *Lect. I, dist. 8, nr. 59* ed. Vat. XVII, p. 19sq.; ID., *Qdl. XIV, nr.3* Wadding XII, p. 350sq.; cf. dazu DUMONT, *Source.* 1982, pp. 287-290), forderte ein kritischeres Verständnis und stellte Heinrichs Augustinus-Interpretation, die eine Abstraktionstheorie rechtfertigen sollte, in Zweifel. SCOTUS hatte offensichtlich kein Verständnis mehr für Heinrichs zeitbedingte Motive, sich um eine Verknüpfung aristotelisierender und augustinisierender Erkenntnistheorien zu bemühen. Heinrich mäßigte, ja minimalisierte in seinen späteren Schriften die inneistischen und illuminationistischen Elemente des Erkennens. SCOTUS nahm diese Tendenz bei Heinrich nicht angemessen wahr, jedenfalls ließ er sie wegen der beibehaltenen illuminationstheoretischen Kernbestände nicht gelten und bemängelte eine Inkonsequenz des Ganzen. - Zur verschärften Kritik an der Illuminationstheorie unter Franziskanertheologen im letzten Viertel des 13. Jahrhunderts cf. P. J. DOYLE: *The Disintegration of Divine Illumination in the Franciscan School, 1285-1300: Peter of Trabes, Richard of Middletown, William of Ware.* Diss. Marquette Univ. 1984 [war dem Verf. nicht zugänglich].

[166] Cf. [JEILER,] *De hum. cogn. ratione anecd.* 1883, p. 17 mit dem – in der Ed. Vat. nicht verifizierbaren - Verweis auf IOA. DUNS SCOTUS, *In I Sent., dist. 3, q. 2: Cognoscendo enim quodcumque ens, ut hoc ens est, indistinctissime concipitur Deus*; cf. auch ID., *Qdl. XIV, nr. 26* Wadding XII, p. 406.

[167] Cf. IOA. DE RADINGIA, *Qdl. II,1* [a. 1320]: *Utrum primum cognitum a viatore via generationis sit Deus.* Der Text ist einzig überliefert in *Firenze, Bibl. nat. Conv. sopp. D. IV. 95*, fol. 303sq. Der Verf. bereitet eine Textedition vor. Cf. auch IOA. DE RADINGIA, *In I Sent., dist. 3, q. 3*, ed. G. GÀL. In: FStudies 29 (1969), pp. 77-156.

Aber die skotischen Ansichten zum Ersterkannten gewannen nicht im Handstreich ihren in späteren Zeiten so vehementen Einfluß auf die akademischen Diskussionen des Themas.[168] Vertreter der mittleren Franziskanerschule ließen sich nur behutsam darauf ein und flochten nur Einzelpunkte der skotischen Kritik in ihre Dispute ein, die sie im Rahmen ihrer traditionellen illuminationstheoretischen Vorstellungen weiterführten. Dies dokumentiert etwa PETRUS DE ANGLIA OMin († nach 1316)[169], der 1303-06 als Magister regens des Franziskanerstudiums in Paris, 1309-16 als Provinzial der oberdeutschen Provinz tätig war. Bei den weltgeistlichen Magistern ALANUS GONTERUS (GONTIER, GONTERY) († 1335)[170] und RADULPHUS BRITO († 1320)[171] ist der skotistische Einfluß offensichtlich greifbarer.

Bei PETRUS AUREOLI OMin[172] wurde Heinrichs Doktrin einerseits als eine inkonsistente Variante der *Per se notum*-Theorien zugespitzt und andererseits der dort verwendete Begriff der negativen Indetermination für das göttliche Sein als Ersterkanntes ausgeschlossen, da jede Indetermination auf eine Implikation beruhe, dies dann bei Gott im höchsten Maße gegeben sei, aber gerade dadurch jede spätere Explikation, d. h. jede spätere determinierende Erkenntnis des göttlichen Seins unmöglich wäre. Das von Heinrich behauptete Band zwischen konfuser Erst- und determinierter Enderkenntnis Gottes zerreißt nach AUREOLI infolge einer von Heinrich nicht bedachten Unvereinbarkeit impliziten und expliziten Erkennens. Bei einem impliziten Erkennen tritt Gott nicht hervor, sondern wird vielmehr einem Erkennen verschlossen.

[168] Das Quodlibet eines ANONYMUS, das im *Cod. Vatic. Ottob. lat. 1126*, fol. 4v-16v, überliefert ist (cf. GLORIEUX, *Lit. quodl. II*, p. 306: Quästionenverzeichnis), warf als *quaestio 9* in typisch skotischer Manier das Problem auf, *utrum ens quod est subiectum metaphysicae nostrae sit primum obiectum adaequatum intellectui nostro.* Über Datierung und Lehrrichtung kann allerdings nichts mitgeteilt werden.

[169] Cf. PETR. ANGLICUS: *Qdl. I,12: Utrum veritas prima sit obiectum intellectus nostri primo et per se.* In: Cod. Vat. lat. 932, fol. 182ra-182vb; zur kodikologischen Beschreibung der Handschrift cf. PELZER, *Codices Vaticani latini, II/1.* 1931, p. 351. Der Verf. hat eine Edition dieses Textes vorbereitet. - Zu Person und Werk cf. GLORIEUX, *Lit. quodl. II.* 1935, p. 212-215; ID., *Rép. des maitres en théol.* 1935, p. 196sq.; SCHMAUS, *Liber propugnatorius.* 1935, pp. 311-313. 472; LThK² VIII (1963), col. 334 (G. FUSSENEGGER).

[170] Der erste Magister des 'Collège de Navarre', ALANUS GONTERUS (GONTIER, GONTERY), ab 1317 Bischof von Saint-Malo, stellte sich in seinem 1312-14 abgehaltenen Quodlibet die Frage, *utrum primum obiectum intellectus sit substantia vel accidens* (*Qdl., q. 3*; enthalten in *Cod. Vat. lat. 1086*, fol. 238v-239r); cf. GLORIEUX, *Rep. des maîtres, I.* 1933, nr. 226; ID., *Lit. quodl., II.* 1935, p. 53.

[171] Etwa zur selben Zeit, d. h. zwischen 1312-1314, geht RADULPHUS BRITO, der bekannte Vertreter der *grammatica speculativa* und damaliger Magister der Theologie an der Pariser Universität, auf die Frage ein, *utrum essentia divina sit primum obiectum intellectus angeli* (*Qdl. I,13*; enthalten in *Cod. Vat. lat. 1086*, fol. 203v-204r); cf. GLORIEUX, *Lit. quodl., II.* 1935, fol. 262.

[172] Cf. PETR. AUREOLI, *Scriptum super I Sent., dist. 2,10, nr. 1-157* Buytaert 524-570: *Utrum esse Dei sit aliquid per se notum*; zur Auseinandersetzung mit Heinrichs *Primum cognitum*-Theorie cf. loc. cit., nr. 3-9. 31-35. 139-143 Buytaert 525sq. 531-533. 563sq. (cf. auch schon Kap. II, § 2,1 not. 22).

Erneut wird Heinrich von einem skotistisch beeinflußten Theologen wie PETRUS AUREOLI Begriffsinkonsistenz vorgeworfen, was die Dominanz methodologischer und beweistechnischer Kriterien in der Heinrich-Kritik des Skotismus wiederholt unterstreicht.

β) Die Thomistenschule zwischen verhaltener Sympathie und ignorantem Schweigen

In den ersten Jahren des 14. Jahrhunderts wirkte an der Pariser Universität der ebendort 1300 zum *lector* ernannte Weltgeistliche THOMAS DE BALLIACO (Bailly bei Versailles)[173]. Von seiner Person wissen wir nur Weniges. Um 1300 *magister theologiae* geworden, wirkte er seit 1301 als *magister actu regens*. Über mehrere Monate des Jahres 1304 fungierte THOMAS als geistlicher Berater des Pariser Erzbischofs SIMON VON MATIFAS (res. 1290-1304). Zehn Jahre später erreichte er die Höhepunkte seiner Universitätskarriere, indem er 1314 Provisor des Kollegs Bons Enfants und zugleich Dekan der theologischen Fakultät wurde. 1316 übernahm er nach dem Tod des FRANCOIS CARRACCIOLA das Amt des Universitätskanzlers. Als Weltkleriker war er wie auch Heinrich von Gent zudem nicht in die Pflicht einer Ordensdoktrin genommen. THOMAS ist folglich ein potentieller Vertreter henrizianischer Gedanken, denn in seinem Umfeld hatte er genügend Umgang mit den *Gandavistae*. Obgleich er Heinrich nur einmal, und zwar in seinen *Qdl. I,8*, namentlich nannte[174], setzte er sich an vielen Stellen mit dessen Lehren auseinander, ja er darf in einem weiteren Sinne als ein *Gandavista* gelten.[175]

Sechs Quodlibets, unter denen in *Qdl. VI,3* die hier interessierende Frage *Utrum Deus sit a nobis primum cognitum in ratione obiecti* gestellt wird[176], sollen

[173] Cf. zur Biographie: Ch. V. LANGLOIS: *Thomas de Bailly, chancelier de Paris*. In: HLF 35 (1921), pp. 301-310; GLORIEUX, *Litt. quodl., II*. 1935, pp. 273-277; ID.: *Introduction*. In: Thomas de Bailly, Quodlibets (PhMed 9). Paris 1960, pp. 7-16; LThK² X (1965), col. 135 (P. GLORIEUX); LexMA VIII, fasc. 4 (1996), col. 711 (M. LAARMANN); sehr unkritisch und oberflächlich ist der Beitrag im BBKL XI (1996), col. 1373sq. (Eleonore BAZINEK). - Detailuntersuchungen zu gesicherten Texten liegen lediglich vor von A. M. MEIER: *Das peccatum mortale ex toto genere suo. Entstehung und Interpretation des Begriffs* (SGKMT 14). Regensburg 1966, pp. 248-250. 311. 341 [THOM. DE BAILL., *Qdl. I,8*: Begriff der *moralitas*]; Th. GRAF: *De subiecto psychico gratiae et virtutum ...* (StAns 3-4). Rom 1935, pp. 186-189; LOTTIN, *PsychMor. III/2* (1949), p. 519sq.; *ibid. IV/1* (1954), p. 686 [THOM. DE BAILL., *Qdl. I,11*: Lehre von der *virtus infusa* und den Gaben des Hl. Geistes]; V. HEYNCK: *Die Kontroverse zwischen Gottfried von Fontaines und Bernhard vo Auvergne OP um die Lehre des hl. Thomas von Aquin von der confessio informis*. In: FranzStud 45 (1963), pp. (1-40. 201-242) 235-237 [dort zu THOM. DE BAILL., *Qdl. II,15*].

[174] THOM. DE BAILL., *Qdl. I,8* Glorieux 47 (Verweis auf HENR. DE GAND., *Qdl. XIII,10*).

[175] So übernahm z. B. THOM. DE BAILL., *Qdl. I, 12* bezüglich der Willensverankerung der moralischen Tugenden die Meinung des HENR. DE GAND., *Qdl. IV,22*; cf. C. STROICK: *Heinrich von Friemar. Leben, Werke, philosophisch-theologische Stellung in der Scholastik* (FThS 68). Freiburg i.Br. 1954, p. 247 not. 72.

[176] THOM. DE BAILL., *Qdl. VI,3* Glorieux 446-454.

nach P. GLORIEUX, dem Editor der Texte, die einzigen, in lediglich zwei Handschriften erhaltenen Werke des THOMAS DE BALLIACO sein. Doch die Überlieferungslage gibt Anlaß zu berechtigten Zweifel an der Zuschreibung.

Cod. Vigorniensis, Cath. Bibl. F 58, fol. 230-338 (s. XV)		*Cod. Avenionensis., Bibl. munic. 1071,* fol. 1-72v (s. XIV pr. mediet.)	
Qdl. [Zählung nach GLORIEUX]:	Marginalglossen:	Qdl. [Zählung nach GLORIEUX]:	Marginalglossen:
I (qq. 1-16)	[fol. 230:] *Incipiunt magistri Thomae de Baliaco quodlibeta* [al. man., s. XV]	I (qq. 1-16)	[anon.]
II (qq. 1-18)	-	II (qq. 1-18)	[anon.]
III (qq.1-19)	[ad III,1:] *Quodlibeta alterius auctoris*	III (qq. 1-19)	[anon.]
IV (qq. 1-16)	[anon.]	IV (qq. 1-16)	[anon.]
V (qq. 1-15)	[anon.] [ad V,8:] *Hic nota opinionem H. de Gandavo et eius reprobationem, cf. etiam opinionem G. de Fontibus, quae non sufficit, ut videtur.*	V (qq. 1-4)	[anon.]
VI (qq. 1-8)	[anon.]	-	-

Der *Cod. 1071* von Avignon[177], geschrieben zu Beginn des 14. Jahrhunderts, enthält vier anonyme Quodlibets. Im *Cod. Worcester, Cath. Bibl. F 58,* fol. 230-338, sind sechs Quodlibets - das letzte in verstümmelter Form - enthalten, deren ersten beiden in der Handschrift THOMAS DE BAILLIACO als Verfasser zugewiesen wird[178]. Allein darauf stützend, sahen sich LANGLOIS und, ihm folgend, GLORIEUX berechtigt, die vier anonymen Avignoner Quodlibets dem THOMAS DE BAILLIACO zuzuschlagen. Dabei ist jedoch von beiden Gelehrten die von LANGLOIS[179] selbst gemachte Beobachtung außer acht gelassen worden, daß im *Cod. Worcester* der Kopist nach Ende des zweiten Quodlibets für die beiden folgenden ein *Quodlibeta alterius auctoris* vermerkt.[180]

[177] Eine detaillierte Beschreibung der Handschrift findet man in: GONSALV. HISP., *Quaestiones disputatae et de Quolibet*, ed. L. AMORÓS (BFS 9). Quaracchi 1935, pp. liii-lv; cf. ebenso die Edition von GLORIEUX, *op. cit.*, p. 15.

[178] Die Handschrift ist mitsamt den nachfolgend genannten Randnotizen beschrieben von J. HOFFMANS: *Etudes sur les manuscripts des Quodlibets.* In: GODEFR. DE FONT., *Quodlibets* (PhBelg XIV). Löwen 1937, pp. 155-157.

[179] Cf. LANGLOIS, *Thomas de Bailly.* 1921, p. 305.

[180] Als haltlos erweist sich dadurch auch die in der bisherigen Forschung seit LANGLOIS, *Thomas de Bailly.* 1921, p. 305, oft vertretene Meinung, daß vom sechsten und letzten Quodlibet des THOMAS DE BAILLIACO nur acht der angeblich 17 Quästionen überlie-

Clemens STROICK[181], dem diese Feststellungen zu verdanken sind, gelang es zudem, auch zwingende innere Gründe gegen THOMAS' Autorschaft aller sechs anonymen Avignoner Quodlibets zu benennen. Denn das dort überlieferte *Qdl. IV,1* ist der Handschrift *Padua, Bibl. Anton., Cod. 662* aus dem frühen 14. Jahrhundert unzweideutig HEINRICH VON FRIEMAR OESA (um 1245-1340), der dem Thomismus zuneigt, zugeschrieben. Hinzu treten auffällige Lehrdifferenzen der Quodlibets III-VI zu den ersten beiden Quodlibets, die dem an den weltgeistlichen Magistern Heinrich von Gent und GOTTFRIED VON FONTAINES orientierten THOMAS DE BAILLIACO sicher zuzuerkennen sind.[182] Hinsichtlich der Autorenschaft des *Quodlibet III* bedarf es noch weiterer Studien, da ein anonymer Kompilator eines 1316 verfaßten Sentenzenkommentars thomistischer Provenienz das *Qdl. III,1* des THOMAS DE BAILLIACO dem ungefähren Titel nach zitiert.[183] Sollte es sich um einen Zahlendreher des Kopisten oder gar Lesefehler des Transkribenten handeln und vielmehr das thematisch entsprechende *Qdl. I,3* gemeint sein, wäre auch dieser Einwand aufgehoben. Mit Sicherheit handelt es sich aber bei den *Qdl. IV-VI* um Teile einer Sammelhandschrift von unterschiedlichen Autoren aus dem ersten Dezennium des 14. Jahrhunderts. Von diesen Quästionen steht allein bei zweien der *terminus post quem* fest. So sind *Qdl. IV,12* aufgrund mehrerer Bezugnahmen auf Thesen zur Eucharistielehre des JOHANNES QUIDORT von Paris[184], sowie *Qdl. IV,14* wegen der Erwähnung der Konstitution *Inter cunctas sollicitudines* BENEDIKTS XI.[185] vom 17. Februar 1304 am Ende des akademischen Jahres 1304 gehalten worden.

Als eine erste Konsequenz der neu aufgeworfenen Autorenfrage ist THOMAS DE BALLIACO mit *Qdl. IV,14* eine zeitgeschichtlich bedeutsame Quästion über die seelsorgliche Bußgewalt abzusprechen. An ihr hat man bislang besonders deutlich ablesen wollen, daß auch THOMAS DE BALLIACO sich als ent-

fert seien. Sie gründet sich auf einer Notiz des CLAUDE DE GRANDEVUE, die sich auf eine offenkundig verloren gegangene Handschrift von Saint-Victor bezieht.

[181] Cf. STROICK, *Heinrich von Friemar.* 1954, pp. 112-116. 162sq. - Mit Verwunderung nimmt man zur Kenntnis, daß GLORIEUX 1960 ein Manuskript zum Druck gab, das dem Datum der Einleitung nach (loc. cit., p. 16) in der besagten Form bereits im Oktober 1946 (!) abgeschlossen war.

[182] Im Gegensatz zu dem thomistisch orientierten Verfasser von PS.-THOM. DE BAILL., *Qdl. IV,1* Glorieux 234-241, zeigt sich z. B. der Verfasser von PS.-THOM. DE BAILL., *Qdl. IV,6* Glorieux 260-267, eindeutig als Skotist; dazu STROICK, *Heinrich von Friemar.* 1954, p. 116. 271-276 (Textedition).

[183] Cf. ANON., *Lectura supra I Sententiarum.* MS Paris, Bibl. Nat. 14570, fol. (1-74) 4v: *De prima quaestione, utrum relatio comparata ad essentiam differat ab essentia et quomodo relatio est in divinis, require in prima questione tertii quolibet magistri Th. de Balliaco*; cit. ap. LANGLOIS, Thomas de Bailly. 1921, p. 304 not. 2.

[184] Cf. PS.-THOM. DE BAILL., *Qdl. IV,12* Glorieux 293-318.

[185] Cf. PS.-THOM. DE BAILL., *Qdl. IV,14* Glorieux 324-335, bes. 325. 334; cf. DH 880.

schiedener Vertreter der Weltkleriker betätigt hätte und daher in all die Querelen verwickelt gewesen wäre, die sich aus dem Streit der Weltgeistlichen und des Ortsbischofs mit den Mendikanten ergeben hatten[186]. Von daher ist nun zu prüfen, von welchem Autor der von GLORIEUX als angebliches *Qdl. VI,3* des THOMAS DE BALLIACO edierte Text tatsächlich stammt bzw. welcher theologischen Richtung er zugerechnet werden kann.

Thema ist die objekthafte Ersterkenntnis Gottes beim Menschen. Der Autor des *Qdl. VI,3* referiert in der einzigen Objektion der Quästion die Lehre Heinrichs von einer negativen und einer privativen Indetermination. Der Gegeneinwand hält die Ansicht fest, das objekthaft Ersterkannte sei für den Menschen das, was den menschlichen Intellekt zuerst verändert. Dies sei gemäß ARISTOTELES, *De an. III,4* aber die Quiddität einer materiellen Sache.

In der Responsion folgt nun eine außergewöhnlich ausführliche, sehr getreue und auch teilweise sehr wörtliche Wiedergabe der Gedankenganges, den Heinrich in *Summa 24,6-7* entwickelt hatte.[187] Zuerst wird Heinrichs Unterscheidung rationalen und naturalen Erkennens dargestellt, dann seine Lehre vom materialen und formalen Erkennen *ex alio* und schließlich Heinrichs Theorie eines analogen allerallgemeinsten Erkennens des Seinsbegriffs Gottes. Die Beweisabsicht Heinrichs kennzeichnet der Anonymus durch eine sehr prägnante Zusammenfassung: *Eorum intentio est, quod non formaliter, sed materialiter tantum ex creaturis cognoscitur quid est Deus, cognitione generalissima et quasi naturali; et illud, quod sic cognoscitur ex alio, bene potest esse primo notum; sed formaliter ex Deo vel ex cognitione Dei praedicta cognoscitur, quidquid veritatis cognoscitur in creaturis.*[188] Die henrizianische Theorie steht nach Ansicht des Anonymus auf drei Hauptstützen:[189] Der erste Pfeiler ist die Lehre von einer privativen Indetermination. Zweiter Pfeiler ist die Annahme, daß Gott Ursprung (*principium*) nicht nur *in esse naturae*, sondern auch *in esse cognitivo* sei.

[186] Zu PS.-THOM. DE BAILL., *Qdl. IV,14* cf. die frühere Edition von F. DELORME: *Richardi de Mediavilla Quaestio disputata de privilegio Martini Papae IV.* Quaracchi 1925, pp. 88-99, und zur Interpretation spec. HÖDL, *Johannes Quidort von Paris O.P. De confessionibus audiendis.* 1962, pp. 10-15. 16. 21sq. 31-35. 37; G. MICHIELS, [*Rec.*]. In: BThAM 10 (1966-69), nr. 642, p. 208. - Auch die folgend genannten Untersuchungen zu Texten eines PS.-THOM. DE BAILL. bedürfen einer entsprechenden Revision: KÖHLER, *Begriff der Einheit und ihr ontologisches Prinzip.* 1971, p. 166sq. [zu PS.-THOM. DE BAILL., *Qdl. IV,4*; KÖHLER stellte eine starke Anlehnung an THOMAS VON AQUIN und PETRUS VON AUVERGNE fest!]; ROSSMANN, *Hierarchie der Welt.* 1972, pp. 12. 15. 24. 32; KÖHLER, *Wissenschaft und Evidenz.* 1974, pp. 378. 381 [zu PS.-THOM. DE BAILL., *Qdl. IV,7*: Formalobjekt einer Wissenschaft; deren *primum et per se obiectum*]. 383 [zu PS.-THOM. DE BAILL., *Qdl. III,5*: *primum et per se obiectum potentiae cognoscitivae*]; Ch. ZUCKERMAN: *Some Texts of Bernard of Auvergne on Papal Power.* In: RThAM 49 (1982), pp. (174-204) 184. 188 [zu PS.-THOM. DE BAILL., *Qdl. V,13*: sakramentale Macht des Weihecharakters und Schlüsselgewalt in der Auslegung von *Joh 20,22-23*].

[187] Cf. PS.-THOM. DE BAILL., *Qdl. VI,3* Glorieux 446-448.

[188] PS.-THOM. DE BAILL., *Qdl. VI,3* Glorieux 447.

[189] Cf. PS.-THOM. DE BAILL., *Qdl. VI,3* Glorieux 446sq.

Bei letzterem ist er Ursprung hinsichtlich des allgemeinen Erkennens und Ziel hinsichtlich der unverstellten himmlischen Schau. Die dritte Stütze ist das Axiom, daß an Gott etwas nur vollkommen erkannt werden kann, wenn Gott selbst vollkommen erkannt ist. Für den viatorischen Intellekt heißt dies immerhin, daß seiner Unvollkommenheit im Erkennen durch eine vorgängige Erkenntnis allerallgemeinsten Grades aufgeholfen wird.

Sed non videtur mihi dicta positio bene intelligibilis,[190] hält der Anonymus entgegen. Der erste Kritikpunkt ist, daß nach Ansicht des Anonymus zum Beweis der Existenz Gottes das Sein der Kreaturen zuerst erkannt sei. Am henrizianischen Verständnis der analogen Erkenntnis wird bemängelt,[191] daß sie eben nicht leiste, was sie behauptet, nämlich aus einem gemeinsamen Begriff von Schöpfer und Geschöpf den Begriff des göttlichen Seins faßbar zu machen. Zur Determination benötigt man ein Gegenüber, das es aber für den Begriff des göttlichen Seins nicht gibt. Auch der henrizianische Begriff der Indetermination Gottes verfällt der Kritik,[192] weil die beiden Begriffe negativer und privativer Indetermination nicht benachbart, sondern einander völlig verschieden sind. Denn die privative Indetermination besagt die Indetermination einer Konfusion der Allgemeinheit und Universalität, unter der mehrere Einzeldinge umfaßt sind. Gottes Indetermination ist von gänzlich anderer Art, da er eine einfachste, unbegrenzte und unendliche Aktualität ist, die in ihrer Singularität indeterminabel ist. Nach Einschätzung des Anonymus widerspreche Heinrich mit dieser Argumentation sogar eher seiner eigenen These, als daß er sie stütze. Der Anonymus verwirft auch Heinrichs Ansicht, aus einer *species intelligibilis,* die der Intellekt aus einem Phantasma abstrahiert habe, werde zuerst naturhaft Gott in deren Substanz erkannt.[193] Vielmehr gibt die *species intelligibilis* das zu erkennen, was ihr proportionierter ist, und das ist nichts anderes als die Quiddität einer sinnenfälligen Sache.

Wie spätestens der letzte Punkt anzeigt, hat man einen Autor vor sich, der klar thomistischen Positionen folgte und sie unmißverständlich als Differenzpunkte benannte. Gemessen an Kenntnis und Verständnis der henrizianischen Texte, an Inhaltsfülle und Textumfang der Argumentation tritt hier, soweit bekannt, die nach DUNS SCOTUS wohl umfangreichste und präziseste Auseinandersetzung mit Heinrichs *Primum cognitum*-Theorie vor die Augen. Doch anders als bei SCOTUS ist ihr Tonfall ungleich versöhnlicher. Die noble Art, die Lehre Heinrich zu referieren, spiegelt sich in der Schlußbemerkung der Quästion.[194] Heinrichs Lehre, eine Gotteserkenntnis durch ein allgemei-

[190] PS.-THOM. DE BAILL., *Qdl. VI,3* Glorieux 448.

[191] Cf. PS.-THOM. DE BAILL., *Qdl. VI,3* Glorieux 448sq.

[192] Cf. PS.-THOM. DE BAILL., *Qdl. VI,3* Glorieux 449.

[193] Cf. PS.-THOM. DE BAILL., *Qdl. VI,3* Glorieux 449.

[194] Cf. PS.-THOM. DE BAILL., *Qdl. VI,3* Glorieux 454: *Ad istud etiam, quod in declaratione positionis inducebatur, quod cognitio Dei saltem sub generali attributo est nobis naturaliter impressa, dicendum quod pro tanto habet veritatem, quia ipsum lumen intellectus nostri naturale nihil aliud est quam quaedam impressio primae veritatis. In quo lumine intellectus nostri et in*

nes Gottesattribut sei dem Menschen naturhaft eingeprägt, bekommt vom Anonymus soweit recht, als daß diese Theorie auch das sagt, was in der thomistischen Lehre vom natürlichen Licht der Vernunft, aufgefaßt als eine gewisse Einprägung der ersten Wahrheit, ausgesagt ist. Letztlich sei von beiden Position zur Geltung gebracht, was in der traditionellen Lehre von einer eingepflanzten Gotteserkenntnis bewahrt ist.

Insgesamt waren aber für die Schule des Aquinaten die Wege der Heinrich-Rezeption gewiesen. So läßt HERVAEUS NATALIS OP[195] in seiner antihenrizianischen Streitschrift *De quattuor materiis* bei seiner Erörterung des Ersterkannten Heinrichs theologischen Lösungsvorschlag völlig aus und konzentrierte sich ganz auf die Präsentation der thomistischen Lösung. Der Oxforder Thomist NICOLAUS TRIVET OP (um 1258 - wohl nach 1334)[196] ging in seinem vermutlich 1315 gehaltenen *Qdl. XII,1,* das bislang noch nicht aufgefunden, aber in der enzyklopädisch gearbeiteten *Catena aurea* seines Ordensbruders HEINRICH VON HERFORD exzerptweise überliefert ist, auf die Frage ein, warum etwas Erkenntnisgrund sein könne, was nicht das Ersterkannte ist. Er bejahte dies bezüglich des Allgemeinen, das so gewußt wird wie die Prinzipien als die Erkenntnisgründe der Konklusionen, verneinte es aber bezüglich des Erkenntnisgrundes des menschlichen Erkenntnisvermögens, das nach thomistischer Lehre eben die *species* ist. Die *species* aber wird erst in einer reflexiven und diskursiven Erkenntnis erfaßt, wodurch sie keinesfalls das Ersterkannte als das an sich erste Objekt des menschlichen Intellekts gelten darf. Mit diesen enttheologisierten Theoremen zog TRIVET treu in den Bahnen, die durch die Texte des Aquinaten und der Früthomisten vorgegeben waren.

Einen angesehenen Verteidiger der thomistischen Lehre vom Ersterkannten besaß man zur selben Zeit auch in JOHANNES VON NEAPEL OP, der in mehreren Quästionen seiner Quodlibets sich entsprechenden Themen zuwand-

principiis in isto lumine naturaliter inditis, ipsum Deum cognoscimus vel naturali cognitione ad ipsum deveniemus. Et ideo eius cognitio dicitur nobis naturaliter inserta, quia naturaliter est nobis inditum vel a Deo impressum, unde ipsum cognoscere possumus.

[195] HERV. NATALIS, *De quattuor materiis: Determinatio de intellectu et specie,* ed. Stella 163sq., spec. 164,5-6.

[196] Cf. NICOL. TRIVET, *Qdl. XII,1: Cur aliquid potest esse ratio cognoscendi, quod non est primo cognitum?* Das recht ausführliche Exzerpt ist vollständig ediert von F. EHRLE: *Nikolaus Trivet, sein Leben, seine Quolibet und Quaestiones ordinariae.* In: Abhandlungen zur Geschichte der Philosophie des Mittelalters. Festgabe C. BAEUMKER zum 70. Geb. (16. September 1923) (BGPhMA, Suppl. 2). Münster i.W. 1923, p. (1-63) 20 not. 3. Obendrein scheint NICOL. TRIVET, *Qdl. XI,4: utrum cognoscamus omnem veritatem in veritate prima,* auf eine bereits von ALANUS GONTERUS aufgeworfene Frage kritisch eingegangen zu sein; cf. GLORIEUX, *Lit. quodl. I.* 1925, pp. 246-254; H. HAUKE: *Die Lehre von der beseligenden Schau nach Nikolaus Trivet.* Diss. theol. München 1967; SCHENK, *Gnade vollendeter Endlichkeit.* 1989, pp. 555-568 zur Rezeption der thomanischen Erkenntnislehre endlicher Spontaneität. - Cf. LThK² VII (1962), col. 999sq. (D. A. CALLUS).

te.[197] Erinnert sei allerdings auch an die schon ab 1307/08 innerdominikanisch geäußerte Kritik an der thomanischen *Primum cognitum*-Lehre durch DURANDUS A S. PORCIANO.[198]

γ) Die Karmelitenschule zwischen schroffer Ablehnung und innovativer Überbietung

Vertreter der Karmelitenschule traten durch markante Stellungnahmen zu Heinrichs Theorie des Ersterkannten hervor. GERHARD VON BOLOGNA, auf weiter Strecke Heinrich von Gent zum Teil bis auf den Wortlaut folgte, äußerte sich außerordentlich kritisch. In seiner 1315/16 verfaßten *Summa theologiae, q. 14, a. 4* lehnt GERHARD sie mit schroffen Worten ab: *hoc non est nisi quoddam involucrum sine ratione inventum*, oder nicht weniger abweisend: *positio vix est intelligibilis, sed plane videtur esse figmentum.*[199]

In seinem 1315 in Paris gehaltenen, in drei Artikel gegliederten *Qdl. III,7* behandelte der Karmelit GUIDO TERRENA VON PERPIGNAN († 1342)[200], ein Schü-

[197] Cf. IOA. DE NEAPOL., *Qdl. III,3* [a. 1312-15]: *Utrum Deus sit per se notum*; ID., *Qdl. IV,3* [a. 1312-15]: *Utrum primum cognitum ab intellectu naturaliter pro statu viae sit substantia vel accidens* (cf. schon HERV. NAT., *Qdl. III,12* ed. Venedig 1513, fol. 84va-86rb); ID., *Qdl. VIII,18* [a. 1317-24]: *Utrum Deus sit obiectum adaequatum intellectus nostri.* Die dreizehn Quodlibets des JOHANNES VON NEAPEL sind überliefert von Tortosa, Bibl. capit. 244 und unvollständig, d. h. ab *Qdl. II,8* in Neapolit., Bibl. Naz., VII. B. 28, fol. 33a-174c; cf. GLORIEUX, *Lit. quodl., II.* 1935, fol. 159-173. Alle hier angeführten Quästionen sind noch unediert. - Sehr viele mit Heinrichs *Primum cognitum*-Lehre in Berührung stehende Themen behandelte das zwischen 1320-23 gehaltenen Quodlibet des RAIMUNDUS BEQUIN OP († 1328): *Qdl., q. 1: Utrum essentia divina cognoscatur a viatore naturaliter secundum eius propriam et distinctam rationem*; ID., *Qdl., q. 7: Utrum de ente in communi possit formari unus conceptus*; ID., *Qdl., q. 9: Utrum cognitio confusa praecedat determinatam*; cf. GLORIEUX, *Lit. quodl., II.* 1935, p. 238.

[198] Eine innerdominikanische Kritik widerfuhr der thomanischen Theorie vom Ersterkannten durch DURANDUS DE S. PORCIANO OP in dessen dreifach, definitiv zwischen 1317/25 redigiertem Sentenzenkommentar; cf. DURAND., *In II Sent., dist. 3,7* [recensio tertia et definitiva: 1317/25] ed. Venedig 1517, tom. I, fol. 140b-141a: *Utrum angelus cognoscat singulare.* Der theologische Hintergrund der thomanischen Texte tritt völlig zurück. Alles beherrscht die Perspektive des DURANDUS, seine These vom *singulare* als dem Ersterkannten zu explizieren. Für Lit. cf. Kap. IV, § 1,1a, not. 43.

[199] GERARD. DE BONON., *S. theol., q. 14, a. 4* [Cod. Vat. Borghes. 27, fol. 59va-60ra], cit. ap. St. F. BROWN, *Avicenna and the Unity of the Concept of Being.* 1965, p. 133. - Cf. auch GERARD. DE BONON., *Qdl. III,8* [a. 1296]: *Utrum aliquid possit esse ratio cognoscendi, quod non sit primo cognitum*, das überliefert ist von *Paris., Bibl. Nat. lat. 17485*, fol. 85-188B; cf. GLORIEUX, *Lit. quodl., I.* 1925, p. 131; J. K. MCGOWAN: *The Essence and Existence of God in Gerard of Bologna's Summa theologiae. With a Critical Edition of Questions 13 and 14.* Diss. phil. Löwen 1967; ID.: *The Essence and Existence of God in Gerard of Bologna's Summa theologiae.* In: Carmelus 14 (1967), pp. (197-241) 197. 212. 214. 224, zum *Primum cognitum*-Problem spec. pp. 220. 234-239.

[200] GUIDO TERRENA VON PERPIGNAN glänzte von ca. 1313 bis 1317/18 als Lehrer an der Sorbonne. Nach seiner Wahl 1318 zum Ordensgeneral wurde er 1321 Bischof von Mallorca, dann 1322 Bischof von Elna (Perpignan). - Zur zeitgeschichtlichen Bedeutung,

ler des GOTTFRIED VON FONTAINES, den Fragekomplex, *utrum ad actualem cognitionem creaturae requiratur actualis cognitio Dei.*[201] Bevor er im zweiten Artikel den diskursiven Charakter der Gotteserkenntnis - aposteriorisch aus der empirischen Welt und apriorisch aus den Transzendentalien - herausstellte und im dritten Artikel Heinrichs Illuminationslehre attackierte, verhandelte GUIDO eingangs die Frage, *utrum Deus in cognitione creaturae requiratur ut obiectum primo cognitum.* Unmißverständlich wurde die henrizianische Lösung zurückgewiesen: Der erste Begriff, in den sich alle viatorische Erkenntnis letzlich rückführen läßt, ist der von ihm thomistisch aufgefaßte Begriff des Seienden (*ens*). Die klar gewählte Position GUIDOS verrät aufs neue die immer härter werdenden Fronten im thomistischen Lager gegenüber der henrizianischen Lehre.

Ein in der bisherigen Forschung offenbar unbeachteter Vertreter einer Lehre von Gott als dem Ersterkannten des menschlichen Intellekts ist JOHANNES BACONTHORPE OCarm. Der zunächst in Oxford, dann 1322/23 auch in Paris lehrende Karmelit diskutierte in seinem vor 1318 in Oxford gelesenen, aber später in zweifacher Redaktion veröffentlichten Sentenzenkommentar das Problem des Ersterkannten in einer Ausführlichkeit, wie es sie seit DUNS SCOTUS und PETRUS AUREOLI nicht mehr gegeben hatte. Doch nicht nur der Umfang seiner obendrein in fünf Artikel unterteilten Quästion überrascht. Denn der Titel: *Utrum primum obiectum cognitionis naturalis intellectus nostri sit Deus*[202], wahrt unmißverständlich die theologische Fragerichtung. Der *Doctor resolutus* begann mit der Darstellung von fünf unterschiedlichen Bestimmungen des Ersterkannten des natürlichen Intellekts. Die erste Meinung hält die durch den tätigen Intellekt erkannte Quiddität eines materiellen Dinges (*quidditas rei materialis*) für das Ersterkannte. Die zweite Position vertritt die Auffassung, das alle Differenzen übersteigende allerallgemeinste Seiende (*ens communissimum*) sei das quidditativ Ersterkannte, mag es auch erst konfus erkannt sein. Die dritte Meinung hält das das Seiende erkenntnismäßig determinierende Wahre (*verum*), die vierte, explizit als skotisch deklarierte Meinung wiederum das Seiende (*ens*) für das Ersterkannte. Fünftens schließlich wird behauptet, das Ersterkannte sei die Unterscheidung von Seiendem und Nichtseiendem, die allgemeiner und dem Intellekt früher

insbes. in den Streitigkeiten um das Kommen des Antichrist, cf. nun die grundlegende Studie von GERWING, *Vom Ende der Zeit.* 1995, pp. 499-539.

[201] Cf. die Teiledition bei GRABMANN, *Der göttliche Grund menschlicher Wahrheitserkenntnis.* 1924, pp. 79-82, nach *Cod. Vat. Borgh. 39*, fol. 143v-146v.

[202] Cf. IOA. BACONTHORPE, *In I Sent., dist. 3, q. 1* ed. Cremona 1618, tom. I, pp. 83aC-98bD. - Nach STEGMÜLLER, *RS I*, nr. 402, p. 191sq., ist zwar die erste Redaktion der Bücher I-III in *London, Brit. Mus., Royal 11 C 6* erhalten, aber allein die zweite Redaktion den späteren Drucken zugrundegelegt worden. - Bereits BACONTHORPES ebenfalls in Oxford tätiger Lehrer, ROBERT WALSINGHAM OCarm, erörterte 1312/13 in seinem *Quodlibet I,6* die Quästion, *utrum essentia divina indistincta re et ratione sit sufficiens ratio distincta cognoscendi omnia.* Der Text ist überliefert in *Worchester, Cathedral Library, F.* 3, fol. 226r-v; cf. GLORIEUX, *Lit. quodl., II.* 1935, p. 262.

vorstellbar sei als das transzendente Seiende (*aliquid communius et prius obiicibile intellectui ente transcendente*).[203] BACONTHORPE schloß sich ausdrücklich der skotischen Position an. Aber er nahm in zahlreichen Einzelschritten merkliche Abwandlungen vor, um sein eigenes Verständnis von Gott als dem Ersterkannten darin einzupassen. Das Hauptproblem lag für BACONTHORPE in der erkenntnistheoretischen Prämisse, daß der Mensch stets durch sensual vermittelte Phantasmata erkennt, die der endlichen, geschaffenen Weltwirklichkeit entstammen. Den Ausweg suchte er in der Theorie einer imperzeptiblen Erkenntnis Gottes, in der Gott als das erste und erhabenste Erkannte gilt, insofern er bezüglich des Erkenntnisobjekts jede Erkenntnis erst hervorbringt. Wie beim Erkennen des Teiles eines Ganzen das Ganze unmerklich miterkannt ist, so ist im Erkennen eines geschaffenen Seienden Gott miterkannt, und sei es auch nur unitiv, konfus und analog.[204] Die hinsichtlich Terminologie und Argumentationsgestaltung durch große Eigenständigkeit ausgezeichnete Theorie BACONTHORPES zeugt von der durchschlagenden Kraft der Heinrich-Kritik bei DUNS SCOTUS. Heinrich von Gent war selbst für jemandem wie BACONTHORPE, der eine ähnlich stark theologisierte Lehre vom Ersterkannten vortragen wollte, keine akzeptable Referenzgröße mehr, so daß Heinrichs Position beim doxographischen Bericht BACONTHORPES über diskutable *Primum cognitum*-Theorien lautlos übergangen war. Ein unmittelbarer Rückgang auf Heinrich schien in den damaligen akademischen Diskussionen offensichtlich nicht mehr statthaft zu sein. BACONTHORPE ging vielmehr für die Grundlegung seiner eigenen Lehre, die zu wesentlichen skotischen Ar-

[203] Cf. IOA. BACONTHORPE, *In I Sent., dist. 3, q. 1, a. 1, § 1* ed. Cremona 1618, tom. I, pp. 83bA-85aE.

[204] Cf. IOA. BACONTHORPE, *In I Sent., dist. 3, q. 1, a. 3, § 1* ed. Cremona 1618, tom. I, pp. 93aB-94bE, spec. p. 93aB-D: *Tertius articulus, de quo formatur principalis quaestio cum suis articulis sequentibus, scilicet quid sit primum cognitum simpliciter primitate generationis. Ubi dicitur, quod aliquid cognosci primo vel esse primum cognitum primitate generationis est dupliciter, vel perceptibiliter vel imperceptibiliter. Perceptibiliter, ut cum cognosco hominem et percipio me cognoscere. Imperceptibiliter, quando cognosco, sed non percipio, sicut quando video aliquid, sed non adverto ad illud, sed ad aliud, ut ponit Augustinus exemplum secundo De trinitate cap. 7* [cf. AUG., *De trin. II,7,13* CCL 50, pp. 97,17-98,37]. *Dicitur enim tunc, quod imperceptibiliter cognoscitur iste terminus singularis. Deus est primum et notissimum cognitum, quia primo generat notitiam in nobis, quantum est ex parte obiecti, ita quod ex phantasmate creaturae primo generatur in nobis cognitio Dei quam ipsius creaturae, licet hoc non percipiamus. Tunc ostenduntur hic quattuor: Primum est, quod cognoscens aliquid totum, simul cognoscit omnes eius partes. Secundo, quod simul et actualiter cognoscit omnes eius partes. Tertio, quod cognoscens aliquam eius creaturam, simul et actualiter habet aliquem conceptum de Deo, soli Deo proprium. Quarto propositum, quod si comparentur adinvicem, scilicet Deus et creatura, quod non obstante ista simultate etiam primum cognitum et notissimum ex phantasmate creaturae est Deus ex parte obiecti, licet imperceptibiliter.* - Zur Bedeutung der Imperzeptibilität im Rahmen der henrizianischen Theorie cf. die Ausführungen zu HENR. DE GAND., *Summa 59,2* (Kap. III, § 2,2). Eine naturale Gotteserkenntnis *ex quodam imperceptibili syllogismo* lehrte bereits PETR. AUREOLI, *Scriptum in I Sent., dist. 2, sect. 10, nr. 137* Buytaert 562.

gumentationszielen in großer Spannung stand, substantiell von den Ergebnissen skotischer Erkenntniskritik aus.

δ) Die Totalverwerfung der *Primum cognitum*-Theorie Heinrichs im Nominalismus

Eine weitere folgenreiche Etappe der Heinrich-Kritik begann mit WILHELM VON OCKHAM OMin. Der *Venerabilis inceptor* stellte in seinem 1317-19 in Oxford niedergeschriebenen Sentenzenkommentar seinen Ausführungen über die Gotteserkenntnis, durch die sich die *Primum cognitum*-Thematik wie ein roter Faden zieht, eine intensive Auseinandersetzung mit Heinrichs Theorie voran. Heinrich war exklusiver Kontrahent, wenn OCKHAM die Frage erörterte, ob die göttliche Wesenheit das Ersterkannte des menschlichen Intellekts sei.[205] Heinrichs Ausführungen in *Summa 24,6-9* wurden durch ausführliche Zitierungen zugrundegelegt. Für OCKHAM war Gott weder *primitate generationis*, noch *primitate adaequationis*, sondern einzig *primitate perfectionis* das Ersterkannte des menschlichen Intellekts.[206] Ins Zentrum der henrizianischen Argumentation stach vor allem die ockhamistische Lehre vom Singulären[207] als dem adäquaten, real unvermittelten Erkenntnisgegenstand des Menschen. Denn damit fiel für OCKHAM auch die henrizianische Prämisse, daß das menschliche Erkennen von indeterminierten Allgemeinen zum determinierten Bestimmten voranschreite.[208] Auf dem Gebiet der natürlichen Gotteserkenntnis stehen sich daher die Ansichten Heinrichs und OCKHAMS über eine naturale, präreflexive Gotteserkenntnis in einem indeterminierten Allgemeinen diametral gegenüber.

Soweit sich die Textzeugnisse überblicken lassen, wich auch keiner der *Nominales* von der durch OCKHAM vorgebenen kritischen Linie ab. Die starke Abhängigkeit von der ockhamistischen Tradition z. B. bei GABRIEL BIEL schlug sich auch darin nieder, daß BIEL den Bezug der ockhamistischen Argumentation auf die henrizianische Lehre nicht unterschlug und Heinrich auch namentlich anführte.[209] Damit kam er den geänderten Gepflogenheiten in der

[205] GUILL. DE OCKHAM, *In I Sent., dist. 3, q. 1* OTh II, pp. 380-393: *Utrum primum cognitum ab intellectu nostro sit divina essentia.* Die Präsenz Heinrichs in Ockhams Auseinandersetzungen mit erkenntnistheoretischen Ansichten bezüglich der Gotteserkenntnis dokumentiert gut der *Index auctorum* in OTh II, p. 574. - Zur ockhamistischen Heinrich-Kritik cf. PAULUS, *Essai.* 1938, p. 65 not. 1; SCHÖNBERGER, *Transformation.* 1986, p. 113 not. 13; M. DAMIATA: *I problemi di G. d'Ockham, II: Dio.* In: Studi Francescani 94 (1997), pp. (5-312) 28-30.

[206] Cf. GUILL. DE OCKHAM, *In I Sent., dist. 3, q. 1, resp.* OTh II, pp. 388-390.

[207] Cf. GUILL. DE OCKHAM, *Qdl. I,13* OTh IX, pp. 72-78: *Utrum primum cognitum ab intellectu primitate generationis sit singulare*, sachlich entsprechend ist ID., *In I Sent., dist. 3, q. 6* OTh II, pp. 483-521.

[208] Cf. GUILL. DE OCKHAM, *In I Sent., dist. 3, q. 1* OTh II, p. 390sq.

[209] Cf. G. BIEL, *Collectorium circa I Sent., dist. 3, q. 1* Werbeck/Hofmann I, p. 205A1-206A12: *Circa istam* [sc. *tertiam*] *distinctionem, in qua tractatur de cognitione divinae unitatis et Trini-*

scholastischen Literatur nach, den Urheber einer Lehre namentlich zu identifizieren und nicht mehr hinter einem *aliqui dicunt* verschwinden zu lassen. Eine inhaltliche Auseinandersetzung mit Heinrichs Doktrin sucht man bei BIEL allerdings vergebens. Ja, selbst die Fragestellung Heinrichs, als *multum obscura quaestio*[210] gebrandmarkt, scheint bei nominalistischen Theologen obsolet geworden zu sein. Ähnliches gilt auch für einen Spätausläufer thomistisch-skotistischer Schulstreitigkeiten, nämlich für die schon eingangs dieser Untersuchung angeführte, philosophisch ausgefochtene Kontroverse zwischen Antonio TROMBETTA OMin und Thomas de Vio CAIETAN OP.[211]

Wie die ausgewählten Zeugnisse der mittelalterlichen Wirkungsgeschichte haben zeigen sollen, hat die *Primum cognitum*-Thematik seit Heinrich von Gent eine neue Dominanz und Verbreitung gefunden. Doch die theologische Aufladung der Fragestellung beim *Doctor solemnis*, die kaum einer der späteren Theologen unbeanstandet ließ, provozierte die thomistischen, skotischen und nominalistischen Fundamentalkritiken, als deren Folge die Kenntnis der henrizianischen Lehre in ihrer originären Gestalt immer stärker abblaßte. Am Ausgang des Mittelalters spielte die *Primum cognitum*-Theorie Heinrichs faktisch keine Rolle mehr. Man sprach von ihr soviel „wie von einem toten Hunde".[212]

2. Renaissancephilosophische Adaptionsversuche durch Platonisierung Heinrichs

Erneute, nochmals gesteigerte Wertschätzung ist Heinrich im Renaissanceplatonismus entgegengebracht worden. Von NICOLAUS CUSANUS (1401 - 1464) ist zu berichten, daß zu den Schriften, die er 1458 der Bibliothek seines von ihm gestifteten Hospitals in Kues testamentarisch vermacht hatte, eine aus dem

tatis ex ipsis creaturis, quaeritur primo: 'Utrum primum cognitum ab intellectu nostro sit divina essentia'. Recitata et impugnata opinione Henrici Gandavensis, propter cuius dicta multum obscura quaestio haec movetur, licet eius intellectus sufficienter ex sequentibus dependeat quaestionibus, praemissis paucis notabilibus, Doctor [i.e. OCKHAM] *respondet ad quaesitum. Et licet multa hic dici possint de notitiae et cognitionis quidditate, quia tamen de hoc Doctor hic nihil loquitur, sed ceteri, puta dominus Cameracensis* [i.e. PETR. DE ALLIACO, *In I Sent.*] *q. 3 art. 1 et Gregorius* [i.e. GREG. ARIM., *In I Sent., dist. 3, q. 3, a. 1 et 4*] *distinctione praesenti late haec tetigerunt, remitto ad eorum dicta, suppositis his quae prius fuere tacta in Prologo q. 1 et 2. Itaque quaestio haec duobus terminabitur articulis brevissimis.*

[210] Cf. G. BIEL, *Collect. circa I Sent., dist. 3, q. 1* Werbeck/Hofmann I, p. 205A4-5; cf. ID., *Collect. circa I Sent., dist. 3, q. 1, a. 2* Werbeck/Hofmann I, p. 208A7-8: *Unde impugnata opinione Doctoris solemnis* [sc.: *utrum essentia divina sit a nobis cognoscibilis*] *aeque obscura sicut eiusdem in quaestione praecedenti, respondendo ...*

[211] Cf. Einleitung, § 1 (pp. 1-5).

[212] G. E. LESSING soll diesen kräftige Ausdruck benutzt haben, um das Rezeptionsschicksal des seinerzeit inkriminierten SPINOZA zu kennzeichnen; cf. [G. E. LESSING:], *F. H. Jacobi über seine Gespräche mit Lessing* [a. 1780]. In: G. E. LESSING: Sämtliche Werke. Hg. v. H. G. GÖPFERT. München 1979, tom. VIII, p. (563-575) 569.

ausgehenden 13. oder beginnenden 14. Jahrhunderts stammende Handschrift mit Heinrichs *Qdl. I-XIII,11* zählte. Sie ist sogar mit Autographen des Cusaners versehen.[213] Obwohl beiden Autoren eine ausgeprägte Neigung zur neuplatonischen Tradition eigen ist, auch bei Heinrich Termini wie *coincidere* oder *docta ignorantia* geläufig sind,[214] lassen sich im cusanischen Werk bis jetzt nur in den *Sermones* direkte Bezugnahmen auf henrizianische Theoreme nachweisen.[215] Kam der Kusaner vielleicht durch seine Bekanntschaft mit DIONYSIUS CARTHUSIANUS zu dieser Heinrich-Handschrift?[216]

Der Humanismus auf italienischem Boden bot ein lebendiges, aber nicht ganz einheitliches Bild der Heinrich-Rezeption. GIOVANNI PICO DELLA MIRAN-

[213] Der *Codex Cusanus, Hospital, ms. 92* ist detailliert beschrieben von MACKEN, *Bibl. manusc.* 1979, vol. I, pp. 337-342. - Zu NICOLAUS CUSANUS allg. cf. TRE XXIV (1994), pp. 554-564 (H. G. SENGER).

[214] Cf. für den Terminus *coincidere* z. B. HENR. DE GAND., *Qdl. II,2* Wielockx 18, 41. 48. 60; 19,70; ID., *Qdl. II,3* Wielockx 21,8; 26,30-31; ID., *Summa 35,3* Wilson 29,16-25 (Koinzidenz aller Vollkomenheitsattribute mit der göttlichen Wesenheit; ähnlich schon SUMMA FR. ALEX., *Lib. I, nr. 88, resp.* ed. Quar. I, p. 140a). Die historische Bedeutung Heinrichs für die Entwicklung des genuin cusanischen Koinzidenzbegriffs ist freilich sehr marginal, wie S. MEIER-OESER: *Von der Koinzidenz zur coincidentia oppositorum. Zum philosophiehistorischen Hintergrund des Cusanischen Koinzidenzgedankens.* In: O. PLUTA (Hg.): Philosophie im 14. und 15. Jahrhundert. In memoriam K. MICHALSKY (1879-1947) (BSPh 10). Amsterdam 1988, p. (321-342) 334sq., zeigen kann. Für den Ausdruck *docta ignorantia* bei HENR. DE GAND., *Summa 24,4* Badius 140rC, wo Heinrich AUGUSTINUS zitiert, cf. zur Stelle Kap. II, § 5,4.

[215] Cf. R. HAUBST: *Die Christologie des Nikolaus von Kues.* Freiburg i.Br. 1956, p. 17 (Verweise auf HENR. DE GAND., *Qdl.*-Zitate in den Sermones des Cusaners, spec. NICOL. CUS., *Serm. 232* [*Cod. Vat. lat. 1245,* fol. 158ra, 158va]; *Serm. 274* [*Cod. Vat. lat. 1245,* fol. 57ra]. - Zumindest wird Heinrich von einigen Cusanus-Studien beachtet, z. B. bei M. de GANDILLAC: *Nikolaus von Cues. Studien zu seiner Philosophie und philosophischen Weltanschauung.* Düsseldorf 1953, pp. 56. 407; MEIER-OESER: *Von der Koinzidenz zur coincidentia oppositorum.* 1988, p. 334sq. Eine Verbindung scheint über BONAVENTURA gegeben zu sein, da dessen *Itinerarium mentis in Deum* neben der Schrift *De theologia mystica* des J. GERSON zu den ersten Büchern im Privatbesitz des jungen Cusaners gehörte. Die Bedeutung der bonaventurianischen Lehre von Gott als *esse quod primo cadit in intellectu* (BONAV., *Itin. V,3* ed. Quar. V, p. 308b; cf. Kap. III, § 2) für die cusanische Lehre von einer *quaedam cognata notitia sapientiae* und *connaturata praegustatio* bleibt unerörtert bei F. N. CAMINITI: *Nikolaus von Kues und Bonaventura.* In: MFCG 4 (1964), pp. 129-144. Für NICOLAUS CUSANUS cf. K. KREMER: *Erkennen bei Nikolaus von Kues. Apriorismus - Assimilation - Abstraktion.* In: MFCG 13 (1978), pp. 23-57; ID., *Weisheit als Voraussetzung und Erfüllung der Sehnsucht des menschlichen Geistes.* In: MFCG 20 (1992), pp. 105-141; ID., *Nicolaus Cusanus: 'Jede Frage über Gott setzt das Gefragte voraus' (Omnis quaestio de deo praesupponit quaesitum).* In: G. PIAIA (ed.): Concordia Discors. Studi su Niccolò Cusano e l'umanesimo europeo offerti a G. SANTINELLO (Medioevo e Umanesimo 84). Padua 1993, pp. 145-180.

[216] Cf. E. MEUTHEN: *Nikolaus von Kues und Dionysius der Kartäuser.* In: L. HAGEMANN/R. GLEI (Hg.): Hen kai plethos. Einheit und Vielheit. Fschr. für K. BORMANN zum 65. Geb. Würzburg/Altenberge 1993, pp. 100-120, der zwar einen regen Briefwechsel wahrscheinlich machen kann, aber nach kritischer Sichtung der Quellen über persönliche Kontakte beider Kirchenmänner diesbezüglich zu großer Zurückhaltung rät.

DOLA (1463 - 1494) nannte Heinrich an zahlreichen Stellen seiner früheren Werke. In den 1486, ein Jahr nach seinem Paris-Aufenthalt, aufgestellten *Conclusiones sive theses DCCCC*, die den Erweis einer grundsätzlichen, im Christentum faßbaren Übereinstimmung aller Religionen und Philosophien beabsichtigten, griff er dreizehn Thesen aus den Schriften Heinrichs auf.[217] In der wenig später entstandenen *Apologia* explizierte GIOVANNI PICO mit Rücksicht auf dreizehn kirchlicherseits als häretisch oder bedenklich verurteilte Thesen sein näheres Verständnis diverser henrizianischer Lehrpunkte, darunter auch eingehend Heinrichs *Abditum mentis*-Lehre.[218] GIOVANNI PICOS Referat der Melancholie-Lehre Heinrichs in seiner *Apologia* soll nach ikonologischen Forschungen ALBRECHT DÜRER (1471 - 1528) bei der Gestaltung seines berühmten Kupferstiches *'Melencolia, I'* beeinflußt haben.[219] Die für spätere Zeiten berühmteste Erwähnung in den Schriften des GIOVANNI PICO erfährt

[217] Cf. IOA. PICUS MIRAND., *Conclusiones sive theses DCCCC*. Op. omn. I, p. 66sq., zitiert nach: ID., Conclusiones sive Theses DCCCC, ed. KIESZLOWSKI. 1973, p. 32sq.: *Secundum Henricum Gandavensem XIII: 1. Datur lumen superius lumine fidei, in quo theologi vident veritates theologicae scientiae. 2. Paternitas est principium generandi in Patre. 3. Processiones distinguuntur in divinis penes intellectum et voluntatem. 4. Ista propositio non est concedenda, essentia est Pater Filii. 5. Daemones et animae peccatrices patiuntur ab igne, in quantum calidus est, afflictione eiusdem rationis cum ea, qua affliguntur corpora. 6. Operationes angelorum mensurantur tempore discreto. 7. Angeli intelligunt per habitum scientialem sibi connaturalem. 8. Irascibilis et concupiscibilis ita distinguuntur in appetitu superiori sicut in inferiori. 9. Habere aliquiditativam et diffinibilem realitatem, commune est figmentis et non figmentis. 10. Amicitia est virtus. 11. Ratitudo formaliter cuiuslibet creati est respectus. 12. Ad hoc, ut sit mutuitas realis relationis, requiritur, quod fundamentum ex sua natura ordinetur ad aliud tanquam ad suam perfectionem. 13. Relatio non distinguitur a fundamento realiter.* - Cf. zur Heinrich-Rezeption bei Giovanni PICO allgemein P. KIBRE: *The Library of Pico delle Mirandola*. New York 1936, ad indicem s.v.; E. MONNERJAHN: *Giovanni Pico della Mirandola. Ein Beitrag zur philosophischen Theologie des italienischen Humanismus* (VIEG 20). Wiesbaden 1960, pp. 134. 205. 214. 225; G. DI NAPOLI: *Giovanni Pico della Mirandola e la problematica dottrinale del suo tempo* (Coll. Philos. Lateran. 8). Rom/Paris 1965, ad indicem s.v.; H. de LUBAC: *Pic de la Mirandole. Études et discussions*. Paris 1974, ad indicem s.v.; F. ROULIER, *Jean Pic de la Mirandole (1463-1494), humaniste, philosophe et théologien* (Bibl. Franco Simone 17). Genf 1989, ad indicem s.v. - Cf. TRE 26 (1997), pp. 602-606 (G. C. GARFAGNINI).

[218] Cf. IOA. PICUS MIRAND., *Apologia*. Op. omn. I, p. (114-240) 119; ID., *Apologia*. Op. omn. I, pp. 128. 130-133, zur Bestimmung von Ort und Sein Christi im *Triduum mortis* mit Zitaten aus HENR. DE GAND., *Qdl. II,9; VII,9*; IOA. PICUS MIRAND., *Apologia*. Op. omn. I, pp. 155-159, zum Problem der Bilderverehrung und der latreutischen Anbetung des Kreuzes Christi im ausführlichen Anschluß an HENR. DE GAND., *Qdl. X,6*; IOA. PICUS MIRAND., *Apologia*. Op. omn. I, pp. 160-163 [ausführliches Zitat aus HENR. DE GAND., *Qdl. XIII,5*]. 164-166, zur Macht Gottes, eine irrationale Natur in eine hypostatische Union aufzunehmen; IOA. PICUS MIRAND., *Apologia*. Op. omn. I, pp. 235sq. 240, ausdrücklicher Verweis auf Heinrichs *Abditum mentis*-Lehre in *Qdl. IX,15*; cf. Kap. III, § 3,3. - Cf. auch IOA. PICUS MIRAND., *De ente et uno, resp. obiect. tert.* Op. omn. I, p. 283 (Heinrichs Relationsbegriff).

[219] Zu Heinrichs Melancholie-Lehre und zum Pico-Referat cf. Kap. I, § 3,5. Zu DÜRER cf. E. PANOFSKY/F. SAXL: *Dürers Kupferstich „Melencolia I". Eine quellen- und typengeschichtliche Untersuchung* (Stud. Bibl. Warburg 2). Leipzig/Berlin 1923; E. PANOFSKY: *Das Leben und die Kunst Albrecht Dürers* (Princeton, N.J. 1943, ⁴1955). München 1977, pp. 224sq. 227.

Heinrich indes in der im gleichen Jahr verfaßten *Oratio de dignitate hominis*, die als Eröffnungsrede der öffentlichen Disputation seiner *Conclusiones* geplant war. Wegen der beständigen Erhabenheit und Würde seines Denkens figuriert Heinrich dort an ausgezeichneter Stelle neben ALBERTUS MAGNUS, THOMAS VON AQUIN, AEGIDIUS ROMANUS, JOHANNES DUNS SCOTUS und FRANCISCUS DE MAYRONIS als einer der Hauptrepräsentanten okzidentaler christlicher Philosophie.[220]

Die exklusive Vereinnahmung Heinrichs für den Platonismus durch GIOVANNI PICO wirkte nachhaltig bis weit ins 19. Jahrhundert, wobei GIOVANNI PICO in der Renaissancephilosophie nicht allein dastand. Marsilio FICINO (1433 - 1499) reihte 1489 in seiner berühmten *Responsio petenti Platonicam instructionem et librorum numerum* an den schwäbischen Humanisten Martin URANIUS (PRENNINGER) (vor 1450 - 1501) Heinrich von Gent in den Strom der lateinischen Platoniker ein.[221] Indessen zeigt die auch von FICINO in seiner *Platonica Theologia, De immortalitate animorum* vertretene Lehre von der Erstheit Gottes im menschlichen Erkennen[222] keinen Einfluß spezifisch henriziani-

[220] Cf. IOA. PICUS MIRAND., *De hominis dignitate*, ed. Gönna, p. 50 (cf. ID., *Apologia*. Op. omn. I, p. 118): *Atque ut a nostris, ad quos postremo philosophia pervenit, nunc exordiar. Est in Joanne Scoto vegetum quiddam atque discussum, in Thoma solidum et aequabile, in Aegidio tersum et exactum, in Francisco* [sc. *de Mayronis*] *acre et acutum, in Alberto priscum, amplum et grande, in Henrico, ut mihi visum est, semper sublime et venerandum*; ID., *De hominis dignitate*, ed. Gönna, p. 52: *Quid erat, si Latinorum tantum, Alberti scilicet, Thomae, Scoti, Aegidii, Francisci Henricique philosophia ... tractabatur?* Der Titel des Textes hat sich erst seit der Baseler Ausgabe 1557 eingebürgert; cf. aber GÖNNA, *Nachwort*, ed. cit., p. 107sq. Die von GIOVANNI vorgestellte These, daß der Mensch angemessen nur als Wesen sich selbst bestimmender, schöpferischer Freiheit begriffen werden kann, liegt in der Fluchtlinie eines auch von Heinrich von Gent mitgetragenen Voluntarismus. Daß GIOVANNIS Auffassung keine Neuheit und Errungenschaft der Renaissancephilosophie, sondern eine Wiederholung bester patristischer, d. h. hier origeneischer Theologie ist, legt Th. KOBUSCH: *Die philosophische Bedeutung des Kirchenvaters Origenes. Zur christlichen Kritik an der Einseitigkeit der griechischen Wesensphilosophie.* In: ThQ 165 (1985), p. (94-105) 104sq., offen.

[221] Cf. M. FICINUS, *Responsio petenti Platonicam instructionem et librorum numerum* (12. Juni 1489). Ed. R. KLIBANSKY: The Continuity of the Platonic Tradition During the Middle Ages. Outlines of a Corpus Platonicum Medii Aevi. London 1939 (ed. anastat. New York 1982), p. 46, lin. 35 - p. 47, lin. 40: *Interrogas, qui rursus apud Latinos inveniantur Platonici libri. Dionysii Areopagitae omnia sunt Platonica, Augustini multa, Boethii Consolatio, Apulei De daemonibus, Calcidii commentarium in Timaeum, Macrobii expositio in Somnium Scipionis, Avicebron De fonte vitae, Alpharabius De causis, et Henrici Gandavensis, Avicennae Scotique multa Platonem redolent.* - Cf. KLIBANSKY, *op. cit.* Loc. cit., p. 35sq.; P. O. KRISTELLER: *The Scholastic Background of Marsilio Ficino* (1944). In: ID.: Studies in Renaissance Thought and Letters (SeL 54). Rom (1956) ²1969, pp. (35-97) 40; L. MALUSA, *Le premesse rinascimentali all'attività storiografica in filosofia.* In: SSGF I. 1981, p. (3-62) 16; J. LAUSTER: *Die Erlösungslehre Marsilio Ficinos. Theologiegeschichtliche Aspekte des Renaissanceplatonismus* (AZKG 69). Berlin/New York 1997.

[222] Cf. M. FICINUS, *Platonica theologia XII*, 7 Marcel II, pp. 187-195, spec. p. 191: *Ipsum ergo esse absolutum, ipse scilicet purus actus effector omnium existentium, qui Deus est, primum est quod mentibus miro quodam pacto sese offert, quod illabitur, quod effulget, quod caetera omnia*

scher oder auch skotischer Terminologie und Argumentationstechnik. FICINO ist vielmehr, wie der Titel seiner Schrift ausweist, an einer Erklärung der Unsterblichkeit der menschlichen Seele interessiert und beabsichtigt daher, im Anschluß an augustinische Überlegungen zur menschlichen *mens* die platonische Generalthese von einer fortwährenden Assistenz Gottes im menschlichen Erkennen zu erhärten.[223] Ungeachtet dieses wesentlich geänderten Argumentationsduktus sollte FICINOS Lehre von der Servitentheologie des 17. Jahrhunderts im Sinne der henrizianischen Position beansprucht werden.[224] Außerdem kann man eine Fortführung, wenn nicht gar eine Neubelebung der hochscholastischen Frage nach dem Ersterkannten in platonismusinteressierten Kreisen der Renaissancephilosophie dokumentieren. Im *Cod. Vat. lat. 4567*, der bislang eine sonderbare, ja rätselhafte Stellung in der Problemgeschichte des Ersterkannten einnimmt, wird im Anschluß an eine *declaratio* der *Elementatio theologica* des PROKLOS abschließend die Frage aufgeworfen, *utrum Deus sit primum cognitum a nobis. Pro eius intellectu.*[225]

patefacit. Cuius formam et notionem quamvis perpetuam quodammodo in nobis possideamus perque illam et in illa reliqua cognoscamus, non tamen istud animadvertimus, sicut neque oculus considerat se videre solis lumen continue ceteraque per ipsum atque in ipso, neque ratio animadvertit se continue ratiocinari, cum semper ferme ratiocinetur. Nam diutius consueta animadvertere non solemus. Quis enim se spirare considerat? - Zum Thema cf. A. B. COLLINS, *The Secular is Sacred. Platonism and Thomism in Marsilio Ficino's 'Platonic Theology'* (IAHI 69). Den Haag 1974, spec. pp. 72-104.

[223] Cf. FICINUS, *Platonica theologia XII,4-7* Marcel 166-195.

[224] Cf. C. LODIGERIUS: *Disputationum theologicarum tomus primus, in tres libros divisus, in quorum primo de Deo, Deique proprietatibus; secundo de beatifica visione Dei; tertio vero de Divina scientia, iuxta genuinam Henrici de Gandavo Doctoris Solemnis Ordinis Servorum B. M. V. mentem disseritur. Lib. I, disp. 2, q. 2.* Rom 1698, pp. (66b-71b) 67b-68a.

[225] Cf. H. BOESE: *Wilhelm von Moerbeke als Übersetzer der Stoicheiosis theologike des Proclus* (AHAW.PH 1985/5). Heidelberg 1985, pp. 25sq. 106-114. Von dieser Handschrift verfertigte Lucas HOLSTENIUS (1596 - 1661), seit 1627 Bibliothekar von F. Card. BARBERINI und ab 1653 erster Kustode der Vatikanischen Bibliothek (cf. LThK³ V [1996], col. 241 [J. METZLER]), zum eigenen Gebrauch eine komplette (!) Abschrift (*Hamburg, Staats- u. Universitätsbibl., Ms. philol. 27 fol.*), d. h. einschließlich der beiden nachgenannten Quästionen; dazu BOESE, *Wilhelm von Moerbeke.* 1985, pp. 15. 21sq. Diese nur 41 Folioseiten umfassende Papierhandschrift des 15. Jahrhunderts, deren Deckblatt leider fehlt, enthält eine Abschrift der 1268 von WILHELM VON MOERBEKE OP erstellten Übersetzung der *Elementatio theologica* des PROKLOS (Cf. PROCLUS, *Elementatio theologica, translata a Guillelmo de Moerbeke.* Ed. H. BOESE [Anc. and Mediev. Philos. Ser. I/5]. Löwen 1987), der eine anonyme *declaratio* des Proklos-Textes folgt (Teiledition bei BOESE, *Wilhelm von Moerbeke.* 1985, pp. 142-150). Nach einer Leerzeile beginnt unvermittelt die sich von fol. 39r-39v erstreckende Quästion, *utrum possit a nobis intelligi aliqua sincera veritas sine speciali illustratione primi intelligentis* (Textedition bei BOESE, *Wilhelm von Moerbeke.* 1985, p. 110sq.) Auf fol. 39v-40v findet sich dann die Schlußquästion, *utrum Deus sit primum cognitum a nobis. Pro eius intellectu.* Eine Edition dieses Textes mit Hinführung und Übersetzung erscheint in: Bochumer Jahrbuch für antike und mittelalterliche Philosophie. - Der Verf. dankt sehr herzlich Herrn Prof. Dr. W. KNOCH (Bochum) für eine Durchsicht der Handschrift in der Bibliotheca Vaticana sowie für die Besorgung einer Photokopie der Quästion.

Der stark platonisch orientierte Späthumanist Jacopo MAZZONI (1548 - 1598) wollte im *Doctor solemnis* sogar den Denker erkennen, *qui inter omnes scholasticos solus veri Platonici nomen meretur.*[226] Heinrichs Denken sei gleichsam eine platonische Glosse zu aristotelischen Aphorismen. Solche extremen Bewertungen im Renaissanceplatonismus stehen allerdings in einer denkbar großen Spannung etwa zu Äußerungen bei Johannes TRITHEMIUS OSB (1462 - 1516)[227], der 1494 von Heinrich als *in philosophia Aristotelica valde subtilis* sprach, zu Erklärungen im 1591 erschienenen Physik-Kommentar der jesuitischen CONIMBRICENSES[228], nach denen Heinrich und DUNS SCOTUS zusammen *duo Aristotelicae familiae nobiles philosophi* sind, sowie besonders gegenüber der Meinung von Alfonso CHACÓN (CIACONIUS) OP (um 1540 - 1599)[229], von dem Heinrich sogar zum *omnium peripateticorum princeps* erhoben wurde. Aber auch die noch übrigbleibende Mittelposition blieb in späterer Zeit nicht ausgespart, wie J. A. FABRICIUS belegen kann. Ihm galt Heinrich „als ein guter *Peripateticus* und *Platonicus, Doctor solemnis* genannt“[230].

Eine Reihe damaliger humanistischer Philosophen, die aus ihren Abneigungen gegen das peripatetische Wissenschaftskonzept keinen Hehl machten, entdeckten zudem in Heinrich eine reich fließende Quelle antiaristotelischer Argumente. So beeindruckten GIANFRANCESCO PICO DELLA MIRANDOLA (1469 - 1533)[231], Neffe des GIOVANNI PICO, die skeptischen Implikationen seiner Illuminationslehre. Der schon erwähnte MAZZONI knüpfte ebenfalls dort an, versuchte aber in Heinrichs Illuminationslehre die theologischen Elemente zu eliminieren.[232] Durch neuere Forschungen ist für die *Ens primum*-Spekulationen des Tommaso CAMPANELLA (1568 - 1639) dessen Bekanntschaft und Interesse an Heinrichs *Primum cognitum*-Lehre nahe gelegt worden.[233]

An der humanistischen Lektüre des *Doctor solemnis* überrascht, daß die Humanisten als am ciceronianischen Latein geschulte Schreiber offensicht-

[226] J. MAZZONI: *In universam Platonis et Aristotelis philosophiam praeludia, sive de comparatione Platonis et Aristotelis liber primus.* Venedig 1597, p. 73.

[227] Cf. den zitierten Text in Kap. IV, § 2,1 not. 2.

[228] Cf. den zitierten Text in Kap. IV, § 1,3.

[229] Cf. A. CIACONIUS: *Vitae et res gestae Summorum Pontificum Romanorum et S. R. E. Cardinalium.* Rom 1601-02 (²1630), tom. II, col. 247. - Cf. LThK³ II (1994), col. 996sq. (Viola TENGE-WOLF).

[230] J. A. FABRICIUS: *Abriß einer allgemeinen Historie der Gelehrsamkeit.* Leipzig 1752 (ed. anastat. Hildesheim/New York 1978), tom II, pp. 967.

[231] Cf. SCHMITT, *Henry of Ghent, Duns Scotus and Gianfrancesco Pico on Illumination.* 1963; ID., *Cicero scepticus.* 1972, pp. 39-41.

[232] Cf. F. PURNELL, JR.: *Henry of Ghent as Medieval Platonist in the Philosophy of Jacopo Mazzoni.* In: Ch. WENIN (ed.): L'homme et son univers au moyen age (PhMed 26-27). Löwen 1986, vol. I, pp. (565-572) 568-572.

[233] Cf. A. LAMACCHIA: *Notion et structure de l'être chez Tommaso Campanella.* In: Journal Philosophique 2 (1986), nr. 9, p. (244-267) 254. 262. 266, die mit Hinweis auf V. DI NAPOLI: *Studi sul Rinascimento.* In: Rassegna di scienze filosofiche 7 (1954), pp. 219-255, eine Vermittlung durch GIOVANNI PICO für wahrscheinlich hält.

lich keinen Anstoß nahmen an der Vielzahl der später in den Skotismus übergegangenen Neologismen und verbalen Extravaganzen im henrizianischen Oeuvre, wohl weil sie zu einem neuen kritischen, erkenntnisfördernden Idiom beitrugen. Dabei wetterte doch gerade ERASMUS VON ROTTERDAM (1469 - 1536), der in seiner 1511 publizierten *Laus stultitiae* mehrmals spöttisch auf ausgefallene Titel diverser Quodlibetalienquästionen Heinrichs anzuspielen scheint[234], in dieser Schrift gegen die - wie sich der hochgelehrte Kommentator dieser Schrift, Gerardus LISTRIUS (um 1480 - 1546), auszudrükken wußte - *portentosa philosophorum recentiorum vocabula nonnisi a daemonibus cacata atque ab ipsis denuo collecta*[235]. Kritiker der scholastischen Philosophie überhaupt wie Heinrich Cornelius AGRIPPA VON NETTESHEIM (1486 - 1535)[236] bezeugen *e negativo* die damals dem *Doctor solemnis* geschenkte Beachtung, insofern dieser von AGRIPPA mit großer Selbstverständlichkeit zu den Hauptvertretern scholastischer Philosophie gezählt wurde.

Einen schwer abschätzbaren Einfluß auf die Wirkungsgeschichte des Heinrich von Gent übte der 1522/23 regierende Papst HADRIAN VI. aus. Unter seinem weltlichen Namen Adriaan FLORENSZ (FLORISZ, FLORISZOON) (1459 - 1523)[237] war der aus Utrecht Gebürtige nach einem Studium in Leuven dort 1478 Magister artium geworden und nach seiner Promotion 1490 zum Doktor der Theologie ebendort 1491 - 1507 als ein gefeierter Lehrer der scholastischen Theologie im Amt tätig. Im Mai 1512 erneuerte er in seiner Eigenschaft als Dekan von St. Peter und Vizekanzler der Universität ein bereits am 26. April 1447 von der Artes-Fakultät approbiertes Dekret, das anläßlich des damals in Leuven ausgefochtenen Streit um die *futura contingentia* die Wahrung der *via antiqua* im Artes-Studium festlegte. Von eigener Bedeutung sind die von Adriaan FLORENSZ ergänzten Klauseln. Hinsichtlich der Aristoteles-Kommentierung fügte er an, daß zur Vermeidung von Grundsatzfragen in der Fakultät neben den schon 1447 genannten ALBERTUS MAGNUS, THOMAS VON AQUIN und AEGIDIUS ROMANUS von nun an *omnes alii antiqui et famati pro acceptatis a*

[234] ERASM. ROTEROD., *Moriae encomium, id est Stultitiae laus.* Ed. Ch. H. MILLER (Op. omn. IV/3). Amsterdam/Oxford 1979, p. 148, comm. ad lin. 404sq. (HENR. DE GAND., *Qdl. XIII,4; Qdl. II,3*); p. 151, comm. ad lin. 430sq. (HENR. DE GAND., *Qdl. III,7*).

[235] G. LISTRIUS, *Comm. in Erasm. Rotterd., Moriae encomium, cap. 52.* In: ERASM. ROTEROD., Opera omnia. Leiden 1703 (ed. anastat. Hildesheim 1962), tom. IV, pp. 401-504. - Der Kommentar, der seit 1515 nahezu allen Ausgaben beigegeben wurde, ist von LISTRIUS in Zusammenarbeit mit ERASMUS selbst verfaßt worden, so daß eine exakte Autorenscheidung nur sehr schwer vorgenommen werden kann (cf. die genannte Edition von Ch. H. MILLER, pp. 34-36).

[236] Cf. Henr. Cornelius AGRIPPA: *De incertitudine et vanitate scientiarum declamatio invectiva, cap. 98* (1531). ed. R. QUINTO: Scholastica. Contributo alla storia di un concetto (II.: Secoli XIII-XVI). In: Medioevo 19 (1993 [publ. 1995]), pp. 67-165, ed. p. (137-165) 148, lin. 225; zu Heinrich cf. pp. 93. 99. 122.

[237] Cf. K.-H. DUCKE: *Adrian VI.* In: P. G. BIETENHOLZ/Th. B. DEUTSCHER (ed.): Contemporaries of Erasmus. Toronto et al. 1985-87, tom. I (1985), col. 5b-9a; TRE XIV (1985), p. 309sq. (W. A. J. MUNIER); MACKEN, *MPhFLC, I, nr. 96.* 1998, pp. 257-264.

Facultate heranzuziehen seien. Dafür nennt er ALEXANDER VON HALES, BONAVENTURA, WILHELM VON AUXERRE, DUNS SCOTUS, DURANDUS A S. PORCIANO, PETRUS DE PALUDE und - Heinrich von Gent![238] Legt nicht diese Verordnung die Frage nahe, ob sie die Drucklegung der Schriften Heinrichs beschleunigt haben könnte? Denn Adriaan FLORENSZ stand als gefeierter Universitätstheologe seiner Zeit und aufgrund seiner späteren hohen Aufgaben als Prinzenerzieher und Kirchenfürst 'trotz' seiner offen bekundeten Verbundenheit mit der scholastischen Tradition in hohem Ansehen in Humanistenkreisen, zu denen er auch zahlreiche freundschaftliche Kontakte pflegte. Seine Bekanntschaften reichten auch nach Paris, wo sein 1509 vollendeter und inzwischen sehr geschätzter Quästionenkommentar zum IV. Sentenzenbuch unter sehr obskuren Umständen und ohne Wissen des Adriaan FLORENSZ 1516 zum Druck kam, und zwar bei dem aus Belgien stammenden Humanistendrucker Jodocus BADIUS ASCENSIUS (Josse BADE VON ASSCHE) (1461/62 - 1535)[239], der dieser Ausgabe auch eine *Epistola* voranschickte.[240] Es war just der Drucker, der nicht nur seine erste Studentenzeit in Gent verbracht hatte, sondern auch die beiden Hauptwerke Heinrichs veröffentlichen sollte. Zuerst erschienen 1518 die *Quodlibeta*. Der Betreuer der Ausgabe, der Franziskanerobservant ALFONSUS DE VILLA SANCTA, widmete sie ostentativ dem zweiten berühmten Sohn der Stadt Gent, nämlich dem 1500 dort geborenen Kaiser KARL V. (reg. 1519 - 1558)[241]. 1520 folgte aufbauend auf Vorbereitungsarbeiten des vorzeitig verstorbenen, aus Gent gebürtigen Pariser Theologieprofessors Iohannes

[238] [A. FLORENSZ, *Decret. mens. maii 1512*:] *Sed potissimum exponi debet textus Aristotelis, secundum quod eum exponunt et intelligunt suus commentator Averroes, ubi contra fidem non militat, vel dominus Albertus Magnus, vel sanctus Thomas de Aquino, vel Aegidius de Roma, vel aliquis alius, quem placebit Facultati concorditer acceptare. Decanus S. Petri* [i. e. A. FLORENSZ] *adiecit: et ne dissensio sit inter supposita Facultatis, qui doctorum debeant quoad expositionem textus Aristotelis haberi pro approbatis, censeantur, praeter supra nominatos, omnes alii doctores antiqui et famati pro acceptatis a Facultate, videlicet Alexander de Halis, Bonaventura, Altisiodorensis, Scotus, Durandus, Henricus de Gandavo, Petrus de Palude et huiusmodi.* - Der Text ist nach den Universitätsakten zitiert bei J. MOLANUS (1533-1585): *Historia Lovaniensium IX,29*. Ed. P. F. X. DE RAM. Brüssel 1861, tom. I, p. (583-586) 585; cf. A. G. WEILER: *Een kernpunt uit de universitaire wegenstrijd; de vooronderstelling van de 'moderne' terministische logica* [= TG 85 (1972), pp. 301-324]. In: ID.: De middeleeuwen voorbij. Humanisme en scholastiek op de drempel van de nieuwe tijd. Hg. v. P. BANGE (Middeleeuwse Studies 9). Nimwegen 1992, p. (174-199) 191.

[239] Cf. Geneviève GUILLEMONT: *Bade, Josse*. In: P. G. BIETENHOLZ/Th. B. DEUTSCHER (ed.): Contemporaries of Erasmus. Toronto et al. 1985-87, tom. I (1985), col. 79a-81a; M. LEBEL, *Josse Bade, dit Badius (1462-1535). Humaniste, éditeur-imprimeur et préfacier*. Löwen 1988.

[240] Cf. E. H. J. REUSENS: *Syntagma doctrinae theologicae Adriani Sexti, Pontificis Maximi*. Löwen 1862, pp. 28-30. 129sqq. Dies geschah unter besonderer Mitwirkung des Karmeliten Jacobus DASSONEVILLA (fl. 1520), von dem vielleicht vermutet werden darf, daß er ein Mitglied jenes Pariser Karmelitenkonvents war, der mit Zustimmung seines damaligen Oberen, LUDOVICUS DE LYRA, sein handschriftliches Exemplar der *Summa* des Heinrich für die *editio princeps* zur Verfügung stellte.

[241] Cf. LThK³ V (1996), col. 1243-1245 (A. SCHINDLING).

DULLARDUS († 1513)[242] unter Assistenz von Georgius SCANFELARIUS und Ludovicus BLAUBLOMEUS eine Ausgabe der *Summa* in ebenfalls zwei Bänden, die diesmal Herzog LUDWIG VON FLANDERN gewidmet waren. Damit war für die folgenden Jahrhunderte eine noch weitgehend unerforschte Bibliotheksgeschichte dieser beiden Editionen eingeleitet.[243]

Durch die Drucklegung wurde unzweifelhaft die Kenntnisnahme der henrizianischen Doktrin stark begünstigt. Deren diskrete Präsenz sicherten außerdem bald viele Herausgeber anderer scholastischer Autoren, die durch präzise Angaben in eigenständig erarbeiteten Marginalglossen und Kommentareinschüben zum Teil in großem Maße auf entsprechende Paralleltexte bei Heinrich hinwiesen. Augustinus MONTEFALCONIUS OESA tat dies in seinem 1521 besorgten Druck des Kommentars des AEGIDIUS ROMANUS zum ersten Sentenzenbuch an über hundert Stellen.[244]

Durch den Pariser Theologen Jean MORET (um 1510 - 1565)[245], in dessen Privatbibliothek sich zwei Druckausgaben Heinrichs befanden, wurde in aufsehenerregender Weise eine Sonderlehre Heinrichs Gegenstand einer Lehrzensur. Während einer Responsion in seinem Lehrjahr an der Sorbonne 1535 vertrat MORET neben der Auffassung, daß die Ursprungsgerechtigkeit keine göttliche Gnade gewesen sei, unter ausdrücklicher Berufung auf Heinrich von Gent auch die Lehre, daß die Seligen die göttliche Wesenheit formal in sich und nicht durch ein geschaffene Erkenntnis dieser Wesenheit schauen. Beide Thesen führten zu deutlichem Unmut unter den Lehrenden, so daß sich das Kollegium der Sorbonne zu dem Fakultätsbeschluß veranlaßt sah, unmißverständlich ihr Mißfallen an der henrizianischen Theorie kundzutun

[242] Cf. JÖCHER, *AGL* III (1750), col. 139; MACKEN, *MPhFLC, I, nr. 59.* 1998, p. 142sq.

[243] Cf. Ch. H. LOHR: *Die Entwicklung des mittelalterlichen Denkens. Gedanken zu einigen neuen Texteditionen.* In: ThPh 55 (1980), pp. (361-383) 368. 370-372.

[244] Cf. AEG. ROM., *In primum librum Sententiarum.* Ed. A. MONTIFALCONIUS. Venedig 1521 (ed. anastat. Frankfurt a.M. 1968). Eine Durchsicht der Glossen weist MONTIFALCONIUS als einen Kenner des gesamten henrizianischen Werkes aus. Besonders Heinrichs Trinitätslehre ist - dem Thema des ersten Sentenzenbuches entsprechend - intensiv studiert und mit überraschend vielen Kongruenzen zu AEGIDIUS angezeigt. Mehrfach wird auch Lob an den einstigen Widersacher des AEGIDIUS verteilt, so z. B. in der Marginalie zu AEG. ROM., *Sent. I, dist. 12,1,2.* Venedig 1521, fol. 69rB: *Veritatem huius quaestionis bene dicit Hen. in sum. ar. 54, q. 7, Dicendum ad primum argumentum.*

[245] Zu biographischen Angaben cf. J. K. FARGE: *Biographical Register of Paris Doctors of Theology, 1500-1536* (Subsidia Mediaevalia 10). Toronto 1980, p. 344sq.; zur Bibliothek von MORET cf. A. LABARRE: *Le livre dans la vie Amienoise du seizième siècle* (Fac. des lettr. et scie. hum., Recherches 66). Paris 1971, pp. 319-332. - Der belgische Theologe Jean GARRETIUS (GARET) († 1572) zitierte Passagen aus HENR. DE GAND., *Qdl. IX,8-10*; cf. J. GARETIUS: *Universalis et catholicae ecclesiae, de veritate corporis Christi in eucharistiae sacramento praesentis, consensus. Sacrificii missae et sacramentorum assertio, ex s. patribus & ... omnium aetatum scriptoribus ... collecta ...* Antwerpen 1563, fol. 122v-123r (ibid. ³1569, fol. 123r); Beleg zitiert nach MACKEN, *Bibl. manuscr.* 1979, vol. II, p. 1190. - Cf. DThC VI/1 (1920), col. 1158-1160 (J. FORGET).

und MORET zur Rücknahme der Thesen aufzufordern.[246] Die Unduldsamkeit der Theologen an der Sorbonne läßt einerseits gut darauf schließen, wie verfestigt damals die schultheologischen Fronten waren und einer unbefangenen Neurezeption Heinrichs entgegenstanden. Andererseits kommt das Innovationspotential und die intellektuelle Kraft der henrizianischen Theologie ans Licht, insofern seine zu hochscholastischen Zeiten entfalteten Theorien selbst nach gut 250 Jahren ohne jeden Schulzwang noch Verteidiger an sich ziehen konnten. Daß sie sogar einer öffentlichen und qualifizierten Gegenkritik gewürdigt wurden, unterstrich nicht zum erstenmal in paradoxer Weise deren Gewicht.

2. *Das Kontinuitätsbedürfnis der Barockscholastik und die Restauration der Lehre Heinrichs in der Servitenschule des 17. Jahrhunderts*

Wenn man sich nun der sog. Barock- oder vielleicht besser: Iberischen Scholastik[247] zuwendet, die ihre Blüte im 16. und 17. Jahrhundert erlebte, gewinnt man zunächst den Eindruck, Heinrichs Gedankengut lebe hauptsächlich nur in Pflichtverweisen und Wanderzitaten skotischer und skotistischer Provenienz fort. Die Kommentarliteratur zu den skotischen Werken seit dem 15. Jahrhundert konnte und wollte nicht umhin, die von DUNS SCOTUS häufig angegriffenen Thesen Heinrichs anzuführen und im Werk des Genter Theologen nachzuweisen. Summe und Gipfel einer solchen quellenkritischen Aufbereitung der skotischen Texte sind die von den zumeist irischen Franziskanern im St. Isidor-Kolleg in Rom unter der Aegide des Lucas WADDING (1588 - 1657) ab 1639 edierten *Opera omnia* des JOHANNES DUNS SCOTUS, denen hochgelehrte, auch henrizianische Themen verarbeitende Kommentare von MAU-

[246] Cf. Ch. Du Plessis d'ARGENTRÉ: *Collectio iudiciorum de novis erroribus* (3 tom.). Paris 1728-36, tom. I, p. ix [= Archives Nationales, Paris M 67-B, nr. 58, fol. 68r]: *Anno Domini millesimo quingentesimo tricesimo quinto, decima septima Septembris, magister Johannes Moret respondens de Sorbonica, posuit has duas propositiones. Prima est, quod divina essentia est notitia formalis beatis, qua cognoscant ipsam divinam essentiam sic, quod nulla requiritur cognitio creata in eis. Secunda propositio. Iustitia originalis non est donum Dei. Cum autem multae inter magistros fierent querimoniae de dictis propositionibus et aliis quibusdam concernentibus materiam trinitatis, congregata fuit in ipso actu sub magna libraria collegii Sorbonae facultas, et auditis praedictis propositionibus decrevit, quod scripto traderetur dicto respondenti ad vitandam scandalum id quod sequitur. Non placet facultati opinio Henrici de Gandavo dicentis, quod essentia divina est formalis notitia beatis, qua cognoscunt divinam essentiam sic, quod nulla requiritur cognitio creata in eis ad eam cognoscendam. Secundo etiam non placet opinio dicens et asserens iustitiam originalem non esse donum Dei. Et ideo non voluit facultas, quod dictus respondens dictas propositiones sustineret. Voluit etiam quod sobrie loquatur de paternitate et filiatione, proprietate et posteritate in divinis.*

[247] Cf. den vorzüglichen Überblick bei F. STEGMÜLLER: *Barock. II. Theologie.* In: LThK² I (1957) 1260-1265; daneben P. WALTER: *Barock. II. Theologiegeschichte.* In: LThK³ II (1994), col. 23-25 (Lit.!).

RITIUS DE PORTU FILDAEO (O'FIHELY) (um 1460 - 1513), Franciscus LYCHETUS (LICHETTO) († 1520)[248], F. DE PITIGIANIS ARETINUS († 1616), Hugo CAVELLUS (MACCAUGHWELL) (1571 - 1626), Antonius HIQUAEUS (HICKEY) († 1641) und Johannes PONCIUS (PUNCH) (1603 - 1672/73) beigegeben wurden. Wie sehr allerdings die Schulstreitigkeiten der eigenen Zeit die Frage nach dem für die skotische Theorie in Wahrheit entscheidenden Autor verdrängen konnte, wurde man bei HIERONYMUS DE MONTEFORTINO OFM (1662 - 1738) gewahr. Dessen vielbenutzte *Ioannis Duns Scoti Summa theologica*, die die skotistische Lehre nach Anordnung der *Summa theologiae* des Aquinaten darstellte, kam an der für die thomanische *Primum cognitum*-Lehre einschlägigen Stelle ohne Nennung des *Doctor solemnis* aus.[249]

Vertreter der Iberischen Scholastik wiesen - soweit überhaupt erforscht - in mannigfaltigster Weise Heinrich eine argumentationsstützende Rolle zu.[250] Francisco de VITORIA OP (1483/93 - 1546)[251] berief sich auch auf Heinrich, um die Überordnung der geistlichen Gewalt des Papstes über alle zeitliche Macht der Könige zu begründen. Pedro da FONSECA SJ (1528 - 1599)[252] rekurriert auf Heinrich, um die Konzilianz platonischer Anschauungen mit der aristotelischen Lehre von der *causa exemplaris* aufzuzeigen. Heinrichs Prädestinationslehre traktierte Luis de MOLINA SJ (1535 - 1600).[253] Im Zuge der

[248] Cf. H. BULANG: *De praescientia divina apud Lychetum, Caietanum et Köllin.* In: Anton. 24 (1949), p. (407-438) 413sq. (Kritik an HENR. DE GAND., *Qdl. III,3*).

[249] Cf. HIERON. DE MONTEFORTINO: *Venerabilis Ioannis Duns Scoti, Doctoris Subtilis, Ordinis Fratrum Minorum, Summa theologica, ex universis operibus eius concinnata, iuxta ordinem et dispositionem Summae Angelici Doctoris, I^a pars, q. 88, a. 3.* (Rom 1728-38) Rom 1900-03, tom. III, p. 766sq. - Cf. LThK³ V (1996), col. 95 (J. SCHLAGETER).

[250] Cf. F. STEGMÜLLER: *Geschichte des Molinismus. Erster Band: Neue Molinaschriften* (BGPhThMA 32). Münster 1935 (xii,80*,788 pp.), ad indicem s.v.;

[251] Cf. FRANC. DE VITORIA: *Relectio de Indis I,2,7.* Ed. L. PEREÑA/J. M. PEREZ PRENDES (Corpus Hispanorum de Pace 5). Madrid 1967, p. 50 (Verweis auf HENR. DE GAND., *Qdl. VI,23*); dazu ROSSMANN, *Hierarchie der Welt.* 1972, p. 143sq.

[252] Cf. Petr. de FONSECA: *Commentariorum in Metaphysicorum Aristotelis Stagiritae lib. I, cap. 7, q.1, sect. 5.* [Lib. I: Rom 1577] Köln 1615 (ed. anastat. Hildesheim 1964), tom. I, col. (320A-325C) 325C, der dafür HENR. DE GAND., *Qdl. IX,2* bemüht: *Unde colliges, nihil dissidii esse hac in re inter Platonem et Aristotelem, quod Plato causam exemplarem quoddam per se causae genus fecerit. Nec vero quicquam pugnare cum iis, quae dicta sunt q.1, Henricum Gandavensem ex veteribus scholasticis egregium auctorem, qui quodl. 9 scribit: quinque esse causatum genera adiuncto exemplari, sed potius ea ratione favere, quatenus facit exemplar principale quoddam genus, neque illud ad causam efficientem, aut ad formalem internam revocat.* - Cf. FONSECA, *In Metaph. V, cap. 6, q.2, sect. 2.* Köln 1615, tom. II, col. 362F-364D (Individuationsprinzip nach HENR. DE GAND., *Qdl. V,8*); dazu DE WULF, *Hist. philos. scol. Pays-Bas.* 1893, p. 217 not. 5; ferner A. MARTINS: *Lógica e Ontologia em Pedro da Fonseca.* Diss. phil. Coimbra (pro manuscripto) 1990, pp. 214. 225-228. 231.

[253] Cf. L. MOLINA: *Liberi arbitrii cum gratiae donis, divina praescientia, providentia, praedestinatione et reprobatione concorsia. In qu. 23 de praedestinatione. Pars VII, art. 4-5, disp. 1, membr. 4* (Lissabon 1588). Ed. J. RABENECK. Oña/Matriti 1953, p. 476sq. (Kurzreferat von HENR. DE GAND., *Qdl. IV,19; Qdl. VIII,5*); cf. F. STEGMÜLLER: *Geschichte des Molinismus. Erster Band: Neue Molinaschriften* (BGPhThMA 32). Münster i.W. 1935, ad indicem s.v.

mariologischen Diskussionen dieser Zeit notierten Pedro de ALVA Y ASTORGA OFM (1602 - 1667)[254] und Ippolito MARRACCI OMD (1604 - 1675)[255], um nur zwei der fleißigsten Sammler auf diesem Gebiet zu nennen, Heinrichs Bedeutung für das *Immaculata*-Dogma.

Nur selten finden sich vor der Okkupation Heinrichs durch den Servitenorden auch Stellungnahmen zur *Primum cognitum*-Lehre des *Doctor sollemnis.*[256] Die jesuitischen *Conimbricenses,* die Heinrich zusammen mit DUNS SCOTUS in die aristotelische Traditon einreihten,[257] stellten 1592 in ihrem Kommentar zum Proömium der aristotelischen Physik die Frage nach dem adäquaten Objekt des menschlichen Intellekts. Mit Rückverweis auf die einschlägigen Stellen bei Heinrich, THOMAS und DUNS SCOTUS, denen offensichtlich ein Grundkonsens in dieser Frage zugeschrieben wurde, lehrten die *Conimbricenses,* daß alles Erkennen zwar nicht die göttliche Wahrheit als erkannte zuerst erfaßt, aber doch am göttlichen Licht als gleichsam der *ratio cognoscendi* teilhat. Dementsprechend beurteilten sie sehr wohlwollend Heinrichs Doktrin, die auch wegen ihrer Ausführlichkeit ausgezeichnet wird.[258]

[254] Cf. P. DE ALVA ET ASTORGA: *Radii Solis zeli Seraphici.* Löwen 1666, col. 990. - Cf. F. DOMÍNGUEZ: *Alba (Alva) y Astorga, Pedro de.* In: LThK[3] I (1993), col. 319; cf. ferner ARCHANGELUS A ROC: *Joannes Maria Zamoro ab Udine OFMCap. Praeclarus mariologus (1579-1649).* In: CFr 15 (1945), pp. 117-163; 16/17 (1946/47), pp. (125-185) 138. 141. 144. 171sq. - Cf. die entsprechende Lit. in Kap. I, § 3,6.

[255] Cf. H. MARRACCI: *Bibliotheca Mariana.* Rom 1648, tom. I, p. 556. - Cf. LThK[2] VII (1962), col. 105 (L. KÖSTERS).

[256] Dem Verf. nicht zugänglich war Anton WEGER: *Disputatio de prima mentis operatione.* Regensburg 1630.

[257] [COLLEGIUM CONIMBRICENSIS SOCIETATIS JESU:] *In I Phys., cap. 9, q. 3, art. 1, nr. 1.* In: ID.: Commentarii in octo libros Physicorum (1592). Lyon 1594 (ed. anastat. Hildesheim/Zürich/New York 1984), p. 156: *Sed ecce duo Aristotelicae familiae nobiles philosophi, Henricus Gandavensis et Scotus, ille quodl. I q. 10, hic in II, dist. 12, q. 1 materiam actum entitativum dicendam esse contendunt.* - Cf. B. HACHMANN/M. A. S. de CARVALHO: *Os Conimbricenses e Pedro da Fonseca como leitores de Henrique de Gand.* In: Mediaevalia. Textos e Estudios 3 (1993), pp. 207-212, die einen Stellenindex zu den *Quodlibeta* und zur *Summa* bieten.

[258] Cf. COLLEGIUM CONIMBRICENSE*: In octo libros Physicorum Aristotelis I, cap. 1, q. 5, a. 3 ad arg. 4.* Lyon 1594 (ed. anastat. Hildesheim 1984), p. 80sq.: *Ad quartum, omissa longiori disputatione, quam persequitur Henricus Gand. I p. Summae art. 24 q. 7 et divus Thomas, opusc. 70* [i.e. *In Boeth. De trin.*] *q. 1 art. 3 et I. p. q. 88. art. 3 et Scotus in I. Sent. d. 3 q. 4. respondendum est ea, quae intelligimus, non dici apud Platonem et divum Augustinum percipi a nobis in luce primae veritatis tamquam in re cognita, sed tamquam in ratione cognoscendi, id est, non quasi dum quidpiam intelligimus ipsam primam veritatem prius cognoscamus, sed quia nihil in nostrum intellectum cadit, nisi quatenus in eo prima veritas elucet et participatur et sacrum illud ac divinum lumen ut rebus ipsis veritatem, ita nobis vim eius percipiendae tuendaeque largitur, ut ex eodem Platone divus Gregorius Naziazenus* [in marg.: *In sanctum lavacrum serm. 3*] *inquit. Enim vero quod ipsa prima veritas in se sumpta a nobis haud primo cognoscatur ex eo planum est, quia in hoc vitae statu ad naturalem Dei cognitionem non nisi ex antecedente sensibilium rerum notitia provehimur. Atque haec de ordine universalia et singularia a nobis intelligendi satis sint.*

Es mag für diese Epoche überraschen, daß nicht nur Heinrichs Lehren kritisiert wurden, sondern sogar um die Zuschreibung bestimmter Lehren gerungen werden mußte. Dies war der Fall für Heinrich *Illapsus*-Theorie[259], die ein so bedeutender Theologe wie Gabriel VAZQUEZ SJ (1549 - 1604)[260] dem *Doctor solemnis* absprach. DOMINICUS A ST. THERESIA OCD (1606-1660), Mitverfasser des thomistisch orientierten *Cursus theologicus Salmanticensis*, hielt bei seinem Widerspruch zwar VAZQUEZ zugute, daß Heinrich zur Sache *obscure et mystice* gesprochen habe, stellte aber die Tradition bisheriger Heinrich-Interpretation entgegen und versicherte seinen Lesern zudem ein Studium der Originaltexte: *Certe et nos legimus Henricum.*[261] Positive Beachtung fand Heinrichs Ansicht dagegen beim belesenen Maximilian SANDAEUS (VAN DER SANDT) SJ (1578 - 1656), einem der großen Verteidiger und kenntnisreichsten Theoretiker der Mystik in jener Zeit.[262] Auch Cornelius JANSENIUS d. J. (1585 - 1638)[263], der sich vehement für eine Stützung der augustinischen Gnadenlehre engagierte, ließ Heinrich nicht als Traditionszeugen unberücksichtigt.

[259] Cf. Kap. I, § 3,10.

[260] Cf. G. VAZQUEZ: *Commentariorum ac disputationum in I-II S. theol., disp. 50, cap. 2; cap. 4.* (Alcalá 1599) Lyon 1620, pp. 184b-185a. 186a. Cf. LThK² X (1965), col. 645-647 (K. REINHARDT). - Die henrizianische *Illapsus*-Lehre kritisierte ebenfalls F. SUÁREZ: *De angelis, lib. 2, cap. 5 n. 14sq.; lib. 4, cap. 9 n. 5* (postum 1620). Op. omn. II, pp. 118sq. 459; ID.: *De beatitudine, disp. 6, sect. 1.* In: ID.: Tractatus quinque morales (postum 1628). Op. omn. IV, p. 58.

[261] [DOMINICUS A ST. THERESIA OCD:] *Cursus theologicus Salmanticensis, tract. 9: De beatitudine, q.2, disp. 1, dub. 1: Utrum beatitudo nostra formalis sit ipsa divina essentia ut unita per illapsum cum anima beati, § 3: Opinio Henrici.* (Lyon 1647) Paris 1878-80, tom. V (1878), p. (206a-213a) 211a: *Oppositam sententiam, videlicet beatitudinem formalem non esse aliquid creatum, sed ipsam divinam essentiam ut illapsum in animas beatorum et eis immediate unitam antecedenter ad unionem cum potentiis, tribuunt fere omnes theologi tam antiqui quam iuniores Henrico de Gandavo, Quodl. 13, qu. 12, ubi adeo obscure et mystice loquitur, ut non sit facile sensum eius deprehendere. Ex quo fortasse desumpsit occasionem P. Vasquez ad asserendum praedictum auctorem in ea sententia non fuisse immeritoque ei a theologis imponi, quasi mentem illius primus ipse calluerit. Certe et nos legimus Henricum, et quantum ex ipsius verbis colligere potuimus, praedictae sententiae suffragatur.* - Eine Unkorrektheit der henrizianischen Terminologie in der Gnadenlehre bemängelte auch [JOANNES AB ANNUNTIATIONE OCD (1633 - 1701):] *Cursus theologicus Salmenticensis, tract. 14: De gratia Dei, disp. 2, dub. 3, nr. 99* (Lyon 1679) Paris 1879, tom. IX, p. 190. - Cf. O. MERL: *Theologia Salmanticensis. Untersuchung über Entstehung, Lehrrichtung und Quellen des theologischen Kurses der spanischen Karmeliten.* Regensburg 1947, pp. 123sq. 128.

[262] CF. M. SANDAEUS: *Theologia mystica, lib. 2, comm. 6, exerc. 15-16.* Mainz 1627. - Cf. DSAM XIV (1990), col. 311-316 (J. ANDRIESSEN).

[263] Cf. J. JANSENIUS: *Augustinus, tom. III: De gratia Christi salvatoris, lib. VI, cap. 27.* Löwen 1640 (ed. anastat. Frankfurt a.M. 1964), col. 706a-707B, wo er in diesem eigens Heinrich gewidmeten Kapitel ihn als getreuen Augustinus-Interpreten vorstellt: *Henricus a Gandavo multa tradit, in quibus vestigia doctrinae ab Augustino traditae manifeste lucent* (col. 706A). Dann werden längere Passagen aus HENR. DE GAND., *Qdl. III,17* geboten und auf HENR. DE GAND., *Qdl. IV,22* und *Qdl. XII,26* weiterverwiesen; cf. auch ID., *Augustinus, tom. III: Lib. VI, cap. 35.* Löwen 1640, col. 723C-D (cit. HENR. DE GAND., *Qdl. I,17*); ID., *loc. cit., cap. 36,* col. 724A (Heinrich innerhalb einer Auflistung augustinischer

Ein eindrucksvolles Bild der Heinrich-Rezeption ersteht bei dem herausragendsten Vertreter dieser Epoche, dem *Doctor eximius*, Francesco SUÁREZ SJ (1548 - 1617).[264] Dieser hatte viele henrizianische Texte in einer Weise zitiert, die von einer breiten Originallektüre zeugen. Heinrich stand, obwohl öfters als Vertreter einer Eigenmeinung erwähnt, manchmal aber auch als Zeuge für den gemein-scholastischen Konsens einer Doktrin ein, so z. B. hinsichtlich der Möglichkeit eines natürlichen Gottesbeweises gemäß *Röm 1,19-21.*[265] Durch die vom Humanismus etablierte Methode präziser Quellenzitation führte SUÁREZ den Leser direkt an die von ihm bemühten Autoritäten heran, etwa bei seinem Referat über die skotische Kritik an Heinrichs angeblicher Lehre, die Wesenheiten der Dinge besäßen ein reales, ewiges, unhervorgebrachtes *esse essentiae*[266]. Spätere SUÁREZ-Leser wie z. B. M. J. SCHEEBEN profitierten für ihre Heinrich-Kenntnisse noch von dieser Textvertrautheit.

Die Kanonistik und Jurisprudenz jener Epoche - bei Adriaan FLORENSZ klang es schon an - stellte einen eigenen Traditionsstrang dar, der nach bisheriger Forschung aufgrund der isolierten Beobachtungen noch schwer zu überblicken ist. Schon NICOLAUS FAKENHAM OMin benutzte 1395/96 Heinrichs *Qdl. VI,14* zur Kritik des Gegenpapsttums.[267] Der Gallikaner und Konziliarist Jacques ALMAIN (um 1480 - 1515) wiederum schloß sich Heinrichs Auffassung über das natürliche Recht des Menschen auf leibliche Unversehrtheit

Theologennamen); ID., *loc. cit., cap. 38*, col. 730A (cit. HENR. DE GAND., *Qdl. XII,26*); ID., *loc. cit., lib. VIII, cap. 16*, col. 858A (cit. HENR. DE GAND., *Qdl. III,17*). Cf. L. CEYSSENS: *L'authenticité des cinq propositions condamnées de Jansénius.* In: Anton. 55 (1980), p. (368-424) 402; LThK³ V (1996), col. 744sq. (L. HELL/F. HILDESHEIMER).

264 Cf. insbesondere F. SUAREZ: *Disputationes Metaphysicae* (1597). Op. omn. XXV – XXVI; dazu GRABMANN, *Die Disputationes metaphysicae des Franz Suarez.* In: MGL I. 1926, pp. 534. 549; J. GÓMEZ CAFFARENA: *Sentido de la composicion de ser y esencia en Suárez.* In: Pens. 15 (1959), pp. (135-154) 139. 141-143. 149; N. J. WELLS: *Suarez, Historian and Critic of the Modal Distinction between Essential Being and Existential Being.* In: New Scholasticism 36 (1962), pp. 419-444; J. LUDWIG: *Das akausale Zusammenwirken (sympathia) der Seelenvermögen in der Erkenntnislehre des Suarez.* Diss. phil. München 1929, pp. 13. 32; W. ERNST: *Die Tugendlehre des Franz Suarez. Mit einer Edition seiner römischen Vorlesungen 'De habitibus in communi'* (EThSt 15). Leipzig 1964, indices s.v.; J.-F. COURTINE: *Suarez et le systéme de la métaphysique.* Paris 1990, ad indicem s.v. - Eine eingehende Untersuchung insbesondere zur Rezeption theologischer Themen und Eigenlehren des *Doctor solemnis* bei SUAREZ steht noch aus.

265 Cf. SUÁREZ, *De Deo uno et trino I, cap.1,1,17* (1606). Op. om. I, p. 4b, mit Nennung von HENR. DE GAND, *Summa 22,4.*

266 Cf. SUÁREZ, *Disp. Metaph., disp. 31,2,2* Op. omn. XXVI, p. 229: *Ita scribit Henricus in Summ. a. 3, q. 23 et 25, et Quodl. VIII, q. 1 et 9, et Quodl. IX, q. 1 et 2, et Quodl. XI, q. 3*; zur Sachkritik cf. DE WULF, *Hist. philos. scol. Pays-Bas.* 1893, p. 232sq.; PORRO, *Enrico di Gand.* 1990, p. 166. - Für weitere Heinrich-Referate cf. z. B. auch SUÁREZ, *Disp. metaph., disp. 5,5,8* (*Suppositum*-Lehre).

267 Cf. M. HARVEY (ed.): *Two 'Questions' on the Great Schism by Nicholas Fakenham OFM.* In: AFH 70 (1977), pp. (97-127) 115sq. 124 (cit. HENR. DE GAND., *Qdl. VI,14*).

an.[268] ALPHONSUS DE CASTRO OFM (um 1495 - 1588)[269] beachtete Heinrichs Theorie der *leges mere poenales* für seine Grundlegung des Strafrechts. Eine bei Heinrich beginnende und über DUNS SCOTUS, OCKHAM, BIEL und ALPHONSUS DE CASTRO an ihn selbst heranreichende Tradition reklamierte SUÀREZ für seine voluntaristischen Begründungstheorie der Geltung von Gesetzen.[270]

Im letzten Jahrzehnt des 16. Jahrhunderts bahnte sich für den *Doctor solemnis* in einer wirren, noch wenig aufgeklärten Vorgeschichte im Servitenorden diejenige Entscheidung an, die in einer bis dahin noch nicht gekannten Weise für eine 'Komödie des Ruhms'[271] sorgen sollte: Entgegen den schlingernden Beschlüssen der Generalkapitel der Jahre 1548 und 1580, nach denen der theologische Unterricht in Anlehnung an THOMAS *oder* DUNS SCOTUS bzw. gemäß allgemein approbierten Lehrern oder - so zuletzt 1585, 1588 und 1604 - *allein* nach THOMAS zu erfolgen hätte,[272] erklärte im Jahre 1609 der damalige General des Servitenordens, Antonius VIVOLI DE CORNETO OSM, auf einem Ordenskapitel in Rom durch Akklamation Heinrich von Gent zum Ordenslehrer. Die Ordenshistoriker Archangelo GIANI OSM (1552 - 1623)[273] und Aloysius Maria GARBI OSM[274] sowie Archangelo PICCIONI OSM (fl. 1590 - 1610)[275] flochten mit konstruktiver Phantasie um die Biographie Heinrichs

[268] Cf. J. ALMAIN: *Expositio circa decisiones Guillemi Occam super potestate Summi Pontificis.* In: E. L. DU PIN (ed.): J. Gersonii opera omnia. Antwerpen 1706, tom. III, col. (1013-1120) 1103; dazu B. TIERNEY, *Natural Rights in the Thirteenth Century: A Quaestio of Henry of Ghent.* In: Spec. 67 (1992), p. (58-68) 66. - Cf. LThK³ I (1993), col. 422 (R. ROTH).

[269] Cf. Th. E. DAVITT: *The Nature of Law.* St. Louis/London 1951, pp. 69-85; M. R. MOLINERO: *Teoría de las leges meramente penales.* In: VyV 17 (1959), pp. 229-274. - Zur Person dieses gefeierten Lehrers der Theologie in Salamanca und Konzilstheologen des Tridentinum cf. LThK² I (1958), col. 330 (V. HEYNCK); G. DÍAZ DÍAZ: *Hombres y Documentos de la Filosofía Española.* Madrid 1980sqq., tom. II, pp. 255-261. - Cf. auch K. J. BECKER: *Die Rechtfertigungslehre nach Domingo de Soto. Das Denken eines Konzilsteilnehmers vor, in und nach Trient* (AnGr 156). Rom 1967, pp. 100. 102. 156.

[270] Cf. SUÀREZ, *De legibus I, cap. 5, nr. 8* (1612) Op. omn. V, p. 18; dazu Th. E. DAVITT: *The Nature of Law.* St. Louis/London 1951, pp. 5. 86-109.

[271] Mit diesem Ausdruck dürfen wohl nicht ohne Recht - an das bekannte, auf sich selbst gemünzte Diktum A. SCHOPENHAUERS (*Gespräch mit F. Hebbel [Mai 1857, nach Wilhelm Jordan]).* In: ID.: Gespräche. Hg. v. A. HÜBSCHER. Stuttgart-Bad Cannstatt 1971, p. 308, nr. 404c) anspielend - die bereits genannten bzw. nun zu berichtenden Ereignisse als Anomalie einer Wirkungsgeschichte wohlmeinend gekennzeichnet werden.

[272] Cf. die Belege bei EHRLE, *Heinrich von Gent.* 1885, p. 373.

[273] Cf. A. GIANI: *Annalium sacri ordinis fratrum servorum B. M. V. a sua institutionis exordio centuriae quatuor, lib. V, cap. 17.* Tomus primus, praenarratam eiusdem ordinis seriem complectens ab anno MCCXXXIII usque ad annum MCDXCVI [Florenz 1618]. Editio secunda. Cum notis, additionibus et variis castigationibus opera et studio F. Aloysii Mariae GARBII de Florentia. Lucca 1719, tom. I, pp. 185a-188b.

[274] A. M. GARBI veröffentlichte 1719 eine korr. und verm. Aufl. der *Annales* von GIANI.

[275] Cf. A. PICCIONI: *Vita M. Henrici Goethals a Gandavo, Doctoris Solemnis, Socii Sorbonici, Ordinis Servorum B. M. V. et Archidiaconi Tornacensis, ex variis probatis historicis hinc inde summo labore collecta.* In: HENR. GOETHALS DE GAND., Aurea Quodlibeta ... commentariis

einen bunten Strauß von Legenden, denen ein zähes Nachleben beschieden war. Dazu zählen besonders die Legenden, daß Heinrich aus dem Geschlecht der Goethals stamme, sein Studium in Köln als Schüler des ALBERTUS MAGNUS mit dem Doktorat abgeschlossen hätte und er dann 1241 Köln verlassen hätte, um in Gent Philosophie und Theologie zu lehren. Aber bald hätte er wieder in Paris an der Sorbonne Philosophie doziert, wäre 1245 oder 1246 Doktor der Theologie geworden und hätte aufgrund seiner Verdienste und seines Ansehens den Ehrennamen *Doctor solemnis* erhalten. Als weitere Anerkennung hätte ihn INNOZENZ IV. in einer am 13. Mai 1247 zu Lyon gegebenen Bulle zum apostolischen Protonotar für ganz Frankreich ernannt und HONORIUS IV. ihn 1286 zum Archidiakon von Tournai bestellt. Am 15. August (Fest der *Assumptio B. M. V.*!) 1256 wäre Heinrich dem Servitenorden beigetreten, hätte 1284 am päpstlichen Hof in Perugia den Bestand des Ordens vor MARTIN IV. verteidigt und 1285 deshalb die Ernennung zum Ordenprokurator an der pästlichen Kurie erhalten. Diese, noch mit weiteren phantastischen Details ausgeschmückten Legenden und andere mehr, wie sich sich bequem bei EHRLE nachlesen lassen, erschienen zum größten Teil erstmals bei GIANI und PICCIONI. Mehr als verständlich ist daher der sehnliche Wunsch des Bollandisten Willem CUYPERS SJ (1686 - 1741): *Vellem, ut haec publica Henrici Gandavensis gesta, ..., apud antiquos auctores legerentur.*[276]

Infolge der 1609 erfolgten Erhebung Heinrichs zum Ordenslehrer wurde es für den Servitenorden besonders dringlich, zur Ausbildung der eigenen Studenten die Texte Heinrichs bereitzustellen. Bereits ein Jahr vorher, 1608, erschien eine Neuausgabe der *Quodlibeta*, versehen mit einem Kommentar des Kamaldulenserabtes Vitalis ZUCCOLI OSB (1556 - 1630)[277], der 1613 eine ebenfalls kommentierte Ausgabe von Archangelo PICCIONI folgte. Beide Editionen sind nicht bloße Nachdrucke der Badius-Ausgaben, sondern Ausdruck eigenständiger Neubeschäftigung mit Heinrich im Servitenorden.[278] Der Kardinalprotektor des Servitenordens ordnete 1618 eine systematische Suche nach Werken Heinrichs in den Konventen an.[279] 1646 kam durch Hieronymus SCARPARIUS (Girolamo SCARPARI) OSM († nach 1650)[280] die *Summa* Heinrichs erneut zum Druck. In Rom zu San Marcello wurde 1666 zur ordenseigenen

doctissimis illustrata M. Vitalis Zuccolii Patavini ... Venedig 1613, tom. I, pp. 4*-6* [unpaginiert].

[276] G. CUPER: *De S. Philippo Benitio ... confessoris Ordinis Servorum BMV ... commentarius, lib. 2, cap. 16, nota b.* In: ActaSS Augusti, tom. IV (Antwerpen 1739), p. (655-719) 704b. - Cf. HURTER, NLTC IV (^{3}1910), col. 1563sq.

[277] Cf. R. MACKEN: *Vitale Zuccoli, commentateur des Quodlibets d'Henri de Gand.* In: BPhM 18 (1976), pp. 84-90.

[278] Cf. MONTAGNA, *I Servi ed Enrico di Gand.* 1982, pp. 198 not. 6; anders MACKEN: *Introduction.* 1979, p. xxvii, not. 2.

[279] Cf. MONTAGNA, *I Servi ed Enrico di Gand.* 1982, pp. 198-200.

[280] Cf. H. SCARPARIUS: *Summae Henrici Gandavensis medulla.* In: Magistri Henrici Goethals a Gandavo ... Doctoris Solemnis ... Summa. Ferrara 1642-46, pp. 1-260. - Zur Biographie cf. ROSCHINI, *Galleria servitana.* 1976, p. 313sq.

Theologenausbildung das *Collegium Gandavense* gegründet, in dem man bis zu dessen Auflösung 1870 gemäß der Ordenskonstitutionen der Jahre 1643 und 1766 den theologischen Unterricht anhand der Schriften Heinrichs und der *Summa theologiae* des Aquinaten erteilte.[281] Mehrere erhaltene Disputationsthesen aus verschiedenen Studienhäusern des Ordens geben ein gutes schriftliches Zeugnis dieses Lehrunterrichts.[282]

Henricus Antonius BURGOS (Enrico Antonio BORGHI da Castelnuovo Scrivia) OSM (1574 - 1630)[283], der auch an dem besagten Generalkapitel von 1609 teilgenommen hatte, ist Archeget der henrizianisch orientierten Servitentheologie. Im Wissen um die zahlreichen Sonderlehren Heinrichs, die einer Neuetablierung in der damaligen scholastischen Theologie bedurften, publizierte er eine Quästionensammlung unter dem latent apologetischen Titel *Henrici de Gandavo ... Paradoxa theologica et philosophica.*[284] Sein Neffe Henricus BURGOS

[281] Cf. F. A. DAL PINO: *Edizioni delle Costituzioni dei Servi dal sec. XIII al 1940* (Studi storici OSM 19). Bologna 1969.

[282] Cf. A. F. FERRARI (fl. 1625): *Theoremata ex quattuor Sententiarum libris, quae ad mentem Henrici Gandavensisi, doctoris Solemnis Ordinisque Servorum beatae Mariae virginis, publice disputanda proponit* ... Perugia 1625 (cf. BRANCHESI, *Edizioni.* 1973, p. 89); J. A. M. FILETTI (fl. 1685): *Theologica asserta ad mentem doctoris Solemnis, Henrici gandavensis, Ordinis Servorum b.M.v.* Bologna 1686 (cf. BRANCHESI, *Edizioni.* 1973, p. 99); J. F. POGGI († 1719): *Assertiones ex universa theologia sub felicissimis auspiciis serenissimi Cosmi III magni Etruriae ducis publice propugnandae pro laurea theologica* ... Rom 1674 (cf. BRANCHESI, *Edizioni.* 1973, p. 174); J. V. FILIPPI († 1738): *Assertiones universae philosophiae* ... Rom 1677 (cf. BRANCHESI, *Edizioni.* 1973, p. 100); P. A. ROSSI († 1726): *Assertiones ex universa theologia ad mentem magistri f. Henrici Gandavensis Ordinis Servorum b.M.v., Doctoris Solemnis, publice propugnandae pro comitiis generalibus Romae celebrandis.* Rom 1678 (cf. BRANCHESI, *Edizioni.* 1973, p. 197); J. V. ROSSI (fl. 1680): *Flores theologici ex Henrici gandavensis, Ordinis Servorum beatae virginis Doctoris Solemnis, scholastico excerpti viridario* ... Bologna 1681 (cf. BRANCHESI, *Edizioni.* 1973, p. 196); P. PORTA: *Conclusiones theologicae, quas ... ad mentem Doctoris Solemnis Henrici Gandavensis Ordinis Servorum b.M.v.* Vicenza 1694 (cf. BRANCHESI, *Edizioni.* 1973, p. 183).

[283] Cf. zur Biographie cf. ROSCHINI, *Galleria servitana.* 1976, p. 289.

[284] Cf. [H. A. BURGOS:] *Henrici Gandavensis, Doctoris Solemnis Ordinis Servorum, Paradoxa theologica et philosophica, a Fratre Henrico Antonio BURGO de Castronovo Scripiae, in almo Pisano Gymnasio S. Theologiae Professore atque eiusdem Ordinis Generali, ad excitandos eiusdem Instituti iuvenes explicata et defensa.* Bologna 1627. - Wegen der Seltenheit dieses äußerst bemerkenswerten Werkes - benutzt wurde das Exemplar der Bibliothek der Theol. Fakultät der Kath. Univ. Löwen - seien die Kapitelüberschriften mitgeteilt: *I. Dari lumen theologicum superius fide* [pp. 1-34]; *II. Verbum inter duas notitias gigni, simplicem et declarativam* [pp. 35-106]; *III. Essentias rerum esse aeternas* [pp. 107-238]; *IV. Angelos omnia intelligere per habitum scientialem* [pp. 139-168]; *V. Sacramenta evangelica causare gratiam, quatenus Deus ut in illis existens gratiam producit* [pp. 169-238]; *VI. Principium individuationis esse duplicem negationem, seu existentiam, vel ipsum agens* [pp. 239-291]; *VII. Theologia nostra nulli scientiae subalternatur, quin potius naturales scientias omnes sibi subalternet, art 7, q. 4* [pp. 292-295]; *VIII. Deus est primum cognitum, art 24, q. 7* [pp. 296-298]; *IX. Filius generatur de substantia Patris quasi de materia, art. 54, a. 3* [pp. 299-300]; *X. In praedestinato datur causa aliqua suae praedestinationis, Qdl. 4, q. 19 & Qdl. 8, q. 5* [pp. 301-303]; *XI. Angeli inteligunt cogitationes cordium, Qdl. 3, q. 13* [pp. 303-304]; *XII. Beatitudo principalius perficit essentiam animae quam potentias, Qdl. 13, q. 12* [pp. 305-307]; *XIII. Beati vident creaturas in*

(Enrico BORGO da Castelnuovo) OSM († 1658)[285] eiferte ihm darin nach. Der sehr produktive Georgius SOGIA (Giorgio SOGGIA da Sassari) OSM (1632 - 1701)[286] verfaßte als erster unter den Serviten eine dem Schema der Sentenzenkommentare angepaßte Gesamtdarstellung der neuen Ordenstheologie. Im strengen Anschluß an Heinrich schrieb auch Callistus LODIGERIUS (Callisto LODIGIERI da Orvieto) OSM (1648 - 1710)[287]. Auf philosophischem Terrain vertraten vor allem die Serviten Michael Angelus GOSIUS (Michelangelo GOSI d'Avigliano) OSM († 1647)[288], Leonardus COZZANDO OSM (1620 - 1702)[289],

Deo videndo essentiam divinam ut habet rationem ideae, Qdl. 7, q. 4 [pp. 308-311]; *XIV. Creatura irrationalis a Verbo divino assumi non potest, Qdl. 13, q. 5* [pp. 311-313]; *XV. In homine praeter animam rationalem est alia forma, Qdl. 2, q. 2 & 3, Qdl. 4, q. 13, Qdl. 9, q. 8, Qdl. 10, q. 5 ad 3* [pp. 315-317]; *XVII. Panis post consecrationem manet aliquid, Qdl. 9, q. 9, Qdl. 11, q. 4* [pp. 317-319]; *XVIII. Nulla veritas syncera naturaliter cognosci potest ab intellectu viatoris absque speciali divinae illustratione, art. 1, q. 2 & 3* [pp. 319-322].

285 Cf. H. BURGOS [nepos]: *Axiomatum aliquot theologicorum ex quattuor Sententiarum libris totidemque Paradoxorum Henrici Gandavensis, Servitae doctoris Solemnis, dilucudatio ...* Bologna 1652. - Cf. BRANCHESI, *Edizioni.* 1973, p. 58sq.

286 Cf. G. SOGIA: *In prologum Sententiarum magistri fratris Henrici a Gandavo eiusdem Ordinis doctris Solemnis quaestiones disputatae. Pars prima: De sacra theologia.* Rom 1691; ID.: *In prologum Sententiarum ... Pars secunda: De locis et argumentis theologicis.* Rom 1691; ID.: *In prologum Sententiarum ... Pars tertia: De S. Scriptura et eius sensibus deque censuris propositionum ei oppositarum.* Saceri 1692; ID.: *In primum et secundum librum Sententiarum quaestiones disputatae: De Deo divinisque personis et angelis. Pars prima.* Saceri 1689; ID.: *In tertium librum Sententiarum quaestiones disputatae. Pars prima: De Christo seu de incarnatione Verbi divini.* Saceri 1697; ID.: *In quartum librum Sententiarum quaestiones disputatae. Pars prima.* Saceri 1697; ID.: *Tractatus de actibus humanis iuxta mentem Sollemnis Doctoris Henrici de Gandavo* (Ms.) [eine Übersicht der Quästionen bei MACKEN, *Bibl. manuscr.* 1979, vol. II, p. 1206sq.]. - Zur Biographie cf. ROSCHINI, *Galleria servitana.* 1976, p. 374sq.; ferner BRANCHESI, *Edizioni.* 1973, p. 217-219.

287 Cf. C. LODIGERIUS: *Disputationum theologicarum tomus primus, in tres libros divisus, in quorum primo de Deo, deique proprietatibus; secundo de beatifica visione Dei; tertio vero de Divina scientia, juxta genuinam Henrici de Gandavo Doctoris Solemnis Ordinis Servorum B. M. V. mentem disseritur.* Rom 1698; ID.: *Tractatus de fide, spe et caritate ad mentem Henrici de Gandavo* (Ms.) [eine Quästionenübersicht bei MACKEN, *Bibl. manuscr.* 1979, vol. II, pp. 1197-1199]; ID.: *Tractatus de gratia ad mentem Sollemnis Doctoris Henrici Gandavensis, Pars prima* [eine Quästionenübersicht bei MACKEN, *Bibl. manuscr.* 1979, vol. II, p. 1199sq.]; ID.: *Tractatus de intellectu et scientia Dei ad mentem Sollemnis Doctoris Henrici Gandavensis* (Ms.) [eine Quästionenübersicht bei MACKEN, *Bibl. manuscr.* 1979, vol. II, p. 1200sq.]; ID.: *Tractatus de poenitentia ad mentem Sollemnis Doctoris Henrici Gandavensis* (Ms.) [eine Quästionenübersicht bei MACKEN, *Bibl. manuscr.* 1979, vol. II, pp. 1202-1204]. - Zur Biographie cf. ROSCHINI, *Galleria servitana.* 1976, p. 382sq.

288 Cf. M. A. GOSIUS: *Summae philosophicae ad mentem Henrici Gandavensis, Doctoris Solemnis, Ordinis Servorum B.M.V. Pars prima logicalis.* Rom 1641; ID.: *Summae philosophicae ad mentem Henrici Gandavensis, Doctoris Solemnis, Ordinis Servorum B.M.V. Pars secunda: Physica.* Rom 1642. - Zur Biographie cf. ROSCHINI, *Galleria servitana.* 1976, p. 306sq.

289 L. COZZANDO: *De magisterio antiquorum philosophorum libri VI.* Genua 1684. Cf. G. PIAIA: *Le storie filosofiche della filosofia in Francia e in Italia.* In: SSGF II. 1979, pp. 3-326, zu COZZANDO pp. (264-270) 265-268; ROSCHINI, *Galleria servitana.* 1976, p. 375sq.

Angelus Maria VENTURA OSM (1666 - 1738)[290] und Peregrinus Maria VILARDELL OSM[291] die Lehrmeinungen des *Doctor solemnis* im Disput mit Skotisten, Thomisten, Suarezianern, Nominalisten, Baconthorpisten und Vertretern anderer scholastischer Schulformationen des endenden 17. und beginnenden 18. Jahrhunderts.[292] Dabei profilierte sich Benedictus Angelus Maria CANALI OSM († 1745)[293] als aristotelisierender Apologet des *Doctor solemnis* gegen Cartesianer und Atomisten seiner Zeit.

Da die Serviten selbstverständlich auch Sonderlehren ihres neuen Ordenslehrers übernahmen, entflammten schon bald wieder die seit Mitte des 14. Jahrhunderts ruhenden theologischen Kontroversen um Heinrichs Lehre von Gott als dem Ersterkannten. Als wohl erster unter den Serviten verteidigte H. A. BURGOS in seinen 1627 erschienenen *Paradoxa theologica et philosophica*[294] die henrizianische Doktrin in recht ausführlicher Manier. Bernhard

[290] Cf. A. M. VENTURA: *Magistri Fratris Henrici Gandavensis ... Philosophica tripartitio doctrinarum et rationum* (3 vol.). Bologna 1701 (zur Sonderrolle dieses Werkes in der Heinrich-Forschung cf. Kap. I, § 2,4e); ID.: *Tractatus de beatitudine supernaturali iuxta mentem Sollemnis Doctoris Henrici a Gandavo* (Ms.) [eine Quästionenübersicht bei MACKEN, *Bibl. manuscr.* 1979, vol. II, p. 1207sq.]; ID.: *Tractatus de vitiis et peccatis secundum mentem Sollemnis Doctoris Henrici de Gandavo* (Ms.) [eine Übersicht der Quästionen bei MACKEN, *Bibl. manuscr.* 1979, vol. II, p. 1208sq.]. - Zur Biographie cf. ROSCHINI, *Galleria servitana.* 1976, p. 423sq.

[291] P. M. VILARDELL: *Henricisticus philosophiae cursus seu veridica Aristotelicae philosophiae traditio iuxta mentem Henrici a Gandavo* (Ms.) [cf. MACKEN, *Bibl. manuscr.* 1979, vol. II, p. 1209]. - Zur Biographie cf. ROSCHINI, *Galleria servitana.* 1976, p. 402; D. M. CHARBONEAU: *The Servites of Barcelona.* In: Studi storici dell'Ordine dei Servi di Maria 30 (1980), p. (5-85) 52sq.

[292] Cf. H. HURTER: *Nomenclator literarius theologiae catholicae, tom. IV.* Innsbruck ²1906; A. MICHELITSCH: *Illustrierte Geschichte der Philosophie.* Graz 1933, p. 547; B. JANSEN: *Die distinctio formalis bei den Serviten und Karmelitern des 17. Jahrhundert.* In: ZKTh 61 (1937), pp. 595-601; ID.: *Die scholastische Philosophie des 17. Jahrhundert.* In: PhJ 50 (1937), pp. (401-444) 403-410; ID.: *Die scholastische Psychologie vom 16. bis 18. Jahrhundert.* In: Schol. 26 (1951), pp. (342-363) 344. 357; BRANCHESI, *Edizioni.* 1973, pp. 17-454, ad indicem (p. 549) s.v. 'Goethals, Enrico di Gand' [sic!]; U. G. LEINSLE: *Die Scholastik der Neuzeit bis zur Aufklärung.* In: CPhKD II. 1988, pp. (54-69) 55. 62. - Allgemein urteilt JANSEN, *Scholastische Philosophie im 17. Jh.* 1937, p. 410: „Die Servitenschule bekundet eindrucksvoll, daß die Scholastik auch im 17. Jahrhundert höchst wertvoll, scharfsinnig und gründlich gepflegt wurde. Freilich bekundet sie ebenso klar den Mangel an schöpferischem Blick und Willen, an fortschrittlicher Beweglichkeit. Die Ordensgebundenheit, speziell die Autorität des Heinrich von Gent, den gar noch die neuere Kritik als Nichtserviten erwiesen hat, lastet erdrückend und einengend auf der Spekulation aller Mitglieder dieser Schule."

[293] Cf. B. A. M. CANALI: *Cursus philosophicus ad mentem solemnis Henrici de Gandavo, in quo contra veterum et recentiorum praesertim Cartesii aliorumque atomistarum opiniones Aristotelis systema restituitur.* Parma 1715; ferner ID.: *De septem ecclesiae sacramentis libris VIII comprehensa, in quibus res praecipue non solum ad dogmata, sed etiam ad historiam, criticam, chronologiam, leges civiles ac ecclesiae orientalis et occidentalis disciplinam pertinentes ordien suo recensentur.* Venedig 1734. - Zur Biographie cf. ROSCHINI, *Galleria servitana.* 1976, p. 437sq.

[294] Cf. H. A. BURGOS: *Henrici Gandavensis, Doctoris Solemnis Ordinis Servorum, Paradoxa theologica et philosophica a Fratre Henrico Antonio Burgo de Castronovo Scripiae, in almo Pisano*

JANSEN, der anscheinend als einziger moderner Philosophiehistoriker diesen Text bespricht, aber den Zusammenhang mit der hochscholastischen Diskussion nicht erwähnt, ist von der These befremdet und will in BURGOS' Ausführungen Ontologistisches wittern.[295] Doch mit dieser Vermutung ist die berechtigte Intention BURGOS' verkannt, Heinrichs Theorem als legitime Auslegung augustinischer Gotteslehre darzustellen, dessen Konsensfähigkeit mit dem Gemeingut der hochscholastischen Theologie durch Berufung auf vergleichbare Aussagen anderer Scholastiker sicherzustellen und dessen logische Stimmigkeit in systematischer Reflexion aufzudecken.

An BURGOS' Argumentation knüpfte dann G. SOGIA[296] an. Er replizierte auch auf die namentlich gegen Heinrich formulierte Kritik des Pietro Sforza PALLAVICINO SJ (1607 - 1667)[297], des bekannten Schreibers der Geschichte des

Gymnasio S. Theologiae Professore atque eiusdem Ordinis Generali, ad excitandos eiusdem Instituti iuvenes explicata et defensa. Bologna 1627, pp. 296a-298b: *Paradoxum VIII: Deus est primum cognitum. Art. 24 q. 7.* Diese Apologie war ursprünglich nicht im Dispositionsplan seiner *Paradoxa* enthalten und wurde erst während der Drucklegung des Werkes zu Papier gebracht. Die ausgesprochene Defensivhaltung seiner Darlegungen verraten die Eingangsworte: *Absurdissima primo aspectu videri potest haec sententia, si tamen sensus percipatur, nullam continet absurditatem.*

[295] Cf. B. JANSEN: *Die scholastische Philosophie des 17. Jahrhunderts.* In: PhJ 50 (1937), pp. (401-444) 405: „Merkwürdig klingt die These gegen Schluß [sc. der 'Paradoxa', M. L.]: Deus est *primum cognitum.* Die Ausführung kommt im Grunde darauf hinaus: wir erfassen alles *sub conceptu entis in communi, qui analogice Deo convenit et creaturis,* ohne daß wir an Gott denken, natürlich kommt dieses Sein Gott früher als den Geschöpfen zu. Das läßt sich verstehen, die Formulierung ist aber nicht glücklich, sie greift einseitig gewisse ontologistisch klingende oder auch tatsächlich ontologistisch gemeinte Denkmotive des hl. Augustinus auf."

[296] Cf. G. SOGIA: *In primum et secundum librum Sententiarum quaestiones disputatae: De Deo divinisque personis et angelis. Pars prima. In I Sent., disp. 1, q. 1.* Saceri 1689, pp. 5a-10b: *An Deus sit primum cognitum.*

[297] Cf. P. Sf. PALLAVICINO: *Liber octavus de Deo uno et trino, cap. 4, nr. 29-31: Sub quibusdam conceptibus Deus sit per se notus.* In: ID.: Assertiones theologicae (9 vol. in 7 tom.). Rom 1649-52, tom. VII (1652), pp. (46-55) 46-48: *29. Reiicimus sententiam Henrici asserentis Deum esse id quod primo concipitur in cognitione entis indeterminate, prout in sententia ipsius Henrici* ens *semper abstrahitur in conceptu cuiuslibet creaturae. 30. Nam primo falsum est, quod assumitur, essentiam Dei consistere in hoc, quod sit* ens, et nihil aliud, *hoc est nullam habens differentiam ex iis per quas limitatur esse creatum. Ex hoc enim sequeretur Deum differre a creaturis per solam* [p. 47] *negationem se tenentem ex parte Dei, ac proinde sequeretur differentias positivas creaturarum, quatenus positivas, esse pura mala, et per illas (quae tamen ut positivae procedunt a Deo,) nullam dari similitudinem in creaturis cum Deo. Confirmatur, quia conceptus negationis non est conceptus entis, adeoque non est conceptus* boni, *quod est proprietas entis, sed differentia Dei, prout differt a creaturis est bona. Ergo. 31. Rursus id principaliter impugnatur, quia non potest concipi negatio, quin habeatur conceptus illius positivi, cuius est ea negatio. Ergo id, quod primo occurrit intellectui in cognitione cuiuslibet obiecti, non est* ens *cum illa indetermi-* [p. 48] *natione negativa, quam ponit Henricus in Deo, sed potius sunt ipsae differentiae positivae, quae semel cognitae possunt deinde negari de aliquo ente, et sic reflexe potest concipi negatio illarum, sicut caecus a nativitate non cognoscit tenebras tamquam negationem lucis, nisi prius audiat dari lucem. Haec contra sententiam Henrici, quae tamen posset aliter melius explicari, ut patebit ex dicendis super conceptu quidditativo Dei.* - Cf. H. JEDIN, *Pallavicino.* In: LThK[3] VIII

Tridentiner Konzils. PALLAVICINO wurde vermutlich auch wegen seiner kurialen Bedeutung einer Gegenkritik gewürdigt, denn sein Vorwurf, Heinrichs Überlegungen hätte eine irrige Negationstheorie zugrundegelegen, war bislang schon in der Heinrich-Kritik skotischer Provenienz gut aufgehoben gewesen und stellte nichts Neues dar. Kaum Neues bot auch der sehr konventionell thomistisch vorgehende GABRIEL A S. VINCENTIO OCD (1601 - 1671).[298]

Pedro de GODOY OP (um 1600 - 1687)[299], einer der führenden Thomisten jener Zeit, ging allerdings ungewöhnlich ausführlich und mit neuer Perspektive auf Heinrichs *Primum cognitum*-Lehre ein. Der Kontext seiner Überlegungen ist bestimmt von den Anliegen, zum einen das Phänomen des antiken und zeitgenössischen Atheismus nicht unterzubewerten und zum anderen die helfende Autorität des Glaubens für die Erkenntnis der Existenz Gottes zu erweisen. Für GODOY schien Heinrichs Lehre beiden Aspekten abträglich zu sein. Die henrizianische Lehre wurde von GODOY - etwas überraschend - aus dem Referat des PETRUS AUREOLI rekonstruiert und dabei auf drei Argumente zusammengezogen. Gott sei das Ersterkannte, weil er erstens der Erkenntnisgrund für alle Dinge sei, zweitens als das erste Wahre alle andere Wahre erkennen lasse und drittens als geistiges Licht vom Erkenntnisvermögen so als erstes erkannt werde, wie das körperliche Licht zuerst vom Gesichtssinn gesehen werde. *Verum haec sententia displicet communiter theologicis et metaphysicis.*[300] Darum legt GODOY unter Verweis auf mehrere Thomas-Stellen[301] eine dreifache Argumentation gegen die Annahme vor, Gott sei das angemessene Ersterkannte des viatorischen Menschen. Unverträglichkeiten bestehen nämlich erstens mit der wesenhaften Sinnenverwiesenheit des menschlichen Erkennens, zweitens mit der bleibenden Potentialität des menschlichen Intellekts, die durch eine Ersterkenntnis Gottes als des aktuellsten Seienden keinen Terminus ihre Tätigkeit erhielte. Drittens setze Heinrichs Theorie die in diesem Leben unerfüllbare Möglichkeit voraus, daß Gott durch sich selbst oder wenigstens durch eine eigene Spezies sich mit dem Erkennen des Menschen vereine. Wie klar zu ersehen ist, legte GODOY an Heinrich streng gehandhabte kriteriologischen Maßstäbe der thomistischen Schule an, die die Intentionen der henrizianischen Theorie völlig verschütteten.

(1963), col. 6sq.; S. K. KNEBEL: *Die früheste Axiomatisierung des Induktionsprinzips: Pietro Sforza Pallavicino SJ (1607-1667).* In: Salzb. Jb. Philos. 41 (1996), pp. 97-128.

298 Cf. GABRIEL A S. VINCENTIO: *Commentarius in Iam partem divi Thomae, disp. 2, dub. 2, nr. 22.* Rom 1664. - Cf. LThK² IV (1960), col. 482 (O. MERL).

299 Cf. P. de GODOY: *Disputationes theologicae in primam Partem divi Thomae. Tract. I, disp. 2: An Deum esse, sit per se notum. § 1: Deum esse, auctoritate probatur, et reiicitur sententia Enrici, nr. 11-16.* (Osma 1669-71) Venedig 1686, tom. I, p. (5a-6b) 6a-b. - Cf. LThK² IV (1960), col. 1036 (G. GIERATHS).

300 GODOY, *Disp. theol. in I part., tract. I, disp. 2, § 1, nr. 12.* Venedig 1686, tom. I, p. 6a.

301 GODOY verweist auf THOM. DE AQU., *S. theol. I, q. 12, a. 4;* ID., *S. theol. I, q. 84, a. 7;* ID., *In Boeth. De trin. I,3.*

Die von BURGOS begonnene und durch SOGIA fortgesetzte Verteidigung der *Primum cognitum*-Lehre Heinrichs wurde von LODIGERIUS[302], der von diesen dreien auch die breiteste Darstellung bot, zu einem gewissen Abschluß gebracht. Eine detaillierte Darstellung dieser von den Serviten mit einigem Aufwand, aber ohne rechten Erfolg geführten Auseinandersetzungen erübrigt sich hier, insoweit die Servitentheologen einerseits eine getreue Paraphrase der einschlägigen henrizianischen Texte zugrundelegten und andererseits sich ihre Erläuterung der Argumente Heinrichs fast ganz von den erhobenen Einwürfen thomistischer und skotistischer Herkunft leiten ließ. Mit dem Niedergang dieser im wesentlichen auf Italien beschränkten Servitenschule endete auch der lebendige doktrinäre Einfluß Heinrichs im Bereich europäischen scholastischen Denkens.[303]

[302] Cf. C. LODIGERIUS: *Disputationum theologicarum tomus primus, in tres libros divisus, in quorum primo de Deo, Deique proprietatibus; secundo de beatifica visione Dei; tertio vero de Divina scientia, iuxta genuinam Henrici de Gandavo Doctoris Solemnis Ordinis Servorum B. M. V. mentem disseritur. Lib. I, disp. 2, q. 2.* Rom 1698, pp. 66b-71b: *An id, quod est Deus, sit, id, quod primo ex creaturis cognoscitur.* Hauptziel seiner Argumentation war es, die von GODOY erhobenen Einwürfe zu entkräften.

[303] Anknüpfend an Mutmaßungen von PAULUS, *Essai.* 1938, pp. 42. 102. 117sq. 212. 391, versuchte man, doktrinelle Verbindungen zwischen Heinrich und R. DESCARTES (1596-1650) aufzuzeigen. Heinrichs Lehre von *esse essentiae* fand sich in Parallele gesetzt mit DESCARTES' Rede von einem *esse obiectivum*, so bei T. J. CRONIN: *Objective Being in Descartes and in Suarez* (AnGr 154). Rom 1966, pp. 178-199 (dazu kritisch ablehnend KOBUSCH, *Sein und Sprache.* 1987, pp. 90. 516. 547), der henrizianische anthropologische Dimorphismus verglichen mit dem cartesianischen Dualismus von *res cogitans* und *res extensa*; dazu PAULUS, *Essai.* 1938, pp. 42. 102. 114-116; G. A. WILSON: *Dymorphism and the Metaphysical Unity of Man in „Quodlibeta Magistri Henrici Goethals a Gandavo Doctoris solemnis: socii Sorbonici: et archidiaconi Tornacensi cum duplici tabella“.* Diss. Tulane Univ. 1975, cf. Diss. Abstr. A 36/8 (1976) 5358; ID.: *Henry of Ghent and René Descartes on the Unity of Man* In: FranzStud 64 (1982), pp. 97-110. Wenig überraschend konnte keine der Untersuchungen einen historisch belegbaren Einfluß Heinrichs auf DESCARTES erweisen. DESCARTES kannte natürlich gut die Schriften des SUAREZ und der *Conimbricenses.* Aber es mag wohl am ehesten scotistisch umgeschmolzenes henrizianischen Gedankengut in dem von DESCARTES, *Epist. ad Mersenne* (11. Nov. 1640) Adam/Thannery III, p. 232, sehr gelobten Kurzlehrbuch des scotistisch beeinflußten EUSTACHIUS A S. PAULO OCist: *Summa philosophica quadripartita de rebus dialecticis, moralibus, physicis et metaphysicis.* Paris 1609, im Hintergrund stehen. Ähnliche Vermittlungsumwege gelten auch für den Anteil henrizianischer Theoreme an der Gottesbeweislehre bei G. W. LEIBNIZ (1646 – 1716); cf. M. LATZER: *The Proofs for the Existence of God: Henry of Ghent and Duns Scotus as Precursors of Leibniz.* In: Modern Schoolman 74 (1997), pp. 143-160.

§ 2 DER WISSENSCHAFTSGESCHICHTLICHE WEG VON DER ARCHIVARISCH-KLASSIFIZIERENDEN KATALOGISIERUNG ZUR HISTORISCH-KRITISCHEN ERFORSCHUNG DES HEINRICH VON GENT

1. Heinrich von Gent als biobibliographisch typisierte Gestalt der Gelehrtengeschichte in der Literarhistorie des 16. und 17. Jahrhunderts

Nach dem Niedergang der Servitenschule traten für Heinrich von Gent keinesfalls *dark ages* ein. Dies möchten im folgenden Abschnitt skizzenhaft einige Belege darlegen, die - mit besonderem Blick auf den Bereich deutschen Geisteslebens - von den Anfängen der Deutschen Schulphilosophie bis in die Mitte des 17. Jahrhunderts hineinreichen. Untersuchungen des entsprechenden Schrifttums anderer Länder, die in starkem Maße die Barock-, oder besser: die Iberische Scholastik zur Hochblüte brachten, also die Literaturen Spaniens, Portugals, Frankreichs, Italiens - zudem das Stammland des Servitenordens -, und nicht zuletzt Nachforschungen zur lokalhistorischen Tradition der belgischen Lande lassen gewiß noch reichere Auskünfte als die hier nun gebotenen erhoffen. Doch die für solche Studien unzureichenden Bestände der dem Verfasser erreichbaren Bibliotheken versagten ein näheres Eingehen auf dieses Gebiet, das reichen Ertrag verspricht und sicherlich noch manche Überraschung bereithält.

Als guter Indikator für das über Mittelaltergrenzen hinaus fortbestehende Interesse an Heinrich darf die Tatsache gelten, daß Heinrich von Anfang an nicht aus prosopographischen Überblickswerken verschwand. Bereits zu Humanistenzeiten hatte der auch wegen seiner Schriftstellerkataloge[1] berühmte Benediktinerabt Johannes TRITHEMIUS (TRITHEIM) (1462 - 1516) den Genter Theologen in seinem 1494 gedruckten, vielbenutzten *Liber de scriptoribus ecclesiasticis*[2] sowie in seinem 1495 publizierten *Catalogus illustrium virorum Germa-*

[1] Cf. H. ZEDELMAIER: *Bibliothecae universalis und Bibliotheca selecta. Das Problem der Ordnung des gelehrten Wissens in der frühen Neuzeit* (AKG, Beih. 33). Köln/Weimar/Wien 1991; K. ARNOLD: *De viris illustribus. Aus den Anfängen der humanistischen Literaturgeschichtsschreibung: Johannes Trithemius und andere Schriftstellerkataloge des 15. Jahrhunderts.* In: Humanistica Lovaniensia 42 (1993), pp. 52-70; Sabine SCHMOLINSKY: *Biographie und Zeitgeschichte bei Enea Piccolomini. Überlegungene zum Texttyp von „De viris illustribus“.* In: Humanistica Lovaniensia 44 (1995), pp. 79-89 (Lit.!); M. LAARMANN: *Schriftstellerkataloge. I. Allgemein.* In: LexMA VII (1995), col. 1570sq.

[2] J. TRITHEMIUS: *Liber de scriptoribus ecclesiasticis.* In: ID.: Opera historica. Ed. M. FRESHER. Frankfurt a.M. 1601 (ed. anastat. Frankfurt a.M. 1966), vol. I, p. (187-400) 299sq. [= J. A. FABRICIUS: *Bibliotheca ecclesiastica, in qua continentur de scriptoribus ecclesiasticis S. Hieronymus* ... Hamburg 1718 (ed. anastat. Farnborough 1967), p. (1-231) 122sq.: nr. CDXCVII.]: *Henricus de Gandavo Archidiaconus Tornacensis, natione Teutonicus, vir in divinis scripturis inter omnes doctores sui temporis eruditissimus et in philosophia Aristotelica valde subtilis, tantae opinionis et authoritatis in gymnasio Parisiorum extitit, ut doctor solennis per universum Christianum orbem vocatus sit. Erat enim ingenio et in disputa-*

niae[3] aufgenommen. Authentische und pseudoepigraphische Schriften erschienen dort bunt gemischt. Es fehlt dabei, wie PELSTER hervorhob, der seit dem beginnenden 14. Jahrhundert viel benutzte sog. *Catalogus virorum illustrium*. Obwohl die Formulierungen für Heinrichs wissenschaftliche Leistungen bei TRITHEMIUS gattungsbedingt nicht ganz frei von funebralrhetorischen Überhöhungen blieben, begründete er das Lob mit der sachlichen Leistung Heinrichs auf den Gebieten scholastischer Theologie und Philosophie. Die seit Heinrichs Tod feststellbare Hochschätzung seiner Person hielt also ungebrochen an und sollte sich bis ins 19. Jahrhundert hinein nicht ändern.

Doch der damals in zahlreichen Schriftstellerverzeichnissen und Bibliothekskatalogen zum Ausdruck kommende bibliophile Wissensdurst verhinderte nicht eine fortschreitende Verwilderung der bibliographischen Kenntnisse über Heinrich, wie schon recht früh Guilhelmus CARNIFICIS OP († 1525)/Ioannes BUNDER[I]US OP (1481/82 - 1557)[4] offenbarten. Erst in einer

tionibus scholasticis acutissimus, quod praeclara illius testantur opuscula. De quibus ego tantum reperi ad praesens subiecta: Summam Theologiae lib. 1; Super sententias lib. 4; De virginitate lib. 1; Quodlibeta lib. 2 [sic]; *De poenitentia lib. 1; In Metaphysicam lib. 14; In Physicorum libros, lib. 8. Caetera quidem multa composuit, sed ad notitiam meam non venerunt. Moritur sub Adolpho Imperatore. Anno Domini, 1293. Indictione 6. In festo Apostolorum Petri et Pauli. Sepultus Tornaci in ecclesia sanctae Dei genitricis Mariae.* - Ganz von TRITHEMIUS abhängig ist u. a. SIXTUS DE SIENA OP (1520-1569): *Bibliotheca Sancta, lib. IV.* (Venedig 1566) Köln 1586; cf. LThK² IX (1964), col. 812 (J. MOLITOR). - Cf. für die Vorläufer TRITHEMIUS' auch die obigen Angaben (Kap. I, § 4) zu AEGIDIUS MUCIDUS, HEINRICH VON HERFORD und JOHANNES CAPGRAVE.

3 J. TRITHEMIUS: *Catalogus illustrium virorum Germaniam suis ingenii et lucubrationibus omnifariam exornantium.* Opera historica. Ed. M. FRESHER. Frankfurt a.M. 1601 (ed. anastat. Frankfurt a.M. 1966), vol. I, p. (123-183) 142, lin. 1-11: *Henricus de Gandavo Archidiaconus Tornacensis, doctor Parisiensis omnium sui temporis facile doctissimus, et tam in philosophia saeculari quam in divinis scripturis valde eruditus, ingenio subtilis et clarus eloquio, disputator quaestionum scripturarum acutissimus, qui ob ingentem eruditionis suae gloriam doctor solemnis appelari meruit. Scripsit inter multa sui ingenii opuscula Summam insignem theologiae lib. 1, Super sententias lib. 4, Quodlibetorum lib. 2, de sanctita virginitate lib. 1, de poenitentia lib. 1, sermones quoque varios et diversas in sacra pagina lecturas, In Metaphysicam Aristotelis lib. 14, In libros quoque Physicorum lib. 8 et in alios Aristotelis multos. Alia praeterea multa scripsit, quae ad manus nostras non venerunt. Moritur ...* eqs. [= De script. eccl.].

4 Cf. G. CARNIFICIS OP († 1525)/I. BUNDER[I]US OP (1481/82-1557): *Index manuscriptorum codicum per Belgium vicinasque provincias.* Textrekonstruktion von P. LEHMANN: Quellen zur Feststellung und Geschichte mittelalterlicher Bibliotheken, Handschriften und Schriftsteller [= HJ 40 (1920), pp. 44-105]. In: ID.: Erforschung des Mittelalters. Stuttgart 1941-61, tom. I (1941), p. (328-352) 328-352, dort p. 338sq.: *Henricus a Gandavo. Scripsit commentariorum et quaestionum in physica Aristotelis. Item in metaphysica Aristotelis libris XIV. Summam theologiae seu Quaestionum ordinariarum, Parisiis apud Badium 1520. Quodlibeta theologica in lib. IV. sententiarum, apud eundem 1518 fol. Vitam s. Eleutherii, Tornacensium episcopi. De virginitate, MS. Silvaeducis apud Dominicanos, teste Bunderio in Indice. Summam de poenitentia. MS. Namurci apud Cruciferos et in monasterio VII Fontium iuxta Bruxellam. Quodlibetum de mercimoniis et negotiationibus. MS. olim in Valle b. Mariae apud Valencenas Hannoniae urbem. Alia eiusdem Quodlibeta de variis mate-*

1580 in Köln erschienenen Sammlung diverser Schriftstellerkataloge wurde - eine weitere Ironie der Wirkungsgeschichte Heinrichs - für die seit dem Mittelalter anonym tradierte Schrift *De ecclesiasticis scriptoribus*[5] von deren Herausgeber, dem Friesen Suffridus PETRI (Sjurd PEETER, Sjoerd PIETERSZ) (1527 - 1597)[6], die Legende von der Verfasserschaft Heinrichs in die Welt gesetzt. Robert BELLARMIN SJ (1542 - 1621)[7] setzte in seinem Schriftstellerkatalog zwar noch ein vorsichtiges *dicitur* hinzu. Nachdem jedoch 1639 und nochmals 1693 ein weiterer kommentierter Neudruck durch den belgischen Kirchenhistoriker Albertus MIRAEUS (Aubert LE MIRE) (1573 - 1640)[8] erfolgt war, war damit der trügerische Grund für Heinrichs Bekanntheit unter den frühneuzeitlichen, polyhistorisch arbeitenden Verfassern von 'Allgemeinen Geschichten der Gelehrsamkeit' geschaffen. Bedeutende Profan- und Kirchenhistoriker wie Philippus LABBEUS (LABBE) SJ (1607 - 1667)[9], Jacobus GADDIUS (GADDI) (fl. 1650)[10], Valerius ANDREAS (1588 - 1643?)[11], Franciscus SWERTIUS (SWEERT)

riis ordine alphabetica digesta vidi Lovanii ad S. Martinum in pergameno descripta in fol. Sermones eiusdem. MSS. olim Gandavi apud Dominicanos lecti fuerunt. (Valerius Andreas, p. 380 sq.). Desideravi huius auctoris invenire summam theologiae, quae incipiebat 'Theologia est scientia, in qua est sermo de Deo etc.' inveniebaturque (ut dicit P. Bunderus folio 296) in aliquibus bibliothecis Belgii, ut inde colligeremus, qualis fuerit mens illius, sed nullibi potui illam invenire. (Petrus de Alva, Rad. col. 990). Cf. zu den Verfassern LEHMANN, *Quellen.* 1941, p. 356sq.

[5] Eine genaue Übersicht über die handschriftliche Überlieferungsgeschichte dieses Textes und eine kritische Edition des 1270-73 verfaßten Schriftstellerverzeichnisses findet amn bei N. M. HÄRING: *Der Literaturkatalog von Affligem.* In: RBén 80 (1970), pp. 76-96; zu Heinrich von Gent cf. spec. pp. 64-66. Der Name des Heinrich von Gent kam wohl durch eine Handschrift ins Spiel, die SUFFRIDUS' Neffe Taco TIARA aus Leeuwarden (Friesland) beschaffen hatte; alle anderen fünf Handschriften, die SUFFRIDUS seiner Edition zugrundelegte, überliefern den Text anonym.

[6] Cf. JÖCHER, *AGL III* (1750), col. 1443sq., wo er ihm eine bisweilen unkritische Arbeitsweise nachsagt. - Die Echtheitsfrage klärten J.-B. HAURÉAU: *Le 'Liber de viris illustribus'* [1883]. In: ID.: Notices et extraits de quelques manuscrites latins de la Bibliothèque Nationale. Paris 1890-93, tom. VI, pp. 162-173; DELEHAYE, *Notices sur Henri de Gand.* 1888, pp. 447-450; PELSTER: *Catalogus virorum illustrium.* 1919; cf. ferner N. M. HÄRING: *Two Catalogues of Medieval Authors.* In: FrStudies 26 (1966), pp. 195-211.

[7] Cf. R. BELLARMIN: *De scriptoribus ecclesiasticis Veteris et Novi Testamenti* (Rom 1613). Opera omnia. Ed. J. FÈVRE. Paris 1870-76 (ed. anastat. Frankfurt a.M. 1965), tom. XII, p. (341-475) 454: *Henricus a Gandavo natione Belga, Archidiaconus Tornacensis, vir doctissimus, scripsit egregium opus quodlibetorum. Item summam quaestionum ordinariarum. Item de virginitate et poenitentia. Denique etiam commentaria in libros Physicorum et Metaphysicorum Aristotelis. Dicitur etiam scripsisse librum De viris illustribus. Obiit anno Domini 1293.* ID.: *Tractatus de potestate summi Pontificis, praef.* Op. omn. XII, p. 8, zitierte HENR. DE GAND., *Qdl. VI,33* Badius 254rF.

[8] Cf. A. MIRAEUS: *Bibliotheca ecclesiastica, sive Nomenclatores VII veteres.* Antwerpen 1639 (²1693), pp. 161-173. - Cf. LThK² VII (1962), col. 436sq. (É. BROUETTE).

[9] Cf. Ph. LABBEUS: *De scriptoribus ecclesiasticis.* Paris 1660, tom. I, p. 422sq. - Cf. LThK² VI (1961), col. 719 (R. BÄUMER).

[10] Cf. J. GADDIUS: *De scriptoribus ecclesiasticis* (2 tom.). Florenz 1648/Lyon 1649. - Cf. JÖCHER, *AGL* II (1750), col. 822.

(1567 - 1629)[12], der freilich nur ANDREAS ausschrieb, auch Johannes Franciscus FOPPENS (1689 - 1761)[13] übernahmen diese Autorzuschreibung. Der anglikanische Kirchenhistoriker William CAVE (1637 - 1713)[14] verzeichnete dann auf Grundlage seiner Vorläufer, zu denen hier noch Josias SIMLER (1530 - 1576)[15], Antonius POSSEVINUS SJ (1533/34 - 1611)[16] und Antonius SANDERUS (SANDERS) (1586 - 1664)[17] hinzugestellt seien, in seiner oft benutzten 'Litergeschichte der christlichen Schriftsteller' die Vielzahl der inzwischen Heinrich zugeschobenen Werke. Eine erste Adresse für biobibliographische Auskünfte war zu seiner Zeit auch der Polyhistor Johann Albert FABRICIUS (1668 - 1736), Rektor des Hamburger Johanneum, der alle bis dahin greifbaren Nachrichten über Heinrich einschließlich der legendären sammelte und seinen Berichte darin aufgipfeln ließ, in einer gewissen Breite auf die Druckgeschichte der schließlich auch von ihm selbst 1710 neu zum Druck gebrachten (in Wahrheit ja pseudo-epigraphischen) Schrift *De scriptoribus ecclesiasticis* hinzuweisen.[18] Heinrichs Name rückte von dorther auch in die ersten Literarhistorien der Philosophie ein, z. B. bei dem an der Wiener Universität tätigen Hamburger Peter LAMBECIUS (LAMBEC, LAMBECK, LAMBECT) (1628 -

[11] Cf. V. ANDREAS: *Bibliotheca Belgica, de Belgis Vita scriptisque claris, praemissa topographica Belgii totius seu Germaniae inferioris descriptione.* Löwen (1623) 3., verm. Aufl. 1643, pp. 380-382. Cit. ap. FABRICIUS, *Bibliotheca ecclesiastica.* 1718, p. 1. - Cf. JÖCHER, *AGL I* (1750), col. 397sq; Erg.-Bd. I, col. (828-830) 829.

[12] Cf. F. SWERTIUS: *Athenae Belgicae, scilicet nomenclator inferioris Germaniae scriptorum, qui disciplinas philologicas, philosophicas, theologicas, iuridicas, medicas et musicas illustrarunt.* Löwen 1643, p. 328. - Cf. JÖCHER, *AGL IV* (1750), col. 951sq.

[13] Cf. J. F. FOPPENS: *Bibliotheca Belgica, sive virorum in Belgio vita scriptisque illustrium catalogus librorumque nomenclatura.* Brüssel 1739, p. 446. - Cf. F. X. FELLER: *Biographie universelle.* Ed. nouv. Lyon/Paris 1851, tom. III (1851), p. 629.

[14] G. CAVE: *Scriptorum ecclesiasticorum historia literaria.* (London 1688) Genf 1688-99, p. 514a-b.- Cf. LThK² II (1958), col. 985 (H. O. EVENETT).

[15] Cf. J. SIMLER: *Bibliotheca instituta et collecta primum a Conrado Gesnero, deinde in epitomen reducta.* Zürich 1574, p. 277. - Cf. LThK² IX (1964), col. 763 (O. VASELLA).

[16] Cf. A. POSSEVINUS: *Apparatus sacer ad scriptores Veteris et Novi Testamenti, eorumque interpretes.* (Venedig 1603-06) Köln 1608, tom. II, p. 723, der sogar berichtete: *archidiaconus Tornacensis a Scoto* [!] *propter insignem doctrinam commendatus.* - Cf. LThK² VIII (1963), col. 640 (H. WOLTER).

[17] Cf. A. SANDERUS: *De Gandavensibus eruditionis fama claris libri tres.* Antwerpen 1624, p. 55. - Cf. LThK² IX (1964), col. 312 (M. DIERICKX).

[18] J. A. FABRICIUS: *Henricus Goedhals (Bonicollis) Gandavensis.* In: ID.: Bibliotheca latina mediae et infimae aetatis, cum supplemento Ch. SCHOETTGENII, iam a P. J. D. MANSI ... aucta. (Hamburg 1734-46) Florenz 1858 (ed. anastat. Graz 1962) (I-VI in 3 tom.), tom. III (1735), p. 200b-201a; cf. ID.: *Abriß einer allgemeinen Historie der Gelehrsamkeit.* Leipzig 1752 (ed. anastat. Hildesheim/New York 1978), tom II, pp. 967 („ein guter Peripateticus [!] und Platonicus, *Doctor solemnis* genannt"). 977. 978. 1020. 1023.

1680)[19] oder bei Henning WITTENIUS (WITTE) (1634 - 1696)[20], einem Gymnasialprofessor in Riga.

An der Pariser Universität blieben ebenfalls die dortigen Aktivitäten Heinrichs nicht vergessen. In der 'Geschichte der Pariser Universität' des Caesar Egassius BULAEUS (DU BOULAY) († 1678) fanden sie mehrfach Erwähnung.[21] Jacques-Bénigne BOSSUET (1627 - 1704) faßte in einer 1663 gehaltenen Grabrede für einen Theologieprofessor aus dem Navarra-Kolleg der Universität Paris das Lob des Verstorbenen in einem Vergleich seiner Weisheit mit der eines Johannes Gerson, Pierres d'Ailly - und eben auch Heinrichs von Gent.[22]

Heinrich war auf der Grundlage der oben genannten literarhistorischen Werke auch gegenwärtig in den kurzen biobibliographischen Artikeln verschiedener Enzyklopädien der Aufklärungszeit. Der Eintrag im vielfach aufgelegten 'Grand Dictionnaire Historique' des Louis MORERI SJ (1643 - 1680)[23] berichtete über Heinrichs Beziehung zur Familie Goethals, charakterisierte knapp den mit Herausgeber genannten Schriftstellerkatalog, führte die anderen, scholastischen Werke nur dem Titel nach und enthielt immerhin den deutlichen Hinweis, daß hinsichtlich der erst 1609 erfolgten Zurechnung Heinrichs zu den Serviten „les savans ne sont pas de ce sentiment". Als Symptom schwindender Bedeutung Heinrichs in den neueren philosophischen Bestrebungen mag gelten, daß Pierre BAYLE (1647 - 1706) in seinem monumentalen 'Dictionnaire historique et critique', der ausdrücklich alle Mängel MORERIS beseitigen wollte, es nicht für nötig erachtete, ein Artikel zu Heinrich oder zu Duns Scotus zu verfassen. Mit gleicher Deutlichkeit wie MORERI vermerkte Jakob Christoph ISELIN (1681 - 1737)[24] in seinem 'Allgemeinen

[19] Cf. P. LAMBECIUS: *Prodromus historiae literariae, et Tabula duplex chronographica universalis.* Hamburg 1659, pp. 269-272. - Cf. I. TOLOMIO: *Il genere 'Historia philosophica' tra Cinquecento e Seicento.* In: SSGF I. 1981, pp. 63-163, zu LAMBEC spec. p. (75-77) 77.

[20] Cf. H. WITTENIUS: *Memoriae philosophorum, oratorum, poetarum, historicorum et philologorum nostri seculi clarissimorum renovatae decas prima* [- *nona*] (2 tom.). Franfurt a.O. 1677/79. - Cf. G. MICHELI: *La storiographica in Germania nella seconda metà del Seicento.* In: SSGF I. 1981, pp. 405-496, zu WITTE p. (470-476) 473.

[21] Cf. C. E. BULEAUS (DU BOULAY): *Historia Universitatis Parisiensis* (6 tom.). Paris 1665-73 (ed. anastat. Frankfurt a.M. 1966), tom. III (1666), pp. 410. 508. 688sq. (Kurzbiographie und Werkverzeichnis, abhängig von J. TRITHEMIUS und V. ANDREAS).

[22] Cf. J.-B. BOSSUET: *Oraison funèbre de Nicolas Cornet* (1663). Oeuvres complètes [Versailles 1816, tom. XVII, p. 626] Paris 1846, tom. IV, p. 671b: „Ceux qui le consultaient ..., admirant le consentement de sa vie et de sa doctrine, croyaient que c'etait la justice même qui parlait par sa bouche, et ils révéraient ses réponses comme des oracles d'un Gerson, d'un Pierre d'Ailli et d'un Henri de Gand." - Zitiert bei LAJARD, *Henri de Gand.* 1842, p. (144-203) 198; M. A. S. de CARVALHO: *Henrique de Gand, 1293-1993.* 1993, p. 16.

[23] Cf. L. MORERI: *Henri de Gand.* In: ID., Le Grand Dictionaire Historique. (^{1}1673-74; 2 tom.) Paris 1759 (10 tom.), tom. V, col. 602b. - Cf. JÖCHER, *AGL* II (1750), col. 1993sq.

[24] Cf. J. Ch. ISELIN: *Henricus Gandavensis.* In: ID: Allg. Historisches Lexicon (4 Bde., 2 Suppl.bde.). Leipzig (1722) ^{4}1742-44, zitiert nach ^{3}1730-32, tom. II (1730), p. 838a.

Historischen Lexicon', dem orthodox-protestantischen Gegenstück zu BAYLES 'Historisch-Kritischen Wörterbuch', A. GIANI wolle Heinrich in seinen *Annales Servitarum* „zu einem Serviten machen, welches aber von den wenigsten angenommen wird". Der 1735 erschienene anonyme Artikel in ZEDLERS Universal-Lexikon gab sich wiederum zu Namenserklärung, Herkunft, äußere Biographie und Werkverzeichnis sehr knapp beschränkt,[25] nicht anders der Polyhistor und Lexikograph Christian Gottlieb JÖCHER (1694 - 1758)[26]. Eher beiläufig taucht der *Doctor solemnis* in den katholischen[27] und protestantischen[28] Kirchengeschichtswerken jener Zeit auf.

Gemeinsam ist den Darstellungen jener Epoche der Literarhistorie eine stark topisch formalisierte Würdigung Heinrichs, die in den inhaltlichen Auskünften fortschreitend blasser wurde. Bemerkenswerterweise wurde die Usurpation Heinrichs durch den Servitenorden sowie die Existenz der Servitenschule weder von den genannten Historiographen und Kirchenhistorikern noch von den nun folgenden Philosophiehistorikern der Aufklärung und des Deutschen Idealismus erwähnt, was *e negativo* den äußerst engen Wirkungskreis dieses strikt innerkatholisch vollzogenen Restaurationsversuches anzeigt.[29]

[25] Cf. ANON.: *Heinrich von Gent.* In: ZEDLER, *GVUL* XII (1735), col. 1559.

[26] Chr. G. JÖCHER: *Henricus Gandavensis.* In: ID.: Allgemeines Gelehrten-Lexikon, Leipzig 1750, tom. II (1750), col. 1503sq. - Cf. NDB X (1974), p. 452a-b (N. HAMMERSTEIN).

[27] Cf. auf katholischer resp. jansenistischer Seite Louis-Ellies DU PIN (1657-1719): *Nouvelle bibliothèque des auteurs ecclésiastiques.* Paris 1684-91, tom. X, p. 85.

[28] Von protestantischen Autoren handeln in nennenswerter Weise über Heinrich z.B. der ganz von TIEDEMANN abhängige J. L. MOSHEIM-Schüler J. M. SCHRÖCKH: *Christliche Kirchengeschichte.* Leipzig 1768-1812, tom. 24 (1797), p. 443sq. (Philos.); ID.: *op. cit.*, tom. 29 (1799), p. 232 (Heinrich als Autor des Schriftstellerkataloges); K. R. HAGENBACH: *Lehrbuch der Dogmengeschichte* (1840) ^{3}1853, p. 360 (Lehre einer quidditativen Gotteserkenntnis; Bedeutung für die thomanisch-scotische Kontroverse).

[29] Von den Philosophiehistorikern jener Zeit berichtet anscheinend einzig der Benediktiner Th. A. RIXNER: *Handbuch der Geschichte der Philosophie zum Gebrauch seiner Vorlesungen, § 51.* Sulzbach (1822) 2., verm. und verb. Aufl. 1829, tom. IV, p. (107-113) 107, daß Heinrich „ein Ordensgeistlicher *Servorum Mariae*" gewesen wäre. Cf. auch A. WENDT: *Heinrich von Gent.* In: J. S. ERSCH/J. G. GRUBER (Hg.): Allgemeine Encyclopädie der Wissenschaften und Künste. Leipzig 1818-1890, tom. II/5 (1829), p. 5a-b: „Er ward später Ordensgeistlicher"; cf. zu RIXNER die Ausführungen in Kap. IV, § 2,2.

2. *Heinrich von Gent als ein Scharfdenker mittelalterlicher Weltweisheit in der Philosophiegeschichtsschreibung des 18. und 19. Jahrhunderts*

Die beginnende Philosophiegeschichtsschreibung[30] der Neuzeit blieb in ihren Darstellungsformen vielfach der Literarhistorie verhaftet. Da einerseits gattungsbedingt die Biographie und die Werke einzelner Philosophen sowie Lehrübersichten bestimmter *sectae*, d. h. Schulgruppierungen, von Interesse waren, andererseits konfessionsbedingt die von protestantischen Verfassern vorgelegten Arbeiten darin übereingingen, daß das Denken der Scholastik mit katholischer Theologie ineinsfalle und jene Zeit eine Verfallsepoche darstelle, stand es wenig günstig für eingehende Untersuchungen eines individuellen, schulunabhängigen Scholastikers wie Heinrich von Gent. Das einschlägige Werk von Adam TRIBBECHOVIUS (1641 - 1687)[31] läßt seine Tendenz klar im Titel erkennen: *De doctoribus scholasticis et corrupta per eos divinarum humanarumque rerum scientia.* So wurde bei Johann Jakob BRUCKER (1696 - 1770), einem Anhänger der Leibnizianisch-Wolffschen Philosophie und Hauptrepräsentanten der Philosophiehistorie protestantischer Provenienz jener Frühphase, durchgängig der ps.-henrizianische Schriftstellerkatalog zitiert, aber an keiner Stelle der *Doctor solemnis* als Denkergestalt erwähnt[32].

Dieterich TIEDEMANN (1748 - 1803), Marburger Philosophieprofessor und Verfasser einer der umfangreichsten Philosophiegeschichten jener Zeit, bemängelte diese grobe Auslassung BRUCKERS. Ja, TIEDEMANN vollzieht eine Wende in der neuzeitlichen Philosophiegeschichtsschreibung des Mittelal-

[30] Zu den historiographischen Gesamtkonzepten der einzelnen, im folgenden genannten Autoren cf. L. BRAUN: *Geschichte der Philosophiegeschichte* (Histoire de l'histoire de la philosophie). Aus dem Frz. übers. von F. WIMMER. Mit einer neuen Einl. des Autors. Bearb. und mit einem Nachw. vers. von U. J. SCHNEIDER. (Paris 1973) Darmstadt 1990; L. GELDSETZER: *Philosophiegeschichte.* In: HWPh VII (1989), col. (912-921) 914-916 (Lit.!). Der Unterschied zur antiken, mittelalterlichen und frühneuzeitlichen Doxographie ist frappant; cf. B. WYSS: *Doxographie.* In: RAC VI (1959), col. 197-210; D. T. RUNIA: *Doxographie.* In: Der Neue Pauly III (1997), col. 803-806. - Eine vorzügliche Untersuchung zur Begriffsgeschichte von *medium aevum* etc. und zur Trias 'Antike-Mittelalter-Neuzeit' stammt von U. NEDDERMEYER: *Das Mittelalter in der deutschen Historiographie vom 15. bis zum 18. Jahrhundert. Geschichtsgliederung und Epochenverständnis in der frühen Neuzeit* (Kölner hist. Abh. 34). Köln/Wien 1988.

[31] Cf. A. TRIBBECHOVIUS: *De doctoribus scholasticis et corrupta per eos divinarum humanarumque rerum scientia, liber singularis.* Editio secunda, cui accessit J. Ch. A. HEUMANNI ... Praefatio qua de origine, appelatione, natura atque ασοφια theologiae et philosophiae scholasticae disputatur [pp. vi-xxxii]. Jena 1719. - TRIBBECHOVIUS (p. 352) zitiert zwar das Heinrich-Lob des GIOVANNI PICO, geht aber weder hier noch an anderer Stelle auf Heinrich von Gent näher ein. HEUMANN benutzte in seiner *Praefatio* treuherzig den ps.-henrizianischen *Liber de scriptoribus* als universitäre Quelle für den Sprachgebrauch von *scholasticus* als exklusive Benennung eines Pariser Universitätsprofessors im 13. Jahrhundert (pp. x-xi, cf. auch p. xxx). - Cf. ADB 38 (1894), pp. 595-598 (A. SCHUMANN).

[32] Cf. J. J. BRUCKER: *Historia critica philosophiae.* Augsburg 1766-68 (3 tom.), tom. III (1768), pp. 675-912 (*De philosophia scholastica*) passim.

ters, insofern als er an Überlegungen KANTS zu einer 'apriorischen Philosophiegeschichte'[33] anknüpfte. Sowohl durch sein umfangreiches Oeuvre als auch durch seine gleichwohl rudimentäre Methodenreflexion setzte er eine allgemeine Diskussion um den Sinn von Philosophiegeschichte in schnelleren Gang. Nach TIEDEMANN werden „Winke, Probleme, aufgehellte Schwierigkeiten, überhaupt auch was Stoff und Reiz dem künftigen Forschungsgeiste gab", als „Inhalt der Philosophiegeschichte"[34] benannt. Daß zum Bewertungsmaßstab der jeweilige Beitrag zur Vorbereitung des Kritizismus' KANTS gewählt worden ist, darf selber - insbesondere wegen der ahistorisch engen Festsetzung des Kanons philosophisch, d. h. hier kantianisch relevanter Probleme - durchaus als kritikbedürftig angesehen werden. Die Geschichte des Denkens wird nun der Tendenz nach umgeschrieben in eine Geschichte geschichtsenthobener, apriorischer Probleme, was im Laufe des 19. Jahrhunderts in der sog. Problemgeschichte[35] nahezu bis zur Sklerose eines geschichtsblinden philosophiehistorischen Dogmatismus fortgetrieben wurde. Noch unberührt von späteren Degenerationen seiner gewählten Methode gesellte sich bei TIEDEMANN zum Willen, bei der Darstellung seiner Autoren 'deren' Sachprobleme zur Sprache zu bringen, eine neue Freiheit von inhaltsarmen literargeschichtlichen Einordnungen. Welch ungeahnter Zugewinn für die Wirkungsgeschichte Heinrichs daraus gezogen werden konnte, verdeutlicht bereits der Eingangsvergleich, mit dem TIEDEMANN sein Heinrich-Kapitel einleitet: „Neben Thomas that sich auch Heinrich ... durch seinen Scharfsinn hervor. ... In seinem Zeitalter hatte er großen Einfluß, selbst spät herunter noch wird auf seine Behauptungen Rücksicht genommen, und unter den von andern widerlegten steht er gewöhnlich oben. Dies Ansehen verdient er durch Neuheit mehrerer Sätze, und tieferes Eindringen in die abstraktesten Begriffe, in vorzüglichem Maaße."[36] Heinrich hat „die Metaphysik dem gesunden Verstande, und der Wahrheit mehrmals näher gerückt".[37] Es wurde auch erstmalig durch TIEDEMANN die Bevorzugung AVICENNAS herausgehoben.[38] Heinrich „verbrei-

[33] Cf. H. LÜBBE: *Philosophiegeschichte als Philosophie. Zu Kants Philosophiegeschichtsphilosophie.* In: K. OEHLER/R. SCHAEFFLER (Hg.): Einsichten. Festschr. für G. KRÜGER. Frankfurt a.M. 1962, pp. 204-229.

[34] D. TIEDEMANN: *Geist der spekulativen Philosophie.* Marburg 1791-97 (6 tom.), tom. I (1798), p. xxxvi. - Zu seiner historiographischen Gesamtkonzeption cf. M. LONGO: *Scuola di Gottinga e 'Popularphilosophie'.* In: SSGF III/2. 1988, pp. (813-878) 671-878, zu Heinrich p. 831.

[35] Zur Erläuterung und Kritik dieser bisweilen schillernden historiographischen Leitgröße cf. L. GELDSETZER: *Problemgeschichte. I.* In: HWPh VII (1989), col. 1410-1414, und W. HÜBENER: *Problemgeschichte. II.* In: HWPh VII (1989), col. 1414-1416.

[36] TIEDEMANN, *Geist der spekulativen Philosophie, IV.* 1795, p. (564-581) 564.

[37] TIEDEMANN, *Geist der spekulativen Philosophie, IV.* 1795, p. 564.

[38] TIEDEMANN, *Geist der spekulativen Philosophie, IV.* 1795, p. 564: „An Anführungen und Autoritäten ist er bey weitem nicht so reich, als Vorgänger und Zeitgenossen pflegen; dem Avicenna folgt er gern, gegen Aristoteles verfährt er frey, und rügt seine Fehler ohne Zurückhaltung." Ähnlich auch W. T. KRUG: *Goethals (Heinr.).* In: ID.:

tet sich nebst der Theologie, über die ganze Weltweisheit, und überall findet er neue Erndte, daher aus allen Theilen der spekulativen Philosophie einiges hier anzumerken vorkommt."[39] Im Anschluß daran lieferte TIEDEMANN dem Leser ein aus den Texten selbst geschöpftes, ausführliches Referat über Heinrichs Doktrin des Individuationsprinzips, Relationslehre, Materie-, Zeit- und Raumbegriff, Intellekt- und Abstraktionslehre, Willenstheorie und Psychologie.[40] Der kantianische Zuschnitt der Doxographie ist unverkennbar. Daß er sich für bestimmte Formen der Philosophiegeschichtsschreibung bis ins 20. Jahrhundert einengend auswirkte, schmälert aber nicht die großen Verdienste TIEDEMANNS um das Fortleben des *Doctor solemnis* in einer Zeit starker Aversionen gegenüber scholastischer Philosophie als solcher.

Die recht ausführlichen Passagen bei TIEDEMANN luden reduktionistisch gesinnte Philosophiehistoriker mit problemgeschichtlichen Interessen dazu ein, mit einem generellen Verweis auf TIEDEMANN der historischen Berichtspflicht Genüge zu leisten. In dieser Weise beließ es der Kantianer Johann G. BUHLE (1763 - 1821)[41], Philosophieprofessor in Göttingen, bei einer bloßen Namensnennung Heinrichs innerhalb einer knappen Überleitung von THOMAS VON AQUIN zu DUNS SCOTUS, wobei BUHLE allen dazwischenliegenden Denkern wie Heinrich von Gent und RICHARD VON MEDIAVILLA einschränkend

Allgemeines Handwörterbuch der philosophischen Wissenschaften nebst ihrer Literatur und Geschichte. Leipzig (1827-28; tom. V: 1829-34) 2., verb. und verm. Aufl. 1832-38 (ed. anastat. Stuttgart-Bad Cannstatt 1969), tom. II (1833), p. 297.

[39] TIEDEMANN, Geist der spekulativen Philosophie, IV. 1795, p. 564sq.

[40] Cf. TIEDEMANN, *Geist der spekulativen Philosophie, IV.* 1795, p. (565-581) 565 (Individuationslehre nach HENR. DE GAND., *Qdl. II,8*); 566 (Relationstheorie nach HENR. DE GAND., *Qdl. III,4*); 566sq. (die Relationslehre „untersucht Heinrich ausführlich, mir aber mit so undurchdringlichem Dunkel, daß ich davon Bericht zu erstatten nicht im Stande bin. Bey dem allem bleibt ihm doch das Verdienst, zu tieferen Forschungen die Bahn eröffnet zu haben"; TIEDEMANN verweist auf HENR. DE GAND., *Qdl. III,4; Qdl. IX*,3); 567sq. (das Verhältnis von Wesen und Dasein im Anschluß an HENR. DE GAND., *Qdl. I,9*); 568sq. (die Natur der Materie nach HENR. DE GAND., *Qdl. I,10*); 569 (Zeittheorie gemäß HENR. DE GAND., *Qdl. III,11*); 570 (Problem substantieller Vereinigung nach HENR. DE GAND., *Qdl. III,15*); 570sq. (Akzidentienlehre nach HENR. DE GAND., *Qdl. XV,6*); 571-573 (Lehre vom Raum und Ort nach HENR. DE GAND., *Qdl. XV,1* und *Qdl. IX,32*); 573sq. („Daß beym Denken und Empfinden nicht blos Leiden, sondern auch Thätigkeit vorkommt, erblickt er mit vieler Richtigkeit, und in Ansehung des Empfindens mit Neuheit"; mit Verweis auf HENR. DE GAND., *Qdl. II,6*); 574sq. (*Species*-Lehre nach HENR. DE GAND., *Qdl. IV,7*); 575sq. (das Verhältnis des *intellectus possibilis* zum *intellectus agens* nach HENR. DE GAND., *Qdl. VIII,12*); 577sq. (Vorrang des Willens vor dem Intellekt nach HENR. DE GAND., *Qdl. I,16*); 578-580 (Ursprung und Verlust des *habitus* gemäß HENR. DE GAND., *Qdl. V, 16. 18*); (Identität des Wesens der Seele mit ihren Potenzen nach HENR. DE GAND., *Qdl. III,14*); 580sq. (Theorie der *creatio continua* nach HENR. DE GAND., *Qdl. V,11*).

[41] Cf. J. G. BUHLE: *Geschichte der neuern Philosophie seit der Epoche der Wiederherstellung der Wissenschaften.* Göttingen 1800-1804, tom. I (1800), p. 881sq.; cf. ID., *Vorrede.* p. (v-xii) xi sq. zur allgemeinen Einschätzung der scholastischen Philosophie; *ibid.*, p. ix sq. mit Verweis auf das Werk von TIEDEMANN.

attestierte, sie wären der thomanischen „Art zu philosophieren in der Hauptsache treu" geblieben, „nur daß sie in einzelnen Bestimmungen ontologischer Begriff und Lehren von ihm abwichen, neue spitzfindige Probleme sich zur Lösung ... vorlegten, an die Thomas noch nicht gedacht hatte, und dadurch immer mehr Subtilitäten in die Metaphysik einführten". Mag hier die formal behauptete Thomas-Nähe Heinrichs erstaunen, so wird man doch bei BUHLE jenes historiographischen Schemas ansichtig, das fortan große Karriere machte und die intellektuelle Leistung Heinrichs durch Zuweisung einer letzlich wenig erheblichen Mittelstellung nahezu neutralisierte.[42]

Während der durch sein *Lexicon Platonicum* bekannte Schellingianer Friedrich AST (1778 - 1841)[43] nur Aussagen TIEDEMANNS wiederholte, und zwar ohne Quellenbelege und in sehr verknappter Form, fand TIEDEMANNS Ausführlichkeit erst beim Marburger Kantianer Wilhelm Gottlieb TENNEMANN (1761 - 1819) eine gewisse Nachfolge. Doch auch hier sind der doxographische Themenkatalog, der Quellenapparat und viele Wertungen TENNEMANNS bis in die Formulierungen hinein aus TIEDEMANNS Werk übernommen. Einen eigenen Akzent setzte TENNEMANN allein dadurch, daß er die Kennzeichnung Heinrichs als Universalienrealist und einen Abriß der Ideenlehre an die Spitze seiner Darstellung stellte.[44] In dem sehr kurzen Referat, das TENNEMANN in seinem viel gebrauchten und mehrfach übersetzten 'Grundriß der Geschichte der Philosophie' bot, war allerdings nur noch für die Ideenlehre Platz.[45] Der Erfolg dieses Buches mag dazu beigetragen haben, daß durch die dort vorgenommene Reduktion der vorgeblich maßgebenden hochscholastischen Autoren auf ALBERTUS MAGNUS, BONAVENTURA, THOMAS VON AQUIN, JOHANNES DUNS SCOTUS, ROGER BACON und RAIMUNDUS LULLUS in vielen, insbesondere abrißhaft gestalteten Philosophiegeschichten nicht-scholastischer, speziell (neu-)kantianischer Ausprägung im 19. Jahrhundert die Gestalt Heinrichs gar nicht mehr auftaucht - von lexikalischen Nennungen wie bei Wilhelm Traugott KRUG (1770 - 1842)[46] einmal abgesehen.

[42] Dies geschieht z. B. bei W. L. G. EBERSTEIN: *Natürliche Theologie der Scholastiker nebst Zusätzen über die Freyheitslehre und den Begriff der Wahrheit bey denselben.* Leipzig 1803 (ed. anastat. Brüssel 1968), pp. 59. 72sq. 93-95. 108. 112sq. 132. 181. 183. 189. 193. 195. 228. 290.

[43] F. AST: *Grundriß der Geschichte der Philosophie, § 195.* Landshut (1807) 2., verm. und verb. Aufl. 1825, p. 213sq.

[44] W. G. TENNEMANN: *Geschichte der Philosophie* (11 tom.). Leipzig 1798-1819, tom. VIII/2 (1811), pp. 678-687.

[45] W. G. TENNEMANN: *Grundriß der Geschichte der Philosophie für den akademischen Unterricht, § 260.* Leipzig (1812) 2., verb. und verm. Aufl. 1820, p. 218sq. = 3., verm. und verb. Aufl., Hg. v. A. WENDT 1820, p. 212.

[46] W. T. KRUG: *Goethals (Heinr.).* In: ID.: Allgemeines Handwörterbuch der philosophischen Wissenschaften nebst ihrer Literatur und Geschichte. Leipzig (1827-28; tom. V: 1829-34) 2., verb. und verm. Aufl. 1832-38 (ed. anastat. Stuttgart-Bad Cannstatt 1969), tom. II (1833), p. 297.

Der Benediktiner Thaddäus Anselm RIXNER (1766 - 1838)[47], Amberger Philosophiehistoriker und Schellingianer, verschaffte dagegen dem Leser erneut einen recht breiten thematischen Überblick über Heinrichs Denken. Diesen teilte RIXNER wie bei allen übrigen größeren Autorenabschnitten seines 'Handbuches der Geschichte der Philosophie' in die Rubriken „Von dem Wesen der Dinge und der Erkenntniß", „Von Gott", „Von der Weltschöpfung", „Von dem Menschen" und „Von dem Staate" ein. Erstmals fanden sozialethische Themen Heinrichs Erwähnung.[48] Auch manche andere neue, mitunter abseitige Themenaspekte sind hinzugekommen. Indem aber RIXNER die henrizianischen Lehren in zwanzig Punkten thesenförmig präsentierte und auf eine Andeutung des Argumentationsganges weitestgehend verzichtete, erschienen Heinrichs Lehrpunkte atomisiert und ganz ohne Bezüge zu deren zeitgenössischen Diskussionen. Man gewinnt kaum den Eindruck einer kohärenten Position. Die Gesamtwürdigung des henrizianischen Oeuvre fiel sehr formal aus und kam nicht über eine inhaltsblaße Abwandlung TIEDEMANNscher Worte hinaus.[49]

Eine nicht ganz unerwartete Beachtung erhielt Heinrich in der Psychologie, die sich damals als Disziplin zu verselbständigen begann. Bereits Friedrich August CARUS (1770 - 1807), Philosophieprofessor in Leipzig und Bruder des bekannteren Carl Gustav CARUS, räumte in einer erstmals von ihm verfaßten 'Geschichte der Psychologie' dem *Doctor solemnis* einen eigenen Abschnitt ein. CARUS strich heraus, daß Heinrich als erster nicht nur eine Aktivität des Denkens, sondern auch des Empfindens bemerkt hätte. Zustimmung erhielt von ihm auch Heinrichs Habituslehre.[50] Anknüpfend an den bis zu THOMAS VON AQUIN heranführenden Scholastikteil seiner 'Geschichte der Psychologie'[51], riß Hermann SIEBECK (1842 - 1920) in einem umfänglichen, seinerzeit

[47] Cf. Th. A. RIXNER: *Handbuch der Geschichte der Philosophie zum Gebrauch seiner Vorlesungen, § 51.* Sulzbach (1822) 2., verm. und verb. Aufl. 1829 (4 tom.), tom. IV (1829) p. 107-113.

[48] Cf. RIXNER: *Handbuch der Geschichte der Philosophie, § 51, nr. 17-20.* 1829, p. 112sq. (Schutz des Eigentumrechts gegen allgemeine Gütergemeinschaft und dessen Beschränkung im Blick auf den allgemeinen Nutzen nach HENR. DE GAND., *Qdl. IV,20*; Streben nach dem allgemein Besten als „das Grundgesetz des Staates" im Anschluß an HENR. DE GAND., *Qdl. IX,19*; Befehl der *recta ratio,* „der Wohlfahrt des Staates sogar das Leben aufzuopfern", gemäß HENR. DE GAND., *Qdl. XII,13*; bei wiederholtem geringfügigen Diebstahl eines unverbesserlichen Täters gerechte Verhängung der Todesstrafe, „da der Staat die Sicherheit des Eigenthums der privat und öffentlichen Güter zu schützen hat", gemäß HENR. DE GAND., *Qdl. XI,18*).

[49] Cf. RIXNER, *Handbuch der Geschichte der Philosophie, § 51.* 1829, p. 107: „Großer Scharfsinn, tiefes Eindringen in die abstrakten Begriffe, und freie Unabhängigkeit von Autoritäten und herrschenden Meinungen sind das Verdienst seiner Schriften."

[50] F. A. CARUS: *Geschichte der Psychologie* (Nachgel. Werke 3). Leipzig 1808, p. 415sq. - CARUS scheint ganz von TIEDEMANN bzw. TENNEMANN abhängig zu sein; letzteren führt CARUS, *Geschichte der Psychologie.* 1808, pp. 30-33, bei seinen Quellen auf.

[51] H. SIEBECK: *Geschichte der Psychologie. Bd. I/Abth. 2: Die Psychologie von Aristoteles bis zu Thomas von Aquino.* Gotha 1884 (ed. anastat. Amsterdam 1961), pp. 401-472. - Zu

viel zitierten Aufsatz[52] ein weites Panorama der scholastischen rationalen Psychologie auf, und zwar mit der Generalthese, daß die scholastische Psychologie bis einschließlich THOMAS von der spekulativen Seelenmetaphysik aristotelischer Herkunft und deren leib-seelischen Dualismus dominiert gewesen wäre. Mit JOHANNES DUNS SCOTUS wäre nun aber ein Denker zur Geltung gekommen, der bereits der modernen empirischen Psychologie entgegengearbeitet hätte. Heinrich von Gent figuriert dabei als entscheidende Position in der Vorgeschichte des skotischen Neuentwurfs. Der große Historiker des Fachs, George Sidney BRETT (1879 - 1944), erklärte sogar, mit der *Species*-Lehre Heinrichs hätte der im 17. und 18. Jahrhundert währenden Streit der Perzeptionstheorien begonnen.[53]

Entgegen solchen Einschätzungen Heinrichs in der psychologischen Literatur ließ das inhaltliche Interesse der damaligen Philosophiehistorie an den

SIEBECKS Biographie und Werken cf. ZIEGENFUSS, *Philosophen-Lexikon.* 1949, tom. II, pp. 531-533. - Abhängig von SIEBECK ist die Darstellung Heinrichs bei M. DESSOIR: *Abriß einer Geschichte der Psychologie* (Die Psychologie in Einzeldarstellungen 4). Heidelberg 1911, p. 73sq. 234.

[52] H. SIEBECK: *Die Anfänge der neueren Psychologie in der Scholastik.* In: ZPPK 93 (1888), pp. 161-216; 94 (1888), pp. 161-182; 95 (1889), pp. 245-261, cf. zu Heinrich ID., *Anfänge der neueren Psychologie.* ZPPK 93 (1888), pp. 200-214; 94 (1889), p. 179. SIEBECK, der die Arbeiten von H. RITTER und A. STÖCKL kannte, teilte seine Untersuchung mit den Überschriften „Der ältere Augustinismus" (pp. 162-216) und „Der Scotismus" (pp. 161-182. 245-261). Den ersten Teil beginnt er nach Feststellung eines erkärungsbedürftigen Wechsels der Lehranschauungen von THOMAS hin zu JOHANNES DUNS SCOTUS (pp. 162-167) mit einem Referat der aristotelischen und augustinischen Positionen (pp. 167-192), um dann die mittelalterlichen Autoren JOHANNES SCOTUS ERIUGENA, ANSELM, WILHELM VON AUVERGNE, HUGO VON ST. VICTOR, RICHARD VON ST. VICTOR, BERNHARD VON CLAIRVAUX (pp. 193-196), BONAVENTURA (pp. 196-200), HEINRICH VON GENT (pp. 200-214) und schließlich RICHARD VON MEDIAVILLA (pp. 214-216) vorzustellen. In dem auffallend langen Heinrich-Passus erörtert SIEBECK bei Heinrich, dem er im Sinne einer anfänglichen empirischen Psychologie „das Streben nach selbständiger Beobachtung und Auffassung der psychologischen Thatsachen" (p. 200) zuspricht, im Anschluß an HENR. DE GAND., *Qdl. III,14* die Einheit der Seele mit ihren Potenzen (pp. 200-202), nach HENR. DE GAND., *Qdl. I,18; Qdl. IV,22* das Verhältnis von Erkennen und Wollen (pp. 202-204), nach HENR. DE GAND., *Qdl. I,16; Qdl. XII,26* das Wesen der Freiheit (pp. 204-206), gemäß HENR. DE GAND., *Qdl. I,18* die *Synderesis*-Lehre (p. 206sq.), Heinrichs *Species*-Lehre und „Theorie der Empfindung" nach HENR. DE GAND., *Qdl. II,6; Qdl. IV,7, Qdl. XI,5* (p. 208sq.), gemäß HENR. DE GAND., *Qdl. XI, 8; Qdl. XI,9,* die „Auffassung des Affektes" - gemeint sind die *passiones* - (pp. 208-210), im Anschluß an HENR. DE GAND., *Qdl. III,6; Qdl. III,15; Qdl. IV,13; Qdl. XII,10* den Personbegriff im Blick auf die Vereinigung von Leib und Seele (p. 210sq.), nach HENR. DE GAND., *Qdl. I,10; Qdl. III,15* den Materiebegriff (p. 211sq.), anknüpfend an HENR. DE GAND., *Qdl. III,15; Qdl. IV,8; Qdl. V,25; Qdl. V,26; Qdl. VIII,12* Heinrichs *Verbum*-Lehre (pp. 212-214) und schließlich nach HENR. DE GAND., *Qdl. II,10; Qdl. V,16* den Konnex von unterer und höherer Seelenpotenzen sowie unterschiedlich entwickelter Tugenden (p. 214).

[53] Cf. G. S. BRETT: *History of Psychology* [Part II: Medieval and Early Modern Psychology. London 1921]. Ed. and abridged by R. St. PETERS. London/New York (1953) rev. ed. 1962, p. (293sq.) 294.

Leistungen der mittelalterlichen Denker zusehends nach. So berichtet der gemäßigte Schleiermacherianer Heinrich RITTER (1791 - 1869) zu Beginn des Duns Scotus-Kapitels seiner vielbändigen Philosophiegeschichte nur noch in einer Fußnote über die Ideenlehre Heinrichs und stellte ihn in die Linie der mit DUNS SCOTUS sich aufgipfenden THOMAS-Kritik, nicht ohne einzuräumen, daß Heinrichs Lehre eine genauere Prüfung verdiene.[54]

Bei dem Münchener Altphilologen und Philosophiehistoriker Karl PRANTL (1820 - 1888), einem der gelehrtesten Verächter[55] der Scholastik im 19. Jahrhundert, fiel ein wenig günstiges Licht auf den *Doctor solemnis*, den er bereits im Inhaltsverzeichnis des dritten Bandes seiner 'Geschichte der Logik im Abendlande' maliziös als „ein Muster der Unklarheit“[56] ankündigte. „Der äusserst redselige Goethals, welcher am Liebsten aus AUGUSTIN, BERNHARD V. CLAIRVAUX, HUGO VON ST. VICTOR u. dgl. schöpft, wäre nach seiner ganzen Anlage der ausgesprochenste Platoniker gewesen ..., wenn ihn nicht hieran die allgegenwärtige Auctorität des damaligen arabischen Aristotelismus gehindert hätte. Und so gestaltet sich bei ihm einerseits der unklare Mischmasch des THOMAS zur lächerlichen Monstrosität, während er andrerseits die erwähnten dogmatischen Bedenken, welche man gegen den Thomismus erhob, theilte. Darum hatte ein scharfsinniger Kopf wie DUNS SCOTUS ebensosehr ein leichtes Spiel gegen ihn, als die Thomisten mit Vergnügen ihn angriffen.“[57] Die nähere Bedeutung des vorgeblich geschwätzigen und intellektuell inkonsequenten Heinrich für die Entwicklung der Logik ist nach PRANTLS Ansicht arg begrenzt. Heinrich kündige für die Erkenntnislehre eine Kombination von PLATON und ARISTOTELES an, widerrufe sie aber durch seine häufigen Kritiken aristotelischer Lehren. „Was Wunder, wenn den Geschichtsschreiber der Philosophie bei solchen Autoren nur das Gefühl des Ekels überkommt.“[58] Heinrichs Universalienlehre, sein Materiebegriff und seine Lehre über die Einheit der Form verfielen in einem ähnlichen Ton der

[54] Cf. H. RITTER: *Geschichte der Philosophie* (12 tom.). Hamburg 1829-53, tom. VIII (1845), p. (354-472) 355sq.

[55] Cf. C. BAEUMKER: *Prantl, Carl*. In: ADB 55 (1910), pp. 854-872. - Daß die neuscholastische Replik auf PRANTLS fürwahr nicht immer ressentimentfreie Beurteilungen scholastischer Autoren wiederum skurril-ironische Züge anzunehmen verstand, belegt F. S. ROMSTÖCK, *Die Jesuitennullen Prantl's an der Universität Ingolstadt und ihre Leidensgenossen. Eine bio-bibliographische Studie*. Eichstätt 1898.

[56] C. PRANTL: *Geschichte der Logik im Abendlande*. Leipzig 1855-1870 (ed. anastat. Graz 1955), tom. III (1867), p. vi.

[57] PRANTL, *Geschichte der Logik, III*. 1867, p. (184. 190-195) 191; fast wörtlich wiederholt in ID.: *Heinrich von Gent*. In: ADB 11 (1880), col. 636. - Ähnlich sprachen SEEBERG, *Theologie des Johannes Duns Scotus*. 1900, p. 606 vom „langatmige[n] Idealismus seiner Ausführungen mit ihrer wortreichen Breite“ und p. 625 vom „redseligen Mann“; der HERTLING-Schüler J. A. ENDRES (1863 - 1924): *Geschichte der mittelalterlichen Philosophie im christlichen Abendlande* (Sammlung Kösel 22). Kempten/München 1908, p. (83. 89-91. 163) 89, vom „Ideenkreis dieses etwas breitspurigen Schriftstellers“.

[58] PRANTL, *Geschichte der Logik, III*. 1867, p. 192.

Kritik eines übelgelaunten Interpreten, dem man immerhin aufgrund seines Anmerkungsapparates eine recht breite Textkenntnis zugute halten muß. Dem unbefangenen Verständnis des henrizianischen Denkens hat PRANTL seine vielen Leser freilich kaum näher gebracht, ja vielmehr sich in den Weg gestellt. Es gilt auch hier das allgemeine Urteil J. M. BOCHENSKIS: „Prantl im einzelnen zu widerlegen wäre eine kolossale und kaum nützliche Arbeit. Es ist besser, von ihm ganz abzusehen. Er muß durch einen modernen Historiker der Logik - leider - als nicht vorhanden betrachtet werden."[59]

Nimmt man das zu dieser Epoche Gesagte zusammen, ist es symptomatisch für die mangelnde Beachtung Heinrichs in der nicht-neuscholastischen Philosophiegeschichtsschreibung bis etwa zu Beginn der 80er Jahre des 19. Jahrhunderts, daß der 1877 von Max HEINZE (1835 - 1909) besorgte Band des 'Ueberweg' den doxographischen Bericht noch genau so wie in der ersten Auflage in knapp bemessenen Zeilen auf Heinrichs Gegensatz zu THOMAS VON AQUIN und auf seine Lehre von den Ideen und der Materie beschränkt.[60] Wilhelm WINDELBAND (1848 - 1915)[61] sowie Johann Eduard (1805 - 1892)[62] resp. Benno ERDMANN (1851 - 1921)[63] erwähnten zwar zusätzlich den betonten Voluntarismus Heinrichs, aber die dargebotenen Themen bleiben in vielen kurz gefaßten Philosophiehistorien dieser Zeit bis etwa zu Beginn des Ersten Weltkriegs innerhalb dieses Spektrums.[64] Mögen sich all diese Werke metho-

[59] J. M. BOCHENSKI: *Formale Logik* (Orbis academicus III/2). Freiburg/München 1956, p. 10. Ähnlich spricht L. KACZMAREK: *Sprach- und Zeichentheorie in der deutschen Spätscholastik: Gabriel Biel, „ultimus scholasticorum", Florentius Diel, „Primus modernorum", und die Grammatiker des 15. Jahrhunderts.* In: St. EBBESEN (Hg.): Sprachtheorien in Spätantike und Mittelalter (Geschichte der Sprachtheorie, hg. von Peter SCHMITTER, Bd. 3). Tübingen 1995, p. (207-236) 208, von einem forschungshemmenden Einfluß, der von den „hanebüchenen Urteilen und gußeisernen Invektiven" PRANTLS ausging. J. PIEPER: *Wahrheit der Dinge.* München 1947, pp. 31sq. 113sq. bietet eine bezwingende Exemplifizierung der „geradezu grotesken Fehlerhaftigkeit" (p. 31) PRANTLS anhand des Kapitels über THOMAS VON AQUIN.

[60] M. HEINZE: *Die mittlere oder die patristische und scholastische Zeit, § 33* (F. Ueberweg's Grundriß der Geschichte der Philosophie, 2. Theil). Berlin 5. Aufl. 1877, p. 229. HEINZE ging damit noch nicht einmal über die Themenpunkte der ersten, noch von Friedrich UEBERWEG selber besorgten Ausgabe von 1864 hinaus. - Zu M. HEINZE cf. ZIEGENFUSS, *Philosophen-Lexikon.* 1949, tom. I, p. 496sq.

[61] W. WINDELBAND: *Geschichte der Philosophie.* Freiburg 1892, pp. 250. 261. 269 (Individuationsprinzip). 272 (innere Erfahrung).

[62] J. E. ERDMANN: *Der Entwicklungsgang der Scholastik.* In: Zs. für wiss. Theol. 8 (1865), pp. 113-171.

[63] J. E. ERDMANN: *Grundriß der Geschichte der Philosophie, Bd. I, § 204,3.* Vierte Aufl. bearb. v. B. ERDMANN. Berlin 1896, pp. 406-408; cf. ID.: *Grundriß.* 1896, p. 449. 460, wo die Bedeutung für DUNS SCOTUS unterstrichen ist.

[64] Cf. É. BRÉHIER: *Histoire de la philosophie. Tom. I: L'antiquité et le moyen age.* Paris (1926) [5]1938, p. 687-689. 711. 713; ID.: *The History of Philosophy. Vol. III: The Middle Ages and the Renaissance.* Transl. by W. BASKIN. Chikago/London 1965, pp. 162-164. 185. 187 (Materie, Individuationsprinzip, Illuminationslehre, Voluntarismus; alles im Sinne eines dezidiert antithomistischen Augustinismus); K. VORLÄNDER: *Geschichte der Philo-*

disch nach KANT, SCHLEIERMACHER oder HEGEL ausgerichtet haben, sie verkörpern „auf Auswahl und Bewertung beruhende Dogmatiken lehrmäßigen philosophischen Wissens"[65]. Selbst Matthias BAUMGARTNER (1865 - 1933)[66], dem man - einem Schüler BAEUMKERS würdig - eine entschiedene Ausweitung der historischen Perspektive zugute halten muß, gelang es 1915 nicht, durch eine „vollständig neu bearbeitete und stark vermehrte" Auflage des 'Ueberweg' den faktisch seit TIEDEMANN festgefahrenen Themenkatalog zu sprengen. Der Weg dorthin führte vielmehr über die Neubeschäftigung mit dem *Doctor solemnis* in der neuscholastischen Philosophie und Theologie.

3. Heinrich von Gent als antithomistischer Dissident und präskotistische Übergangsfigur in der neuscholastischen Philosophie und Theologie des 19. Jahrhunderts

Die zur Wende zum 19. Jahrhundert stark aufbrechende romantische Neubeschäftigung mit der mittelalterlichen Geisteswelt fand konfessionsspezifische, kirchen- und kulturpolitisch ausgerichtete Formen in einer innerkatholischen Bewegung, die seit einer 1862 zwischen Jakob FROHSCHAMMER und Alois von SCHMID geführten Kontroverse schnell den Namen 'Neuscholastik'[67] trug. Sie sorgte als betont wissenschaftlich auftretende Forschungsrichtung in verdienstvoller Weise für immense doktrinäre Erkenntniszuwächse und durch unermüdliche Arbeit an den Texten und ihrer Überlieferung für zahlreiche Ersteditionen und kritische Neueditionen. Sie schuf aber aus spezifischen Bedürfnissen der eigenen Zeit auch neue historiographische Periodenschemata und Wertungsskalen. Ihnen besonders wenden sich die folgenden Beobachtungen unter der Frage zu, inwieweit diese Neuerungen beitrugen zur

sophie. I. Band: Altertum, Mittelalter und Übergang zu Neuzeit (PhB 105). Leipzig (1903) [3]1911, p. 269.

[65] L. GELDSETZER: *Philosophiegeschichte.* In: HWPh VI (1989), col. (912-921) 916.

[66] Cf. M. BAUMGARTNER: *Grundriß der Geschichte der patristischen und scholastischen Zeit.* Zehnte, vollständig neu bearb. und stark verm., mit einem Philosophen- und Literatoren-Reg. vers. Aufl. (F. Ueberwegs Grundriß der Geschichte der Philosophie II). Berlin 1915, pp. 504. 510-514 (Leben und Werke; Versuche allgemeiner Charakterisierung; Einzelpunkte: Materiebegriff; Individuationsprinzip, Ideenlehre, Theorie des *intellectus possibilis,* Illuminationslehre, Verneinung der *species intelligibilis,* Willenslehre, *forma corporeitatis*). - BAUMGARTNER lehrte von 1901 bis zu seiner Emeritierung 1924 als Philosophieprofessor in Breslau; cf. ZIEGENFUSS, *Philosophen-Lexikon.* 1949, tom. I, p. 87.

[67] Cf. H. M. SCHMIDINGER: *Neuscholastik.* In: HWPh VI (1984), col. 769-774, der für das 19. Jahrhundert den Weg nachzeichnet von einem (kirchen-)politisch-polemischen Begriff hin zu einer positiv eingeschätzten Benennung für eine Denkart, die sich nicht in Apologetik und Defensive erschöpfen will, sondern im kritischen Umgang mit der Breite der Tradition positive Anstöße für das philosophisch-theologische Gespräch der Gegenwart erlangen möchte; ID.: *„Scholastik" und „Neuscholastik" - Geschichte zweier Begriffe.* In: CPhKD II. 1988, pp. (23-53) 48-52.

Genese einer in der Kapitelüberschrift angezeigten Einschätzung Heinrichs, die bis in die jüngste Gegenwart anhält.[68]

Anfänge setzte die Lokalhistorie in den belgischen Landen.[69] Die vornehmlich biographisch, weniger doktrinell akzentuierten Studien von François HUET (1814 - 1869)[70], der große Artikel von Félix LAJARD (1783 - 1858)[71] für die 'Histoire littéraire de la France' sowie der 1860 erschienene Aufsatz von Napoléon J. SCHWARTZ[72] sorgten im frankophonen Bereich für entsprechende Aufmerksamkeit. Erste Beurteilungen in Philosophiehistorien spalteten sich. Anders als der Thomas-Verehrer Charles JOURDAIN (1817 - 1886)[73], der auch kräftig Heinrichs Bedeutung für die mittelalterliche Tradierung des antiken Skeptizismus herausstrich, zeichnete der anfänglich noch liberal-antiklerikal gesinnte Jean-Barthélemy HAUREAU (1812 - 1896)[74], langjähriger Konservator

[68] Cf. die einzige Erwähnung Heinrichs in dem im übrigen vorzüglichen Werk von W.-D. HAUSCHILD: *Lehrbuch der Kirchen- und Dogmengeschichte. Bd. 1: Alte Kirche und Mittelalter. § 10, 13.1.5.* Gütersloh 1995, p. 603: „Der Pariser Weltkleriker Heinrich von Gent (ca. 1217-93) hat u. a. gegen Thomas' Intellektualismus erstmals den Augustinismus als philosophische Position profiliert und damit Duns Scotus vorgearbeitet." - Zur historiographischen Generallinie der Neuscholastik cf. J. INGLIS: *Philosophical Autonomy and the Historiography of Medieval Philosoph.* In: British Journ. for the Hist. of. Philos. 5 (1997), pp. 21-53.

[69] Cf. ANON.: *Notice sur Henri de Gand dans les annales ecclésiastiques.* Gent 1828.

[70] F. HUET: *La rôle d'Henri de Gand dans l'histoire de la scolastique et de l'université de Paris.* In: Nouvelles archives historiques et littéraires 1 (1837), pp. 321-340; ID.: *Recherches historiques et critiques sur la vie, les ouvrages et la doctrine de Henri de Gand.* Paris 1838; ID.: Henri de Gand. In: A. BRUGGAEVE (ed.): Les Belges illustres, tom. III (1844-45), pp. 81-101. - Cf. *Liber memorialis Gand., tom. I,* 1913, p. 113sq.

[71] Cf. F. LAJARD: *Henri de Gand.* In: HLF 20 (1842), pp. 144-203, bei dem eine starke Abhängigkeit von HUET unverkennbar ist.

[72] Cf. N. J. SCHWARTZ: *Henri de Gand et ses derniers historiens* (Mémoires couronées et autres mémoires, publiés par l'Académie royale de Belgique 10). Brüssel 1860.

[73] Cf. Ch. JOURDAIN: *La philosophie de Saint Thomas.* Paris 1858, tom. II, p. 46: „Bien qu'il soit toujours cité avec honneur, et que son adversaire habituel, Duns Scot, respecte en lui, tout en le combattant, une des lumiéres de la scholastique, il est un peu resté dans l'isolement"; ID.: *Sextus Empiricus et la philosophie scolastique.* Paris 1858, pp. 14-17, zu HENR. DE GAND., *Summa 1,1*; ferner Ch. JOURDAIN: *Mémoire sur les commencements de l'économie politique dans les écoles du Moyen Age* (Mémoires de l'Institut National de France, Académie des Inscriptiones et Belles-Lettres 28). Paris 1874, pp. 18-23. - Zu seiner Person cf. H. M. SCHMIDINGER: *Überblick zur Neuscholastik in Frankreich und Belgien.* In: CPhKD II. 1988, p. 199sq.

[74] Cf. J.-B. HAUREAU: *Examen critique de la philosophie scolastique.* Paris 1850, tom. II, p. 276; diese Auffassung hat X. ROUSSELOT: *Études sur la philosophie du moyen age.* Paris 1841, tom. II, p. 311; ID.: *Henri de Gand.* In: Dictionnaire des sciences philosophiques. Paris 1875, col. 696-698, übernommen, später auch K. WERNER: *Thomas von Aquino, I.* 1858, p. 866. Cf. auch HAUREAU, *Histoire de la philosophie scolastique.* Paris 1872/1880 (ed. anastat. New York 1966), vol. II/2, pp. 52-74; ID.: *Notices et extraits de quelques mss. latins de la Bibliothèque Nationale.* Paris 1890-93, tom. IV (1892), pp. 9. 214sq.; tom. VI (1893), pp. 162-173. - Zur Person von HAUREAU cf. LThK³ IV (1995), col. 1212 (H. M. SCHMIDINGER).

der Handschriftenabteilung der Pariser Nationalbibliothek, ein unvorteilhaftes Bild vom *Doctor solemnis*, indem er ihm einen exzessiven Ideenrealismus pantheistischer Tendenz unterschob. Damit radikalisierte er allerdings nur einen in der Philosophiehistorie der rationalistischen Schulphilosophie etablierten Topos.

Bei deutschen Forschern geschah zunächst keine abrupte Abwendung von den philosophiehistorischen Darstellungen im Gefolge TENNEMANNS, wie für diese Frühphase besonders einige allgemein gehaltene Darstellungen Heinrichs ausweisen. So wurde in dem ungezeichneten Artikel des von Heinrich Joseph WETZER und Benedikt WELTE 1850 herausgegebenen 'Kirchen-Lexikons' Heinrich, als „ein Schüler Alberts des Gr. und ein kräftiger Träger der scholastischen Philosophie und Theologie"[75] hervorgehoben und als Vertreter einer christlich modifizierten platonischen Ideenlehre und als ein Kritiker mehrerer thomistischer Anschauungen, insbesondere der Willenslehre vorgestellt. Ebenso nahmen die Lehrbücher der Kirchengeschichte nur zögernd den neuen Kenntnisstand auf. Nach der Einschätzung Joseph HERGENRÖTHERs (1824 - 1890) war Heinrich ein „entschiedener Feind der arabischen Philosophie", „Ultrarealist und theilweise Platoniker".[76] Einen aufschlußreichen Einblick in den kruden Zustand damaliger akademischer Lehre über Heinrich von Gent gewährt auch Franz BRENTANO (1838 - 1917)[77], der während seiner Studienzeit in Münster u. a. auch durch SCHLÜTER[78] und STÖCKL mit der Scholastik bekannt gemacht worden war und später als Philosoph zu

[75] Cf. ANON.: *Heinrich von Gent.* In: KL V (1850), col. 83sq.

[76] J. HERGENRÖTHER: *Handbuch der allgemeinen Kirchengeschichte* (3 tom.). Freiburg i.Br. (1876-80) ³1884-86, tom. II (1885), p. 536.

[77] Cf. F. BRENTANO: *Geschichte der mittelalterlichen Philosophie im christlichen Abendland.* Aus dem Nachlaß hg. und eingl. von K. HEDWIG (PhB 323). Hamburg 1980, p. 61 (Heinrich konnte sich auch dem Einfluß des THOMAS nicht entziehen); p. 64sq. (umfangreiches doxographisches Referat: Leugnung der Realdifferenz von *esse* und *essentia*, *natura* und *suppositum*; Individuationsprinzip; 'Ultrarealismus' in der Universalienfrage; Ideenlehre; dreifaches Sein der nicht rein potentiell begriffen Materie; *forma corporeitatis*; antiaristotelische Erkenntnislehre, „ähnlich der des WILHELM VON AUVERGNE", die Regeln des ewigen Lichtes nach Maßgabe des göttlichen Willens geschaut; grundlegende Bedeutung für die franziskanische Thomas-Polemik); p. 67 („Schüler des ALBERTUS, dessen Lehre er im wesentlichen und nicht zu ihrem Vorteil umbildet"); p. 68 (RICHARD VON MEDIAVILLA stimmt dem Irrtum Heinrichs über die *forma corporeitatis* zu); p. 73 (Heinrichs Lehre von der *forma mixti* führt bei DUNS SCOTUS - „üble Folgen einer verkehrten Ontologie" - auch zur Lehre von der Mehrzahl der Formen). - Für textkritische Korrekturen cf. J. M. WERLE: *Zur Edition der Vorlesungen Franz Brentanos über Geschichte der Philosophie.* In: E. W. ORTH u. a.: Zur Phänomenologie des philosophischen Textes (Phänomenologische Forschungen 12). Freiburg/München 1982, pp. 178-187, spec. 182-186. - Cf. desweiteren F. BRENTANO: *Geschichte der kirchlichen Wissenschaften.* In: J. A. MÖHLER: Kirchengeschichte. Hg. von P. B. GAMS. Regensburg 1867, Bd. II, p. (526-584) 561. - Zur Person cf. R. KAMITZ, *Franz Brentano (1838-1917).* In: CPhKD I. 1987, pp. 384-408.

[78] Cf. Josephine NETTESHEIM, *Christoph Bernhard Schlüter und Franz Brentano.* In: ZPhF 16 (1962), pp. 284-296.

Bedeutung gelangte, in seinen 1870 gehaltenen Vorlesungen über die 'Geschichte der mittelalterlichen Philosophie im christlichen Abendland'.

Der überraschende Anlaß, Heinrich von Gent mit neuen Augen wahrzunehmen, ergab sich für die Vertreter der Neuscholastik in deutschen Landen[79] innerhalb einer komplexen theologiegeschichtlichen Situation.[80] Die katholische Theologie im deutschprachigen Raum war über Jahre gebannt von den Auseinandersetzungen um Georg HERMES (1775 - 1831) und Anton GÜNTHER (1783 - 1863), die eine an der Philosophie ihrer Zeit, d. h. am Kritizismus KANTS und am Deutschen Idealismus orientierte Versöhnung von Glaube und Wissen beabsichtigten und dabei in Rationalismusverdacht gerieten. Die katholische Tübinger Schule sowie besonders deutsche Vertreter der Römischen Schule und andere Förderer der scholastischen Tradition stellten sich dem entgegen. Die Neuscholastik setzte unübersehbar die Akzente bei den „Fürsten" der Scholastik, und indem sie bewußt denkerische Probleme der unmittelbaren Gegenwart mit den auch in der Kirche beheimateten philosophischen Traditionen verknüpfen wollte, gelang ihr auch fortschreitend eine Befreiung vom Themenkanon KANTS und des Deutschen Idealismus.

Zu diesen Kontroversen um Wahrheit, Erkenntnisfähigkeit und Eigenrecht von Vernunft und Glauben trat der Streit um den von Vincenzo GIOBERTI (1801 - 1852) propagierten Ontologismus[81] hinzu. GIOBERTI entwik-

[79] Zeitgenossen billigten dabei westfälischen Neuscholastikern eine Sonderrolle zu; cf. A. FLIR (1805-1859): *Briefe aus Rom.* Hg. v. L. RAPP. Innsbruck (1857) ^{2}1864, p. 69: „Die Westphalen sind die eifrigsten Vorkämpfer dieser Rückkehr zur Scholastik." Zu FLIR, 1853-1859 Rektor der Anima in Rom, cf. LThK^2 IV (1960), col. 169 (N. GRASS). - In bemerkenswerter Weise trifft dies auch für die Neubeschäftigung mit dem *Doctor solemnis* in Deutschland zu, wie die Geburtsorte von Christoph Bernhard SCHLÜTER (Warendorf bei Münster i.W.), Ignatius JEILER (Havixbeck bei Münster i.W.) Joseph KLEUTGEN (Dortmund), Clemens BAEUMKER (Paderborn), Joseph SCHWANE (Dorsten), Georg HAGEMANN (Beckum bei Hamm i.W.), Bernhard JANSEN (Warendorf bei Münster i.W.) und Franz PELSTER (Lüdge/Ostwestfalen) zu zeigen vermögen. In Münster, wo Albert STÖCKL und Joseph SCHWANE dozierten, studierte zudem Franz BRENTANO.

[80] Dazu immer noch lesenswert K. ESCHWEILER: *Die zwei Wege der neueren Theologie. Georg Hermes - Matthias Joseph Scheeben. Eine kritische Untersuchung des Problems der theologischen Erkenntnis.* Augsburg 1926.

[81] Über die philosophie- und theologiegeschichtlichen Zusammenhänge des Ontologismus informieren der immer noch unentbehrliche Artikel von N. FONCK: *Ontologisme.* In: DThC XI/1 (1931), col. 1000-1061, sowie in speziellerer Hinsicht A. RIGOBELLO: *Vincenzo Gioberti* (1801-1852). In: CPhKD I. 1987, pp. 619-643, und K.-H. NEUFELD: *Traditionalismus und Ontologismus in Belgien und Frankreich.* In: CPhKD I. 1987, pp. 500-506; eine konzise systematische Erschließung des Ontologismus und verwandter Richtungen leistet BRUGGER, *Gotteslehre.* 1979, pp. 211-216. 506sq. (Lit.!); desweiteren cf. G. MCCOOL: *Catholic Theology in the Nineteenth Century: The Quest for a Unitary Method.* New York 1977, pp. 113-128; B. M. G. REARDON: *Religion in the Age of Romanticism. Studies in Early Nineteenth Century Thought.* New York 1985, pp. 146-175; W. BREUNING: *Ontologimus.* In: LKDogm 1987, p. 404; W. J. HOYE: *Gotteserfahrung? Klärung eines Grundbegriffs der gegenwärtigen Theologie.* Zürich 1993, pp. 31-33. Eine Er-

kelte eine anti-kantisch gerichtete, idealistische Erkenntnistheorie, in der er den aus der Erfahrung gewonnenen Begriffen durch eine dabei fortwährende vollzogene Gotteserkenntnis eine ontologisch fundierte, objektive Geltung verschaffen wollte. Danach sind das unmittelbar Erkannte nicht die extramentalen Gegenstände, sondern die Ideen als unveränderliche ewige Bewußtseinseinheiten sowie auch Gottes Wesenheit, aber nur insofern als diese Ursache der geschaffenen Dinge ist. Gott als das erste Sein (*primum ontologicum*) ist auch das zuerst Wahrgenommene (*primum psychologicum*). Gleichwohl muß diese Art der Gotteserkenntnis von der *visio beatifica* geschieden werden, weil sie kein distinktes, sondern ein dunkles und diffuses Erkennen, mehr ein passives Hinnehmen denn ein reflexives Erkennen ist. Die 1861 und nochmals 1866 erfolgte kirchliche Verurteilung[82] des Ontologismus ließ zwar die dieser Lehre verdächtigten Denker aufgrund ihrer aufrechten Kirchentreue verstummen, brachte aber als Folgelast mit sich, daß im Richtungsstreit der apologetisch gestimmten Theologie des 19. Jahrhunderts der Ontologismus-Vorwurf von manchen Anhängern eines aposteriorischen Gottesbeweises und einer extrinsezistischen Glaubensbegründung schnell und gern erhoben wurde, um Befürworter konkurrierender theologischer Traditionen zu diskriminieren.

Schon früh muß Heinrich von Gent von Ontologisten als Gewährsmann ihrer Lehre in die Auseinandersetzungen hineingezogen worden sein. Der Abbé Jules FABRE (1821 - 1901), ein ehemaliger Jesuit und ein eher grobschlächtiger Vertreter seiner Richtung, verstand sich selbst wie alle Ontologisten ganz in der Kontinuität der Tradition und benannte 1864 eine in seinen Augen gültige Genealogie: „J'ai exposé l'Ontologisme d'après les plus grands penseurs, d'après les plus savants docteurs de l'Eglise. J'ai répété ce que disent saint Augustin, saint Bonaventure, Henry de Gand, Denis le Chartreux, Bossuet, Fénelon, Leibniz, Gerdil."[83] Ein Jahr später replizierte ein unter dem Pseudonym JEAN SANS-FIEL schreibender Parteigänger des Ontologismus, der aber klar einen christlich legitimen von einem illegitimen pantheistischen und rationalistischen Ontologismus zu unterscheiden beabsichtigte. Er wies für Heinrich auf dessen uneinheitlichen und scheinbar widersprüchlichen Aussagen hin, die Heinrich aus der ontologistischen Tradition eher ausgren-

läuterung der betreffenden lehramtlichen Stellungnahmen bietet H. LENNERZ: *Natürliche Gotteserkenntnis. Stellungnahmen der Kirche in den letzten hundert Jahren.* Freiburg i.Br. 1926, pp. 75-133, der auch die zugrundeliegenden lehramtlichen Dokumente abdruckt (pp. 212-234). Eine sehr aufschlußreiche Studie spec. zu O. A. BROWNSON (1803-1876), der repräsentativen Figur des nordamerikanischen Ontologismus, verfaßte P. W. CAREY: *Ontologism in American Catholic Thought, 1840 - 1900.* In: RHE 91 (1996), pp. 834-862.

[82] Cf. spec. *Decr. S. Officii* (18. Sept. 1861). DH 2841-2847; dazu LENNERZ, *Natürliche Gotteserkenntnis.* 1926.

[83] J. FABRE [D'ENVIEU]: *Réponse aux lettres d'un sensualiste contre l'ontologisme.* Paris 1864, p. 44. - Zu J. FABRE cf. FONCK, *Ontologisme.* 1931, col. 1019-1021; E. HOCEDEZ: *Histoire de la théol. au XIXe siècle.* Paris 1947-52, tom. II (1952), pp. 132-134. 136. 138sq. 242.

zen.[84] Für den Fortgang der henrizianischen Wirkungsgeschichte ergab sich insgesamt, daß ungeachtet aller innerontologistischen Interpretationsdifferenzen der *Doctor solemnis* auf Dauer nicht aus der für ihn gefährlichen Nähe zum inkriminierten Ontologismus herauskam.

Parallel zu den französischen Reaktionen auf diese Kontroversen finden sich in der deutschsprachigen Theologie und Philosophie Invektiven gegen Heinrich von Gent schon bei Heinrich Joseph DENZINGER (1819 - 1883), der seit 1854 als ordentlicher Professor für Dogmatik in Würzburg lehrte und durch seinen streng positiv-kirchlichen Standpunkt hervortrat. Seine 1856/57 publizierten 'Vier Bücher von der religiösen Erkenntniss' rechneten anhand eines starren systematischen Rasters religiöser Erkenntnisformen in scharfer Form ab mit Positionen aller Zeiten und Kulturen, die zu Prinzipien der religiösen Erkenntnis Stellung bezogen hatten.[85] Bezüglich der philosophischen Frage noch dem obersten Grund der Erkenntnisgewißheit nannte DENZINGER als eine der verfehlten Antworten „das theognostische System", auch „Theologismus" genannt, „welches ein Hauptwerkzeug der Theosophie ist und in neuester Zeit wieder recht beliebt wird".[86] „In engster Verbindung damit steht, was man in neuester Zeit nicht ganz glücklich den Ontologismus genannt hat", er müsse aber vom Theognostizismus getrennt werden, weil man sich an der angeborenen, für das Erstgewisse gehaltenenen Idee des Seins orientiert habe. „Im Mittelalter tritt als Theognost auf Heinrich von Gent, ein sehr eigenthümlicher Schriftsteller, der sich hierin auf Augustinus berief, und gegen den Scotus in dieser Beziehung vielfach streitet. Er lehrte, Gott sei das erste Object unserer Erkenntnis, und das ewig Wahre, Gute, in Gott.[87] Hiebei unterschied er so, Gott sei das erste Object wohl nicht *rationaliter*, d. h. *per discursum*, wohl aber *naturaliter*, weil die natürliche oder angeborne Erkenntniss mit dem Unbestimmten anfange und zum Bestimmten fortschreite, Gott aber sei das *ens indeterminatum negative* d. h. *non determinabile*, während das *ens, quod convenit analogice creaturae* das *ens indeterminatum privative* sei. Da nun aber das

[84] Jean SANS-FIEL: *Discussion amicale sur ontologisme.* Paris/Nancy 1865, p. 116 not. - Zu J. SANS-FIEL cf. FONCK, *Ontologisme.* 1931, col. 1027sq.; E. HOCEDEZ, *Histoire de la théologie au XIXe siècle.* Paris 1947-52, tom. II (1952), pp. 136sq. 139.

[85] H. DENZINGER: *Vier Bücher von der religiösen Erkenntniss, Vorrede.* Würzburg 1856/57 (2 tom.) (ed. anastat. Frankfurt a.M. 1967), tom. I, p. viii, erklärte, er hätte für seine geschichtliche Darstellung „die besten Gewährsmänner, namentlich Brucker, Erdmann, Ritter, Rixner, Bretschneider, Ulrici und Andere beigezogen". - Cf. LThK^3 III (1995), col. 99 (P. WALTER).

[86] DENZINGER, *Erkenntniss, 2. Buch, nr. LXXXVI.* 1856, tom. II, p. 5. - ID., *Erkenntniss, 2. Buch, nr. III.* 1856, tom. I, p. 121, faßt unter „Theognosten ... solche, welche Gott den ersten Gegenstand und das Princip der Erkenntniss, dasjenige in welchem wir alles Uebrige erkennen, sein lassen, was kein Mysticismus ist, wenn dieses nicht als stete Offenbarung im stricten Sinne des Wortes charakterisiert wird."

[87] DENZINGER, *Erkenntniss, 2. Buch, nr. LXXXVI.* 1856, tom. II, p. 6, verweist an dieser Stelle (in seiner Reihenfolge!) auf HENR. DE GAND., *Qdl. XIII,9; Qdl. XV,9; Qdl. V,14; Summa 1,2.*

ens indeterminatum negative noch unbestimmter sei als das *ens indeterminatum privative*, so müsse es früher als dieses gedacht werden. Er behauptete sogar, es gebe gar keine Gewissheit ohne Erleuchtung, welche uns die ungeschaffenen Urbilder, die ewigen Normen in Gott schauen lasse. Er dachte sich dann die Erkenntniss der Objecte so, dass Gott in sich deren Urbild schauen lasse, und dass aus der Vergleichung desselben mit dem Object, worin dieselbe Idee liege, welches aber als wandelbar für sich diese Idee nicht hinreichend gewiss erkennen lasse, erst die volle und sichere Erkenntniss entstehe." Von DENZINGER dann in eine Linie gebracht mit René DESCARTES (1596 - 1650), Baruch SPINOZA (1632 - 1677), Nicolas MALEBRANCHE (1638 - 1715), Louis de THOMASSIN (1619 - 1695), Friedrich Chr. KRAUSE (1781 - 1832) und Vincenzo GIOBERTI, figurierte nun Heinrich von Gent als mittelalterlicher Vorläufer einer inzwischen kirchlich zensurierten und bereits durch AUGUSTINUS selbst, THOMAS VON AQUIN und JOHANNES DUNS SCOTUS widerlegten Lehre.[88] Der von DENZINGER vehement erhobene Theognostizismus-Vorwurf belegte Heinrichs *Primum cognitum*-Theorie mit einer schweren Hypothek, weil in einer ahistorischen Sichtweise diese Doktrin mit dem damals inkriminierten Ontologismus verkoppelt worden ist. DENZINGER war nicht daran interessiert, die positiven Anliegen des *adversarius* zu sehen, geschweige denn gelten zu lassen.[89]

Wie sehr dieses krude, neuscholastische Verdikt über Jahrzehnte anhielt und letzlich einer angemessenen historischen Würdigung dieser henrizianischen Eigenlehre verhinderte, vermögen weitere Ausführungen neuscholastisch beeinflußter Autoren offenlegen. Im Zuge der neuthomistischen Ontologismus-Kritik wurden diese Verdammungsurteile gegen Heinrich von Gent schon früh von Joseph KLEUTGEN (1811 - 1883)[90], einem Bannerträger dieser

[88] Cf. DENZINGER, *Erkenntniss, 2. Buch, nr. LXXXVI.* 1856, tom II, pp. 6-13, spec. pp. 9. 10. 12; desweiteren ID., *Erkenntniss, nr. LXXXIII.* 1856, p. 31. 32 (skotische Kritik an Heinrichs Lehre von einer bloß attributalen Gotteserkenntnis und der *Primum cognitum*-Theorie); ID., *Erkenntniss, 2. Buch, nr. C.* 1856, tom. II, p. 113. 114 (natürliche Erkennbarkeit der Trinität nach HENR. DE GAND., *Qdl. VIII,14*; Diskussion bei G. VASQUEZ, *Disputationes theologicae, disp. 135, cap. 1, nr. 1*; JOHANNES DUNS SCOTUS, *Op. Oxon. III, dist. 24, qu. un., n.11. 20*); ID., *Erkenntniss, 2. Buch, nr. CVII.* 1856, tom. II, p. 145 (Kritik des JOHANNES DUNS SCOTUS, *Report. Paris., Prol. q. 2, nr. 18; Op. Oxon. III, dist. 24, q. un., nr. 24*, an Heinrichs Art, das augustinische Verständnis des *Nisi credideritis, non intelligetis* zu erkenntnisoptimistisch ausgelegt zu haben); ID., *Erkenntniss, 3. Buch, nr. XXXI.* 1857, tom. II, p. 520 (die Lehre vom *lumen theologicum* gemäß HENR. DE GAND., *Qdl. VIII,14*; *Qdl. XII,2*); ID., *Erkenntniss, 4. Buch, nr. VIII.* 1857, tom. II, p. 560 (Wissen in der Mittelstellung zwischen Glauben und Anschauung).

[89] Zu weiteren kritischen Eigenschaften dieses Werkes cf. eingehend J. SCHUMACHER: *Der „Denzinger". Geschichte und Bedeutung eines Buches in der Praxis der neueren Theologie* (FThS 95). Freiburg/Basel/Wien 1974, pp. 27-31.

[90] Cf. J. KLEUTGEN: *Philosophie der Vorzeit I,58.* (Münster i.W. 1860-63) Innsbruck ^{2}1878 (2 tom.), tom. I, p. 88, hängt das Problem an der Lehre von der Ideenerkenntnis auf. Er wirft Heinrich mit Verweis auf HENR. DE GAND., *Qdl. XIII,9; Qdl. XV,9*, eine inkorrekte, vom Verständnis des THOMAS VON AQUIN und auch JOHANNES DUNS SCOTUS abweichende Augustinus-Exegese vor, die obendrein vom letzteren, *Ord. I,*

neuen Richtung, aufgegriffen und wirkten so gerade im allgemeinen Schrifttum fort. Diese absurde Aufgipfelung der Ontologismus-Debatte um Heinrich wirkte nach bis in die 20er Jahre unseres Jahrhunderts. Der katholische Dogmatiker Karl ADAM (1876 - 1966) verstieg sich noch 1919 in seiner Tübinger Antrittsvorlesung - ganz in der Manier DENZINGERS - erneut in den Vorwurf des „Theognostizismus“[91]. Der Grazer Philosophiehistoriker Anton MICHELITSCH (1865 - 1958)[92], eine skurrile Eiferergestalt der neuscholastischen Bewegung, wiederholte 1923 denselben Vorwurf. Die erstaunliche Zählebigkeit dieser polemischen Ettikette hält noch 1948 an, als kein geringerer als M. GRABMANN[93] sie zur Kennzeichnung des vorgeblich schon bei THOM. DE AQU., *In Boeth. De trin. I,3* widerlegten Ontologimus benutzte. Durch DENZINGER wurde also auf eine höchst paradoxe Weise Heinrichs *Primum cognitum*-Lehre wiederentdeckt und Gegenwartsrelevanz zugebilligt, und zwar in der Form, daß man sie in eine der Listen erwähnenswerter theologischer Irrtümer eintrug, insofern man in ihr eine Vorläufertheorie des damals kontrovers diskutierten Ontologismus zu erkennen meinte. Obwohl es ein gewalttätiges Wiedererkennen der eigenen Fragen ohne Vornahme sachgerechter Differenzierungen war, sicherte es dem *Doctor solemnis* auf Jahrzehnte die Aufmerksamkeit orthodoxiebeflissener Neuscholastiker.

Daß die innerkirchliche nicht-neuscholastische Gegenseite in der Interpretation mittelalterlicher Autoren zwar mit weniger Polemik auskam, dafür aber an vielen Stellen über eine Applikation von Theoremen der eigenen Richtung nicht hinauskam, zeigt der gemäßigte Güntherianer Karl WERNER (1821 - 1888), ein „Bahnbrecher der scholastischen Literaturgeschichte“[94]. Er legte 1858/59 fast auf einen Schlag ein umfangstarkes, dreibändiges Werk über Leben und Lehre des Thomas von Aquin und die Geschichte des Thomismus vor.[95] WERNER trug darin mehrfach verschiedene Lehren Heinrichs im Spiegel

dist. 3, qu. 3, eigens widerlegt worden sei. - Zur allgemeinen Bedeutung von KLEUTGEN cf. WALTER, *Neuscholastische Philosophie.* 1988, pp. 145-176.

91 K. ADAM: *Glaube und Glaubenswissenschaft im Katholizismus.* In: ThQ 101 (1920), p. (131-155) 138. - Cf. LThK³ I (1992), col. 141sq. (H. KREIDLER).

92 Cf. A. MICHELITSCH: *Einleitung in die Erkenntnislehre, § 72,2.* 2., umgearb. Aufl. Graz 1923, p. 125. In seiner *Illustrierten Geschichte der Philosophie.* Graz 1933, ist dieser Vorwurf allerdings fallen gelassen. - Cf. Kürschner 1961, p. 2382.

93 Cf. GRABMANN, *Einleitungslehre.* 1949 [postum], p. 78.

94 L. SCHEFFCZYK: [Einleitung]. In: ID. (Hg.): *Theologie in Aufbruch und Widerstreit. Die deutsche katholische Theologie im 19. Jahrhundert.* Hg. und eingel. von L. SCH. (Sammlung Dieterich 300). Bremen 1965, p. 472; cf. desweiteren J. PRITZ: *Mensch als Mitte. Leben und Werk Carl Werners,* Bd. I (WBTh 22/1). Wien 1968, p. 309. 361; J. REIKERSDORFER, *Carl Werner (1821-1888).* In: CPhKD I. 1987, pp. 329-340.

95 Cf. K. WERNER: *Der hl. Thomas von Aquino. Bd. I: Leben und Schriften des hl. Thomas Aquinas; Bd. II: Die Lehre des hl. Thomas; Bd. III: Geschichte des Thomismus.* Regensburg (1858/59) ²1889 (ed. anastat. New York s.a.)

der skotischen und skotistischen Kritik vor.[96] In seinem Bericht vom renaissance- und barockscholastischen Streit über das Ersterkannte des menschlichen Verstandes ist WERNER aber bemerkenswerterweise nicht die Bedeutung des *Doctor solemnis* aufgegangen[97], ein Versäumnis, das auch in seiner Heinrich-Monographie des Jahres 1878 nicht nachgeholt wird. Diese ist die erste größere deutschsprachige Arbeit über den *Doctor solemnis* überhaupt. Ihr Titel 'Heinrich von Gent als Repräsentant des christlichen Platonismus im dreizehnten Jahrhundert'[98] zeigt deutlich die eingeschlagene Interpretationsrichtung an, die an die Zuordnung Heinrichs zur platonischen Tradition, wie sie durch GIOVANNI PICO DELLA MIRANDOLA im Renaissanceplatonismus geschehen war, fugenlos anknüpfte. WERNERS Versuch, bei Heinrich einen sog. psychischen Sensismus auszumachen und dementsprechend die Passivität des menschlichen Intellekts im Erkenntnisprozeß als Leitmotiv heinrizianischer Erkenntnistheorie herauszuheben, ist schon früh zurecht als unhaltbar kritisiert worden.[99] Im weiteren Gang der Forschung setzten sich auch weniger die von WERNER angestellten Einzelinterpretationen, sondern vielmehr seine allgemeine Klassifizierung Heinrichs fest.

Anspruch auf eigene Verdienste um eine doktrinäre Rückerschließung der scholastischen Autoren im deutschen Sprachraum darf unzweifelhaft der Eichstätter, 1862-71 auch in Münster lehrende Philosophiehistoriker Albert STÖCKL (1823 - 1895)[100] erheben. In seiner viel benutzten 'Geschichte der Philosophie des Mittelalters' hatte STÖCKL - wie schon TIEDEMANN und TENNEMANN zuvor - dem *Doctor solemnis* recht großen Raum zugebilligt. „Die geschichtliche Bedeutung des Heinrich'schen Systems" meinte STÖCKL darin suchen zu dürfen, daß „jenes Lehrsystem, welches am Ende des dreizehnten Jahrhunderts im ausgesprochenen Gegensatze zum thomistischen im Schoo-

[96] Cf. WERNER, *Thomas von Aquino.* (1858/59) ²1889, tom. I (1858), pp. 861. 866. 882; ID., *Thomas von Aquino,* tom. III (1859), pp. 7-14. 17. 20sq. 24. 28. 30. 32. 37-39. 44. 48. 55. 57. 66. 69. 287. 328. Desweiteren werden PETRUS VON AUVERGNE (p. 150) und JOHANNES CAPREOLUS (pp. 152. 243) als Heinrich-Kritiker angeführt, ebenso SUAREZ (p. 256); VAZQUEZ (pp. 305. 311. 314) und die SALMANTICENSES (pp. 354. 358. 371. 770). Erwähnt werden auch Heinrichs Ansichten über die Wirkweise der Sakramente (p. 371) und den zeitlichen Anfang der Welt (p. 770).

[97] Cf. WERNER, *Thomas von Aquino.* (1858/59) ²1889, tom. III, pp. 287-291, wo in der Hauptsache die Kontroverse zwischen TROMBETTA und CAJETAN nachgezeichnet wurde (cf. Einl., § 1.).

[98] K. WERNER: *Heinrich von Gent als Repräsentant des christlichen Platonismus im dreizehnten Jahrhundert.* In: Denkschr. Akad. Wiss. Wien, Philos.-Hist. Kl., 58 (1878), pp. 97-154, zitiert nach dem Separatabdruck Wien 1878 (60 pp.). - Die güntherianische Sichtweise WERNERS kritisierte pauschal DE WULF, *Hist. philos. scol. Pays-Bas.* 1893, p. vii.

[99] Cf. DE WULF, *Hist. philos. scol. Pays-Bas.* 1893, p. 154; HAGEMANN, *De ... ontologismo, I.* 1898, p. 8.

[100] A. STÖCKL: *Geschichte der Philosophie des Mittelalters, § 200-204.* Mainz 1864-66 (ed. anastat. Aalen 1968), vol. II/2 (1865), pp. 734-758; weitere Nennungen Heinrichs pp. 765. 771. 775. 789. - Zur Biographie und historischen Einordnung von STÖCKL cf. WALTER: *Neuscholastische Philosophie.* 1988, pp. (131-194) 176-178. 191.

sse des Franciskanerordens erwuchs, an die Lehrmeinungen Heinrichs mit Liebe sich angeschlossen, dieselben in sich aufgenommen und für ihre Zwekke verwerthet hat."[101] Für die Beurteilung der denkerischen Leistung Heinrichs, den STÖCKL eingangs als Schüler des ALBERTUS MAGNUS und Ordensgenossen des THOMAS VON AQUIN vorstellte, wird am wirkungsgeschichtlichen Erfolg des Aquinaten Maß genommen und von dorther ein unzweideutiges Urteil eingeholt.[102] Des ungeachtet gab STÖCKL weit ausholend Auskunft über Heinrichs Wesensontologie, dessen Anschauungen über das *suppositum* und das Individuationsprinzip,[103] über seine Ideen-, Form- und Materielehre[104]. Dann folgen Ausführungen über Heinrichs Lehre von der Gotteserkenntnis und den Gottesattributen, über seine Schöpfungslehre[105] sowie schließlich auch über dessen Ansichten zur Einheit des Menschen, der Seele mit ihren Potenzen und zur Willenslehre.[106] Als wohl erster der neuzeitlichen philosophiehistorischen Doxographen - wenngleich auch vorbereitet durch die Be-

[101] STÖCKL, Philosophie des Mittelalters, § 204. 1865, p. 758.

[102] STÖCKL, *Philosophie des Mittelalters, § 204.* 1865, p. 758: „Die Abweichungen seiner Lehre von der des hl. Thomas sind mannigfaltig und, wir dürfen sagen, ziemlich durchgreifend. Er hat einerseits dem Platonismus und andererseits der Franziskanerschule Zugeständnisse gemacht, welche keineswegs als unbedeutend betrachtet werden können. ... Wir wollen ihn darüber nicht tadeln; er ist eben seinen eigenen Inspirationen gefolgt; er wollte sich sein eigenes Lehrsystem aufbauen, sich selbst eigene Bahnen der Speculation brechen, um auf denselben zur tiefern Erkenntniss der Wahrheit zu gelangen. Ob ihm aber diess gelungen sei, ob seine Speculation, was die innere Wahrheit und Correctheit derselben betrifft, den Vergleich mit der thomistischen Speculation auszuhalten vermöge, ist freilich eine andere Frage. Seine Zeitgenossen waren, im Allgemeinen wenigstens, nicht dieser Ansicht. Sein Lehrsystem wurde von dem thomistischen in Schatten gestellt, und konnte sich keineswegs im wissenschaftlichen Bewusstsein seiner Zeit eines solchen Erfolges erfreuene, wie das thomistische. Die Geschichte hat daher über den Vorzug des einen vor dem anderen bereits gerichtet."

[103] Cf. STÖCKL, *Philosophie des Mittelalters, § 201.* 1865, pp. (739-743) 739-742 (Begriff des Seins, des Allgemeinen und das Verhältnis von Existenz und Wesenheit gemäß HENR. DE GAND., *Qdl. I,9; Qdl. III, 1. 9*); p. 742 (*Suppositum*-Lehre genmäß HENR. DE GAND., *Qdl. IV,4*); p. 742sq. (Individuationsprinzip nach HENR. DE GAND., *Qdl. V,7*).

[104] Cf. STÖCKL, *Philosophie des Mittelalters, § 202.* 1865, p. (743-748) 743sq. (Ideenlehre mit Verweis auf HENR. DE GAND., *Qdl. II,1; Qdl. V,3; Qdl. VII,1; Summa p. 1 qu. 15* [sic!]); 744-748 (Allgemeines und Individuum nach HENR. DE GAND., *Qdl. II,1*). 746-748 (Materie und Form gemäß HENR. DE GAND., *Qdl. I,10; Qdl. IV,16; Qdl. VII,8*).

[105] Cf. STÖCKL, *Philosophie des Mittelalters, § 203.* 1865, p. (748-752) 748sq. (*Primum cognitum*-Theorie); p. 749-751 (Erkennen Gottes durch Vollkommenheitsattribute im Anschluß an HENR. DE GAND., *Qdl. V,1*); p. 751sq. (philosophische Beweisbarkeit der Weltschöpfung nach HENR. DE GAND., *Qdl. I,7*).

[106] Cf. STÖCKL, *Philosophie des Mittelalters, § 204.* 1865, p. (752-758) 752sq. (Einheit des Menschen im Anschluß an HENR. DE GAND., *Qdl. III,15; Qdl. IV,13*); p. 753sq. (Einheit der Seele und ihrer Potenzen nach HENR. DE GAND., *Qdl. III,14*); pp. 754-756 (Freiheit des Willens gemäß HENR. DE GAND., *Qdl. I,16; Qdl. III,17*); p. 757 (Vorrang des Willens vor dem Intellekt nach HENR. DE GAND., *Qdl. I,14*); p. 757sq. (abschließende Beurteilung).

merkungen DENZINGERS und WERNERS - lenkte STÖCKL dabei den Blick auf Heinrichs *Primum cognitum*-Theorie. „So schlägt Heinrich auch in dieser Beziehung in die Bahn des Platonismus ein, und seine Lehre kann in dieser Beziehung als Vorläufer des spätern Ontologismus gelten. Bei den folgenden Scholastikern hat dieser Lehrsatz Heinrichs keine Aufnahme gefunden, selbst nicht bei den Gegnern des heil. Thomas."[107] Diese Beurteilung legt die Annahme sehr nahe, daß er DENZINGERS Arbeit und KLEUTGENS knappe Bemerkungen gekannt hat. Vielleicht standen bei STÖCKL auch neuthomistische Erörterungen zum *primum cognitum* im Hintergrund, wie sie damals z. B. ausführlich von Hermann Ernst PLASSMANN (1817 - 1864)[108] vorgelegt worden waren. Im Hintergrund darf man wohl auch durch die von seinem Kollegen Christoph Bernhard SCHLÜTER (1801 - 1884)[109] seinerzeitig in Münster inaugurierte Ontologismusdebatte sehen.[110] Denn SCHLÜTER, ein großer Freund

[107] STÖCKL, *Philosophie des Mittelalters, § 203.* 1865, p. (748sq.) 749. STÖCKL nannte HENR. DE GAND., *Qdl. VII,4* und pauschal *Qdl. IX* als Quellen seines Referats und verwies zudem auf JOH. DUNS SCOTUS, *Ord. I, dist. 3, qu. 2, nr. 3* Wadding 389sqq. - STÖCKL, *Ontologismus.* In: WWKL IX (1895), col. 858-864, erwähnte Heinrichs Namen nicht mehr.

[108] Cf. H. E. PLASSMANN: *Die Metaphysik gemäß der Schule des h. Thomas § 11-15* (Die Philosophie des hl. Thomas, Bd. 5). Soest 1862 (ed. anastat. Frankfurt a.M. 1967), pp. 64-103. PLASSMANN fand das Thema vermutlich bei dem von ihm viel benutzten Antoine GOUDIN (1639 - 1695): *Philosophia thomistica iuxta inconcussa tutissimaque Divi Thomae dogmata. Pars metaphysica, disp. I, qu. 2, art. 1: Quid et quotuplex sit ens; et quomodo sit primum cognitum.* (Lyon 1671) Matriti 1765-67, tom. IV (1767), pp. (168b-170b) 169b-170b, dessen Ausführungen (mit Hinweis auf THOM. DE AQU., *S. theol. I, a. 85, q. 3*) allerdings recht knapp ausfallen. - Zur nicht zu unterschätzenden Bedeutung PLASSMANNS, der u.a. 1856-59 als Philosophieprofessor in Paderborn wirkte und als wohl erster Erneuerer des strengen Thomismus in Deutschland gelten darf, cf. WALTER, *Neuscholastische Philosophie.* 1988, pp. 139-144.

[109] Cf. W. HOHNEN/A. DYROFF: *Der Philosoph Christoph Bernhard Schlüter und seine Vorläufer* (Geschichtl. Forsch. zur Philos. der Neuzeit. Veröff. der philos. Sektion der Görresgesell.). Paderborn 1935; Josefine NETTESHEIM: *Christoph Bernhard Schlüter. Eine Gestalt des deutschen Biedermeier* (Q. u. Forsch. zur Sprach- und Kulturgesch. der german. Völker NF 5 [129]) Berlin 1960, spec. pp. 14-37; EAD.: *Anton Günther (1783-1863) und der Schlüter-Kreis in Münster.* In: AGPh 44 (1962), pp. 283-312.

[110] Diese anachronistische Problemstellung - der Begriff 'Ontologismus' tritt erst bei Vincenzo GIOBERTI (1801 - 1852): *Introduzione alla filosofia* (1840), auf (cf. R. MALTER/F. PFURTSCHELLER: *Ontologismus.* In: HWPh VI [1984], col. 1203sq.) - erklärt sich bei STÖCKL auch aus seinen Erkenntnisinteressen. Denn „STÖCKL trieb und schrieb Geschichte nicht um der Geschichte willen, sondern in systematischer und apologetischer Absicht", wie WALTER, *Neuscholastische Philosophie.* 1988, p. 177, formuliert. Dennoch wird Heinrich von diesem Frageansatz bis weit ins 20. Jahrhundert hinein verfolgt, so z. B. bei N. FONCK: *Ontologisme.* In: DThC XI/1 (1931), col. (1000-1061) 1002. 1010; BETTONI, *Conoscibilità di Dio.* 1950; H. BRINK: *Henricus van Gent.* In: TWB II (1957), col. (2205-2208) 2206; PREZIOSO, *Ontologismo di Enrico di Gand.* 1961, der darin von BETTONI abhängig ist, sowie in den ansonsten vorzüglichen Arbeiten von C. BÉRUBÉ. Der Hauptteil heutiger Heinrich- und Scotus-Forschung gibt den Begriff auf und distanziert sich stillschweigend von ihm.

platonischen, augustinischen und bonaventurianischen Traditionsgutes, hatte die Thesen GIOBERTIS und besonders UBAGHS in seinem Schülerkreis, zu dem damals z. B. Franz BRENTANO, Ignatius JEILER, Ludwig SCHÜTZ zählten, intensiv verhandelt und die Kontroverse auch durch Dissertationen seiner Schüler[111] fortführen lassen.

Die Fortschritte in der philosophischen Heinrich-Forschung zeitigten auch auf den benachbarten theologischen Gebieten Früchte. In den Jahren 1882-89 gab eine Editorengruppe[112] unter der Leitung von FIDELIS A FANNA (1838 - 1881)[113] und Ignatius JEILER (1823 - 1904)[114] im *Collegium S. Bonaventurae* zu Quaracchi den Sentenzenkommentar des BONAVENTURA kritisch heraus. Die gelehrten Kommentatoren, von denen man JEILER als Endredaktor und hauptverantwortlichen Verfasser der Scholien hervorzukehren hat, stellten in den beigegebenen Scholien ihre ausgedehnte Kenntnis der Epoche auch dadurch unter Beweis, daß bei der Angabe von Paralleltexten anderer scholastischer Autoren sehr häufig Artikel und Quästionen Heinrichs - aus allen Teilen seiner *Summa* und *Quodlibeta*! - angeführt wurden. Sie schufen so ein sehr brauchbares, bis in unsere Tage noch nicht voll ausgenutztes Hilfsmittel der Heinrich von Gent-Forschung.[115]

[111] Cf. L. SCHÜTZ: *Dissertatio Augustinum non esse ontologum.* Diss. phil. Münster i.W. 1857; Joseph KRAUSE: *Bonaventurae de origine et via cognitionis intellectualis doctrina ab ontologismi nota defensa.* Diss. phil. Münster i.W. 1868.

[112] Cf. I. BRADY: *The Edition of the 'Opera Omnia' of Saint Bonaventure (1882-1902).* In: AFH 70 (1977), pp. 352-376 (Lit.).

[113] Cf. LThK² IV (1960), col. 118 (G. FUSSENEGGER); M. KÖCK: *Quaracchi - Der franziskanische Beitrag zur Erforschung des Mittelalters.* In: CPhKD II. 1988, p. 392sq.

[114] Zur Würdigung des 1879-1904 in Quaracchi wirkenden Franziskaners cf. LThK² V (1960), col. 889 (Ch. SCHOLLMEYER); R. NICKEL: *Seelsorger und Ordenskritiker, Forscher und 'Wissenschaftsmanager': Der Nachlaß von P. Ignatius Jeiler OFM.* In: WiWei 57 (1994), pp. 221-272; LThK³ V (1996), col. 767 (J. LANG).

[115] Cf. aber die kritischen Bemerkungen in den Rezensionen von F. EHRLE: *Die neue Schule des hl. Bonaventura.* In: StML 25 (1883), p. (15-28) 27sq., zur semikritischen Editionsmethode und ID.: *Rec. S. Bonaventurae Opera omnia.* In: ZKTh 8 (1884), pp. (413-426) 420-426, zur thomistisierenden Tendenz der Scholien. - Insoweit viele dem kirchlich zensurierten Ontologismus nahestehende Denker sich auf AUGUSTINUS und Augustinisten aller Jahrhunderte beriefen, so z. B. das Haupt des Löwener Ontologismus, G. C. UBAGHS: *De mente S. Bonaventurae circa modum quo Deus ab homine cognoscitur.* Louvain 1860, kam es seitens des Franziskanerordens gewissermaßen in einem Akt des Selbstschutzes auch zur Edition von '*De humanae cognitionis ratione anecdota quaedam seraphici doctoris S. Bonaventurae et nonnullorum ipsius discipulorum*'. Quaracchi 1883, denen I. JEILER anonym eine vorzügliche *Dissertatio* (pp. 1-47) über die allgemeine Diskussion im 13. Jahrhundert voranstellte. Dieser Publikation vorangegangen waren z. B. einige von Ch. B. SCHLÜTER inaugurierte Dissertationen in Münster (cf. not. 412); C. DELEAU: *Doctrine de saint Bonaventure sur la connaissance de Dieu et sur l'ontologisme.* In: Revue des Sciences Eccl. 2 (1870), pp. 251-295, der bedeutende Thomist T. M. ZIGLIARA OP: *Della luce intellettuale e dell' ontologismo secondo la dottrina di S. Bonaventura e Tomaso d'Aquino.* Rom 1874, und nicht zuletzt I. JEILER mit seinen noch immer höchst lesenswerten Aufsätzen *Die Lehre des hl. Bonaventura in betreff des Ontologismus.* In: Katholik 50 (1870), pp. 404-420. 583-593. 655-686, sowie

Als Scheidejahr der modernen Heinrich von Gent-Forschung darf 1885 gelten. In jenem Jahr ließ Franz EHRLE SJ (1845 - 1934)[116], der damals zusammen mit Heinrich Suso DENIFLE OP (1844 - 1905)[117] in Rom für die Neuordnung der Vatikanischen Bibliothek tätig war, in dem von DENIFLE und ihm begründeten 'Archiv für Literatur- und Kirchengeschichte des Mittelalters' eine biographische Studie erscheinen, die alle voraufgegangenen kritischen Bemühungen zum Thema sammelte und wegen der Prägnanz der vorgetragenen Ergebnisse geradezu umstürzend wirkte. Sie versetzte den zahlreichen Legenden um Heinrichs Leben einen Todesstoß. An EHRLES Arbeit, „une étude devenue classique sur ce personnage"[118], deren nähere Bedeutung schon oben ausgeführt worden ist, schlossen sich weitere biographische Studien von Hippolyte DELEHAYE SJ (1859 - 1941)[119], Napoléon DE PAUW[120] und Alphonse Guillaume Ghislain WAUTERS (1817 - 1898)[121] an, die dann 1890 der belgische Kirchenhistoriker Ursmer BERLIÈRE OSB (1861 - 1932)[122] in einem For-

Der Ursprung und die Entwicklung der Gotteserkenntnis im Menschen. Eine dogmatische Studie über die betreffende Lehre des hl. Bonaventura und anderer Meister des XIII. Jahrhunderts. In: Katholik 57 (1877), pp. 113-147. 225-269. 337-353, zu Heinrich pp. 129. 142sq.

[116] EHRLE: *Heinrich von Gent.* 1885. Eine von EHRLE überarbeitete und erweiterte Fassung erschien in der französischen Übersetzung von J. RASKOP. In: Bull. de la soc. Hist. et litt. de Tournai 21 (1887), Suppl., pp. 7-51]. - Zu EHRLES Leben und Werk cf. M. GRABMANN: *Heinrich Denifle O.P. und Kardinal Franz Ehrle S.J. Ein nachträgliches Gedenken zu ihrem hundertsten Geburtstag.* In. PhJ 56 (1946), pp. (9-26) 16-26; TRE IX (1982), pp. 366-369 (M. WEITLAUFF; Lit.); LThK³ III (1995), col. 513sq. (P. WALTER).

[117] H. S. DENIFLE: *Luther und Luthertum in der ersten Zeit der Entwicklung. Quellenmäßig dargestellt. Bd. I/1.* Mainz ²1904, pp. 147-149. 183; ID.: *Die Deutschen Mystiker des 14. Jahrhunderts. Beitrag zur Deutung ihrer Lehre.* Aus dem literar. Nachlaß hg. von O. SPIESS (SF N.S. 4). Freiburg/Schw. 1951, ad ind. s.v. - Cf. zu seinen mediävistischen Verdiensten M. GRABMANN: *Heinrich S. Denifle.* Mainz 1905; ID.: *Heinrich Denifle O.P. und Kardinal Franz Ehrle S.J.* In: PhJ 56 (1946), pp. (9-26) 9-16; LThK³ III (1995), col. 94 (J. METZLER).

[118] P. MANDONNET: *Les premières disputes sur la distinction réelle entre l'essence et de l'existence, 1276-1287.* In: RThom 18 (1910), p. (741-765) 743.

[119] Cf. H. DELEHAYE: *Nouvelles recherches sur Henri de Gand.* In: MSHBelg 60 (1886), pp. 328-355. 438-455; 61 (1887), pp. 59-85; ID.: *Notes sur Henri de Gand.* In: MSHBelg 62 (1888), pp. 421-456 - Cf. LThK³ III (1995), col. 74 (B. JOASSART).

[120] Cf. N. DE PAUW: *Note sur le vraie nome du docteur Solennel, Henri de Gand.* In: BCRH 15 (1888), pp. 135-145; ID.: *Dernières découvertes concernant le docteur Solennel, Henri de Gand, fils de Jean le Tailleur (formator ou de Sceppere).* In: BCRH 16 (1889), pp. 27-135.

[121] Cf. A. WAUTERS: *Sur les documents apocryphes qui concernernaient Henri de Gand, le docteur solennel, et qui le rattacheraient à la famille Goethals.* In: BCRH 14 (1887), pp. 179-190; ID.: *Sur la signification du mot latin 'formator' à propos de Henri de Gand.* In: BCRH 16 (1888), pp. 12-75; ID.: *Le mot latin „Formator", au moyen âge, avait la signification de professeur.* In: BCRH 16 (1888), pp. 400-410. - Cf. Annuaire Acad. Scie. Belgique 67 (1901), pp. 83-102; Écrivains belges, tom. IV (1901), pp. 320-325.

[122] Cf.U. BERLIÈRE: *Die neuesten Forschungen über Heinrich von Gent.* In: ZKTh 14 (1890), pp. 384-388. - Cf. LThK³ II (1994), col. 261 (St. PETZOLT). - Als Kuriosum darf gelten, daß es dem 1888 (!) erschienen Heinrich-Artikel im 'Wetzer-Welte', verfaßt vom

schungsbericht und 1891 Clemens BAEUMKER[123] in einer Sammelrezension deutschsprachigen Lesern bekannt machten.

Doch erst mehrere Jahrzehnte später wurde das historiographische Motiv der Studien EHRLES angemessen erkannt und gewichtet, nämlich sein Bestreben, entgegen der simplifizierende These von einer unangefochtenen Dominanz des Aristotelismus im Zeitalter der Hochscholastik das Nebeneinander zweier Hauptströmungen, von Aristotelismus und Augustinismus aufzuzeigen und den Fortgang der mittelalterlichen Geistesgeschichte als das Zusammenspiel mehrerer Kräfte darzustellen. Die ohnehin überragenden Verdienste EHRLES um die Heinrich-Forschung wären noch größer ausgefallen, wenn sich sein schon zu Beginn der 80er Jahre gefaßte Plan realisiert hätte, innerhalb der von ihm begründeten *Bibliotheca selecta theologiae et philosophiae scholasticae* Heinrichs *Quodlibeta* und *Summa* zum Neudruck zu bringen.[124] Es war wohl sein selbstvergessener Einsatz für die Reorganisation der Vatikanischen Bibliothek, der ihn neben vielen anderen seiner wissenschaftlichen Vorhaben auch dieses hintanstellen ließ.

In der theologischen Literatur nach dem I. Vatikanischen Konzil (1869/70) führte Heinrich von Gent das Leben eines zu Eigenwilligkeiten neigenden Scholastikers, bei dessen Einschätzung Argwohn und Respekt sich vermengten. Den Faden der Ontologismusdebatte griff der katholische Religionsphilosoph und Dogmatiker Alois von SCHMID (1825 - 1910)[125] schon 1879 wieder

Serviten Benitius Maria MAYR, gelang, nicht eine einzige Aussage über Lehren Heinrichs mitzuteilen, wohl aber - nach Referat der nun als widerlegt anzusehenden biographischen Details - die Verdienste der Serviten um die Editionen und die Verteidigung ihres Inhalts hervorzuheben. Cf. B. M. MAYR: *Heinrich von Gent.* In: WWKL V (1888), col. 1704-1706; die Charakterisierung Heinrichs (col. 1705: „kühner gewaltiger Geist ..."), ist ohne Zitatangabe von SCHEEBEN abgeschrieben; eventuell das Ergebnis einer redaktionellen Überarbeitung durch die Herausgeber? - Cf. auch B. M. MAYR: *Serviten.* In: WWKL XI (1899), col. (204-211) 206.

[123] C. BAEUMKER: *Jahresbericht über die abendländische Philosophie im Mittelalter.* In: AGPh 5 (1891), pp. (113-138. 557-577) 130-132. Dieser Themenkatalog wird nicht wesentlich erweitert in der späteren Kurzdarstellung: ID.: *Die europäische Philosophie des Mittelalters.* In: W. WUNDT u.a.: Allgemeine Geschichte der Philosophie (Die Kultur der Gegenwart. Teil I, Abt. V). Berlin/Leipzig 1909, pp. (288- 381) 296. 314. 318. 332sq. 361. - Zur historiographischen Leistung BAEUMKERS cf. Einl., § 2,1.

[124] Cf. F. EHRLE: *Die Scholastik auf dem antiquarischen Büchermarkte.* In: ZKTh 9 (1885), p. (178-185) 184, der „Heinrich von Gent, Petrus von Tarentasia, Aegidius de Colonna und Herveus Natalis" als diejenigen Autoren aufführte, deren Neuauflage nach den gewählten Kriterien (philosophischer und theologischer Wert des Werkes; Bedeutung des Autors für die geschichtliche Entwicklung der Scholastik; Seltenheit der Ausgaben) zuerst anstünden; cf. schon H. GRISAR: *Ehrle's „Bibliothek der scholastischen Theologie und Philosophie".* In: ZKTh 8 (1884), p. (477sq.) 478, der über den Werbeprospekt der neuen Editionsreihe berichtete, die später leider über die Neuausgaben des SILVESTER MAURUS und des COSMAS ALEMANNUS nicht hinauskam.

[125] SCHMID wurde 1852 als Nachfolger Martin DEUTINGERS Professor der Philosophie in Dillingen und folgte 1866 einem Ruf auf den Lehrstuhl für Dogmatik in München.

auf und nahm nicht ohne eine gewisse Sympathie auf die Gedanken Heinrichs Bezug. SCHMID, der selber schon in früheren Jahren einen objektiven ontologischen Apriorismus vertrat, hielt anfangs den Vorwurf des strengen Ontologismus von Heinrich fern und schrieb ihm den Theognostizismus zu nur „bezüglich der Erkenntniß Gottes und der göttlichen Dinge und bezüglich einer volleren und gründlicheren Erkenntniß der geschöpflichen Dinge und der allgemeinen Principien, also nur einem Theognosticismus oder Theosophismus von eingeschränkter Art. Da ihm [sc. Heinrich] nun die Gotteserkenntnis und die Erkenntniß der natürlichen Offenbarungen Gottes und sofort auch der erworbene menschliche Glaube an die positiven Offenbarungen Gottes von gnostischer Natur ist, so kann in Consequenz dessen auch der göttliche, theologische Glaube an die positiven Offenbarungen Gottes seiner letzten Wurzel, seinem letzten Beweg- oder Gewißheitsgrunde nach nur ein im Licht der Gnade erhöhtes gnostisches Wissen sein."[126] In seiner 1890 erschienen 'Erkenntnißlehre' zählte SCHMID allerdings Heinrich als ersten in einem historischen Bericht dann doch zu den „wirklichen Vertretern eines strengern Ontologismus".[127] Denn Heinrich lehre anders als BONAVENTURA die Identifikation von Gott als erstem Erkenntnisobjekt und Erkenntnismedium. Die eigentümliche Färbung erhalte der Ontologismus Heinrichs durch den Unbestimmtheitscharakter der Gotteserkenntnis. SCHMID gelangen mehrere bemerkenswerte Analysen zu Einzelaspekten der henrizianischen Erkenntnistheorie, deren Wert leider gemindert wird durch die historisch unangemessene Fragerichtung und durch die Auslassung, Heinrichs Position in einen Vergleich scholastischer Zeitgenossen wie BONAVENTURA zu ziehen. Ähnliches gilt auch für die Philosophiegeschichte des thomistisch orientierten Mainzer Philosophieprofessors und späteren Bischofs von Mainz, Paul

Zu Person und Werk cf. J. FINKENZELLER: *Alois von Schmid (1825-1910)*. In: KThD. 1975, tom. III, pp. 125-144; BBKL IX (1995), col. 330-334 (R. LACHNER); cf. Anton J. SCHNEIDER: *Die theologische Erkenntnislehre bei Alois von Schmid (1825-1910)*. Diss. theol. München 1964, spec. pp. 8-30 zum Apriorismus in SCHMIDS philosophischer Erkenntnislehre

[126] A. VON SCHMID: *Untersuchungen über den letzten Gewißheitsgrund des Offenbarungsglaubens*. München 1879 (ed. anastat. Frankfurt a.M. 1969), p. (102. 103-105. 106) 105 (Gnosis versteht SCHMID, p. 104, hier als mystische Erfahrung; SCHMID rekurriert auf HENR. DE GAND., *Summa 1,2* Badius 7rL; *Summa 2,1* allgemein; *Summa 13,7* allgemein; *Summa 22,5* Badius 135rF); eine Kritik dieser Heinrich-Deutung bei J. N. ESPENBERGER, *Grund und Gewißheit des übernatürlichen Glaubens in der Hoch- und Spätscholastik* (FCLDG 13/1). Paderborn 1915, p. 90sq.

[127] SCHMID, *Erkenntnißlehre*. Freiburg i.Br. 1890, tom. II, pp. 375 not. 1; 387-389 (Illuminations- und *Primum cognitum*-Theorie nach HENR. DE GAND., *Summa 1,1-3; Qdl. X,15* bzw. *Summa 24,9* und *Summa 22,1-6*). - Cf. SCHMID, *Erkenntnißlehre*. 1890, tom. II, p. 82 (*esse essentiae* mit Verweis auf HENR. DE GAND., *Qdl. VIII,1. 9; Qdl. IX,2*); p. 121sq. (*Species*-Lehre, Intuitions- und Reflexionsbegriff nach HENR. DE. GAND., *Qdl. IV,7. 21; Qdl. V,14sq.; Qdl. XV,9*).

Leopold HAFFNER (1829 - 1899).[128] Sie verdient insofern an dieser Stelle eine Erwähnung, als daß sie trotz aller Kürze in der Darstellung Heinrichs dessen *Primum cognitum*-Theorie hervorkehrt. Die Bewertung blieb allerdings ganz von STÖCKL abhängig.

Inmitten neuscholastischer Invektiven ließ der Kölner Dogmatiker Matthias Joseph SCHEEBEN (1835 - 1888)[129] den Ruhm des Heinrich von Gent wiederauferstehen. In der Kenntnis und im Verständnis der scholastischen Traditionen überragte SCHEEBEN wohl alle Theologen seiner Epoche. Der 1873 publizierte erste Band seines monumentalen 'Handbuches der katholischen Dogmatik', dessen Manuskript SCHEEBEN vor dem Druck Ignatius JEILER zur Durchsicht vorgelegt hatte,[130] veranlaßte Martin GRABMANN, einen Bewunderer und hervorragenden Kenner der Werke SCHEEBENS, zu dem Urteil: „Wenn ihm auch die ungedruckte Scholastik des Mittelalters nicht zur Verfügung stand, so hat er sich doch in die gedruckten Werke der großen Scholastiker des 12. und 13. Jahrhunderts, Anselmus, der Viktoriner, des heiligen Thomas und des heiligen Bonaventura, auch des damals noch wenig bekannten Heinrich von Gent, in kongenialer Einfühlung versenkt."[131]

SCHEEBEN analysierte in seiner 'Theologischen Erkenntnislehre' den Glauben als das aufruhende Fundament allen aus ihm gezogenen Wissens bei

[128] P. [L.] HAFFNER: *Grundlinien der Geschichte der Philosophie* (Grundl. der Philos. als Aufgabe, Gesch. und Lehre zur Einl. in die philos. Studien, Bd. 2). Mainz 1881, p. (594sq.) 595: „Im Gegensatz zu Thomas stellt er die natürliche Erkenntniß Gottes als Grundbedingung aller metaphysischen Erkenntniß dar und macht Gott in gewisser Weise zum Erst-Erkannten, welchem die Erkenntniß der Geschöpfe nachfolgt, während er freilich andererseits mit dem h. Thomas zugibt, daß wir eine begriffliche und rationelle Erkenntniß Gottes nur durch die Kreaturen erlangen. Man wird hierin eine Annäherung an Plato und Bonaventura erkennen, zugleich aber auch einen Uebergang zu Scotus." - Zur Biographie und historischen Einordnung cf. WALTER, *Neuscholastische Philosophie.* 1988, pp. 182sq. 188 (Lit.); LThK^3 IV (1995), col. 1139 (F. JÜRGENSMEIER).

[129] Die erste belegbare und sehr zustimmend gehaltene Nennung Heinrichs erfolgte von SCHEEBEN in seinem 1864 erschienenen Aufsatz: *Über das Wiederaufleben der Verdienste und die Wiederherstellung der Gnade durch die Buße.* In: ID.: Ges. Aufsätze. Hg. von H. SCHAUF (Ges. Schr. VIII). Freiburg/Basel/Wien 1967, p. (43-69) 64 (Bezugnahme auf HENR. DE GAND., *Qdl. V,24* im Anschluß an F. SUAREZ, *De meritis mortificatis, disp. II, sect.1, nr.3sq.* Op. omn. XI, p. 458a-459a; cf. die dortige Anm. 26 von SCHAUF auf p. 59sq.)- Zur Biographie und dogmenhistorischen Leistung SCHEEBENS cf. E. PAUL: *Matthias Joseph Scheeben (1835-1888).* In: KThD 1975, tom. II, pp. 386-408; ID.: *M. J. Scheeben* (Wegbereiter heutiger Theologie 8). Graz/Wien/Köln 1975.

[130] Cf. M. J. SCHEEBEN: *Brief vom 27. März 1873.* Cit. ap. J. HÖFER: *Von der ersten zur zweiten Auflage von Scheebens Handbuch der katholischen Dogmatik* [1944]. In: M. J. SCHEEBEN: Handbuch der katholischen Dogmatik. Erstes Buch: Theologische Erkenntnislehre (1873). Zweite Aufl. Hg. und eingel. von M. GRABMANN (Ges. Schr. III). Freiburg i.Br. 1948, p. (v-xxiii) ix.

[131] M. GRABMANN: *Die theologiegeschichtliche und inhaltliche Bedeutung der 'Theologischen Erkenntnislehre' M. J. Scheebens* [1944]. In: SCHEEBEN, Kath. Dogmatik I (1873). Ges. Schr. III, p. (xxiv-xxx) xxvii.

namentlichem Rückgriff auch auf Heinrichs Doktrin.[132] In dem diesem ersten Band beigegebenen, wirkungsmächtigen Abriß 'Zur Geschichte der Theologie' ist dann der in die Nähe der Franziskanerschule gerückte Heinrich charakterisiert als „ein kühner, gewaltiger Geist, schwungvoll und ideenreich, dabei freier und beweglicher in der Form als die meisten seiner Zeitgenossen". Nicht weniger enkomiastisch pries SCHEEBEN Heinrichs „originell und großartig angelegte Summa, welche jedoch nur die originell gearbeitete theologische Wissenschaftslehre (als prolegomena q. 1-19) und die Gotteslehre nach einem tief durchdachten und selbständigen Plane enthält, aber weitläufiger ausgeführt ist als die des heiligen Thomas".[133] Über alle Bände seiner Dogmatik verstreut rekurrierte SCHEEBEN ausdrücklich auf Heinrich, wenn er die Unsichtbarkeit Gottes und seine Lebendigkeit[134], in der Schöpfungslehre das Beweisproblem der Anfangslosigkeit der Schöpfung, die Einheit der menschlichen Form, das Verhältnis der Tugendkräfte zur heiligmachenden Gnade sowie den übernatürlichen Charakter aller Schöpfungsgaben erläuterte.[135] In der allgemeinen Sakramentenlehre fällt Heinrichs Name als Beispiel für eine physische Sakramentsauffassung, und in der Mariologie bleibt seine Rolle für das Immaculata-Dogma nicht unerwähnt.[136]

[132] Cf. SCHEEBEN, *Handbuch der katholischen Dogmatik. Erstes Buch: Theologische Erkenntnislehre §48 nr. 891. 898.* (1873). Ges. Schr. III, pp. 393. 396sq. (Verhältnis von Glaube und Wissen; längeres Zitat aus HENR. DE GAND. *Summa 13,7* Badius 96rR-vT); cf. auch ID.: *Die Mysterien des Christentums, § 107* (1865). Ausgabe letzter Hand. Zweite, durchges. Aufl. Hg. von J. HÖFER (Ges. Schr. 2). Freiburg i.Br. 1951, p. 642 not. 1 (Randglosse aus dem Jahr 1888).

[133] SCHEEBEN, *Kath. Dogmatik I, § 58 nr. 1050. 1054. 1069* (1873). Ges. Schr. III, p. 457; cf. ID., *Kath. Dogmatik I, nr. 1050. 1069* (1873). Ges. Schr. III, pp. 457. 469.

[134] Cf. SCHEEBEN, *Handbuch der katholischen Dogmatik. Zweites Buch: Gotteslehre oder die Theologie im engeren Sinne § 79 nr. 279* (1875). Dritte Aufl., hg. von M. SCHMAUS (Ges. Schr. IV). Freiburg i.Br. 1948, p. 111 (Hinweis auf HENR. GAND., *Qdl. IV,* [*8sq.*]); ID., *Kath. Dogmatik II, § 89 Lit.hinw.* (1875). Ges. Schr. IV, p. 161 (allg. Verweis auf HENR. DE GAND., *Summa 27*).

[135] Cf. SCHEEBEN, *Handbuch der katholischen Dogmatik. Drittes und viertes Buch: Schöpfungslehre, Sündenlehre § 129 nr. 31.* Dritte Aufl., hg. von W. BREUNING/F. LAKNER (Ges. Schr. V). Freiburg/Basel/Wien 1961, p. 18 (als Befürworter einer philosophisch beweisbaren zeitlichen Schöpfung der Welt neben anderen genannt); ID., *Kath. Dogmatik III, § 149 nr. 406* (1880). Ges. Schr. V, p. 170 (zum Formproblem Quellenverweis auf HENR. GAND., *Qdl. II,2-3*); ID., *Kath. Dogmatik III, § 168 nr. 805* (1880). Ges. Schr. V, p. 380 (gemäß einem auch Heinrich berücksichtigenden doxographischen Berichts des DIONYSIUS CARTHUSIANUS, *In II Sent., dist. 26-27,* lehre „die ganze klassische Scholastik" die seinsmäßige Verklärung und Vergöttlichung der Seele durch die Gnade); ID., *Kath. Dogmatik III, § 175 nr. 1040* (1880). Ges. Schr. V, p. 494 (HEINRICHS in *Qdl. VI,11* vorgetragene Sonderlehre von der rein natürlichen *rectitudo voluntatis* Adams).

[136] Cf. SCHEEBEN, *Handbuch der katholischen Dogmatik. Fünftes Buch: Erlösungslehre. Zweiter Halbband. § 253 nr. 1105* (1882). Zweite Aufl. Hg. von C. FECKES (Ges. Schr. VI/2). Freiburg i.Br. 1954, p. 94 (Anführung von Heinrichs Sakramentsbegriff zusammen mit HUGO VON ST. VIKTOR und WILHELM VON AUXERRE mit Verweis auf C. v. SCHÄTZLER: *Die Lehre von der Wirksamkeit der Sakramente ex opere operato ... § 8-9.* Mün-

Obwohl SCHEEBEN die entsprechende Kontroversliteratur zum Ontologismusstreit gut kannte und er zudem als intimer Kenner der Diskussionen auf dem I. Vatikanischen Konzil wußte, daß das Konzil den Ontologismus nur deshalb nicht verurteilt hatte, weil es die komplexe Problematik wegen ihrer Bedeutsamkeit nicht beiläufig erledigen wollte,[137] überrascht es, daß man in den Erörterungen des Ontologismus bei SCHEEBEN den Namen des *Doctor solemnis* vergebens sucht. Gegen die von den Ontologisten, aber auch von ihren Kritikern unternommenen Versuche, Traditionsketten zu bilden, wendet er sich mit der lapidaren Bemerkung: „Die meisten für die abweichenden Theorien geltend gemachten Zeugnisse bewährter Lehrer sind vielmehr nur prägnante Ausdrücke der gewöhnlichen Lehre."[138] Damit ist nicht nur - wie schon öfters vor SCHEEBEN - einem AUGUSTINUS und BONAVENTURA, sondern nun auch anderen Scholastikern eine längst verdiente Reputation verschafft worden.

Das durch SCHEEBENS zahlreiche Ausführungen gehobene theologische Ansehen Heinrichs schlug sich unter anderem darin nieder, daß der neuscholastisch geprägte Münsteraner Theologieprofessor Joseph SCHWANE (1824 - 1892) für Heinrich von Gent, der „unter den Theologen des 13. Jahrhunderts zwar nicht einen den genannten Kirchenlehrern [sc. Bonaventura und Thomas] ebenbürtigen, aber doch hervorragenden Platz" einnimmt[139], in seiner 1882 publizierten 'Dogmengeschichte des Mittelalters' einen eigenen Paragraphen einräumte. Dort stellte SCHWANE die Wesensontologie, die Individuations-, Ideen- und *Forma corporeitatis*-Lehre Heinrichs vor und verdeutlichte sie an ausgesuchten theologischen Problemen. In der nach neuscholastischer Traktatfolge gegliederten 'Dogmengeschichte' fanden auch mehrfach Beiträge Heinrichs zur Trinitäts- und Schöpfungslehre sowie zur Ekklesiologie des Mittelalters Erwähnung.[140] Der Leser gewinnt wie bei SCHEEBEN

chen 1860); ID.: *Kath. Dogmatik V/2, § 279b nr. 1707* (1882). Ges. Schr. VI/2, p. 415 (Heinrich wie ALBERTUS MAGNUS und AEGIDIUS ROMANUS Vorbereiter und keine prinzipieller Gegner des Immaculata-Dogmas).

[137] Cf. V. GRASSER: [*Relatio auf der 40. Generalversammlung vom 4. April 1870*]. In: Mansi 51, col. (271-278) 273.

[138] SCHEEBEN, *Kath. Dogmatik I, § 2 nr. 16* (1873). Ges. Schr. III, p. 17.

[139] J. SCHWANE: *Dogmengeschichte des Mittelalters, § 64.* Münster i.W./Freiburg 1862-90 (tom. I-II: ²1892-1895), tom. II (1882), pp. (287-292) 287. - Zur Biographie und dogmenhistorischen Leistung SCHWANES cf. LThK² IX (1964), col. 531 (E. HEGEL); L. SCHEFFCZYK: *Katholische Dogmengeschichtserforschung: Tendenzen - Versuche - Resultate.* In: W. LÖSER u.a. (Hg.): Dogmengeschichte und katholische Theologie. Würzburg 1985, pp. (119-147) 133-136.

[140] J. SCHWANE: *Dogmengeschichte des Mittelalters, § 16: Der Standpunkt des Henricus von Gent in der Metaphysik und Erkenntnißtheorie.* Münster i.W./Freiburg 1862-90 (²1892-1895), vol. II (²1882), pp. 71-76; cf. ID., *Dogmengeschichte, § 27.* 1882, pp. 124sq. (Einfachheit Gottes nach HENR. DE GAND., *Qdl. V,1,* übernommen bei DION. CARTH., *In I Sent., dist. 1, qu.2*); ID., *Dogmengeschichte, § 41.* Loc. cit., p. 178 (Hervorgang des Hl. Geistes gemäß HENR. DE GAND., *Qdl. V,9* denkbar auch ohne Ursprungsbeziehung zwischen Sohn und Hl. Geist); ID., *Dogmengeschichte, § 43.C.* ²1882, p. 189sq. (zeitlicher Anfang der Welt nach HENR. DE GAND., *Qdl. I,7. 8*); ID., *Dogmengeschichte, § 48.* ²1882, p. 223

ein vergleichsweise breites Bild vom *Doctor solemnis*, das ohne pejorative Etikettierung auskommt.

In damaligen theologischen Lehrbüchern haftete Heinrich dagegen ein fester Ruf an. Aufgrund ihrer thomistischen Grundorientierung wurde in den Dogmatiken von Thomas SPECHT (1847 - 1918)[141], Franz DIEKAMP (1864 - 1943)[142] und Joseph POHLE (1852 - 1922)[143] dem *Doctor solemnis* durchgängig die Rolle eines Abweichlers oder Sonderlings zugewiesen. Als seltene Ausnahme darf gelten, wenn Hugo HURTER SJ (1832 - 1914)[144] Heinrichs Erklärung der Kausalität der Sakramente befürwortete oder Franz Seraph HETTIN-

(Unterschied von Weltschöpfung und Welterhalt gemäß HENR. DE GAND., *Qdl. I,7*); ID., *Dogmengeschichte, § 64.* [2]1882, p. 287sq. (Sein in Christus nach HENR. DE GAND., *Qdl. III,2*; p. 288: „Die ganze Untersuchung verliert sich zu weit in das Gebiet der Metaphysik, so weit, daß keine Berührungspunkte mit den Aussprüchen der heiligen Schrift mehr sichtbar sind, und ein theologisches Interesse nicht mehr hervortritt."); ID., *Dogmengeschichte, § 77.C.* [2]1882, p. 349sq. (Einheit des Menschen gemäß HENR. DE GAND., *Qdl. IV,13*); ID., *Dogmengeschichte, § 115. F.* [2]1882, p. 550 (gemäß HENR. DE GAND., *Qdl. IX,22* der einzige Theologe im 13. Jahrhundert, der sich gegen die These gewendet hätte, daß „die *potestas jurisdictionis* der Bischöfe ein Ausfluß der dem Papste für die ganze Kirche innewohnenden Gewalt sei und ihnen einzig und allein durch die päpstliche Ernennung *ex jure ecclesiastico* zufließe".).

141 Cf. Th. SPECHT: *Lehrbuch der Dogmatik* ([1]1907/08). 3., verb. Aufl. Hg. von L. BAUER. Regensburg 1925, vol. I, pp. 145. 194. 208. - Cf. LThK² XI (1964), col. 954 (H. LAIS).

142 F. DIEKAMP: *Katholische Dogmatik nach den Grundsätzen des heiligen Thomas.* Münster i.W. ([1]1912-14) 1938-42, tom. II ([8-9]1939), p. 154 (§ 35, II.: Wesensbestimmung der Erbsünde); tom. III ([9-10]1942), pp. 32 (§ 6,1: Wirkweise der Sakramente). 149 (§ 27, II,1: Transsubstantiationslehre); F. DIEKAMP/K. JÜSSEN: *Katholische Dogmatik nach den Grundsätzen des heiligen Thomas* (3 tom.). Münster i.W. 1958-1962, cf. tom. II ([11/12]1959), p. 160, tom. III ([13]1962), p. 32sq. 147 - Cf. LThK³ III (1995), col. 214sq. (J. FREITAG).

143 J. POHLE/J. GUMMERSBACH: *Lehrbuch der Dogmatik.* Paderborn ([1]1902-05) 1952-1960, cf. vol. I ([10]1952), pp. 110 (bloße Namenserwähnung in der 'Übersicht über die Geschichte der Dogmatik). 479 (erstmaliger Gebrauch von *circuminsessio*). 509 (Artunterschied zwischen der erschaffenden und der rehaltenden Tätigkeit Gottes: „Sonderansicht ... von der sententia communis der Schulen mit Recht verworfen"). 603 (Erbsündenlehre: „ebenso ungereimt wie unkirchlich"; POHLE/GUMMERSBACH, *Dogmatik*, vol. II ([10]1956), pp. 626 (Heinrichs Lehre von der Wirkweise der Gnade polemisiert von DUNS SCOTUS). 751 (der Gewißheitsgrad der These von der Simultaninfusion der heiligmachenden Gnade und der übernatürlichen Tugendhabitus „ist nicht so groß, daß man ihr mit Duns Scotus ..., Heinrich von Gent und Durandus nicht wiedersprechen dürfte"); vol. III ([9]1937 = 1960), p. 462 (Heinrich mit DUNS SCOTUS und DURANDUS von großem Einfluß, der priesterlichen Absolution die sakramentale Kraft der Sündentilgung zu wahren). - Zu POHLE cf. LThK² VIII (1963), col. 578 (J. GUMMERSBACH); zu H. J. GUMMERSBACH SJ (1894-1964) cf. LThK³ IV (1995), col. 1101 (M. KEHL).

144 Cf. H. HURTER: *Theologiae dogmaticae compendium, tract. IX, nr. 264.* Innsbruck (1876-78) [10]1900, tom. III, p. 220 (zustimmend zu HENR. DE GAND., *Qdl. IV,37*). - Cf. LThK² V (1960), col. 543 (F. LAKNER).

GER (1819 - 1890)[145] - wohl durch SCHEEBEN informiert - mit antirationalistischer Spitze ausführte, daß keine theologische Spekulation reines Wissen, sondern nur eine auf dem Glaubensgrund gebaute Einsicht gewähre, und dabei auf eine Kongruenz von THOMAS und Heinrich hinwies.

Die protestantische Theologie jener Jahrzehnte nahm die neuscholastischen Forschungsergebnisse gar nicht oder nur schleppend auf, wie die entsprechenden Artikel in der ersten bzw. zweiten Auflage der repräsentativen 'Realencyklopädie für protestantische Theologie und Kirche' kundtun.[146] Erst durch die Arbeiten des großen Dogmenhistorikers Reinhold SEEBERG (1859 - 1935) gelang der protestantischen Theologie der Anschluß an die neueste Forschungslage. Im dritten, 1895 erstmals erschienen und mehrmals überarbeiteten Scholastikteil seines ausgezeichneten 'Lehrbuchs der Dogmengeschichte' kam Heinrichs Position im Fortgang der Dogmengeschichte an zahlreichen Stellen zum Vorschein.[147] Weite Beachtung errang insbesondere

[145] F. S. HETTINGER: *Lehrbuch der Fundamentaltheologie.* Dritte, neubearb. Aufl. von S. WEBER. Freiburg i.Br. ([1]1879) 1913 (xvi,859 pp.), cf. p. 842 (Zitat aus HENR. GAND., *Summa 13,7* Badius 96vT). - Cf. LThK[2] V (1960), col. 314 (J. HASENFUSS); BBKL II (1979), col. 794.

[146] Cf. G. PLITT: *Heinrich von Gent.* In: RE[2] V (1879), p. 730; R. SCHMID, *Heinrich von Gent.* In: RE[3] VII (1899), p. 602. - Schlichte Ignoranz aller neueren Literatur kennzeichnet den 1891 erschienenen Artikel eines ANON.: *Göthals, Heinrich (Henricus Bonicollius), gewöhnlich Henricus de Gandavo (Gent) genannt.* In: C. MENSEL u.a. (Hg.): Kirchliches Handlexikon. Leipzig 1887-95, tom. III (1891), col. 27sq.

[147] SEEBERG, *Dogmengeschichte, III.* ([1]1895) [4]1930 [Der in tom. IV/2 ([3]1920), p. 961 s.v. gebotene Index ist nahezu wertlos, da sich dessen Seitenangaben auf die um ca. 120 Seiten kürzere Auflage [2-3]1913 beziehen]. Cf. ID., *Dogmengeschichte, § 60,4.* [4]1930, p. 333 (Zuordnung zur Franziskanerschule; bewußter Gegensatz zu ARISTOTELES); ID., *Dogmengeschichte, § 60,6.* [4]1930, p. 339 (Vertreter des literarischen Genus der *Summa*); ID., *Dogmengeschichte, § 60,12.* [4]1930, p. 363sq. (eine Gesamtvorstellung erwähnt die augustinischen Grundhaltung, die Ideen-, Illuminations-, *Species*-, Willenslehre, sein spekulatives Theologiekonzept und seinen autoritativ getönten Kirchenbegriff; p. 364: „Es fehlt Heinrich keineswegs an originellen Gedanken und aparten Beweisen. ... Eine starke spekulative Neigung verbindet sich [sc. wie bei der älteren Franziskanerschule, M. L.] auch in ihm mit dem Voluntarismus, dem kirchlichen Positivismus und einer dem Semipelagianismus sich annähernden Gnadenlehre. Dabei ist das logische und dialektische Interesse bei ihm in lebhaftester Weise vertreten, sodaß seine platonisch-augustinischen Spekulationen in dem Gewande der aristotelischen Dialektik einherschreiten."); ID., *Dogmengeschichte, § 60,23.* [4]1930, p. 387 (innerhalb eines generellen Vergleichs der thomanischen Lehre mit denen der älteren Franziskanerschule); ID., *Dogmengeschichte, § 62,1.* [4]1930, p. 421 (Urstandsgnade; Verweis aus HENR. DE GAND., *Qdl. II,11; Qdl. VI,11*); ID., *Dogmengeschichte, § 62,3.* [4]1930, p. 423 (*synderesis*; Verweis auf HENR. DE GAND., *Qdl. I,18*); ID., *Dogmengeschichte, § 64,7.* [4]1930, p. 460 not. 1 (Prädestination; Verweis auf HENR. DE GAND., *Qdl. IV,19*); ID., *Dogmengeschichte, § 65,2.* [4]1930, p. 489 (*concupiscentia, fomes*; Verweis auf HENR. DE GAND., *Qdl. VI,32*); ID., *Dogmengeschichte, § 65,3.* [4]1930, p. 494 (Konnex der Kardinaltugenden); ID., *Dogmengeschichte, § 65,6.* [4]1930, p. 499 (Höherwertung der *vita activa*; Verweis auf HENR. DE GAND., *Qdl. XII,28*); ID., *Dogmengeschichte, § 66,17.* [4]1930, p. 543 (Beichtabsolution *a poena*; Verweis auf HENR. DE GAND., *Qdl. VII,19*); ID., *Dogmenge-*

die von SEEBERG 1900 publizierte Werk 'Die Theologie des Johannes Duns Scotus. Eine dogmengeschichtliche Untersuchung'[148]. Dort leistete er erstmalig und bislang einzig ein umgreifend angelegtes Überblicksreferat über genuin theologische Ansichten Heinrichs, bei dessen Strukturierung aber SEEBERG sich nicht des Themenkanons protestantischer Kontroverstheologie zu entledigen wußte. Die 1906 eingereichte Erlanger Dissertation von Johannes LICHTERFELD (1881 - ?)[149] über 'Die Ethik Heinrichs von Gent in ihren Grundzügen' darf gleichsam als die Buch gewordene Ausarbeitung einer ausführlichen Anmerkung gelten, die sein Berliner Lehrer SEEBERG im Heinrich-Kapitel des besagten Duns Scotus-Buches verfaßt hatte. Die Arbeit erschöpft sich in simplifizierender Paraphrase der henrizianischen Texte und enttäuscht auf weite Strecken, so daß es wenig später dem von BAEUMKER beratenen Johannes M. VERWEYEN (1883 - 1945),[150] später Philosophieprofessor in Bonn, leicht fiel, die Willenslehre Heinrichs im Lichte des damaligen naturalistisch-evolutionistisch geprägten Determinismus um einiges treffender zu interpretieren.

Einen mächtigen Anstoß für die philosophisch Heinrich von Gent-Forschung in Deutschland gaben die Arbeiten des Löwener Philosophiehistorikers Maurice DE WULF (1867 - 1947)[151], des Meisterschülers von Désiré Kardinal

schichte, § 66,19. ⁴1930, p. 547 not. 1 (sozialethische Themen; Verweis auf HENR. DE GAND., *Qdl. I,39. 40. 42; Qdl. II,15; Qdl. III,28; Qdl. IV,20; Qdl. VI,24sqq.*); ID., *Dogmengeschichte, § 70,8.* ⁴1930, p. 652 (SCOTUS als Heinrich-Kritiker); ID., *Dogmengeschichte, § 71,33.* ⁴1930, p. 752 (JOHANNES CAPREOLUS als Heinrich-Kritiker). p. 753 (Heinrich bei DIONYSIUS CARTHUSIANUS zu den *doctores magis authentici* gezählt). - SEEBERG brach zum Nutzen seiner Analysen die Lektüreabstinenz, die das Dogma damaliger protestantischer Dogmengeschichtsforschung: *Catholica non leguntur*, verordnete. Zu seiner Person und Werk cf. M. BASSE: *Theologiegeschichtsschreibung und Kontroverstheologie. Die Bedeutung der Scholastik für die protestantische Kirchengeschichtsschreibung.* In: ZKG 107 (1996), pp. (50-71) 62-65; BBKL IX (1995), col. 1307-1310 (T. JÄHNICHEN).

[148] Cf. SEEBERG, *Theologie des Johannes Duns Scotus.* 1900, pp. 605-624. Cf. auch ID.: *Scholastik.* In: PRE 17 (1906), col. (705-732) 720, lin. 1-51, wo er den Themenkanon in größter Verdichtung wiedergibt.

[149] Cf. J. LICHTERFELD: *Die Ethik Heinrichs von Gent in ihren Grundzügen.* Diss. phil. Erlangen 1906 (51 pp.).

[150] Cf. J. M. VERWEYEN: *Das Problem der Willensfreiheit in der Scholastik.* Leipzig 1909, pp. 156-164; ID.: *Die Philosophie des Mittelalters* (Gesch. der Philos. 4). Berlin 1921, pp. 101. 147. 182. 226sq. (Willensfreiheit). - Zur Person cf. ZIEGENFUSS, *Philosophen-Lexikon.* 1947, tom. II, p. 781sq.; zum Anteil BAEUMKERS an der Abfassung der Habilitationsschrift cf. die autobiographischen Mitteilungen in VERWEYEN: *Heimkehr. Eine religiöse Entwicklung.* Breslau 1941, pp. 105-109.

[151] Cf. DE WULF, *Hist. Philos. Scol. Pays-Bas.* 1893, pp. 46-272; ID., *Études.* 1894 [Rec.: J. D. SCHMITT PhJb 9 (1896), p. 347], nahezu identisch mit dem Heinrich-Kapitel der 1893 erschienenen Philosophiegeschichte; ID., *L'exemplarisme et la théorie de l'illumination spéciale* [= ID., *Études.* 1894, pp. 119-152]. 1894 [Rec.: ANON. PhJb 8 (1895), p. 201]; ID., *Hist. Philos. en Belgique.* 1910, pp. 80-116. - Zu DE WULF's Perspektive der Philosophiegeschichtsschreibung cf. KLUXEN, *Erforschung der mittelalterlichen Philosophie.* 1988, pp. 373-375; R. WIELOCKX: *De Mercier à De Wulf. Dèbuts de l'"Ecole de Louvain".* In: SFMONC 1991, pp. (75-95) 89-95.

MERCIER (1851 - 1926). DE WULF lag es sehr an der Korrektur von Pauschalurteilen der bisherigen Heinrich-Forschung. So wies er mit Nachdruck die Rede von einem Platonismus bei Heinrich zurück.[152] Mit deutlichen Worten nahm er Heinrich auch gegen den Vorwurf des Ontologismus in Schutz, was besonders in deutschen Rezensionen notiert wurde.[153] DE WULF untersuchte, mit gründlicher Textkenntnis von *Summa* und *Quodlibeta* Heinrichs ausgestattet, den Philosophie- und Theologiebegriff, die Gottesbeweise, metaphysische Grundbegriffe und sehr ausführlich die Illuminationstheorie einschließlicher anderer Aspekte der Erkenntnislehre, ferner das Universalien- und Individuationsproblem, das Wissen Gottes und die Eigenheit des menschlichen Willens. Der Hauptzug des henrizianischen Denkens sei weder aristotelisch noch platonisch, sondern eklektisch.[154] Ohne die vielen Verdienste dieser wichtigen Studie schmälern zu wollen, kritisierte C. BAEUMKER an der Darstellung, daß DE WULF zwar Heinrichs Anknüpfung an AUGUSTINUS und AVICENNA belegte, „aber diese streng historische Ableitung nicht noch entschiedener verfolgt hat. Gewiss ist Thomas von Aquin der bedeutendste Theolog und Philosoph des XIII. Jahrhunderts; nicht selten auch dürften Heinrich's Gedanken durch die Polemik gegen Thomas mitbestimmt sein; aber er gehört doch ebensowenig zu derselben Gruppe, wie der Aquinate, noch ist die Polemik gegen diesen der eigentliche Ausgang und das Bestimmende für seine Theorie. Indem aber die Gesichtspunkte für die Einteilung und Gruppierung dem Thomismus entnommen werden, wird das System Heinrich's nicht selten in ein ihm fremdes Schema gezwängt, welches der Eigenart derselben nicht gerecht wird."[155] Der spätere Forschungsverlauf wird BAEUMKER recht geben. Die Studie von DE WULF steht hinsichtlich ihrer gewählten Perspektive ganz im Gefolge der normativ vorbestimmten Herangehensweise bisheriger neuscholastischer Interpreten und sollte diesbezüglich nicht für einen Neueinsatz der Heinrich-Forschung angesehen werden.[156]

An der bei STÖCKL, KLEUTGEN, SCHMID und HAFFNER fehlenden historischen Einbettung der henrizianischen *Primum cognitum*-Lehre versuchte sich 1898 Georg HAGEMANN (1832 - 1903)[157], ein eigenständiger Neuscholastiker,

[152] Cf. spec. DE WULF, *Hist. philos. scol. Pays-Bas.* 1893, pp. 191-194. 267-269, ausdrücklich gegen GIOVANNI PICO, G. MAZZONI, F. HUET, B. HAUREAU und K. WERNER.

[153] Cf. DE WULF, *Hist. philos. scol. Pays-Bas.* 1893, p. 171sq. - Dazu ANON.: PhJb 8 (1895), p. 201; J. D. SCHMITT: PhJb 9 (1896), p. 347.

[154] Cf. DE WULF, *Hist. philos. scol. Pays-Bas.* 1893, p. 268.

[155] C. BAEUMKER: *Bericht.* 1897, pp. 285-289, cit. 287sq.

[156] Einschränkend gegen PORRO, *Enrico di Gand.* 1990, p. 178, der aber soweit recht behält, als daß durch DE WULF's Arbeit eine ausgreifende doktrinelle Erforschung des henrizianischen Oeuvre eingeleitet worden ist.

[157] Zur Biographie und historischen Einordnung cf. WALTER, *Neuscholastische Philosophie.* 1988, pp. 184. 188 (Lit.). HAGEMANN stand auch in engerem fachlichen und persönlichen Kontakt zu Chr. B. SCHLÜTER; cf. A. DYROFF: *Über die Philosophie an der Hochschule zu Münster in Westfalen.* In: W. HOHNEN/A. DYROFF: Der Philosoph Christoph Bernhard Schlüter und seine Vorläufer. Paderborn 1935, pp. (81-199) 86sq.

Philosophieprofessor in Münster und Kollege des oben erwähnten Joseph SCHWANE. Die zweiteilige Abhandlung 'Über den behaupteten Ontologismus des Heinrich von Gent'[158] zeigte zum einen die starken Anleihen Heinrichs an der aristotelischen Erkenntnistheorie auf, weil sie auch beabsichtigt war als eine ausführliche Widerlegung von Behauptungen K. WERNERS, die Heinrich als Platoniker und Vertreter eines Ontologismus darstellten. Zum anderen verglich HAGEMANN Heinrichs Lehre mit den Illuminationslehren eines AUGUSTINUS, ANSELM, WILHELM VON AUVERGNE und BONAVENTURA, so daß er hinsichtlich dem Vorwurf, Heinrich lehre in seiner *Primum cognitum*-Theorie wie die Ontologisten eine distinkte Erkenntnis des göttlichen Wesens, mit Verweis auf ALEXANDER VON HALES, BONAVENTURA und THOMAS VON AQUIN zum Schluß kam: „Es ist vielmehr eine ganz unbestimmte Gotteserkenntnis, wie sie auch die großen Zeitgenossen des doctor solemnis vertreten."[159] Bei genauerem Hinsehen verdankte HAGEMANN sein gesamtes historisches Vergleichsmaterial, das er heranzog, verschiedenen, z. T. anonym publizierten Studien von Ignatius JEILER.[160] So deutet es sich bei HAGEMANN, der das Bild des vorgeblichen Ontologisten Heinrich von Gent verabschieden will, schon an, daß die Gewinnung eines historisch getreuen Bildes über den Weg kritisch vergleichender, literar- und begriffsgeschichtlich verfahrender Scholastikforschung erfolgen kann.

Faßt man das forscherische Bemühen der Neuscholastik des 19. Jahrhunderts um Heinrich von Gent trotz des erfreulichen Ausblicks bei HAGEMANN unter historiographischen Gesichtspunkten zusammen, kann man nicht um das allgemeine Urteil umhin, daß das theologische wie philosophische Denken des *Doctor solemnis* im Interpretationsansturm der Neuscholastiker schutzlos dastand und darum nicht zu eigener Geltung gelangen konnte. Die Zusammenführung von scholastisch-mittelalterlicher Tradition und neuscholastisch-gegenwartsbezogenem Rechtfertigungsbedürfnis katholischer Lehre führte nicht zur gesuchten zeitenthobenen Wahrheit, sondern oft zu krassen Klischierungen und Aburteilungen, deren anklägerischer Unterton weder dem doktrinären Gehalt der interpretierten hochscholastischen Autoren noch den gewandelten Verstehens- und Artikulationsbedingungen neuzeitlich-christlichens Glaubens gerecht werden konnte. Trotz anderslautender päpstlicher Weisungen, in denen neben den Aquinaten auch BONAVENTURA, DUNS

[158] Cf. HAGEMANN, *De ... ontologismo, I.* 1898, pp. 3-12; ID., *De ... ontologismo, II.* 1898, pp. 3-13. - Die Publikation, die als Beidruck zum Vorlesungsverzeichnis des Münsteraner Universität veröffentlich worden ist, führt trotz eines deutschsprachigen Textes keinen deutschen Titel auf.

[159] HAGEMANN, *De ... ontologismo, II.* 1898, p. 11.

[160] Cf. ANON. [i.e. I. JEILER]: *Dissertatio.* In: De humanae cognitionis ratione anecdota. 1873, pp. 1-47; JEILER, *Ursprung und Entwicklung der Gotteserkenntnis.* 1877.

SCOTUS und andere Vertreter christlicher Tradition gestellt worden waren,[161] wurde es *de facto* unter apologetischen Vorzeichen zur Konvention, in ahistorischer Manier die mittelalterliche Scholastik strikt teleologisch und monozentrisch auf THOMAS VON AQUIN zulaufen und in ihm aufgipfeln zu lassen. Es war eine Frage der Zeit, wann diese Zuspitzung auf THOMAS aufgegeben werden mußte, weil das stetig anwachsende Wissen über die historischen Bedeutung der Zeitgenossen des Aquinaten zugleich die Voraussetzungen, Bedingungen und begrenzten Ziele des thomanischen Denkens mehr und mehr offenlegte. Die von EHRLE gestreute Saat fiel nicht auf steinigen Boden. „Die Literargeschichte erweist sich als der Schrittmacher für ein historisches Verständnis, das den Epochen und ihren Vertretern ihr eigenes Recht gibt."[162]

4. Heinrich von Gent als innovativer Vertreter eines avicennisierenden Augustinismus in der kritischen Scholastikforschung des 20. Jahrhunderts

Im Jahre 1900 kam es in Rom zu der wissenschaftsgeschichtlich glücklichen und fruchtbaren Begegnung des jungen, zur Fortsetzung thomistischer Studien dorthin gesandten Martin GRABMANN (1875 - 1948) mit dem damaligen Präfekten der Vatikanischen Bibliothek, Franz EHRLE. „Man kann das Lebenswerk Grabmanns nicht verstehen, ohne des mit ihm lebhaft befreundeten späteren Kardinals ... zu gedenken. Denn Ehrle hat Grabmann gewissermaßen entdeckt".[163] Neben vielem Grundsätzlichen, das EHRLE dem mediävistischen Autodidakten GRABMANN selbstlos mitteilte, gehörten dazu auch Hinweise auf die Wichtigkeit des Heinrich von Gent -, und dies sowohl für die von EHRLE gegenüber dem 'Aristotelismus' als 'Augustinismus' benannte zweite Grundströmung der Scholastik als auch für das mittelalterliche Geistesleben überhaupt. GRABMANN schrieb nicht von ungefähr 1915 anläßlich des 70. Geburtstages von EHRLE: „Nachdem über Leben und Schriften Heinrichs von Gent uns volle geschichtliche Klarheit geworden, ist die eindringende Erforschung der Lehre dieses hochangesehenen und einflußreichen Scholastikers eine lohnende Zukunftsaufgabe."[164] So erklärt es sich wie von selbst, daß GRABMANN bereits 1903 in seiner theologischen Dissertation über die hochscholastische Ekklesiologie, mit der einer der verdientesten literarhisto-

[161] Cf. LEO XIII.: *Enc. 'Aeterni Patris'* (4. August 1879). ASS 12 (1879), pp. 97-115/DH 3135-3140. Cf. F. EHRLE: *Grundsätzliches zur Charakteristik der neueren und neuesten Scholastik.* Freiburg i.Br. 1918, p. 10sq.; H. M. SCHMIDINGER: *Neuthomismus.* In: HWPh VI (1984), col. (779-781) 780; R. AUBERT: *Die Enzyklika „Aeterni Patris" und die weiteren päpstlichen Stellungnahmen zur christlichen Philosophie.* In: CPhKD II. 1988, pp. 310-332.

[162] KLUXEN, *Erforschung der mittelalterlichen Philosophie.* 1988, p. 368.

[163] M. SCHMAUS: *Leben und Werk Martin Grabmanns.* In: Miscellanea Martin Grabmann. Gedenkblatt zum 10. Todestag (MGI 3). München 1959, p. (4-10) 5.

[164] GRABMANN, *Wert und Methode des Studiums der scholastischen Handschriften.* 1915, p. 727; cf. auch ID.: *Kardinal Franz Ehrle S.J.* In: StZ 127 (1934), p. (217-225) 223.

rischen Erforscher der Scholastik debutierte, häufig auf Heinrich von Gent und die Bedeutsamkeit seiner Gedanken zu sprechen kam. Nur drei Jahre später vermochte GRABMANN in seiner philosophischen Dissertation über 'Die philosophische und theologische Erkenntnislehre des Kardinals Matthaeus von Aquasparta' Heinrich in den Zusammenhang der franziskanisch-augustinischen Autoren jener Epoche zu stellen. Kaum eine seiner späteren Untersuchungen ließ den *Doctor solemnis* unerwähnt.

Wie sich schon früh bei GRABMANN, einer Koryphäe literarhistorischer Scholastikforschung im 20. Jahrhundert, der Rang Heinrichs aufgetan hatte, so finden sich erste deutliche Anzeichen eines Ausbruchs aus neuscholastischen Interpretationsgleisen kurioserweise in einem damaligen Streit um die historische Authentizität einer angeblichen thomanischen Eigenlehre, der zu Anfang im Zentralorgan der frankophonen Thomisten, der 'Revue Thomiste', mit großer Heftigkeit ausgefochten wurde und weite Kreise zog.[165] Der Anlaß nimmt sich klein aus. Im monumentalen Artikel 'Dieu' des 'Dictionnaire de Théologie Catholique' behandelte 1910 Marcel CHOSSAT SJ (1862 - 1926)[166] auch die scholastische Lehre von der Realdistinktion von Sein und Wesen und stellte zur Herkunft dieser Lehre die These auf, AEGIDIUS ROMANUS hätte sie erstmals aufgebracht und Heinrich von Gent hätte sich als Kritiker dieser neuen Theorie zugleich als Verteidiger einer auch von THOMAS gehaltenen Ansicht hervorgetan. Der Widerlegung dieser Behauptung, die auf den Argwohn der Schulthomisten stieß, widmete im gleichen Jahr Pierre MANDONNET OP (1858 - 1936)[167] eine eindringliche Untersuchung, in der die damaligen Disputationen und insbesondere Heinrichs Auseinandersetzung mit AEGIDIUS ausdrücklich zur Darstellung kamen. Dabei war sich MANDONNET bei dieser Detailstudie wohl nicht bewußt, daß er nicht nur den integralistisch orientierten Schulthomismus zur historischen Verifikation seiner The-

[165] Unter dem Eindruck der CHOSSAT-Kontroverse schrieben zum Thema noch GRABMANN: *Doctrina S. Thomae de distinctione reali inter essentiam et esse.* 1924, p. 134, MANSER 1924 und später (s.u.); HOCEDEZ, *Gilles de Rome et Henri de Gand.* 1927, p. 358, u.a.m.

[166] Cf. M. CHOSSAT: *Dieu. V. Dieu, sa nature selon les scolastiques.* In: DThC IV/1, fasc. 29 (1910), col. (1152-1243) 1181 [zur genauen Datierung des Artikels cf. DThC, Tabl. gen. II (1972), col. 4497-4504: Table chronologique des fascicules]. Eine Replik auf die darauf folgenden Einwendungen gegen seine These konnte - durch den bedeutenden Suarezianer P. DESCOQS SJ (1877-1946) vermittelt! - erst postum erscheinen: M. CHOSSAT (†): *L'averroisme de saint Thomas. Notes sur la distinction d'essence et d'existence à la fin du XIIIe siècle.* In: Archives de Philosophie 9 (1932), pp. 129 [465]-177 [513]. - Cf. zur Bedeutung dieser Kontroverse für die Heinrich-Forschung erhellend PAULUS, *Essai.* 1938, pp. 279-282; PORRO, *Enrico di Gand.* 1990, pp. 158-160; zur Person von CHOSSAT cf. DThC, Tabl. gen. I, col. 601.

[167] Cf. P. MANDONNET: *Les premières disputes sur la distinction réelle entre l'essence et de l'existence, 1276-1287.* In: RThom 18 (1910), pp. (741-765) 742-748. 755-761. 763sq. Diese Studie sekundierten u. a. ID.: *La carrière scolaire de Gilles de Rome, 1276-1291.* In: RSPhTh 4 (1910), pp. 480-499, und A. GARDEIL: *Destruction des destructions.* In: RThom 18 (1910), pp. 361-391. 521-527. - Zu MANDONNET's Leben und Werk cf. P. GILBERT: *Die dritte Scholastik in Frankreich.* In: ChPKD II. 1988, p. 425sq.

sen anhielt, sondern auch *en passant* den gewichtigen diskussionslenkenden Einfluß Heinrichs von Gent auf die teilweise recht eigenständigen Lehrentwicklungen im Frühthomismus des 13. Jahrhunderts offenlegte.[168]

Bei seiner historisch-genetischen Untersuchung der früh- und hochmittelalterlichen Gottesbeweise hatte inzwischen 1907 Georg GRUNWALD (1879 - 1937)[169] Heinrich eingereiht „unter jene Scholastiker, die sich bei der Darbietung der Gottesbeweise mehr auf eine Sammeltätigkeit beschränkt haben", ihm aber Originalität bei der Klassifizierung der Beweistypen nach Gewißheitsgrad und Beweisgrund attestiert. Heinrichs vorgeblicher Platonismus erscheint gerade bei den Gottesbeweisen gelockert, da er auch typisch aristotelische Argumente vorträgt. Auch die Heinrich im 19. Jahrhundert so oft zur Last gelegte ontologistische Form des Gottesbeweises ist, wie GRUNWALD eigens bemerkt, textlich nicht belegbar.[170] Leider fand GRUNWALDS kritische Einstellung gegenüber reduktionistischen historiographischen Schemata, einem Schüler BAEUMKERS vollauf würdig, keine Nachahmung in der 1912 von Augustinus DANIELS OSB (1864 - 1920) vorgelegten, mit zahlreichen Texteditionen versehenen Studie zum Schicksal des Proslogion-Arguments im 13. Jahrhundert. DANIELS' verwunderliche Feststellung, man könne die Stellung Heinrichs zum ontologischen Argument nicht ausmachen,[171] ist wohl nur auf eine unzureichende Lektüre der einschlägigen, sogar von ihm eingesehenen und teilweise auch edierten Texte zurückzuführen. Am schwersten wiegt, daß bei DANIELS der Ontologismus-Vorwurf an Heinrich von Gent ohne jeden Widerspruch fortlebt, so daß man bei diesem bis in unserer Tage benutzten Werk diesbezüglich eine Spätblüte neuthomistischer Heinrich-Deutung aus der Mitte des 19. Jahrhunderts vor sich hat.

1916 veröffentlichte Raphael BRAUN seine Dissertation über 'Die Erkenntnistheorie des Heinrich von Gent',[172] die alles versuchte, die platonischen Ele-

[168] MANDONNET intensivierte 1913 diese Impulse durch eine weitere Untersuchung zur frühen Thomas-Kritik; cf. ID.: *Premiers travaux de polémique thomiste.* In: RSPhTh 7 (1913), pp. 46-70. 245-262.

[169] Cf. GRUNWALD: *Gottesbeweise.* 1907, p. (113-116) 113. - Cf. LThK³ IV (1995), col. 1080 (W. NASTAINCZYK).

[170] Cf. GRUNWALD, *Gottesbeweise.* 1907, p. 116: „Eigens vermerkt sei noch, daß Heinrich bei der Behandlung der Frage nach der Beweisbarkeit und Erkennbarkeit Gottes ontologistische Neigungen nicht zeigt. Auch den ontologischen Gottesbeweis suchen wir bei ihm vergeblich."

[171] Cf. DANIELS: *Quellenbeiträge.* 1909, pp. 79-81 (auf pp. 79-81 ein Teilabdruck von HENR. DE GAND., *Summa 21,2; Summa 22,2*), pp. 122. 143. - Zur Person cf. C. BAEUMKER: *Geleitwort.* In: A. DANIELS: Eine lateinische Rechtfertigungsschrift des Meister Eckhart (BGPhMA 23/5). Münster i.W. 1923, p. (v-xiii) v.

[172] Cf. BRAUN: *Erkenntnislehre.* 1916. - Den Einfluß des Platonismus auf Heinrich weiter steigernd, kritisierte F. SASSEN: *Een Nederlandsch wijsgeer: Hendrik van Gent.* In: Kath(L) 153 (1918), pp. 20-40, in seiner Rezension der Arbeit BRAUNS, dieser hätte den eminenten Einfluß plotinischer Theoreme übersehen. In seiner *Geschiedenis der patristische en middeleeuwsche wijsbegeerte.* Antwerpen/Nimwegen 1942, spec. pp. 242-244, hielt er dagegen Heinrich vor, es fehle ihm am Warm-Affektiven, wie es in der

mente bei Heinrich zu unterstreichen. Gallus M. MANSER OP (1866 - 1950)[173], der in seinen Thomas-Interpretationen dessen oft innovative Lehren als stete Kritik und gelungene Überwindung der averroistischen und der sog. augustinisch-arabischen Richtung im 13. Jahrhundert darzustellen bemühte, war Inaugurator dieser Studie. Beratend stand MANDONNET im Hintergrund.[174] Sollte damit der These von CHOSSAT, Heinrich hätte auf metaphysischem Gebiet Positionen vertreten, die mit thomanischen Grundannahmen in gewisser Hinsicht übereinkämen, auf dem eng benachbarten Gebiet der Erkenntnistheorie der Boden entzogen werden? Drohte Heinrich wieder hineingezogen zu werden in erbitterte Grabenkämpfe thomistischer Neuscholastiker, die in ihrer Obsession schulthomistischer Orthodoxie dazu neigten, jede historisierende Wahrnehmung des Aquinaten als mangelhafte Reverenzbezeugung zu werten?[175]

Ein offenherziger Gegner solcher Geistesart war Franz PELSTER SJ (1880 - 1956)[176], der - während des durch den I. Weltkrieg erwirkten Münchener

franziskanischen Schule gepflegt worden sei, und es habe ihn der wahre Geist des christlichen Neuplatonismus des Mittelalters unberührt gelassen.

[173] Cf. G. M. MANSER: *Das Wesen des Thomismus* (ThSt 5). Freiburg/Schw. (1932) 3., verb. u. erw. Aufl. 1949. In seinem Hauptwerk, das aus 1924-1931 erschienenen Zeitschriftenartikeln entstanden war, übte MANSER an Heinrich nicht ohne hohe Anerkennung im Einzelnen (cf. p. 654) häufig Kritik. In der Beurteilung der CHOSSAT-These (p. 502) folgte er natürlich seinem damaligen Freiburger Kollegen MANDONNET. - Cf. B. BRAUN: *Gallus Manser*. In: CPhKD II. 1988, pp. 623-629.

[174] Briefliche Mitteilung von Prof. Dr. Ruedi IMBACH, Freiburg/Ue.

[175] Es paßt gut ins Bild, daß der 1914 von Jacques FORGET (1852-1937), einem Syriologen und Professor für semitischen Sprachen in Löwen, verfaßte Artikel im DThC nicht eine einzige Eigenlehre Heinrichs, „un des représentants les plus originaux de la scolastique", erwähnte, sondern sich auf ein formales Lob seiner Denkerpersönlichkeit sowie auf Biographie und Werkverzeichnis beschränkte. Cf. J. FORGET: *Henri de Gand*. In: DThC VI/2 (1913), col. 2191-2194. In der Bibliographie des Artikels sind nicht die Aufsätze von MANDONNET zitiert. Zur Person von FORGET cf. DThC Tabl. gen. I (1953), col. 1581 (R. AUBERT). - Abseits von neuscholastischen Forschungen und Disputen und lange davon unbeachtet wurden in jenen Jahren Naturwissenschaftler und Wirtschaftshistoriker der Bedeutung Heinrichs für ihr Fach gewahr. Zahlreiche physikalische und naturphilosophische Anschauungen Heinrichs, z. B. zum leeren Raum und zum Unendlichen, machte Pierre DUHEM (1861-1916) zum Gegenstand ausführlicher, leider zum größten Teil erst postum publizierter Untersuchungen. Cf. P. DUHEM: *Etudes sur Léonard de Vinci*. Paris 1906-13, vol. II (1909), pp. 446-455; ID.: *Le système du monde. Histoire des doctrines cosmologiques de Platon à Copernic*. Paris 1914-1959 (10 vol.), cf. vol. V (1954), p. 510sq. 568, vol. VI (1954), pp. 124-171. 380-383. 396-398, vol. VII (1956), pp. 92-96. 486-488. 519-524, vol. VIII (1958), pp. 36-46. 90. 93. 187, vol. IX (1958), pp. 373. 376. 381, vol. X, (1959), p. 33 - Cf. LThK³ III (1995), col. 399 (G. KRIEGER). - Heinrichs Bedeutung in der Geschichte der Nationalökonomie (cf. Kap. I. § 3,5) hoben damals gleich mehrere Studien, bes. die von Ernst SCHREIBER, hervor.

[176] Cf. PELSTER: *Catalogus virorum illustrium*. 1919. - Zu Leben und Werk cf. J. KOCH: *P. Francisco Pelster S.J. († 28. Juni 1956) in Memoriam*. In: Schol. 31 (1956), pp. 481-486;

Aufenthalts EHRLES dessen Schüler geworden - von 1920 an als Professor für Geschichte der Scholastik, seit 1930 für Geschichte der Moraltheologie an der Gregoriana wirkte. 1919 erbrachte er den durchschlagenden Nachweis über die fälschliche Zuschreibung des *Catalogus virorum illustrium* an Heinrich von Gent und schlug den Zeitgenossen HEINRICH VON AFFLIGEM als Verfasser vor. Historiographisch verdient PELSTER besondere Erwähnung, weil er unmißverständliche Kritik an der damaligen, auf die Schulhäupter THOMAS und BONAVENTURA fixierten theologiegeschichtlichen Forschung übte: „Es wäre wohl wünschenswert, daß man in der historischen Behandlung rein theologischer Fragen sich auch an jene Denker heranwagte, die wie ein Heinrich von Gent, Skotus und Durandus die Probleme oft tiefer und leidenschaftlicher erfaßten, eine umfassende Kritik an den bisherigen Lösungsversuchen übten und nicht selten neue Lösungen anbahnten, die in ihren Nachwirkungen bis auf den heutigen Tag fortdauern."[177]

Mit dem, was PELSTER über die Bedeutung Heinrichs für den theologischen Fortschritt von der Hochscholastik in die Gegenwart hinein behauptete, konvergierte eine Generalthese zum Verlauf der mittelalterlichen und neuzeitlichen Philosophiegeschichte, die der Philosophiehistoriker und Kant-Kommentator Heinz HEIMSOETH (1886 - 1975)[178] seinem 1922 erstmals erschienen Werk 'Die sechs großen Themen der abendländischen Metaphysik und der Ausgang des Mittelalters' zugrundelegte. Danach sei die Metaphysik der Neuzeit mit dem Mittelalter weit enger verbunden als mit der Antike, ja die Grundlegung neuzeitlicher Metaphysik erst durch eine im Mittelalter erfolgte Absetzung von den antiken Positionen geschaffen werden konnte. HEIMSOETH setzt diesen Beginn der neueren Philosophie in die Zeit unmittelbar nach dem Höhepunkt der klassischen Scholastik, d. h. nach dem Tod des ALBERTUS MAGNUS und des THOMAS VON AQUIN, „daß hier zum ersten Male seit dem Ringen der Kirchenväter und besonders Augustinus die innere Freiheit gewonnen wird gegenüber der ins scholastische System ganz eingewobenen antiken Begrifflichkeit. ... Jetzt erst beginnt - wo durch die Überfülle des anti-

A. SCHÖNMETZER: *Verzeichnis der von Franz Pelster S.J. verfaßten Aufsätze und Bücher.* In: Schol. 31 (1956), pp. 487-495; LThK² VIII (1963), col. 256 (Z. ALSZEGHY).

[177] F. PELSTER: *Rez.: R. Guardini, Die Lehre des hl. Bonaventura von der Erlösung. Düsseldorf 1921.* In: ThRv 22 (1923), col. (366-368) 368. Zu Ende seiner sehr lobend ausfallenden Beurteilung jener Dissertation schickte er dem obigen Zitat die Worte voraus: „Schließlich sei mir eine bescheidene Anregung gestattet. BONAVENTURA bedeutet außerordentlich viel für die wohldurchdachte, abgerundete Darstellung der Theologie seiner Zeit und insbesondere für die theologisch fundierte Aszese, in der rein theologischen Forschung und weiterbildenden Spekulation wird er von andern übertroffen."

[178] Cf. HEIMSOETH: *Die sechs großen Themen.* (1922, ²1934) ³1954 = ⁵1965, cf. p. 44 (Materiebegriff); p. 108sq. (Mehrzahl der menschlichen Form); p. 181 (Individuum und Individationsprinzip); p. 218sq. (Willenslehre). - Cf. H. HEIMSOETH: *Selbstportrait.* In: L. J. PONGRATZ (Hg.): Philosophie in Selbstdarstellungen, Bd. III. Hamburg 1977, pp. (102-132) 109-113.

ken Stoffs die Spannung bis aufs Äußerste gesteigert, die Möglichkeit, zugleich die vielen Überlieferungen zu versöhnen, immer mehr verringert wurde - das eigene Wollen unverkümmert sich in Begriffe, Termini und systematische Neubildungen umzusetzen."[179] Eine entscheidende Rolle spielte nach HEIMSOETHS Auffassung das platonische Ferment im Augustinismus, denn in ihm „kam ungehemmter immer schon das neue Eigene der christlichen Welt zum Ausdruck: Augustin brachte die erste wirklich große Wendung im philosophischen Denken".[180] Die ontologische Nobilitierung der Materie beim Erzaugustinisten Heinrich, seine Auffassung von einer Mehrheit der Formen im Menschen, seine Lehre vom Individuum und vom Individuationsprinzip sowie seine voluntaristische Doktrin einer spontanen Autokinese des Willens konnten so von HEIMSOETH als in die Neuzeit vorausweisende Theorieentfaltungen gewertet werden. Bedauerlicherweise stießen diese Überlegungen jahrzehntelang auf keine nennenswerte Resonanz in der Scholastikforschung.

Noch recht unberührt von solchen weitreichenden philosophie- und theologiehistorischen Neubewertungen wandte sich ein guter Teil der Mediävistik in katholischen Kreisen literarhistorischen Fragestellungen zu. Eine breite Bahn für die Heinrich-Forschung brach der aus Gent gebürtige Edgar HOCEDEZ SJ (1877 - 1948),[181] der als Professor der Theologie 1912-14 und 1919-39 in Löwen sowie 1928-40 an der Gregoriana tätig war. Seine 1925 publizierte, Franz EHRLE gewidmete Monographie über RICHARD VON MEDIAVILLA, seine Editionen von Texten des AEGIDIUS ROMANUS und Studien zum stark von Heinrich beeinflußten PETRUS VON AUVERGNE stellten die Figur des Heinrich hinein in den bewegten Gang der damaligen Kontroversen und lenkten den Blick auf die doktrinären Entwicklungen bei Heinrich selbst. Einen ihm gebührenden Platz fand Heinrich mit gewiß gleich starken Strichen in dem von Palémon GLORIEUX (1892-1979)[182] in den 1925-35 erstellten biobliographischen Verzeichnissen der scholastischen Quodlibetalienliteratur und des Lehrkörpers der Pariser Universität. Man ist dann doch überrascht, wenn man die Darstellung des Baeumker-Schülers Bernhard GEYER (1880 - 1970)[183] im 'Ueberweg' 1928 aufschlägt. GEYER führte in nicht einem Punkt die 1915 niedergeschrie-

[179] HEIMSOETH, *Die sechs großen Themen.* 1954, p. 15. - Es drängen sich gewisse Ähnlichkeiten auf zur These von einem 'Zweiten Anfang' der Metaphysik bei DUNS SCOTUS (cf. HONNEFELDER, *Der zweite Anfang der Metaphysik.* 1987).

[180] HEIMSOETH, *Die sechs großen Themen.* 1954, p. 15.

[181] E. HOCEDEZ: *La date du „De usuris" de Gilles de Lessines.* In: EThL 3 (1926), pp. 508-512; ID., *Gilles de Rome et Henri de Gand.* 1927; ID., *Premier Quodlibet d'Henri de Gand.* 1928; ID., *Deux questions.* 1929; ID. (ed.): *Aegidii Romani Theoremata de esse et essentia. 1930; ID.: La condamnation de Gilles de Rome.* In: RThAM 4 (1932), pp. 34-58 - Cf. zum Werk dieses verdienten Mediävisten LThK² V (1960), col. 397 (E. LAMALLE).

[182] Cf. GLORIEUX, *Lit. quodl. I.* 1925, pp. 177-199; *op. cit. II* (1935), p. 132sq.; ID.: *Rép. des maîtres en théol., I.* 1933, pp. 387-391. - Cf. LThK³ IV (1995), col. 753 (A. RAFFELT).

[183] Cf. GEYER, *Patristische und scholastische Philosophie.* 1928. - Cf. LThK³ IV (1995), col. 635 (W. KLUXEN).

bene Darstellung seines Vorgängers BAUMGARTNER hinaus, denn: er wiederholte sie aufs Wort! Lediglich die neuere Literatur verbuchte man.

Weiterhin beschritt man den Weg von Einzelstudien. Die im Jahre 1933 vorgelegte Dissertation von Eduard DWYER OESA (1906 - ?)[184] über die Heinrichs Wissenschaftslehre stellte sich mit der These, Heinrich habe sich zum Ende seiner Lehrentwicklung unter Ablegung platonischer Tendenzen zum Aristotelismus hingeneigt, gegen das lang gehegte Vorurteil, Heinrich sei Bannerträger des Platonismus im 13. Jahrhundert gewesen. Im gleichen Jahr beteiligte sich auch mit der Rezension der Arbeit von Wilhelm WITTEBRUCK (1905 - ?)[185] zur henrizianischen Gewissenslehre erstmals der Löwener Odon LOTTIN OSB (1880 - 1965)[186], der Altmeister der Geschichte mittelalterlicher Moraltheologie, an den Untersuchungen zu Ethik des *Doctor solemnis*. LOTTIN, der zuerst als Editor von *Quodlibeta* des GOTTFRIED VON FONTAINES reussierte, setzte durch eine minutiöse, quellengesättigte zeitgeschichtliche Verortung der Diskussionen Meilensteine für die Heinrich-Forschung und für die Geschichtsschreibung katholischer Moraltheologie überhaupt.[187]

Doch nahm man diese frühen Ergebnisse historisch-kritischer Heinrich-Forschung vorerst nur in einem sehr engen, vornehmlich literarhistorisch

[184] Cf. DWYER: *Wissenschaftslehre*. 1933. Zur Diskussion seiner These cf. bes. MARRONE, *Truth*. 1985, p. 143; PORRO, *Enrico di Gand*. 1991, p. 171; zu Hans MEYER, dem Promotor der Dissertation, cf. in diesem Kapitel die später folgenden Bemerkungen.

[185] Cf. W. WITTEBRUCK: *Die Gewissenstheorie bei Heinrich von Gent und Richardus von Mediavilla*, Elberfeld 1929, spec. pp. 6-22. Das Buch ist ein Teilabdruck einer 1928 in Bonn eingereichten philosophischen Dissertation mit dem Titel: *Über Synteresis und Conscientia in der Zeit zwischen Thomas von Aquin und Occam* (Übersicht über die Gesamtdisposition der ungedruckten Arbeit: *op. cit.*, p. 40). Der Autor bedankt sich ausdrücklich bei A. DYROFF, dem Inaugurator der Arbeit, und bei M. GRABMANN, seinem Münchener Lehrer, für deren Unterstützung seiner Arbeit. WITTEBRUCK, *Gewissenstheorie*. 1929, p. 6, hob an Heinrich insbesondere dessen Eigenständigkeit hervor. Denn „er hat das Erbe der platonisch-augustinischen Philosophie seiner Nachwelt weitergeführt, nicht ohne indes an verschiedenen Punkten ganz originelle Gedanken zu entwicklen, die er glänzend verteidigte, aber nicht allgemein zur Geltung bringen konnte. Zugleich ist er in der Verfechtung mancher Thesen, die Richard von Mediavilla übernimmt und weiterführt ..., der Vorläufer des Duns Skotus geworden." Aber WITTEBRUCK, *Gewissenstheorie*. 1929, p. 22, räumte ein, „daß Heinrichs Streben, neben der Aufnahme und Weiterführung augustinisch-konservativ-franziskanischer Tradition ein dem Thomismus gleichwertiges System aufzubauen und gegenüberzustellen, welches er aber selbst durch willkürliche Ansichten mißkreditierte, nur ein Versuch geblieben ist. Die größte Bedeutung indes gewann seine Doktrin für Duns Skotus, welcher in der Tat ein wahres Gegenbild zu Thomas ist und auch eine eigenes, typisch franziskanisches System mit großer Anlehnung an Heinrich aufbaute, dessen Fehler und Unfolgerichtigkeiten er aber vermied."

[186] O. LOTTIN: *Rec*. Wittebruck, Die Gewissenstheorie bei Heinrich von Gent ..., 1929. In: BThAM 2 (1933-36), p. 95. - Cf. *In memoriam Dom Odon Lottin, O.S.B.* In: RThAM 32 (1965), pp. 5-19; M. J. IOZZIO: *Selfdetermination and the Moral Act. A Study of the Contributions of Odon Lottin OSB* (RThAM. Suppl. 4). Löwen 1995.

[187] Die meisten dieser Arbeiten sind eingegangen in O. LOTTINS monumentales Sammelwerk *Psychologie et morale aux XIIe et XIIIe siècles* (6 tom.). Gembloux 1942-60.

interessierten Forscherkreis auf. Hartnäckig haben sich insbesondere in breiten neuthomistischen Kreisen historiographische Fehleinschätzungen der henrizianischen *Primum cognitum*-Theorie aus der Mitte des 19. Jahrhunderts halten können. Dies ersieht man aus der Selbstverständlichkeit, mit der 1933 ein so zu eigenständigem Urteil befähigter Kopf wie Joseph BERNHART (1881 - 1969)[188] bei der Erläuterung von *S. theol. I, q. 88, a. 3* innerhalb seiner deutschsprachigen Auswahlausgabe Heinrich von Gent als Vertreter des Ontologismus und gleichsam als dessen mittelalterlichen Hauptvertreter auftreten läßt - eine Bemerkung, die 1937 der Kommentator des entsprechenden Bandes der 'Deutschen Thomas-Ausgabe', der Gredt-Schüler Petrus WINTRATH OSB (1876 - 1962),[189] zur Stelle vollständig auszitierte!

Aber auch angesichts solcher Fälle ignoranter Aburteilung des *Doctor solemnis* kann nicht bestritten werde, daß es in den 30er Jahren zu einer ersten Aufgipfelung der Heinrich-Forschung kam, und zwar in Philosophie und Theologie gleichermaßen. Die historische und systematische Interpretation der philosophischen Anschauungen war eine Domäne belgischer und französischer Forscher. Hierzu zählen die schon genannten E. HOCEDEZ, P. GLORIEUX, O. LOTTIN und Georges DE LAGARDE[190], der die sozialphilosophische Bedeutung Heinrichs neu erschloß. Étienne GILSON darf man für diese Frühphase der historisch-kritischen Heinrich-Forschung eher nur eine allgemein stimulierende Wirkung zubilligen, die auf der Aufstellung neuer historiographischer Leitbegriffe beruhte. Seine Einschätzung des *Doctor solemnis*, dem

[188] Cf. THOMAS VON AQUINO: *Summe der Theologie. Erster Band: Gott und Schöpfung.* Zusammengefaßt, eingeleitet und erläutert von J. BERNHART (KTA 105). Leipzig 1933 (^{2}1938, Stuttgart ^{3}1954 = ed. anastat. Stuttgart 1985), p. 315 not. 1: „Hier die deutlichste Ablehnung der ontologistischen Theorie, die unter Berufung auf Augustin u. a. mit der Annahme einer unmittelbaren Intuition des Daseins und Wesens Gottes notwendig auch die Idee Gottes als unser Ersterkanntes bezeichnet. Sie findet sich bei Thomas' Zeitgenossen und Gegner Heinrich von Gent, bei Malebranche, vielen neueren Denkern und steckt in modernen psychologistischen und pragmatistischen Auffassungen und Begründungen des 'Religiösen' (Troeltsch u.a.). Thomas gibt Gott nicht so billig, daß er nicht unser höchstes Vermögen für ihn einsetzte, aber dies gerade mit einer kritischen Wachsamkeit, die zwar zur Gewißheit Gottes kommt, aber auf dem Wege des Schlusses, und auch dieser Gewißheit den Charakter des Schauens abspricht und nichts weniger überflüssig macht als den Glauben auf Grund von echter, nicht innermenschlicher Offenbarung." - Cf. LThK^{3} II (1994), col. 282sq. (M. WEITLAUFF).

[189] Cf. P. WINTRATH, *Kommentar.* In: THOMAS VON AQUIN: Summa theologica I, 75-89: Wesen und Ausstattung des Menschen (DThA 6). Salzburg/Leipzig 1937, p. (471-628) 618sq. - Zur Person von WINTRATH cf. DThA 31 (1962), Vorwort, p. (5sq.).

[190] Cf. G DE LAGARDE: *La naissance de l'esprit laique au déclin du moyen âge.* Louvain/Paris 1934-70, tom. I (^{3}1956), cf. pp. 74. 171; tom. II (^{2}1958), cf. pp. 161-213 [= ID.: *La philosophie sociale d'Henri de Gand et de Godefroid de Fontaines.* In: AHDL 14 (1943-45), pp. 73-142]; tom. III (1970), cf. p. 88.

von ihm große Eigenständigkeit attestiert wurde, blieb in dieser Zeit stark durch seinen Blick auf DUNS SCOTUS gefangen.[191]

All diese Interpreten überragte Jean PAULUS (*1908)[192], der ab 1941 als Philosophie- und Psychologieprofessor in Lüttich (Liège) wirksam war. Er debütierte in der Heinrich-Forschung 1935 mit einem breit angelegten, auf die Fachwelt inspirierend wirkenden[193] Aufsatz über Heinrichs Überlegungen zum Gottesbeweis, der dessen Gedankengänge mit Perspektive auf die hochscholastischen Rezeptionsformen des sog. ontologischen Arguments bei ANSELM VON CANTERBURY gerade in ihrer erkenntnismetaphysischen Eigenständigkeit darzustellen vermochte. Im Jahre 1938 erschien dann, von seinem Lehrer GILSON eingeleitet, das Werk 'Henri de Gand. Essai sur les tendences

[191] Cf. E. GILSON: *La philosophie au moyen age de Scot Érigène à G. d'Occam.* Paris 1925, p. 159sq., wo nach Herausstellung der großen Bedeutung des starken und originellen Denkens Heinrichs für die skotische Doktrin sein treuer Augustinismus in Psychologie und Erkenntnislehre, seine Ablehnung einer Realdistinktion von Sein und Wesen, seine Lehre vom Individuationsprinzip und seine Höherstellung des Willens über den Intellekt skizziert. Nach GILSONS Auffassung habe Heinrich dabei schon die im 14. Jahrhundert mit Leidenschaft diskutierten Themen aufgegriffen - eine Perspektive, die später von PAULUS stark beansprucht wird. Mit seinen Zeitgenossen, insbesondere mit THOMAS, verbinde Heinrich allerdings sein unbedingtes Vertrauen auf den Zusammenklang von Philosophie und Religion. Cf. auch ID.: *La philosophie au moyen age, des origines patristiques à la fin du XIV siècle.* Paris ²1944, pp. 427-432. - Auch in seiner einflußreichen *History.* 1955, pp. 447-453. 759-762, präsentierte GILSON den *Doctor solemnis* noch überwiegend mit den bekannten Themen (Wesensontologie; Ideenlehre; Freiheit des göttlichen Schöpfungsaktes; Verhältnis von Essenz und Existenz; Materiebegriff; Einheit des Menschen; *Species*-Lehre; Willensfreiheit). Aber an bezeichnenden Stellen setzte er abweichend von den bislang gängigen Lehrbuchdarstellungen Neupointierungen. So wird gleich zu Beginn (p. 448) Heinrichs Anknüpfung an die Skeptizismus-Debatte des 13. Jahrhunderts als Hintergrund seiner Illuminationslehre, wenig später der innovative Beitrag Heinrichs zum neuen Begriffsverständnis göttlicher Unendlichkeit (p. 448sq.) hervorgehoben. Auch Heinrichs *Primum cognitum*-Theorie (p. 449 mit der wichtigen Anm. p. 760 not. 41, in der unmißverständlich Heinrichs Anschauungen vom Ontologismusvorwurf freigesprochen werden) wird von ihrer Absicht her aufgegriffen, einen Aufweis der Existenz Gottes zu erleichtern, aber nicht ohne viele von DUNS SCOTUS vorgetragene Kritikpunkte anachronistisch in das Referat einzuflechten.

[192] Eine Kurzbiographie mit Werkverzeichnis findet sich in dem Redaktionsartikel *Paulus, Jean.* In: EF² IV (1967), col. 1410.

[193] Die Interpretationen PAULUS' zum *per se notum* waren leitend für SCHMÜCKER, *Propositio per se nota.* 1941, p. 59 not. 1. Die Beobachtungen zu Heinrichs Gottesbeweis vertiefte besonders der bedeutende Scotus-Interpret Timotheus BARTH OFM (1909 - 1967): *De tribus viis diversis.* 1943, pp. 96-106. 116sq., in einem textnah geführten typologischen Vergleich mit den Gottesbeweisen bei THOMAS und DUNS SCOTUS. Dabei sprach er den beiden letztgenannten eine empirisch-syllogistische Position, Heinrich aber einen zwischen dem Ontologismus und der thomistischen Lehre die Mitte haltenden, intuitiven Spiritualismus zu. - Cf. ANON.: *P. Timotheus Barth OFM †.* In: WiWei 30 (1967), p. 189.

de sa métaphysique'.[194] Dieses Buch ist zu einem, wenn nicht sogar zu d e m Grundbuch für die Heinrich-Forschung im 20. Jahrhundert geworden. PAULUS, der entgegen der früheren Bevorzugung der *Quodlibeta* Heinrichs nun auch dessen *Summa* gebührend zur Geltung brachte, beabsichtigte in seiner Untersuchung, u. a. den henrizianischen Seinsbegriff mit einem an MARÉCHALS postkantianischen Begriff des Transzendentalen gebildeten thomistischen Seinsverständnis zu vergleichen. Dabei wollte PAULUS bei Heinrich die widersprüchliche Verknüpfung bzw. paradoxe Einheit einer Metaphysik des Intelligiblen und eines Erfahrungswissens des Konkreten erkennen, die jeweils durch einen platonisierenden bzw. pränominalistischen Grundzug seines Denkens ermöglicht und begründet sei. Sind Elemente des Platonismus bei Heinrich weithin nachweisbar, so verwies PAULUS für den zweiten Teil seiner These auf seiner Ansicht nach zentrale, bei Heinrich vorhandene Merkmale eines Nominalismus: der auch durch das Ökonomieprinzip begründeten Wegfall der *species intelligibilis* im Erkenntnisakt, die nahezu totale Identifikation der Seele mit ihren Potenzen, die Gleichsetzung von Existenz und Wesen, die Singularität und gänzliche Äquivozität aller existierenden Dinge, die reduzierte Zahl der Kategorien unter Wegfall der Relation und all ihrer Modi, die gesteigerte Forderung nach Positivität und Evidenz, die Bedeutung der göttlichen Allmacht.[195] Eine Kritik[196] dieser Annahmen und Beurteilungen trat besonders in den Arbeiten von José GÓMEZ CAFFARENA SJ (*1925)[197] zutage. Noch deutlicher zielte Walter HOERES (*1928)[198] - dessen skotismusfreundlicher Lehrer Hans MEYER (1884 - 1966) bereits 1937 mit dem Diktum „Die Scholastik wird erst nach Thomas interessant"[199] provoziert hat-

[194] Cf. PAULUS, *Essai*. 1938 [für eine Liste der zahlreichen Rezensionen cf. die Angaben im Literaturverzeichnis s.v.].

[195] Cf. spec. PAULUS, *Essai*. 1938, pp. 387-394. PAULUS hatte sich zudem während der Abfassung seines Werkes intensiv mit dem Nominalismus beschäftigt, cf. PAULUS, *Origines du nominalisme*. 1937; ID., *Monographies récentes*. 1937. - Zu sehr ähnlichen Wertungen der über JAKOB VON METZ weitervermittelten Anstöße Heinrichs an das 14. Jahrhundert kam auch KÖHLER, *Wissenschaft und Evidenz*. 1974, p. 413sq.

[196] Cf. PORRO, *Enrico di Gand*. 1991, pp. 167-170.

[197] Cf. GÓMEZ CAFFARENA: *Ser participado*. 1958 [für die zahlreichen Rezensionen cf. das Literaturverzeichnis]. - Cf. Rép. Intern. Médiévist. 1960, p. 240. - Zu J. ALFARO, dem Betreuer der Arbeit, der in seinen Anschauungen eine unleugbare Nähe zum Transzendentalthomismus von MARÉCHAL und LONERGAN besitzt, cf. weiter unten sowie Kap. III, § 2,2,a,iii.

[198] Cf. HOERES, *Wesen und Dasein*. 1965, spec. pp. 125. 131sq. 134. 149.

[199] H. MEYER: *Ehrenrettung des Duns Scotus*. In: PhJb 50 (1937), p. (399sq.) 399; cf. dazu die geistvolle Replik von GILSON, *History*. 1955, p. 774 not. 79; ferner BAYERSCHMIDT, *Seins- und Formmetaphysik*. 1941, p. 336. - MEYER: *Abendländische Weltanschauung. Bd. III: Mittelalter*. Paderborn (1948) [3]1966, pp. 254-256, übernahm dagegen viele der Wertungen PAULUS', spec. p. 256: „Als Begründer des logischen Konzeptualismus am Anfang des 13. Jahrhunderts bindet er [sc. Heinrich] zum Nominalismus des 14. Jahrhunderts hin." Ähnlich spricht auch J. PIEPER, *Wahrheit der Dinge. Eine Untersuchung zur Anthropologie des Hochmittelalters*. München 1947, p. 76. - K. LEIDLMAIR: *Hans*

te - mit einigem Grund auf die transzendentalthomistischen Voraussetzungen des aktualistischen Seinsverständnis bei PAULUS und meldete Kritik an im Namen einer recht verstandenen - bei DUNS SCOTUS und SUÁREZ gelungen verwirklichten - essentialistischen Metaphysik, in der man sehr wohl intelligible und konkret existierende Realität zusammenbringen könne. Mag man auch geteilter Meinung darüber sein, unter welchem Vorverständnis und mit welcher Dominanz PAULUS diese problematische Größe 'Nominalismus'[200] als interpretatorische Hintergrundfolie für das von Heinrich behauptete pränominalistische Denken hinzugezogen hat, so ist doch von ihm endgültig Heinrich von Gent aus der schulthomistischen und -skotistischen Umklammerung befreit worden. Die Impulskraft des henrizianischen Denkens erscheint nun nicht beschränkt auf ihren Beitrag zu antithomistischer Polemik einerseits und skotistischer Systembildung andererseits. Vielmehr eröffnete PAULUS einen geweiteten Blick auf Heinrichs mehrdeutige Rolle für die divergent verlaufende Gesamtentwicklung des nachfolgenden mittelalterlichen Denkens.

Hatte PAULUS so die Inhalte des henrizianischen Denkens in ihrer Eigenständigkeit behauptet, so schlug er zur Kennzeichnung der Denkart Heinrichs, von seinem Lehrer GILSON angestoßen, einen neuen historiographischen Leitbegriff für die Heinrich-Interpretation vor. Schon in den dreißiger Jahren unseres Jahrhunderts trat mit Fortschreiten der Detailforschung immer klarer hervor, daß Heinrich von Gent keinesfalls in bipolar gegliederte Kategorien wie 'platonisch-aristotelisch', 'thomistisch-antithomistisch' oder 'skotistisch-präskotistisch' eingefangen werden könne, da ja im Laufe der Geschichte jedes der genannten Glieder in vielfachen Varianten aufgetreten ist. Insofern für Heinrich unstrittig feststand, daß er im breiten mittelalterlichen Strom augustinischen Denkens steht, war die Spezifizierung auszumachen. PAULUS machte sie in seinem magistralen Werk in Heinrichs Avicenna-Rezeption aus und führte so den von GILSON geprägten Begriff des 'augustinisme avicennisant' in die Heinrich-Forschung ein. GILSON verstand unter diesem Begriff zunächst die besondere erkenntnistheoretische Position, die den *intellectus agens separatus* bei AVICENNA mit dem christlichen Gott identifizierte.[201] J. PAULUS, F. VAN STEENBERGHEN, R. MACKEN und besonders J.

Meyer. In: CPhKD II. 1988, pp. 637-642, ist leider die Hinneigung MEYER's zum Skotismus ganz entgangen.

[200] Cf. zu auch Kap. IV, § 1,1 not. 124.

[201] Cf. E. GILSON: *Pourquoi saint Thomas a critiqué saint Augustin?*. In: AHDLM 1 (1926), pp. 80-111; ID.: *Les sources gréco-arabes de l'augustinisme avicennisant.* In: AHDLMA 4 (1929), pp. 103-107; ID., *Roger Marston.* 1933, pp. 37. 42. Zu der besonders in der Duns Scotus-Forschung diskutierten und kritisierten These GILSONS, AVICENNA, und nicht Heinrich sei Ausgangspunkt des skotischen Denkens, cf. spec. C. BÉRUBÉ: *Jean Duns Scot, critique de l' 'avicennisme augustinisant.'* 1968, der zusammen mit BALIC darauf hinweist, daß alle bei DUNS SCOTUS auffindbaren Avicenna-Zitate sich auch im Oeuvre Heinrichs, insbesondere in dessen *Summa* finden; A. MAURER, *Étienne Gilson.* In: CPhKD II. 1988, p. (519-545) 526.

DECORTE weisen in ihren Untersuchungen die Deutekategorie 'augustinisme avicennisant' als sehr vielversprechend aus.[202] Denn der zweigliedrige Begriff bringt - in einem weiteren Sinne gebraucht - theologischerseits die kirchlich-augustinische Tradition und philosophischerseits die neuplatonisch-avicennisierende Aristoteles-Exegese bei Heinrich terminologisch zusammen, wobei dieses Zueinander beider Stränge nicht ohne die kathartische Kritik von seiten der christlichen Glaubenslehre bewerkstelligt werden konnte. Aber das Erfordernis einer solchen Kritik hatte Heinrich willkommene Gelegenheit gegeben, nach Kräften seine Begabung unter Beweis zu stellen, kreativ und innovationsmutig Problemlösungen ausfindig zu machen. Man scheint also nun als 'augustinisme avicennisant' die Homogenität des henrizianischen Denkens fassen zu können.

Mit vergleichbarem Erfolg, aber divergenter Methodik beförderten die theologiegeschichtliche Erkundung des *Doctor solemnis* vor allem die Studien von M. GRABMANN und seiner Schüler in Deutschland sowie viele Promotionsarbeiten, die unter Leitung bzw. Beratung der an der Gregoriana dozierenden Theologen F. PELSTER, E. HOCEDEZ und besonders J. ALFARO entstanden.

Martin GRABMANN, der selber in seinen Publikationen vieles von Gewicht für die Heinrich-Forschung beisteuerte, machte seine Doktoranden und Habilitanden, deren Studien sich auf die ganze scholastische Epoche erstreckten, auf die grundsätzliche Bedeutung des *Doctor solemnis* aufmerksam, die oft in knappen, aber dann doch prägnanten Analysen der henrizianischen Anschauungen ihren Niederschlag fanden.[203] Es lag GRABMANN weniger an historiographischen Methodendiskussionen und an der Proklamation von Forschungsparadigmen. Seine Stärke bestand - bei einer gewissen hermeneutischen Schlichtheit[204] - vor allem in der historisch-positiven Ausrichtung, in der er der ganzen historischen Breite der scholastischen Literatur und Einzelvertretern aller Richtungen mit ungeschmälertem Interesse entgegentrat. Gewinnung, Absicherung und Präzisierung von Materialwissen über die scholastische Epoche standen bei GRABMANN im Vordergrund. In diesem Sinne

[202] Cf. PAULUS, *Essai.* 1938, p. 6 not. 1; VAN STEENBERGHEN, *Philosophie im 13. Jh.* 1967, p. 469, der zugleich auch von einem Neo-Augustinismus spricht; MACKEN, *Illumination divine.* 1972; DECORTE, *Avicenniserend augustinisme.* 1983, tom. I, spec. pp. 46-48.

[203] Cf. z. B. die Arbeiten von J. LECHNER (1925; 1932), R. EGENTER (1928), J. KÜRZINGER (1930), A. LANG (1930), B. LINDNER (1930) und K. BOECKL (1931).

[204] Dieses Urteil gilt insbesondere für den einzig nennenswerten Beitrag auf dem Gebiet der Methodologie, nämlich GRABMANNS Überlegungen zur sog. scholastischen Methode; cf. K. FLASCH: *La concezione storiografia della filosofia in Baeumker e Grabmann.* In: SFMONC 1991, pp. 51-73, mit teilweise polemisch-überscharfen Bewertungen. Die neuere historische Forschung hat gerade die Rede von *einer* Methode als der typisch scholastischen als irrig erwiesen. Cf. L. OEING-HANHOFF: *Methode, scholastische.* In: HWPh V (1980), col. 1369-1371; SCHÖNBERGER, *Was ist Scholastik?* 1991, pp. 29-33; auf sehr veraltetem Forschungsstand und obendrein sehr oberflächlich L. ELDERS: *Scholastische Methode.* In: LexMA VII (1995), col. 1526-1528.

wirkte er mit Gewinn für die Heinrich-Forschung prägend auf seinen Schüler Michael SCHMAUS (1897 - 1993)[205], dem sich bei der Erarbeitung seiner Habilitationsschrift über die Entwicklung der Trinitätstheologie von THOMAS zu DUNS SCOTUS die komplizierte Stellung Heinrichs für den theologischen Erkenntnisfortschritt des christlichen Zentraldogmas erschloß. Johann AUER (1910 - 1989)[206] warf helleres Licht auf Voraussetzungen und Eigenheiten der henrizianischen Gnadenlehre mit seiner in München von GRABMANN inaugurierten, 1940 bei SCHMAUS in Münster eingereichten theologischen Dissertation über die Gnadenlehre des MATTHAEUS AB AQUASPARTA, in der AUER nun diesen in einen größeren historischen Rahmen stellte und die Beurteilungen durch breites Quellenstudium der Epoche abstützte. Paul BAYERSCHMIDT (1903 - 1965)[207], von 1947-65 Dogmatiker in Bamberg, veröffentlichte 1941 sein Werk 'Die Seins- und Formmetaphysik des Heinrich von Gent in ihrer Anwendung auf die Christologie. Eine philosophie- und dogmengeschichtliche Studie'. Der hohe philosophische Anteil kommt sehr stark zur Geltung. Die Quellen der henrizianischen Christologie, von denen sehr viele aus dem 12. Jahrhundert genommen sind, die werkchronologische Entwicklung der christologischen Ansichten Heinrichs und die damit verbundenen zeitgenössischen Kontroversen werden mit einer Flut von Belegen gedruckter und un-

[205] Cf. SCHMAUS: *Liber propugnatorius.* 1930, ad indicem s.v.; ID.: *Augustinus und die Trinitätslehre Wilhelms von Ware.* In: M. GRABMANN/J. MAUSBACH (Hg.): Aurelius Augustinus. Köln 1930, pp. (315-352) 318sq. 322. 324. 327. 332sq. 336. - Zur Person cf. BBKL IX (1995), col. 322-327 (M. EDER) (Lit.). SCHMAUS arbeitete über drei Jahrzehnte an dem Faszikel zur scholastischen Trinitätslehre in dem von ihm herausgegebenen 'Handbuch der Dogmengeschichte', inaugurierte in diesem Zusammenhang die Habilitationsschrift von F. WETTER (1967) zur skotischen Trinitätslehre, brachte aber das Faszikel zu keinem Abschluß. Ein Hauptgrund hat (nach mündlicher Mitteilung von L. HÖDL) darin bestanden, daß SCHMAUS, der sich zwar eine Kenntnis der Quodlibets, aber weniger der Summe Heinrichs zumaß, sich bis zum Schluß nicht ausreichend darüber hat Klarheit verschaffen können, wie die Stellung des Heinrich von Gent und folglich auch des JOHANNES DUNS SCOTUS im Verlauf der mittelalterlichen Entwicklung des Trinitätsdogmas zu bestimmen sei.

[206] Cf. J. AUER, *Die Gnadenlehre des Franziskanergenerals Matthäus von Aquasparta.* Diss. theol. Münster i.W. 1940; erschienen u.d.T.: *Entwicklung der Gnadenlehre in der Hochscholastik, I.* 1942, ad indicem s.v. - Bereits 1938 veröffentlichte AUER seine 1935 bei Josef GEYSER in München vorgelegte, mit vielen Heinrich betreffenden Bemerkungen versehene philosophische Dissertation (*Menschliche Willensfreiheit.* 1938). - Zu AUERS Biographie cf. das 'Geleitwort' der Herausgeber in: H. ROSSMANN/J. RATZINGER (Hg.): Mysterium der Gnade. Fschr. für J. AUER. Regensburg 1975, p. 7sq.; eine Bibliographie pp. 442-450; LThK³ I (1993), col. 1176 (M. SEYBOLD).

[207] Cf. BAYERSCHMIDT: *Seins- und Formmetaphysik.* 1941. Zur Person cf. KÜRSCHNER, *Gelehrtenkalender.* 1961, tom. I, p. 85b. - Die Arbeit des GEYER-Schülers RÜSSMANN, *Ideenlehre der Hochscholastik.* 1938 [cf. die Rez. im Lit.verz.], hält gemessen an der Menge des beigezogenen historischen Vergleichsmaterials und hinsichtlich der Ergebnisfülle einen Vergleich mit BAYERSCHMIDT nicht stand. Sie paraphrasierte meist verkürzend die untersuchten Texte und überschritt substantiell nicht die Grenzen ihrer angewandten textimmanenten Interpretation.

gedruckter Quellen dargestellt. Es gelang es auch, den machtvollen Einfluß der Spekulationen Heinrichs auf den Gang der zeitgenössische Theologie aus dem Munde seiner Kritiker bezeugen zu lassen. Die Arbeit von BAYERSCHMIDT ist die bislang letzte deutschsprachige Monographie über Heinrich von Gent in diesem Jahrhundert. Der von Franz EHRLE an Heinrich herangeführte Martin GRABMANN hatte sie noch inauguriert. Dessen Schüler Michael SCHMAUS reichte diese Impulse weiter an seine Doktoranden[208] und Habilitanden[209], bei denen sie vielfältige Aufnahme fanden, so nach dem Zweiten Weltkrieg verschiedentlich in den Forschungen von Johann AUER, Josef FINKENZELLER (*1921) und besonders bei Ludwig HÖDL (*1924).

Der an der Gregoriana ausgebildete Johannes BEUMER SJ (1901 - 1989)[210] bildet die Überleitung zu den dort betriebenen Heinrich-Studien. Wie schon vor ihm Werner SCHÖLLGEN (1893 - 1985)[211], der 1927 durch eine von PELSTER inaugurierte, konzis gearbeitete Studie prägnante Einblicke in die Intentionen der henrizianischen Willenslehre verschafft hatte, griff BEUMER für seine vielen Untersuchungen zur Wissenschaftstheorie und Wissenschaftspraxis der Theologie Hinweise seines Lehrers PELSTER auf. Für zahlreiche Beiträge zur Theologie des *Doctor solemnis* sorgten Schüler von Juan ALFARO SJ (*1914).[212] Seit seiner Dissertation über die Lehre von Natur und Übernatur seit dem Tod des THOMAS bis CAJETAN, die in der Gewichtung ihrer historischen Teile auch stark von dem im Vorwort genannten PELSTER geprägt ist, ließ ALFARO mehrere Arbeiten - meist zur Gnadenlehre oder eng angrenzenden Traktaten - anfertigen, in denen mehrfach Heinrich selbst in den Mittelpunkt gestellt ist. So schrieben Josemaria GÓMEZ CAFFARENA SJ 1958 über den Seinsbegriff, Jose M. ROVIRA BELLOSO 1960 über die Theorie der Gottesschau, Gerard DANNEELS 1961 über den Glaubensbegriff, Martin G. H. GELISSEN 1965 über das Verhältnis von Natur und Gnade und schließlich Robert WIELOCKX 1971

[208] Zu SCHMAUS' Doktoranden, die auch Beiträge zur Heinrich-Forschung leisteten (cf. das Lit.verz.), zählen Johann AUER, Werner DETTLOFF, Josef FINKENZELLER, Karl FORSTER, Elisabeth GÖSSMANN, Hermann HAUKE, Ludwig HÖDL, Franz MERTA, Kieran Peter NOLAN, Wenceslaus PLOTNIK, Anton SCHULTER, Hermann THEISSING. - Eine vollständige Liste der von SCHMAUS betreuten Dissertationen und Habilitationsarbeiten findet sich in: L. SCHEFFCZYK u.a. (Hg.): *Wahrheit und Verkündigung*. Michael SCHMAUS zum 70. Geb. Paderborn 1967, vol. I, pp. xxxiv-xxxviii.

[209] SCHMAUS betreute neben anderen die Habilitationsarbeiten von Werner DETTLOFF, Josef FINKENZELLER und Ludwig HÖDL.

[210] Cf. BEUMER: *Theologie als Glaubensverständnis*. 1953, p. 6 (Vorwort); R. BERNDT: *Bibliographie P. Johannes Beumer S.J. (1901-1989)*. In: ThPh 64 (1989), pp. 567-577.

[211] Cf. SCHÖLLGEN, *Willensfreiheit*. 1927. Laut Vorwort hatte F. PELSTER die Arbeit inauguriert, M. GRABMANN ratgebend zur Seite gestanden.

[212] Cf. ALFARO: *Lo natural y lo sobrenatural*. 1952, ad indicem s.v., zu Heinrich spec. pp. 363-369. Das Vorwort (p. 6) nennt F. PELSTER gleich nach dem für die Themenfassung weniger ausschlaggebenden Promotor der Arbeit, Heinrich LENNERZ SJ (1880-1961; cf. NDB XIV, p. 213sq.), desweiteren die Jesuiten G. DE BROGLIE und Z. ALSZEGHY. - Zu ALFARO cf. LThK^3 I (1993), col. 383 (K.-H. NEUFELD).

über die Theorie der Liebe beim *Doctor solemnis*. Bei vielen anderen, unter ALFAROS Aegide unternommenen Studien fanden Lehrauffassungen Heinrichs zum Teil eine erhebliche Berücksichtigung.[213]

Nach dem Zweiten Weltkrieg entwickelte sich für Heinrich von Gent ein nahezu allseitiges Interesse in der philosophischen und theologischen Mediävistik,[214] deren Publikationsfülle man mittlerweile aus mehreren Spezialbibliographien zur Heinrich-Forschung ersehen kann.[215] Darüber in gebotener Ausführlichkeit zu berichten, ist hier nicht mehr möglich, denn es hieße im Rahmen dieser Studie, ein Buch im Buche zu schreiben.[216] Es bliebe dieser Überblick über die Geschichte der *fama Henrici* jedoch unvollständig, wenn man nicht auch Fernand VAN STEENBERGHEN (1904 - 1993)[217] genannt hätte. Weniger durch eigene Forschungen, mehr durch kundige Hinweise auf Desiderate der philosophischen Heinrich-Forschung, Vergabe gewichtiger Dissertationsprojekte und Beschaffung von Forschungsmitteln förderte der Löwener Philosophiehistoriker erheblich den Fortgang der Heinrich-Studien. Unter seiner Leitung wurde am dortigen 'Institut Superieur de la Philosophie' von seinen Schülern René PERRON, Lucien BELLEMARE, Stephen F. BROWN (*1933) und Raymond MACKEN OFM (*1923) sowohl in editorischer wie auch interpretatorischer Hinsicht eine neue Etappe der Heinrich von Gent-Forschung vorbereitet. Sie wurde eröffnet in Verbindung mit und im Anschluß an die von MACKEN durch eine Vielzahl doktrineller und literarkriti-

[213] Cf. die Gregoriana-Arbeiten von B. NEUMANN (1958) zur *visio beatifica*, R. A. COUTURE (1962) zu den sinnlichen *actus primo primi*, C. J. PETER (1964) zur Erbsündentheorie und T. J. CRONIN (1966) zum *esse obiectivum* bei Heinrich.

[214] Insbesondere spanische, italienische und polnische Forscher kamen hinzu. Diese Entwicklung begünstigten hauptsächlich die photomechanischen Nachdrucke der *Summa* und der *Quodlibeta* in den Jahren 1953 bzw. 1961, die die in den Bibliotheken rar gewordenen Originalexemplare ersetzen halfen.

[215] Cf. R. MACKEN: *Hendrik van Gent (Henricus de Gandavo), wijsgeer en theoloog*. In: Nationaal Biografisch Woordenboek. Brüssel 1964sqq., tom. VIII (1979), col. (377-395) 390-395; PORRO, *Enrico de Gand*. 1990, pp. 175-198; CARVALHO: *A propósito*. 1991; LAARMANN: *Bibliographia auxiliaris*. 1991; [CARVALHO/MEIRINHOS,] *Henrique de Gand. Bibliografia*. 1993; CARVALHO, *Nótulas*. 1993; MACKEN: *Bibliographie d'Henri de Gand*. 1994; PORRO: *Bibliography*. 1996.

[216] Zu neueren Studien und Interpretationsneuansätzen, soweit sie durch Berührungen zur *Primum cognitum*-Problematik bei Heinrich belangvoll sind, erfolgt eine Stellungnahme in den textinterpretativen Teilen dieser Studie. Cf. spec. die Arbeiten von GÓMEZ CAFFARENA, PREZIOSO, MACKEN, BÉRUBÉ, MARRONE und PORRO.

[217] Cf. VAN STEENBERGHEN: *Philosophie im 13. Jahrhundert*. 1977, pp. 467-469; ID.: *Introduction*. 1974, ad indicem s.v.; ID.: *Bibliothèque*. 1974, ad indicem s.v.; ID.: *Maître Siger de Brabant* (PhMed 21). Löwen/Paris 1977, ad indicem s.v.; ID.: *Les primices des „Opera omnia" d'Henri de Gand*. In: RPhL 78 (1980), pp. 281-286. - Zur Person cf. C. TROISFONTAINES: *In memoriam Fernand Van Steenberghen*. In: RPhL 91 (1993), pp. 340-345.

scher Studien vorbereitete und 1979 begonnene Edition der *Henrici de Gandavo Opera omnia.* Eine erste Bilanzierung dieser Bemühungen erbrachte 1993 das Löwener Heinrich von Gent-Kolloquium, das die siebte Zentenarfeier des Todes des *Doctor solemnis* krönte.[218]

[218] Cf. VANHAMEL (ed.), *Henry of Ghent. Proceedings.* 1996.

Epilog[1]

Eine Krise wird nicht dadurch bewältigt, daß man sie vermeidet. Nach dem Tod des THOMAS VON AQUIN, der sich mit vielen anderen für eine wohlmeinende Rezeption griechisch-arabischer Philosophie stark gemacht hatte, empfanden manche diese Herausforderung auch als ernsthafte Bedrohung der überkommenen Formen von Theologie und Philosophie, insbesondere in ihrer durch den Augustinismus geprägten Gestalt. Es wurde der Ruf laut nach einem korrigierten, christlich rektifizierten Aristotelismus. In dieser angespannten Situation plädierte Heinrich von Gent für eine kritische Neuauslegung theologischer und philosophischer Doktrin, ohne in die Extreme eines reaktionären Augustinismus und eines archaischen, radikalen Aristotelismus verfallen zu wollen. So war für Heinrichs eigenes Denken ARISTOTELES ständiger Bezugs- und Angriffspunkt zugleich. Heinrichs Mut zur begrifflichen Komplexität und detailreichen, vielschichtigen Exposition sowie sein Können, vorausgehende Positionen zu rezipieren und in kritischer Anlehnung ungewöhnlich eigenständig fortzuführen, ließen seine Person zu einer beherrschenden Figur an der Pariser Universität und sein Werk zu einem der Höhepunkte mittelalterlicher Philosophie und Theologie werden. Insbesondere Heinrichs Kritik am Wissenschafts- bzw. Theologiebegriff des Aquinaten und an dessen Lehre von der Gotteserkenntnis verschaffen ein markantes Bild respektabler und niveauvoller Begegnung. Aus dieser Kraft der Distanznahme zu Standardannahmen zeitgenössischer autoritativer Denker darf gewiß ein Kriterium für die Originalität eines Autors wie Heinrich genommen werden.

Für Heinrich von Gent war immer klar, daß man Tradition nicht fortschreibt, indem man sie abschreibt. Denn „Vergangenheitsbejahung wird erst innovationsfeindlich, wenn man sich mit der Vergangenheit vor der Zukunft schützen will."[2] Der christliche Theologe Heinrich von Gent führte darum in origineller und virtuoser Weise aristotelisierendes, neuplatonisch-arabisches und neuplatonisch-augustinisches Denken zusammen. Dem Eindruck, den ARISTOTELES und seine Akribie der szientifischen Erkundung kategorial erfaßbarer Welt im Laufe des 13. Jahrhunderts ausübte, konnte und wollte Heinrich sich erklärtermaßen nicht entziehen. Seinserkenntnis befördert für ihn auch die Gotteserkenntnis. Diese aristotelische Basis überdacht bei ihm

[1] Die abschließend vorgetragenen Überlegungen wollen und können angesichts der Anlage und des Umfang dieser Studie und der Anzahl der behandelten Autoren keine Ergebniskumulation sein. Dafür sei auf Kapitelzusammenfassungen verwiesen (cf. spec. pp. 133. 190. 233sq. 309-311. 383. 404. 441sq.). Statt dessen soll im folgenden der theologisch-spirituale Gehalt von Kernelementen der henrizianischen Theorie erwogen werden, um dann die Thematik einer theologischen *Primum cognitum*-Theorie ideengeschichtlich an die Gegenwartstheologie heranzuführen.

[2] R. SPECHT: *Funktionen der Tradition.* In: K. RÖTTGERS (Hg.): Politik und Kultur nach der Aufklärung. Fschr. für H. LÜBBE zum 65. Geb. Basel 1992, p. (89-95) 93sq.

eine augustinische Hyperstruktur, die alles Weltwissen in seiner Wahrheit beläßt, aber zugleich alle Welterkenntnis auf den sich in Schöpfung und Offenbarung völlig frei darbietenden Gott dynamisiert und finalisiert.

Vita enim boni christiani sanctum desiderium est.[3] So sagt Heinrich mit den Worten der Glosse. Doch dieses Leben ist nicht eine pure, unendliche Dynamik hin auf den ersehnten Zielpunkt des menschlichen Erkennens und Wollens, nämlich Gott. Für Heinrich gibt es bereits ein uranfängliches Haben und Ergreifen Gottes als des zuerst Erkannten (*primum cognitum*) und des zuerst Gewollten (*primum volitum*).[4] Die intellektiv-voluntative Gesamtaktivität des Menschen, seine gesamte Vitalität hat ihr Fundament und ihren Terminus, ihr Woher und Woraufhin in Gott. Gott gibt sich dabei dem Menschen so zu erkennen und zu lieben, daß der Mensch ein Wesen ist, das zwar auch Gott sucht, aber ihn immer auch schon gefunden hat. In allem personalen Tun des Menschen und gerade in dessen tiefsten, innersten Dimensionen wirkt Gott als apriorisches Konstitutiv der menschlichen Existenz. Dieses Apriori ist eine Tat Gottes am Menschen, eine Selbstgabe und Selbstvermittlung, die der Freiheit Gottes entspringt, und eine Selbstaussage Gottes, der sich als Wahrheit schlechthin bezeugt.

Dieses Apriori wird von Heinrich nicht als Automatismus oder gar als naturhaft-nezessitäres Moment an Gottes Schöpfungswerk begriffen, sondern stets - die Voluntarisierung der Lehre vom *lumen naturale* zeigt dies auf - als vollkommen freie und dadurch personale Hingabe Gottes an den Menschen. Gott als unerschöpflicher Ursprung des Lebens, der Wahrheit und der Liebe verschenkt sich so in die Mitte und den Grund des Menschen hinein. Dadurch ist für das Lebenszentrum des Menschen ein *transcensus* hinein in Gott selbst vollzogen. Der Mensch wird in seinem personalen Dasein begründet und zugleich seine Existenzmitte befähigt, in Erwiderung zu dieser Selbstoffenbarung göttlicher Wahrheit und Liebe seinen ganzes Selbst auf Gott hinzuordnen und die Freiheit göttlicher Zuwendung zum Menschen in der Freiheit menschlicher Hingabe an Gott widerscheinen zu lassen.

Heinrichs seinerzeit provozierend moderne *Primum cognitum*-Theorie ist eine bewußte Schöpfung, eine gewollte Prolongation einer bestimmten Got-

[3] HENR. DE GAND., *Qdl. V,22* Badius 199vP.

[4] Zu Heinrichs *Primum volitum*-Lehre cf. HENR. DE GAND., *Qdl. XIII,9* Decorte 56-64: *Utrum primum et per se obiectum voluntatis sit bonum sub ratione boni simpliciter an sub ratione convenientis.* Cf. bereits Kap. III, § 1,3 not. 97; aus der Sekundärliteratur dazu GÓMEZ CAFFARENA, *Ser participado.* 1958, pp. 199. 236. 240; ROVIRA BELLOSO, *Visión de Dios.* 1960, pp. 167-171. 173; GÓMEZ CAFFARENA, *Inquietud humana.* 1960, p. 631; MACKEN, *Menschl. Freiheit.* 1977, p. 173; MACKEN, *Lebensziel.* 1979, p. 117; MACKEN, *Deseo natural.* 1980, p. 843sq.; DECORTE, *Avicenniserend augustinisme.* 1983, I, pp. 182. 185. 321sq. 333. 335. 355; MACKEN, *Dios como primer objeto de la voluntad humana.* 1986; MACKEN, *Essays, II.* 1995, pp. 45-53. Der Verf. beabsichtigt, eine eigene theologiehistorische Studie zu diesem Thema vorzulegen.

teslehre. Heinrich beabsichtigte keine spekulative Verfremdung der christlichen Gotteserfahrung, sondern wollte angesichts der wiederentdeckten griechisch-arabischen Philosophie die Authentizität der christlichen Gottesidee im augustinischen Geist bewahren, klären und vertiefen. Bei Heinrich ist deshalb die Frage nach dem Ersterkannten kein Selbstzweck, sondern muß im Blick auf das Gesamtziel seines philosophischen und theologischen Denkens gesehen werden. Hellhörig für die neuen Forderungen seiner Zeit, will Heinrich die Seele der augustinischen Theologie revitalisieren. Er begann dafür seine Erörterung im Philosophischen. Dabei ging er den von AVICENNA vorgezeichneten Weg des Apriorischen und machte dessen Lehre von unübersteigbar allgemeinen und universal bekannten Primärbegriffen menschlichen Denkens zum Fundament seiner Theorie natürlicher Gotteserkenntnis: Gott ist nicht durch ein Anderes zu begreifen oder begreiflich zu machen und wird nicht in einem ‚Früheren' erkannt. Ein entschlossener Rückgang auf das Innenleben soll die inhaltliche Enge und religiöse Dürftigkeit eines physikalisch-kosmologisch aufgefundenen Gottesbegriffs überwinden. Nicht durch Kehrtwendung zur Außenwelt, sondern durch Hinwendung zu sich selbst durchstößt man die höheren und reicheren Schichten des Ich bis zur Gottesbegegnung. Es gilt das augustinische Junktim von Selbst- und Gotteserkenntnis.

Gott schafft in dieser Welt sich selber Bedingungen, unter denen er verstanden und erkannt werden werden, unter denen er erlösen und vollenden will. Er ist allen kreatürlichen Gegebenheiten unverfügbar und unangreifbar überlegen. So vermag er auch als unmerkliche Konstante des menschlichen Erkennens zu wirken, deren Mangel an Ausdrücklichkeit eher so verstanden werden möchte, als daß Gott zu keinem Moment dem erkennen wollenden und darin wahrheitserstrebenden menschlichen Intellekt sich vorenthalten will. Das Gewahrwerden und Innewerden der göttlichen Gegenwart als *primum cognitum* ist keine menschliche Erfindung, sondern Selbstoffenbaren Gottes. Hier ist Sein (*ens*) im Blick auf den im Erkennen gegenwärtigen Gott gefaßt als die volle Durchsichtigkeit von Sein, Güte, Schönheit und sich offenbaren wollender Freiheit. „Die in unserer Erkenntnis aufgehende und aufleuchtende Wahrheit des Wirklichen ist dessen Erkanntsein durch Gott; unser Erkennen partizipiert am Schöpfungsgeschehen."[5] Gott ist das Innerlichste alles Seienden. Sein wesenhaft unendliches und unendlich wesenhaftes Sein erschafft alles Seiende, erhält es und bringt es zu seinem Ziel, das Er selbst ist. Heinrichs Denken ist die wohl intensivste metaphysische und theologische Explikation des augustinischen *intimior intimo meo* im geistigen Hori-

[5] HÖDL, *Ausgaben der Quodlibeta*. 1981, p. 298

zont des 13. Jahrhunderts.[6] Im Vergleich mit den Theorien primärer bzw. impliziter Gottes- und Seinserkenntnis bei BONAVENTURA und THOMAS VON AQUIN kann Heinrichs Lehre als ein respektabler Neuentwurf bestehen.

Wenn Heinrich Gott als ersterkannte und das erste Erkennen ermöglichende Wahrheit begreifen will, beabsichtigt er, die Göttlichkeit der Wahrheit selbst, die alle Wahrheiten des Erkennens verbürgt, herauszustellen. Die Wahrheit des menschlichen Erkennens ist in letzter Hinsicht nicht eine, die der Mensch sich selbst sagen kann, sondern sich erst zeigen lassen muß, und zwar von einem Gott, der das Offenbarsein der Wahrheit und damit seinerselbst innerlich will. Die uranfängliche Gotteserfahrung soll Gott als Wurzel der Rationalität und souveränen, lebendigen Ursprung der Wahrheit erweisen.

Gott als Erstes zu erkennen meint nach Heinrich ein Geschehen am Menschen, dessen Agens nicht der erkenntnisgewinnende Mensch ist, sondern der, der sich zu erkennen gibt. Dies ist Gott als derjenige, der alles wahrheitsgerichtet Erkennen ermöglicht, verwirklicht und vollendet. In diesem Sinne ist alles Wissen über Gott immer auch ein Wissen durch Gott. Die Ersterkenntnis besteht folglich und letztlich darin, das Erkanntwerden durch Gott zu erkennen. Der Mensch wird sehend durch Gottes Blick. Darin zeigt sich für den Menschen ein Gott, der sich des Menschen dadurch annimmt, daß er den Menschen und sein ganzes Erkennen vom ersten Beginn der Existenz für die Wahrheit öffnet, die in Fülle nur Gott selber ist. Heinrich von Gent meinte damit ein Apriori benannt zu haben, daß jeder kategorialen Verendlichung widersteht. Indem Gott sein Verhältnis zum Menschen durch Freiheit bestimmt, Souverän seiner Selbstoffenbarung von Anfang an ist und bleibt, eröffnet die uranfängliche Gotteserkenntnis keine Endgültigkeit von Wahrheitsbesitz und Gottesanschauung.

Apriorismus steht im ungünstigen Licht einer Immunisierungsstrategie. Doch der Aufweis nicht-empirischer, apriorischer Elemente der Erfahrung - sie damit als objektive ermöglichend - unterstellt eine begriffliche Strukur allen Erkennens und garantiert für den Menschen die Logizität allen menschlichen Gott- und Weltbezuges, mögen eben auch nicht alle Elemente der Welt entnommen sein. Der letzte Aspekt verbürgt für Heinrich eine Kosmologiefreiheit der Gotteserfahrung, wie sie für eine gültige Gotteserkenntnis vorausgesetzt werden muß. Denn die Kontingenz des göttlichen Wirkens macht

[6] Natürlich kannte auch THOMAS VON AQUIN diesen augustinischen Gedanken (AUG., *Conf. III,6,1* CCL 27, p. 33: *Tu autem eras interior intimo meo et superior summo meo*; ID.: *Enarr. in Ps 118,26,6* CCL 40, p. 1740: *tu interior intimis meis*), die allerdings erst bei PS.-AUG., *De spiritu et anima 14* PL 40, col. 791 zu einer geprägten Formel wurde. THOMAS verwendet mehrere Varianten des Adagiums: *In I Sent., dist. 37, q. 1, a. 1; In III Sent., dist. 29, a. 3, s.c. 2; De Ver. X,9 s.c. 7; De Ver. X,18,1 arg. 5; 28,2 ad 8; S. theol. I, a. 8, q. 1 corp.; S. theol. I, a. 105, q. 5 corp.; In Ioa. ev., lect. 5,* in v. 10; *Qdl. VII,1,1* ed. Leon. 25, p. 8, lin. 65-66.

es unmöglich, das Wesen und für Heinrich folglich auch die Existenz Gottes von der Ordnung dieser Welt her zu begreifen. Naturale Ersterkenntnis Gottes ist nach Heinrich einen apriorische Identifizierung der Absolutheitselemente der Erkenntnis. Trotz aller nachfolgenden Entwicklungsstufen bis hin zur eschatologischen Gottesschau ist sie schöpfungsmäßiger Primärmodus des Erkennens.

Schulstreitigkeiten und Lehrdifferenzen darf man nicht überbewerten. Es gibt nirgends eine strikte systematische Gegnerschaft der einen Richtung gegen die andere. Oft ergeben sich Differenzen zwischen zwei Autoren wegen unterschiedlicher Herausforderungen, denen sie sich zu stellen hatten. Man kann aber auch gut sehen, wie fruchtbar werdende Anregungen 'in der Luft lagen' und das Wesentliche darin lag, was einer aus ihnen machte. Die seit AUGUSTINUS in der Erkenntnistheorie fest beheimatete *Verbum*-Lehre findet in THOMAS und Heinrich zwei Interpreten von Rang. Mit ständigem Bezug auf Theorien des griechisch-arabischen Aristotelismus ringen beide Autoren um ein kritisches Neuverständnis dieser Lehre. Der unbekannte Kompilator des Opusculums *De intellectu et intelligibili* meinte, daß er ein Theorem, das der Diktion und dem Inhalt nach an Heinrich angelehnt ist, ohne gedanklichen Widerspruch in die thomanische Lehre einbinden könne. Doch er irrte erheblich. Wie deutlich die Divergenzen ausfallen, mag eine kurze Gegenüberstellung zeigen, und zwar im Hinblick auf (a) erkenntnistheoretische Grundannahmen und besonders auf das Verständnis (b) der Selbsterkenntnis des Menschen und (c) seiner impliziten Seins- und Gotteserkenntnis:

(a) Aus der thomanischen Trias *intellectus agens, species intelligibilis* und *intellectus possibilis* wird bei Heinrich die *species intelligibilis* getilgt und durch das *phantasma universale* kompensiert. Die beiden anderen Koprinzipien der thomanischen Erkenntnislehre werden zwar von Heinrich nicht entwertet, aber in seinem Denken so umgedeutet, daß kein Parteigänger der aristotelischen Gegenrichtung sich darauf einlassen konnte.

Während bei THOMAS des *intellectus agens* die *species intelligibilis* bildet, erblickt er bei Heinrich durch sein Licht die intelligiblen Quidditäten in den *phantasmata*.

Während bei THOMAS die *species intelligibiles* aus dem Licht des *intellectus agens*, das die *phantasmata* erleuchtet, resultieren, erblickt der *intellectus agens* bei Heinrich die allgemeine Wesenheit im *phantasma universale*.

Während bei THOMAS die Tätigkeit des *intellectus possibilis* in der Aufnahme der intelligiblen Form erfüllt ist, prägt er bei Heinrich den Erkenntnisinhalt aktiv aus.

(b) Selbsterkenntnis gründet bei THOMAS in einer reflexiven Erkenntnis direkter, äußerer Sinneserkenntnis. Bei Heinrich ist es ein präreflexives, konfuses Bestimmtsein des Intellekts, das prinzipiell auf sensual vermittelte Erkenntnis der äußeren, realen Welt nur bei gegebenem Anlaß zurückkommen braucht. Die Verselbständigung der Seele gegenüber dem Leib und eine Ausblendung dessen, was man neuzeitlich Lebenswelt nennt, sind nur die bedeutenderen unter den Folgelasten dieser Theorie. Wer ihnen entgehen will, wird auch heute noch gerne THOMAS folgen. Heinrichs theologisierendes Verständnis des Ersterkannten stellt in diesem Begriff Minimales und Maximales beieinander, die beide sich nur in einem labilen Gleichgewicht zu halten vermögen. Die Absage an Heinrichs theologisierende Theorie des Ersterkannten ist durch Theologie provoziert. Nicht ohne theologische Legitimierung betonten Heinrichs Kritiker die Welteingebundenheit des Menschen in all seinen Vollzügen.

(c) Die thomanische Doktrin impliziter Seins- und Gotteserkenntnis meint eine abstrakte Erkenntnis des *esse commune*, das noch keine Limitierung in einer *essentia* gefunden hat und insofern ein Gleichnis Gottes ist. Bei Heinrich handelt es sich um eine konfuse, eingeprägte Erkenntnis eines reistisch konzipierten Seins, also eines prinzipiell wesenhaft zu denkenden Objekts. Während THOMAS das Sein als Ersterkanntes vornehmlich erkenntnistheoretisch akzentuiert und die göttliche Dimension der Seinserkenntnis, die erst in einer reflexiven Erkenntnisanalyse aufgedeckt werden kann, permanent latent bleibt, lädt Heinrich sein Verständnis des *primum cognitum* theologisch enorm auf, insoweit er eine tatsächliche, augenblickshafte Gotteserkenntnis nicht ausschließt. Macht Heinrich aus der Nichtausschließbarkeit Gottes als Gegenstand des Ersterkennens ein notwendiges Faktum? Heinrichs *Abditum mentis*-Lehre ist eine konsequente Paralleltheorie dieser Ausdeutung der Seinserkenntnis, die von so manchem Leser Heinrichs als überstrapaziert und hypertheologisiert empfunden wurde. Die spätere Scholastik hat sich fast ausnahmslos daran gestoßen.

Entwürfe der Theologiegeschichte können durch ihre Präzision und Ausführlichkeit hilfreich sein. Erbringt Heinrichs Theorie Kriterien für die heutige theologische Diskussion impliziter Gotteserkenntnis? Gibt es heute noch Chancen für die Adaption derartiger theologischer Entwürfe des Mittelalters?[7] Für eine Antwort bräuchte man einen umfassenden theologiehistorischen Überblick über die Rezeption der scholastischen Theorien und die Neuentwürfe dieser Zeit, der leider noch nicht geschrieben ist. Es wäre dafür ein weit gezogener Blick auf die theologische Entwicklung des 19. und 20. Jahrhunderts zu werfen. Verschiedene Theologen des 19. Jahrhunderts, die

[7] Zur Relevanz mittelalterlich-scholastischer Gotteslehre für die Gegenwart cf. die bedeutsamen Überlegungen von KLUXEN, *Voraussetzungen einer philosophischen Theologik*. 1977.

der katholischen Tübinger Schule zuzurechnen sind, führten - nicht zuletzt durch HEGELS Philosophie bestärkt - die patristische Tradition von einer angeborenen Gottesidee weiter. Dafür stehen Namen wie Franz Anton STAUDENMAIER (1800 - 1856)[8] und Heinrich KLEE (1800 - 1840).[9] Johannes Ev. von KUHN (1806 - 1887) umschrieb die begründende Funktion der angeborenen Gottesidee mit den ausdrucksvollen Worten, sie sei „nur erst der Anfang und das Prinzip der Gotteserkenntnis, nur gleichsam der Selbstlauter des Wortes Gottes, zu dem noch die Mitlauter fehlen. Diese kommen ihm aus der Betrachtung der Welt im Lichte der ihm unmittelbar einwohnenden Idee Gottes zu".[10]

Ein wichtiges Anliegen von Henri de LUBAC (1896 - 1991)[11], einem Haupt der 'Nouvelle Théologie', war es gewesen, gegen die Widerstände einer extrinsezistisch verfahrenden Apologetik der Neuscholastik die vertraute patristische Lehre von einer angeborenen Gottesidee[12] für die aktuelle Not der eigenen, agnostisch und atheistisch gewordenen Gegenwart zurückzugewinnen. Aus dem Erbe lebendiger christlicher Tradition heraus wollte LUBAC unterstreichen, daß es eine natürliche Affinität des menschlichen Geistes mit der göttlichen Sphäre gibt und der geschichtliche Mensch innerlich und wesenhaft auf Gott hingeordnet ist.[13] „Das Wunderbare" an einem Gottesbeweis, der in seinem explikativen Charakter persönlich angeeignet worden ist, besteht nach DE LUBAC „genau darin, daß *ich*, Gott erstmals erkennend, *Ihn* eben doch *wiedererkenne*".[14]

Zahlreiche Vertreter des transzendentalphilosophisch orientierten Neuthomismus versuchten in mitunter stark divergierenden Zugangsweisen, die thomanische Lehre von einer impliziten Gotteserkenntnis im Gespräch mit der neuzeitlichen Philosophie zu explizieren.[15] Doch teilt J. MARÉCHAL un-

[8] Cf. F. A. STAUDENMAIER: *Enzyklopädie der theologischen Wissenschaften als System der gesamten Theologie.* Mainz (1834) ^{2}1840, tom. I, pp. 149sqq.; ID., *Die christliche Dogmatik.* Freiburg i.Br. 1844-52 (4 Bde.), tom. II, pp. 19sqq.

[9] Cf. H. KLEE: *Katholische Dogmatik.* Mainz (^{2}1839 = ^{3}1844) ^{4}1860, pp. 7-14. 239-255.

[10] J. E. v. KUHN: Katholische Dogmatik, I/2: Die dogmatische Lehre von der Erkenntnis, den Eigenschaften und der Einheit Gottes. Tübingen ^{2}1862, p. 542sqq.

[11] Cf. H. U. v. BALTHASAR, *Henri de Lubac. Sein organisches Lebenswerk* (Kriterien 38). Einsiedeln 1976; M. FIGURA, *Der Anruf der Gnade. Über die Beziehung des Menschen zu Gott nach Henri de Lubac.* Einsiedeln 1979; E. MAIER, *Einigung der Welt in Gott. Das Katholische bei H. de Lubac.* Einsiedeln 1983; M. LENK: *Von der Gotteserkenntnis. Natürliche Theologie im Werk Henri de Lubacs* (FTS 45). Frankfurt a.M. 1993.

[12] Cf. W. KASPER: *Der Gott Jesu Christi.* Mainz 1982, pp. 136sq. 144-148.

[13] Cf. F. COURTH: *Der Gott der dreifaltigen Liebe.* Paderborn 1993 (1. Teil, Kap. III.3-4).

[14] H. de LUBAC: *Auf den Wegen Gottes.* (Paris 1941, ^{3}1956) Einsiedeln 1992, p. 67 (Auszeichnung im Zitat).

[15] Cf. Kap. III, § 4,2; ferner BÉRUBÉ, *Dynamisme psychologique et existence de Dieu.* 1973 zu Heinrich, DUNS SCOTUS, J. MARÉCHAL und B. LONERGAN sowie den Überblick von J. O'DONNELL: *Transcendental Approaches to the Doctrine of God.* In: Gr. 77 (1996), pp. 659-676, spec. zu B. LONERGAN, D. TRACY und K. RAHNER.

mißverständlich die Meinung des Aquinaten, daß erst aus dem Geschöpflichen und mittels des Geschöpflichen ein Erkenntnisweg zu Gott gefunden werden kann. Heinrichs Lehre von Gott als dem Ersterkannten des menschlichen Intellekt besitzt allerdings eine überraschend große Nachbarschaft zu religionsphilosophischen Auffassungen Karl RAHNERS, der in der Frage der Sinnesverwiesenheit des Menschen mit seinem geistigen Ziehvater MARÉCHAL bricht. Denn nach RAHNER bewegt eine vorgängige Kenntnis des absoluten Seins den menschlichen Geist zur Hinwendung zum endlichen Seienden. Die *conversio ad phantasmata* interpretiert RAHNER eben nicht als „Angekommensein beim Hier und und Jetzt der Welt", sondern als „Herkommen vom Sein im Ganzen".[16] Man hat darin einen „verborgene[n] Platonismus", insbesondere eine Rezeption der platonischen Wiedererinnerungslehre gesehen.[17] Man wird diesen Befund noch verstärken und nach seiner neuplatonisch-augustinischen Seite hin ergänzen wollen.[18] H. U. von BALTHASAR bemängelte die Engführung auf das Erkenntnishafte beim transzendentalthomistischen Ansatz einer impliziten Gotteserkenntnis und wollte daher diesen dialogisch-theodramatisch überformen und überbieten: Die erste Seinserfahrung ist die der Annahme in Liebe. „Sein und Liebe sind koextensiv."[19] Gegen einen Einwand solcher Art, der auf den Vorwurf einer reduktionistischen Anthropologie hinausliefe, wäre freilich ein Heinrich von Gent aufgrund seiner *Primum volitum*-Lehre[20] gut gewappnet.

[16] RAHNER, *Geist in Welt.* 1939, p. 78. - SCHENK, *Die Gnade vollendeter Endlichkeit.* 1989, p. 57sq. weist hin auf RAHNERS formal-aprioristisches Verständnis der thomanischen Lehre vom *lumen intellectus agentis* in 'Geist in Welt', das RAHNER im bewußten Gegensatz zur damaligen mediävistischen Thomas-Interpretation vortrug; cf. insbes. M. HONECKER: *Der Lichtbegriff in der Abstraktionslehre des Thomas von Aquin. Eine ideengeschichtliche Studie.* In: PhJb 48 (1935), pp. 268-288. Eine zusammenfassende Darstellung der Anschauungen RAHNERS über eine implizite Gotterfassung findet man bei P. EICHER: *Die anthropologische Wende. Karl Rahners Weg vom Wesen des Menschen zur personalen Existenz* (Dokimion 1). Freiburg i.Ue. 1970, pp. 273-283 (§ 31: „Gott als Horizont der Welt"). Zur Rezeption der thomanischen Theorie impliziter Gotteserkenntnis bei RAHNER cf. Kap. III, § 2.

[17] Cf. SCHAEFFLER, *Wechselbeziehungen.* 1980, p. 201sq.

[18] Cf. M. SCANLON: *Karl Rahner: A Neo-Augustinian Thomist.* In: Thomist 43 (1979), pp. 178-185. - Noch zu wenig beachtet ist der Einfluß der stark augustinisch inspirierten Religionsphilosophie M. SCHELERS auf den frühen RAHNER. Der Kösel-Verlag warb 1941 für RAHNERS Werk 'Hörer des Wortes' auf der Frontseite des Buchumschlages mit dem Text: „Ergebnisse neuer deutscher Religionsphilosophie, vor allem aus Arbeiten von Scheler und Heidegger, in Zusammenhang mit Fragestellungen des neuen französischen Thomismus werden hier durch die originelle Denkkraft des Verfassers zu einem durchaus neuen eigenständigen Gebäude vereinigt." Zur Scheler-Rezeption des frühen RAHNERS cf. KOBUSCH, *Phänomenologie und Fundamentaltheologie.* 1994.

[19] H. U. v. BALTHASAR, *Der Zugang zur Wirklichkeit Gottes.* In: MySal II (1967), p. (15-45) 17.

[20] Cf. supra not. 3.

Einsamkeit und Freiheit kennzeichnen einen schulunabhängigen Denker. Heinrichs originäre Lehre von Gott als dem Ersterkannten des menschlichen Intellekts war nach der Meinung der späteren Philosophiegeschichte methodisch ein Kunstfehler und sachlich eine Illusion. Doch will man mit Günter PATZIG, der hier ARISTOTELES zur Hälfte folgt,[21] den Fortschritt in der Philosophie so begreifen, „daß wir Fehler vermeiden lernen, die in einer früheren Stufe der Reflexion fast unvermeidlich waren", wird man mit ihm auch sagen wollen: „Ein Fehler, den man vermeiden will, muß in der Philosophie erst einmal gemacht werden; und einen bedeutenden Fehler zuerst gemacht zu haben, ist daher in der Philosophie ein wohlbegründeter Ruhmestitel."[22] Dies trifft gewiß auf Heinrich zu, wurde doch sein Denken zur entscheidenden Anstoßkraft eines des wirkungsreichsten Denkentwürfe des Mittelalters, nämlich des skotistischen. Zudem sei daran erinnert, daß Heinrichs *Primum cognitum*-Theorie ihm nicht Haß und Verachtung einbrachten, sondern von der Geburtsstunde seiner Lehre an bis in die Iberische Scholastik hinein häufige Aufmerksamkeit aufgebracht wurde und Kritik gehobenen Niveaus herausforderte. In den Zeiten danach differiert das Niveau der Auseinandersetzung nicht unbeträchtlich.

Das theologiegeschichtliche Urteil über den *Doctor solemnis* ist zwiespältig. Die zeitgenössischen Interpreten und Kritiker Heinrichs sind der differenziert-komplexen Fülle seiner *Primum cognitum*-Theorie nicht mehr Herr geworden. Spätestens seit Mitte des 14. Jahrhunderts herrschten die Kritiker Heinrichs nur noch über Trümmer seines Gedankengebäudes. Bei dem bisweilen erhobenen Vorwurf scholastizistischer Übersteigerung erkenntnistheoretischer und metaphysischer Probleme ist übersehen, daß Heinrichs intensive begriffliche Anstrengung - sein Mut zu Neologismen inbegriffen - und sein dynamisches Essenzdenken auf eine intellektuelle Krise der christlichen Theologie nicht unter dem durch die griechisch-arabische Philosophie vorgegebenen Niveau antworten wollte. Heinrich von Gent bietet ein zwar komplexes und spannungsvolles, aber eben darin theologisch profiliertes Verständnis des Themas. Unzweifelhaft hat er dadurch das theologische Denken der folgenden Zeiten stark belebt. Die durch Heinrich von Gent entscheidend beeinflußte scholastische Diskussion um Gottes uranfängliche, unablässige und unverlierbare Präsenz im menschlichen Geist ist für die

[21] Cf. ARIST., *Metaph. II 1*, 993a30-b19.

[22] G. PATZIG: [*Gratulationsadresse*]. In: Ceterum censeo ... Bemerkungen zu Aufgabe und Tätigkeit eines philosophischen Verlegers. Richard MEINER zum 8. April 1983. Hamburg 1983, p. (9-13) 12.

moderne christliche Theologie natürlicher Gotteserkenntnis keine abgetane Vergangenheit, sondern eine Seite ihrer Gegenwart. Durch Heinrichs Erörterungen sind das Verständnis und das Wissen um die Sache gewachsen. Schon JOHANNES VON THIELRODE nannte deshalb den *Doctor solemnis* mit allem Recht einen *Parisius flos in theologia*.[23]

[23] IOANNES DE THIELRODE, *Chronicon monasterii sancti Bavonis*. MGH Scriptores 25, p. 573. - Arnold GHEYLHOVEN VON ROTTERDAM († 1442) überliefert in seinem 1424/25 abgefaßten Schriftstellerkatalog *Vaticanus*, Kap. 277, cit. ap. P. LEHMANN: Der Schriftstellerkatalog des Arnold Gheylhoven von Rotterdam [= HJ 58 (1938), pp. 34-53]. In: ID.: Erforschung des Mittelalters, tom. IV, Stuttgart 1961, p. (216-236) 228sq., ein Epitaph Heinrichs, in dem unter anderem auch das genannte Epitheton aufgegriffen wird:

CCLXXVII. Henricus de Gandavo, theologus magnus, canonicus Tornacensis, floruit tempore A. D. M CC XC II, ut patet in eius epitaphio.
Histic Henrici sunt intestina sepulta,
qui meruit dici per mundi climata multa
summus doctorum, cui nulli par aliorum.
Tanto doctore privata, suo quasi flore,
tristitia mota suspiret Flandria tota,
Gandensis villa plangat, quia natus in illa
est sibi sublatus, tantis titulis decoratus.
Plangere Tornacum dedecet non, est inopacum,
lux sua mutata, per quam fuit irradiata
moribus et vita, cui subsit hic archilevita.
Corpus in ecclesia iacet, in qua virgo Maria
Tornaci colitur, ibi plane laus sua scitur.
Mille ducentensis deciesque novem tribus annis
hic tantus moritur tumuloque brevi sepelitur.

Ein weiteres Epitaph enthält die Hs. *Berlin theol. Fol. 150* (Rose no. 451).

Literaturverzeichnis

I. VERZEICHNIS DER BENUTZTEN ABKÜRZUNGEN UND SIGLEN

Abkürzungen und Siglen, sofern sie sich nicht von selbst auflösen lassen, richten sich nach S. SCHWERTNER: *Internationales Abkürzungsverzeichnis für Theologie und Grenzgebiete.* Berlin (1974) ²1993, sowie nach *Lexikon für Theologie und Kirche (LThK³). Abkürzungsverzeichnis.* Freiburg/Basel/Rom/Wien 1993 zuzüglich dessen aktueller Liste der *Addenda und Corrigenda.* Für folgend genannte Zeitschriften, Lexika, Festschriften, Sammelwerke und Editionsreihen gelten Sonderformen:

ADGM 1935	Albert LANG/Joseph LECHNER/Michael SCHMAUS (Hg.): *Aus der Geisteswelt des Mittelalters.* Fschr. Martin GRABMANN zum 60. Geb. (BGPhThMA Suppl. 3/1-2). Münster i.W. 1935
AMPh.DWMC	*Ancient and Medieval Philosophy. De Wulf-Mansion Centre. Series I & II.* Löwen 1968sqq.
Arist. Lat.	*Aristoteles Latinus.* Ed. Union Académique Internationale (Corpus Philosophorum Medii Aevi). Leiden/Löwen 1939sqq.
BT	*Bibliotheca Teubneriana.* Leipzig/Stuttgart 1850sqq.
CHLMPh 1982	Norman KRETZMANN/Anthony KENNY/Jan PINBORG (ed.): *Cambridge History of Later Medieval Philosophy. From the Rediscovery of Aristotle to the Disintegration of Scholasticism, 1100-1600.* Cambridge 1982
CIMAGL	*Cahiers de l'Institut du Moyen-age Grec et Latin.* Kopenhagen 1969sqq.
CPhKD	Emerich CORETH/Walter M. NEIDL/Georg PFLIGERSDORFFER (Hg.): *Christliche Philosophie im katholischen Denken des 19. und 20. Jahrhunderts. Bd. I-III.* Graz/Wien/Köln 1987-90
CPhNS VI/1. 1990	G. FLØISTAD (ed.): *Contemporary Philosophy. A New Survey. Vol. VI: Philosophy and Science in the Middle Ages* (2 vol.). Dordrecht/Boston/London 1990
CPhTeuMA	Kurt FLASCH (ed.): *Corpus Philosophorum Teutonicorum Medii Aevi.* Hamburg 1977sqq.
EMPhFLC	*Editions Medieval Philosophers of the Former Low Countries.* Ed. Raymond MACKEN. Löwen 1994sqq.
FranzStud	*Franziskanische Studien.* Münster i.W./Werl 1914-1994.
FrStudies	*Franciscan Studies.* St. Bonaventure, N.Y. 1924sqq.
Henry of Ghent. Proceedings 1996	Willy VANHAMEL (ed.): *Henry of Ghent. Proceedings of the International Colloquium on the Occasion of the 700ᵗʰ Anniversary of His Death (1293)* [Fschr. Raymond MACKEN zum 70. Geb.] (AMPh.DWMC I/15). Löwen 1996
HPhMA 1991	Burkhard MOJSISCH/Olaf PLUTA (Hg.): *Historia Philosophiae Medii Aevi. Studien zur Geschichte der Philosophie des Mittelalters.* Fschr. Kurt FLASCH zum 60. Geb. (2 vol.). Amsterdam/Philadelphia 1991

HTwCWPh 1988	Peter DRONKE (ed.): *A History of Twelfth-Century Western Philosophy*. Cambridge 1988
HWPh	*Historisches Wörterbuch der Philosophie*. Hg. v. Joachim RITTER/Karlfried GRÜNDER. Basel/Darmstadt 1971sqq.
JDSME 1996	Ludger HONNEFELDER/Rega WOOD/Mechthild DREYER (ed.): *John Duns Scotus. Metaphysics and Ethics* (STGMA 53). Leiden 1996
KSMPh 1990	M. ASZTALOS et al. (ed.): *Knowledge and the Sciences in Medieval Philosophy*. Proceedings of the Eighth Intern. Congr. of Medieval Philos. (S.I.E.P.M.), Helsinki 24-29 Aug. 1987 (3 vol.). Helsinki 1990
KThD 1975	Heinrich FRIES/Georg SCHWAIGER (Hg.): *Katholische Theologen Deutschlands im 19. Jahrhundert* (3 tom.). München 1975
LexMA	*Lexikon des Mittelalters*. Hg. v. R.-H. BAUTIER u.a. München/Zürich 1980sqq.
MGL	(Martin GRABMANN:) *Mittelalterliches Geistesleben. Abhandlungen zur Geschichte der Scholastik und Mystik* (3 vol.). München 1926-56
MM	*Miscellanea Mediaevalia*. Hg. von P. WILPERT et al. Berlin/New York 1962sqq.
MPhFLC	(Raymond MACKEN:) *Medieval Philosophers of the Former Low Countries. Part I: Bio-Bibliography and Catalogue* (EMPhFLC). Löwen 1997
MPhPol	*Mediaevalia Philosophica Polonorum*
PhilosMA 1987	Jan Peter BECKMANN u.a. (Hg.): *Philosophie im Mittelalter. Entwicklungslinien und Paradigmen*. Fschr. Wolfgang KLUXEN zum 65. Geb. Hamburg 1987
PsychMor	(Odon LOTTIN:) *Psychologie et morale aux XIIe et XIIIe siècles* (6 tom.). Gembloux 1942-60
REncPh	Edward CRAIG (ed.): *Routledge Encyclopaedia of Philosophy*. London/New York 1998 (10 Bde., Reg.-Bd.)
SFMONC 1991	Ruedi IMBACH/Alfonso MAIERÙ (ed.): *Gli studi di filosofia medievale fra otto e novecento. Contributo a un bilancio storiografico* (SeT 123). Rom 1991 [publ. 1992]
SSGF	Giovanni SANTINELLO (ed.): *Storia delle storie generali di filosofia, I sqq.*. Padua 1981sqq.
StudMediew	*Studia Mediewistyczne*. Warschau 1960sqq.
Ueberweg/ Antike	UEBERWEG: *Grundriß der Geschichte der Philosophie*. Völlig neubearb. Ausg., hg. v. H. FLASHAR u.a.: *Die Philosophie der Antike*. Bd. I sqq. Basel/Stuttgart 1982sqq.

II. AUSWAHLVERZEICHNIS DER BENUTZTEN QUELLEN (WERKE BIS 1700)

a) Editionen von Texten des Heinrich von Gent:

aa) Nach 1900 publizierte Editionen, Nachdrucke, Microfilm- und Microfiche-Ausgaben

Summa quaestionum ordinariarum, art. 21,1 et art. 22,2 [per partes]. Ed. DANIELS, Quellenbeiträge. 1909, pp. 79-81

Sermo in festivitate sanctae Catharinae [Incipit: Hic describitur competens conditio]. Ed. HOCEDEZ, Richard de Middleton. 1925, pp. 509-517

Quodlibeta I,21, II,11 et V,35. Ed. MARTIN, Controverse sur le péché originel. 1930, pp. 4-8. 9-11. 11-12

Quodlibeta III,2 et X,7. Ed. Edgar HOCEDEZ: Quaestio de unico esse in Christo a doctoribus saeculi XIII disputata (TD.T 14). Rom 1933, pp. 29-34. 63-72

Quodlibetum IV,37. Ed. Michael GIERENS: De causalitate sacramentorum, seu de modo explicandi efficientiam sacramentorum novae legis textus scholasticorum principalium (TD.T 16). Rom 1935, pp. 91-94

Sermo in synodo [Incipit: Verbum istud proprie pertinet]. Ed. Kurt SCHLEYER: Anfänge des Gallikanismus im 13. Jahrhundert (HistSt 314). Berlin 1937, pp. 141-150

Quodlibetum XV,13. Ed. José Maria de GOICOECHEA Y VITERI, Doctrina mariana de Enrique de Gante. [Diss. Pont. Athen. Anton. 1939] Lima 1944, appendix: pp. iii-xxvii [editio mendosa iuxta Cod. Vat. lat. 853, cf. B. HECHICH, op. infra cit., p. 56 n.1]

Summa quaestionum ordinariarum. Ed. Jodocus BADIUS ASCENSIUS (2 vol.). Paris 1520 [ed. anastat. (FIP.T 5/I-II) St. Bonaventure, N.Y./Löwen/Paderborn 1953]

Quaestiones in Librum de causis. Ed. John P. ZWAENEPOEL: The „Quaestiones in Librum de causis“ Attributed to Henry of Ghent according to the Escorial Manuscript: An Unedited Text with Introduction. Diss. Manila 1959

Quodlibeta. Ed. Jodocus BADIUS ASCENSIUS (2 vol.). Paris 1518 [ed. anastat. Löwen 1961]

Quaestiones super VIII libros Physicorum, lib. III-IV. Ed. René PERRON: Les livres trois et quatre des „Quaestiones super VIII libros Physicorum“ attribues à Henri de Gand. Texte inédit et introduction. Diss. phil. Univ. Cath. Löwen 1961 (pro manuscripto) (3 vol.)

Quaestiones super VIII libros Physicorum, lib. I-II. Ed. Lucien BELLEMARE: Les „Quaestiones super VIII libros Physicorum“, attribués à Henri de Gand (ms. Erfurt, Amplon. F. 349, ff. 120va-184rb). Étude et texte des questions sur les livres I et II. Diss. phil. Univ. Cath. Löwen 1964 (pro manuscripto)

Quodlibetum I. Ed. Raymond MACKEN: Hendrik van Gent's „Quodlibet I“. Tekstkritische uitgave. Weerlegging van een mogelijke eeuwigheid der wereld. Diss. phil. Kath. Univ. Löwen 1968 (2 vol.)

Quodlibetum I, q. 7-8. Ed. Raymond MACKEN: De radicale tijdelijkheid van het schepsel volgens Hendrik van Gent. In: TFil 31 (1969), pp. (519-571) 546-570

Lectura ordinaria super sacram scripturam Henrico de Gandavo adscripta. Ed. Raymond MACKEN (AMNam 24). Löwen/Paris 1972 (xxxii,290 pp.) [ed. anastat.: Op. omn. 36; Löwen 1980]

Qdl. XII, q. 31 (per partes) [Paris, Bibl. Nat. lat. 3120, ff. 139rb-140rb = ed. HÖDL/HAVERALS (Op. omn. XVII). 1989, pp. 253-259] [Incipit: *Decima ratio talis erat*]. Ed. John MARRONE: The Absolute and the Ordained Powers of the Pope. An Unedited Text of Henry of Ghent. In: MS 36 (1974), pp. (7-27) 23-27

Quaestiones in Librum de causis. Ed. John P. ZWAENEPOEL: Les Quaestiones in Librum de causis attribuès à Henri de Gand (PhMed 15). Löwen 1974 [Rec.: F. VAN STEENBERGHEN RPhL 73 (1975), pp. 536-549]

Sermo in octava dominica post trinitatem [Incipit: *Utrumque verbum scriptum est*]. Ed. Heinrich ROOS: Eine Universitätspredigt von Heinrich von Ghent [sic]. Oxford, Merton College 237, ff. 204rb-207ra. In: CIMAGL 24 (1978), pp. 5-15

Syncategoremata [per partes]. Ed. BRAAKHUIS, De 13de eeuwse tractaten over syncategorematische termen. 1979, vol. I, pp. 340-373. 379-381

Syncategorema „Omnis homo de necessitate est animal“. Ed. BRAAKHUIS, English Tracts on Syncategorematic Terms from Robert Bacon to Walter Burley. 1981, p. 165

M. Henrici Goethals a Gandavo Doctoris Solemnis, Socii Sorbonici, Ordinis Servorum B. M. V. et Archidiaconi Tornacensis, *Aurea Quodlibeta*, hac postrema editione commentariis doctissimis illustrata M. Vitalis ZUCCOLII Patavini Ordinis Camaldulensis, Theologi Clarissimi ... Venedig 1613 [Microfilm-Edition; Bibliotheca Apostolica Vaticana s. a. (ante a. 1982)]

Quodlibetum XIII, q. 1-12. Ed. DECORTE: Avicenniserend augustinisme. 1983, vol. 2

Quodlibetum III, q. 11. Ed. Udo Reinhold JECK: Aristoteles contra Augustinum. Zur Frage nach dem Verhältnis von Zeit und Seele bei den antiken Aristoteleskommentatoren, im arabischen Aristotelismus und im 13. Jahrhundert (BSPh 21). Amsterdam/Philadelphia 1994, pp. 463-476

M. Henrici Goethals a Gandavo Ordinis Servorum B. M. V., Doctoris Solemnis, Socii Sorbonici, Archidiaconi Tornacensis *Summa*, In tres partes praecipuas digesta, Ab innumeris propemodum erroribus expurgata, Nummeris distincta, Articulorum & Quaestionum Titulis, Auctoritatum omnium Sac. Scrip. S. S. P. P. & Philosophorum locis fideliter appositis; Conclusionibus principalioribus post quamlibet Quaestionem excerptis; Amplissimo denique Indice, seu rerum omnium Medulla Aucta, Illustrata, Exornata, ac ad novam pene formam redacta, Opera, Studio, Labore A. R. P. M. Hieronymi SCARPARII, Ferrariensis Publici Sacrae Theologiae Professoris, Ac in Prov. Romandiolae Ord. Servorum Provincialis. Ferrara 1642-46 [Microfiche-Edition; Microlibrary Slangenburg Abbey: Doetinchem/NL s. a. (1995)]

Summa quaestionum ordinariarum, art. 73, q. 1-6. 8-10 [per partes]. Ed. Irène ROSIER: Henri de Gand, le 'De Dialectica' d'Augustin, et l'institution des noms divins. In: DSTFM 6 (1995 [publ. 1996]), pp. (145-253) 195-253

bb) Editionen im Rahmen der *Henrici de Gandavo Opera omnia*

Quodlibetum I. Ed. Raymond MACKEN (Op. omn. 5). Löwen/Leiden 1979

Quodlibetum II. Ed. Robert WIELOCKX (Op. omn. 6). Löwen/Leiden 1983

Quodlibetum VI. Ed. Gordon A. WILSON (Op. omn. 10). Löwen/Leiden 1987

Quodlibetum VII. Ed. Gordon A. WILSON (Op. omn. 11). Löwen/Leiden 1991

Quodlibetum IX. Ed. Raymond MACKEN (Op. omn. 13). Löwen/Leiden 1983

Quodlibetum X. Ed. Raymond MACKEN (Op. omn. 14). Löwen/Leiden 1981

Quodlibetum XII. Ed. Jos DECORTE (Op. omn. 16). Löwen/Leiden 1987

Quodlibetum XII, q.31. Edd. Marcel HAVERALS/Ludwig HÖDL. Cum introd. hist. a Ludovico HÖDL (Op. omn. 17). Löwen/Leiden 1989

Quodlibetum XIII. Ed. Jos DECORTE (Op. omn. 18). Löwen/Leiden 1985

Summa (Quaestiones ordinariae), art. XXXI-XXXIV. Ed. Raymond MACKEN. Cum introd. generali ad edit. crit. *Summae* a Ludovico HÖDL (Op. omn. 27). Löwen/Leiden 1991

Summa (Quaestiones ordinariae), art. XXXV-XL. Ed. Gordon A. WILSON (Op. omn. 28). Löwen/Leiden 1994

Summa (Quaestiones ordinariae), art. XLI-XLVI. Ed. Ludwig HÖDL (Op. omn. 29). Löwen/Leiden 1998

Lectura ordinaria super S. Scripturam Henrico de Gandavo adscripta. Ed. Raymond MACKEN (Op. omn. 36). Löwen/Leiden 1980

cc) Übersetzungen

Qdl. I,7. 9. 10 [lat.-lusitan.]. In: HENRIQUE DE GAND: Sobre a metafísica do ser no tempo. Trad., intr. et not. por M. S. de CARVALHO. Pref. R. MACKEN (Ediçoes 70). Lissabon 1996 (175 pp.)

Qdl. I,9 Macken 47-62 [lusitan.]. In: Mario A. Santiago de CARVALHO: Sentido e alcance do pensamiento de Henrique de Gand. Explicação da nona questão do Quodlibet I: A relação essência/existência. In: Mediaevalia. Textos e Estudios 3 (1993), pp. (161-205) 193-205

HENRY OF GHENT: *Quodlibetal Questions on Free Will.* Translated from the Latin with an Introduction and Notes by Roland J. TESKE (Medieval Philosophical Texts in Translation 32). Milwaukee, Wi. 1993

Qdl. XIII,3 Decorte 14-19 [lusitan.]. In: Mario A. Santiago de CARVALHO: Noção, medição e possibilidade do vácuo segundo Henrique de Gand (tradução do seu Quodlibet XIII, q. 3). In: Revista Filosófica de Coimbra 2 (1992), pp. 359-385

Summa 22,4 Badius 132vI-134rZ [angl.]. In: John F. WIPPEL/Allan B. WOLTER: Medieval Philosophy: From St. Augustine to Nicholas of Cusa. New York/London 1969, pp. 378-389

Summa 28,4 Badius 167vS-168vZ [angl.]. In: F. A. CUNNINGHAM: Some Presuppositions in Henry of Ghent. In: Pens. 25 (1969), pp. (103-143) 138-143.

b) Editionen übriger Autoren (bis 1700):

AEGIDIUS ROMANUS: *Apologia.* Ed. et comm. Robert WIELOCKX (Op. omn. III/1). Florenz 1985 (xv,291 pp.), pp. 49-59

-: *In primum librum Sententiarum.* Ed. Augustinus MONTIFALCONIUS. Venedig 1521 (ed. anastat. Frankfurt a.M. 1968)

-: *In I Sent., dist. 3, q. 2-3.* Ed. DANIELS, Quellenbeiträge. 1909, pp. 72-75. 76-78

-: *In secundum librum Sententiarum.* Venedig 1581 (ed. anastat. Frankfurt a.M. 1968)

-: *In tertium librum Sententiarum.* Rom 1623 (ed. anastat. Frankfurt a.M. 1968)

-: *Quodlibeta.* Löwen 1687 (ed. anastat. Frankfurt a.M. 1966)

-: *Theoremata de esse et essentia.* Texte précédé d'une introd. hist. et crit. Ed. Edgar HOCEDEZ (ML.P 12). Löwen 1930

ALBERTUS MAGNUS: *Opera omnia.* Ed. Augustin BORGNET. Paris 1890-1899

-: *Opera omnia.* Editio Coloniensis. Münster i.W. 1951sqq.

ALEXANDER DE HALES: *Glossa in IV libros Sententiarum.* Edd. Patres Collegii S. Bonaventurae (BFS 12-15). Quaracchi/Florenz 1951-57

-: *Quaestiones disputatae 'antequam esset frater'.* Edd. Patres Collegii S. Bonaventurae (BFS 19-21). Quaracchi/Florenz 1960

-: *Summa theologiae* [rectius: *Summa fratris Alexandri*]. Edd. Patres Collegii S. Bonaventurae (4 vol. textus; prolegomena; index). Quaracchi 1924-74

[ANONYMUS (FRANCISCANUS)] *Utrum lux aeterna sit nobis ratio cognoscendi.* Ed. Efrem LONGPRÉ: Nuovi documenti per la storia dell'agostinismo francescano. In: Studi Francescani 20 (1923), pp. 314-351

ANSELMUS CANTUARIENSIS: *Opera omnia.* Ed. Franciscus Salesius SCHMITT. Seckau/Rom /Edinburgh 1938-61 (ed. anastat. Stuttgart-Bad Cannstatt 1968)

ARISTOTELES: *Analytica Priora et Posteriora.* Rec. W. David ROSS. Praef. et appendice auxit Lorenzo MINIO-PALUELLO (OCT). Oxford (1964) ²1968

-: *Analytica Posteriora. Translatio Iacobi et Gerardi.* Ed. Lorenzo MINIO-PALUELLO/Bernard G. DOD (Arist. Lat. IV/1-4). Löwen 1968

-: *Categoriae et Liber de interpretatione.* Rec. Lorenzo MINIO-PALUELLO (OCT). Oxford (1946) ²1950

-: *De anima.* Rec. W. David ROSS (OCT). Oxford 1956

-: *De anima. Translatio Iacobi.* In: ALBERTUS MAGNUS: De anima. Ed. Clemens STROICK (Op. omn. Ed. Colon. 8/1). Münster i.W. 1968
-: [*De anima*] *Über die Seele.* Übers. v. Willy THEILER (Werke in dtsch. Übers. 13). Berlin (1959) ³1968
-: *Fragmenta selecta.* Rec. W. David ROSS (OCT). Oxford 1955
-: [*Fragmenta*] *Librorum deperditorum fragmenta.* Editio altera. Addendis instruxit fragmentorum collectionem retractavit Olof GIGON (Opera, ed. Acad. Regia Borussica, 3). Berlin/New York 1987
-: *Fragmente.* Übers. v. Paul GOHLKE (Die Lehrschriften I/2). Paderborn 1960
-: *Hauptwerke.* Ausgew., übers. u. eingel v. Wilhelm NESTLE (KTA 129). Stuttgart 1958
-: *Metaphysica.* Rec. Werner JAEGER (OCT). Oxford 1957
-: *Metaphysik.* In der Übers. v. Hermann BONITZ. Neu bearb., mit Einl. u. Komm. Hg. v. Horst SEIDL. Griech. Text in der Ed. v. Wilhelm CHRIST. Griech.-dtsch. (PhB 307/308). Hamburg (1978/79) 2., verb. Aufl. 1982
-: [*Physica*] *Physics.* A Revised Text with Introd. and Comm. by W. David ROSS. Oxford (1936) ²1955
-: *Physica. Translatio Vaticana.* Ed. A. MANSION (Arist. Lat. VII/2). Leiden/Löwen 1957
-: [*Physica*] *Physikvorlesung.* Übers. v. Hans WAGNER (Werke in dtsch. Übers. 11). Berlin ⁵1989
-: *Politica.* Ed. W. David ROSS (OCT). Oxford 1957
AUGUSTINUS: *Confessiones.* Ed. Luc VERHEIJEN (CCL 27). Turnholt 1981
-: *Contra Academicos.* Ed. William M. GREEN (CCL 29). Turnholt 1970, pp. 3-61
-: *Contra epistulam quam vocant Manichaei 'Fundamenti'.* Ed. Joseph ZYCHA (CSEL 25/1). Wien 1891, p. 191-248
-: *De civitate Dei.* Edd. Bernhard DOMBART/Alfons KALB (Leipzig 1929). Duas epistulas ad Firmum add. Johannes DIVJAK. Editio quinta. Darmstadt 1981
-: *De diversis quaestionibus octoginta tribus.* Ed. Almut MUTZENBECHER (CCL 44A). Turnholt 1975, pp. 1-249
-: *De Genesi ad litteram libri duodecim.* Ed. Joseph ZYCHA (CSEL 28/1). Wien 1904, pp. 3-435
-: *De libero arbitrio.* Ed. Wiliam M. GREEN (CCL 29). Turnholt 1970, pp. 211-321
-: *De moribus ecclesiae catholicae.* Ed. Johannes B. BAUER (CSEL 80). Wien 1992, pp. 1-156
-: *De ordine.* Ed. William M. GREEN (CCL 29). Turnholt 1970, pp. 87-137
-: *De natura boni.* Ed. Joseph ZYCHA (CSEL 25/2). Wien 1892, pp. 853-889
-: *De orando Deum ad Probam (Epistula 130).* In: ID., Epistulae II. Ed. A. GOLDBACHER (CSEL 44). Wien 1904, pp. 40-77
-: *De trinitate.* Ed. William J. MOUNTAIN/François GLORIE (CCL 50-50A). Turnholt 1968
-: *De vera religione.* Ed. K.-D. DAUR (CCL 32). Turnholt 1962, pp. 187-260
-: *De videndo Deum ad Probam (Epistula 147).* In: ID., Epistulae II. Ed. A. GOLDBACHER (CSEL 44). Wien 1904, pp. 274-331
-: *Soliloquia.* Ed. Wolfgang HÖRMANN (CSEL 89). Wien 1986, pp. 1-99
[AVERROES:] *Aristotelis Opera cum Averrois commentariis, latine.* Ed. Iuntina. Venedig 1562-1574 (ed. anastat. Frankfurt a.M. 1962)
-: *Commentarium Magnum in Aristotelis De anima libros.* Rec. Francis Stuart CRAWFORD (Corp. comment. Averrois in Arist. versionum lat. VI/1). Cambridge, Ma. 1953
AVICENNA: *Liber de anima, seu Sextus de naturalibus.* Ed. Simone VAN RIET (2 vol.). Löwen/Leiden 1968
-: *Liber de Philosophis prima sive scientia divina (Metaphysica).* Ed. Simone VAN RIET (3 vol.). Löwen/Leiden 1977-80
-: *Metaphysices compedium.* Ex arabo latinum reddidit et adnotationibus adornavit Nematallah CARAME. Rom 1926
BERNARDUS DE TRILIA: *Quaestiones de cognitione animae coniunctae corpori, qu. utrum prima veritas sit primum intelligibile, quod primo intelligitur ab anima coniuncta corpori* [per partes]. Ed. GRABMANN, Der göttliche Grund menschlicher Wahrheitserkenntnis. 1924, p. 75sq.

[-:] François LANG: *Bernard de Trilia et ses Quaestiones de cognitione animae coniunctae corpori. Etude et edition.* Paris: École nationale des Chartres, Thèse pro manuscripto 1950 (118 pp.); cf. *Position des thèses de l'Ecole des Chartres 1950*, pp. 69-72

-: *Quaestiones de cognitione animae coniunctae corpori, q. 8: Utrum prima veritas sit primum intelligibile, quod primo intelligitur ab anima coniuncta corpori.* Ed. GORIS, Kritik des Bernhard von Trilia. 1998, pp. 283-319.

[BIBLIA SACRA] Biblia Sacra iuxta vulgatam versionem. Adiuvantibus B. FISCHER, I. GRIBOMONT (†), H. F. D. SPARKS, W. THIELE recensuit et brevi apparatu critico instruxit Robertus WEBER (†). Editionem quartam emendatam cum sociis B. FISCHER, H. I. FREDE, H. F. D. SPARKS, W. THIELE praeparavit Roger GRYSON. Stuttgart 1994

BOETHIUS, Anicius Manlius Severinus: *Commentaria in librum Aristotelis Perihermeneias, editio secunda.* Ed. Karl MEISER (2 vol.) (BT). Leipzig 1877-80

-: [*De hebdomadibus*] *Quomodo substantiae in eo quod sint bonae sint, cum non sint substantialia bona.* In: ID., The Theological Tractates. With an English Transl. by H. F. STEWART and E. K. RAND and S. J. TESTER. The Consolation of Philosophy. With an English Transl. by S. J. TESTER (Loeb Classical Library). London 1973, pp. 38-51

-: [*De hebdomadibus*] *Quomodo substantiae in eo quod sint bonae sint, cum non sint substantialia bona.* In: ID., Die Theologischen Traktate. Lat.-dtsch. Übers., eingel. und mit Anm. vers. von Michael ELSÄSSER (PhB 397). Hamburg 1988, pp. 34-45

-: *Philosophiae consolatio.* Ed. Ludwig BIELER (CCL 94). Turnholt 1957

BONAVENTURA: *Opera omnia.* Edd. Patres Collegii S. Bonaventurae (10 vol.). Quaracchi 1882-1902

-: *Collationes in Hexaemeron* [reportatio B]. In: ID.: Collationes in Hexaemeron et Bonaventuriana quaedam selecta. Ed. Ferdinand DELORME (BFS 8). Quaracchi 1934, pp. 1-275

-: *Itinerarium mentis in Deum.* With an Introduction, Translation and Commentary by Philotheus BOEHNER (Works of Saint Bonaventure 2). St. Bonaventure, N.Y. 1956

-: [*Itinerarium mentis in Deum*] *The Journey of the Mind to God.* Transl. by Philotheus BOEHNER. Ed., with Introd. and Notes, by Stephen F. BROWN. Indianapolis/Cambridge 1993

-: [*Sermo 'Unus est magister noster Christus'*] *Le Christ maître.* Édition, traduction et commentaire du sermon universitaire 'Unus est magister noster Christus' par Goulven MADEC (Bibliothèque des Textes Philosophiques). Paris 1990 [Rec.: J. G. BOUGEROL AFH 84 (1991), pp. 523-525]

-: *Sermo 'Unus est magister noster Christus'*, dominica XXII. post Pentecosten. In: S. BONAVENTURE: Sermons de diversis. Nouvelle édition critique par Jacques Guy BOUGEROL. Paris 1993, tom. I, pp. 403-420

CICERO, M. Tullius: *De finibus bonorum et malorum.* Ed. Theodor SCHICHE (BT). Leipzig 1915

-: *De natura deorum.* Edd. Otto PLASBERG/Wolfram AX (BT). Leipzig ²1933

-: *De natura deorum libri.* Ed. and comm. by Arthur Stanley PEASE. Cambridge, Mass. 1955-58 (ed. anastat. Darmstadt 1968)

DAVID DE DINANTO: *Quaternulorum fragmenta.* Ed. Marian KURDZIALEK. In: StudMediew 3 (1963), pp. 1-94

DIONYSIUS AREOPAGITA [medii aevi translationes latinae]: *Dionysiaca.* Ed. Philippe CHEVALLIER (2 tom.). Paris 1937

ECKHARDUS: *Deutsche Werke.* Hg. im Auftrag der Deutschen Forschungsgemeinschaft v. Karl CHRIST u.a. Stuttgart 1936sqq.

-: *Lateinische Werke.* Hg. im Auftrag der Deutschen Forschungsgemeinschaft v. Bruno DECKER u.a. Stuttgart 1936sqq.

-: *Werke.* Texte und Übers. v. Ernst BENZ u.a. Hg. u. komm. v. Nikolaus LARGIER (Bibl. dtsch. Klassiker 91-92). Frankfurt a.M. 1993 (2 Bde.)

[EPICURUS:] *Epicurea.* Ed. Hermann USENER. Leipzig 1887

-: *Epistulae tres. Ratae sententae. Gnomologium Vaticanum.* Ed. Peter VON DER MÜHLL (BT). Leipzig 1922

-: *Von der Überwindung der Furcht. Katechismus - Lehrbriefe - Spruchsammlung - Fragmente.* Eingel. u. übertr. v. Olof GIGON (BAW). Zürich 1983

FERRARIUS CATALANUS [IACOBITA]: *Quodlibetum.* Ed. Laureano ROBLES: Ferrarius Catalanus, O.P. Sucesor de Tomás de Aquino (Quodlibeto inédito). In: Escritos de Vedat 4 (1974), pp. (425-478) 441-478

GERARDUS DE ABBATISVILLA: *Quodlibeta* [per partes] [a. 1262-72]. In: PATTIN, Pour l'histoire du sens agent. 1988, pp. 3-122

-: *Quaestiones de cognitione.* In: PATTIN, Pour l'histoire du sens agent. 1988, pp. 123-372

GERSON, Ioannes: *Oeuvres complètes.* Ed. Palèmon GLORIEUX (10 tom.). Paris 1960-1973

GODEFRIDUS DE FONTIBUS: *Quaestiones ordinariae tres.* In: GODEFR. DE FONT., Quodlibeta XV. Ed. Odon LOTTIN (PhBelg 14). Löwen 1937, pp. 77-138

-: *Quodlibeta I-IV.* Ed. Maurice DE WULF/August PELZER (PhBelg 2). Löwen 1904

-: *Quodlibeta V-VII.* Ed. Maurice DE WULF/Jean HOFFMANS (PhBelg 3). Löwen 1914

-: *Quodlibeta VIII-X.* Ed. Jean HOFFMANS (PhBelg 4). Löwen 1924

-: *Quodlibeta XI-XIV.* Ed. Jean HOFFMANS (PhBelg 5). Löwen 1932

-: *Quodlibetum XV.* Ed. Odon LOTTIN (PhBelg 14). Löwen 1937, pp. 1-76

GUALTERIUS DE BRUGIS: [*In I Sent., dist. 1, qq. 1-3; dist. 2, qq. 1-3; dist. 8, q. 5* (a. 1261-65)] Questions inédites du commentaire sur les sentences. Ed. Efrem LONGPRÉ. In: AHDL 7 (1933), pp. 251-275

GUIBERTUS TORNACENSIS/DE TORNACO: *Rudimentum doctrinae, pars I, tract. 2, sect. B, cap. 2.* Ed. Servus GIEBEN. In: Camille BÉRUBÉ/Servus GIEBEN: Guibert de Tournai et Robert Grosseteste, sources inconnues de la doctrine de l'illumination. In: S. Bonaventura 1274-1974. Grottaferrata 1974 (5 vol.), vol. II, pp. (627-654) 643-647

-: *Rudimentum doctrinae, pars I, tract. 3, cap. 2-3.* Ed. Servus GIEBEN. In: Camille BÉRUBÉ/ Servus GIEBEN: Guibert de Tournai et Robert Grosseteste, sources inconnues de la doctrine de l'illumination. In: S. Bonaventura 1274-1974. Grottaferrata 1974 (5 vol.), vol. II, pp. (627-654) 647-654

GUIDO TERRENA: [*Qdl. III, 7,3: Utrum ibi* (sc. *in cognitione creaturae*) *Deus requiratur ut ratio illustrans*] [per partes]. Ed. GRABMANN, Der göttliche Grund menschlicher Wahrheitserkenntnis. 1924, pp. 79-82 [sec. Cod. Vat. Borgh. 39, fol. 143v-146v]

GUILLEMUS DE ALVERNIA [PARISIENSIS]: *Opera omnia* (2 vol.). Paris 1674 (ed. anastat. Frankfurt a.M. 1963)

GUILLELMUS ALTISSIDORENSIS: *Summa aurea.* Ed. Jean RIBALLIER (SpicBonav 16-20). Grottaferrata/Rom 1980-87

GUILLELMUS DE LA MARE: *Scriptum in I^um librum Sententiarum.* Hg. v. Hans KRAML (VKHUT 15). München 1989

GUILLELMUS DE OCKHAM: *Scriptum in librum primum Sententiarum. Ordinatio.* Ed. St. F. BROWN/Girard I. ETZKORN/Gedeon GÁL/Francis E. KELLEY (Opera Theologica I-IV). St. Bonaventure, N.Y. 1967-79

GUILLELMUS DE WARRIA [WARE]: *Quaestiones super libros Sententiarum, q. 14: Utrum Deus sit.* Ed. DANIELS, Quellenbeiträge. 1909, pp. 89-97

-: *Quaestiones super libros Sententiarum, q. 21: Utrum Deum esse per se sit notum.* Ed. DANIELS, Quellenbeiträge. 1909, pp. 98-104

HERVAEUS NATALIS: *De quattuor materiis: Determinatio de intellectu et specie.* Ed. STELLA: La prima critica di Hervaeus Natalis. 1959, pp. 141-168

-: *Quodlibeta et tractatus.* Ed. Marcantonio ZIMARA. Venedig 1513 (ed. anastat. Ridgewood, N.J. 1966)

IOANNES BACON[THORPE]: *Quaestiones in quatuor libros Sententiarum, et Quodlibetales.* Ed. Ioannes Chrysostomus MARASCA (2 tom.). Cremona 1618 (ed. anastat. Farnborough 1969)

IOANNES DAMASCENUS: *De fide orthodoxa* [BURGUNDIONIS versio]. In: ID.: De fide orthodoxa. Versions of BURGUNDIO and CERBANUS. Ed. Eligius M. BUYTAERT (FIP.T 8). St. Bonaventure, N.Y./Löwen/Paderborn 1955, pp. 3-386

-: *Dialectica. Versio Roberti Grosseteste.* Ed. Owen A. COLLIGAN (FIP.T 6). St. Bonaventure, N.Y./Löwen/Paderborn 1953
IOANNES PECKHAM: *In I Sent., dist. 2, q. 1, quaesitum 1-2.* Ed. DANIELS, Quellenbeiträge. 1909, pp. 41-50
-: *In I Sent., dist. 17.* In: Hieronymus SPETTMANN (ed.): Johannis Pechami Quaestiones tractantes de anima (BGPhMA 19/5-6). Münster i.W. 1918, pp. 213sq. 214-216
IOANNES PICUS MIRANDULANUS: *Opera omnia.* Basel 1557 (ed. anastat. Hildesheim 1969)
-: *Conclusiones sive Theses DCCCC Romae anno 1486 publice disputandae, sed non admissae.* Texte établi d'après le MS. d'Erlangen (E) et l'editio princeps (P), collationné avec les manuscrits de Vienne (V et W) et de Munich (M), avec introduction et les annotations critiques par Bohdan KIESZKOWSKI. Genf 1973
-: *Oratio de hominis dignitate. Rede über die Würde des Menschen.* Lat.-dtsch. Auf der Textgrundlage der Editio princeps hg. und übers. v. Gert VON DER GÖNNA (Reclam UB 9658). Stuttgart 1990
PETRUS AUREOLUS: *Scriptum super I Sententiarum* [*prologus; dist. 1-8*]. Ed. Eligius M. BUYTAERT (FIP.T 3/1-2). St. Bonaventure, N.Y. 1952/1956
PETRUS IOANNIS OLIVI: *Quaestiones in II librum Sententiarum.* Ed. Bernhard JANSEN (BFS 4-6). Quaracchi 1922-26
-: *Quaestiones de Deo cognoscendo.* In: ID.: Quaestiones in II librum Sententiarum. Vol. III: Quaestiones 72-118. Ed. Bernhard JANSEN (BFS 6). Quaracchi 1926, pp. 455-554
PETRUS DE TARANTASIA: *In IV libros Sententiarum commentaria.* Toulouse 1649-52 (ed. anastat. Farnborough 1964)
PETRUS DE TRABIBUS: *In primum Sententiarum commentum* [per partes]. Ed. Antonio DI NOTO: La théologie naturelle de Pierre de Trabibus, OFM. Choix de Questions du Ier Livre de Sentences (Ms 154 de la Bibliothèque Communale d'Assise) (Pubbl. dell'Ist. Univ. di Magisterio di Catania. Ser. filos. 45). Padua 1963, pp. 47-187
PICO DELLA MIRANDOLA, Giovanni: cf. IOANNES PICUS MIRANDULANUS
PLATO: *Opera.* Rec. John BURNET (OCT). Oxford 1900-1907
PROCLUS: *Elementatio theologica, translata a Guillelmo de Moerbeke.* Ed. Helmut BOESE (AMPh.DWMC I/5). Löwen 1987
RICHARDUS FISHACRE, *In I Sent., dist. 3* [per partes]. Ed. DANIELS, Quellenbeiträge. 1909, pp. 21-24
RICHARDUS DE MEDIAVILLA: *Quaestio disputata* [*13*]*: Utrum angelus vel homo naturaliter intelligat verum creatum in veritate aeterna.* In: De humanae cognitionis ratione anecdota quaedam seraphici doctoris S. Bonaventurae et nonnullorum ipsius discipulorum. Edd. Patres Collegii a S. Bonaventura. Quaracchi 1883, pp. 221-245
-: *Quaestio disputata [13]: Utrum angelus vel homo ...* [transl. germ., per partes]. In: Hieronymus SPETTMANN (Hg.): Die Erkenntnislehre der mittelalterlichen Franziskanerschulen von Bonaventura bis Skotus. Texte, verdeutscht u. hg. (Ferdinand Schöninghs Sammlung philosophischer Lesestoffe, Bd. 6). Paderborn 1925, pp. 66-79
-: *Sermo in die festo S. Catharinae, 1281: 'In istis verbis commendatur'.* Ed. HOCEDEZ: Richard de Middleton. 1925, pp. 490-495
-: *Super IV libros Sententiarum.* Brescia 1591 (ed. anastat. Frankfurt a.M. 1963)
-: *In Sent. I, dist. 3, q. 1, a. 2-3.* Ed. DANIELS, Quellenbeiträge. 1909, pp. 84-86. 86-88
RICHARDUS DE SANCTO VICTORE: *De trinitate.* Ed. Jean RIBAILLIER (TPMA 6). Paris 1958
ROBERTUS KILWARDBY: *Quaestiones in librum I Sententiarum.* Hg. v. Johannes SCHNEIDER (VKHUT 13). München 1986
[ROBERTUS DE ORFORD:] *Correctorium corruptorii 'Sciendum'.* Ed. Palémon GLORIEUX (BiblThom 31). Paris 1956
SENECA, Lucius Annaeus: *Ad Lucilium Epistulae morales libri I-XX.* Ed. Leighton Durham REYNOLDS (2 vol.) (OCT). Oxford 1965
-: *Naturalium quaestionum libri VIII.* Ed. H. M. HINE (BT). Leipzig 1996

STEPHANUS TEMPIER: *Articuli 219 condemnati, 1277.* In: Roland HISSETTE: Enquête sur les 219 articles condamnés à Paris le 7 mars 1277 (PhMed 22). Löwen/Paris 1977
SUÁREZ, Franciscus: *Disputationes Metaphysicae* (1597). In: ID.: Opera omnia, ed. M. ANDRÉ/ C. BERTON. Paris 1856-78, tom. XXV - XXVI (= ed. anastat. Hildesheim 1965 [2 vol.])
SUMMA FRATRIS HALENSIS: vid. ALEX. DE HALES
THEODORICUS THEUTONICUS [DE VRIBERCH]: *De visione beatifica.* Ed. Burkhard MOJSISCH. In: DIETRICH VON FREIBERG: Schriften zur Intellekttheorie (Op. omn. 1). Mit einer Einl. v. Kurt FLASCH. Hg. v. Burkhard MOJSISCH (CPhTMA I,1). Hamburg 1977, pp. 7-124
-: *De intellectu et intelligibili.* Ed. Burkhard MOJSISCH. In: DIETRICH VON FREIBERG: Schriften zur Intellekttheorie (Op. omn. 1). Mit einer Einl. v. Kurt FLASCH. Hg. v. Burkhard MOJSISCH (CPhTMA I,1). Hamburg 1977, pp. 131-210
THOMAS AQUINAS: *Opera omnia.* Editio Leonina 1sqq. Rom[/Paris] 1882sqq.
-: *De differentia Verbi divini et humani.* In: ID.: Opuscula philosophica. Ed. Raimundo M. SPIAZZI. Turin/Rom 1954, p. 101sq.
-: [*De ente et essentia*] Über Seiendes und Wesenheit. Lat. - Dtsch. Mit Einleitung, Übersetzung u. Kommentar hg. v. Horst SEIDL (PhB 415). Hamburg 1988
-: [*De ente et essentia*] L'ente e l'essenza. Introd., trad., note e apparati di Pasquale PORRO. Con un appendice sul Commento des Gaetano sul De ente et essentia. Testo latino a fronte. Mailand 1995
-: *De natura verbi intellectus.* In: ID.: Opuscula philosophica. Ed. Raimundo M. SPIAZZI. Turin/Rom 1954, pp. 93-97
-: *In duodecim libros Metaphysicorum Aristotelis expositio.* Ed. Raymundo M. SPIAZZI. Turin/Rom 1964
-: *In librum beati Dionysi De divinis nominibus expositio.* Ed. Ceslaus PERA. Turin/Rom 1950
-: *In Librum de Causis expositio.* Ed. Ceslaus PERA. Turin/Rom 1955
-: *In octo libros Physicorum Aristotelis expositio.* Ed. M. MAGGIÒLO. Turin/Rom 1954
-: *Opuscula philosophica.* Ed. Raymundo M. SPIAZZI. Turin/Rom 1954
-: *Opuscula theologica, vol. I: De re dogmatica et morali.* Ed. Raymundo A. VERARDO. Turin/Rom (1954) ²1975
-: *Opuscula theologica, vol. II: De re spirituali.* Ed. Raymundo M. SPIAZZI. Turin/Rom (1954) ²1972
-: *Prologe zu den Aristoteles-Kommentaren.* Hg., übers. und eingel. v. Francis CHENEVAL und Ruedi IMBACH (Klostermann Texte Philosophie). Frankfurt a.M. 1993
-: *Quaestiones disputatae de potentia.* Ed. Paulus M. PESSON. In: THOM. DE AQU.: Quaestiones disputatae, tom. II. Edd. P. BAZZI et al. Turin/Rom ⁹1949, pp. 7-276
-: *Quaestiones disputatae de spiritualibus creaturis.* Ed. M. CALCATERRA/T. S. CENTI. In: THOM. DE AQU.: Quaestiones disputatae, tom. II. Edd. P. BAZZI et al. Turin/Rom ⁹1949, pp. 367-415
-: *Quaestiones disputatae de virtutibus in communi.* Ed. A. ODETTO. In: THOM. DE AQU.: Quaestiones disputatae, tom. II. Edd. P. BAZZI et al. Turin/Rom ⁹1949, pp. 707-751
-: [*Summa contra gentiles*] *Liber de veritate catholicae fidei contra errores infidelium, seu Summa contra gentiles.* Textus Leoninus diligenter recognitus. Ed. Ceslaus PERA collab. Petro MARC et Petro CARAMELLO (2 vol.). Turin/Rom 1961
-: [*Summa contra gentiles I, cap. 10-13. 15*] *Die Gottesbeweise in der "Summe gegen die Heiden" und der "Summe der Theologie".* Text mit Übers., Einl. u. Komm. von Horst SEIDL (PhB 330). Hamburg (1982) ²1986, pp. 1-37
-: *Summa theologiae.* Editio Paulina. Rom (1964) ²1988
-: [*Summa theol. I, q. 2, a. 1-3*] *Die Gottesbeweise in der "Summe gegen die Heiden" und der "Summe der Theologie".* Text mit Übers., Einl. u. Komm. von Horst SEIDL (PhB 330). Hamburg (1982) ²1986, pp. 40-59
-: *Super Evangelium S. Ioannis lectura.* Ed. Raffaele CAI. Turin/Rom 1952

[ULRICUS ENGELBERTI DE ARGENTINA:] ULRICH VON STRASSBURG: *De summo bono. Liber I.* Ed. Burkhard MOJSISCH. Mit einer Einl. v. Alain de LIBERA u. Burkhard MOJSISCH u. mit einem Anh. zur Einl. v. Ruedi IMBACH (CPhTMA I/1). Hamburg 1989, pp. 3-63

III. AUSWAHLVERZEICHNIS DER BENUTZTEN SPEZIALLITERATUR

Sofern nicht schon durch den Publikationstitel evident, wird Spezialliteratur zu Heinrich von Gent ggf. durch entsprechende Seiten- bzw. Indexverweise kenntlich gemacht.

AERTSEN, Jan Adriaan: *Der wissenschaftstheoretische Ort der Gottesbeweise in der Summa theologiae des Thomas von Aquin.* In: E. P. BOS (Hg.): Medieval Semantics and Metaphysics. Studies dedicated to L. M. DE RIJK ... on the Occasion of His 60th Birthday (Artistarium, Suppl. 2). Nijmwegen 1985, pp. 161-193

-: *Method and Metaphysics. The via resolutionis in Thomas Aquinas.* In: New Scholasticism 63 (1989), pp. 405-418 = KSMPh III. 1990, pp. 3-12

-: *The Medieval Doctrine of the Transcendentals. The Current State of Research.* In: BPhMed 33 (1991), p. (130-147) 135

-: *Transcendental Thought in Henry of Ghent.* In: Henry of Ghent. Proceedings. 1996, pp. 1-18

-: *Medieval Philosophy and the Transcendentals. The Case of Thomas Aquinas* (STGMA 52). Leiden 1996 (x,468 pp.), cf. p. 198sq.

ALFARO, Juan: *Lo natural y lo sobrenatural. Estudio historico desde santo Tomas hasta Cayetano (1274-1534).* Matriti 1952 (422 pp.), ad indicem s.v., cf. pp. 363-371

-: *La dimension trascendental en el conocimiento humano de Dios segun S. Tomas.* In: Greg. 55 (1974), pp. 639-675

ANDRESEN, Carl: *Justin und der mittlere Platonismus* [= ZNW 44 (1952/53), pp. 157-195]. In: Clemens ZINTZEN (Hg.): Der Mittelplatonismus (WdF 70). Darmstadt 1981, pp. 319-368

ASHWORTH, E. Jennifer: *„Can I Speak more clearly than I Understand?" A Problem of Religious Language in Henry of Ghent, Duns Scotus and Ockham.* In: Historiographia Linguistica 7 (1980), pp. 29-38

AUER, Johann: *Die menschliche Willensfreiheit im Lehrsystem des Thomas von Aquin und Johannes Duns Scotus.* München 1938 (xii,307 pp.), cf. pp. 14. 98sq. 129. 136. 155sq. 181. 200. 213sq. 220-222. 237. 258. 261. 263sq. 270

-: *Die Entwicklung der Gnadenlehre in der Hochscholastik. Erster Teil: Das Wesen der Gnade* (FThSt 62). Freiburg i.Br. 1942 (xv,362 pp.), ad indicem s.v.

-: *Die Entwicklung der Gnadenlehre in der Hochscholastik. Zweiter Teil: Das Wirken der Gnade* (FThSt 64). Freiburg i.Br. 1951 (xi, 266 pp.), ad indicem s.v.

-: *Gott - Der Eine und Dreieine* (KKD II). Regensburg 1978 (600 pp.), cf. p. 322

-: *Die Welt - Gottes Schöpfung* (KKD III). Regensburg (1975) [2]1983 (604 pp.), cf. p. 134

-: *Jesus Christus - Gottes und Mariä Sohn* (KKD IV/1). Regensburg 1986 (443 pp.), cf. pp. 146sq. 254

-: *Das Evangelium der Gnade. Die neue Heilsordnung durch die Gnade Christi in seiner Kirche* (KKD V). Regensburg (1970) [2]1972 (271 pp.), cf. p. 146

-: *Die Sakramente der Kirche* (KKD VII). Regensburg 1972 (383 pp.), cf. pp. 167. 171

BAEUMKER, Clemens: *Jahresbericht über die abendländische Philosophie im Mittelalter.* In: AGPh 5 (1891), pp. (113-138. 557-577) 130-132

-: *Bericht über die abendländische Philosophie im Mittelalter. 1891-1896.* In: AGPh 10 (1897), pp. (247-289) 285-289 [*Rec.:* DE WULF, Philos. scol. Pays-Bas].

BALTES, Matthias: *Gott, Welt, Mensch in der Consolatio philosophiae des Boethius. Die Consolatio philosophiae als ein Dokument platonischer und neuplatonischer Philosophie.* In: VigChr 34 (1980), pp. 313-340

BANNACH, Klaus: *Die Lehre von der doppelten Macht Gottes bei Wilhelm von Ockham. Problemgeschichtliche Voraussetzungen und Bedeutung* (VIEG 75). Mainz 1975 (vii,424 pp.), cf. pp. 135-154

BARTH, Timotheus: *De tribus viis diversis existentiam divinam attingendi. Disquisitio historico-collativa inter S. Thomam, Henricum Gandavensem, Duns Scotum.* In: Anton. 18 (1943), pp. (91-117) 96-106. 116sq.

-: *Duns Scotus und die Notwendigkeit einer übernatürlichen Offenbarung. Ordinatio Prolog 1 q. 1, übers. und eingel.* In: FranzStud 40 (1958), pp. 382-404; 42 (1960), pp. 51-65

BASSLER, Wolfgang: *Die Kritik des Thomas von Aquin am ontologischen Gottesbeweis* [Diss. phil. Köln 1970 (xix,214 pp.)]. In: FranzStud 55 (1973), pp. 97-190; 56 (1974), pp. 1-26

BAUMGARTNER, Matthias: *Grundriß der Geschichte der patristischen und scholastischen Zeit.* Zehnte, vollständig neu bearb. und stark verm., mit einem Philosophen- und Literatoren-Reg. vers. Aufl. (F. Ueberwegs Grundriß der Geschichte der Philosophie II). Berlin 1915 (xvii,658,266* pp.), ad indicem s.v., cf. pp. 504. 510-514. 179*

BAYERSCHMIDT, Paul: *Die Seins- und Formmetaphysik des Heinrich von Gent in ihrer Anwendung auf die Christologie. Eine philosophie- und dogmengeschichtliche Studie* (BGPhThMA 36/3-4). Münster i.W. 1941 (xvi,348 pp.) [Rec.: cf. E. HARTMANN, PhJ 55 (1942), p. 452; ANON., BThom 7 (1943-46), nr. 1349; F. PELSTER, Gr. 27 (1946), pp. 458-462; I. BACKES, ThRv 44 (1948), col. 162-164; F. VAN STEENBERGHEN, RPhL 46 (1948), pp. 487-489]

BEHA, Helen Marie: *Matthew of Aquasparta's Theory of Cognition.* In: FrStudies 20 (1960), pp. (161-204) 193-198; 21 (1961), pp. (1-79. 383-465) 20-27. 53-61. 393-397. 415-418. 432-435. 447-451

BERNHART, Joseph: *Die philosophische Mystik des Mittelalters* (GPE III/14). München 1922 (ed. anastat. Darmstadt 1967)

BÉRUBÉ, Camille: *La connaissance de l'individuel au moyen âge.* Montréal 1964 (xii,315 pp.), cf. pp. 64-68

-: *Jean Duns Scot: Critique de l'„Avicennisme augustinisant".* In: De doctrina Ioannis Duns Scoti (StSSc 1-4). Rom 1968, vol. I, pp. 207-243

-: *Dynamisme psychologique et existence de Dieu chez Jean Duns Scot, Henri de Gand, J. Maréchal et B. Lonergan* [= Anton. 48 (1973), pp. 5-45]. In: ID.: De l'homme à Dieu selon Duns Scot, Henri de Gand et Olivi (BSC 27). Rom 1983, pp. 185-223

-: *Henri de Gand et Mathieu d'Aquasparta interprètes de S. Bonaventure.* In: NatGrac 21 (1974), pp. 131-172

-: *Noms de Dieu et presence de Guibert de Tournai, Anselme et Denys chez Saint Bonaventure* [= CFr 46 (1976), pp. 5-61]. In: ID.: De la philosophie à la sagesse chez Saint Bonaventure et Roger Bacon (BSC 26). Rom 1976, pp. (201-257) 201-204. 208-210. 213. 216sq. 232

-: *Olivi, critique de Bonaventure et d'Henri de Gand* [= R. St .ALMAGNO (ed.): Studies Honoring Charles Ignatius BRADY (FIP.Th 6). St.Bonaventure, N.Y. 1976, pp. 57-121]. In: ID.: De l'homme à Dieu selon Duns Scot, Henri de Gand et Olivi (BSC 27). Rom 1983, pp. 19-79

-: *De l'être à Dieu chez Jean Duns Scot.* In: Regnum Hominis er Regnum Dei, vol. I (StSSc 6). Rom 1978, pp. (47-70) 48sq. 53. 55-57. 59. 61. 63. 66. 68

-: *Le dialogue de Duns Scot et d'Eckhart à Paris en 1302.* In: CFr 55 (1985), pp. (323-350) 329-335. 337. 339. 341sq. 345-347

-: *Univocité de l'étant et histoire de la philosophie selon R. Schönberger, O. Boulnois et V. Richter.* In: CFr 59 (1989), pp. (109-155) 110-114. 121-127

BÉRUBÉ, Camille/GIEBEN, Servus (ed.): *Guibert de Tournai et Robert Grosseteste, sources inconnues de la doctrine de l'illumination.* In: S. Bonaventura 1274-1974. Grottaferrata 1973-74 (5 vol.), vol. II, p. (627-654) 638sq.

BETTONI, Efrem: *Il problema della conoscibilità di Dio nella scuola francescana (Alessandro d'Hales, S. Bonaventura, Duns Scoto)* (Il pensiero medievale 1). Padua 1950 (410 pp.), ad indicem s.v. [Rec.: T. BARTH FranzStud 33 (1951), pp. 348-384]

-: *Il processo astrattivo nella concezione di Enrico di Gand* (PUCSC N.S. 47). Mailand 1954 (92 pp.) [Rec.: cf. BThom 9 (1954-56), nr. 1810; T. BARTH FranzStud 38 (1956), pp. 86-88]

-: *Le dottrine filosofiche di Pier di Giovanni Olivi* (PUCSC N.S. 73). Mailand 1960 (534 pp.), ad indicem s.v.

BEUMER, Johannes: *Theologische und mystische Erkenntnis. Eine Studie im Anschluß an Heinrich von Gent, Dionysius den Kartäuser und Josephus a Spiritu Sancto.* In: ZAM 16 (1941), pp. (62-78) 63-66. 76

-: *Heilige Schrift und kirchliche Lehrautorität.* In: Schol. 25 (1950), pp. (40-72) 51-53

-: *Theologie als Glaubensverständnis.* Würzburg 1953 (251 pp.), cf. pp. 105-110

-: *Erleuchteter Glaube. Die Theorie Heinrichs von Gent und ihr Fortleben in der Spätscholastik.* In: FranzStud 37 (1955), pp. 129-160

-: *Die Stellung Heinrichs von Gent zum theologischen Studium der Frau.* In: Schol. 32 (1957), pp. 81-85

-: *Die mündliche Überlieferung als Glaubensquelle* (HDG I/4). Freiburg/Basel/Wien 1962 (138 pp.), cf. pp. 58-61

-: *Die theologische Methode* (HDG I/6), Freiburg/Basel/Wien 1972 (136 pp.), cf. p. 76sq.

BOESE, Helmut: *Wilhelm von Moerbeke als Übersetzer der Stoicheiosis theologike des Proclus* (AHAW.PH 1985/Abh. 5). Heidelberg 1985 (164 pp.)

BORAK, Adrianus: *Aspectus fundamentales Platonismi in doctrina Duns Scoti.* In: De doctrina Ioannis Duns Scoti (StSSc 1-4). Rom 1968, vol. I, pp. 113-138

BOULNOIS, Olivier: *Jean Duns Scot. Sur la connaissance de Dieu et l'univocité de l'étant. Ord. I, dist. 3, 1re partie. Introduction, traduction et commentaire* (Épiméthée. Essais philosophiques). Paris 1988 (496 pp.), ad indicem s.v.

-: *Analogie et univocité selon Duns Scot: la double destruction.* In: Les Études Philosophiques 1989, pp. 347-369

- (ed.): *Une question disputée sur l'abstraction d'un concept univoque (Ms. Vatican Lat. 4871).* In: AHDLMA 60 (1993), pp. (293-331) 293-295. 297. 299-301. 303. 306

-: *Représentation et noms divins selon Duns Scot.* In: DSTFM 6 (1995 [publ. 1996]), pp. (255-280) 255-259. 261. 265. 267sq. 272. 274-276

-: *Duns Scot, théoricien de l'analogie de l'être.* In: JDSME 1996, pp. (293-315) 299. 304-309. 315

BOURGEOIS, Robert: *La théorie de la connaissance intellectuelle chez Henri de Gand.* In: RevPhil 36 (1936), pp. 238-259

-: *Une métaphysique de l'intelligence. La doctrine d'Henri de Gand selon J. Paulus.* In: RevPhil 39 (1939), pp. 143-157

BRAAKHUIS, Henricus Antonius Giovanni: *De 13de eeuwse tractaten over syncategorematische termen: inleidende studie en uitgave van Nicolas von Parijs' Sincategoreumata* [Diss. Doct. Wijsbegeerte, Rijksuniversiteit van Leiden] (2 vol.), Meppel/Leiden 1979 (ix,517 pp.), cf. vol. I, pp. 340-373. 379-381

-: *English Tracts on Syncategorematic Terms from Robert Bacon to Walter Burley.* In: H. A. G. BRAAKHUIS et al. (ed.): English Logic and Semantics. From the End of the Twelfth Century to the Time of Ockham and Burleigh (Artistarium, Suppl. 1). Nijmwegen 1981, pp. (131-165) 140. 142. 165

BRANCHESI, Pacifio Maria: *Edizioni de secolo XVII (1601-1700).* In: ID.: Bibliografia dell'Ordine dei Servi III (Bibliotheca Servorum Romandiolae 6). Bologna 1973, pp. 17-454, ad indicem (p. 549) s.v. „Goethals, Enrico di Gand"

BRAUN, Raphael: *Die Erkenntnislehre Heinrichs von Gent.* Diss. phil. Freiburg/ Schw. 1916 (109 pp.) [Rec.: F. SASSEN Kath(L) 153 (1918), pp. 20-40]

BROWN, Jerome Vincent: *Divine Illumination and the Theory of Knowledge in the Philosophy of Henry of Ghent.* Diss. phil. Ottawa 1969 (xi,288 pp.); cf. Diss. Abstr. 31A (1970/71), nr. 4212 [Rec.: H. BASCOUR, BThAM 11 (1970-75), nr. 965, p. 295sq.]
-: *Sensation in Henry of Ghent: A Late Medieval Aristotelican-Augustinian Synthesis.* In: AGPh 53 (1971), pp. 238-266
-: *Henry of Ghent on Internal Sensation.* In: JHPh 10 (1972), pp. 15-28
-: *Abstraction and the Object of the Human Intellect according to Henry of Ghent.* In: Viv. 11 (1973), pp. 80-104
-: *Divine Illumination in Henry of Ghent.* In: RThAM 41 (1974), pp. 177-199
-: *Intellect and Knowing in Henry of Ghent.* In: TFil 37 (1975), pp. 490-512. 692-710
-: *John Duns Scotus on Henry of Ghent's Arguments for Divine Illumination: The Statement of the Case.* In: Viv. 14 (1976), pp. 94-113
-: *John Duns Scotus on Henry of Ghent's Theory of Knowledge.* In: MSM 56 (1978), pp. 1-29
-: *Henry of Ghent: A New Edition of His Writings is in Progress.* In: Canadian Journal of Netherlands Studies 1 (1980), pp.286-290
-: *The Meaning of 'notitia' in Henry of Ghent.* In: MM 13/2 (1981), pp. 992-998
-: *Duns Scotus on the Possibility of Knowing Genuine Truth: the Reply to Henry of Ghent in the „Lectura prima" and in the „Ordinatio".* In: RThAM 51 (1984), pp. 136-182
-: *The Knowledge Proper to the Separated Soul: Henry of Ghent and John Duns Scotus.* In: FranzStud 66 (1984), pp. 316-334
-: *Henry's Theory of Knowledge: Henry of Ghent on Avicenna and Augustine.* In: Henry of Ghent. Proceedings. 1996, pp. 19-42
BROWN, Stephen F.: *The Unity of the Concept of Being in Peter Aureoli's Scriptum and Commentarium. With a Critical Edition of the Commentarium Text* (2 vol.). Diss. phil. Löwen 1964 (pp. 1-190. 191-431), ad indicem s.v.
-: *Avicenna and the Unity of the Concept of Being. The Interpretation of Henry of Ghent, Duns Scotus, Gerard of Bologna and Peter Aureoli.* In: FrStudies 25 (1965), pp. 117-150
-: *Richard of Conington and the Analogy of the Concept of Being.* In: FranzStud 48 (1966), p. (297-307) 298
-: *Scotus' Univocity in the Early Fourteenth Century.* In: De doctrina Ioannis Duns Scoti (StSSc 1-4). Rom 1968, vol. 4, pp. 35-40
-: *Henry of Ghent's Critique of Aquinas' Subalternation Theory and the Early Thomistic Response.* In: KSMPh III. 1990, pp. 337-345
-: *Henry of Ghent's 'De reductione artium ad theologiam'.* In: David M. GALLAGHER, Thomas Aquinas and His Legacy (Studies in Philosophy and the History of Philossophy 28). Washington, D.C. 1994, pp. 194-206
-: *Henry of Ghent.* In: Jorge GRACIA (ed.): Individuation in Scholasticism. The Later Middle Ages and the Counter-Reformation, 1150-1650. Albany, N.Y. 1994, pp. 199-223
-: *Godfrey of Fontaines and Henry of Ghent: Individuation and the Condamnations of 1277.* In: Sophie WLODEK (ed.): Société et église. Textes et discussions dans les universités d'Europe centrale pendant le moyen âge tardif (S.I.E.P.M. Recontres de Philosophie Médiévale 4). Turnholt 1995, pp. (193-207) 193. 197-201. 206
-: *L'unité du concept d'être au début du quatorzième siècle.* In: JDSME 1996, pp. (327-344) 328-331. 33. 336. 338sq. 343
BRUGGER, Walter: *Summe einer philosophischen Gotteslehre.* München 1979 (583 pp.)
CANNIZO, Giuseppina: *La dottrina del 'verbum mentis' in Enrico di Gand.* In: RFNS 54 (1962), pp. 243-266
CARVALHO, Mario A. Santiago de: *Henrique de Gand († 1293). A propósito da edicão dos seus 'Opera Omnia'.* In: Humanística e teologia 12 (1991), pp. 1-26
-: *Recentes volumes dos 'Henrici de Gandavo Opera Omnia'.* In: Humanistica e Teologia 13 (1992), pp. 87-96
-: *Nótulas para uma Bibliografia Gandavense.* In: Humanistica e Teologia 14 (1993), pp. 75-85

-: *Henrique de Gand, 1293-1993.* In: Mediaevalia. Textos e Estudios 3 (1993), pp. 9-23
-: *Sentido e alcance do pensamiento de Henrique de Gand. Explicação da nona questão do Quodlibet I: A relação essência/existência.* In: Mediaevalia. Textos e Estudios 3 (1993), pp. 161-205
[-/MEIRINHOS, José Francisco P.:] *Henrique de Gand. Bibliografia.* In: Mediaevalia. Textos e Estudios 3 (1993), pp. 213-235
-: *Para um outro modelo de investigação das relações entre razão e fé no século XIII.* In: Itinerarium 41 (1995), pp. 19-44
CATTO, J. I.: *Theology and Theologians 1220-1320.* In: J. T. CATTO (ed.): The Early Oxford Schools (T. H. ASTON [ed.]: The History of the University of Oxford, vol. I). Oxford 1984, pp. (471-517) 471. 498. 501sq. 504sq. 507-510. 512sq.
CHATILLON, Jean: *De Guillaume d'Auxerre à saint Thomas d'Aquin. L'argument de saint Anselme chez les premiers scolastiques du XIIIe siècle.* In: Spicilegium Beccense I. Congrès international du IXe centenaire de l'arrivée d'Anselme au Bec. Paris 1959, pp. 209-232
COLISH, Marcia L.: *Peter Lombard* (Brill's Studies in Intellectual History 41). Leiden 1994 (x,1-470; xi,471-893 pp.)
CRAEMER-RUEGENBERG, Ingrid: *"Ens est quod primum cadit in intellectu" - Avicenna und Thomas von Aquin.* In: Udo TWORUSCHKA (Hg.): Gottes ist der Orient - Gottes ist der Okzident. Fschr. für Abdoldjavad FALATURI zum 65. Geb. (Kölner Veröff. zur Religionsgeschichte 21). Köln/Wien 1991, pp. 133-142
DANIELS, Augustinus: *Quellenbeiträge zur Geschichte der Gottesbeweise im 13. Jahrhundert mit besonderer Berücksichtigung des Arguments im Proslogion des hl. Anselm* (BGPhMA 8/1-2). Münster i.W. 1909 (xii,168 pp.)
DANNEELS, Godfried: *La foi dans la doctrine d'Henri de Gand.* Diss. theol. Greg., Rom 1961
DECKER, Bruno: *Die Gotteslehre des Jakob von Metz. Untersuchungen zur Dominikanertheologie zu Beginn des 14. Jahrhunderts.* Hg. von Rudolf HAUBST (BGPhThMA 42/1). Münster i.W. 1967 (xxviii,611 pp.), cf. pp. 355sq. 361-364. 403-405. 409-411
DECORTE, Jos: *Een avicenniserend augustinisme: metafysica, wilspsychologie en vrijheidsleer bij Hendrik van Gent. Tekstkritische uitgave: Henrici de Gandavo, Quodlibet XIII, qq. 1-12.* Diss. Kath. Univ. Löwen 1983 (2 vol.) (431 & 390 pp.)
-: *Der Einfluß der Willenspsychologie des Walter von Brügge OFM auf die Willenspsychologie und die Freiheitslehre des Heinrich von Gent.* In: FranzStud 65 (1983), pp. 215-240
-: *Waarheid als weg. Beknopte geschiedenis van de middeleeuwsw wijsbegeerte.* Kapellen/Kampen 1992 (335 pp.), cf. pp. 55. 107. 136. 217-234. 238. 241. 281. 283. 288. 306
-: *Henry of Ghent on Analogy. Critical Reflexions on Jean Paulus' Interpretation.* In: Henry of Ghent. Proceedings. 1996, pp. 71-105
DENIFLE, Heinrich Suso/CHATELAIN, Emil: *Chartularium Universitatis Parisiensis* (4 vol.), Paris 1889-97 (ed. anastat. Brüssel 1964), ad indices s.v.
DE WULF, Maurice: *Études sur Henri de Gand.* Löwen/Paris 1894 (228 pp.) [Rec.: J. D. SCHMITT PhJb 9 (1896), p. 347]
-: *L'exemplarisme et la théorie de l'illumination spéciale dans la philosophie de Henri de Gand* [= ID., Études. 1894, pp. 119-152]. In: RNSPh 1 (1894), pp. 53-75 [Rec.: ANON. PhJb 8 (1895), p. 201]
-: *Histoire de la philosophie scolastique dans les Pays-Bas et la principauté de Liège jusqu'à la révolution francaise.* Löwen 1895 (404 pp.), cf. pp. 46-272 [Rec.: C. BAEUMKER AGPh 10 (1897), pp. 285-289]
-: *Histoire de la philosophie en Belgique.* Brüssel/Paris 1910 (376 pp.), ad indicem s.v., cf. spec. pp. 80-116
DI NOTO, Antonio: *L'evidenza di Dio nella filosofia del secolo XIII.* Padua 1958 (162 pp.), cf. p. 46sq.
DONDAINE, Antoine: *Un catalogue de dissensions doctrinales entre les Maîtres Parisiens de la fin du XIIIe siècle.* In: RThAM 10 (1938), pp. 374-394
DONDAINE, Henri F.: *L'object et le 'medium' de la vision béatifique chez les théologiens du XIIIe siècle.* In: RThAM 19 (1952), p. (60-130) 60

-: *Cognoscere de Deo quid est.* In: RThAM 22 (1955), p. (72-78) 78

DOUCET, Victorin: *De naturali seu innato supernaturalis beatitudinis desiderio iuxta theologos a saeculo XIII usque ad XX.* In: Anton. 4 (1926), pp. (167-208) 173. 178. 182sq. 190

DUBRULE, Diane Elizabeth: *Divine Infinity in the Writings of Henry of Ghent.* Diss. Toronto 1969, cf. Diss. Abstr. 30/2 A (1969), col. 762

DUDAK, K.: *Poglady filozoficzne Henryka z Gandawy (Die philosophischen Anschauungen des Heinrich von Gent).* In: StudMediew 21 (1981), pp. 1-216 [summarium Germanice conscriptum: 209-215] [Rec.: CFr 55 (1985) 137sq.]

DUMONT, Stephen D.: *Henry of Ghent as a Source for John Duns Scotus's Proof for the Existence of God.* Diss. Toronto 1983 (378 pp.), cf. Diss. Abstr. 44/3 A (1983), col. 774

-: *The quaestio si est and the Metaphysical Proof for the Existence of God according to Henry of Ghent and John Duns Scotus.* In: FranzStud 66 (1984), pp. 335-367

-: *Theology as a Science and Duns Scotus' Distinction between Intuitive and Abstractive Cognition.* In: Spec. 64 (1989), pp. 579-599

-: *Transcendental Being: Scotus and Scotists.* In: Topoi 11 (1992), p. (135-148) 136sq. 146

-: *William of Ware, Richard of Conington and the 'Collationes Oxonienses' of John Duns Scotus.* In: JDSME 1996, pp. (59-85) 59-63. 65-73. 77-80. 83. 85

DWYER, Eduard: *Die Wissenschaftslehre des Heinrich von Gent.* Diss. phil. Würzburg 1933 (81 pp.)

DYROFF, Adolf: *Der ontologische Gottesbeweis in der Scholastik.* In: Probleme der Gotteserkenntnis (Veröff. des Kath. Inst. für Philosophie, Albertus-Magnus-Akad. zu Köln, II/3), Münster/Westf. 1928, pp. (79-116) 98. 100

EHRLE, Franz: *Heinrich von Gent (Beiträge zu den Biographien berühmter Scholastiker, I).* In: ALKGMA 1 (1885), pp. 365-401. 507sq. [textum per partes in lingua Gallica vertit J. RASKOP. In: Bull. de la soc. hist. et litt. de Tournai 21 (1887), suppl., pp. 7-51]

-: *Die Scholastik auf dem antiquarischen Büchermarkte.* In: ZKTh 9 (1885), p. (178-185) 184

-: *Historia bibliothecae Romanorum Pontificum tum Bonifatianae tum Avenionensis enarrata et antiquis earum indiciis aliisque documentis illustrata.* Rom 1890, tom. I, pp. 227. 230

-: *Der Kampf um die Lehre des hl. Thomas von Aquin in den ersten fünfzig Jahren nach seinem Tod.* In: ZKTh 37 (1913), pp. (266-318) 268sq. 315sq.

-: *Die Ehrentitel der scholastischen Lehrer im Mittelalter.* SBAW.PPh 1919, Abh. 9 (60 pp.), cf. pp. 13. 18. 31

-: *Die Scholastik und ihre Aufgaben in unserer Zeit. Grundsätzliche Bemerkungen zu ihrer Charakteristik.* Zweite, verm. Aufl., besorgt von Franz PELSTER. Freiburg i.Br. (1918) 1933 (x,99 pp.), cf. pp. 21. 32

ELDERS, Leo J.: *Die Metaphysik des Thomas von Aquin in historischer Perspektive* (SSPh 16/17) [= De Metafysica van St. Thomas van Aquino in Historisch Perspectief, Brügge 1981/1987]. Salzburg/München 1985/87 (256 & 331 pp.), cf. tom. I, p. 144; tom. II, pp. 81sq. 117. 242

ELTER, Edmund: *De naturali hominis beatitudine ad mentem Scholae antiquioris.* In: Gr. 9 (1928), pp. (269-306) 270. 291 [Rec.: Franz PELSTER Schol. 4 (1929), pp. 255-260]

ENGELHARDT, Paulus: *Desiderium naturale.* In: HWPh II (1972), pp. (118-130) 127sq.

-: *Intentio.* In: HWPh IV (1976), col. (466-474) 472sq.

-: *Desiderium naturale.* In: LexMA III (1986), col. 723sq.

-: *Species. II. Antike und Mittelalter.* In: HWPh IX (1995 [publ. 1996]), col. (1315-1342) 1333-1335

ERLER, Michael: *Epikur.* In: Ueberweg/Antike IV/1. 1994, pp. 29-202

ESPENBERGER, Johann Nepomuk: *Grund und Gewißheit des übernatürlichen Glaubens in der Hoch- und Spätscholastik* (FCLDG 13/1). Paderborn 1915 (vii,178 pp.), cf. pp. 89-93

EVANS, Gillian Rosemary: *Communis animi conceptio. The Selfevident Statement.* In: ALMA 41 (1978), pp. 123-126

FÄH, Hans Louis: *Johannes Duns Scotus: Ist Gottes Dasein durch sich bekannt? Ordinatio I, d. 2 q. 2 übersetzt und erklärt.* In: FranzStud 43 (1961), pp. 348-373, cf. 363sq. 367sq.

-: *Johannes Duns Scotus: Gottes Dasein und Einzigkeit. Ordinatio I, d. 2 q. 1 und 3, übersetzt und erklärt.* In: FranzStud 44 (1962), pp. 192-241. 343-382, cf. 215-219. 223. 233. 366sq. 379

-: *Johannes Duns Scotus: Die Erkennbarkeit Gottes. Ordinatio I, d. 3, p. 1, q. 1-3 übersetzt und erklärt.* In: FranzStud 47 (1965), pp. 187-299; 50 (1968), pp. 162-223. 268-367

-: *Johannes Duns Scotus: Die Einfachheit Gottes: Ordinatio I, d. 8, pars 1, q. 1-4, übersetzt und erklärt.* In: FranzStud 52 (1970), pp. 137-183; 54 (1972), pp. 209-357; 61 (1979), pp. 241-317; 62 (1980), pp. 193-259

-: *Johannes Duns Scotus: Gegenstand und Wissenschaftscharakter der Theologie. Ordinatio, prol., pars 3 et 4 [prol. q. 3 et q. 1-5 lat.], lateinisch und deutsch, mit Erklärungen.* In: FranzStud 72 (1990), pp. 113-236, cf. 163. 165. 169. 174. 176. 180. 184-186. 198. 217. 221sq. 224. 228

FASCIANO, D.: *Deos ... esse nemo negat.* In: Mélanges offerts en hommage à Etienne GAREAU (Cahiers des études anciennes 14). Ottawa 1982, pp. 191-195

FAY, Thomas A.: *Bonaventure and Aquinas on God's Existence: Points of Convergence.* In: Thomist 41 (1977), pp. 585-595

FINKENZELLER, Josef: *Offenbarung und Theologie nach der Lehre des Johannes Duns Skotus. Eine historische und systematische Untersuchung* (BGPhThMA 38/5). Münster i.W. 1961 (xvi,270 pp.), cf. pp. 173-177. 184-191. 247sq.

FLASCH, Kurt: *Das philosophische Denken im Mittelalter. Von Augustin zu Machiavelli* (Reclam Universal-Bibliothek 8342), Stuttgart 1986 (720 pp.), cf. p. 432 [Rec.: Berthold WALD ThRv 84 (1988), col. 149-154; Carlos STEEL AGPh 75 (1993), pp. 75-82]

-: *Aufklärung im Mittelalter? Die Verurteilung von 1277. Das Dokument des Bischofs von Paris übersetzt und erklärt* (excerpta classica 6), Mainz 1989 (320 pp.), cf. pp. 54. 181. 219. 250. 253. 268. 298 [Rec.: J. MIETHKE DA 45 (1989), p. 663sq.; R. HISSETTE RPhL 88 (1990), pp. 404-416]

FRIEDMAN, Russell L.: *Relations, Emanations, and Henry of Ghent's Use of the „Verbum mentis" in Trinitarian Theology. The Background in Thomas Aquinas and Bonaventure.* In: DSTFM 7 (1996), pp. 131-182

GAWLICK, Günter: *Untersuchungen zu Ciceros philosophischer Methode.* Diss. phil. Kiel 1956 (vi,130 pp.)

-: *Rec.* Kleve, Gnosis Theon. 1963. In: Gnomon 37 (1965), pp. 465-469

GERKEN, Alexander: *Theologie des Wortes. Das Verhältnis von Schöpfung und Inkarnation bei Bonaventura.* Düsseldorf 1963 (359 pp.)

GERWING, Manfred: *Vom Ende der Zeit. Der Traktat des Arnald von Villanova über die Ankunft des Antichrist in der akademischen Auseinandersetzung des 14. Jahrhunderts* (BGPhThMA N.F. 45). Münster i.W. 1995 (xxv,708 pp.), cf. pp. 257. 271. 320. 450. 453

-: *Zur systematischen Bedeutung theologischer Mittelalterforschung.* In: FZPhTh 42 (1996), pp. 65-83

GEYER, Bernhard: *Die patristische und scholastische Philosophie.* Elfte, neubearb. und mit einem Philosophen- und Literatorenregister vers. Aufl. (F. Ueberwegs Grundriß der Geschichte der Philosophie, II). Berlin 1928 (xviii,826 pp.), cf. pp. 498-502. 764sq.

GILSON, Étienne: *La philosophie au moyen age de Scot Érigène à G. d'Occam.* Paris 1925, cf. p. 159sq.

-: *Roger Marston: Un cas d'augustinisme avicennisant.* In: AHDL 8 (1933), p. (37-42) 41

-: *Sur quelques difficultés de l'illumination augustinienne.* In: RNSP 36 (1934), pp. 321-331

-: *Der Geist der mittelalterlichen Philosophie* (L'Esprit de la philosophie médiévale. Paris 1932, ²1948). Dtsch. Fassung v. Rainulf SCHMÜCKER. Wien 1950 (xv,467 pp.), cf. p. 279

-: *La philosophie au moyen age des origines patristiques à la fin du XIV siècle. Deuxième édition revue et augmentée.* Paris 1944 (782 pp.), ad indicem s.v., cf. spec. pp. 427-432

-: *Les 'philosophantes'.* In: AHDL 19 (1952), p. (135-140) 136

-: *Die Philosophie des heiligen Bonaventura.* (Paris ³1953) Darmstadt 1960 (799 pp.)

-: *L'infinité divine chez S.Augustin.* In: Augustinus Magister (Congrès international augustinien, Paris 21-24 sept. 1954, Communications). Paris 1954, pp. (569-574) 572-574

-: *History of Christian Philosophy in the Middle Ages.* New York 1955 (ed. anastat. London 1985) (xvii,829 pp.), cf. pp. 447-453. 759-762

-: *Johannes Duns Scotus. Einführung in die Grundgedanken seiner Lehre* [= Jean Duns Scot (EPhM 42). Paris 1952]. Düsseldorf 1959 (712 pp.), ad indicem s.v.

-: *Avicenne en occident au moyen âge.* In: AHDL 36 (1969), p. (89-121) 97sq.

GLORIEUX, Palèmon: *La littérature quodlibétique, de 1260 à 1320* (BiblThom 5/21). Kain/ Paris 1925/1935, tom. I, pp. 177-199; tom. II, p. 132sq. [Rec.: Josef KOCH BThom 1 (1925), pp. 351-356]

-: *Notices sur quelques théologiens de Paris de la fin du XIIIe siècle.* In: AHDL 3 (1928), pp. (201-238) 201. 211. 220. 228. 231

-: *Répertoire des maîtres en théologie de Paris au XIIIe siècle* (EPhM 17/18). Paris 1933/1934, tom. I, pp. 387-391

-: *L'enseignement au moyen âge. Techniques et méthodes en usage à la faculté de théologie de Paris au XIIIe siècle.* In: AHDL 35 (1968), pp. (65-186) 89. 117. 127. 129. 133. 142. 177sq.

GÖRLER, Waldemar/Günter GAWLICK: *Cicero.* In: Ueberweg/Antike. IV/2. 1994, pp. 991-1168

GÖSSMANN, Elisabeth: *Metaphysik und Heilsgeschichte. Eine theologische Untersuchung der Summa Halensis (Alexander von Hales)* (MGI, Sonder-Bd.). München 1964 (424 pp.)

GÓMEZ CAFFARENA, José: *Cronología de la „Suma" de Enrique de Gante por relación a sus „Quodlibeta".* In: Gr. 38 (1957), pp. 116-133

-: *Ser participado y ser subsistente en la metafísica de Enrique de Gante* (AnGr 93), Roma 1958 (xi,283 pp.) [Rec.: cf. BThom 10 (1957-59), nr. 1882, p. 862; C. VANSTEENKISTE Ang. 36 (1959), pp. 244-247; J. DE FINANCE Gr. 40 (1959), pp. 559-562; A. DEL CURA EstFil 8 (1959), pp. 271-278; G. BORTOLASO CivCatt 110 (1959), pp. 180-185; E. CORETH ZKTh 82 (1960), p. 222; F. VAN STEENBERGHEN RPhL 61 (1963), pp. 314-316]

-: *„Analogia del ser" y dialectica en la afirmacion humana de Dios.* In: Pens. 16 (1960), pp. (143-174) 145. 157

-: *Metafisica de la inquietud humana en Enrique de Gante.* In: L'homme et son destin d'après les penseurs du moyen âge (Actes du Premier Congrès Internationale de Philosophie médiévale, Löwen - Bruxelles 28 août - 4 septembre 1958). Löwen/Paris 1960, pp. 629-634

-: *'Argumento ontologico' y metafisica de lo absoluto* [Rec. D. Henrich, Der ontologische Gottesbeweis. 1960]. In: Pens. 19 (1963), pp. (301-332) 307sq. 324

GORIS, Wouter: *Die Kritik des Bernhard von Trilia an der Lehre von Gott als Ersterkanntem. Einleitung und Textausgabe.* In: RThPhM 65 (1998), pp. 248-319

GRABMANN, Martin: *Die philosophische und theologische Erkenntnislehre des Kardinals Matthaeus von Aquasparta* (ThSLG 14). Wien 1906 (viii,176 pp.), ad indicem s.v.

-: *Die Geschichte der scholastischen Methode. Nach den gedruckten und ungedruckten Quellen bearbeitet.* Freiburg i.Br. 1909/11 (ed. anastat. Darmstadt 1956) (xiii,354; xiii,586 pp.), ad indices s.v.

-: *Über Wert und Methode des Studiums der scholastischen Handschriften. Gedanken zum 70. Geburtstag von P. Franz Ehrle S.J.* In: ZKTh 39 (1915), pp. (699-740) 718. 726sq. 737

-: *Neu aufgefundene lateinische Werke deutscher Mystiker.* SBAW.PPh 1921, Abh. 3 (68 pp.), cf. pp. 6. 12. 20. 24sq. 62 [= ID., Ges. Akad.-Abh. 1979, vol. I, pp. 1-68]

-: *Studien zu Johannes Quidort von Paris O.Pr.* SBAW.PPh 1922, Abh. 3 (60 pp.), cf. pp. 49. 56 [= ID., Ges. Akad.-Abh. 1979, vol. I, pp. 71-125]

-: *Doctrina S. Thomae de distinctione reali inter essentiam et esse ex documentis ineditis saec. XIII illustrata.* In: Academia Romana S. Thomae Aquinatis (ed.), Acta Hebdomadae Thomisticae Romae celebratae 19-25 novembris 1923. Rom 1924, pp. (131-190) passim, cf. spec. pp. 146-148

-: *Der göttliche Grund menschlicher Wahrheitserkenntnis nach Augustinus und Thomas von Aquin. Forschungen über die augustinische Illuminationstheorie und ihre Beurteilung durch den hl. Thomas von Aquin* (Veröff. des Kath. Inst. für Philos., Albertus-Magnus-Akad. zu Köln, I/4). Münster i.W. 1924 (viii,96 pp.), cf. pp. 31. 36. 71. 80sq.

-: *Studien über Ulrich von Straßburg.* In: ID.: MGL I. 1926, pp. (147-221) 158. 173. 198. 215sq.

-: *Forschungen zur Geschichte der ältesten deutschen Thomistenschule des Dominikanerordens.* In: ID., MGL I. 1926, pp. (392-431) 395. 397sq. 409. 424

-: *Neuaufgefundene Pariser Quaestionen Meister Eckharts und ihre Stellung in seinem geistigen Entwicklungsgange. Untersuchungen und Texte.* SBAW.PPh 1926, Abh. 7 (121 pp.), cf. pp. 72. 74. 90. 121 [= ID., Ges. Akad.-Abh. 1979, vol. I, pp. 261-381]

-: *Die Geschichte der Katholischen Theologie seit dem Ausgang der Väterzeit. Mit Benützung von M. J. Scheebens Grundriß dargestellt.* Freiburg i.Br. 1933 (ed. anastat. Darmstadt 1961) (xiv,368 pp.), ad indicem s.v.

-: *Mittelalterliche Deutung und Umbildung der aristotelischen Lehre von 'noûs poietikós' nach einer Zusammenstellung im Cod. B III 22 der Universitätsbibliothek Basel. Untersuchung und Textausgabe.* SBAW.PPh 1936, Abh. 4 (102 pp.), cf. pp. 4sq. 26sqq. 61. 92 [=ID., Ges. Akad.-Abh. 1979, vol. I, pp. 1021-1122]

-: *Augustins Lehre vom Glauben und Wissen und ihr Einfluß auf das mittelalterliche Denken.* In: ID., MGL II. 1936, pp. (35-62) 44. 52. 60

-: *Bernhard von Auvergne († nach 1304). Ein Interpret und Verteidiger der Lehre des heiligen Thomas von Aquin aus alter Zeit.* In: ID., MGL II. 1936, pp. (547-558) 548sq. 552sq. 555-557

-: *Johannes Capreolus OP, der 'Princeps thomistarum' († 1444), und seine Stellung in der Geschichte der Thomistenschule* [1944]. In: ID., MGL III. 1956, pp. (370-410) 370-372. 376. 381. 384. 393. 403. 410

-: *Die theologische Erkenntnis- und Einleitungslehre des hl. Thomas von Aquin auf Grund seiner Schrift „In Boethium de Trinitate". Im Zusammenhang der Scholastik des 13. und beginnenden 14. Jahrhunderts dargestellt* (ThomSt 4), Freiburg/Schw. 1948 (xv,392 pp.), cf. pp. 306-311

-: *Die Werke des hl. Thomas von Aquin. Eine literarhistorische Untersuchung und Einführung.* Fotomechan. Nachdruck der 1949 erschienenen 3., stark erweiterten Aufl. Mit Literaturergänzungen von Richard HEINZMANN (BGPhThMA 22/1-2). Münster i.W. 1967 (vii*,xix,479 pp.), ad indicem s.v.

GRUNWALD, Georg: *Geschichte der Gottesbeweise im Mittelalter bis zum Ausgang der Hochscholastik. Nach den Quellen dargestellt* (BGPhMA 6/3). Münster i.W. 1907 (x,164 pp.), cf. pp. 113-116

HADOT, Ilsetraut: *Seneca und die griechisch-römische Tradition der Seelenleitung* (QSGP 13). Berlin 1969 (ix,232 pp.)

HAGEMANN, Georg: *De Henrici Gandavensi quem vocant ontologismo, I* [textus germanice conscriptus]. In: Index lectionum quae auspiciis augustissimi ac potentissimi Imperatoris Regis Guillelmi II in Academia theologica et philosophica Monasteriensi per menses aestivos a. MDCCCXCVIII inde a die XV mensis aprilis publice privatimque habebuntur. Münster i.W. 1898, pp. 3-12

-: *De Henrici Gandavensi quem vocant ontologismo, II* [textus germanice conscriptus]. In: Index lectionum quae auspiciis augustissimi ac potentissimi Imperatoris Regis Guillelmi II in Academia theologica et philosophica Monasteriensi per menses hibernos a. MDCCCXCVIII/IX inde a die XV mensis octobris publice privatimque habebuntur. Münster i.W. 1898, pp. 3-13

HAUSCHILDT, Wolf-Dieter: *Lehrbuch der Kirchen- und Dogmengeschichte. Bd. 1: Alte Kirche und Mittelalter.* Gütersloh 1995 (xvii,693 pp.), cf. p. 603

HAYES, Zachary: *The General Doctrine of Creation in the Thirteenth Century, with Special Emphasis on Matthew of Aquasparta.* München/Paderborn/Wien 1964 (xiv,133 pp.), ad indicem s.v.

HEIMSOETH, Heinz: *Die sechs großen Themen der abendländischen Metaphysik und der Ausgang des Mittelalters.* Stuttgart/Darmstadt (1922, [2]1934, [3]1954 =) [5]1965 (255 pp.), cf. pp. 44. 108sq. 181. 218sq.

HEINZE, Max: *Die mittlere oder die patristische und scholastische Zeit* (F. Ueberweg's Grundriß der Geschichte der Philosophie, 2. Theil). Berlin 5. Aufl. 1877(viii, 276 pp.), p. 229

HISSETTE, Roland: *Enquête sur les 219 articles condamnés à Paris le 7 mars 1277* (PhMed 22). Löwen/Paris 1977 (337 pp.), ad indicem s.v.

HOCEDEZ, Edgar: *Richard de Middleton. Sa vie, ses oeuvres, sa doctrine* (SSL 7). Löwen/Paris 1925 (xvi,555 pp.), ad indicem s.v., cf. pp. 36-48. 395-419

-: *Gilles de Rome et Henri de Gand sur la distinction réelle, 1276-1287.* In: Gr. 8 (1927), pp. 358-385

-: *Le premier Quodlibet d'Henri de Gand.* In: Gr. 9 (1928), pp. 92-117

-: *Deux questions touchant la distinction réelle de l'essence et de l'existence.* In: Gr. 10 (1929), pp. 365-386

- (ed.): *Aegidii Romani Theoremata de esse et essentia. Texte précédé d'une introduction historique et critique* (ML.P 12). Löwen 1930 (xiv,[127],188 pp.)

HÖDL, Ludwig: *Die Grundfragen der Sakramentenlehre nach Hervaeus Natalis OP († 1323)* (MThS.S 10). München 1956 (xxiv,263 pp.), cf. pp. 58-72

-: *Die Kritik des Johannes de Polliaco an der philosophischen und theologischen 'ratio' in der Auseinandersetzung mit den averroistischen Unterscheidungslehren.* In: Miscellanea Martin Grabmann. Gedenkblatt zum 10. Todestag (MGI 3). München 1959, p. (11-30) 18sq.

-: *Die Aulien des Magisters Johannes de Polliaco und der scholastische Streit über die Begründung der menschlichen Willensfreiheit.* In: Schol. 35 (1960), pp. (57-75) 58-60. 69

-: *Zur Entwicklung der frühscholastischen Lehre von der Gottebenbildlichkeit des Menschen* [= L'homme et son destin d'après les penseurs du moyen âge (Actes du Premier Congrès Internationale de Philosophie médiévale, Löwen - Bruxelles 28 août - 4 septembre 1958). Löwen/Paris 1960, pp. 347-359]. In: L. SCHEFFCZYK (Hg.): Der Mensch als Bild Gottes (WdF 124). Darmstadt 1969, pp. 193-205

-: *Johannes Quidort von Paris O.P. De confessionibus audiendis (Quaestio disputata de potestate papae)* (MGI 6). München 1962 (50 pp.), cf. pp. 8. 10

-: *Aristotelismus.* In: HThG I (1962), pp. 91-101 = HThG dtv I ([2]1970), pp. (115-126) 122sq.

-: *Neue Begriffe und neue Wege der Seinserkenntnis im Schul- und Einflußbereich des Heinrich von Gent.* In: MM 2 (1963), pp. 607-615

-: *Neue Nachrichten über die Pariser Verurteilungen der thomasischen Formlehre.* In: Schol. 39 (1964), pp. 178-196

-: *Geistesgeschichtliche und literarkritische Erhebungen zum Korrektorienstreit (1277-1287).* In: RThAM 33 (1966), pp. (81-114) 84. 89. 91sq. 94-98. 101. 103. 106. 112

-: *Anima forma corporis. Philosophisch-theologische Erhebungen zur Grundformel der scholastischen Anthropologie im Korrektorienstreit (1277-1287).* In: ThPh 41 (1966), pp. (536-556) 537sq. 540. 542

-: *Die theologische Diskussion des Heinrich von Gent († 1293) über die thomasische Lehre vom vollkommenen christlichen Leben (Quodl. XII, 28-29).* In: Willehad Paul ECKERT (Hg.): Thomas von Aquino. Interpretation und Rezeption (WSAMA.T 5). Mainz 1974, pp. 470-487

-: *„Gott-schauen" im theologischen Verständnis des hl. Bonaventura und die aktuelle Frage der Gotteserfahrung.* In: FranzStud 56 (1974), pp. 164-178

-: *Die philosophische Gotteslehre des Thomas von Aquin OP in der Diskussion der Schule um die Wende des 13. und 14. Jahrhundert.* [= RFNS 70 (1978), pp. 113-134]. In: ID., Welt-Wissen. 1990, pp. (19-43) 27-35. 41

-: *Anselm von Canterbury.* In: TRE II (1978), pp. 759-778

-: *Zur Wirkungsgeschichte der Enzyklika 'Aeterni Patris' Leos XIII. in der deutschen Philosophie und Theologie.* In: MThZ 30 (1979), pp. 241-256

-: *Von den korrekten, korrigierten Ausgaben der Quodlibeta des Heinrich von Gent († 1293) zur kritischen Neuausgabe (1979f.).* In: AGPh 63 (1981), pp. 289-304

-: *Das „intelligible" in der scholastischen Erkenntnislehre des 13. Jahrhunderts.* In: FZPhTh 30 (1983), pp. 345-372

-: *Literar- und Problemgeschichtliches zur neuen kritischen Edition der Opera omnia des Heinrich von Gent.* In: FZPhTh 32 (1985), pp. 295-322

-: *Ebenbild Gottes. II. Patristische und mittelalterliche Theologie.* In: LexMA III (1986), col. 1508-1511

-: *Eigenschaften Gottes. I. Christentum.* In: LexMA III (1986), col. (1710-1713) 1712

-: *„... sie reden, als ob es zwei gegensätzliche Wahrheiten gäbe." Legende und Wirklichkeit der mittelalterlichen Theorie von der doppelten Wahrheit* [= PhilosMA 1987, pp. 225-243]. In: ID., Welt-Wissen. 1990, pp. (45-63) 49. 57-61. 63

-: *Zur kritischen Neuausgabe der Summa des Heinrich von Gent. Eine Voranzeige.* In: FranzStud 69 (1987), pp. 144-158

-: *Der Projektband der kritischen Edition der Summa des Heinrich von Gent.* In: EThL 64 (1988), pp. 225-228

- (ed.): *Die Seinsdifferenz des Möglichen im Quodlibet des Jakob von Ascoli OFM (Quaestio 5 - Einführung und Edition).* In: Olaf PLUTA (Hg.), Philosophie im 14. und 15. Jahrhundert. In memoriam Konstanty MICHALSKY (1879-1947) (BPhSt 10). Amsterdam 1988, pp. (465-494) 466-469

-: *Von der theologischen Wissenschaft zur wissenschaftlichen Theologie bei den Kölner Theologen Albert, Thomas und Duns Scotus.* In: MM 20 (1989), p. (19-35) 31sq.

-: *Theologiegeschichtliche Einführung.* In: Henrici de Gandavo Qdl. XII, q. 31. Edd. Marcel HAVERALS/ Ludwig HÖDL (Op. omn. 17). Löwen 1989, pp. vii-cxvii

-: *Berthold von Saint-Denis († 1307). Ein weltgeistlicher Anwalt der Mendikanten in der Auseinandersetzung mit Heinrich von Gent.* In: Dieter BERG/Hans-Werner GOETZ (Hg.), Ecclesia et regnum (Fschr. Franz-Josef SCHMALE zum 65. Geb.). Bochum 1989, pp. 241-260

-: *Welt-Wissen und Gottes-Glaube in Geschichte und Gegenwart.* Festgabe für Ludwig HÖDL zu seinem 65. Geb. Ausgew. Aufsätze, gesammelte Forschungen. Hg. v. Manfred GERWING. St. Ottilien 1990

-: *Die weltgeistlichen Lehrmeister in der ersten Hälfte des 13. Jahrhunderts.* In: CPhNS VI/1 1990, pp. 159-175

-: *Die weltgeistlichen Lehrmeister in der zweiten Hälfte des 13. Jahrhunderts.* In: CPhNS VI/1. 1990, p. (287-300) 289sq.

-: *Introductio generalis ad editionem criticam „Summae".* In: Henrici de Gandavo Summa (Quaest. ord.), art. XXXI-XXXIV. Ed. Raymond MACKEN (Op. omn. 27). Löwen 1991, pp. xi-xxxiv

-: *Untersuchungen zum scholastischen Begriff des Schöpferischen in der Theologie des Wilhelm von Ware OM († 1304).* In: HSUMA 1991, pp. 387-408

-: *Die „Doppelte Wahrheit" vom Unendlichen in den Quaestiones ordinariae (Summa) des Heinrich von Gent.* In: Mediaevalia. Textos e Estudios 3 (1993), pp. 55-75

-: *Die göttliche Wahrheit im Verständnis des Thomas von Aquin, des Heinrich von Gent und des Aegidius Romanus.* In: Medioevo 18 (1992 [publ. 1994]), pp. 203-229

-: *Textwissen und Sprachwissenschaft der scholastischen Theologen. Zur 7. Zentenarfeier des Todes des Heinrich von Gent (29. 6. 1293).* In: ZThK 116 (1994), pp. 129-142

-: *Der Begriff der göttlichen Unendlichkeit in der Summa des Heinrich von Gent († 1293).* In: MM 22 (1994), pp. 548-568

- (ed.), *Zum Streit um die Illuminationslehre des Heinrich von Gent († 1293). Text und Diskussion.* In: Traditio Augustiniana. Studien über Augustinus und seine Rezeption. Festgabe für Williges ECKERMANN zum 60. Geb. Hg. im Auftrag des Augustinus-Instituts der deutschen Augustiner von Adolar ZUMKELLER/Achim KRÜMMEL (Cass. 46). Würzburg 1994, pp. 203-240

-: *„Copia" und Schultradition der Summa des Heinrich von Ghent.* In: Henry of Ghent. Proceedings. 1996, pp. 139-154

-: *Theologiegeschichtliche und textkritische Studie.* In: Henrici de Gandavo Summa (Quaest. ord.), art. XLI-XLVI. Ed. Ludwig HÖDL (Op. omn. 29). Löwen 1991, pp. viii-xcvi

HÖDL, Ludwig/LAARMANN, Matthias: *Individuum. Individuation. -sprinzip.* In: LexMA V (1991), col. (406-411) 408-410 [vom Verlag ohne Autortenkorrekturen gedruckt]
HÖFFE, Otfried: *Aristoteles* (BsR 535). München 1996 (315 pp.)
HOERES, Walter: *Der Wille als reine Vollkommenheit nach Duns Scotus* (SSPh 1). München 1962 (324 pp.), cf. pp. 297-302 [Rec.: T. BARTH, FranzStud 46 (1964), pp. 181-183; W. KLUXEN AGPh 49 (1967), pp. 98-112]
-: *Wesen und Dasein bei Heinrich von Gent und Duns Scotus.* In: FranzStud 47 (1965), pp. 121-186 [Rec.: J. HELLÍN Pens. 23 (1967), pp. 479-481]
HOFFMANN, Fritz: *Die theologische Methode des Oxforder Dominikanerlehrers Robert Holcot* (BGPhThMA N.F. 5). Münster i.W. 1972 (iv,455 pp.), cf. pp. 100. 102. 104. 134-136
-: *Der Wandel in der scholastischen Argumentation vom 13. zum 14. Jahrhundert, aufgezeigt an zwei Beispielen: Robert Holcot und William (Johannes?) Crathorn (1330-1332 in Oxford).* In: MM 23 (1995), p. (301-322) 303sq.
HONNEFELDER, Ludger: *Die Lehre von der doppelten ratitudo entis und ihre Bedeutung für die Metaphysik des Johannes Duns Scotus.* In: Deus et Homo ad mentem Ioannis Duns Scoti (StSSc 5). Rom 1972, pp. 661-671
-: *Ens inquantum ens. Der Begriff des Seienden als solchen als Gegenstand der Metaphysik nach der Lehre des Johannes Duns Scotus* (BGPhThMA N.F. 16). Münster i.W. (1979) [2]1989 (xii,469 pp.), cf. pp. 72-74. 193-205. 278-285. 289-294. 297-307
-: *Der zweite Anfang der Metaphysik. Voraussetzungen, Ansätze und Folgen der Wiederbegründung der Metaphysik im 13./14. Jahrhundert.* In: PhilosMA 1987, pp. (165-186) 168. 177
-: *Possibilien. I. Mittelalter.* In: HWPh VII (1989), col. (1126-1135) 1129sq.
-: *Scientia transcendens. Die formale Bestimmung der Seiendheit und Realität in der Metaphysik des Mittelalters und der Neuzeit (Duns Scotus - Suárez - Wolff - Kant - Peirce)* (Paradeigmata 9). Hamburg 1990 (xxiii,568 pp.), cf. pp. 24sq. 31-39. 45-50. 53sq. 76-78. 142-149
-: *Die Kritik des Johannes Duns Scotus am kosmologischen Nezessitarismus der Araber: Ansätze zu einem neuen Freiheitsbegriff.* In: Johannes FRIED (Hg.): Die abendländische Freiheit vom 10. zum 14. Jahrhundert. Der Wirkungszusammenhang von Idee und Wirklichkeit im europäischen Vergleich (VuF 39). Sigmaringen 1991, pp. (249-263) 251-253
-: *Scotus und der Scotismus. Ein Beitrag zur Bedeutung der Schulbildung in der mittelalterlichen Philosophie.* In: Marten J. F. M. HOENEN/J. H. Josef SCHNEIDER/Georg WIELAND (Hg.): Philosophy and Learning. Universities in the Middle Ages (Education and Society in the Middle Ages and Renaissance 6). Leiden 1995, pp. (249-262) 255sq. 257. 262
-: *Metaphysik und Ethik bei Johannes Duns Scotus: Forschungsergebnisse und -perspektiven. Eine Einführung.* In: JDSME 1996, pp. (1-33) 23. 30-32
HORN, Christoph: *Augustinus* (BSR 531). München 1995 (185 pp.), cf. p. 158
HORN, Hans-Jürgen: *Gottesbeweis.* In: RAC XI (1981), col. 951-977
HOYE, William J.: *Gotteserkenntnis per essentiam im 13. Jahrhundert.* In: MM 10 (1976), pp. (269-284) 284
HÜBENER, Wolfgang: *Studien zur Theorie der kognitiven Repräsentation in der mittelalterlichen Philosophie.* Ungedr. Habil.-Schrift, Freie Univ. Berlin 1968, pp. 285sqq.
-: *Rec.* Guillelmus de Ockham, In I Sent., dist. 2-3, edd. St. BROWN/G. GÁL. 1967. In: AFH 64 (1971), pp. (213-226) 216. 219-222
-: *Der theologisch-philosophische Konservativismus des Jean Gerson.* In: MM 9 (1974), p. (171-200) 192
-: *Die Logik der Negation als ontologisches Erkenntnismittel* [= Harald WEINRICH (Hg.): Positionen der Negativität. (Poetik und Hermeneutik 6). München 1975, pp. 105-140]. In: ID.: Zum Geist der Prämoderne. Würzburg 1985, p. (52-83) 73
-: *Idea extra artificem. Zur Revisionsbedürftigkeit von Erwin Panofskys Deutung der mittelalterlichen Kunsttheorie.* In: L. GRISEBACH/K. RENGER (Hg.): Festschrift für Otto von SIMSON zum 65. Geb. Berlin 1977, pp. (27-52) 37sq. 49. 52

-: *Malum auget decorem in universo. Die kosmologische Integration des Bösen in der Hochscholastik.* In: MM 11 (1977), pp. 1-26
-: *Die Ehe des Merkurius und der Philologie - Prolegomena zu einer Theorie der Philosophiegeschichte.* In: Norbert W. BOLZ (Hg.): Wer hat Angst vor der Philosophie? Eine Einführung in die Philosophie (UTB 1145). Paderborn 1982, pp. 137-196
-: *Ordo und mensura bei Ockham und Autrecourt.* In: MM 16 (1983), pp. 103-117
-: *Ordnung. II. Mittelalter.* In: HWPh VI (1984), col. (1254-1279) 1267. 1275sq.
-: *Problemgeschichte. II.* In: HWPh VII (1989), col. 1414-1416
HUFNAGEL, Alfons: *Studien zur Entwicklung des thomistischen Erkenntnisbegriffes im Anschluß an das Correctorium "Quare"* (BGPhThMA 31/4). Münster i.W. 1935 (viii,131 pp.)
JAEGER, Werner: *Die Theologie der frühen griechischen Denker.* Stuttgart 1953 (303 pp.)
JEILER, Ignatius: *Die Lehre des hl. Bonaventura in betreff des Ontologismus.* In: Katholik 50 (1870), pp. 404-420. 583-593. 655-686
-: *Der Ursprung und die Entwicklung der Gotteserkenntnis im Menschen. Eine dogmatische Studie über die betreffende Lehre des hl. Bonaventura und anderer Meister des XIII. Jahrhunderts.* In: Katholik 57 (1877), pp. (113-147. 225-269. 337-353) 129. 142
- [anon.]: *Dissertatio, qua tractatur S. Bonaventurae aliorumque eiusdem aetatis doctorum sententia de via ac ratione, qua intellectus humanus intelligibilia cognoscit in rationibus aeternis.* In: PATRES COLLEGII A S. BONAVENTURA (edd.): De humanae cognitionis ratione anecdota quaedam seraphici doctoris S. Bonaventurae et nonnullorum ipsius discipulorum. Quaracchi 1883, p. (1-47) 40sq.
KAPRIEV, Georgi: *... ipsa vita et veritas. Der „ontologische Gottesbeweis" und die Ideenwelt Anselms von Canterbury* (STGMA 61). Leiden 1998, cf. pp. 332sq.
KLEVE, K.: *Gnosis Theon. Die Lehre von der natürlichen Gotteserkenntnis in der epikureischen Philosophie* (SO Suppl. 19). Oslo 1963
KLUXEN, Wolfgang: *Analogie. I.* In.: HWPh I (1971), col. (214-227) 223sq.
-: *Voraussetzungen einer philosophischen Theologik.* In: Dietrich PAPENFUSS/Jürgen SÖRING (Hg.): Transzendenz und Immanenz. Philosophie und Theologie in der veränderten Welt. Internationale Zusammenarbeit im Grenzbereich von Philosophie und Theologie. Tagungsbeiträge eines Symposiums der Alexander von Humboldt-Stiftung Bonn-Bad Godesberg, veranstaltet vom 12. bis 17. Oktober 1976 in Ludwigsburg. Stuttgart 1977, pp. 29-46
-: *Leitideen und Zielsetzungen philosophiegeschichtlicher Mittelalterforschung.* In: MM 13 (1981), pp. 1-16
-: *Die geschichtliche Erforschung der mittelalterlichen Philosophie und die Neuscholastik.* In: CPhKD II. 1988, pp. 362-389
KOBUSCH, Theo: *Abstraktion.* In: LexMA I (1980), col. 58sq.
-: *Metaphysik. V. Von Duns Scotus bis zur Schulphilosophie des 17. Jahrhunderts.* In: HWPh V (1980), col. (1226-1238) 1226
-: *Nichts, Nichtseiendes.* In: HWPh VI (1984), col. (805-836) 815
-: *Objekt.* In: HWPh VI (1984), col. (1026-1052) 1030sq.
-: *Sein und Sprache. Historische Grundlegung einer Ontologie der Sprache* (SPGAPh 11). Leiden 1987 (xi,603 pp.), cf. pp. 86-96. 102. 118. 274. 489-492
-: *Luther und die scholastische Prinzipienlehre.* In: Medioevo 13 (1987 [publ. 1990]), pp. 303-340
-: *Philosophie. II. E. Mittelalter.* In: HWPh VII (1989), col. (633-656) 648sq.
-: *Präsenz.* In: HWPh VII (1989), col. (1259-1265) 1260
-: *Praxis, praktisch. II. Mittelalter und frühe Neuzeit.* In: HWPh VII (1989), col. (1287-1295) 1288
-: *Die Entdeckung der Person. Metaphysik der Freiheit und modernes Menschenbild.* Freiburg/Basel/Wien 1993 (300 pp.), cf. p. 47
-: *Gottesbegriff und Freiheit. Von der Möglichkeit der Freiheit.* In: Freiheit Gottes und Geschichte der Menschen. Forschungsgespräch aus Anlaß des 65. Geb. von Richard SCHAEFFLER. Annweiler/Essen 1993, pp. 93-115

-: *Phänomenologie und Fundamentaltheologie. Zum Einfluß Schelers auf Rahners Frühwerk.* In: Wilhelm GEERLINGS/Max SECKLER (Hg.): Kirche sein. Nachkonziliare Theologie im Dienst der Kirchenreform (Fschr. für Hermann Josef POTTMEYER zum 60. Geb.). Freiburg i.Br. 1994, pp. 111-116

-: *Nominalismus.* In: TRE XXIV (1994), pp. 589-604

-: *Sein, moralisches.* In: HWPh IX (1995 [publ. 1996]), col. (237-247) 239. 246

-: *Das Seiende als transzendentaler oder supertranszendentaler Begriff. Deutungen der Univozität des Begriffs bei Scotus und den Scotisten.* In: JDSME 1996, pp. (345-366) 351

KÖHLER, Theodor Wolfram: *Der Begriff der Einheit und ihr ontologisches Prinzip nach dem Sentenzenkommentar des Jakob von Metz OP* (StAns 48). Rom 1971 (xxxiii,540 pp.), cf. pp. 297-304. 441-443

-: *Wissenschaft und Evidenz. Beobachtungen zum wissenschaftstheoretischen Ansatz des Jakob von Metz.* In: Theodor Wolfram KÖHLER (ed.): Sapientiae procerum amore. Mél. Jean-Pierre MÜLLER OSB (StAns 63). Rom 1974, pp. (369-414) 380. 382-386. 389-391. 393sq. 396. 398. 400. 409. 413sq.

KÖPF, Ullrich: *Die Anfänge der theologischen Wissenschaftstheorie im 13. Jahrhundert* (BHTh 49). Tübingen 1974 (xii,310 pp.), ad indicem s.v., cf. pp. 70-72. 109-111. 215-217

KRAML, Hans: *Die Rede von Gott sprachkritisch rekonstruiert aus Sentenzenkommentaren* (ITS 13). Innsbruck/ Wien 1984 (181 pp.), cf. pp. 126sq. 129-131

KRAUS, Georg: *Gotteserkenntnis ohne Offenbarung und Glaube? Natürliche Theologie als ökumenisches Problem* (KKSMI 50). Paderborn 1987 (554 pp.)

LAARMANN, Matthias: *Bibliographia auxiliaris de vita, operibus et doctrina Henrici de Gandavo.* In: FranzStud 73 (1991), pp. 324-366 [Rec.: Mario A. S. de CARVALHO Humanistica e Teologia 14 (1993), pp. 75-85; ANON. RSPhTh 77 (1993), p. 143]

-: *God as* Primum cognitum. *Some Remarks to the Theory of Initial Cognition of* Esse *and God according to Thomas Aquinas and Henry of Ghent.* In: Henry of Ghent. Proceedings. 1996, pp. 171-191

LACKMANN, Max: *Vom Geheimnis der Schöpfung. Die Geschichte der Exegese von Römer I,18-23, II,14-16 und Acta XIV,15-17, XVII,22-29 vom 2. Jahrhundert bis zum Beginn der Orthodoxie.* Stuttgart 1952 (371 pp.)

LAKEBRINK, Bernhard: *Klassische Metaphysik. Eine Auseinandersetzung mit der existentialen Anthropozentrik* (Rombach Hochschul Paperback) Freiburg i.Br. 1967 (288 pp.)

-: *Die thomistische Lehre vom Sein des Seienden im Gegensatz zu ihrer existentialen und dialektischen Umdeutung.* In: Willehad Paul ECKERT (Hg.): Thomas von Aquino. Interpretation und Rezeption. Studien und Texte (WSAMA.P 5). Mainz 1974, pp. 48-79

-: *Geist und Welt nach Thomas von Aquin.* In: Wolfgang KLUXEN (Hg.): Thomas von Aquin im philosophischen Gespräch. Freiburg/München 1975, pp. 38-72

LANDGRAF, Arthur Michael: *Zur Lehre von der Gotteserkenntnis in der Frühscholastik.* In: New Scholasticism 4 (1930), pp. 261-288

LANG, Albert: *Die Wege der Glaubensbegründung bei den Scholastikern des 14. Jahrhunderts.* (BGPhThMA 30/1-2). Münster i.W. 1930 (xx,261 pp.), cf. pp. 14-16

-: *Die ersten Ansätze zu systematischer Glaubensbegründung.* In: DTh(F) 26 (1948), pp. (361-394) 371. 374

-: *Der Stand der Glaubensbegründung zu Ausgang des 13. Jahrhunderts.* In: Schol. 20-24 (1945-49), pp. (221-231) 223sq. 226-229 [Rec. R. AUBERT 1943]

-: *Die Entfaltung des apologetischen Problems in der Scholastik des Mittelalters.* Freiburg/Basel/ Wien 1962 (216 pp.), ad indicem s.v.

-: *Die theologische Prinzipienlehre der mittelalterlichen Scholastik.* Freiburg i.Br. 1964 (226 pp.), ad indicem s.v.

LANGEMEYER, Georg Bernhard: *Leitideen und Zielsetzungen theologischer Mittelalterforschung aus der Sicht der systematischen Theologie.* In: Manfred GERWING/Lothar RUPPERT (Hg.): Renovatio et Reformatio (Fschr. Ludwig HÖDL zum 60. Geb.). Münster i.W. 1985, pp. 3-13

LARGIER, Nikolaus: *Zeit, Zeitlichkeit, Ewigkeit. Ein Aufriß des Zeitproblems bei Dietrich von Freiberg und Meister Eckhart* (Deutsche Literatur von den Anfängen bis 1700, 8). Bern/ Frankfurt a.M. 1989 (ix,316 pp.), cf. pp. 203-205. 217-219

LECHNER, Josef: *Die Sakramentenlehre des Richard von Mediavilla* (MStHTh 5). München 1925 (viii,426 pp.), ad indicem s.v.

-: *Beiträge zum mittelalterlichen Franziskanerschrifttum, vornehmlich der Oxforder Schule des 13./14. Jahrh., auf Grund einer Florentiner Wilhelm von Ware - Handschrift.* In: FranzStud 19 (1932), pp. (99-127) 100sq. 106. 110. 112. 114. 122sq.

LEINSLE, Ulrich G.: *Res et Signum. Das Verständnis zeichenhafter Wirklichkeit in der Theologie Bonaventuras* (VGI 26). München/Paderborn/Wien 1976 (xxxv,293 pp.)

-: *Einführung in die scholastische Theologie* (UTB 1865). Paderborn 1995 (viii,353 pp.), cf. pp. 114. 127. 163-169. 173. 175. 177. 198-200. 277

LEMKE, Dieter: *Die Theologie Epikurs. Versuch einer Rekonstruktion* (Zetemata 57). München 1973 (##### pp.)

LENNERZ, Heinrich: *Natürliche Gotteserkenntnis. Stellungnahmen der Kirche in den letzten hundert Jahren.* Freiburg i.Br. 1926 (viii,253 pp.)

LITTLE, A. G./PELSTER, F.: *Oxford Theology and Theologians A. D. 1282 - 1302* (Oxford Historical Society 96). Oxford 1934 (#### pp.)

LOTTIN, Odon: *Psychologie et morale aux XIIᵉ et XIIIᵉ siècles* (6 tom.). Gembloux 1942-60

LUYCKX, Bonifaz Anton: *Die Erkenntnislehre Bonaventuras* (BGPhMA 23/3-4). Münster i.W. 1923 (xxiv,308 pp.)

LYNCH, J. E.: *The Theory of Knowledge of Vital du Four* (FIP.Ph 16). St. Bonaventure, N.Y. 1972 (215 pp.), cf. pp. 48-50. 61-86. 171-181

MCCORD ADAMS, Marilyn: *William Ockham.* Notre Dame, Ind. 1987 (2 vol.) (xx,1402 pp.), ad indicem s.v. [Rec.: Dominik PERLER, FZPhTh 37 (1990), pp. (209-231) 221. 223sq. 228sq.]

MACKEN, Raymond: *Hendrik van Gent's „Quodlibet I". Tekstkritische uitgave. Weerlegging van een mogelijke eeuwigheid der wereld.* Diss. phil. Kath. Univ. Löwen 1968 (2 vol., 365 & 393* pp.)

-: *La théorie de l'illumination divine dans la philosophie d'Henri de Gand.* In: RThAM 39 (1972), pp. 82-112

-: *Les corrections d'Henri de Gand à ses Quodlibets.* In: RThAM 40 (1973), pp. 5-51

-: *Vitale Zuccoli, commentateur des Quodlibets d'Henri de Gand.* In: BPhM 18 (1976), pp. 83-89

-: *Les corrections d'Henri de Gand à sa Somme.* In: RThAM 44 (1977), pp. 55-100

-: *Heinrich von Gent im Gespräch mit seinen Zeitgenossen über die menschliche Freiheit.* In: FranzStud 59 (1977), pp. 125-182

-: *Les sources d'Henri de Gand.* In: RPhL 76 (1978), pp. 5-28

-: *Bibliotheca manuscripta Henrici de Gandavo* (Henrici de Gandavo Op. omn. 1-2). Löwen 1979 (xvii,677 & iv,678-1306 pp.)

-: *Introduction.* In: Henrici de Gandavo Quodlibet I. Ed. Raymond MACKEN (Op. omn. 5). Löwen 1979, pp. vii-xxiv

-: *Lebensziel und Lebensglück in der Philosophie des Heinrich von Gent.* In: FranzStud 61 (1979), pp. 107-123

-: *Deseo natural y vocación sobrenatural del hombre en la filosofía de Enrique de Gante.* In: La filosofia del cristiano (Primer Congreso Mundial de Filosofía Cristiana, Cordoba 21-28 oct. 1979, Republica Argentina, Sociedad Católica Argentina de Filosofía, Cordoba). Cordoba 1980, vol. II, pp. 839-846

-: *Die Editionstechnik der „Opera omnia" des Heinrich von Gent.* In: FranzStud 63 (1981), pp. 227-239

-: *Sinderesi e coscienza nella filosofia di Enrico di Gand.* In: B. D'AMORE (ed.): Metafisica e scienze dell'uomo (Atti del VIII Congr. Intern. di „Centro Internazionale di Studi e di Relazioni Culturali", Bergamo 4-9 sett. 1980). Rom 1982, vol. II, pp. 381-387

-: *God as 'primum cognitum' in the Philosophy of Henry of Ghent.* In: FranzStud 66 (1984), pp. 309-315
-: *Selbstverwirklichung des Menschen in der Philosophie des Heinrich von Gent.* In: Manfred GERWING/Lothar RUPPERT (Hg.): Renovatio et Reformatio (Fschr. Ludwig HÖDL zum 60. Geb.). Münster i.W. 1985, pp. 131-140
-: *L'illumination divine concernant les vérités révelées chez Henri de Gand.* In: Journal Philosophique 1 (1985), pp. 261-272
-: *The Metaphysical Proof for the Existence of God in the Philosophy of Henry of Ghent.* In: FranzStud 68 (1986), pp. 247-260
-: *Dios como primer objeto de la voluntad humana en la filosofia de Enrique de Gante.* In: Sociedad Católica Mexicana de Filosofia (ed.), El humanismo y la metafisica cristiana en la actualidad. „In amore sapere et in sapientia amor". Monterrey, N.L., México 1986, vol. IV, pp. 463-472
-: *Henri de Gand et la pénétration d'Avicenne en Occident.* In: Philosophie et culture (Actes du VIIe congrès mondial de philosophie, Montréal 21.-27. august 1987). Montréal 1988, vol. III, pp. 176-184
-: *La personnalité, le caractére et les méthodes de travail d'Henri de Gand.* In: ThZ 45 (1989), Heft 2/3 (Fschr. Martin Anton SCHMIDT zum 70. Geb.), pp. 192-206
-: *Der geschaffene Wille als selbstbewegendes geistiges Vermögen in der Philosophie des Heinrich von Gent.* In: HPhMA 1991, tom. II, pp. 561-572
-: *Henry of Ghent and Augustine.* In: Marc D. JORDAN/Kent EMERY, JR. (ed.): Ad litteram. Authoritative Texts and their Medieval Readers. Notre Dame, Ind./London 1992, pp. 251-274
-: *Bibliographie d'Henri de Gand* (EMPhFLC 1). Löwen 1994 (88 pp.)
-: *Essays on Henry of Ghent[, I]* (EMPhFLC 2). Löwen 1994 (104 pp.)
-: *Essays on Henry of Ghent, II* (EMPhFLC 3). Löwen 1994 (82 pp.)
-: *Medieval Philosophers of the Former Low Countries. Part I: Bio-Bibliography and Catalogue* (EMPhFLC). Löwen 1997 (xxiv,518 pp.)
MARÉCHAL, Joseph: *Le point de départ de la métaphysique. Lecons sur le développement historique et théorique du problème de la connaissance.* Cahiers I-V (ML.P 4-6. 8), Brügge/Löwen 1922-47
MARENBON, John: *Later Medieval Philosophy (1150-1350). An Introduction.* London/New York 1987 (xii,230 pp.), cf. pp. 144-153
MARMURA, Michael E.: *Avicenna's Proof From Contingency For God's Existence in the Metaphysics of the Shifa.* In: MS 42 (1980), pp. 337-352
-: *Avicenna on Primary Concepts in the 'Metaphysics' of His 'al-Shifa".* In: R. M. SAVORY/D. A. AGIUS (ed.): Logos Islamikos. Studia islamica in honorem G. M. WICKENS. Toronto 1984, pp. 219-239
-: *Avicenna. IV. Metaphysics.* In: Encyclopaedia Iranica. Ed. Ehsan YARSHATER, tom. III[, fasc. 2; publ. 1986] (London/New York 1989), col. 72a-79a
MARRONE, John Thomas: *The Ecclesiology of the Parisian Secular Masters 1250-1320.* Diss. Cornell University 1972 (v,296 pp.), cf. Diss. Abstr. 33/10 A (1972/73), p. 5644
- (ed.), *The Absolute and the Ordained Powers of the Pope. An Unedited Text of Henry of Ghent.* In: MS 36 (1974), pp. 7-27
MARRONE, Steven P.: *Matthew of Aquasparta, Henry of Ghent and Augustinian Epistemology after Bonaventure.* In: FranzStud 65 (1983), pp. 252-290
-: *Truth and Scientific Knowledge in the Thought of Henry of Ghent* (Speculum Anniv. Monogr. 11), Cambridge, Ma. 1985 (x,164 pp.) [Rec.: R. MACKEN EThL 62 (1986), p. 196sq.; J. MCEVOY BThAM 14 (1986-90), p. 381sq.; J. DECORTE FranzStud 71 (1989), p. 224sq.; P. J. W. MILLER JHPh 27 (1989), p. 149sq.; È.-H. WÉBER RSPhTh 77 (1993), p. 446sq.]
-: *Henry of Ghent and Duns Scotus on the Knowledge of Being.* In: Spec. 63 (1988), pp. 22-57
MAURER, Armand: *'Ens diminutum': A Note on Its Origin and Meaning.* In: MS 12 (1950), p. (216-222) 220sq.

MICHAUD-QUANTIN, Pierre: *Études sur le vocabulaire philosophique du moyen âge* (Lessico Intellettuale Europeo 5). Rom 1970 (253 pp.), cf. pp. 49. 82. 90. 134. 142

MIETHKE, Jürgen: *Papst, Ortsbischof und Universität in der Pariser Theologenprozessen des 13. Jahrhunderts.* In: MM 10 (1976), pp. (52-94) 82. 86. 88-90. 92sq.

MINNIS, A. J.: *Medium and Message. Henry of Ghent on Scriptural Style.* In: R. G. NEWHAUSER/J. A. ALFORD (ed.): Literature and Religion in the Late Middle Ages. Philological Studies in Honour of Siegfried WENZEL. Binghampton, N.Y. 1995, pp. 209-235.

MOJSISCH, Burkhard: *Meister Eckhart. Analogie, Univozität und Einheit.* Hamburg 1983 (xii,185 pp.), ad indicem s.v.

-: *Die Theorie des Intellekts bei Dietrich von Freiberg* (CPhTMA, Beih. 1). Hamburg 1977 (103 pp.)

-: *Augustins Theorie der 'mens' bei Thomas von Aquin und Dietrich von Freiberg - zu einer ordensinternen Kontroverse im Mittelalter.* In: Traditio Augustiniana. Studien über Augustinus und seine Rezeption. Festgabe für Williges ECKERMANN zum 60. Geb. Hg. im Auftrag des Augustinus-Instituts der deutschen Augustiner von Adolar ZUMKELLER/Achim KRÜMMEL (Cass. 46). Würzburg 1994, pp. 193-202

MONTAGNA, Davide Maria: *I Servi ed Enrico di Gand († 1293): inchiesta sui manoscritti.* In: Studi storici dell'Ordine dei Servi di Maria 32 (1982), pp. 197-204

MONTAGNES, Bernard: *La doctrine de l'analogie de l'être d'après saint Thomas d'Aquin* (PhMed 6). Löwen/Paris 1963 (212 pp.), cf. pp. 116-119

MÜLLER, Hans Joachim: *Die Lehre vom* verbum mentis *in der spanischen Scholastik. Untersuchungen zur historischen Entwicklung und zum Verständnis dieser Lehre bei Toletus, den Conimbricensern und Suarez.* Diss. phil. Münster i.W. 1968 (290 pp.), cf. pp. 73-86

NYS, Theophiel Victor: *De psychologia cognitionis humanae secundum Henricum Gandavensem* (Excerpta ex diss. Greg.). Rom 1949 (47 pp.)

-: *De werking van het menselijk verstand volgens Hendrik van Gent.* Löwen 1949 (142 pp.) [Rec.: Jean PAULUS RPhL 47 (1949), pp. 493-496]

O'DONNELL, James Joseph: *Augustine, Confessions. Latin Text with English Commentary* (3 vol.) Oxford 1992

OEING-HANHOFF, Ludger: *Ens et unum convertuntur. Stellung und Gehalt des Grundsatzes in der Philosophie des hl. Thomas von Aquin* (BGPhThMA 37/3). Münster i.W. 1953 (xv, 194 pp.)

-: *Existenz.* In: LThK² III (1959), col. (1306-1308) 1306sq.

-: *Thomas von Aquin und die Situation des Thomismus heute.* In: PhJ 70 (1962), pp. 17-33

-: *Wesen und Formen der Abstraktion bei Thomas von Aquin.* In: PhJ 71 (1963), pp. 17-37

-: *Die Methoden der Metaphysik im Mittelalter.* In: MM 2 (1963), pp. 71-91

-: *Abstraktion. III.* In: HWPh I (1971), col. (47-59) 48

-: *Analyse/Synthese.* In: HWPh I (1971), col. 232-248

-: *Gotteserkenntnis im Lichte der Vernunft und des Glaubens nach Thomas von Aquin.* In: ID. (Hg.): Thomas von Aquin 1274/1974. München 1974, pp. 97-124

-: *Thomas von Aquin und die gegenwärtige katholische Theologie.* In: W. P. ECKERT (Hg.): Thomas von Aquino Interpretation und Rezeption. Studien und Texte (WSAMA.P 5). Mainz 1974, pp. 245-306

-: *Methode. III. Mittelalter. 2.* In: HWPh V (1980), col. 1309-1311

-: *Sein und Sprache in der Philosophie des Mittelalters* [=MM 13/1 (1981), pp. 165-178]. In: ID.: Metaphysik und Freiheit. Ausgew. Abh. Hg. von Theo KOBUSCH/Walter JAESCHKE. München 1988, p. (30-44) 31

-: *Trinitarische Ontologie und Metaphysik der Person.* In: W. BREUNING (Hg.): Trinität. Aktuelle Perspektiven der Theologie (QD 101). Freiburg/Basel/Wien 1984, pp. 143-182

PAISSAC, Hyacinthe: *Existence de Dieu et connaissance habituelle.* In: Doctor Communis 4 (1953), pp. 84-90

PANNENBERG, Wolfhart: *Akt und Sein im Mittelalter.* In: KuD 7 (1961), pp. 197-220

-: *Die Gottesidee des hohen Mittelalters.* In: Albert SCHAEFER (Hg.): Der Gottesgedanke im Abendland (Urban-Bücher 79). Stuttgart 1964, pp. 21-34

-: *Theologie und Philosophie. Ihr Verhältnis im Lichte ihrer gemeinsamen Geschichte* (UTB 1925). Göttingen 1996 (367 pp.)

PATTIN, Adriaan: *De verhouding tussen zijn en wezenheid en de transcendentale relatie in de 2de helft der XIIIde eeuw* (VVAW.W 21). Brüssel 1955 (311 pp.), ad indicem s.v.

- (ed.): *La structure de l'être fini selon Bernard d'Auvergne OP.* In: TFil 24 (1962), pp. (668-737) 672-681. 689. 708-737

-: *Nieuwe uitgaven van middeleeuwse teksten* [Rec.: Raymond MACKEN, Bibliotheca manuscripta]. In: TFil 41 (1979), pp. 700-704

-: *Henricus van Gent, Quodlibeta II en IX.* In: TFil 47 (1985), pp. 503-507

- (ed.): *Pour l'histoire du sens agent. La controverse entre Barthélemy de Bruges et Jean de Jandun. Ses antécédents et son évolution. Étude et textes inédits* (AMPh.DWMC I, 6). Leuven 1988 (xv,450 pp.), cf. pp. xiii. 393. 398

PAULUS, Jean: *Henri de Gand et l'argument ontologique.* In: AHDL 10 (1935), pp. 265-323 [Rec.: ANON. CF 7 (1937), p. 487sq.]

-: *Sur les origines du nominalisme.* In: RevPhil 37 (1937), pp. (313-330) 316. 324

-: *Monographies récentes sur les philosophes des XIVe- XVIe siècles.* In: RNSPh 40 (1937), pp. (469-491) 470. 480. 482sq. 488.

-: *Henri de Gand. Essai sur les tendences de sa métaphysique* (EPhM 25), Paris 1938 (xxxii,402 pp.) [Rec.: D. DUBARLE BThom 2 (1937-39), pp. 340-360; A. HAYEN RNSPh 41 (1938), pp. 452-456; D. SALMAN RSPhTh 27 (1938), pp. 604-606; R. BOURGEOIS RevPhil 39 (1939), pp. 143-157; J. B. SCHUSTER Schol. 14 (1939), p. 451sq.; I. DOCKX TFil 2 (1940), p. 440sq.; G. RABEAU RevSR 22 (1948), pp. 100-115]

-: *Les disputes d'Henri de Gand et da Gilles de Rome sur la distinction de l'essence et de l'existence.* In: AHDL 15-17 (1940-42), pp. 323-358

-: *A propos de la théorie de la connaissance d'Henri de Gand.* RPhL 47 (1949), pp.493-496 [Rec. Th. NYS, Het werking ..., 1949]

PEGIS, Anthony Charles: *Toward a New Way to God: Henry of Ghent (I.-III.).* In: MS 30 (1968), pp. 226-247; 31 (1969), pp. 93-116; 33 (1971), pp. 158-179

-: *Four Medieval Ways to God (St. Anselm of Canterbury, St. Bonaventure, St. Thomas Aquinas, Henry of Ghent).* In: Monist 54 (1970), pp. 317-358

PELSTER, Franz: *Der Heinrich von Gent zugeschriebene Catalogus virorum illustrium und sein wirklicher Verfasser.* In: HJ 39 (1919), pp. 253-268

-: *Die Ehrentitel der scholastischen Lehrer des Mittelalters.* In: ThQ 103 (1922), pp. (37-56) 38. 41. 43-49. 53. 56

-: *Rez.:* R. Guardini, Die Lehre des hl. Bonaventura von der Erlösung. 1921. In: ThRv 22 (1923), col. (366-368) 368

-; *Rec.*: Bayerschmidt, Seins- und Formmetaphysik. 1941. In: Gr. 27 (1946), pp. 458-462

-: *Kommentare zum vierten Buch der Sentenzen von Wilhelm von Ware, zum ersten Buch von einem Unbekannten und von Martin von Alnwick in Cod. 501 Troyes.* In: Schol. 27 (1952), pp. (344-367) 349-358. 363-367

-: *Theologisch und philosophisch bedeutsame Quästionen des Wilhelm von Macclesfield OP, Heinrich von Harclay und anonymer Autoren der englischen Hochscholastik in Cod. 501 Troyes.* In: Schol. 28 (1953), p. (222-240) 226sq.

PELZER, August: *Codices Vaticani latini. Tomus II, pars prior: Codices 679-1134; Appendix (Index nominum et rerum, initia operum).* Vatikanstadt 1931-33 (xxxiv,775; viii,356 pp.)

PÉREZ ARGOS, Baltasar: *La actividad cognoscitiva an los escolasticos del primer periodo postomista.* In: Pens. 4 (1948), pp. (167-202. 287-309) 191sq. 198sq. 289-291. 296sq.

PETER, Carl J.: *Participated Eternity in the Vision of God. A Study of the Opinion of Thomas Aquinas and His Commentators on the Duration of the Acts of Glory* (AnGr 142). Rom 1964 (vii,308 pp.), cf. pp. 73-90. 255sq.

PORRO, Pasquale: *Il "Tractatus super facto praelatorum et fratrum" di Enrico di Gand. La controversia tra clero secolare e Ordini Mendicanti alla fine del XIII secolo.* In: Quaderno di cultura e formazione 3 (1990), pp. 37-66

-: *Enrico di Gand. La via delle proposizioni* (Vestigia. Studi e strumenti di storiografia filosofica, 2). Bari 1990 (217 pp.) [Rec.: G. RUSSINO, Schede medievali 22-23 (1992), p. 242]

-: *'Ponere statum'. Idee divine, perfezioni creaturali e ordine del mondo in Enrico di Gand.* In: Mediaevalia. Textos e Estudios 3 (1993), pp. 109-159

-: *Sinceritas veritatis. Sulle tracce un sintagma agostiniano.* In: Augustinus 39 (1994) [= Charisteria Augustiniana. Josepho OROZ RETA dicata. Madrid 1994, tom. II], pp. (413-430) 420-429

-: *Possibilità Ed* Esse essentiae *in Enrico di Gand.* In: Henry of Ghent. Proceedings. 1996, pp. 211-253

-: *An Historiographical Image of Henry of Ghent* [= ID.: Enrico di Gand. 1990, pp. 143-173, editio revisa et augmentata]. In: Henry of Ghent. Proceedings. 1996, pp. 193-209

-: *Bibliography* [= ID., Enrico di Gand. 1990, pp. 175-198, editio revisa et augmentata]. In: Henry of Ghent. Proceedings. 1996, pp. 405-434

PREZIOSO, Faustino Antonio: *L'attività del sogetto pensante nella gnoseologia di Matteo d'Aquasparta e di Ruggiero Marston.* In: Anton. 25 (1950), pp. (259-326) 294-300. 312. 317

-: *La critica di Duns Scoto all'ontologismo di Enrico di Gand* (PIUMC.F 26). Padua 1961 [Rec.: cf. BgF 12 (1958-63), nr. 1688; T. BARTH WiWei 29 (1966), pp. 229-232]

-: *La 'species' medievale e i prodromi del fenomenismo moderno* (PIUMC.F 42), Padua 1963 (102 pp.), cf. 7-28

PUTALLAZ, François-Xavier: *La connaissance de soi au XIIIe siècle. De Mathieu d'Aquasparta à Thierry de Freiberg* (EPhM 67). Paris 1991 (444 pp.), ad indicem s.v.

-: *Insolente liberté. Controverses et condamnations au XIIIe siècle* (Vestigia 15). Fribourg/Paris 1995 (xvi,339 pp.), pp. 170-208, ad indicem s.v.

PYCKE, Jacques: *Répertoire biographique des chanoines de Notre-Dame de Tournai, 1080-1300* (Université de Louvain - Recueil de travaux d'histoire et de philologie, 6e ser., no. 35), Louvain-la-Neuve/Brüssel 1988, cf. pp. 48-52. 390sq.

RAHNER, Karl: *Geist in Welt. Zur Metaphysik der endlichen Erkenntnis bei Thomas von Aquin.* Innsbruck 1939 (xv,296 pp.)

-: *Hörer des Wortes. Zur Grundlegung einer Religionsphilosophie.* München 1941 (229 pp.)

-: *Geist in Welt. Zur Metaphysik der endlichen Erkenntnis bei Thomas von Aquin.* Zweite, von Johann Baptist METZ im Auftrag des Verfassers überarb. und erg. Aufl. München 1957 (ed. anastat. ^{3}1964) (414 pp.)

-: *Hörer des Wortes. Zur Grundlegung einer Religionsphilosophie.* Neu bearb. v. Johann Baptist METZ. München 1963 (221 pp.)

-: *Atheismus und implizites Christentum.* In: ID.: Schriften zur Theologie, Bd. VIII. Einsiedeln 1967, pp. 187-212

RATZINGER, Joseph: *Die Geschichtstheologie des heiligen Bonaventura.* (München 1959) St. Ottilien ^{2}1993 (xxiii,167 pp.)

-: *Der Weg der religiösen Erkenntnis nach dem heiligen Augustinus.* In: Patrick GRANFIELD/ Josef A. JUNGMANN (Hg.): Kyriakon. Fschr. Johannes QUASTEN. Münster i.W. 1970, vol. II, pp. 553-564

REDING, Marcel: *Die Struktur des Thomismus* (Rombach Hochschul Paperback 69). Freiburg i.Br. 1974 (140 pp.)

RIBAILLIER, Jacques: *Henri de Gand.* In: DSAM VII (1969), col. 197-210

ROENSCH, F. J.: *Early Thomistic School.* Dubuque, Iowa 1964 (xxii, 351 pp.), ad indicem s.v.

ROHLS, Jan: *Theologie und Metaphysik. Der ontologische Gottesbeweis und seine Kritiker.* Gütersloh 1987 (654 pp.), ad indicem s.v.

ROSCHINI, Gabriele M.: *Galleria servitana. Oltre mille religiosi dell'Ordine dei Servi di Maria illustri per santità, scienze, lettere ed arti.* Rom 1976 (2 vol.; 850 pp.)

ROSENMÖLLER, Bernhard: *Die religiöse Erkenntnis nach Bonaventura* (BGPhThMA 23/3-4). Münster i.W. 1925 (xvi,224 pp.)

ROSSMANN, Heribert: *Die Hierarchie der Welt. Gestalt und System des Franz von Meyronnes OFM mit besonderer Berücksichtigung seiner Schöpfungslehre* (FrFor 23). Werl 1972 (xxxvii,385 pp.), ad indicem s.v.

ROVIRA BELLOSO, Josep Maria: *La visión de Dios según Enrique de Gante* (CSPac.T 7). Barcelona 1960 (264 pp.) [Rec.: José GOMEZ CAFFARENA Pens. 17 (1961), p. 374sq.; Odon LOTTIN BThAM 9 (1962-65), p. 160sq.]

-: *Sobre el mètode teològic en Enrice de Gand.* In: Rev. Catalana de teol. 8 (1983), pp. 241-251

RUCKER, Palmaz: *Der Ursprung unserer Begriffe nach Richard von Mediavilla. Ein Beitrag zur Erkenntnislehre des Doctor solidus* (BGPhThMA 31/1). Münster i.W. 1934 (174 pp.), ad indicem s.v.

RÜSSMANN, Heinrich: *Zur Ideenlehre der Hochscholastik unter besonderer Berücksichtigung des Heinrich von Gent, Gottfried von Fontaines und Jakob von Viterbo* (FThSt 48). Freiburg i.Br. 1938 (vii,147 pp.) [Rec.: A. M. LANDGRAF ThRv 39 (1939), col. 268-270; AMEDEUS A ZEDELGEM CFr 12 (1942), pp. 402-405]

SAN CRISTÓBAL-SEBASTIÁN, Antonio: *Controversias acerca de la voluntad desde 1270 a 1300. Estudio histórico-doctrinal.* Madrid 1958 (280 pp.) [Rec.: Rafael F. DE MUNAIN VyV 18 (1960), pp. 531-547; L.-J. BATAILLON, RScPhTh 44 (1960), p. 163; O. LOTTIN, BThAM 8 (1960), pp. 649-651; F. VAN STEENBERGHEN, RPhL 61 (1963), pp. 311-313]

SARANYANA, Josep Ignacio: *La recepción del argumento anselmiano en la Escolástica de siglo XIII (1220-1270).* In: Anton ZIEGENAUS/Franz COURTH/Philipp SCHÄFER (Hg.): Veritati Catholicae. Fschr. für Leo SCHEFFCZYK. Aschaffenburg 1985, pp. 612-627

SCHILLEBEECKX, Edward: *Das nicht-begriffliche Erkenntnismoment in unserer Gotteserkenntnis nach Thomas von Aquin* [= TFil 14 (1952), pp. 411-453]. Dtsch. in: ID., *Offenbarung und Theologie.* Mainz 1965, pp. 225-260

SCHLIER, Heinrich: *Die Erkenntnis Gottes nach den Briefen des Apostels Paulus* [= Herbert VORGRIMLER (Hg.): Gott in Welt. Fschr. Karl RAHNER zum 60. Geb.. Freiburg/Basel/Wien 1964, vol. I, pp. 151-171] In: ID.: Besinnung auf das Neue Testament (Exegetische Aufsätze und Vorträge, II). Freiburg/Basel/Wien 1964, pp. 319-339

SCHMAUS, Michael: *Der Liber propugnatorius des Thomas Anglicus und die Lehrunterschiede zwischen Thomas von Aquin und Duns Scotus* (BGPhThMA 29). Münster i.W. 1930 (xxvii,666,334* pp.), ad indicem s.v.

-: *Der Lehrer und der Hörer der Theologie nach der Summa Quaestionum des Heinrich von Gent.* In: L. LENHARD (Hg.): Universitas (Fschr. Albert STOHR). Mainz 1960 (2 vol.), vol. I, pp. 3-16

-: *Die Schrift und die Kirche nach Heinrich von Gent.* In: Johannes BETZ/Heinrich FRIES (Hg.): Kirche und Überlieferung (Fschr. Johann Rupert GEISELMANN zum 70. Geb.). Freiburg i.Br. 1960, pp. 211-214

SCHMID, Alois von: *Untersuchungen über den letzten Gewißheitsgrund des Offenbarungsglaubens.* München 1879 (ed. anastat. Frankfurt a.M. 1969), pp. 102-106

-: *Erkenntnißlehre* (2 vol.). Freiburg i.Br. 1890 (vii,498; v,428 pp.), vol. II, pp. 82. 121sq. 375. 387-389. 408

SCHMIEDER, Karl: *Alberts des Großen Lehre vom natürlichen Gotteswissen.* Freiburg i.Br. 1932 (xii,178 pp.) [Rec.: Timotheus BARTH PhJ 49 (1936), pp. 407-409]

SCHMITT, Charles H.: *Henry of Ghent, Duns Scotus and Gianfrancesco Pico on Illumination.* In: MS 25 (1963), pp. 231-258

-: *Cicero scepticus. A Study of the Influence of the "Academica" in the Renaissance.* Den Haag 1972 (xv,214 pp.), cf. pp. 39-41

SCHMÜCKER, Rainulf: *Propositio per se nota, Gottesbeweis und ihr Verhältnis nach Petrus Aureoli* (FrFor 8). Werl 1941 (xv,276 pp.), cf. pp. 94-100. 111-114. 222-244 [Rec.: T. BARTH Anton. 17 (1942), p. 323sq.; BONAVENTURA A MEHR CFr 16/17 (1946/47), pp. 386-390]

SCHNEIDER, Theodor: *Die Einheit des Menschen. Die anthropologische Formel 'anima forma corporis' im sogenannten Korrektorienstreit und bei Petrus Johannis Olivi. Ein Beitrag zur Vorgeschichte des Konzils von Vienne* (BGPhThMA N.F. 8). Münster i.W. (1972) ²1988, ad indicem s.v.

SCHÖLLGEN, Werner: *Das Problem der Willensfreiheit bei Heinrich von Gent und Hervaeus Natalis* (AEtM 6). Düsseldorf 1927 (ed. anastat. Hildesheim 1975) (112 pp.) [Rec.: J. STUFLER ZKTh 52 (1928), pp. 252-254; Z. VAN DE WOESTYNE Anton. 3 (1928), pp. 238-240]

SCHÖNBERGER, Rolf: *Nomina divina. Zur theologischen Semantik bei Thomas von Aquin* (EHS XX/72). Frankfurt a.M./Bern 1981 (iv,161 pp.)

-: *Die Transformation des klassischen Seinsverständnisses. Studien zur Vorgeschichte des neuzeitlichen Seinsbegriff im Mittelalter* (QSP 21). Berlin/New York 1986 (xi,423 pp.), cf. pp. 111-117. 149-159. 305-314 [Rec.: C. BÉRUBÉ CFr 59 (1989), pp. 109-155]

-: *Secundum rationem esse. Zur Ontologisierung der Ethik bei Meister Eckhart.* In: Reinhard LÖW (Hg.): Oikeiosis. Festschrift für Robert SPAEMANN. Weinheim 1987, pp. (252-272) 256. 261. 263

-: *Responsio Anselmi. Anselms Selbstinterpretation in seiner Replik auf Gaunilo.* In: FZPhTh 36 (1989), pp. (3-46) 14. 17-19. 33. 41

-: *Realität und Differenz. Ockhams Kritik an der 'distinctio formalis'.* In: Wilhelm VOSSENKUHL/Rolf SCHÖNBERGER (Hg.): Die Gegenwart Ockhams. Weinheim 1990, pp. (97-122) 100-102. 104. 106. 110. 113-115. 118. 120sq.

-: *Was ist Scholastik?* (Philosophie und Religion 2). Hildesheim 1991 (125 pp.), ad indicem s.v.

-: *Eigenrecht und Relativität des Natürlichen bei Johannes Buridanus.* In: MM 21 (1991), pp. (216-233) 229

-: *Zur Funktion der aristotelischen Ursachenlehre in der Scholastik.* In: MM 22 (1994), pp. (421-439) 425. 434sq. 437

-: *Relation als Vergleich. Die Relationstheorie des Johannes Buridan im Kontext seines Denkens und der Scholastik* (STGMA 43). Leiden 1994 (viii,489 pp.), ad indicem s.v., cf. pp. 87-102

-: *Scholastik.* In: LexMA VII (1995), col. (1521-1526) 1523

-: *'Negationes non summe amamus.' Duns Scotus' Auseinandersetzung mit der negativen Theologie.* In: JDSME 1996, pp. (475-496) 476. 480sq. 482. 485. 489. 491

SCHOFIELD, Michael: *Preconception, Argument, and God.* In: Michael SCHOFIELD et al. (ed.), Doubt and Dogmatism. Oxford 1980, pp. 282-308

SCHRIMPF, Gangolf: *Anselm von Canterbury, Proslogion II-IV. Gottesbeweis oder Widerlegung des Toren? Unter Beifügung der Texte mit neuer Übersetzung* (Fuldaer Hochschulschriften 20). Frankfurt a.M. 1994 (96 pp.)

SCHULTHESS, Peter: *Die Philosophie im lateinischen Mittelalter. Ein an der Rezeption der (spät-) antiken Texte orientierter Überblick.* In: Peter SCHULTHESS/Ruedi IMBACH: Die Philosophie im lateinischen Mittelalter. Ein Handbuch mit einem bio-bibliographischen Repertorium. Zürich/Düsseldorf 1996, pp. (15-349) 77. 164. 169. 172. 192. 199. 214. 220. 224sq. 235. 242sq. 258. 289

SCHWANE, Joseph: *Dogmengeschichte des Mittelalters.* Münster i.W./Freiburg i.Br. (1860-90) ²1892-1895, vol. II, pp. 71-76

SEEBERG, Reinhold: *Lehrbuch der Dogmengeschichte* (4 tom. in 5 vol.), Bd. III: Die Dogmengeschichte des Mittelalters. Leipzig (¹1895-98) ⁴1930 (ed. anastat. Graz 1954) (xvii,797 pp.), ad indicem (vol. IV/2 [³1920!], p. 961) s.v.

-: *Die Theologie des Johannes Duns Scotus: Eine dogmengeschichtliche Untersuchung* (SGThK 5). Leipzig 1900 (ed. anastat. Aalen 1971) (705 pp.), cf. spec. pp. 605-624

SECKLER, Max: *Das Heil der Nichtevangeliserten in thomistischer Sicht.* In: ThQ 140 (1960), pp. 38-69

-: *Nichtchristen. II. Theologiegeschichtlich.* In: HThG dtv III ([¹1963] 1970), pp. 246-249

-: *Das Haupt aller Menschen. Zur Auslegung eines Thomas-Textes* [= Joseph MÖLLER/Hans KOHLENBERGER (Hg.), Virtus politica. Festgabe Alfons HUFNAGEL zum 75. Geb.

Stuttgart-Bad Canstatt 1974, pp. 107-125]. In: ID.: Die schiefen Wände des Lehrhauses. Freiburg i.Br. 1988, pp. 26-39. 207-211

SEILER, Julius: *Das Dasein Gottes als Denkaufgabe. Darlegung und Bewertung der Gottesbeweise.* Luzern/Stuttgart 1965 (328 pp.)

SIEWERTH, Gustav: *Die Apriorität der Erkenntnis als Einheitsgrund der philosophischen Systematik des Thomas von Aquin* (1936). In: ID.: Der Thomismus als Identitätssystem. Bearb. und mit einer Einl. vers. von Franz-A. SCHWARZ (Ges. Werke 2). Düsseldorf 1979, pp. 347-372

-: *Der Thomismus als Identitätssystem* (1939). In: ID.: Der Thomismus als Identitätssystem. Bearb. und mit einer Einl. vers. von Franz-A. SCHWARZ (Ges. Werke 2). Düsseldorf 1979, pp. 13-282

-: *Die Apriorität der menschlichen Erkenntnis nach Thomas von Aquin* (1936). In: ID.: Sein und Wahrheit. Bearb. und eingel. von Franz-A. SCHWARZ mit einem Nachw. von Walter WARNACH (Ges. Werke 1). Düsseldorf 1975, pp. 363-438

SILEO, Leonardo: *I maestri di teologia della seconda metà del Duecento. Maestri francescani, secolari e agostiniani.* In: Guilio D'ONOFRIO (ed.): Storia della teologia nel Medioevo, tom. III: La teologia delle scuole. Casale Monferrato 1996, pp. (9-105) 59-77 (pp. 143-146: Bibliogr.)

SÖHNGEN, Gottlieb: *Sein und Gegenstand. Das scholastische Axiom 'ens et verum convertuntur' als Fundament metaphysischer und theologischer Spekulation* (Veröff. des Kath. Inst. für Philos. Albertus-Magnus-Akad. II/4). Münster i.W. 1930 (xix,335 pp.)

SORGE, Valeria: *Gnoseologia e teologia nel pensiero di Enrico di Gand* (Definizioni. Collana di studi filosofici 4). Neapel 1988 (196 pp.) [Rec.: ANON. RLT 24 (1988), pp. 276-279; V. AGOSTI Filosofia Oggi 13 (1990), p. 617sq.; P. COLONELLO Sapienzia 43 (1990), p. 462sq.; P. MÜLLER RFNS 83 (1991), pp. 298-302; D. POIREL BECh 149 (1991), pp. 164-168; R. DELLE DONNE Quaderni medievali 33 (1992), pp. 260-262]

-: *La 'ratio' nella 'Summa theologiae' di Enrico di Gand.* In: Atti dell'Academia Pontaniana (Neapel 1993), pp. 353-364

SPEER, Andreas: *Triplex veritas. Wahrheitsverständnis und philosophische Denkform Bonaventuras* (FFor 32). Werl i.W. 1987 (233 pp.)

STEINMETZ, Peter: *Die Stoa.* In: Ueberweg/Antike IV/2. 1994, pp. 493-716

STELLA, Prospero (ed.): *La prima critica di Hervaeus Natalis alla noetica di Enrico di Gand: il "De intellectu et specie" del cosidetto "De quattuor materiis".* In: Sal. 21 (1959), pp. 125-170

STÖCKL, Albert: *Geschichte der Philosophie des Mittelalters* (3 tom., tom. 2 in 2 vol.), Mainz 1864-66 (ed. anastat. Aalen 1968), vol. II/2, pp. 734-758

STREUER, Severin Rudolf: *Die theologische Einleitungslehre des Petrus Aureoli auf Grund seines Scriptum super Primum Sententiarum und ihre theologiegeschichtliche Einordnung* (FrFor 20). Werl 1968 (172 pp.), cf. pp. 26-28. 87-91. 112-115. 138-141

STROICK, Clemens: *Heinrich von Friemar. Leben, Werke, philosophisch-theologische Stellung in der Scholastik* (FThSt 68). Freiburg i.Br. 1954, passim, spec. pp. 8sq. 87-89. 91-94. 102-112. 155-158. 183-186.

SWEENEY, Eileen C.: *Three Notions of 'Resolutio' and the Structure of Reasoning in Aquinas.* In: Thomist 58 (1994), pp. 197-243

TACHAU, Katherine H.: *Vision and Certitude in the Age of Ockham. Optics, Epistemology and the Foundation of Semantics, 1250-1345* (STGMA 38). Leiden 1988 (428 pp.), cf. spec. pp. 28-39

THEISSING, Hermann: *Glaube und Theologie bei Robert Cowton OFM* (BGPhThMA 42/3). Münster i.W. 1970, cf. pp. 27-31. 134-142. 222-225

TIHON, Paul: *Foi et théologie selon Godefroid de Fontaines* (ML.T 61). Paris/Brügge 1966 (269 pp.), ad indicem s.v.

TORRELL, Jean-Pierre: *Magister Thomas. Leben und Werk des Thomas von Aquin.* Mit einem Geleitwort von Ruedi IMBACH. Freiburg/Basel/Wien 1995 (412 pp.), cf. pp. 221. 314sq. 318sq. 327

TROTTMANN, Christian: *La vision béatifique. Des disputes scolastiques à sa définition par Benoît XII.* (Bibliothéque des Ècoles Françaises d'Athènes et de Rome 289). Rom 1995 (899 pp.) [Rec.: L.-J. BATTAILLON RSPhTh 80 (1996), p. 200]

-: *Henri de Gand, Source de la Dispute sur la Vision Réflexive.* In: Henry of Ghent. Proceedings. 1996, pp. 309-342

TUNINETTI, Luca F.: *"Per se notum". Die logische Beschaffenheit des Selbstverständlichen im Denken des Thomas von Aquin* (STGMA 47). Leiden 1996 (xii,216 pp.), cf. pp. 122. 173sq. 180. 183

UEBERWEG-HEINZE/ -BAUMGARTNER/ -GEYER: vid. s.v. BAUMGARTNER, GEYER, HEINZE

VAN STEENBERGHEN, Fernand: *Die Philosophie im 13. Jahrhundert* [= La philosophie au XIIIe siècle (PhMed 9). Löwen 1966]. Hg. v. Maximilian A. ROESLE. München/Paderborn/Wien 1977 (579 pp.), cf. pp. 467-469

-: *Introduction à l'étude de la philosophie médiévale* (PhMed 18). Löwen/Paris 1974 (611 pp.), ad indicem s.v.

-: *La bibliothèque du philosophie médiéviste* (PhMed 19). Löwen/Paris 1974 (537 pp.), ad indicem s.v.

VANHAMEL, Willi (ed.): *Henry of Ghent. Proceedings of the International Colloquium on the Occasion of the 700th Anniversary of His Death (1293)* [Fschr. Raymond MACKEN zum 70. Geb.] (AMPh.DWMC I/15). Löwen 1996 (ix,457 pp.)

VELLA, Andrew. P. (ed.): *Les premièrs polémiques thomistes: Robert d'Orford, Reprobationes dictorum a fratre Egidio in primum sententiarum. Edition critique* (BiblThom 38). Paris 1968 (191 pp.), cf. pp. 13-18. 22sq.

VEUTHEY, Leo: *S. Bonaventurae philosophia christiana.* Rom 1943

VIER, P. C.: *Evidence and Its Function according to John Duns Scotus* (FIP.Ph 7), St. Bonaventure, N.Y. 1951 (xi,174 pp.), cf. pp. 11-15. 153sq.

VIGNAUX, Paul: *Philosophie au moyen age.* Paris [3]1958 (ed. anastat. Albeuve 1987, mit neuem Vorw.)

-: *Métaphysique de l'Exode et l'univocité de l'être chez Jean Duns Scot.* In: Alain DE LIBERA/ Emile ZUM BRUNN (ed.), Celui qui est. Interpretations juives et chrétiennes d'Exode 3,14. Paris 1986, pp. (103-126) 105. 107-115. 118. 123-125

WALTER, Peter: *Die neuscholastische Philosophie im deutschprachigen Raum.* In: CPhKD II. 1988, pp. 131-194

WASS, Meldon C.: *The Infinite God and the Summa fratris Alexandri.* Chicago, Ill. 1964 (ix, 101 pp.), cf. pp. 21. 25. 44. 95

WÉBER, Edouard-Henri: *Continuités et ruptures de l'enseignement de Maître Eckhart avec les recherches et discussions dans l'Université de Paris.* In: Kurt FLASCH (Hg.): Von Meister Dietrich zu Meister Eckhart (CPhTeuMA, Beih. 2). Hamburg 1984, pp. (163-176) 165sq. 168sq. 171sq.

-: *Eckhart et l'ontothéologisme: histoire et conditions d'une rupture.* In: Maître Eckhart à Paris. Une critique médiévale de l'ontothélogie. Études, textes et traductions (BEHE.R 86). Paris 1984, pp. (13-83) 25-28. 38sq. 42. 44-48. 51-53. 65-67. 69-71. 75. 79-82

-: *La démonstration de l'existence de Dieu chez Hervé de Nedellec et ses confrères Prêcheurs de Paris.* In: Zenon KALUZA/Paul VIGNAUX (ed.): Preuve et raisons à l'Université de Paris: logique, ontologie et théologie au XIVe siècle. Paris 1984, pp. (25-41) 26. 28. 31. 36. 39

-: *L'Herméneutique christologique d'Exode 3,14 chez quelques maitres Parisiens du XIIIe siècle.* In: Alain DE LIBERA/Emile ZUM BRUNN (ed.): Celui qui est. Interpretations juives et chrétiennes d'Exode 3,14. Paris 1986, pp. (47-102) 74

WEGER, Karl-Heinz (Hg.): *Argumente für Gott. Gott-Denker von der Antike bis zur Gegenwart* (Herder-TB 1393). Freiburg i.Br. 1987 (431 pp.)

WIELOCKX, Robert: *L'amour, milieu de l'absolu. Essai sur Henri de Gand.* Diss. Pont. Univ. Greg. 1971 (2 tom., pro manuscripto) (277 & 118 pp.)

-: *Les 51 articles à la lumière des doctrines de la faculté de théologie et d'Henri de Gand.* In: ID. (ed.): Aegidius Romanus, Apologia (Op. omn. III/1). Florenz 1985, pp. 121-178

-: *La thèse de Siemiatkowska.* In: ID. (ed.): Aegidius Romanus, Apologia (Op. omn. III/1). Florenz 1985, pp. 241-260

-: *Une réplique au Contra gradus de Gilles de Rome.* In: RThAM 54 (1987), pp. 261-267

-: *Autour du procès de Thomas d'Aquin.* In: MM 19 (1988), pp. (413-438) 413-415. 418sq. 422sq. 425sq. 430-433. 435. 437

WICKI, Nikolaus: *Die Lehre von der himmlischen Seligkeit in der mittelalterlichen Scholastik von Petrus von Lombardus bis Thomas von Aquin* (SF N.F. 9). Freiburg i.Ue. 1954 (xvi,334 pp.)

WIPPEL, John F.: *Godfrey of Fontaines and Henry of Ghent's Theory of Internal Distinction between Essence et Existence* [= Theodor Wolfram KÖHLER (ed.): Sapientiae procerum amore. Mél. Jean- Pierre MÜLLER OSB (StAns 63). Rom 1974, pp. 289-321]. In: ID., Metaphysical Thought. 1981, pp. 66-89

-: *The Metaphysical Thought of Geoffrey of Fontaines.* Washington D.C. 1981 (xi,293 pp.)

-: *The Reality of Nonexisting Possibles according to Thomas Aquinas, Henry of Ghent, and Godfrey of Fontaines* [= RMet 34 (1981), pp. 729-758]. In: ID.: Metaphysical Themes in Thomas Aquinas (SPHP 10). Washington, D.C. 1984, pp. (163-189) 173-189

-: *The Relationship between Essence and Existence in Late-Thirteenth-Century Thought: Gilles of Rome, Henry of Ghent, Godfrey of Fontaines, and James of Viterbo.* In: P. MOREWEDGE (ed.): Philosophies of Existence. Ancient and Medieval. New York 1982, pp. 131-164

-: *Essence and Existence.* In: CHLMPh 1982, pp. (385-410) 403-407

-: *Divine Knowledge, Divine Power and Human Freedom in Thomas Aquinas and Henry of Ghent* [= Tamar M. RUDAVSKY (ed.): Divine Omniscience et Omnipotence in Medieval Philosophy. Dordrecht 1985, pp. 213-241]. In: ID.: Metaphysical Themes in Thomas Aquinas (SPHP 10). Washington, D.C. 1984, pp. (243-270) 263-270

-: *Quodlibetal Questions, Chiefly in Theology Faculties.* In: Les questions disputées et les questions quodlibétiques dans les facultés de Théologie, de Droit et de Médecine. Par B. C. BAZÀN, J. W. [recte: J. F.] WIPPEL, G. FRANSEN et D. JACQUART (TSMAO 44-45). Turnhout 1985, pp. (151-222) 159. 161. 163sq. 169. 172. 174. 186-190. 193. 196-198. 200. 216

-: *Thomas of Sutton on Divine Knowledge of Future Contingents (Quodlibet II, qu. 5).* In: KSMPh II. 1990, pp. (364-372) 364. 366-372

-: *Medieval Reactions to the Encounter between Faith and Reason* (Aquinas Lectures 53). Milwaukee, Wisc. 1995 (viii,113 pp.), ad indicem s.v.

-: *Thomas Aquinas and the Condamnation of 1277.* In: Modern Schoolman 72 (1995), pp. (233-272) 245sq. 252-254. 256-259. 265sq. 269sq.

WIPPEL, John F./WOLTER, Allan B.: *Medieval Philosophy: From St. Augustine to Nicholas of Cusa.* New York - London 1969 (viii,487 pp.), cf. pp. 23. 376-389. 430sq. 447-450

WOLTER, Allan B.: *The Transcendentals and Their Function in the Metaphysics of Duns Scotus* (FIP.Ph 3). St. Bonaventure, N.Y. 1946 (xvi,200 pp.), cf. pp. 37-41

-: *Reflections about Scotus's Early Works.* In: JDSME 1996, pp. (37-57) 38. 44. 48. 54sq.

XIBERTA, Bartholomaeus F. M.: *De scriptoribus scholasticis saeculi XIV ex Ordine Carmelitarum.* Löwen 1931, ad indicem s.v.

ZIMMERMANN, Albert: *Ontologie oder Metaphysik? Die Diskussion über den Gegenstand der Metaphysik im 13. und 14. Jahrhundert* (StTGMA 8). (Leiden 1965) Löwen ²1998 (xvii, 367 pp.), cf. pp. 186-203

ZUMKELLER, Adolar: *Die Augustinerschule des Mittelalters: Vertreter und philosophisch-theologische Lehre.* In: Anal. Augustiniana 27 (1964), pp. 167-262, ad indicem (p. 257) s.v.

INDICES

I. Loci Sacrae Scripturae

II. Loci Henrici de Gandavo

III. Index rerum

IV. Index nominum auctorum ac operum

Unerwähnt bleiben Editoren und Herausgeber von Sammelwerken. Bei der alphabetischen Auflistung sind Präpositionen unberücksichtigt geblieben oder übersprungen worden. Die Diphthonge *ä, ö* und *ü* gelten als *ae, oe, ue,* ferner gilt *ß* als *ss.*